1001 CERVEJAS

PARA BEBER ANTES DE MORRER

1001 CERVEJAS
PARA BEBER ANTES DE MORRER

EDITOR GERAL ADRIAN TIERNEY-JONES

PREFÁCIO DE NEIL MORRISSEY

SEXTANTE

Título original: *1001 Beers You Must Try Before You Die*

Este livro foi produzido por:
Quint**essence**
226 City Road
London EC1V 2TT

Impresso na China por Midas Printing Ltd.

Editores de projeto:	Philip Contos, Chrissy Williams
Editores:	Rob Dimery, Becky Gee, Fiona Plowman
Assistente editorial:	Simon Ward
Designer:	Nicole Kuderer
Assistente de design:	Joel Foster
Assistente de pesquisa:	Helena Baser
Gerente de produção:	Anna Pauletti
Diretor editorial:	Jane Laing
Editor:	Tristan de Lancey
Tradução:	Carolina Alfaro, Livia Almeida e Paulo Polzonoff Jr.
Assistente editorial:	Alice Dias
Revisão:	Luis Américo Costa, Bruno Fiuza e Ana Lúcia Machado
Diagramação:	Marcia Raed
Adaptação de capa:	Marcia Raed
Pré-impressão:	Marcelo Morais

CIP-BRASIL. CATALOGAÇÃO-NA-FONTE
SINDICATO NACIONAL DOS EDITORES DE LIVROS, RJ

M581

1001 cervejas para beber antes de morrer / edição dirigida por Adrian Tierney-Jones; prefácio de Neil Morrissey; [tradução de Carolina Alfaro, Lívia Almeida e Paulo Polzonoff Jr]. – Rio de Janeiro: Sextante, 2011.
960p. : 21 cm

Tradução de: 1001 beers you must try before you die
ISBN 978-85-7542-731-6

1. Cerveja - Guias. I. Tierney-Jones, Adrian. II. Morrissey, Neil. III. Título: Mil e uma cervejas para beber antes de morrer.

11-6589. CDD: 641.23
CDU: 641.87:663.4

GMT Editores Ltda.
Rua Voluntários da Pátria, 45 – Gr. 1.404 – Botafogo
22270-000 – Rio de Janeiro – RJ
Tel.: (21) 2538-4100 – Fax: (21) 2286-9244
E-mail: atendimento@esextante.com.br
www.sextante.com.br

SUMÁRIO

PREFÁCIO

Por Neil Morrissey

Há um cheiro de mudança no ar – e essa mudança envolve aquela que é a mais improvável candidata a protagonista do renascimento cultural e gastronômico do álcool: a cerveja. Este belo livro exibe 1.001 cervejas em todo o seu esplendor – de artesanais a ales tradicionais, de cervejas gastronômicas a exemplares populares – e todas são de primeira linha. Essa maravilhosa bebida está subindo de patamar: hoje, alguns dos restaurantes mais sofisticados do mundo oferecem degustação de cervejas.

Diante desse novo cenário, é comum algumas pessoas pensarem na cerveja como o novo vinho. Isso é besteira – a cerveja já era degustada como uma bebida de importância culinária quando a uva ainda nem pensava em virar vinho. A mais antiga receita conhecida – entalhada numa lasca de pedra da antiga Mesopotâmia datada de alguns milhares de anos antes de Cristo – é de cerveja.

Ela é saboreada desde os faraós e guerreiros sumérios até os entusiastas de hoje, como os escritores Adrian Tierney-Jones e Pete Brown (sem falar nos produtores artesanais e consumidores como eu). Os egípcios antigos a reverenciavam como uma bebida real e eram sepultados com jarros e grãos de cevada para se sustentarem no outro mundo. Alguns anos mais tarde, o rei Venceslau instituiu a pena de morte para qualquer pessoa que fosse pega exportando seu estimado lúpulo Saaz. Dizem que na Inglaterra medieval era crime servir cerveja de baixa qualidade.

Claro que milhares de anos é muito tempo para aperfeiçoar uma receita, mas só agora é que estamos começando a apreciar o estilo, o equilíbrio e a complexidade das cervejas. Durante a revolução gastronômica dos últimos vinte anos, aos poucos, mas com segurança, estamos educando nosso paladar. As elegantes cidades do norte da Europa – Praga, Berlim, Bruxelas e Londres – têm tradições firmemente concentradas nos cereais, mas depois que você explora sob a superfície das marcas mais populares, descobre toda uma variedade de cervejas artesanais que rivalizam com os melhores vinhos e conhaques. Das pilseners florais, meladas e amanteigadas às cervejas de trigo azedas, amargas e herbáceas, são bebidas com um valor gastronômico inestimável.

Ervas, especiarias e outros aditivos como mel são, por tradição, empregados na venerada arte da produção cervejeira. Com sua variedade de cores, sabores, texturas, equilíbrio e harmonização para culinárias de diferentes lugares, certas cervejas jamais desapareceram;

apenas se perderam em meio ao assombroso volume de lagers baratas e sem sabor. Mas depois do domínio do mercado pelo vinho, na década de 1980, que fez o ataque da Cavalaria de Balaclava parecer uma guerra de soldadinhos de chumbo, a cerveja do mundo da alta gastronomia parece ter se reorganizado. Ainda bem que não se pode manter uma coisa tão boa com uma má reputação por muito tempo.

Polêmicas alimentares recentes geraram um questionamento muito sério a respeito da origem do que comemos. À medida que nossa compreensão dos métodos de produção intensivos e dos procedimentos antiéticos de cultivo aumenta, também aumenta nossa demanda por produtos locais e por alimentos melhores. Os mercados que vendem diretamente dos produtores estão prosperando, o movimento orgânico vive seu auge, queremos sabor e não nos importamos de gastar um pouco de tempo para cultivar nossos próprios alimentos. Voltamos a dar valor ao paladar em vez de recebermos ordens do mundo da moda – e é aqui que entra a cerveja. As cervejas de que estou falando são produtos artesanais, feitas de receitas aperfeiçoadas ao longo dos séculos. Como consumidores, estamos retornando aos alimentos sazonais e locais e à culinária regional, e as cervejas incluídas neste livro têm a capacidade de evocar e melhorar os sabores dos alimentos com os quais combinam. A culinária picante da Ásia e da Índia – que hoje já virou parte da cultura gastronômica do Ocidente –, por exemplo, combina muito mais com os cereais do que com a uva.

Num mundo onde existem tantos sabores de cervejas quanto de comidas, e uma cerveja diferente para cada ocasião, é possível saborear essa bebida com o mesmo nível de admiração que, na Antiguidade, levou os faraós a adorarem-na. Agora que nos livramos das restrições da ignorância no que diz respeito ao vinho – quando não éramos capazes de admirar nada além de uma garrafa doce de *liebfraumilch* –, já é hora de usar o chapéu de "gastronauta" novamente. Para todos os que amam os sabores, não será nenhum sacrifício salivar, babar e beber ruidosamente, do começo ao fim, as cervejas deste livro inspirador e informativo.

Yorkshire, Reino Unido

INTRODUÇÃO

Por Adrian Tierney-Jones

Há mesmo 1.001 cervejas no mundo dignas de serem bebidas? Essa é uma pergunta que ouvi várias vezes enquanto organizava este livro. A resposta mais simples seria "sim", mas é claro que nunca paro por aí, porque para mim cada cerveja é uma obra de arte. Depois de uma hora me ouvindo falar entusiasticamente sobre as glórias dessa bebida, sobre a exuberante variedade de cervejas disponíveis no mundo todo, os estilos, os tipos de lúpulo, os métodos de fermentação, os lugares onde podem ser apreciadas e assim por diante, a maioria das pessoas deseja nunca ter feito a pergunta.

Para os entusiastas das cervejas, por outro lado, a polêmica é outra. Que critérios usei para compor minha lista? Será que incluí sua cerveja preferida? E, se não, por quê? Os adoradores da bebida podem ser tão fanáticos por ela quanto qualquer fã de esportes é louco por seu time de futebol.

Decidi escrever um manifesto para provocar e ao mesmo tempo explicar por que eu e minha excelente equipe de redatores tomamos nossas decisões. Minha ideia era satisfazer os curiosos e, quem sabe, estimular o debate (e alguma polêmica) sobre o assunto. Os motivos que levaram à escolha da cerveja X e não da Y tinham de ser claros como uma taça de cristal. Não poderia haver ambiguidade, hesitações ou arrependimentos. Infelizmente, não experimentei todas as cervejas contidas nestas páginas – elas são uma lista de desejos também para mim.

Assim, escrevi o seguinte: "Minha equipe e eu escolhemos estas cervejas porque elas são ótimos exemplos da habilidade na produção de cerveja, são saborosíssimas e lembram repetidamente o porquê de a cerveja ser a melhor bebida do mundo: ela une as pessoas, inspira a sociabilidade e desperta toda uma nova dimensão de contemplação sensorial. As cervejas também foram escolhidas porque representam a devoção, a criatividade, a inspiração e a inegável alegria de viver que os cervejeiros incluem em suas bebidas.

Todas as cervejas têm uma história para contar. Algumas, muito mais antigas e admiráveis do que outras, têm um passado que está no mesmo nível das mais nobres famílias: representam uma tradição que passa pela cerveja como um rio que abre caminho até o mar. São exemplos da herança cultural cervejeira dos seus países, têm um histórico que vem de nações como Alemanha, Bélgica, Inglaterra, Escócia e Estados Unidos. Isso sem falar da República Tcheca, onde a cerveja caracteriza um estilo de vida. Muitas das marcas incluídas aqui estão disponíveis em algum lugar perto de você, num bar ou restaurante, numa loja de bebidas ou na internet. Outras estimularão as pessoas a juntarem dinheiro para fazer uma viagem a algum paraíso cervejeiro. Assim, este é um livro tanto sobre cerveja quanto sobre viagens.

Algumas cervejas estão aqui porque representam algum tipo de inovação no processo de fabricação. São cervejas que amadurecem em barris de madeira, tão complexas e de sabores tão concentrados quanto os dos melhores uísques. São cervejas envelhecidas e oxidadas que morreram e atravessaram o vale das sombras da morte, emergindo triunfantes e ressuscitando. São cervejas que brilham como o sol numa taça, alegres e reafirmando a vida, numa conversa animada entre lúpulos e maltes perfeitamente combinados. Há souts escuras e amargas, porters e dunkels. Há cervejas que tocam um carrilhão de sinos com suas notas sensuais de lúpulo – importantíssima peça no quebra-cabeça da produção cervejeira. Há bebidas frutadas, que nascem depois que cerejas e sabugueiros são acrescentados ao processo de maturação. Há cervejas misturadas com especiarias, café, chocolate e até sal e pimenta."

Esta é a parte poética das minhas escolhas, mas à medida que você virar as páginas deste livro, vai se deparar com textos abrangentes sobre cervejas de sucesso que chegam a praticamente todos os cantos do planeta. Hoje existem cervejas fabricadas numa escala industrial que não podem ser consideradas "inovadoras" nem pela mente mais imaginativa, mas realmente achei que seria errado ignorar uma stout criada em Dublin e hoje produzida no mundo todo ou uma lager norte-americana que fez parte da cultura cervejeira alemã que varreu os Estados Unidos em meados do século XIX.

Apesar de este livro estar cheio de bebidas maravilhosas, ele não é uma lista das "melhores" cervejas do mundo (assim como várias pessoas que escrevem sobre o assunto, acredito que a melhor cerveja é aquela que combina perfeitamente com o que quer que você esteja fazendo no instante em que a bebe). Este livro é uma lista de cervejas que você realmente deveria experimentar antes de deixar este mundo – nem que seja para descobrir de quais você não gosta.

Nos últimos trinta anos, o mundo cervejeiro passou por uma mudança sísmica que jogou uma luz sobre uma nova geração de cervejas e cervejarias. No Reino Unido, cervejas em barris, aparentemente destinadas à extinção nos anos 1970, renasceram com a Campanha em Prol da Real Ale, um movimento que ajudou a dar início a toda uma nova onda de microcervejarias (no momento em que escrevo estas linhas o número chega perto de 700). Produzir sua própria cerveja e vendê-la a conhecedores do assunto nunca foi algo tão comum. A variedade de cervejas no Reino

Unido inclui tanto as marcas consagradas, como a Adnams Broadside, a Fuller's London Pride e a Theakston's Old Peculier, quanto as novatas, como as BrewDog's IPA, Thornbridge's Jaipur e Purple Moose's Snowdonia Ale. A indústria cervejeira britânica, há tanto tempo preocupada em preservar seu estilo, hoje está se espalhando para outros campos, aproximando-se dos Estados Unidos em termos tanto de produção quanto de paladar.

Nos Estados Unidos, o ressurgimento das ales e a legalização da produção caseira em 1978 ajudaram a dar início a uma revolução semelhante. Velhos estilos de cerveja ressuscitaram, novos estilos nasceram e, hoje, as cerca de 1.400 cervejarias norte-americanas são algumas das mais interessantes do mundo. O Grande Festival Norte-Americano de Cerveja de 2009 tinha 78 categorias – assim, se você quiser uma IPA, uma porter ou uma ale de verão ao estilo inglês, terá uma grande variedade para escolher. A criatividade é outro fator essencial na indústria cervejeira, com alguns incríveis exemplares envelhecendo em barris de madeira durante vários meses e desenvolvendo sabores e aromas profundos.

O ressurgimento da porter é uma história de sucesso especialmente interessante no renascimento da cervejaria artesanal. A Guinness produziu seu último lote em 1972 – ironicamente, neste mesmo ano a cervejaria Anchor de São Francisco produzia pela primeira vez uma versão achocolatada e com toques de café. Nos anos 1980, pioneiros da indústria cervejeira no Reino Unido e nos Estados Unidos continuaram fabricando porters. Hoje em dia, esse estilo de cerveja, que surgiu no século XVIII, faz parte da linha de produção de cervejarias de diversos países.

Quando comecei a discutir este livro com a minha equipe, a primeira questão foi: em que ordem deveríamos colocar as cervejas? Primeiro pensamos em agrupá-las em estilos, como pale ales, doppelbocks e cervejas frutadas. Isso, contudo, parecia uma visão potencialmente polêmica. Assim, acabamos decidindo usar como critério a cor: âmbar, loura, branca, escura e especiais. Certo, a última não é uma cor, mas precisávamos de uma categoria para as cervejas que não se encaixassem em nenhuma das outras! Eis como as agrupamos:

Âmbar – a maioria das ales de alta fermentação (ao contrário das lagers de baixa fermentação), as cor de cobre, de bronze e âmbar, as amargas e ales, as IPAs e as pale ales.

Loura – lagers, golden ales leves, algumas IPAs, pale ales e outras do gênero.

Branca – maioria das cervejas que chamamos de "brancas" é de cervejas de trigo; algumas são âmbar e outras, louras. O uso da palavra "branca" vem da época em que a maioria das cervejas era escura e as produzidas com bastante trigo maltado eram mais claras, sendo portanto chamadas de "brancas".

Escura – entre as cervejas escuras estão as stouts, porters, algumas brown ales e dark lagers.

Especiais – aqui colocamos as lambics (por conta do seu processo de fermentação único), cervejas frutadas, cervejas envelhecidas em tonéis de madeira e quaisquer outras que não se encaixem nas definições anteriores.

Outra questão complicada foi o nome das cervejas. Decidimos usar o nome como ele aparece no rótulo, e não um nome genérico, como "IPA", "Grand Cru" ou "Kriek". Por questões de clareza, para não dar margem a dúvidas, incluímos também o nome da cervejaria. Depois listamos as cervejas em ordem alfabética dentro de cada capítulo.

Este livro não representa a opinião de apenas uma pessoa, e sim o conhecimento e a opinião de mais de 40 especialistas de vários países. Já conheço bem a paixão e a curiosidade dos meus colegas britânicos que escrevem sobre cervejas, mas fiquei perplexo ao ver o entusiasmo dos pesquisadores ao redor do mundo. Os americanos contribuíram com seu conhecimento sobre a revolução de sabores que ocorre no país. A Austrália e a Nova Zelândia foram representadas por experts que revelaram todo um novo mundo de cervejas artesanais. Os europeus contribuíram com seu conhecimento quase mítico sobre a fabricação de cerveja no Velho Mundo. As imagens também merecem menção especial. Os fotógrafos tomaram o cuidado de fotografar as cervejas na temperatura ideal sugerida pelos produtores e, sempre que possível, no copo apropriado.

Este é meu terceiro livro sobre cervejas. Escrever as últimas palavras é como chegar ao fim de uma jornada. Mas para o leitor é apenas o começo. Espero que você aprecie essa jornada e que ela dure por toda uma vida longa e feliz. Como eu disse no início desta introdução, as cervejas deste livro são obras de arte – se são Leonardo da Vinci, Andy Warhol ou Jack Vettriano, é você que vai decidir.

Índice de cervejas por país

Estônia

Etiópia

Finlândia

França

Grécia

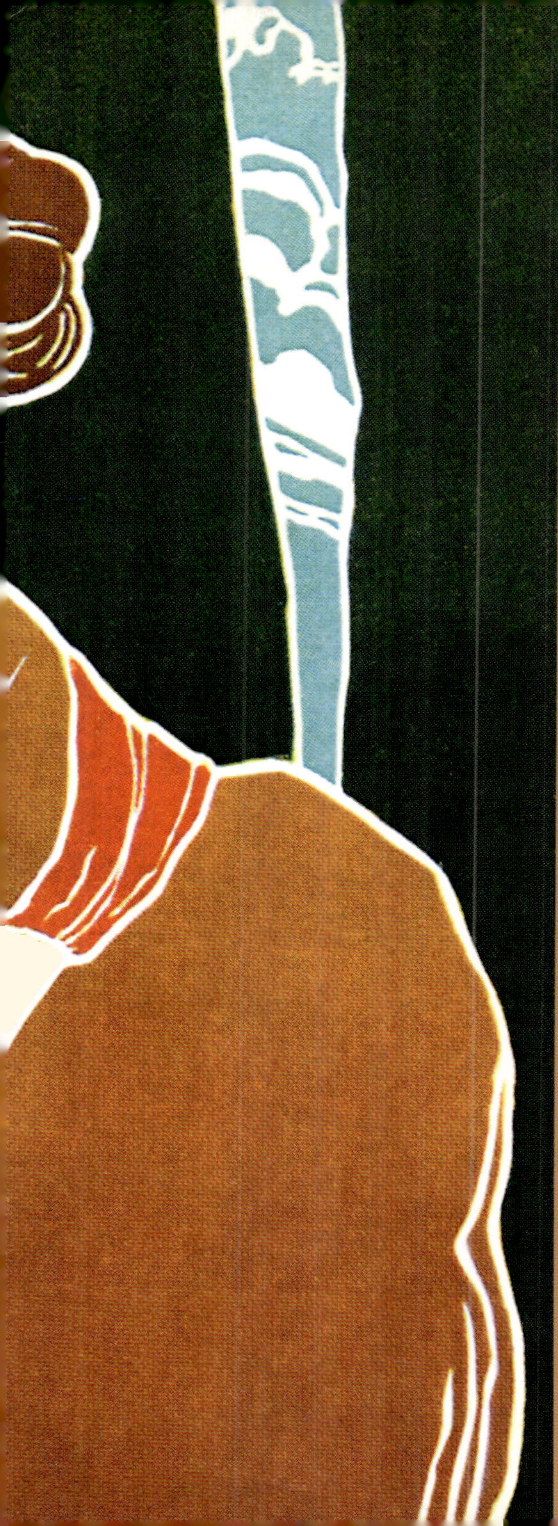

ÂMBAR

5 Barrel Pale Ale

Odell Brewing Company | www.odellbrewing.com

País de origem Estados Unidos
Lançada em 1994
Teor alcoólico 5,2% vol.
Temperatura ideal 7°C

Quando Doug Odell abriu sua microcervejaria no Colorado, em 1989, ela era apenas a segunda do estado. Cinco anos depois, em 1994, Odell expandiu o negócio instalando uma unidade de produção para cinquenta barris. Mas, para manter a criatividade afiada, também se equipou com uma cervejaria-piloto para cinco barris, com o objetivo de fazer pesquisas, experiências e, talvez o mais importante, se divertir.

Os cervejeiros começaram a trabalhar imediatamente na nova unidade-piloto e, nas primeiras cinco levas, criaram cinco amostras experimentais de uma pale ale – uma após a outra, em rápida sucessão – tentando cumprir exigentes especificações. Por ser a primeira bebida criada na microcervejaria-piloto para cinco barris, Odell decidiu que seria apropriado batizá-la de 5 Barrel Pale Ale. Como acontecia com o restante da produção de Odell na época, só estava disponível na torneira. Mas em 1996 a cervejaria passou a contar com uma linha de engarrafamento e a 5 Barrel Pale Ale foi das primeiras selecionadas.

A equipe diz que a pesquisa levou à descoberta "de novos processos de exposição do lúpulo que a Odell acredita que possibilitam perfis perfeitos de sabor e aroma". A produção da 5 Barrel Pale Ale envolve oito diferentes adições e meia dúzia de variedades de lúpulo. Também inclui a infusão de lúpulos integrais tanto no *hopback* quanto no fermentador. A equipe acredita que isso fornece um sabor e um aroma de lúpulo singularmente frescos e vivazes.

A 5 Barrel Pale Ale ganhou numerosos prêmios na Feira Municipal de Los Angeles, no Grande Festival Americano da Cerveja e no Festival de Cerveja e Uísque de Estocolmo, bem como uma medalha de ouro no Prêmio Norte-Americano de Cerveja em 2008. **JB**

Notas de degustação

A 5 Barrel, da Odell, possui cor âmbar brilhante com uma densa espuma branca. O nariz é rico, com lúpulo picante e cítrico e aromas cálidos e maltados que lembram pão. Com uma textura cremosa na boca e a personalidade vibrante do lúpulo, esta cerveja realmente se destaca por sua estrutura de malte abiscoitado e seu gosto residual doce e seco.

V Cense

Brasserie de Jandrain-Jandrenouille | www.brasseriedejandrainjandrenouille.be

País de origem Bélgica
Lançada em 2008
Teor alcoólico 7% vol.
Temperatura ideal 7°C

A V Cense – como no francês *cinq sens*, ou simplesmente "quinto sentido", se preferir – recebe seu nome de algumas fontes. Se a IV Saison foi a quarta filha de seus produtores, esta aqui foi a quinta. Enquanto a IV Saison possui quatro ingredientes, esta contém cinco – com a adição de uma especiaria que preferem não divulgar por algum motivo. O nome também é um jogo de palavras, pois *cense*, em francês, é uma palavra empregada para se referir à "fazenda", como a propriedade do Brabante valão onde a cerveja é produzida.

A V Cense é aquilo que os lupulomaníacos costumam chamar de "bomba cítrica". Os cervejeiros Stéphane Meulemans e Alexandre Dumont conseguem obter um aroma concentrado de fruta a partir dos lúpulos, incluindo um período de *dry hopping* com a variedade Amarillo. A cerveja tem, acima de tudo, um perfume semelhante ao de tangerinas doces. A inspiração vem, em parte, das IPAs americanas, lupuladas, mas sem aquele amargor que, com frequência, reveste a língua e prejudica o prazer de beber. A V Cense, com certeza, oferece esse prazer com fartura, com seus furtivos 7% de álcool escondidos com toda a segurança por trás do sabor revigorante e vibrante do lúpulo. Quando lhe indagaram que tipo de cerveja era V Cense, Dumont respondeu: "É uma cerveja perigosa, é isso o que ela é." Também ganha um toque de doçura dos maltes Munique e caramelo – apesar do uso generoso de lúpulos americanos, os cervejeiros queriam criar uma bebida que fosse tipicamente belga.

Depois de IV Saison e V Cense... o que virá? Os cervejeiros brincam que planejam "fazer como em *Guerra nas Estrelas*", com os episódios IV, V e VI aparecendo antes dos I, II e III. Cinéfilos que apreciam cerveja com toda a certeza esperam que os capítulos seguintes sejam ainda melhores do que os primeiros. **JS**

Notas de degustação

Quando servida, apresenta um belo tom brilhante de âmbar. O nariz é cheio de tangerina com notas de toranja, limão e frutas tropicais. O sabor equilibrado é levemente doce e moderadamente amargo, combinando-se bem com aquele suculento pano de fundo aromático. Gosto residual frutado e duradouro.

6-Korn Bier

Pyraser Landbrauerei | www.pyraser.de

País de origem Alemanha
Lançada em 2003
Teor alcoólico 4,7% vol.
Temperatura ideal 8°- 10°C

É suave sem ser vazia; adocicada sem ser pegajosa; sutil e, ao mesmo tempo, complexa. Mas, acima de tudo, é singularíssima entre os estilos alemães. Feita com seis diferentes grãos maltados, a 6-Korn Bier, da Pyraser, foi criada para se destacar na multidão de cervejas produzidas em massa.

O mestre cervejeiro Helmut Sauerhammer costumava fazer experiências com cervejas multigrãos em sua Lindwurmbräu, em Heideck. Teve sucesso com uma ale de cinco grãos. Infelizmente, ele e sua cervejaria foram à falência. Sem perder nada da criatividade e da habilidade, ele começou a trabalhar na Pyraser Landbrauerei, cervejaria que, com uma ampla gama de criações exclusivas e sazonais, tais como uma pilsen feita com lúpulos frescos, demonstrou ser mestre em inovações. Contratado para produzir algo de novo, que pudesse ser vendido além da Francônia, Sauerhammer pôs mãos à obra.

A 6-Korn Bier da Pyraser é feita com 20% de trigo e 20% de cevada, sendo que o primeiro fornece os aminoácidos necessários para uma fermentação mais rápida enquanto o segundo funciona como principal fornecedor de amido; 40% são de espelta, que dá um aroma frutado, de nozes. Completam sua composição o centeio, que contribui com um vigor picante; farro, para um sabor pleno e equilibrado; e aveia, para notas cremosas, de mel. Devido a sua doçura residual, ela passa por uma suave fermentação na garrafa e termina surpreendentemente seca. Na Francônia, a cerveja encontrou um seleto grupo de apreciadores. Porém, à medida que cereais alternativos como a espelta e o farro se tornam mais populares, ela ganha cada vez mais admiradores. Seu ponto de venda mais setentrional é a cidade de Bremen, embora também viaje para a Áustria, a França e a China. **SK**

Notas de degustação

Laranja opalino com toques rosados; espuma belga de duração um tanto curta. Espere encontrar um nariz granulado com ésteres frutados, ligeiramente azedos; toque cremoso na boca; notas de mel combinadas com uma granulosidade pronunciada e um vigor sutil que evolui. Gosto residual brando, mas seco.

90 Shilling

Odell Brewing Company | www.odellbrewing.com

País de origem Estados Unidos
Lançada em 1989
Teor alcoólico 5,6% vol.
Temperatura ideal 13°C

Quando Doug e Wynne Odell deixaram Seattle, no estado de Washington, em 1989, para abrir a segunda microcervejaria do Colorado, ninguém poderia prever que a cidade escolhida se tornaria um microcosmo da produção cervejeira dos Estados Unidos. Além de conhecer a Odell Brewing, que se transformou em uma operação regional que vende ales para nove estados, um turista apaixonado por cervejas que esteja de passagem por Fort Collins pode experimentar tanto a variedade de dimensões das cervejarias norte-americanas como também sua diversidade de estilos.

Bem nos arredores da cidade, a Anheuser-Busch InBev controla uma de suas cinco cervejarias abertas para visitas, a colossal fábrica que produz a Budweiser, voltada para o grande público, e as cervejas especiais Michelob. No perímetro urbano, a Odell fica a poucos passos da New Belgium Brewing, uma das maiores produtoras artesanais do país. Há ainda a Fort Collins Brewery e o Coopersmith's Pub and Brewing, que permanece como um marco na praça da cidade.

Os Odell instalaram sua primeira cervejaria em um elevador de grãos construído em 1915, empregando seus quatro pisos para montar um tradicional sistema de alimentação à base da força da gravidade, que se inspirava na tradição britânica e empregava a fermentação aberta. Em 1994, construíram as instalações atuais, para cinquenta barris, vendendo apenas cerveja na pressão até a instalação de uma linha de engarrafamento em 1996. Na festa de inauguração, quando foi apresentada a 90 Shilling, carro-chefe da Odell, poucos bebedores do Colorado sabiam o que esperar de uma bebida com nome tão singular, inspirado pelo antigo método escocês de cobrar impostos sobre cerveja. O número "90" se refere à qualidade da cerveja e não a sua robustez, pois ela foi criada desde o início como uma versão "mais leve" de uma ale escocesa. **SH**

Notas de degustação

Cores vivas e intensas de cobre no copo, coroadas por uma espuma cor de canela. Aromas de caramelo se transformam em sabores ainda mais intensos de caramelo queimado com toques de chocolate e um leve frutado que também se junta no palato. Relativamente seca no final, com características de nozes que perduram na lembrança.

1612er Zwicklbier

Hofbräuhaus Traunstein
www.hb-ts.de

País de origem Alemanha
Lançada em 1612
Teor alcoólico 5,3% vol.
Temperatura ideal 7°- 8°C

As cervejas Zwickel (ou Zwickl) seguem o mesmo estilo tradicional das Kellerbiers: sem filtragem, servidas direto da barrica (ou do tanque de acondicionamento) e naturalmente turvas no copo. Esse estilo parece contrariar a obsessão germânica por clareza e continuidade, mas muitos cervejeiros ainda produzem uma Zwickelbier e o estilo é visto com mais frequência no sul do país, especialmente na Baviera.

A Hofbräuhaus Traunstein data de 1612, quando o duque bávaro Maximiliano I fundou uma cervejaria exclusivamente para a produção de Weissbier. Hoje sua gama de bebidas também inclui uma pilsen e uma dunkel. Os lúpulos vêm de fazenda própria, na região de Hallertau, enquanto o malte é produção local, fato de que muito se orgulha a Hofbräuhaus Traunstein. A 1612er só está disponível nos restaurantes e bares da cervejaria, que oferecem as melhores condições para a maturação. **WO**

Notas de degustação

Naturalmente turva, com cor âmbar; toque de lúpulo floral no nariz; na boca, notas nítidas maltadas, além de um toque picante da levedura. O final apresenta um agradável amargor de lúpulo.

1698

Shepherd Neame
www.shepherd-neame.co.uk

País de origem Inglaterra
Lançada em 1998 (relançada em 2005)
Teor alcoólico 10,5% vol. (no relançamento 6,5% vol.)
Temperatura ideal 9°- 11°C

Em 1998, quando a Shepherd Neame completou 300 anos, houve o lançamento de uma cerveja comemorativa chamada simplesmente de 1698. Foi acondicionada em garrafas grandes, em marrom-escuro, e era assustadoramente forte, com teor alcoólico de 10,5%. Foi vendida durante um ano e depois retirada do mercado.

Alguns anos depois, decidiu-se ressuscitar a 1698 com algumas mudanças sutis, mas importantes. Foi escolhida para ser a nova cerveja engarrafada da Shepherd Neame. A cervejaria tinha renovado sua linha de engarrafamento, aprimorando os padrões microbiológicos. A nova 1698 difere da versão anterior por receber lúpulo em três tempos. Isso quer dizer que os lúpulos Target entram em cena cedo, no cobre, para dar amargor; lúpulos Golding são adicionados mais tarde, para o aroma; e mais Golding ainda é lançado ao redemoinho quando a cerveja está sendo coada e preparada para a fermentação. Quando a 1698 reapareceu, foi recebida com elogios rasgados da crítica. **JE**

Notas de degustação

De cor acobreada, grande, suave, esta ale tem um aroma atraente de malte, drops de pera e lúpulos suavemente relvados. A amargura se desenvolve no final seco, com malte, lúpulo e frutas.

1999

Cervejaria Baden Baden
www.cervejariabadenbaden.com.br

País de origem Brasil
Lançada em 2004
Teor alcoólico 5,2% vol.
Temperatura ideal 8°C

A cervejaria Baden Baden não tentou reinventar as bitter ales inglesas: a 1999 presta uma simples homenagem a este estilo clássico, muito raro na América do Sul. Esta cerveja está longe de ser pretensiosa. É familiar, de uma forma animadora, e agradavelmente simples. O cervejeiro Otto Siegfried Dummer é formado pela Academia Doemens, em Munique, e supervisiona a produção de onze bebidas. A reputação da Baden Baden vem se espalhando com rapidez, não apenas no Brasil como também pelo resto do mundo, e a 1999, sem dúvida, é uma das razões para esse crescente sucesso.

A cervejaria percorreu, bem depressa, um longo caminho, sem comprometer seus elevados padrões. Localizada em Campos do Jordão, ela possui um restaurante onde servem tradicionais iguarias suíças e alemãs, acompanhadas por cerveja. A cidade, que há muito se tornou um popular destino de fim de semana para os brasileiros, agora ganha fama internacional graças à microcervejaria. **AH**

Notas de degustação

Aromas de malte de cevada com toques de caramelo e notas de madeira, no paladar, abrem caminho para malte seco e amargo antes de terminar com um gosto residual ligeiramente doce. Harmoniza-se com carnes brancas e vermelhas.

Aardmonnik

De Struise Brouwers
www.struisebrouwers.be

País de origem Bélgica
Lançada em 2006
Teor alcoólico 8% vol.
Temperatura ideal 12°C

As old brown flamengas podem ser das mais satisfatórias sour ales (ales azedas) do planeta. Quem não as conhece talvez se sinta desencorajado pelo uso da palavra "azeda", porém trata-se de um estilo complexo e revigorante que merece ser examinado com toda a atenção. Essas cervejas também ostentam uma linhagem impressionante – o estilo, que em geral é uma combinação de uma série de ales escuras envelhecidas em barris de carvalho, remonta a centenas de anos. Porém, uma das mais complexas e mais azedas entre elas é uma novata: Aardmonnik. Ela combina 30% de cerveja envelhecida e 70% de jovem, armazenada em barris de carvalho francês (previamente usados para vinhos da Borgonha) por, no mínimo, dezoito meses. O cervejeiro Urbain Cotteau diz que as leveduras continuam a devorar todos os açúcares na Aardmonnik por muito tempo depois do engarrafamento, o que ajuda a produzir uma bebida muito seca. A carbonatação também é propensa a aumentar com o tempo, à medida que essas leveduras sacodem suas varinhas mágicas. **CC**

Notas de degustação

Ao ser servida, apresenta uma coloração vermelho-amarronzada com carbonatação limitada. Muito picante e azeda ao paladar, bem complexa, com notas de cereja, figo, ameixa e carvalho. Bastante seca, com um toque de álcool no final.

Abbaye des Rocs

Brasserie de l'Abbaye des Rocs | www.abbaye-des-rocs.com

País de origem Bélgica
Lançada em 1979
Teor alcoólico 9% vol.
Temperatura ideal 13°C

Quando alguém emprega a expressão genérica "ales da Valônia", pode ser que tenha em mente exatamente as cervejas da Abbaye des Rocs. Produzidas no deslumbrante vilarejo de Montignies-sur-Roc, na região ocidental de Hainaut, perto da fronteira com a França, suas cervejas são fortes, condimentadas, boas de serem consumidas com alimentos e, em geral, encontradas em garrafas de 750 mililitros, ideais para serem compartilhadas.

A ale marrom-avermelhada, produzida inicialmente em 1979, é tão famosa que a palavra "Brune" costuma ser esquecida. Esta cerveja belga de abadia é típica pelo fato de não ter praticamente nenhuma relação com uma abadia em atividade. Ao avaliar tais bebidas, quando se quer agir com delicadeza, diz-se que são inspiradas nas fortes ales produzidas pelos monges trapistas, que deram fama à Bélgica. Para os cínicos, trata-se de uma estratégia de marketing. Decerto nada disso importa quando a cerveja vale a pena – e esta costuma valer (trata-se de um produto artesanal e por isso pode apresentar inconsistências).

Ao contrário de muitas cervejarias belgas, a Abbaye des Rocs evita o açúcar, que costuma ser adicionado com muita frequência como adjunto, para dar mais leveza ao corpo e aumentar a força alcoólica. A Brune apresenta agradáveis sabores de caramelo, mais intensos do que é habitual em muitas escuras belgas. Essa espinha dorsal de malte é basicamente a única coisa que impede que as pesadas especiarias se tornem excessivas. A inconsistência artesanal significa que algumas garrafas apresentam boa complexidade e equilíbrio, enquanto outras são verdadeiras bombas de alcaçuz. A levedura, por sua vez, pode destacar notas de figo, ameixa ou de outras frutas secas com caroço. A Abbaye des Rocs Brune tem suficiente grandeza para acompanhar um filé, mas também cai bem com queijo e salsichão defumado. O importante é compartilhá-la. **JS**

Notas de degustação

Quando servida, apresenta cor castanho-escura, com reflexos vermelhos e alaranjados e espuma cor de canela. O nariz é denso, com anis, açúcar mascavo e notas de cravo e frutas escuras. O sabor adocicado de caramelo termina pouco antes de se tornar enjoativo, com amargor moderado para garantir o equilíbrio. Muito anis como pano de fundo. Calor alcoólico muito bem-vindo.

Achel Bruin Bier Extra

Brouwerij der Trappistenabdij De Achelse Kluis | www.achelsekluis.org

País de origem Bélgica
Lançada em 2002
Teor alcoólico 9,5% vol.
Temperatura ideal 8°- 10°C

Um teor alcoólico de 9,5% não chega a ser algo de extraordinário para uma ale trapista – porém a decisão da Achel de produzir esta cerveja forte foi revolucionária. A produção havia recomeçado no distante mosteiro de Achel, situado na fronteira entre a Bélgica e a Holanda (a cervejaria e o mosteiro ficam em Flandres, mas boa parte de suas propriedades encontram-se na Holanda), em 1998, depois de um intervalo de 82 anos. A pequena cervejaria no refeitório era diferente daquelas de outras abadias, pois suas bebidas eram destinadas aos numerosos andarilhos e ciclistas que visitavam os bosques dos arredores.

Para essas pessoas, bebidas com teor alcoólico exuberante não eram exatamente a opção ideal para renovarem as forças. As cervejas claras e escuras, vendidas na pressão, apresentavam modestos 5% vol. Gradualmente, o engarrafamento assumiu um papel de maior destaque na produção, especialmente quando o padre Antoine uniu-se ao jovem cervejeiro Marc Knops, tranquilo, mas workaholic, que não se furtava de preparar três ou até mesmo quatro levas por dia.

A cerveja engarrafada pode conter mais potência e assim, para o Natal de 2002, surgiu uma criação especial batizada de De 3 Wijzen – referência aos Três Reis Magos. Não é exagero dizer que ela fez sucesso imediato entre os especialistas e que houve pressão para que se tornasse um item permanente. Conhecida agora como Extra, continua a ser a cerveja mais forte gerada a partir de um claustro da província de Limburg. Quem visita o refeitório também pode assistir, sem qualquer constrangimento, à preparação da bebida, pois toda a cervejaria foi montada por trás de paredes de vidro – também uma verdadeira raridade em se tratando de produção ligada à ordem trapista. **JP**

Notas de degustação

Coloração escura, castanha, com um fulgor âmbar e esplêndida espuma amarelada. Anéis rendados surgem em volta do vidro. Nariz de maltes escuros, tostados, fondant de chocolate e noz-pecã. Gosto achocolatado, com nozes e lúpulos ao final. Sensação ligeiramente oleosa (de noz) na boca.

Adelscott

Brasseries Fischer & Adelshoffen | www.heineken-entreprise.fr

País de origem França
Lançada em 1982
Teor alcoólico 6% vol.
Temperatura ideal 9°C

A intricada natureza da produção cervejeira na Europa não poderia ser mais bem exemplificada do que pelas Brasseries Fischer & Adelshoffen, situadas em Schiltigheim, perto de Strasbourg, na fronteira franco-germânica. Fundada por Jean Fischer com o nome de Brasserie de l'Ors Blanc em 1821, em Strasbourg, a Fischer se transferiu em 1854 para Schiltigheim, cidade famosa pela qualidade de sua água. Em 1921, ano de seu centenário, Fischer absorveu a vizinha Adelshoffen para criar a marca Pêcheur ("o pescador"), porém as duas fábricas continuaram em funcionamento. Com o passar dos anos, Fischer e Adelshoffen ganharam reputação por iniciativas e inovações na gama de cervejas oferecidas e no marketing.

A Adelscott au Malt à Whisky, também conhecida como "a cerveja diferente", foi concebida em 1982. Aos poucos, tornou-se um enorme sucesso, com aumento de vendas que se deveu mais ao boca a boca do que à publicidade e ao marketing. Escura, com cor de âmbar polido, a Adelscott foi a primeira a ganhar cor e sabor com malte de uísque defumado na turfa. Desde então, o estilo inspirou tantas cervejarias que agora desfruta de uma subcategoria entre as cervejas defumadas.

Sua vizinha, a Heineken, que também tem uma unidade em Schiltigheim, incorporou o Groupe Pêcheur em 1996. A Heineken anunciou o fechamento da Adelshoffen em setembro de 2000 e, em 2008, decidiu fechar a fábrica da Fischer e transferir a produção para a Brasserie de l'Espérance (também localizada em Schiltigheim) e Mons-en-Barouel. Felizmente, apesar de todas as mudanças, a Adelscott conseguiu sobreviver. **AG**

Notas de degustação

Espuma cor de creme que revela um tom escuro e polido, com aroma defumado. O paladar começa intensamente doce, com notas de caramelo e aparição de vagos sabores frutados, influenciados por mais turfa defumada, até o final seco e ligeiramente ácido.

Adnams Broadside

Adnams | www.adnams.co.uk

País de origem Inglaterra
Lançada em 1972
Teor alcoólico 6,3% vol.
Temperatura ideal 10°- 12°C

Em 1672, a Marinha Real participou de uma desastrosa batalha contra as forças holandesas na costa inglesa, perto da cidade de Southwold, em Suffolk. Justamente no momento em que a Marinha Real se preparava para ganhar o domínio dos mares, a Batalha de Sole Bay terminou em derrota, com o afundamento de embarcações, a morte do Marquês de Sandwich e corpos que apareceram na costa durante muitas semanas.

Essa batalha foi lembrada de forma menos letal 300 anos depois, quando a Adnams Brewery lançou a primeira edição da Broadside, uma cerveja de cor âmbar, rica em sabor frutado, com uma expressão profunda e terrosa de lúpulo. Foi engarrafada apenas naquela época e, como seu teor alcoólico era de 6,3%, permaneceu em garrafa como um produto para conhecedores, a ser consumida ao final da noite. Porem, em 1988, apareceu uma versão em barril.

De acordo com Fergus Gerald, mestre cervejeiro da Adnams: "A empresa acreditou que ela poderia se tornar uma bebida em barril muito popular, mas não com o teor de 6,3%. Por isso os produtores decidiram criar uma versão menos alcoólica que mantivesse o caráter frutado e as características do malte."

Com malte claro produzido regionalmente e as variedades inglesas de lúpulo Golding, Fuggle e First Gold incorporadas à mistura, a Adnams Broadside confirma o compromisso da Adnams de reduzir a quilometragem para a obtenção de ingredientes. Em 2008, essa paixão pela sustentabilidade levou a cervejaria a produzir a primeira cerveja carbono neutro – a East Green –, enquanto o centro de distribuição recém-construído nos arredores de Southwold possui um telhado verde "vivo" e várias características ecologicamente corretas. **ATJ**

Notas de degustação

Proveniente de barril, é ácida, com um amargor forte e complexo, muitos cítricos e especiarias no nariz e uma paleta intensa e satisfatória de rico malte abiscoitado, com notas marcantes de fruta cítrica e um final seco e picante. A versão engarrafada é mais intensa, com mais fruta, e fica perfeita na companhia de um Cheddar forte e maduro.

Adnams The Bitter

Adnams | www.adnams.co.uk

País de origem Inglaterra
Lançada em 1960
Teor alcoólico 4,5% vol.
Temperatura ideal 10°- 13°C

A Adnams é uma das produtoras de cerveja em barrica mais amadas da Inglaterra. Fica no centro de Southwold, uma bela cidade litorânea que, com audácia, enfrenta os encantos e humores instáveis do Mar do Norte. Os pubs da Adnams, lugares onde suas cervejas podem ser apreciadas nas melhores condições, pontilham Southwold. As bebidas também têm uma distinção e uma reputação que cervejarias do mesmo porte fariam qualquer coisa para obter. Durante a década de 1970, quando parecia que as cervejas de barrica estavam à beira da extinção, a produção da Adnams, junto com a de outras como a Wadworth 6X e a Ruddles County, era famosa e destacada pelos *connoisseurs*. Era o tipo de cervejaria que inspirava muitas peregrinações.

A Adnams The Bitter é a joia da coroa. Cheia de grandeza, ela apareceu pela primeira vez em novembro de 1960, quando a Adnams, então uma pequena cervejaria de interior, se preparava para os desafios de uma nova década, tempo em que os bebedores começavam a rejeitar bebidas brandas. A bitter é um dos esteios da cervejaria, ale vigorosa que exibe as qualidades de clássicas variedades inglesas de lúpulo, como Fuggle e Golding. Também passa pelo processo de *dry hopping* com Fuggle. Na panela de brassagem entra cevada clara Maris Otter, cultivada em East Anglia e maltada na região – isso ajuda a reduzir a quilometragem na obtenção dos ingredientes e é apenas um dos aspectos da busca da cervejaria por uma produção sustentável.

No distintivo da bomba e no rótulo, uma bela figura medieval com uma espada chama a atenção do bebedor – é Southwold Jack, uma figura em madeira pintada que remonta à Idade Média e que pode ser encontrada na simpática igreja de Santo Edmundo, na cidade. **ATJ**

Notas de degustação

Uma bitter vigorosa, cujas características terrosas, com lúpulo de perfume alaranjado, recebem o contraponto de um malte abiscoitado, intenso e premente. O final é seco, granuloso, convidando a mais um gole. Referência clássica e global em seu estilo.

Aecht Schlenkerla Rauchbier

Brauerei Schlenkerla | www.schlenkerla.de

País de origem Alemanha
Lançada em 1678
Teor alcoólico 5,2% vol.
Temperatura ideal 7°- 8°C

"Tem gosto de presunto!" O primeiro gole na Rauchbier, da Aecht Schlenkerla, costuma gerar comentários desse tipo. Algumas pessoas a rejeitam no mesmo instante. Outras sentem curiosidade suficiente para dar mais um gole, e outro, e não conseguem parar de saborear esta vigorosa beleza negra. Com teor alcoólico de apenas 5,2%, é provavelmente uma das cervejas radicais mais fracas do mundo. Ganha prêmios em categorias que variam de "a mais esquisita cerveja do mundo" a "melhor especialidade culinária". Ela, de fato, divide opiniões, e tudo se deve a uma receita que leva 100% de malte defumado.

Tudo depende do que se espera. Com a Schlenkerla, espere o sabor mágico do fogo: cinzas, turfa, couro, madeira e notas terrosas misturadas com caramelo, chocolate e aromas tostados – tudo devido à profundidade enigmática dos maltes defumados.

A Aecht Schlenkerla Rauchbier remonta ao século 17, como acontece com a própria cervejaria em Bamberg. O jovem proprietário Matthias Trum gosta de preservar essa tradição. Ainda trabalha seu malte em fogueira com lenha de faia, como faziam os cervejeiros antes de disporem de modernas instalações. O estilo sobreviveu apenas na região de Bamberg onde, para os moradores, a cerveja defumada é uma bebida corriqueira, para se tomar a noite inteira. Fora dessa região, é mais ou menos considerada uma curiosidade. No exterior, é apreciada como uma referência e serve como padrão para cervejeiros artesanais que desejam fazer experiências com malte defumado. Também passou a representar a superespecialidade alemã, mais ainda do que a cerveja de trigo. A Schlenkerla é um clássico de todos os tempos. **SK**

Notas de degustação

Cor viva de rubi e castanha, com espuma densa e bege. Um nariz forte e defumado: turfa, couro, cinzas e aromas terrosos. O paladar oferece um terreno sólido de aromas tostados com sugestões de chocolate e caramelo equilibrados pelo amargor. Sensação aveludada na boca, corpo médio, final seco, com amargor enfumaçado.

Alaskan Amber

Alaskan Brewing | www.alaskanbeer.com

País de origem Estados Unidos
Lançada em 1986
Teor alcoólico 5,3% vol.
Temperatura ideal 9°C

A Alaskan Brewing emprega uma abordagem típica do século 21 para produzir seu carro-chefe, a Alaskan Amber, com uma receita que data de 1900. Compreender o porquê provavelmente exige uma visita a Juneau, onde Geoff e Marcy Larson estabeleceram a cervejaria em 1986. A cidade só pode ser alcançada de barco ou avião e a chegada marítima inclui uma deslumbrante visão da geleira Mendenhall. A geleira recua cerca de 9 metros por ano, um lembrete aos moradores do Alasca do equilíbrio entre homem e natureza.

A Alaskan Brewing foi a primeira cervejaria artesanal dos Estados Unidos a instalar um sistema de correção de dióxido de carbono e a primeira a usar um filtro-prensa para o mosto na brassagem. Ao usar a prensa, poupam-se 3,7 milhões de litros de água por ano e evita-se o transporte de 163 toneladas de bagaço para o continente. Os Larson compreenderam as consequências das marcas deixadas pela cervejaria no meio ambiente bem antes de isso se tornar assunto de conversas em círculos elegantes, bem como a importância de produzir cerveja para consumo dos moradores do lugar, em vez de criar alguma coisa para os turistas em viagem de cruzeiro.

A receita da Alaskan Amber se baseia em uma bebida de uma das cinco cervejarias em funcionamento em Juneau no início do século 20. Marcy Larson pesquisou, usando faturas de mercadorias e matérias publicadas em jornais, informações que Geoff Larson empregou em seus testes. O objetivo, nas palavras de Marcy, era "dar à cerveja uma referência de lugar". As dezesseis primeiras tentativas foram rejeitadas – em uma ocasião, chegaram a descartar dez barris de uma vez – até que, enfim, obteve-se uma leva que era, ao mesmo tempo, digna de ser vendida e devidamente enraizada na história do Alasca. **SH**

Notas de degustação

No copo, apresenta-se em um tom vivo de cobre com uma densa coroa de espuma branca. Maltada ao nariz, com sugestões de fruta. Corpo médio, um pouquinho de biscoito e caramelo emerge no paladar. Final seco e satisfatório. Cerveja sutil que desaparece com velocidade alarmante.

Alaskan ESB

Alaskan Brewing | www.alaskanbeer.com

País de origem Estados Unidos
Lançada em 1989
Teor alcoólico 5% vol.
Temperatura ideal 10°C

Embora a Alaskan Brewing tenha conquistado fama internacional, algumas de suas criações nunca deixam o sudeste do Alasca. A Alaskan ESB, por exemplo, ganhou dúzias de medalhas em competições nacionais e internacionais desde que foi criada em 1989, como uma sazonal denominada "Autumn Ale" (Ale de Outono). Transformou-se em Alaskan Frontier Ale em 1995, uma brincadeira com o apelido do estado – "A última fronteira" – e depois ESB, em 1998, quando os consumidores norte-americanos começaram a conhecer o estilo Extra Special Bitter. Era vendida em garrafas, "lá no sul" (como os moradores do Alasca se referem ao resto dos Estados Unidos), durante o ano inteiro, até 2008. Porém, hoje em dia, é preciso dirigir-se para a região de Juneau para apreciá-la, torcendo para que seja a estação correta. Sob sua forma mais recente, a ESB foi produzida como parte da série "Rough Draft" da Alaskan, com lançamento em outubro de 2009, para que os cervejeiros pudessem conferir-lhe amargor com cones de lúpulo frescos e inteiros, vindos de avião do vale de Yakima, em Washington.

As cervejas Rough Draft são vendidas apenas no Alasca. Embora a Alaskan Brewing comercialize 70% de sua produção fora do estado (que tem um número limitado de consumidores em potencial), ela é uma cervejaria nitidamente regional. Os funcionários desenvolvem com regularidade um número impressionante de novas receitas em um sistema-piloto de um barril, com resultados que ficam disponíveis apenas na sala de recreação da companhia. As melhores são, posteriormente, produzidas no sistema original da Alaskan, de dez barris, para serem distribuídas em barricas. Considerando-se que a cervejaria emprega apenas uma cepa de levedura para todas as bebidas, a gama é surpreendentemente ampla, incluindo exemplos como a cerveja de trigo e framboesa, uma IPA temperada com pimentas jalapeño e uma cerveja de café. **SH**

Notas de degustação

Os aromas de caramelo e nozes e os sabores sugeridos pelo profundo tom de âmbar são compensados por uma medida igual de notas picantes e amargas. De corpo médio, mas perfeito para acompanhar pratos apimentados.

AleSmith IPA

AleSmith Brewing
www.alesmith.com

País de origem Estados Unidos
Lançada em 1999
Teor alcoólico 7,25% vol.
Temperatura ideal 13°C

A AleSmith Brewing é uma entre as diversas cervejarias que abriram as portas em meados dos anos 1990 e que ajudaram a transformar, em menos de uma década, o deserto cervejeiro de San Diego em um verdadeiro oásis. A sala de degustação da AleSmith serviu, no início, como ponto de encontro para os cervejeiros da região, que geralmente traziam bebidas de todo o mundo para prova.

Os lúpulos, com toda a certeza, têm relação com parte da fama de San Diego, e a IPA da AleSmith serve como um excelente exemplo. O cervejeiro Tod Fitzsimmons criou a IPA em casa, acrescentando imensas quantidades de lúpulo nos últimos dez minutos do cozimento, forma ineficiente de se extrair amargor, mas que acentua o sabor e o aroma do lúpulo. "A beleza desta cerveja é como os componentes de malte e lúpulo se exaurem em separado, de forma substancial, em vez de trabalharem para se contrabalançar", diz o dono e mestre cervejeiro Peter Zien, que comprou a cervejaria de Skip Virgilio em 2002. **SH**

Notas de degustação

Lúpulos puros e vibrantes no nariz, pinho, cítricos e abacaxi. Caramelo e frutas do pomar no palato se combinam com sabores de lúpulo semelhantes aos aromas, além de um golpe sólido de amargor.

Alpha Dog

Laughing Dog Brewing
www.laughingdogbrewing.com

País de origem Estados Unidos
Lançada em 2008
Teor alcoólico 8% vol.
Temperatura ideal 7°C

Produzida inicialmente como um projeto-piloto em novembro de 2008, a Alpha Dog demonstrou ser tão popular que a segunda leva foi preparada apenas alguns meses mais tarde, depois que os consumidores pediram por mais.

Com impressionantes 127 IBU, a Alpha Dog carrega um nome com duplo sentido. Por um lado, ele se refere ao alto nível de lúpulos aromáticos (também conhecidos como "ácidos alfa" no amargor do lúpulo). Por outro, o nome indica que se trata de uma cerveja grande, corpulenta. Enquanto desenvolvia a Alpha Dog, o proprietário Fred Colby procurou o conselho de cultivadores de lúpulo, pedindo sua opinião sobre a variedade mais indicada para ajudar sua IPA imperial a se destacar em uma multidão que só fazia crescer. Decidiu usar o lúpulo Columbus junto com Mount Hood para aromatizá-la, bem como para acentuar o amargor. O resultado é um sabor único. Alpha Dog é "a cabeça da matilha" da Laughing Dog, de acordo com Colby. **LMo**

Notas de degustação

A Alpha Dog reveste a boca com uma combinação persistente de pinho e toranja e mais que uma mera sugestão da doçura do mel e do damasco. Os lúpulos aromáticos terminam com uma agradável secura.

Os cones florais desta jovem safra de lúpulos serão empregados na preparação de cervejas. →

Alpha King

Three Floyds | www.3floyds.com

País de origem Estados Unidos
Lançada em 1996
Teor alcoólico 6% vol.
Temperatura ideal 4°C

Nick Floyd vive em um mundo de monstros e alienígenas, criaturas mutantes das matas e princesas que praticam o canibalismo. Ele existe apenas em um momento singular no tempo e no espaço, que surge todas as vezes em que uma cerveja da Three Floyds é liberada da garrafa ou do barril, e foi criado com a ajuda de amigos cervejeiros e artistas, porque o mundo real não é estranho o bastante para Nick.

Ao observar a paisagem cervejeira do Meio Oeste americano em 1996, de sua improvisada cervejaria em uma parte decadente de Hammond, em Indiana, Floyd concluiu que havia uma "falta de cervejas lupuladas" na região e decidiu resolver a situação "usando os melhores maltes que podíamos comprar: o duas fileiras americano, maltes aromáticos alemães e belgas e os melhores maltes Crystal britânicos. E, acima de tudo, chamando atenção para os grandes lúpulos aromáticos americanos".

O "Alpha" do nome é uma referência ao ácido alfa, princípio do lúpulo que introduz o amargor. Como diz Floyd: "Alpha King poderia ser traduzido mais ou menos como Hop King, Rei do Lúpulo." A Three Floyds (os outros dois Floyds são o pai e o irmão, peças fundamentais para o funcionamento da cervejaria) realiza um concurso chamado de Alpha King Challenge (Desafio Alpha King) todos os anos, para encontrar bebidas de outros produtores que celebram o lúpulo com o mesmo entusiasmo da Alpha King. É uma bebida para os verdadeiros fãs, intimidante na boca, que costuma receber altas cotações nos rankings de sites especializados na internet. Não é uma típica pale ale. Tem um tom dourado profundo, quase vermelho, e, de alguma forma, consegue encontrar espaço para ser, ao mesmo tempo, imensamente maltada, apesar das ultrajantes quantidades de lúpulo. Como uma das criaturas de Nick Floyd, ela é exagerada, até mesmo estranha, mas a Alpha King consegue caminhar entre nós – e nos deliciar. **RM**

Notas de degustação

A Alpha King tem um nariz muito complexo, pleno em malte e lúpulo, com sugestões de geleia de laranja e seiva de pinheiro. O sabor é muito rico e maltado desde o início, com um grande amargor que se desenvolve no meio. A cerveja tem um final amargo, herbáceo, com notas de tomilho e de açúcar queimado.

Altbayrisch Dunkel

Brauerei Schönram | www.brauerei-schoenram.de

País de origem Alemanha
Lançada em *ca.* 1750
Teor alcoólico 5% vol.
Temperatura ideal 8°- 10°C

Quando Helga e Alfred Oberlindober, proprietários da Brauerei Schönram, na região de Chiemgau, na Baviera, empregaram Eric Toft como novo mestre cervejeiro, em 1998, foi apenas por suas qualificações e habilidades. Mas o encontro dessas mentes acabou demonstrando ser um golpe de sorte. Toft é um mestre cervejeiro com uma mente criativa bem própria, e sua inspiração e inventividade se combinaram bem ao desejo dos Oberlindober de saírem do convencional e progredirem nos negócios. Todos têm um compromisso inabalável com a qualidade.

Quando Toft começou, a Altbayrisch Dunkel, lager escura produzida há 250 anos, tinha se transformado em um produto negligenciado que interessava apenas a um nicho de público, entre as ofertas da cervejaria. Desde o início do século 20, cervejas lager claras ficaram por cima. Toft, porém, lançou um olhar sobre o estilo. A lager escura é uma de suas favoritas, como ele gosta de dizer. Por isso, deu-lhe vida nova. Enquanto outros tingiam suas cervejas claras com maltes colorantes para escurecê-las, Toft começou a usar diferentes tipos de maltes escuros e tostados para criar cor e sabor profundos. Como amante do lúpulo, ele também buscou aromas delicados nas variedades alemãs Tradition e Hersbrucker. Com notas florais, cítricas e herbáceas, elas emprestam um toque de leveza às profundezas sombrias da cerveja.

Em resumo, Toft colocou um pouco mais de tudo na bebida e valeu a pena: a Altbayrisch Dunkel se tornou inesquecível e a produção triplicou desde o relançamento. Toft também já está desenvolvendo novas ideias, fazendo experiências por exemplo, com velhos barris de uísque. **SK**

Notas de degustação

De cor castanha, sob uma grande coroa de espuma bege, a Altbayrisch Dunkel oferece um nariz granuloso com aromas de frutas secas e laranja amarga. O palato tem notas de caramelo escuro e sabores tostados, equilibrados e suaves, às quais é adicionado um pronunciado amargor.

Amager IPA

Amager Bryghus | www.amagerbryghus.dk

País de origem Dinamarca
Lançada em 2009
Teor alcoólico 7% vol.
Temperatura ideal 5°- 8°C

Uma cervejaria instalada em um antigo abrigo antiaéreo que também foi usado para armazenar Bíblias não deve correr riscos de sofrer qualquer calamidade. Até agora, a Amager Bryghus foi capaz de evitar tanto os desastres divinos quanto aqueles causados pelo homem, graças à simples manobra de produzir uma grande bebida. No comando estão dois amigos dos tempos de faculdade, Jacob Storm e Morten Lundsbæk, que trabalharam juntos em um projeto de preparação de cerveja e sabiam que, em algum momento, aquilo ia acabar se tornando uma cervejaria. A Amager Bryghus foi o resultado de dez anos de sonhos e planejamento da dupla, que aprimorou seus talentos como cervejeiros caseiros até que pudessem se profissionalizar em 2007.

A experiência na produção doméstica foi totalmente empregada na construção da cervejaria, erguida segundo o lema "O que não sabemos, podemos aprender". A inauguração também trouxe de volta a produção cervejeira para a ilha de Amager, que é parte de Copenhague, pela primeira vez desde 1913. Conhecidos como Ama'rkaner, os moradores da região assumiram a Amager Bryghus como um dos seus, e é a partir dessa base regional que a dupla assiste à crescente aceitação das cervejas Amager na Dinamarca e além.

O estilo de Jacob e Morten de produzir ales grandes, ricas em lúpulos, cervejas claras e stouts, porém, não chega aos extremos assumidos por algumas das mais novas microcervejarias. Elas são preparadas para garantir que os consumidores "comuns" não fiquem assustados e que consigam ainda empregar todos os sentidos. A fonte de inspiração para a IPA vem dos Estados Unidos, e não da Grã-Bretanha. São empregados lúpulos Simcoe, Amarillo e Cascade. **AA**

Notas de degustação

No copo, o tom acobreado de uma clássica IPA norte-americana encontra-se sob uma coroa de espuma quase branca. O aroma floral e cítrico é transportado para um sabor bem equilibrado, lupulado, que não agride com força, mas permanece em cena para um final pleno e persistente. O álcool está bem disfarçado.

Amber Shock

Birrificio Italiano | www.birrificio.it

País de origem Itália
Lançada em 1996
Teor alcoólico 7% vol.
Temperatura ideal 6°- 8°C

Uma das consequências bem-vindas do renascimento mundial da produção de cervejas foi a redescoberta da lager sem filtragem e sem pasteurização. No passado, era uma noção inconcebível para os amantes da cerveja que associavam "*real*" apenas a "*ale*" e limitada a um punhado de obscuros produtores regionais do mundo germânico. Porém a lager "viva" floresceu nas mãos de alguns cervejeiros artesanais. Entre eles, encontra-se Agostino Arioli, do Birrificio Italiano, uma das mais antigas e respeitadas das novas microcervejarias italianas, localizada em Marinone, perto do Lago Como, na Lombardia. Depois de se dedicar à produção caseira, ele recebeu inspiração para se profissionalizar graças à visita a uma cervejaria de Vancouver, e a Amber Shock, livremente inspirada nas bocks alemãs, é considerada por muitos como sua obra-prima.

A Amber Shock adquiriu status *cult* em parte por sua disponibilidade limitada, provocada por um processo de produção particularmente complexo e demorado. É produzida com maltes Pilsen e Munique, além de caramalte da Alemanha e da França, recebendo lúpulos Hallertauer Magnum e Perle em três momentos, com decocção ao estilo ale e uma longa fervura para acentuar o caramelo no malte. Em seguida, emprega-se uma levedura de lager, de fermentação a frio. Posteriormente, ela é envasada em garrafas de um litro, de forma singular, e acondicionada durante quatro semanas, enquanto a levedura continua a fermentar sem a adição de mosto ou de açúcar para ajudar. A cervejaria diz que o envasamento em barris, para a venda na pressão, resultaria em algo completamente diferente e, por essa razão, ela só está disponível em garrafa, até mesmo no famoso pub local. Os bebedores que acham que somente as ales podem oferecer uma verdadeira complexidade vão sofrer um delicioso choque. **DdM**

Notas de degustação

Âmbar intenso e turvo com uma bela coroa de espuma quase branca, esta cerveja tem aroma de fruta madura e caramelo, com um toque amanteigado. No paladar, é adocicada e consistente, com laranja, licor herbáceo e minerais. Tem um final sutilmente picante e revigorante, com suaves notas tostadas.

Anchor Steam Beer

Anchor Brewing Company | www.anchorbrewing.com

País de origem Estados Unidos
Lançada em 1896
Teor alcoólico 4,9% vol.
Temperatura ideal 7°C

As *steam beers* costumavam ser muito disseminadas no Oeste americano: eram uma tentativa de recriar as lager, tão familiares àqueles que vinham do Leste, onde os cervejeiros alemães dominavam a cena, mas sem o gelo retirado de rios e lagos, que abundava em climas mais frios. O resultado era um híbrido, com levedura de lager fermentada em temperatura de ale. Quanto ao termo "steam" (do inglês "vapor"), os livros antigos fazem referência à alta pressão da cerveja e à nuvem de "vapor" lançada quando era servida. Anchor é a última desse tipo e possui a marca registrada para a palavra "steam".

Quando Fritz Maytag se envolveu com a Anchor em 1965, a cerveja passava por sérios problemas. Produzida em instalações precárias, era inconsistente e, com frequência, azedava. Maytag, que hoje ocupa a presidência da empresa, se dedicou ao estudo do processo de produção. "Livramo-nos do açúcar que, na época, era coisa comum no setor, e passamos a trabalhar apenas com malte. Substituímos o corante de caramelo pelo malte de caramelo, por julgar que ele daria mais sabor. Depois, um amigo nos falou sobre esse novo lúpulo com um sabor "singular". Então começamos a adicionar Northern Brewer." A levedura era um grande problema e, em determinado momento, a cervejaria chegou a usar fermento de pão por puro desespero. Finalmente, os problemas foram resolvidos e o produto engarrafado teve seu lançamento em 1971.

Quando lhe perguntam o que pensa sobre a cerveja hoje em dia, Maytag responde: "Não é radical, apenas suave, agradável, rica e satisfatória. Em minhas viagens pelo mundo, sempre me pego pensando em como vai parecer quando eu voltar para casa. Sempre fico empolgado." **RM**

Notas de degustação

Aromas de malte caramelado adocicado e de alguns lúpulos secos, com características herbáceas e de madeira. É ligeiramente doce no paladar, efervescente na boca, com belas notas carameladas, bem equilibrada por um sabor agridoce com toque seco fornecido pelos lúpulos Northern Brewer. O final é longo, límpido e agridoce.

Angry Boy Brown Ale

Baird Brewing | www.bairdbeer.com

País de origem Japão
Lançada em 2001
Teor alcoólico 6,2% vol.
Temperatura ideal 8°- 12°C

Fundador e mestre cervejeiro da Baird Brewing, Bryan Baird explica que a Angry Boy Brown Ale começou como produção sazonal. Embora tenha a cor clássica e a personalidade maltada de uma ale inglesa escura, certas características a associam nitidamente ao estilo americano. Em primeiro lugar, está a turbulência de sabores sob a superfície. O corpo de malte foi reforçado em algumas medidas, enquanto a adição de açúcar mascavo japonês acrescenta uma doçura picante em um primeiro momento. Embora seja robusta e cheia na boca, é seca ao final.

Com seis variedades de malte (quatro de cevada e dois de trigo) que entram na tina de maceração, além de açúcar mascavo japonês, o equilíbrio desse complexo perfil de sabores requer diversas variedades de lúpulo. No momento, são usados quatro: Amarillo, Columbus, Glacier e Nugget. Com um teor alcoólico de 6,2%, exige-se uma taxa de lúpulo mais carregada do que o habitual. O resultado é uma cerveja grande, rica, completamente consistente, com muito sabor e textura.

No momento, a cervejaria produz entre quarenta e cinquenta sazonais por ano, inclusive as especiais de Baird, criadas a partir de produtos regionais como mikan e outras frutas cítricas, maçã, morango, folhas de chá verde e o que for da estação e estiver disponível em quantidades suficientes para dar origem a uma leva.

A Baird Brewing vai continuar a se expandir pelo Japão, com o aumento de sua presença nos pubs. Além da primeira sala de degustação em Numazu, inaugurou-se outra em Tóquio, na primavera de 2008, e havia previsão de abertura de mais um pub no verão de 2009. Baird acredita que a presença no varejo é essencial para que o mercado de cervejas artesanais continue a crescer. **BH**

Notas de degustação

Marrom-dourado com uma coroa de espuma em cor de canela clara. Aroma frutado e picante, com malte e lúpulo em bom equilíbrio. O paladar é uma mistura plena e intensa de especiarias doces e lúpulos herbáceos. O malte recua; o amargor se apresenta. O final é longo, com frutas e especiarias.

ARROGANT BASTARD® ALE

Arrogant Bastard Ale

Stone Brewing | www.arrogantbastard.com

País de origem Estados Unidos
Lançada em 1997
Teor alcoólico 7,2% vol.
Temperatura ideal 13°C

O que veio primeiro? A cerveja ou a arrogância? Embora a Stone Brewing só tenha começado as vendas da Arrogant Bastard Ale dezesseis meses depois de abrir suas portas em 1996 (na época, com sede em San Diego), o cofundador e mestre cervejeiro Steve Wagner esbarrou com a receita enquanto desenvolvia a primeira bebida da Stone, sua pale ale. "A gente fazia experiências com um único tipo de lúpulo, trabalhando com a lista de cereais da ale clara", disse ele. Certa noite, ele e o cofundador Greg Koch se sentaram para experimentar uma das levas, três semanas após ter sido criada. Wagner deu um gole e percebeu que precisava consultar suas numerosas anotações sobre o processo. "Puxa, cara, eu me confundi", disse ele a Koch. Havia acrescentado uma dose bem maior de lúpulo do que pretendia originalmente e a cerveja estava fora de padrão no que dizia respeito ao amargor. Koch provou e disse para Wagner que nunca havia bebido nada melhor. Os dois brincaram que a cerveja seria boa demais para que outras pessoas a apreciassem.

Nenhuma outra cerveja artesanal vende tanto em garrafas de 650 mililitros quanto a Arrogant Bastard. E nenhum rótulo carrega uma mensagem tão ousada: "Trata-se de uma cerveja agressiva. Você provavelmente não vai gostar. É duvidoso que você tenha gosto ou sofisticação para apreciar uma ale com tanta qualidade e profundidade. Sugerimos que você dê preferência à segurança e se mantenha em território mais familiar – talvez alguma coisa com uma campanha publicitária de milhões de dólares." **SH**

Notas de degustação

Frutas escuras e intensas no aroma combinadas com lúpulo com características de pinheiro. Semelhante na boca: frutas misturadas à doçura do caramelo, sempre equilibradas pelo sabor e o amargor do lúpulo.

Artigian Ale

Birrificio Bi-Du | www.bi-du.it

País de origem Itália
Lançada em 2002
Teor alcoólico 6,2% vol.
Temperatura ideal 10°- 12°C

Beppe Vento é um dos mais talentosos cervejeiros artesanais da Itália. Em sua carreira, produziu cerca de vinte ou mais cervejas. Entre bebidas de produção regular e sazonais, sua criatividade parece não ter limites. A maioria é constituída por ales de alta fermentação, stout, blanche, Kölsch e barleywine. Algumas usam os ingredientes habituais, como maltes e lúpulos, enquanto outras são enriquecidas com mel, urze, angélica, erva-mate ou amoras. Uma de suas criações mais inovadoras é a H10op5, ale produzida com dez tipos de lúpulo diferentes, adicionados em cinco diferentes momentos do processo. Apesar de algumas bebidas parecerem um tanto esquisitas, o resultado é sempre o mesmo: uma cerveja com sabor e originalidade, fácil de beber.

A Artigian Ale faz jus a essa reputação. *Artigian*, do italiano, significa "artesão", o que sugere que Vento provavelmente estava tentando criar uma ale amarga ou forte. Como resultado, a Artigian Ale tem teor alcoólico de 6,2%, mas está mais próxima de uma bitter, em termos de perfil aromático e sabor. Os maltes usados incluem pale ale, Cristal e Caramunique, enquanto o lúpulo é britânico, a não ser por Cascade.

Às vezes, em ocasiões especiais, Vento adota o sistema Randall (um filtro cheio de lúpulo, por onde passa a cerveja) para uma Artigian Ale ainda mais lupulada. Definitivamente, trata-se de uma ale digna de um pub e é, provavelmente, a melhor resposta italiana à tradição britânica de real ale. **MM**

Notas de degustação

O nariz começa com um aroma cítrico e de lúpulo intenso. Depois emergem notas de frutas e caramelo leve. Adocicada ao paladar, mas progride para um final muito límpido, com presença seca de lúpulo.

← A arte endiabrada da Arrogant Bastard Ale.

Asgaard das Göttliche

Brauerei Schleswig | www.asgaard.de

País de origem Alemanha
Lançada em 1994
Teor alcoólico 4,8% vol.
Temperatura ideal 8°C

Como consta da mitologia nórdica, Asgaard é o reino dos deuses, onde vive o clã dos Æsir, de bebedores de cerveja. Os Æsir eram os deuses dos vikings, que, por sua vez, também gostavam de cerveja. Nos tempos medievais, esses povos germânicos viviam no norte da Europa, e um de seus assentamentos mais importantes ficava em Haithabu, que se supõe ter sido a primeira e maior cidade comercial do norte da Europa. Ficava bem próxima da atual Schleswig, cidade do norte da Alemanha, onde o mestre cervejeiro Ronald T. Carius abriu sua cervejaria e pub em 1994.

Asgaard das Göttliche ("Asgaard, a Divina") é ligada à cultura viking e comercializada com caracteres e símbolos dos vikings. Apesar de o estilo ter pouco a ver com o hidromel dos vikings, essa lager âmbar possui a magia do norte luminoso: seus sabores combinam características frutadas do malte com um nítido (mas harmonioso) amargor, notas herbáceas e uma presença fresca e ácida. Para criar o corpo distintamente maltado, Carius usou Munique, que hoje em dia é uma *avis rara* em muitas cervejarias alemãs. Por sorte, uma pequena maltaria da região, ainda capaz de produzir uma torrefação lenta e suave, prepara o produto para ele. No que diz respeito ao lúpulo, a variedade alemã Tettnanger cria maravilhosas notas herbáceas e de frutas amargas.

Carius mudou-se da Baixa Saxônia para o extremo norte, próximo da fronteira com a Dinamarca, há mais de quinze anos para montar sua cervejaria e arriscou-se a reconstruir um antigo armazém de carga em Schleswig. Entre as primeiras pessoas que conheceu, estava o curador do Museu Viking Haithabu, ocasião em que, sem dúvida, o feitiço viking foi lançado sobre ele. **SK**

Notas de degustação

De âmbar a cobre, com tons vermelhos e dourados. Espuma cor de creme. Esta cerveja oferece um aroma maltado com sugestões de frutas secas. No palato, apresenta suaves sabores tostados e caramelados, equilibrados por um amargor bem definido, notas herbáceas e acidez. Final seco e límpido.

Autumnal Fire

Capital Brewery | www.capital-brewery.com

País de origem Estados Unidos
Lançada em 1997
Teor alcoólico 7,3% vol.
Temperatura ideal 9°- 11°C

Quando a produção artesanal chegou ao Wisconsin, no final dos anos 1980, muitos cervejeiros sentiam que lagers de primeira qualidade poderiam atrair o público local, que provavelmente nunca havia ouvido falar em ale, muito menos experimentado esse tipo de bebida. Embora existam muitos estilos diferentes em produção no estado hoje em dia, existe um número maior de pequenas cervejarias preparando lagers no Wisconsin do que em qualquer outro lugar fora da Alemanha. A Capital está entre as melhores. Parte do seu sucesso se deve ao considerável acervo de velhos tanques revestidos em aço inoxidável, usados originalmente para laticínios e que agora são empregados na produção de lager. Como ela passa muito tempo em tanques, dispor de muitos deles praticamente sem custos é uma coisa boa para uma pequena cervejaria. O envelhecimento prolongado em baixas temperaturas é essencial para a suavidade límpida e cremosa da lager. Não pode ser falsificado.

Encorajada pelo sucesso da Blonde Doppelbock, a cervejaria queria algo mais adequado para o outono, de acordo com seu presidente e mestre cervejeiro Kirby Nelson. "O nome tem uma história interessante", diz Nelson. "Dia 8 de setembro de 1996. Lá estava eu, em uma foto do *Milwaukee Journal Sentinel*, chapéu nas costas, parecendo um joão-ninguém segurando uma cerveja da Oktoberfest. A legenda dizia: 'Kirby Nelson segura um copo de fogo outonal.' Os caras então começaram a me chamar de senhor Fogo Outonal e pronto. Tínhamos o nome."

A maioria das lagers artesanais costuma seguir de perto os estilos da Baviera, e as poucas que ousam ir além – como acontece com a Autumnal Fire – se destacam. Com teor alcoólico de 7,3%, imagine uma Oktoberfest ou Märzen que perdeu o juízo, de um jeito bom. Esta cerveja sazonal usa maltes Pilsen e Munique. **KM**

Notas de degustação

Aromas sedutores e caramelados, com toques tostados e talvez uma sugestão de especiarias. O sabor é, a princípio, grande e doce, equilibrando-se em seguida com um final longo e cremoso com amargor límpido, toques de caramelo queimado e uma sensação persistente e calorosa, enquanto a cerveja desce.

Back Door Bitter

Birrificio L'Orso Verde | www.birraorsoverde.com

País de origem Itália
Lançada em 2006
Teor alcoólico 4,8% vol.
Temperatura ideal 10°- 15°C

Cesare Gualdoni tomou a melhor decisão de sua vida quando deixou seu antigo emprego para abrir uma microcervejaria na região montanhosa de Brianza, na Lombardia. Gualdoni criou a L'Orso Verde em 2004 para levar ao público o que até então eram cervejas de fabricação caseira. Elas desceram bem. Desde então, ele consolidou suas habilidades de cervejeiro, alcançando bons resultados em competições entre artesãos por toda a Itália. Ele se inspira em diferentes estilos e agora produz quase dez cervejas, de alta e baixa fermentação. As mais populares são a Nubia (ao estilo das porters), a lager Chiara e a Back Door Bitter. A inspiração para esta última surgiu quando Gualdoni compareceu a uma degustação de produções artesanais norte-americanas na feira Pianeta Birra. Antes disso, ele não teria se classificado como um grande amante do lúpulo, mas se apaixonou imediatamente pelo aroma das cervejas que provou, e decidiu produzir alguma coisa parecida, apesar de fazer questão de manter sua abordagem pessoal.

Back Door Bitter é uma real ale feita com diversos maltes: o claro é a coluna vertebral, mas também há Munique, Caramunique e Cristal, além de um pouco de malte de trigo, que ajuda a manter a consistência da coroa de espuma. São cinco variedades de lúpulo: First Gold, East Kent Golding, Styrian Golding, Chinook e Cascade. Os dois últimos são adicionados nos últimos minutos da fervura, depois há *dry hopping* com Chinook e East Kent Golding durante vinte dias. Todo o processo de produção leva cerca de seis semanas, incluindo a segunda fermentação na garrafa.

A Back Door Bitter é uma ale bem articulada que demonstra um agradável amargor. Fica ótima com queijos que não sejam excessivamente maduros ou massas com molho de carne. **MM**

Notas de degustação

Cor âmbar profunda, levemente turva, com espuma bege. Back Door Bitter é bem complexa, com notas de lúpulo e florais no começo, depois aparecendo fruta e caramelo. A cerveja tem um sabor de lúpulo agradável e duradouro, corpo redondo e gosto residual persistente.

Baltika 4

Baltika Brewery | www.baltika.ru

País de origem Rússia
Lançada em 1992
Teor alcoólico 5,6% vol.
Temperatura ideal 9°C

A ascensão da companhia que hoje ocupa a posição de maior cervejaria do Leste Europeu começou bem recentemente, em 1990, quando a primeira fábrica abriu as portas em São Petersburgo. A cerveja foi uma bebida popular no regime czarista, mas a produção sofreu durante a era soviética, quando empresas estatais se voltaram a produtos de exportação de baixa qualidade, feitos com arroz na ausência de cevada. Não causa surpresa que os resultados fossem medonhos e que a vodca, com facilidade, superasse a cerveja no posto de bebida alcoólica preferida do país.

O surgimento da marca Baltika em 1992 contribuiu para um rápido renascimento do consumo de cerveja na Rússia. A Baltika 4, também conhecida como "Baltika Original", foi parte da primeira leva de bebidas produzidas pela cervejaria, que, desde então, cresceu e passou a oferecer diversas variedades. Produzida com maltes caramelo e de centeio, a Baltika 4 é uma cerveja escura baseada na típica lager de Viena e ganhou popularidade imediata entre a população mais jovem da Rússia.

Desde o início, a Baltika 4 foi produzida de acordo com os clássicos ditames europeus, ajudada por um programa de investimentos para o desenvolvimento do processo cervejeiro que incluiu a instalação de purificadores de água e a utilização de máquinas de filtragem. Isso fez com que a companhia ficasse em dia com as práticas adotadas na Europa, transformando-a na maior produtora do país quatro anos depois do lançamento da marca Baltika. Essa história de sucesso cervejeiro sem paralelo inclui vendas para mais de cinquenta países, que correspondem a 80% de todas as exportações de cerveja da Rússia, e a propriedade de onze fábricas e duas maltarias. Contando agora com a Carlsberg como acionista majoritária, o perfil internacional da Baltika parece destinado a continuar sua ascensão a todo vapor. **SG**

Notas de degustação

Uma coloração de cobre claro se revela sob uma coroa de espuma borbulhante, cor de canela, que cede depois dos primeiros goles. No nariz, maltes levemente tostados e caramelo com um discreto toque de chocolate estão em evidência e também aparecem no paladar, junto com frutas escuras, deixando um doce final.

Barnsley Bitter

Acorn Brewery | www.acorn-brewery.co.uk

País de origem Inglaterra
Lançada em 2003
Teor alcoólico 3,8% vol.
Temperatura ideal 10°- 12°C

Nomes de lugares não são válidos como parte de uma marca registrada, razão pela qual existem atualmente duas Barnsley Bitter disponíveis, produzidas por duas cervejarias diferentes. Alguns anos atrás, havia três. Por que existe tal disputa pelo nome?

A Barnsley Bitter original era uma ale maltada e intensa, reverenciada em todo o norte da Inglaterra. Porém, nos anos 1960, a Barnsley Brewery foi comprada pela John Smith. A produção de Barnsley Bitter cessou, mas a cerveja não foi esquecida e, em 1997, a Oakwell Brewery abriu as portas no lugar onde funcionou a Barnsley Brewery original. Logo, Barnsley Bitters alternativas começaram a ser produzidas em Elsecar, nas redondezas, e até na cidade litorânea de Blackpool. Os dois empreendimentos fracassaram e o cervejeiro Dave Hughes deixou Elsecar para fundar a Acorn, nos arredores de Barnsley, em 2003. Agora, tanto a Oakwell quanto a Acorn produzem uma ale escura chamada Barnsley Bitter, cada uma afirmando ser a linhagem genuína da original. A Oakwell tende a desprezar a divulgação e se concentra em abastecer o mercado regional, enquanto a Acorn tem planos ambiciosos e está conquistando depressa uma reputação nacional.

A Barnsley Bitter da Acorn é produzida com duas cepas da levedura da original e uma receita que lembra a cerveja desaparecida o máximo possível. É uma clássica ale de Yorkshire: mais doce, mais escura e mais maltada do que a maioria das cervejas de outras partes da Inglaterra, o tipo de bebida que os nativos de Yorkshire poderiam usar como argumento para demonstrar que sua abordagem simples em relação à qualidade sempre vai triunfar. O sucesso perene da Acorn no Festival de Cerveja da Grã-Bretanha – que acontece em Londres – sugere que, talvez, até os sulistas concordem. **PB**

Notas de degustação

Ale cor de rubi, castanha, com aroma leve e maltado, a Barnsley Bitter combina as características de uma autêntica bitter com uma riqueza escura, bem equilibrada, que inclui toques de chocolate, café e frutas vermelhas, com um final amargo e persistente.

Barre Alt

Privatbrauerei Ernst Barre | www.barre.de

País de origem Alemanha
Lançada em 1962
Teor alcoólico 4,8% vol.
Temperatura ideal 6°- 8°C

Cerca de um décimo das cervejas servidas no estado alemão da Renânia do Norte-Vestfália é do estilo Altbier, de lúpulo intenso, de alta fermentação, em tom âmbar e marrom. O baluarte da cerveja alt fica em Düsseldorf, capital do estado, mas uma das melhores alts que existem é produzida 242 quilômetros ao norte: a Barre Alt, uma exclusividade da Privatbrauerei Ernst Barre.

O empreendimento familiar, situado na cidadezinha de Lübbecke, lançou a bebida em 1962, quando o estilo gozava de bastante popularidade. Desde que foi relançada em 2004, a produção da Barre Alt permanece estável e ela vem conquistando um número cada vez maior de admiradores. De acordo com o diretor técnico Dirk Stapper, a receita foi aprimorada para tornar a cerveja mais harmoniosa. Apostou-se no lúpulo aromático Hallertauer Perle, que é bastante amargo, mas ainda contém polifenóis e substâncias aromáticas suficientes para arredondar o sabor. Além do mais, empregam-se malte Pilsen e extrato de malte tostado, o que intensifica a cor e fornece sabores carregados. Assim, a Barre Alt pode ser chamada de tudo, menos de suave. A cerveja se tornou uma especialidade classuda, premiada, dona de forte personalidade. Oferecida por uma empresa que alega ser a mais antiga cervejaria pilsen do norte da Alemanha, com certeza ela ocupa um nicho do mercado.

A Privatbrauerei Ernst Barre foi fundada por Ernst Johann Barre e remonta a 1842. Hoje, a cervejaria é administrada por um integrante da sexta geração, Christoph Barre, que se orgulha da independência da empresa. Os visitantes podem passear pelo museu para descobrir a história da produção cervejeira ou saborear pratos regionais nos antigos porões de fermentação. **SK**

Notas de degustação

De cor cobre amarronzada, coroada por espuma bege. O nariz oferece um aroma granulado descendente, com sugestões de chocolate amargo. Suave no paladar, de corpo leve, com um amargor harmonioso de sabores tostados e lupulados que evoluem até um momento salgado que lembra alcaçuz. Final seco e amargo.

Batemans Triple XB (XXXB)

Batemans Brewery | www.bateman.co.uk

País de origem Inglaterra
Lançada em 1979
Teor alcoólico 4,8% vol.
Temperatura ideal 11°C

Os registros indicam que a XXXB foi produzida pela primeira vez no final dos anos 1970, mas sua linhagem remonta aos primeiros dias da cervejaria, quando as bebidas mais fortes com doses robustas de grão e malte eram típicas da região. A cervejaria está localizada no condado de Lincolnshire, distante da pátria do lúpulo em Kent, Herefordshire e Worcestershire, o que quer dizer que tradicionalmente os sabores da cevada produzida na região – açucarados e com características de nozes – tendiam a dominar o paladar, ao contrário do que acontecia com as cervejas do sudeste e do oeste da Inglaterra, que eram mais aromáticas e lupuladas. Quando a XXXB começou a ser produzida, duas variedades de lúpulo foram empregadas, Golding e Challenger, mas atualmente pequenas porções de Liberty, de origem norte-americana, também são adicionadas à fervura. Desenvolvido a partir do Hallertauer Mirttelfrüh, ele dá um sutil toque de especiarias e características florais à bebida.

O nome XXXB vem de um tempo em que os produtores marcavam os barris com um número crescente de X para simbolizar a força. O "X" em si não indica uma determinada força, mas a bebida mais fraca da cervejaria era marcada com um único "X". O estilo da XXXB imita as mais fortes pale ales da capital cervejeira da Inglaterra, Burton-on-Trent. Nos tempos vitorianos, quando os operários das Midlands chegavam à cidadezinha de Skegness, nas cercanias, para suas férias anuais, eles procuravam cervejas semelhantes àquelas que encontravam em casa.

Em 1986, em um momento em que o futuro da Batemans parecia duvidoso, a XXXB recebeu o prêmio de Melhor Cerveja da Grã-Bretanha, título que ajudou a levar o nome da cervejaria para um público nacional, muito além dos confins de sua região. **TH**

Notas de degustação

Clássica ale inglesa de cor castanho-avermelhada. O uso de malte pale ale Maris Otter, junto com um coquetel de lúpulos Golding, Challenger e Liberty, ajuda a produzir uma cerveja rica e robusta, com nuances de especiarias e características de banana no nariz, com um malte achocolatado no paladar.

Batemans Victory Ale

Batemans Brewery | www.bateman.co.uk

País de origem Inglaterra
Lançada em 1987
Teor alcoólico 6% vol.
Temperatura ideal 12°C

A Batemans é, provavelmente, uma das cervejarias mais pitorescas da Grã-Bretanha. Permanece nas mãos da mesma família desde sua fundação em 1874 e agora produz cinco marcas principais, que incluem a Dark Mild, a Salem Porter e a XXXB. Também se tornou renomada por conceitos especiais desenvolvidos a partir do uso de frutas sazonais, especialmente o morango, além de baunilha e alcaçuz, para produzir ales memoráveis. Boa parte da antiga cervejaria vitoriana da Batemans – agora parte de um centro de visitantes e museu – é construída em latão e cobre, exemplo soberbo de preservação e educação.

The Brewing Experience (A Experiência Cervejeira) acompanha a história do negócio e explica o processo de produção. Uma cervejaria feita sob encomenda, apelidada de O Teatro das Cervejas, entrou em cena em 2002, para sublinhar o compromisso com "ales boas e honestas".

Porém, nem tudo foi sempre tão tranquilo. Uma disputa familiar quase levou ao completo fechamento da cervejaria nos anos 1980. A Victory Ale foi criada para celebrar o final bem-sucedido daquela amarga desavença e ressurgiu em 2005, nas comemorações dos 200 anos da famosa Batalha de Trafalgar, momento decisivo das guerras napoleônicas, travada entre a Marinha Real e as forças navais da França e da Espanha, no sudoeste da costa espanhola. A Victory Ale emprega lúpulo Golding, bem como Liberty, uma variedade norte-americana com suave toque de especiarias que costuma ser empregada em cervejas de trigo. Na tina de maceração entram os maltes Maris Otter e cristal. O resultado merece seu nome triunfal, especialmente por figurar, em 2007, em uma lista das cinquenta melhores cervejas do mundo. **AG**

Notas de degustação

De cor âmbar intensa, a Batemans Victory Ale tem sabor pleno e aroma frutado, combinando-se com o malte no paladar e uma personalidade picante de lúpulo. O segredo se encontra no equilíbrio delicado entre o caramelo maltado e a pungência do biscoito amanteigado, complementando um final caloroso e lupulado.

Bell's Amber Ale

Bell's Brewery, Inc. | www.bellsbeer.com

País de origem Estados Unidos
Lançada em 1985
Teor alcoólico 5,8% vol.
Temperatura ideal 4°- 6°C

A Bell's Amber é um retorno aos primeiros tempos da produção artesanal, quando as coisas eram menos complicadas. Depois de meio século de cervejas amarelas aguadas, o rico caráter maltado da Bell's Amber foi uma verdadeira revelação em 1985. Era preparada em casa muito antes de entrar em produção em uma cervejaria comercial. Leva quatro tipos de malte, com ênfase em um "maltado caramelado", de acordo com o fundador Larry Bell. Além do sabor ligeiramente tostado do malte claro, o Munique acrescenta um toque límpido de caramelo e o cristal adiciona notas de bala de caramelo, passas e até mesmo de açúcar queimado. Os lúpulos são discretos, mas em quantidade suficiente para garantir um bom equilíbrio. A personalidade maltada, suave mas complexa, e a ausência de sabores realmente agressivos ou amargos tornam a Bell's Amber uma boa opção para acompanhar comida, "que não recebe tanto amor quanto merece", diz Bell. Sem filtragem, é acondicionada em garrafas, apresentando em geral uma aparência turva e rústica. **RM**

Notas de degustação

No nariz, caramelo com sugestão de lúpulos picantes, características frutadas e um pouquinho de profundidade da levedura. Bem maltada a princípio, levando em seguida a uma suave qualidade tostada com amargor moderado que a deixam bem equilibrada.

Bernard Celebration

Rodinný Pivovar Bernard | www.bernard.cz

País de origem República Tcheca
Lançada em 1995
Teor alcoólico 5% vol.
Temperatura ideal 7°C

A Rodinný Pivovar Bernard é um exemplo dos muitos progressos esplêndidos que tiveram lugar recentemente na cultura cervejeira da República Tcheca, mas sua história remonta a 1597. Depois de anos de controle dos comunistas, as instalações se encontravam arruinadas. Depois de reformas extensas, a cervejaria festejou sua recuperação com esta Sváteční Ležák, ou "lager de festa", uma produção sazonal que mereceu um prêmio da associação tcheca de consumidores de cerveja como a melhor de 1995 na categoria especial.

Bernard Celebration é produzida com lúpulo Saaz seleto e malte da própria cervejaria. Quando engarrafada, recebe uma pequena dose de cultura de levedura fresca e a leve refermentação na garrafa dá à bebida uma distinta vibração ao ser servida, com bem mais carbonatação do que muitas lagers claras de seu país. **ER**

Notas de degustação

Esta excelente cerveja oferece um aroma de malte abiscoitado e de pão recém-saído do forno, com mais notas de cevada no corpo. O final equilibra doçura com um toque amargo de Saaz.

"O Bravo Soldado Schveik" aprecia a cultura cervejeira tcheca na placa deste restaurante de Praga. →

U KALICHA

Bibock

Birrificio Italiano | www.birrificio.it

País de origem Itália
Lançada em 1997
Teor alcoólico 6,2% vol.
Temperatura ideal 8°- 10°C

Com a Bibock, o mestre cervejeiro Agostino Arioli demonstrou seu estilo pessoal no processo de produção ao criar uma bebida rica em sabores e fácil de ser desfrutada em um pub, mas com uma personalidade meticulosa que um aficionado jamais esquecerá. Desde a primeira produção em 1997, a receita mudou um bocado, tanto em relação aos maltes quanto aos lúpulos, seguindo o desejo de Arioli de fazer uma cerveja de coloração âmbar, de baixa fermentação, com uma personalidade bastante lupulada, mas sem ser tão "pesada" como geralmente se espera das bocks.

Para a Bibock, são utilizados quatro tipos de cevada maltada na receita: carapils, Pilsen, Munique e caramelo. A levedura, como costuma acontecer com as bebidas do Birrificio Italiano, vem dos produtores bávaros Weihenstephan, enquanto os lúpulos usados são Northern Brewer, Spalter Select e Fuggle. Este último é, na verdade, um toque final, porque para a primeira lupulação são usados Northern Brewer e Spalter Select. Na segunda, entra Fuggle. Há uma terceira e decisiva adição através de *dry hopping* na fermentação, também com Fuggle.

O resultado final, depois de algumas semanas de maturação, é uma cerveja com personalidade muito refrescante, graças ao *dry hopping*. De forma estranha, ela não é realmente lupulada do ponto de vista aromático, como seria esperado dessa infusão em três tempos. O gênio de Arioli é tamanho que a Bibock tem intensas notas frutadas e um final seco no palato, não encontrado em bocks tradicionais. Mas o que é um nome? A Bibock é uma companhia esplêndida para uma noite com amigos e serve como acompanhamento ideal para queijos maduros como o Parmigiano Reggiano ou carne grelhada na churrasqueira. **MM**

Notas de degustação

De cor âmbar clara, com um buquê muito complexo que começa com notas frescas, mas que é rapidamente dominado por tons cítricos e picantes, chinotto, *casca seca de laranja de Curaçao e um toque de flores. Corpo bem equilibrado no palato e gosto residual muito persistente.*

Bier-Bienne

Augenbrauerei Biel | www.bier-bienne.ch

País de origem Suíça
Lançada em 2006
Teor alcoólico 5,2% vol.
Temperatura ideal 10°C

Quem visita a Suíça e busca mais do que os costumeiros clichês de relógios de cuco, queijo, chocolate e canivetes vermelhos costuma ficar espantado pela harmoniosa convivência entre quatro idiomas dentro de uma mesma nação. A cidade de Biel-Bienne é um exemplo vivo dessa colaboração. Fica ao norte de Berna, na fronteira entre os idiomas alemão e francês, e orgulhosamente proclama seu status bilíngue – daí o hífen no nome. Biel é seu nome em alemão; Bienne, em francês. Com o tempo os moradores de Biel-Bienne desenvolveram um talento para rir de si mesmos e criar trocadilhos que são ao mesmo tempo tolos e sublimes.

Quando Daniel "Trini" Trignani abriu uma loja de cervejas na cidade, no final dos anos 1990, ela teve que ser batizada simplesmente de Bier-Bienne. Desde então, a loja mudou-se para outro ponto da rua, agora em parceria com um bar idiossincrático, adequadamente chamado de POOC, pois o local costumava ser usado como um minimercado cooperativo. Em 2006, Trini decidiu criar uma cerveja caseira para a Bier-Bienne e o POOC, escolhendo uma *steam beer* ao estilo de San Francisco. É um estilo que poderia ser descrito como "no limite", por ser fermentado com levedura de lager a temperaturas de ale. Naturalmente, o rótulo da garrafa foi escrito em "Biennetütsch" uma mistura bem-humorada de alemão e francês.

É interessante notar que a Bier-Bienne não tem uma produção tão regular quanto um relógio. A cada mês, mais ou menos, Trini e sua equipe tomam conta da fábrica de cervejas Aare Bier, em Bargen, e preparam uma leva da Bier-Bienne ou de sua irmãzinha loura mais suave, a Bier-Bienne 2 (lançada em 2008 para atrair os bebedores de lager das redondezas para o território da cerveja artesanal). **LM**

Notas de degustação

A Bier-Bienne tem cor âmbar profunda, com uma fina coroa de espuma. Coluna vertebral intensa e robusta de malte com características de nozes, notas apimentadas de lúpulo que conduzem a um final límpido e equilibrado, com uma discreta fruta que dribla as notas de solvente às vezes encontradas em steam beers. *Bela cerveja para uma noite inteira de degustação.*

Bière de Brie Ambrée

Ferme-Brasserie de Gaillon | www.biere-de-brie.com

País de origem França
Lançada em 2001
Teor alcoólico 7,5% vol.
Temperatura ideal 8° - 10°C

Raramente uma cerveja pode se gabar de apresentar um *goût de terroir* do mesmo modo que os mais elevados escalões do setor vinícola, em que as uvas são plantadas, espremidas, fermentadas e o resultado, engarrafado dentro de uma mesma propriedade. Embora alguns cervejeiros apresentem como virtude o fato de usarem ingredientes locais, bem poucos oferecem produtos acabados com uma conexão tão direta com o solo de sua região como Hugues e Geneviève Rabourdin, da Ferme-Brasserie de Gaillon.

A fazenda Gaillon fica em Courpalay, a leste de Paris, no coração da antiga província de Brie. A região é famosa, naturalmente, por seu queijo macio, mas também é conhecida como o celeiro de Paris: a produção cervejeira nas fazendas foi comum no passado, mas demonstrou ser menos tenaz no século 20 do que em áreas mais setentrionais da França. Os cereais foram o negócio dos Rabourdin antes de eles verem a oportunidade de restaurar uma arte regional e de criar um produto com uma procedência única ao "adicionarem os ritmos da produção cervejeira de uma forma natural aos ritmos do plantio e da colheita", em suas próprias palavras.

A Ambrée, uma das primeiras receitas dos Hugues, é feita com cevada maltada da própria fazenda, apenas com lúpulos e sem especiarias. A produção acontece em um dos celeiros, com um período de oito a dez dias de fermentação quente, utilizando levedura belga de ale. Este período é seguido por várias semanas de fermentação lager em tanques a 0°C e depois por, no mínimo, quatro semanas de fermentação secundária. O resultado, que pode ser provado nos estábulos da fazenda, é uma delícia grande, honesta e rústica, que premia quem a desfruta cuidadosamente. Conquistou considerável aclamação em um país que dá grande valor à comida e à bebida, ganhando duas vezes a medalha de ouro no Concours Génerale Agricole em Paris. **DdM**

Notas de degustação

Cerveja âmbar avermelhada com coroa de espuma branca, sugestões de borracha queimada e defumada, queijo, açúcar de cevada e licor herbáceo no nariz. Intensamente abiscoitada no palato, com malte adocicado e laranja ácida. Um final granulado, que é suave em termos de lúpulo, mas com uma pegada consistente, seca e torrada.

Big Hoppy Monster

Terrapin Beer Company | www.terrapinbeer.com

País de origem Estados Unidos
Lançada em 2004
Teor alcoólico 8,75% vol.
Temperatura ideal 10°C

Com o fim da Lei Seca em 1933, o estado da Geórgia impôs severas limitações sobre a venda e o consumo de álcool, como aconteceu em muitos outros estados. O Tio Sam talvez tenha legalizado a bebida com a aprovação da Vigésima Primeira Emenda, mas as mudanças levaram gerações para acontecer: as cervejarias foram proibidas até 1993. Mesmo depois do florescimento da produção artesanal nos Estados Unidos, o *Bible Belt* manteve regulamentações que limitavam a disponibilidade de ales e lagers especiais. As pequenas cervejarias eram proibidas de vender para muitas lojas. Ninguém podia comprar uma gelada aos domingos. E bebidas com malte, de teor alcoólico superior a 6%, eram banidas do mercado. As medidas não impediram simplesmente a circulação de cervejas poderosas. Atrasaram o desenvolvimento de toda uma cultura cervejeira. Nenhuma ale dos trapistas belgas, nenhum barleywine, nada "imperial". O Sul era amplamente descartado como um deserto das cervejas.

Retrógrado? Com certeza. Mas isso não queria dizer que as cervejarias e os apreciadores sulistas não estivessem ansiosos pelo progresso. Quando o limite para o teor alcoólico foi finalmente ampliado na Geórgia, em 2004, a Terrapin Beer entrou porta adentro com a sua Big Hoppy Monster. Ale cor de granada, com robusta estrutura de malte, ela apresenta um atordoante conjunto de lúpulos cítricos: Warrior, Centennial, Cascade, Ahtanum e, para completar, *dry hopping* com uma dose de Simcoe. Um barleywine tinto? Uma double red ale? O que aconteceu em seguida foi uma evolução instantânea. Do nada, surgiram várias cervejarias artesanais na cidade universitária de Athens, e gente de lugares ricos em cervejas, como o Colorado e o Oregon, começou a viajar para o Sul para provar sua ale especial. **DR**

Notas de degustação

Nebulosa e ruiva, com um colarinho duradouro de espuma cor de creme. O caráter doce, de nozes e toffee do malte cristal domina o palato. Lúpulos cítricos têm forte presença, mas sem agredir. Termina com um agradável calor cremoso, com corpo mediano.

Big John Special Reserve

Harrington's Breweries | www.harringtonsbreweries.co.nz

País de origem Nova Zelândia
Lançada em 2001
Teor alcoólico 6,5% vol.
Temperatura ideal 4°- 5°C

Com sede em Christchurch, a maior cervejaria familiar da Nova Zelândia colocou no fogo sua primeira produção em 1991. John e Val Harrington abriram a primeira cervejaria no lugar onde havia funcionado a velha Ward – a mais antiga da cidade –, com a intenção de produzir três vezes por semana. As vendas dispararam e, depois de uma quinzena, John percebeu que havia subestimado a demanda. Em 1993, foi aberta uma segunda cervejaria e a terceira chegou em 1999, expandindo a capacidade de produção em 30%. Nos últimos anos, foi instalada uma moderna linha de envasamento e a empresa agora cuida do engarrafamento para uma série de pequenas cervejarias artesanais de Christchurch.

As primeiras bebidas da Harrington's eram lagers simples, no estilo apreciado em grande escala na Nova Zelândia da época. Eram produzidas para serem vendidas por um preço baixo, principalmente em clubes frequentados por operários e na rede de lojas de bebida da companhia. Porém, elas eram diferentes daquelas oferecidas pelos dois maiores produtores do país porque usavam apenas malte, sem o acréscimo de açúcares. Hoje, a Harrington's produz uma espantosa variedade de estilos, incluindo edições especiais e tiragens limitadas.

Batizada com o nome do homem que deu início à empresa, a Big John Special Reserve foi produzida inicialmente em março de 2001. A cervejaria costumava envelhecer sua famosa lager escura e forte em barricas de bourbon durante cerca de um ano. Mas as barricas ficaram indisponíveis e, desde 2007, uma dose de bourbon é adicionada no final da fervura. Premiada com frequência, a Big John Special Reserve conquistou o título de Campeã Suprema no Prêmio Internacional de Cervejas da Nova Zelândia de 2002. **GG**

Notas de degustação

Ao servir, é de um tom de cobre intenso, sob uma coroa de espuma delicada, cor de canela, com caramelo, café e chocolate no nariz, junto com sugestões de melado, frutas escuras e bourbon doce. A boca é surpreendentemente esguia, mas há bastante calor alcoólico e equilíbrio em um final seco.

Bischofshof Zoigl

Brauerei Bischofshof | www.bischofshof.de

País de origem Alemanha
Lançada em *ca.* século 17
Teor alcoólico 5,1% vol.
Temperatura ideal 8°C

Em sua forma mais pura, a Zoiglbier é mais uma atitude do que um estilo, e está ligada aos esforços de um grupo de cervejeiros comunitários da localidade de Oberpfalz, na região nordeste da Baviera. A palavra deriva de *Zeiger* ("marcador"), uma placa colocada diante de uma casa que produz Zoigl para indicar que a cerveja está pronta. Este marcador se parece com a Estrela de Davi, mas representa os elementos da produção cervejeira – fogo, água e ar –, além dos ingredientes: água, malte e lúpulo.

Quando uma Zoiglbier tradicional é produzida, o primeiro processo de fervura acontece na cervejaria comunitária da cidade. Para a fermentação, o mosto fervido e lupulado é levado ao celeiro de um dos produtores, onde o processo leva dez dias para acontecer. A cerveja é feita de forma bem parecida por cada produtor, embora tenha diferentes sabores, pois as diversas famílias dispõem de receitas próprias.

Não existe uma identificação geográfica para a Zoiglbier. Por isso, apesar de tradicionalmente produzida em cinco cidadezinhas da região, diversos produtores de maior porte, como a Bischofshof, também fazem Zoiglbier. Sediada em Regensberg, a Bischofshof tem uma cervejaria moderna, construída em 2006, e é lá que sua Zoigl é preparada de um jeito mais atualizado, embora a empresa mereça crédito por não ter negligenciado um produto com tanta tradição. Afinal de contas, ela também tem sua própria história, tendo sido fundada pelo príncipe-bispo Wilhelm Graf von Wartenberg em meados do século 17, época em que a Zoiglbier teria aparecido. **WO**

Notas de degustação

A Bischofshof Zoigl é uma típica Kellerbier sem filtragem, com cor dourado-escura levemente turva. É refrescante e picante no nariz. O paladar ecoa as delicadas notas de especiaria do nariz, com um toque adocicado, antes de chegar a um final leve e lupulado.

Bishops Finger

Shepherd Neame | www.shepherd-neame.co.uk

País de origem Inglaterra
Lançada em 1958
Teor alcoólico 5,4% vol.
Temperatura ideal 9°- 11°C

Os costumes e a tradição interpretam um papel importante no mundo da produção cervejeira, mas poucas cervejas estão tão ancoradas na história ou em rituais quanto a Bishops Finger. Tratando da história em primeiro lugar, esta ale forte e satisfatória da Shepherd Neame foi criada em 1958, mas seu nome vem de muitos séculos atrás, quando os peregrinos atravessavam lentamente o condado inglês de Kent para se dirigirem à capela de São Thomas Becket, na catedral de Canterbury. Em suas viagens, eles seguiam as indicações fornecidas na estrada por placas com o formato de um dedo, singular peça de sinalização que permanece em regiões rurais do condado até hoje. O "dedo do bispo", como ficou conhecido, ajudou muitos viajantes a chegar a seu destino sagrado.

O ritual entra no que diz respeito à forma com que a cerveja é preparada, com regras de produção ditadas por um documento especial emitido pela cervejaria em 2003. Ele assegura que a cerveja só é produzida às sextas, e apenas pelo mestre cervejeiro, com ingredientes encontrados exclusivamente em Kent: água do poço artesiano da cervejaria, cevada da região transformada em malte cristal e claro, e uma abundância de belos lúpulos – Target e East Kent Golding – das fazendas da região, famosas mundialmente, para trazer ao paladar sabores de fruta e amargor.

A rígida obediência a esses parâmetros permitiu que a Shepherd Neame adquirisse a Indicação de Proteção Geográfica da União Europeia para a Bishops Finger. É um carimbo de autenticidade conquistado por produtos como o presunto de Parma e o queijo Camembert. Na prática, significa que nenhuma outra cerveja pode se descrever legalmente como uma strong ale de Kent. **JE**

Notas de degustação

Ale de coloração âmbar intensa, com delicado toque de pera, malte amanteigado e sugestão de alcaçuz no aroma. Pera perfumada e frutas vinosas se juntam a notas secas, apimentadas de lúpulo no paladar, sobrepondo uma doçura maltada e sedosa antes de um final seco, lupulado e amargo.

Bitch Creek ESB

Grand Teton Brewing Company | www.grandtetonbrewing.com

País de origem Estados Unidos
Lançada em 1989
Teor alcoólico 5,5% vol.
Temperatura ideal 13°C

A cervejaria iniciou suas atividades em Wyoming, mas mudou-se para Idaho. Os fundadores Charlie e Ernie Otto batizaram o empreendimento inicialmente de Otto Brothers Brewing, mas hoje em dia é conhecido pelo nome de Grand Teton Brewing. Uma de suas cervejas mais famosas chama-se Bitch Creek ESB, e quase todo mundo concorda que se trata de um ótimo e bem lupulado exemplo daquilo que se tornou conhecido como brown ale americana.

Os irmãos abriram a primeira microcervejaria, em Wyoming, em 1989. Depois de batalhar pela legalização dos pubs-cervejarias, eles começaram a cuidar do primeiro restaurante-cervejaria do estado em 1992. Nessa época, já haviam introduzido a versão atualizada do *growler*, que se tornaria comum nos pubs norte-americanos. Ao final do século 19, os bebedores levavam cerveja do pub para casa em um baldinho conhecido como *growler*. Sem contar com engarrafamento e em busca de uma forma de vender cerveja para ser levada para casa, Charlie Otto teve a ideia de colocar um rótulo da cervejaria em um recipiente de vidro com capacidade para 1,8 litro, chamando-o de *growler* e dizendo para a clientela que os recipientes vazios poderiam ser devolvidos e reabastecidos novamente. Pubs de todo o país logo copiaram a ideia.

A Otto Brothers mudou-se para sua nova casa em Victor, Idaho, em 1998, assumindo o nome de Grand Teton Brewing a partir de 2000. Como a Old Faithful Ale, cerveja oficial do Parque Nacional de Yellowstone, a Bitch Creek assume o nome de um ponto de referência da região. Bitch Creek, o riacho, desce pelo lado oeste das Tetons e é o destino favorito de muitos pescadores. Para celebrar o vigésimo aniversário da cervejaria, o mestre cervejeiro Rob Mullin criou uma série XX de bebidas mais fortes, incluindo uma XX Bitch Creek Double ESB. **SH**

Notas de degustação

Mogno escuro no copo. Os aromas iniciais de toranja e pinho, provenientes dos lúpulos do noroeste, sobrepujam na maior parte dos casos as notas de caramelo. Mais doçura de caramelo emerge no palato, com algumas características de nozes e toffee, bem como frutas cítricas dos lúpulos. Finaliza com um amargor sólido.

Bittersweet Lenny's R.I.P.A.

Shmaltz Brewing | www.shmaltz.com

País de origem Estados Unidos
Lançada em 2006
Teor alcoólico 10% vol.
Temperatura ideal 10°C

Durante toda sua polêmica carreira, Leonard Alfred Schneider foi mais conhecido pelo nome artístico de Lenny Bruce. Tinha apenas quarenta anos ao morrer, na miséria, em consequência de uma overdose. Mas deixou sua marca. Como consequência de suas muitas prisões e julgamentos por obscenidade, Bruce se tornou um símbolo da liberdade de expressão, inspirando incontáveis artistas a expandir as fronteiras da manifestação artística. Em 2006, outro recém-chegado também buscava expandir fronteiras, não aquelas da liberdade de expressão, mas sim as da cerveja. Jeremy Cowan havia fundado a Shmaltz Brewing em 1996, como uma piscadela cúmplice. Desde então, a marca He'Brew – The Chosen Beer (He'breu, a Cerveja Escolhida) vem provocando polêmica com seu marketing malicioso. Não chegou a ser uma surpresa para ninguém que a He'Brew criasse uma IPA dupla de centeio dedicada ao falecido comediante judeu Lenny Bruce.

Como seu xará, a Lenny's R.I.P.A. se comunica com amargor, usando "uma quantidade obscena de lúpulos", entre eles Amarillo, Cascade, Centennial, Chinook, Crystal, Simcoe e Warrior. No *dry hopping* entram Amarillo e Crystal, mas, para se obter o equilíbrio perfeito, são usados cinco maltes tradicionais, entre eles quatro de cevada e um de trigo, além de três variedades de centeio: malte de rye ale, centeio tostado e centeio cristal 75.

Anunciada como dona de "sabores chocantes – muito além dos padrões contemporâneos da comunidade", a marca é tão rica em ironia quanto em centeio. Além da badalação, é a primeira cerveja de seu tipo, uma double IPA feita com centeio, um gigante que consegue ser tão equilibrado quanto desvairado, com um desempenho impressionante, digno do comediante que desafiou a hipocrisia moral dos Estados Unidos com palavras. **JB**

Notas de degustação

Uma bela cor cobre avermelhada com espessa coroa de espuma canela. O nariz é uma mistura complexa de grandes lúpulos, malte doce e centeio. Espessa, cremosa e consistente, apresenta uma gama impressionante de sabores que se transformam, da onipresença do centeio aos lúpulos de pinho, temperos picantes, malte doce e o calor do álcool.

Black Oak Nut Brown Ale

Black Oak Brewing Company | www.blackoakbeer.com

País de origem Canadá
Lançada em 2000
Teor alcoólico 5% vol.
Temperatura ideal 8°C

A Black Oak Brewing conseguiu, em sua existência relativamente curta, garantir para si um lugar na cena cervejeira da província. O proprietário Ken Woods concebeu o empreendimento enquanto trabalhava como garçom de uma extinta choperia de Toronto. Construiu sua cervejaria em Oakville por conta de sua localização na região sul de Ontário, onde ele pretendia fazer suas vendas, animado também pelos aluguéis mais baixos que encontrou por ali. Ele e John Gagliardi, seu sócio na época, aprontaram o primeiro barril em 10 de janeiro de 2000, contendo outro carro-chefe, a Black Oak Pale Ale – um bom começo para o milênio.

Uma curiosidade da Grande Toronto, porém, é que a adesão às cervejarias artesanais, fora da metrópole, tem sido reconhecidamente fraca, mesmo quando elas se localizam no interior das comunidades que pretendem atingir. Por isso, depois de anos enviando o grosso de sua cerveja do subúrbio para a cidade, Woods finalmente encontrou um lugar na zona industrial no lado oeste de Toronto e mudou-se para lá em 2009.

Embora os dois rótulos principais da Black Oak sejam produzidos segundo estilos de origem inglesa, ambos são releituras assumidamente modernistas. A Black Oak Pale Ale é suficientemente loura para ser confundida, à distância, com uma pilsen, enquanto que a Black Oak Nut Brown Ale tem consideravelmente mais doçura do que seria esperado de uma brown ale de Yorkshire. As duas, com produção o ano inteiro, compõem o grosso da produção, que é complementada sazonalmente por criações menos convencionais, como a Summer Saison, de inspiração belga, a Nutcracker Porter, cerveja de Natal com especiarias, e a Double Chocolate Cherry Stout, de inverno. **SB**

Notas de degustação

"Nut Brown" é, com certeza, um apelido adequado para esta ale com tom de mogno claro e uma personalidade rica de nozes. O malte adocicado domina o paladar, enquanto lúpulos mais secos do que amargos a tornam um excelente complemento para um prato de rosbife malpassado.

Black Sheep Best Bitter

Black Sheep Brewery
www.blacksheepbrewery.com

País de origem Inglaterra
Lançada em 1992
Teor alcoólico 3,8% vol.
Temperatura ideal 11°C

A Black Sheep Brewery foi fundada em 1992 por Paul Theakston, membro da ilustre família de cervejeiros que deu início à produção da bebida no norte de Yorkshire em 1827. Paul deixou o negócio da família em 1987 para abrir sua própria cervejaria, e esta Best Bitter foi a primeira criação da Black Sheep. Como acontece com todas as suas cervejas, a base é constituída por água dos poços da própria cervejaria, malte claro Maris Otter, um pouquinho de cristal, trigo tostado – que constitui 10% da composição da moagem e ajuda a dar à cerveja sua coroa de espuma branca, plena e duradoura, tão característica –, lúpulos English Golding e Fuggle, além de uma levedura multicepa Yorkshire Square. Ela é fermentada pelo método Yorkshire Squares, que costumava ser empregado pelos produtores da região. O topo do quadrado funciona como coletor de leveduras, que separa a cerveja em fermentação da vigorosa espuma que se forma sobre o líquido. Acredita-se que isso dá suavidade ao sabor. **TH**

Notas de degustação

Bem lupulada, a cerveja emite sabores apimentados, picantes, de frutas cítricas. Um punhado de malte tostado é usado, o que lhe fornece um sabor abiscoitado. O final é longo, refrescante e vital.

Black Wattle Original Ale

Barons Brewing Company
www.baronsbrewing.com

País de origem Austrália
Lançada em 2005
Teor alcoólico 5,8% vol.
Temperatura ideal 6°C

Sabe-se que os primeiros produtores australianos tentavam aprimorar suas cervejas com a adição de todo tipo de ingrediente. Isso geralmente acontecia na tentativa de consertar bebida "errada" e mascarar sabores indesejáveis causados por leveduras selvagens e temperaturas escorchantes. Em grande medida, tais experiências fracassaram e, no último século, a lista de ingredientes usados no preparo das cervejas australianas tem sido bem parecida com a de qualquer outro país do mundo.

Pelo menos, foi assim até que Richard Adamson decidiu lançar cervejas com ingredientes tipicamente australianos. A Barons Black Wattle Original Ale tem a adição de *wattleseed* torrada, um grão nativo da Austrália que faz parte da dieta dos aborígines australianos. O uso de ingredientes regionais demonstrou ser um toque de gênio do ponto de vista do marketing. A Barons dispõe agora de uma rede de distribuição que abrange os Estados Unidos, a Rússia e o Reino Unido, oferecendo "um pouquinho da Austrália em cada garrafa". **DD**

Notas de degustação

Quando servida, apresenta uma forte coroa de espuma e cor rubi, apoiadas por um aroma que sugere toffee *e flores.* Wattleseeds *acrescentam uma intrigante nuance aos sabores de malte caramelo.*

Boltens Ur-Alt

Privatbrauerei Bolten
www.bolten-brauerei.de

País de origem Alemanha
Lançada em 1991
Teor alcoólico 4,9% vol.
Temperatura ideal 8°C

A Privatbrauerei Bolten se orgulha de ser a mais antiga cervejaria de Altbier da região do Baixo Reno – e, portanto, do mundo inteiro. É documentado que o local, chamado de Kaushof, tem permissão para produzir cerveja desde 1266.

Esta é a versão não filtrada da alt com maltes tostados, Pilsen e Munique, além de uma minúscula quantidade de malte de trigo na moagem. Dependendo da qualidade, três ou cinco tipos diferentes de lúpulo são usados, desde a variedade Hallertauer Nordbrauer, que confere amargor, a aromáticas, como Hallertauer Perle e Spalter Select. Essa seleção cria um amargor redondo e harmonioso que se combina com os sabores tostados e de caramelo do malte. Depois da fermentação a quente, a Boltens Ur-Alt amadurece em baixas temperaturas por três a quatro semanas. É um período extraordinariamente longo, que permite que a levedura tenha tempo de se depositar, evitando a opacidade. **SK**

Notas de degustação

Aromas herbáceos de lúpulo com sugestões de malte e frutas cítricas. No palato, uma sensação fresca e leve que evolui para uma vibrante personalidade de malte tostado. Um final amargo e aromático.

Bombay Pale Ale

Nørrebro Bryghus
www.noerrebrobryghus.dk

País de origem Dinamarca
Lançada em 2003
Teor alcoólico 6,5% vol.
Temperatura ideal 5°- 10°C

Quando Anders Kissmeyer deixou a Carlsberg para criar sua própria cervejaria, sua inspiração veio da produção artesanal norte-americana. Kissmeyer adorava a East India Pale Ale, da Brooklyn Brewery, e, quando chegou a hora de produzir sua própria IPA, ele pediu ajuda a Garret Oliver, da Brooklyn. Oliver fez comentários sobre as ideias de Kissmeyer para a receita e ajudou a desenvolver uma IPA verdadeiramente transatlântica – uma cerveja de estilo inglês, renascida nos Estados Unidos, produzida na Dinamarca, sob orientação norte-americana, usando malte e lúpulos da Inglaterra, dos Estados Unidos e da Europa continental.

Os lúpulos Perle e Willamette acrescentam amargor, mas o aroma corre por conta dos lúpulos ingleses, o que produz uma cerveja reconhecida imediatamente como tendo o estilo de IPA norte-americano. É uma das preferidas das choperias, servida com pratos picantes da culinária asiática e queijos fortes, mas a caramelização também permite que acompanhe bem assados ou churrascos. **PB**

Notas de degustação

Ao servir, apresenta uma intensa coloração bronzeada, com uma coroa de espuma espessa e cremosa. Um aroma efervescente de limão e doçura amanteigada, seguido no palato por lúpulos cítricos, mantidos sob controle pelo cremoso malte caramelo.

Boont Amber Ale

Anderson Valley Brewing Company | www.avbc.com

País de origem Estados Unidos
Lançada em 1987
Teor alcoólico 5,8% vol.
Temperatura ideal 7°C

A Anderson Valley Brewing Company foi fundada em Boonville, cidadezinha no norte da Califórnia que mal conta com 700 moradores. Sua posição isolada levou seus residentes a criarem um dialeto local, conhecido como "Boontling", com mais de mil palavras e expressões singulares. Tem suas origens no inglês, irlandês, pomoan (idioma indígena local), gaélico escocês e espanhol.

A primeiríssima cerveja produzida em Boonville, a Boont Amber Ale, prestou uma homenagem a essa excêntrica cidadezinha. Sua popularidade precoce a levou a ganhar quatro medalhas no Grande Festival Americano da Cerveja e ajudou a Anderson Valley a ser considerada uma das Dez Melhores Cervejarias do Mundo em 1997 e 1998. A Boont Amber é feita com ingredientes inteiramente americanos, como malte claro duas fileiras e variedades de malte Crystal. Três tipos de lúpulo são adicionados em três momentos diferentes: Horizon, Northern Brewer e Liberty, todos da região da costa do Pacífico, no noroeste dos Estados Unidos.

A cervejaria original ficava no porão do Buckhorn Saloon e empregava um pequeno sistema de dez barris, criado para fornecer bebida para o bar que funcionava no andar de cima. Mas, devido ao aumento na demanda, a produção foi transferida em 1996 para uma nova cervejaria com capacidade para trinta barris, no estilo da Baviera. Hoje, as instalações incluem uma sala de degustação, setor de engarrafamento e estábulos para os cavalos Shire, usados para puxar uma antiga carroça até a cidade. A Anderson Valley Brewing descreve seu festival anual no dialeto local: "The bahlest steinber hornin', chiggrul gormin' tidrick in the heelch of the Boont Region!" (A melhor festa para se beber cerveja e se comer em toda a região de Boonville!"). **JB**

Notas de degustação

Coloração marrom límpida e viva, com uma coroa de espuma bem espessa, em cor de canela. O nariz é doce e frutado, e a textura é cremosa na boca. Malte suave e uma característica tostada, rica e sutil tornam esta ale âmbar clara, simples e fácil de beber. O final é ácido e permanece por muito tempo.

Brains SA

SA Brain & Company | www.sabrain.com

País de origem País de Gales
Lançada em 1958
Teor alcoólico 4,2% vol.
Temperatura ideal 11°C

O jogo de rúgbi no País de Gales é mais do que um esporte: é quase uma religião. Em Cardiff, sua capital, os dias de partida são verdadeiros acontecimentos épicos, com as ruas das cidades repletas de torcedores, muitos sem a menor esperança de comparecer ao jogo, tal é o clamor pelos ingressos. O consolo deles é encontrar um canto em um pub animado para assistir ao desenrolar da peleja pela televisão, apreciando a ale local.

A principal cervejaria de Cardiff – na realidade, a principal cervejaria independente do País de Gales – é a Brains, uma empresa fundada em 1882. Atualmente, ela produz uma ampla variedade de ales intrigantes, mas o carro-chefe continua a ser uma bebida conhecida apenas por duas letras: SA. As iniciais refletem o nome do fundador da cervejaria, Samuel Arthur Brain. Porém a forma abreviada foi subvertida pelos fãs do rúgbi, que afirmam que, na verdade, as letras querem dizer "*skull attack*" (ataque no crânio). Esse apelido infeliz, apesar de afetuoso, exagera a força da cerveja, pois, com 4,2% de álcool, a SA não chega a ser particularmente potente. É, na verdade, um *pint* fácil de beber, com o equilíbrio de sabores pendendo mais para os maltes claro e cristal do que para os lúpulos Challenger, Fuggle e Golding. Se você prefere uma ale mais lupulada, com malte menos proeminente, existe uma alternativa. Em 2005, uma versão mais leve, mais amarga, a SA Gold, foi lançada e fez grande sucesso, atravessando a fronteira entre o País de Gales e a Inglaterra, que, aliás, apresenta um famoso anúncio da cerveja Brains. Ele mostra uma placa da estrada com duas importantes letras faltando no nome do principado. "Não seria Gales sem SA", declara o slogan. Muitos bebedores assinariam embaixo. **JE**

Notas de degustação

Encorpada, de cor âmbar, amarga, com o malte conduzindo tanto ao aroma quanto a um sabor frutado, mas com firme amargor fornecido continuamente pelos lúpulos, para contrabalançar a doçura. O final seco contribui para seu caráter, fácil de beber.

Brakspear Bitter

Brakspear Brewing Company | www.brakspear-beers.co.uk

País de origem Inglaterra
Lançada em 2004
Teor alcoólico 3,4% vol.
Temperatura ideal 11°- 13°C

A Brakspear era uma das mais reverenciadas cervejarias da Inglaterra. É difícil compreender como um negócio estabelecido no século 18, parte tão integrante da vida da cidade de Henley-on-Thames, em Oxfordshire, quanto a famosa regata, pudesse desaparecer, mas foi o que aconteceu. O conselho de diretores vendeu a sede da cervejaria para projetos imobiliários e negociou os direitos para que a produção e a venda de cervejas fossem feitas em outro lugar.

A empresa que assumiu o desafio de recriar as ales tão singulares da Brakspear foi a Wychwood Brewery, em Witney, Oxfordshire. Construiu-se uma nova cervejaria Brakspear ao lado da sede da Wychwood, reconstituindo as instalações originais para recriar o antigo sistema Brakspear da forma mais próxima possível, incluindo o processo de fermentação *double-drop*, no qual a cerveja é parcialmente fermentada em um vaso e depois lançada em um tanque inferior, deixando para trás as leveduras mortas e as proteínas.

A sensação é que a nova cervejaria Brakspear chegou tão perto quanto possível de reviver seu carro-chefe, a Brakspear Bitter. Com 3,4% de álcool, agradável de ser bebida em grandes quantidades, refrescante, porém cheia de sabor – uma tradicional ale inglesa sob todos os aspectos: dos maltes claro e cristal na tina de maceração aos lúpulos Fuggle e Golding, no cobre. O que mais impressiona é a forma com que outras características da Brakspear foram mantidas, como o final ligeiramente salgado e, de forma mais significativa, uma proeminente nota de doce de manteiga da fermentação feita com a levedura Brakspear original. A cervejaria de Henley, infelizmente, não pode voltar, mas a cerveja da Brakspear, pelo menos, continua em cena. **JE**

Notas de degustação

Uma bitter clássica e âmbar, cheia de personalidade, apesar da pouca força. Notas frutadas, florais e de doce de manteiga dominam o aroma. Na boca, há uma sugestão de frutas alaranjadas, mas o gosto é, em geral, seco e amargo, terminando com lúpulos, um leve toque salgado e doce de manteiga.

Brakspear Triple

Brakspear Brewing Company | www.brakspear-beers.co.uk

País de origem Inglaterra
Lançada em 2005
Teor alcoólico 7,2% vol.
Temperatura ideal 11°- 13°C

Depois que a querida cervejaria de Henley-on-Thames fechou as portas em 2002, o futuro das maravilhosas cervejas da Brakspear parecia sombrio, até que os antigos equipamentos foram remontados ao lado da Wychwood Brewery, em Witney. Para marcar o bem-sucedido renascimento de um dos grandes nomes do setor, foi lançada uma nova cerveja.

A Brakspear Triple é criação do cervejeiro Jeremy Moss, da Wychwood, que projetou uma bebida forte e especial, cheia da personalidade Brakspear, tão familiar a seus apreciadores. É chamada de Triple por dois motivos. Em primeiro lugar, a cerveja recebe três adições de lúpulo, com Northdown e Cascade no cobre e mais Cascade no vaso de fermentação. Em segundo lugar, a cerveja sofre três fermentações, usando a levedura Brakspear original. Depois da fermentação primária, há uma secundária, longa e lenta, nos tanques de acondicionamento e finalmente, como a cerveja é envasada com levedura viva, há uma terceira fermentação na garrafa. É uma bebida espantosa. O malte cristal utilizado com o malte claro na tina de maceração realmente fica em evidência, trazendo ao paladar doces sabores de cevada. Eles contrastam com pronunciadas notas cítricas do lúpulo Cascade e também com sabores de frutas tropicais gerados pela ação da levedura.

A Brakspear Triple tem pouco em comum, do ponto de vista estilístico, com as *triples* produzidas pelos monges trapistas da Bélgica e da Holanda, mas existem alguns vínculos religiosos que podem ser encontrados. Um ancestral distante da família que originou a cervejaria é Nicholas Breakspear, que veio a se tornar o único papa inglês. Quando você se serve da Triple em um cálice especialmente projetado para ela, as ligações se tornam ainda mais tangíveis. **JE**

Notas de degustação

Ale marrom-avermelhada com aroma rico em malte e frutas tropicais. De paladar doce, levemente caramelado, logo acompanhado por gostos suculentos, toranja e uma adorável nota de doce de manteiga. Os mesmos sabores voltam no final seco e ligeiramente salgado.

BridgePort India Pale Ale

BridgePort Brewing Company | www.bridgeportbrew.com

País de origem Estados Unidos
Lançada em 1996
Teor alcoólico 5,5% vol.
Temperatura ideal 10°C

Quando abriu as portas em 1984, a Columbia River Brewery foi, sem dúvida, a primeira microcervejaria do Oregon e capitalizou, com sucesso, o slogan "A cervejaria artesanal mais antiga do Oregon". Dois anos depois, adquiriu seu nome atual, BridgePort Brewing Company, quando sua choperia abriu as portas para o público no histórico distrito dos armazéns de Portland. Dez anos mais tarde, em 1996, o premiado cervejeiro Karl Ockert produziu pela primeira vez a BridgePort India Pale Ale.

A ideia surgiu a partir de um comentário inesperado feito por um dos amigos de Ockert, que chamou a atenção para o fato de a cervejaria ser próxima a uma das maiores áreas de produção de lúpulo nos Estados Unidos. Ockert partiu para fazer uma IPA inglesa com lúpulos norte-americanos. Na época, produzir uma cerveja com 50 IBU era considerado uma maluquice, e muitos colegas disseram a Ockert que não acreditavam que alguém fosse beber ou comprar uma bebida tão amarga. Mas sua popularidade foi quase imediata. Um ano depois de aparecer, a BridgePort India Pale Ale foi premiada com a medalha de ouro no Grande Festival Americano da Cerveja, o primeiro de muitos prêmios que viria a receber. O mais impressionante, sem dúvida, é ter sido a primeira norte-americana a sagrar-se campeã nos Prêmios Internacionais do Setor Cervejeiro, em 2000, superando mais de 750 cervejas.

A BridgePort India Pale Ale usa um processo chamado de acondicionamento natural, no qual a cerveja é fermentada uma segunda vez em seu respectivo barril, barrica ou garrafa. Emprega-se uma combinação ímpar de cinco lúpulos, mas as variedades específicas são um segredo guardado a sete chaves. **JB**

Notas de degustação

A IPA da BridgePort é de cor âmbar dourada, com uma rica coroa de espuma cor de canela, que deixa uma bela renda no copo. O nariz é perfumado por aromas cítricos e de pinho do lúpulo. Na boca, tem textura consistente e cremosa, com malte abiscoitado e um espetacular amargor de lúpulo. Os sabores complexos nunca avassalam, mas permanecem equilibrados e muito bons de beber.

BridgePort Old Knucklehead

BridgePort Brewing Company | www.bridgeportbrew.com

País de origem Estados Unidos
Lançada em 1989
Teor alcoólico 9% vol.
Temperatura ideal 13°C

Os amantes da cerveja compreendem que uma verdadeira apreciação de sua arte e cultura exige iguais medidas de veneração e irreverência. É por isso que, se uma cervejaria decide criar uma edição especial e limitada de uma cerveja clássica em homenagem às pessoas que contribuíram para seu sucesso, é inteiramente apropriado batizá-la de *Old Knucklehead* (Velho Idiota) e colocar um retrato do "homenageado" no rótulo, logo abaixo desse título honorífico. Desde 1989, a BridgePort insultou/homenageou uma série de personagens importantes dessa forma, entre eles o lendário crítico Fred Eckhardt. Toda vez que uma nova tiragem limitada é criada e um novo *Knucklehead* é nomeado, a cervejaria organiza uma cerimônia de "troca de *Knuckleheads*" que envolve o "*knuckling in*" (ou acolhimento) do novo detentor do título e a degustação de uma pequena barrica da nova cerveja.

A Old Knucklehead é uma ale no estilo do barleywine inglês, produzida no começo do inverno com o dobro de malte e lúpulo empregados em uma cerveja normal. Tradicionalmente, o teor alcoólico tem ficado em torno de 9%, mas em 2008 a cervejaria foi um pouco mais longe. Uma parte foi separada e envelheceu durante três meses em barris de carvalho americano, anteriormente usados para bourbon, e depois recombinada ao resto da produção, para criar uma ale mais rica e mais complexa em sabores, mas, ao mesmo tempo, menos pesada do que outras cervejas com essa potência. Apenas 75 barris foram produzidos. E então, o que é necessário para se tornar um *Knucklehead*? Um cervejeiro da BridgePort, cheio de diplomacia, diz que é preciso ser "excêntrico de uma forma divertida". Um dos homenageados acha que isso é uma explicação excessivamente educada: "Acho que para ser um *Old Knucklehead* é preciso ser um rabugento de carteirinha." **PB**

Notas de degustação

Aparência em vivo tom de mogno. Baunilha, bourbon e carvalho dominam o nariz, com sabores de toffee, malte tostado, xerez, passas, ameixas e melado que se unem no palato. Apesar de tanta coisa acontecer ao mesmo tempo, ela permanece harmoniosa e fácil de beber.

British Bulldog

Westerham Brewery Co. | www.westerhambrewery.co.uk

País de origem Inglaterra
Lançada em 2004
Teor alcoólico 4,3% vol.
Temperatura ideal 7°- 10°C

Não há nada mais britânico do que um buldogue: as patas arqueadas, curtas e grossas não impedem sua resoluta tenacidade quando se trata de recuperar gravetos. Portanto, vai agradar a todos os amantes da cerveja britânica o fato de encontrarem uma compatriota orgulhosa com tal nome neste livro. A British Bulldog, porém, não tem nada de feiosa. É um belo exemplar: bem encorpada, com uma boa mordida.

Não deve causar surpresa que a Westerham tenha produzido algo tão agradável, pois ela conta com um pedigree e tanto. Embora seja relativamente novata, tendo aberto as portas apenas em 2004, ela aproveitou a herança deixada pela Black Eagle Brewery (cervejaria muito querida da região, que fechou as portas em 1965) e produz uma série de excelentes cervejas.

A British Bulldog é uma tradicional bitter de Kent, com muito malte claro Maris Otter e cristal, para dar cor e complexidade, acompanhados pelo lúpulo regional Northdown e o Whitbread Golding (de Finchcocks) para sabor e aroma completos. A baixa carbonatação e os teores alcoólicos, combinados com o equilíbrio cuidadoso de lúpulo e malte, fazem com que seja maravilhosa para ser consumida durante uma noite inteira. A cerveja também tem uma bela cor em âmbar dourado e características frutadas sutis, mas aparentes para quem tem o paladar mais educado.

A Westerham é comandada por Robert Wicks, que desistiu de uma vida lucrativa no mercado financeiro para seguir seu sonho cervejeiro. Agora que garantiu sólida reputação como produtor, ele também mantém um firme compromisso com o meio ambiente, empregando ingredientes de qualidade, produzidos na região. Não é surpresa, portanto, que a Westerham produza uma cerveja soberba, da qual os britânicos podem se orgulhar. **TS**

Notas de degustação

Ao servir, apresenta cor âmbar média com uma abundante coroa de espuma para se desfrutar. O nariz exibe características frutadas, enquanto que, no paladar, os maltes doces são lindamente complementados pelos lúpulos, tornando a cerveja uma ótima companhia para queijos fortes.

Brooklyn Lager

Brooklyn Brewery | www.brooklynbrewery.com

País de origem Estados Unidos
Lançada em 1988
Teor alcoólico 5,2% vol.
Temperatura ideal 8°- 9°C

Para muitos apreciadores de cerveja, talvez seja uma surpresa descobrir que a lager norte-americana, largamente consumida, desprezada por tantos pela falta de personalidade, nem sempre foi desse jeito. No final do século 19, milhares de cervejeiros alemães, que fugiam da agitação que tomava conta de seu país, chegaram à América e construíram o setor cervejeiro norte-americano como uma cópia daquele que haviam deixado para trás. Alguns dos estilos mais populares eram as lagers de Viena e da Baviera, mais escuras e mais dotadas de personalidade do que a loura pilsen. Então veio a Lei Seca. Durante mais de catorze anos, os norte-americanos se esqueceram do sabor da cerveja e passaram a consumir refrigerantes. Quando a Lei Seca acabou, passaram a achar que o gosto da lager escura era excessivamente forte e agressivo. Logo os produtores começaram a fazer cervejas mais claras para reconstruir seus negócios.

Mais de cinquenta anos depois, dois amantes da cerveja de Nova York resolveram reviver a importância do Brooklyn na história da produção nos Estados Unidos e tiveram acesso a cadernos e receitas que antecediam a Lei Seca. A Brooklyn Lager era diferente da maioria das cervejas da época: feita exclusivamente com malte, sem adjuntos como arroz, temperada com os lúpulos Hallertauer Mittelfrüh, Vanguard e Cascade, com bem mais sabor do que o público norte-americano estava acostumado. De forma incomum para uma lager, ela passa por *dry hopping* – prática normalmente associada às ales inglesas de barricas. Nesse caso, lúpulos frescos são acrescentados à cerveja enquanto ela amadurece nos tanques de estocagem. É o que os cervejeiros artesanais dos Estados Unidos sabem fazer de melhor – encontrar velhas tradições da Europa e revivê-las, dando um toque especial para criar algo de verdadeiramente norte-americano. Esta cerveja moderna e ao mesmo tempo antiquada demonstra que a história, com frequência, anda em círculos. **PB**

Notas de degustação

Cor âmbar cálida. Lúpulos picantes e florais se combinam com malte tostado no nariz. Esse equilíbrio permanece no paladar, com doce malte caramelo na base e lúpulos perfumados que pairam logo acima da língua, formando um conjunto harmonioso, seco e revigorante.

THE REIVER
BREWED IN THE SCOTTISH BORDERS
BROUGHTON ALES
LIMITED

Broughton Old Jock Ale

Broughton Brewery | www.broughtonales.co.uk

País de origem Escócia
Lançada em 1985
Teor alcoólico 6,7% vol.
Temperatura ideal 10°- 12°C

A Broughton Brewery abriu as portas em 1980, ocupando um antigo matadouro de carneiros na região sul da Escócia conhecida como Scottish Borders. Seus fundadores foram David Younger e James Collins – Younger pertencia à sétima geração da famosa dinastia cervejeira dos Younger e Collins era integrante de uma renomada editora escocesa. A cervejaria foi um dos primeiros empreendimentos que tirou proveito do renascimento da real ale na Escócia e testemunhou o fracasso de muitos colegas. Tempos difíceis acabaram chegando também à Broughton e, em 1985, ela foi adquirida por Giles Litchfield, da Whim Ales, de Derbyshire. Litchfield viu o valor que havia em tornar as cervejas disponíveis para um círculo mais amplo. Os soldados dos regimentos das Highlands e Lowlands há muito ganharam o apelido de "Jocks". O rótulo da cerveja representa um soldado de infantaria ruivo, de aparência feroz. A Old Jock Ale, típica das ales escocesas "Wee Heavy" (um tantinho pesadas), reflete essa força e personalidade. **AG**

Notas de degustação

Encorpada, com calor e sabor frutado, pleno em éster, de uma forte ale escocesa. Criação formidável graças ao equilíbrio do amargor do lúpulo com a doçura do malte e do alcaçuz, além da forte presença do álcool.

Buddy Marvellous

Bryncelyn Brewery | www.bryncelynbrewery.org.uk

País de origem País de Gales
Lançada em 1999
Teor alcoólico 4% vol.
Temperatura ideal 11°- 12°C

Cerveja e rock 'n' roll são companheiros inseparáveis – não apenas nas apresentações, mas também nas choperias. Cream, Led Zeppelin e Frank Zappa são apenas alguns dos artistas homenageados com cervejas com seus nomes. Outro deles é Buddy Holly, cuja obra causou uma impressão duradoura sobre o dono de um pub no sul do País de Gales. Will Hopton, que tem a licença para operar o Wern Fawr, pub perto de Swansea, ficou cativado pela música de Holly ainda muito jovem. Quando decidiu abrir uma cervejaria no porão do pub, em 1999, pareceu natural que Buddy Holly lhe servisse de fonte de inspiração. Will e o cervejeiro Robert Scott criaram um catálogo com bebidas inspiradas por Holly. Entre elas estão a Oh Boy, a Rave On, e uma cerveja de Natal, That'll Be the Sleigh. As cervejas costumam ser premiadas, principalmente a Buddy Marvellous, ale cor de rubi que foi a Cerveja Campeã de Gales em 2002. O sucesso da cervejaria levou a sua expansão e há planos de engarrafar sua produção. **JE**

Notas de degustação

Cerveja cor de rubi com aroma de malte e frutas. O amargor tende a ser baixo, mas os lúpulos frutados e o grão tostado ficam em evidência no sabor. Muito corpo e um final seco e agradável.

← Uma das ales Broughton, própria para ser consumida durante uma noitada: The Reiver (que significa "invasor da fronteira").

Bush Ambrée Triple

Brasserie Dubuisson | www.br-dubuisson.com

País de origem Bélgica
Lançada em 2008
Teor alcoólico 12% vol.
Temperatura ideal 9°- 12°C

Como tantas cervejarias dessa fértil região na província de Hainaut, a Brasserie Dubuisson começou como uma fazenda que produzia cerveja. Digna de elogios, a Dubuisson ("arbusto" em português) ainda consegue se distinguir de seus vizinhos graças ao tipo de bebida que produz.

Em 1933, a Brasserie apresentou uma cerveja de cor âmbar, forte, em um estilo livremente inspirado pelo britânico, contrariando a tendência dos cervejeiros locais que se mantinham fiéis ao estilo saison, tradicional e leve. O cervejeiro também achou que seria uma boa ideia acentuar os vínculos com a tradição britânica ao usar seu nome traduzido para o inglês, Bush. Esta Bush Ambrée demonstrou ser tão popular que a Dubuisson produziu uma única cerveja até 1991.

Porém, ao começar a explorar o mercado de exportação, para seu espanto, a cervejaria descobriu que apenas sete países do mundo aceitariam o nome Bush. A maior fabricante da época, a Anheuser-Busch, impedia o uso do nome Bus(c)h, temendo aparentemente que seu carro-chefe, uma bebida completamente diferente, pudesse ser prejudicado por essa saborosa ale âmbar. Por essa razão, a Bush é conhecida como "Scaldis" na maioria dos países.

Aos poucos, a Brasserie Dubuisson começou a fazer experiências e iniciou o envelhecimento em carvalho com algum sucesso (experimente a Bush Prestige). Esse espírito de aventura levou as cervejas da casa a serem elegantemente embaladas em garrafas de champanhe. Inevitavelmente, as garrafas maiores começaram a ser usadas também para bebidas sem passagem pelo carvalho, o que resultou em uma âmbar, bem como em uma loura, Triple. Os cínicos talvez achem que há pouca diferença entre as duas, mas a Triple fica mais três semanas no tanque de maturação, fortalecendo os aromas de nozes e maltados, e não é filtrada. **JPa**

Notas de degustação

Carbonatação bem vibrante e coroa de espuma cor de creme sobre a cerveja âmbar avermelhada e turva. Calor de álcool no nariz, além de biscoitos e notas torradas que lembram bolo flambado com brandy. Mel, maltes âmbar, amêndoas e damasco seco no palato. Bem mais vibrante do que a versão filtrada.

Caldera IPA

Caldera Brewing | www.calderabrewing.com

País de origem Estados Unidos
Lançada em 1997
Teor alcoólico 6,1% vol.
Temperatura ideal 10°C

A Caldera Brewing fica localizada em Ashland, Oregon, perto da fronteira sul do estado. Fundada pelo mestre cervejeiro Jim Mills, em seus primeiros oito anos de funcionamento ela produziu apenas bebida para ser servida na torneira. E, na maior parte desses anos, somente com distribuição própria. Depois de seis anos cuidando da entrega do produto, a cervejaria expandiu seu mercado ao trabalhar com distribuidores mais tradicionais e voltou sua atenção para a introdução da cerveja envasada. Para essa iniciativa, resolveu colocar a bebida em latas de alumínio.

Em junho de 2005, a Caldera se tornou a primeira do estado do Oregon a oferecer cerveja em lata. Anos depois, continua como a única microcervejaria com enlatamento. Decidida a ser pequena, a Caldera produziu apenas uns 3.000 barris em 2008 (a Anheuser-Busch, por sua vez, respondeu por mais de 24 milhões de barris no mesmo ano). A Caldera se concentra em ser apenas uma cervejaria, sem pub, sem restaurante, sem sequer uma sala de degustação. Tudo é produzido em um pequeno sistema de dez barris, com fermentadores de vários tamanhos que permitem que se façam levas únicas, duplas ou triplas. Produzida com malte premium claro de duas fileiras, Munique e cristal, a IPA, seu carro-chefe, tem uma grande estrutura de malte. E por um bom motivo, pois Mills usa três grandes variedades de lúpulo aromático em sua cerveja: Amarillo, Centennial e Simcoe. Diferentemente de outras cervejarias do noroeste dos Estados Unidos, na costa do Pacífico, Caldera usa flores de lúpulo frescas e integrais em cada passo do processo de produção, o que ele acredita que fornece sabores mais límpidos do que o lúpulo em pelotas. A Caldera IPA foi homenageada com uma medalha de ouro no Festival de Cerveja e Uísque de Estocolmo, na Suécia, em 2008, um dos muitos prêmios que conquistou. **JB**

Notas de degustação

Em âmbar dourado, límpido, com uma rica coroa de espuma, a IPA da Caldera tem um nariz denso em lúpulo, com uma mélange complexa de aromas relvados, herbáceos e de toranja. O sabor também é uma grande pancada de lúpulo, com notas amargas e aceboladas, e um final seco e persistente.

Caledonian 80

Caledonian Brewing Company | www.caledonian-brewery.co.uk

País de origem Escócia
Lançada em década de 1870
Teor alcoólico 4,1% vol.
Temperatura ideal 10°C

Na época de sua construção em 1869, a Caledonian Brewery, de Lorimer e Clark, tinha mais de quarenta cervejarias vizinhas em Edimburgo. Isso se devia, em grande parte, à qualidade da água dos poços da cidade, que lhe valeu o apelido de "o círculo encantado". Hoje em dia, a "Caley" é a única sobrevivente.

A Caledonian 80 foi Campeã das Cervejas da Escócia em diversas ocasiões e é um bom exemplo das bebidas com malte robusto, doçura intensa e teor de lúpulo relativamente baixo, marcas registradas da produção escocesa. Na verdade, seu nome é Eighty Shillings (Oitenta Shillings), legado dos tempos em que a cerveja escocesa era mais ou menos dividida em categorias por conta do valor pago pela meia pipa (barril com 286,5 litros). O sistema progredia por 60/-, 70/- e 80/- até chegar no pleno sabor, carregado em álcool, 90/-, e foi reconhecido legalmente em 1914.

O projeto da cervejaria vitoriana da Caledonian permite que cada estágio do processo seja conduzido pela força da gravidade (o grão entra pelo andar superior) e ela é a última cervejaria do Reino Unido que usa recipientes de cobre sobre fogo direto. A concavidade interior, batida à mão, concentra o calor e é constantemente remexida e virada. O método é bem eficiente, pois a cerveja ferve depressa, em vez de ser "cozida" em vasos de aço inoxidável. Porém também tem desvantagens, e grandes incêndios em 1994 e 1998 quase puseram fim à operação. A primeira reconstrução levou dois anos e consumiu milhões de dólares. O segundo incêndio destruiu um dos cobres originais, mas, por sorte, a companhia regional responsável por sua fabricação ainda guardava os projetos de engenharia. **AG**

Notas de degustação

Ale maltada, harmoniosa, com bom equilíbrio, que agora apresenta perceptivelmente mais lúpulo, o que a aprimorou e lhe deu mais elegância. Tem um tom marrom-dourado – como as folhas secas no outono – com corpo firme, algum sabor de fruta madura e um final satisfatório com toque vegetal e presença tardia de lúpulo.

Cane and Ebel

Two Brothers Brewing Company | www.twobrosbrew.com

País de origem Estados Unidos
Lançada em 2006
Teor alcoólico 7% vol.
Temperatura ideal 10°C

"Era para ser uma cerveja feita apenas uma vez", diz Jason Ebel, um dos irmãos criadores da Cane and Ebel. Porém, desde o início, esta bebida sedutora caiu nas graças do público e agora é produzida o ano inteiro. Os irmãos ouvem as opiniões de todos os setores da empresa, repassadas para os artesãos e, neste caso, "um dos caras de vendas queria muito uma ale de centeio", conta Ebel. "Eu tinha visto um programa que mostrava a produção de açúcar de palmeira tailandesa e queria muito experimentar, descobrir se seria capaz de criar o sabor forte do centeio."

O centeio é uma dor de cabeça para os produtores, pois pode ficar um pouco grudento na tina de maceração. Mas oferece gosto picante, apimentado, vibrante, bem como uma cremosidade oleosa ao paladar. Além disso, há também uma deliciosa característica de açúcar queimado do malte caramelo, que também dá a cor de mogno para a Cane and Ebel. Para cada leva de cinquenta barris, empregam-se 31 quilos de açúcar de palmeira tailandesa, bem claro, que adiciona aromas de baunilha, manga e mamão, fornecendo um toque de exotismo. Finalmente, variedades de lúpulo, como a Summit, adicionam notas cítricas, até mesmo aceboladas.

O açúcar vem sendo usado na produção de cerveja há centenas de anos. Sempre torna o corpo mais leve, o que é bom para as bebidas mais fortes. Açúcares varietais como esse, produzido a partir de flores de palmeira, também acrescentam camadas de aroma complexo. É uma cerveja grande, audaciosa, mas, por causa da presença do açúcar, torna-se mais leve para o paladar do que seria esperado de uma bebida com teor alcoólico de 7%. Com 68 IBU, há amargor suficiente para satisfazer os amantes do lúpulo, mas, como há muita coisa acontecendo ao mesmo tempo, ela nunca parece desengonçada. É muito saborosa e, por isso, naturalmente se harmoniza melhor com "comida forte, de sabor pronunciado, como churrasco", diz Ebel. **RM**

Notas de degustação

Inebriantes aromas de especiarias, lúpulos cítricos, açúcar queimado e um toque de frutas tropicais. O paladar é doce desde o princípio, tornando-se amargo no meio, secando um pouco, mas com a textura cremosa e oleosa do centeio. O final é longo e amargo, com persistência dos sabores de açúcar queimado.

CascaZilla

Ithaca Beer Company | www.ithacabeer.com

País de origem Estados Unidos
Lançada em 2004
Teor alcoólico 6,5% vol.
Temperatura ideal 8°C

Em 1995, Dan Mitchel percebeu que a região de Finger Lakes, em torno de Ithaca, Nova York, estava repleta de vinícolas, mas que a cidade não tinha sua própria cervejaria. Ele achou que Ithaca poderia aderir a um produtor artesanal da região e por isso adquiriu o sistema de produção de uma choperia desativada de Austin, Texas, em 1997. Depois de meses de instalação, a Ithaca Beer Company ficou pronta oficialmente para a abertura em dezembro de 1998.

Ithaca é uma cidade universitária com astral um tanto alternativo. A atmosfera se encaixa perfeitamente na ideia de apoiar produtos locais. Entre as criações da Ithaca estão Flower Power IPA, Apricot Ale, Pale Ale, Nut Brown e Partly Sunny Wheat Beer. A Ithaca agora vende cerveja em Nova York, Connecticut, Massachusetts, Rhode Island e Ohio. Também produz versões gourmets de refrigerantes como *root beer* e *ginger beer*.

O rótulo define a CascaZilla como uma "Red Ale Monstruosamente Lupulada", o que é uma descrição precisa. A cerveja foi feita pela primeira vez em 2004, como produção sazonal para o outono, sendo a primeira bebida da Ithaca a colocar o lúpulo no assento do motorista. O nome é uma brincadeira com Cascadilla Creek and Gorge, rio que atravessa a cidade de Ithaca, e os lúpulos Cascade, uma das variedades usadas no processo de produção e no *dry hopping*. A CascaZilla é feita com malte cristal britânico e uma mistura de lúpulos americanos, incluindo Chinook, Crystal, Amarillo e Cascade, todos determinantes para o seu sabor. Esta cerveja tem um grupo de adeptos entre os lupulomaníacos do norte do estado de Nova York e ganhou medalhas em competições regionais e nacionais. **RL**

Notas de degustação

A CascaZilla começa com um aroma imediato e intenso de lúpulo floral, com uma densa coroa de espuma e um tom reluzente de bronze escurecido. Sabores picantes e herbáceos de lúpulo são abundantes nesta bebida bem estruturada. A cerveja termina com uma nota de pinho escocês e sugestão de secura.

Celebration Ale

Sierra Nevada Brewing Company | www.sierranevada.com

País de origem Estados Unidos
Lançada em 1981
Teor alcoólico 6,8% vol.
Temperatura ideal 9°- 13°C

A Celebration Ale foi inicialmente produzida para o Natal e continua a ser lançada por ocasião das festas de final de ano. Todos os anos, os produtores aguardam ansiosamente o primeiro carregamento de uma nova safra de lúpulos de Yakima, Washington, uma das principais (possivelmente a principal) região de plantio dos Estados Unidos. Assim que os lúpulos recém-desidratados completam a viagem por metade da Costa Oeste até a Sierra Nevada Brewing, em Chico, na Califórnia, a Celebration é produzida incessantemente durante um mês, para atender a demanda crescente por esta cerveja popular.

Ao longo dos anos, desenrolou-se um debate para se chegar ao tipo de cerveja que a Celebration Ale realmente é. Alguns dizem que se trata de uma cerveja de Natal, com especiarias, enquanto outros argumentam que é uma IPA ou ale forte. "A Celebration é uma das primeiras IPAs em estilo norte-americano e é, simplesmente, uma IPA", afirma o coordenador de comunicação da cervejaria, Bill Manley. Apesar do que se pensa, não se empregam especiarias na produção desta cerveja. Para obter o aroma e os sabores tão característicos, os cervejeiros usam uma técnica tradicional de *dry hopping* que envolve sacos de náilon pendurados, recheados com cones de lúpulo, no interior dos tanques de fermentação, junto com o inimitável "torpedo de lúpulo" da Sierra Nevada, recheado com 36 quilos de lúpulos.

Os fãs da Celebration Ale aguardam ansiosamente pela cerveja, como crianças na véspera do Natal. Chega a existir um mercado negro para guardar e negociar produções anteriores, apesar de o envelhecimento de uma IPA ser bem pouco ortodoxo. O envelhecimento da Celebration Ale permite que os lúpulos se suavizem um pouco, deixando o corpo de malte, rico e cremoso, ganhar destaque e criando uma gama única de sabores que se transformam com o passar dos anos. **LMo**

Notas de degustação

Com os primeiros lúpulos da temporada, esta IPA pioneira é cheia de sabores complexos e aromas provenientes do uso de cones inteiros de lúpulos americanos. Espere encontrar toques de lúpulos florais, pinho, malte, casca de laranja e caramelo doce que esmaecem até chegar a um final picante com canela.

Chouffe N'ice

Brasserie d'Achouffe | www.achouffe.be

País de origem Bélgica
Lançada em 1998
Teor alcoólico 10% vol.
Temperatura ideal 4°- 10°C

A Achouffe é uma das mais conhecidas cervejarias artesanais da Bélgica, reconhecida por sua alegre marca registrada que mostra "*chouffes*" (gnomos) sorridentes em prateleiras de mais de vinte países. Esse sucesso parecia impensável em 1982, quando Pierre Gobron e Chris Bauweraerts começaram a trabalhar com um orçamento pífio na aldeia de Achouffe, no interior das Ardenas. Mas a dupla sabia uma ou outra coisa sobre marketing – o *chouffe* de bochechas rosadas, inspirado pelo folclore regional, formou o núcleo da identidade de uma marca que agora abriga um fã-clube e um evento anual, La Grande Choufferie, com sede na respeitada choperia da aldeia. Em 2006, o negócio foi vendido para o empreendedor belga Duvel Moortgat, embora até agora pouco tenha mudado além do maior acesso ao mercado.

A Achouffe concentrou-se em seu carro-chefe, a ale clara La Chouffe, e em McChouffe, com um vago sotaque escocês. Porém, na década de 1990, começaram as experiências com lançamentos sazonais, dos quais a Chouffe N'ice é uma sobrevivente. O nome indica que é uma cerveja de inverno, disponível a partir do início de dezembro até o final do estoque. Não é exatamente uma ice beer, com álcool concentrado pelo congelamento, embora, com 10% de teor alcoólico, ela seja a mais potente entre as bebidas feitas com regularidade pela cervejaria. Produzida com malte Pilsen belga, açúcar mascavo de confeiteiro e lúpulos Tomahawk, Styrian Golding e o tcheco Saaz, também ganha sabor através do uso de especiarias, entre elas casca de laranja e tomilho, sendo acondicionada em garrafas de 750 mililitros à moda da Valônia. É, indiscutivelmente, a estrela da linha de produção da cervejaria, e, em um dia frio de inverno, pode-se contar com ela para ficar com bochechas tão rosadas quanto as de um gnomo. **DdM**

Notas de degustação

Cerveja com intenso tom marrom-avermelhado, com coroa de espuma amarelada e uma nota ligeiramente purificante no aroma de frutas, nozes e ervas. O paladar generoso de mel doce tem ervas sutis e há mais nozes, frutas consistentes e açúcar queimado em um final adocicado e caloroso.

O atrevido *chouffe* com o qual a cervejaria se identifica. →

Christmas Ale

Red Hill Brewery | www.redhillbrewery.com.au

País de origem Austrália
Lançada em 2005
Teor alcoólico 7,5% vol.
Temperatura ideal 8°- 12°C

Foi durante uma viagem a Bruges, em 1995, que os australianos David e Karen Golding ficaram fascinados pelas fortes ales belgas. Ao viajarem para a Nova Zelândia em 2001, descobriram uma cerveja que os empolgou tanto quanto as belgas. E, o que era melhor, vinha de um cervejeiro que estava pronto a compartilhar o que sabia. A cerveja era a Benediction, da Australis, e o cervejeiro, que se tornaria mentor do casal, era Ben Middlemiss.

Preparar a cerveja é um verdadeiro desafio. David fica mergulhado até os cotovelos em malte, enquanto o pai cuida da plantação de lúpulo e Karen comanda o restaurante. E a mãe de David ainda faz as bolsas de musselina empregadas no demorado *dry hopping*, tão importante para o processo. Middlemiss costuma se encontrar com os Golding ocasionalmente e, nessas ocasiões, David e Karen desfrutam do olhar de aprovação de Ben, sempre que ele experimenta sua Christmas Ale. **DD**

Notas de degustação

Ao sol, revela um intenso tom âmbar alaranjado e emite um aroma picante, comandado pelo lúpulo, sob uma exuberante e persistente coroa de espuma. Um exame lento e deliberado deve revelar alguma doçura do malte caramelo.

Christoffel Bok

St. Christoffel | www.christoffelbeer.com

País de origem Holanda
Lançada em 2005
Teor alcoólico 6,5% vol.
Temperatura ideal 8°- 10°C

Ainda no início dos anos 1980, quando a lager clara da Heineken e de outros grandes produtores dominava a paisagem cervejeira da Holanda, as poucas especialidades escuras e fortes que sobreviviam desde o final do século 19, ideais para os rigores do inverno, se tornaram a principal *cause célèbre* da PINT, uma nova organização de consumidores de cerveja montada segundo os moldes da campanha britânica em favor da real ale. O movimento também deu origem a uma nova geração de microcervejarias, como a Sint Christoffel.

Por muitos anos, a linha de produtos da Christoffel se ressentia da falta de uma bokbier sazonal, eximindo-se de participar do principal evento anual da PINT, o Bokbierfestival em Amsterdã. Finalmente, em 2005, a cervejaria revelou uma leitura desse estilo histórico e fascinante, com fermentação a frio, que desde então passou a ser acompanhada pela Winterbok, uma versão mais forte, engarrafada. Valeu a espera, pois a cerveja ganhou o prêmio da categoria no evento da PINT em 2008. **DdM**

Notas de degustação

Cerveja límpida, em intenso âmbar avermelhado, com uma grande e borbulhante coroa de espuma e vestígios balsâmicos no aroma leve. Paladar marcantemente seco, maltado e com características de nozes, com lúpulos e malte torrado emergindo ao final.

Ch'ti Ambrée

Brasserie Castelain | www.chti.com

País de origem França
Lançada em 1978
Teor alcoólico 5,9% vol.
Temperatura ideal 8°C

Na região do Nord-Pas-de-Calais, na França, o estilo mais clássico de cerveja há muito é uma rústica bière de garde, produzida em fazendas (embora a influência das cervejarias belgas, do outro lado da fronteira, também esteja começando a se fazer sentir), e essa é a tradição que Yves Castelain e sua irmã Annick reviveram em 1978, quando assumiram a cervejaria dos pais em Benifontine.

A Ch'ti Ambrée é, como o resto de seus produtos, de baixa fermentação, filtrada, mas não pasteurizada, o que ajuda a manter o frescor e a personalidade na boca. Também apresenta as notas típicas de carvalho azedo e os sabores de malte picante que caracterizam bières de garde. O lúpulo vem de Flandres, nas proximidades, e a água sai de um poço que fica bem embaixo da cervejaria. Extremamente orgulhoso, Castelain insiste em usar cevada maltada Scarlett, da primavera – a principal variedade francesa –, ao lado de esterel, do inverno. **AG**

Notas de degustação

De intensa cor âmbar avermelhada, com uma atraente coroa de espuma cremosa. O nariz tem um toque de madeira com um pouco de frutas maduras, enquanto o paladar é rico, pleno, aquecido, com um final amargo.

Chýně Rauchbier

Pivovarský dvůr Chýně | www.pivovarskydvur.cz

País de origem República Tcheca
Lançada em 2007
Teor alcoólico 4% vol.
Temperatura ideal 8°C

Entre as primeiras das novas choperias que apareceram depois da Revolução de Veludo, na Tchecoslováquia, encontrava-se a Pivovarský dvůr Chýně, no vilarejo de Chýně, bem nos arredores de Praga. Porém, passaram-se quinze anos depois da sua fundação, em 1992, antes que o mestre cervejeiro Tomáš Mikulica decidisse produzir uma Rauchbier, segundo o estilo de Bamberg, no norte da Baviera, em que se utiliza malte defumado.

Na moagem, Mikulica emprega três quartos de malte Weyermann defumado em lenha de faia, e o restante é Pilsen e malte caramelo. Sua Rauchbier é preparada com gravidade original de 12 graus Plato, mas as cervejas da Chýně são moderadamente atenuadas, permanecendo uma substancial quantidade de açúcares do malte, e esta apresenta apenas 4% de teor alcoólico. Recebe três adições de lúpulo Saaz e fica no tanque de maturação durante cerca de seis semanas, antes de ser servida. O resultado é uma Rauchbier ligeiramente mais doce do que muitas das versões encontradas em Bamberg. **ER**

Notas de degustação

Um aroma efusivo de lenha e notas adocicadas no nariz. Na boca, é fumaça na parte da frente, malte açucarado na de trás, com o final iluminado por uma dose saudável de lúpulos que trazem o amargor.

Clemens Ohne Filter

Brauerei Clemens Härle | www.haerle.de

País de origem Alemanha
Lançada em 1897
Teor alcoólico 5,4% vol.
Temperatura ideal 8°C

Quando Clemens Härle fundou sua cervejaria no vilarejo de Leutkirch, em Allgäu, em 1897, um de seus primeiros lançamentos foi esta lager não filtrada. Era preparada no estilo predominante na época: de cor entre o âmbar e o castanho-claro, com uma pronunciada personalidade maltada. Cervejas assim eram chamadas de Braunbier ("cerveja marrom") na Alemanha. O estilo persistiu até a década de 1920, antes de serem tiradas do mercado por lagers claras, mais elegantes, como a pilsen ou a exportação.

Noventa anos depois da fundação da cervejaria, Gottfried Härle assumiu o negócio e decidiu reviver sua primeira criação, adaptada aos gostos modernos. Assim, apareceu a Clemens Ohne Filter, lager sem filtragem, com uma fantástica tonalidade cor de laranja, menos maltada que a versão anterior e dotada de um final límpido e picante. Na moagem, Härle emprega Vienense, maltes tostados e claros de cevada produzida na região, que criam uma agradável característica frutada e dão a coloração âmbar. Lúpulos aromáticos de Tettnang, nas imediações, são usados em forma de pelota, com duas adições durante a fervura, e a terceira, no final do processo, com flores secas. Daí vêm as elegantes notas no nariz. O mais crucial para a personalidade rica em sabores desta cerveja de baixa fermentação é o processo a frio. Em temperaturas reduzidas, a levedura lager desenvolve a maioria dos componentes do sabor. Apesar de o procedimento levar sete dias e ser bastante custoso, Härle o mantém para garantir a qualidade. Enquanto o mercado de cerveja alemã diminui de volume, a Clemens Ohne Filter está virando moda e se tornando cada vez mais popular. **SK**

Notas de degustação

Âmbar com tons de laranja e espuma bege. Aromas cítricos e notas florais decentes encantam o nariz. Também há sugestões de groselha e pera. Suave e encorpada a princípio, antes de emergirem os sabores de café. Um amargor harmonioso no palato e final seco e aveludado.

Collaboration Not Litigation

Avery Brewing Company | www.averybrewing.com

País de origem Estados Unidos
Lançada em 2007
Teor alcoólico 8,7% vol.
Temperatura ideal 15°C

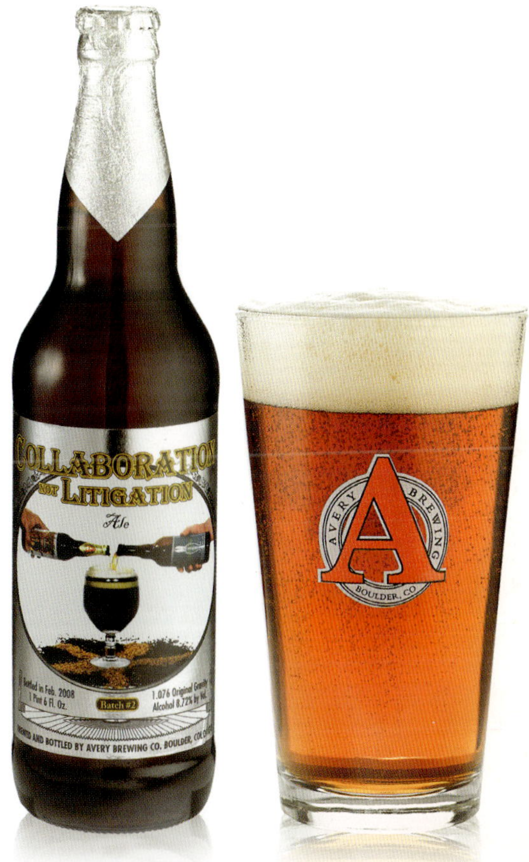

Os produtores norte-americanos se voltaram à produção colaborativa com entusiasmo particular, associando-se a outros americanos, bem como a cervejarias de localidades mais distantes, como a BrewDog, da Escócia, e o Birrificio Italiano, da Itália. A maioria das parcerias envolve dois ou mais cervejeiros, que se reúnem para formular uma receita e criar uma cerveja que muito provavelmente nunca foi vista antes e que tem grandes possibilidades de ser produzida apenas uma vez. Collaboration Not Litigation (Colaboração e não Litígio) é completamente diferente: é uma combinação de duas cervejas bem estabelecidas, ambas chamadas de Salvation (Salvação).

Tudo começou quando Adam Avery, da Avery Brewing, no Colorado, e Vinnie Cilurzo, da Russian River Brewing, na Califórnia, descobriram que usavam o mesmo nome para duas cervejas de inspiração belga. A Salvation da Avery é forte e dourada, enquanto a da Russian River é forte e escura, produzida depois que a empresa criou uma cerveja dourada e forte chamada de Damnation (Danação). Os cervejeiros experimentaram as misturas das duas em diferentes proporções, antes de concordarem em relação à combinação.

Quando chegou a hora de produzir a Collaboration pela primeira vez, Cilurzo enviou para Boulder, sede da Avery, todos os ingredientes que ele emprega. Depois, juntou-se a Avery no Colorado para produzir uma leva de cada cerveja, com quantidades baseadas nas proporções necessárias. As cervejas são fermentadas separadamente. A da Russian River permanece sem filtragem, enquanto a da Avery é filtrada, pois é assim que cada cervejaria costuma tratar suas bebidas. Foram combinadas e envasadas para lançamento no início de 2007. Agora, a Avery produz as cervejas sempre em janeiro e, embora Cilurzo não vá ao Colorado, ele ainda envia os ingredientes para a Avery Brewing. **SH**

Notas de degustação

Em uma leva jovem da Collaboration, predominou a contribuição da Russian River, com açúcar crocante de caramelo e frutas escuras. Com o passar do tempo na garrafa, frutas do pomar e lúpulos picantes (aparentemente da Avery) marcam presença e surge uma cerveja integrada.

Combined Harvest

Batemans Brewery | www.bateman.co.uk

País de origem Inglaterra
Lançada em 2001
Teor alcoólico 4,7% vol.
Temperatura ideal 12°C

As grandes extensões de charcos ao sul de Lincolnshire são quebradas apenas pela visão das torres das igrejas. Porém, ao desembarcar de trem na estação de Wainfleet All Saints, a primeira coisa que se vê é um prédio celebrando John Barleycorn, no lugar do Todo-Poderoso. A algumas centenas de metros da estação, um velho moinho em tijolos vermelhos permanece como um símbolo do persistente apelo da Batemans Brewery, uma das mais queridas cervejarias familiares inglesas.

Tradição e patrimônio estão na ordem do dia na Batemans, em relação a seus pubs e suas cervejas mais vendidas, mas isso não impediu que fizesse experiências com diferentes estilos, como a linha com sabores de frutas produzida na virada do milênio. Combined Harvest (Colheita Combinada) é outro exemplo de seu espírito aventureiro. De acordo com Jaclyn Bateman, a cerveja "Combined Harvest entra nessa categoria. É diferente, pois é produzida a partir de quatro grãos: aveia maltada, centeio maltado, trigo maltado e cevada, daí o nome Combined Harvest. Tem um amargor harmonioso e sutil que agrada tanto aos homens quanto às mulheres".

Foi produzida pela primeira vez em 2001, quando as vendas de ales engarrafadas da Batemans cresciam extraordinariamente. Com isso em mente, pediu-se ao mestre cervejeiro Martin Cullimore que criasse um estilo completamente novo, voltado para o engarrafamento, baseado em uma seleção de grãos, sem se concentrar exclusivamente na cevada. O resultado foi Combined Harvest. Encontra-se apenas em garrafas e é uma bebida ideal para acompanhar a maior parte dos alimentos por conta de seu sabor delicado e bem equilibrado. **ATJ**

Notas de degustação

Cor de ouro escuro. Um nariz espantosamente complexo, rico em notas cítricas e em malte tostado, com uma ligeira doçura como pano de fundo. O paladar apresenta sabores frutados de chiclete, antes de descer para um final seco e amargo, fortificado por sabores persistentes de fruta e lúpulo.

Coopers Extra Strong Vintage Ale

Coopers Brewery | www.coopers.com.au

País de origem Austrália
Lançada em 1998
Teor alcoólico 7,5% vol.
Temperatura ideal 4°C

A Coopers é uma cervejaria impregnada de tradição. Seus dois carros-chefes, Sparkling Ale e Best Extra Stout, são produzidas pela mesma família há mais de 140 anos. Um saudável medo de mudanças fez com que qualquer aprimoramento na cervejaria fosse executado de forma a garantir que os sabores das cervejas Coopers permanecessem constantes. Um grupo especial de experientes bebedores de Coopers, que se recordam das cervejas de décadas passadas, é reunido regularmente para garantir que a cervejaria se mantenha fiel a sua história.

A Coopers Extra Strong Vintage Ale não está sujeita a tais limitações. É relativamente novata, com produção inicial em 1998 e a participação do atual mestre cervejeiro, o doutor Tim Cooper. A primeira leva esgotou-se em cinco dias. As levas subsequentes não foram produzidas com a intenção de reproduzir os sabores da primeira, mas de aprimorá-los. Essa é a razão pela qual cada leva (ou safra) da Extra Strong Vintage Ale é única e identificada por ano, da mesma forma que acontece com os famosos vinhos da região nas imediações da cervejaria, no sul da Austrália.

Uma característica singular é que as garrafas vêm com uma recomendação dizendo que o melhor é consumi-las "depois" de determinada data, em vez de "antes". A cerveja, que é acondicionada em garrafas, deve ser consumida fresca. Na garrafa, sem pasteurização, as cervejas Coopers contêm leveduras vivas que eliminam o excesso de oxigênio e prolongam sua validade. Embora deliciosa na época do lançamento, a Extra Strong Vintage ainda tem uma vida prolongada graças a seu elevado teor alcoólico e se torna menos amarga e mais maltada depois de dois ou três anos de armazenamento cuidadoso. **DD**

Notas de degustação

A Coopers Extra Strong Vintage Ale se apresenta com tom marrom-avermelhado, pontilhada pela levedura, e, ao ser servida, tem uma coroa de espuma duradoura. Repare nos sabores e nos aromas de caramelo e toffee que se intensificam com um armazenamento cuidadoso. Pode ser saboreada com queijos de sabores fortes.

Coreff Ambrée

Brasserie des Deux Rivières | www.coreff.com

País de origem França
Lançada em 1985
Teor alcoólico 5% vol.
Temperatura ideal 10°C

As cervejas Coreff são habitualmente identificadas como tradicional produto bretão, apesar de suas origens se encontrarem no condado inglês de Hampshire. Christian Blanchard e Jean-François Malgorn, proprietários da Brasserie des Deux Rivières, passaram dois anos trabalhando na Ringwood Brewery sob a orientação de Peter Austin, pioneiro da microcervejaria, antes de voltarem à Bretanha em 1985.

Atualmente, a cervejaria está situada em uma antiga fábrica de cordas de Morlaix, na confluência dos rios Jarlot e Queffleuth (daí a origem do nome Deux Rivières). O prédio é longo e estreito e tem um bar na frente, com paredes de vidro, de onde o processo de produção pode ser observado.

A Ambrée tem um belo toque de lúpulo, alta fermentação, não é filtrada nem pasteurizada, ao estilo das real ales britânicas. Também é servida em bombas manuais, ainda raramente vistas na França. **AG**

Notas de degustação
O aroma é de lúpulo delicado e a cor, intensa, dourada e alaranjada, é simplesmente um convite a um gole. O paladar é maltado, com gosto de maçã, e um final seco.

Cornish Knocker

Skinner's Brewery | www.skinnersbrewery.com

País de origem Inglaterra
Lançada em 1997
Teor alcoólico 4,5% vol.
Temperatura ideal 12°C

Com sua marca irreverente e uma famosa *drinkability*, a Cornish Knocker, da Skinner's, vem conquistando prêmios para esta cervejaria de Truro desde 1998. Steve e Sarah Skinner começaram suas carreiras de cervejeiros na choperia Tipsy Toad, na ilha de Jersey, no início dos anos 1990, antes de decidirem se dedicar à atividade em tempo integral.

A Knocker foi a primeira cerveja criada por Steve Skinner, que se inspirou na nova onda de bebidas mais claras e refrescantes, que se tornava proeminente na época, como a Summer Lightning e a Stonehenge Danish Dynamite. Feita com malte claro produzido na Cornualha, um pouquinho de cristal e uma pitada de trigo tostado para dar corpo e durabilidade à coroa de espuma, além da adição de Styrian Golding, da Eslovênia, para o aroma, e do inglês Northdown, para o amargor, a Cornish Knocker é fermentada com uma levedura da agora extinta cervejaria Stone's – na verdade, colhida pouco antes de seu fechamento. **MC**

Notas de degustação
Aroma distintamente floral. Sabores iniciais de frutas tropicais dão lugar ao frescor do "pão com manteiga" e a uma textura cremosa, antes de seguir para um final suavemente amargo.

Cucapá Barley Wine Ale

Cerveceria de Baja California | www.cucapa.com

País de origem México
Lançada em 2002
Teor alcoólico 10% vol.
Temperatura ideal 15°C

Encontrar um nome para a cerveja produzida na microcervejaria da Cucapá foi relativamente simples. Deriva da tribo Cucapá, primeiro povo a se estabelecer na região da cidade de Mexicali, milhares de anos atrás.

A Cucapá começou a produzir cervejas em 2002, quando dois gigantes, a FEMSA e o Grupo Modelo, dominavam o mercado doméstico. O espírito pioneiro da Cucapá fica mais evidente na decisão de produzir barleywine, bebida nunca antes produzida no México.

O barleywine tem suas raízes na Inglaterra e é típico que apresente um teor alcoólico entre 8% e 12% e seja consumido nos momentos mais rigorosos do inverno. A bebida passou por uma espécie de renascimento nos últimos anos, graças aos esforços das cervejarias artesanais norte-americanas, e a Cucapá seguiu seus passos com sua própria interpretação, surpreendendo os bebedores que até então associavam o México apenas a lagers claras. **SG**

Notas de degustação

Nariz reconfortante, com malte tostado, caramelo escuro, frutas cítricas e sugestões florais, enquanto o palato é acariciado por maltes doces, chocolates e frutas cítricas, terminando com um moderado amargor.

Cucapá Chupacabras

Cerveceria de Baja California | www.cucapa.com

País de origem México
Lançada em 2002
Teor alcoólico 5,8% vol.
Temperatura ideal 7°C

A pale ale da Cucupá é, indiscutivelmente, o melhor exemplo da capacidade do mestre cervejeiro Roberto Gonzales em combinar os melhores elementos de sua experiência artesanal nos Estados Unidos com os recursos disponíveis para ele em Baja. Produzida a partir de maltes norte-americanos duas fileiras e caramelo, junto com lúpulos Centennial e Cascade do noroeste da costa do Pacífico, a influência mexicana vem da água do rio Colorado, que tem como uma de suas características o alto teor em minerais que a torna perfeita para extrair os açúcares do malte.

O nome da cerveja é incomum – chupa-cabras. Em 1995, houve uma série de ataques a diversos animais, cujas carcaças apareceram exangues. Testemunhas descreviam uma criatura demoníaca, de grandes presas, com a habilidade de saltar como um canguru. O nome da pale ale até agora foi incapaz de desanimar os bebedores ou os críticos. **SG**

Notas de degustação

O aroma está repleto de nozes torradas, chocolate amargo e frutas de caroço, dando lugar a um paladar de lúpulos terrosos com maltes de chocolate e caramelo antes de um longo final lupulado.

Dale's Pale Ale

Oskar Blues Brewery | www.oskarblues.com

País de origem Estados Unidos
Lançada em 1998
Teor alcoólico 6,5% vol.
Temperatura ideal 13°C

A falta de dinheiro para promoção, nos primeiros anos da revolução da produção artesanal norte-americana, fez com que cervejarias de menor porte pedissem aos consumidores que dessem importância ao que estava dentro da garrafa, em vez do que aparecia nos comerciais. Isso mudou em 2002, quando uma minúscula cervejaria de Lyons, no Colorado, começou a enlatar sua cerveja – manualmente, no estábulo ao lado da choperia onde a Dale's Pale Ale era produzida. As latas, até então desprezadas pelos consumidores, se transformaram em moda. A Oskar Blues cresceu trinta vezes em seis anos e agora produz uma variedade de sabores transportados para todos os Estados Unidos.

Muitas outras pequenas cervejarias também começaram a enlatar, mas o dono da Oskar Blues, Dale Katechis, logo se tornou um porta-voz, garantindo aos consumidores que não haveria "gosto de lata". "As pessoas veem a lata e acham que precisam beber direto dela", disse ele. "Você nunca beberia uma cerveja cheia de sabor direto de uma garrafa. É uma embalagem melhor e mais segura do que uma garrafa." As latas demonstraram ser particularmente populares no Oeste, vendendo bem em campos de golfe e entre os amantes das atividades ao ar livre, pois são mais leves para se transportar e mais fáceis de reciclar. Katechis é um ciclista entusiasmado, e uma das ações iniciais de promoção da cervejaria foi presentear com uma bicicleta de primeira linha os primeiros três consumidores a reciclarem 3.501 latas.

Naturalmente, a Dale's Pale Ale e as cervejas que seguiram essa trilha prosperaram pelo que se encontrava "dentro da lata", e não só por causa da conveniência. A Dale's Pale Ale, em especial, é audaciosa, com quatro variedades de lúpulos americanos empregados de forma agressiva, mas com o equilíbrio adequado. Em 2005, ela superou outras 24 pale ales americanas do primeiro tipo em uma degustação às cegas conduzida pelo *New York Times*. **SH**

Notas de degustação

Ao servir, é cobre com uma coroa de espuma densa. Pinho e cítricos se apresentam assim que se abre a lata. Notas adicionais de doce e pão aparecem ao nariz, com mais biscoito no paladar, bem como sabores de frutas suculentas e um amargor que dá equilíbrio. Final longo, sem ser exatamente seco.

Daü

Birrificio Troll | www.birratroll.it

País de origem Itália
Lançada em 2004
Teor alcoólico 3,9% vol.
Temperatura ideal 8°- 10°C

Escondida em um pequeno vale alpino, encontra-se a choperia Troll. É uma microcervejaria imperdível, fundada em 2003 por Daniele Meinero e Alberto Canavese. Juntos, eles se especializaram em criações originais, sempre muito pessoais e nunca banais. Shangrila, por exemplo, foi sua primeira cerveja, produzida com algumas especiarias do Himalaia. Febbre Alta contém ervas aromáticas e outras especiarias. Obviamente, também produzem bebidas mais "simples", usando apenas maltes e lúpulos, mas, a cada produção, eles conseguem dar seu toque pessoal.

A Daü se inspira nas saisons belgas: mais em como eram no passado do que em como são na atualidade. Meinero e Canavese queriam uma cerveja refrescante, para matar a sede, com baixo teor de álcool, mas saborosa, picante e definitivamente gostosa. Por isso, a Daü tem apenas 3,9% vol. e emprega malte Pilsen junto com algumas variedades de caramelo, bem como uma pitada de centeio cru. Os lúpulos vêm da Alemanha e da Bélgica, e Mittelfrüh é adicionado ao final da fervura para dar aroma. Mas o perfil aromático, com toda a certeza, é moldado pelas especiarias: coentro, gengibre e dois tipos diferentes de pimenta. Quanto mais jovem for a cerveja ao ser consumida, mais apimentada ela será. O processo de produção, em geral, dura quatro meses, com dois meses na garrafa para a última fermentação e a maturação necessária. A Daü é uma cerveja que pode durar bastante tempo no porão, apresentando evolução de sabores e aromas com a passagem do tempo, coisa rara para uma bebida que, comparativamente, apresenta um teor alcoólico tão baixo.

Esse tributo italiano à tradição da saison acompanha bem pratos à base de peixe, queijo de cabra fresco e vai bem com a típica massa romana *cacio e pepe*. **MM**

Notas de degustação

Cor dourada turva, com tons em âmbar claro. Esta cerveja tem uma ampla e rica variedade de aromas, com muitas notas picantes e cítricas. No palato, sussurros de especiarias com uma nota apimentada no final da boca. Muito refrescante, fácil de beber e de consumir em uma noitada.

De Koninck 5%

Brouwerij De Koninck | www.dekoninck.be

País de origem Bélgica
Lançada em 1930
Teor alcoólico 5% vol.
Temperatura ideal 6°- 8°C

Não se bebe De Koninck 5% em um copo. Esta ale original e essencial é servida em um *bolleke*, uma espécie de taça arredondada – provocando risadas do lado anglo-saxão do bar –, como acontece desde a década de 1930. Nos dias de hoje, a produção é realizada em uma cervejaria hipermoderna construída na década de 1990. Ali, diversas outras cervejas, como a Blond, a Tripel e a Winterkoninck, também são produzidas, sem dúvida para estupefação de moradores mais antigos da cidade, que foram criados com o líquido âmbar na taça *bolleke*.

A De Koninck é uma antiga cervejaria familiar, e os Van den Bogaert assumiram o negócio que pertenceu à família que deu nome ao empreendimento. A tradição ainda é levada em grande conta. Por exemplo, mesmo nos tempos do comunismo, os lúpulos Zlatec sempre foram tchecos originais. Os maltes (geralmente franceses) são cuidadosamente selecionados e testados pelos próprios mestres cervejeiros. Pesquisas mais recentes foram conduzidas em relação a *priming* de alta qualidade.

Porém, ser tradicionalista não significa ser retrógrado: a De Koninck foi provavelmente uma das primeiras cervejarias belgas a ter um propagador contínuo de leveduras. A nova cervejaria também marcou o fim de uma linha de produção sobrecarregada e introduziu práticas benéficas ao meio ambiente bem antes de se tornarem moda. A De Koninck 5% também é bem conhecida no exterior e não é difícil encontrá-la. Porém, quem passa pela Antuérpia deve seguir a trilha dos aficionados que correm para experimentá-la em seu ambiente original, servida na choperia da cervejaria, fresca e sem pasteurização. **JPa**

Notas de degustação

Cerveja âmbar avermelhada sob uma densa coroa de espuma cremosa. Nariz maltado, com alguns toques emborrachados de enxofre e malte recém-moído. O malte oferece uma doçura abiscoitada; os lúpulos nobres fornecem um amargor controlado e também há uma acidez vibrante, efervescente. Servir bem fresca.

Dead Guy Ale

Rogue Ales | www.rogue.com

País de origem Estados Unidos
Lançada em 1989
Teor alcoólico 6,5% vol.
Temperatura ideal 6°- 9°C

"Eu apenas olho em volta para ver o que todo mundo está fazendo e aí faço exatamente o contrário", diz Jack Joyce, fundador da Rogue. Ele não está brincando. A Rogue se dedica a cervejas grandes, cheias de personalidade, embaladas em garrafas esmaltadas. Fumaça, trigo sarraceno, avelãs e, naturalmente, grandes quantidades de lúpulo definem o estilo da Rogue. A Altbier Dead Guy talvez seja atípica mesmo para um empreendimento tão iconoclasta.

Com um pé no mundo ortodoxo das cervejas alemãs, a Dead Guy começou como uma Maibock pura, chamada Maierbock, em homenagem ao mestre cervejeiro John Maier. "Estávamos fazendo a produção em nossa choperia de Bayfront e, naturalmente, não dispúnhamos de muitos tanques", diz Maier, referindo-se ao demorado período de maturação das lagers convencionais nos tanques. "Então pensamos em fazer uma experiência com nossa levedura Pac-Man. As pessoas gostaram." A fermentação com levedura de ale adicionou aromas complexos, frutados, que provocaram os espíritos mais ousados da costa do Oregon. Hoje a Dead Guy responde por cerca de 40% da produção da Rogue.

A cerveja contém uma boa porção de malte Munique, que dá notas suaves, de caramelo queimado, além de um pouco de malte caramelo claro, para alguma doçura persistente. Os lúpulos são norte-americanos – Perle e Sterling – e fornecem sabores e aromas elegantes, ao estilo alemão. A Dead Guy também é a única cerveja disponível em uma garrafa que brilha no escuro, o que se encaixa no tema um tanto fantasmagórico usado no nome do produto. É a cerveja perfeita para se beber em casos de falta de luz, explorando cavernas ou em qualquer ocasião em que se queira desligar as luzes e fitar os profundos e sombrios mistérios da vida. **RM**

Notas de degustação

Nariz maltado com dupla personalidade: caramelado e torrado, além de uma característica de lúpulo um pouquinho herbácea, quase como hortelã. No palato, a doçura do caramelo em boa companhia de lúpulos substanciais. Final longo e agridoce com notas apessegadas.

Demon Hunter

Birrificio Montegioco | www.birrificiomontegioco.com

País de origem Itália
Lançada em 2006
Teor alcoólico 8,5% vol.
Temperatura ideal 8°- 10°C

Montegioco é um vilarejo próximo da região vinícola de Tortona, no sul do Piemonte. Ali, em 2006, Riccardo Franzosi, cervejeiro do Birrificio Montegioco, decidiu que, depois de passar anos como produtor caseiro, estava na hora de abrir uma cervejaria. Tinha encontrado uma região onde sentia que poderia produzir bebidas com uma relação profunda com o *terroir* em que vive. Um dos principais objetivos de Franzosi era utilizar produtos que crescem nos vales a sua volta, como pêssegos e castanhas, e empregá-los em suas cervejas.

A cervejaria, que funciona em uma fábrica que é um excelente exemplo de arqueologia industrial dos anos 1930, produz um imenso número de cervejas – mais de vinte – em muitos estilos diferentes. A Demon Hunter é um de seus produtos mais importantes: é uma das primeiras bebidas produzidas em casa por Franzosi e também uma de suas favoritas. Quanto ao nome, Demon Hunter vem de outra de suas paixões: os mitos e a cultura celtas.

Esta cerveja poderia ser considerada como uma ale forte, apesar de o teor alcoólico ser mais elevado do que costuma acontecer nessa categoria, produzida a partir de maltes, lúpulos (Fuggle e Golding) e levedura ingleses para conferir-lhe uma alma britânica. (Embora Franzosi seja apaixonado pelas cervejas especiais, esta não leva frutas.) Depois de uma primeira maturação no aço, a cerveja é refermentada na garrafa e amadurecida por pelo menos quinze semanas. A Demon Hunter é uma clássica cerveja da Montegioco: complexa e encorpada, com um elevado teor alcoólico que a torna uma bebida muito calorosa e fácil de beber. É perfeita com queijo ou com pratos de carne com sabores fortes. **ES**

Notas de degustação

Cor de cobre que cintila com brilhos dourados. A espuma é muito boa e persistente. No nariz, é incrivelmente rica em frutas vermelhas, como a cereja, e o calor do álcool faz sentir sua presença. Na boca, a textura é harmoniosa, produzindo calor, com um longo final.

Domaine DuPage

Two Brothers Brewing Company | www.twobrosbrew.com

País de origem Estados Unidos
Lançada em 2001
Teor alcoólico 5,9% vol.
Temperatura ideal 4°- 7°C

"Quando abrimos esta cervejaria", diz o fundador Jason Ebel, "quisemos fazer duas coisas para nos diferenciar do resto. Em primeiro lugar, não produziríamos uma pale ale. Em segundo lugar, faríamos uma ale ao estilo do Brabante." A região do Brabante, que inclui Bruxelas e, historicamente, se estende até a França, tem uma longa história de cervejas rústicas, de alta fermentação.

Embora essa cervejaria dos subúrbios de Chicago tenha finalmente acatado a pressão do mercado e produzido uma pale ale, a Domaine DuPage permanece, de longe, como seu carro-chefe. "Levou algum tempo para que as pessoas entendessem do que se tratava", diz Ebel, ao falar da ale âmbar, equilibrada e suavemente tostada, "mas, assim que entenderam, ela decolou." A ideia para esta cerveja começou quando Ebel morava no norte da França. "Fizemos uma viagem a uma fazenda em Aibes. Havia uma cervejaria comunitária na aldeia, compartilhada por diversas famílias. O que me deixou fascinado foi que todas produziam a mesma receita."

A cerveja é fácil de amar, mas há uma considerável profundidade por trás de seu charme tranquilo. Preparada a partir de uma complexa mistura de maltes, cuidadosamente equilibrada pela quantidade perfeita de lúpulos, a fermentação acrescenta mais uma camada de perfumes frutados e de especiarias. A Domaine DuPage apresenta leve doçura inicial que dá lugar a um amargor harmonioso, lembrando ligeiramente o cacau. Esse equilíbrio delicado, junto com o teor alcoólico de 5,9%, a torna "uma de nossas melhores cervejas para acompanhar comida", diz Ebel. "Funciona com tudo, da comida tailandesa a carnes grelhadas." Se você puder visitar o norte da França para apreciar esse tipo de cerveja *in loco*, não perca a oportunidade. O resto de nós pode se servir de uma Domaine DuPage e imaginar uma viagenzinha até lá, sem sair do sofá. **RM**

Notas de degustação

Notas suaves e maltadas no nariz, nem torradas nem carameladas, mas parecidas com bolo. Uma quantidade razoável de personalidade de levedura picante e características frutadas. Suave e ligeiramente doce no paladar, tornando-se seca até chegar a um final muito discretamente torrado--tostado, com um toque de lúpulos agridoces.

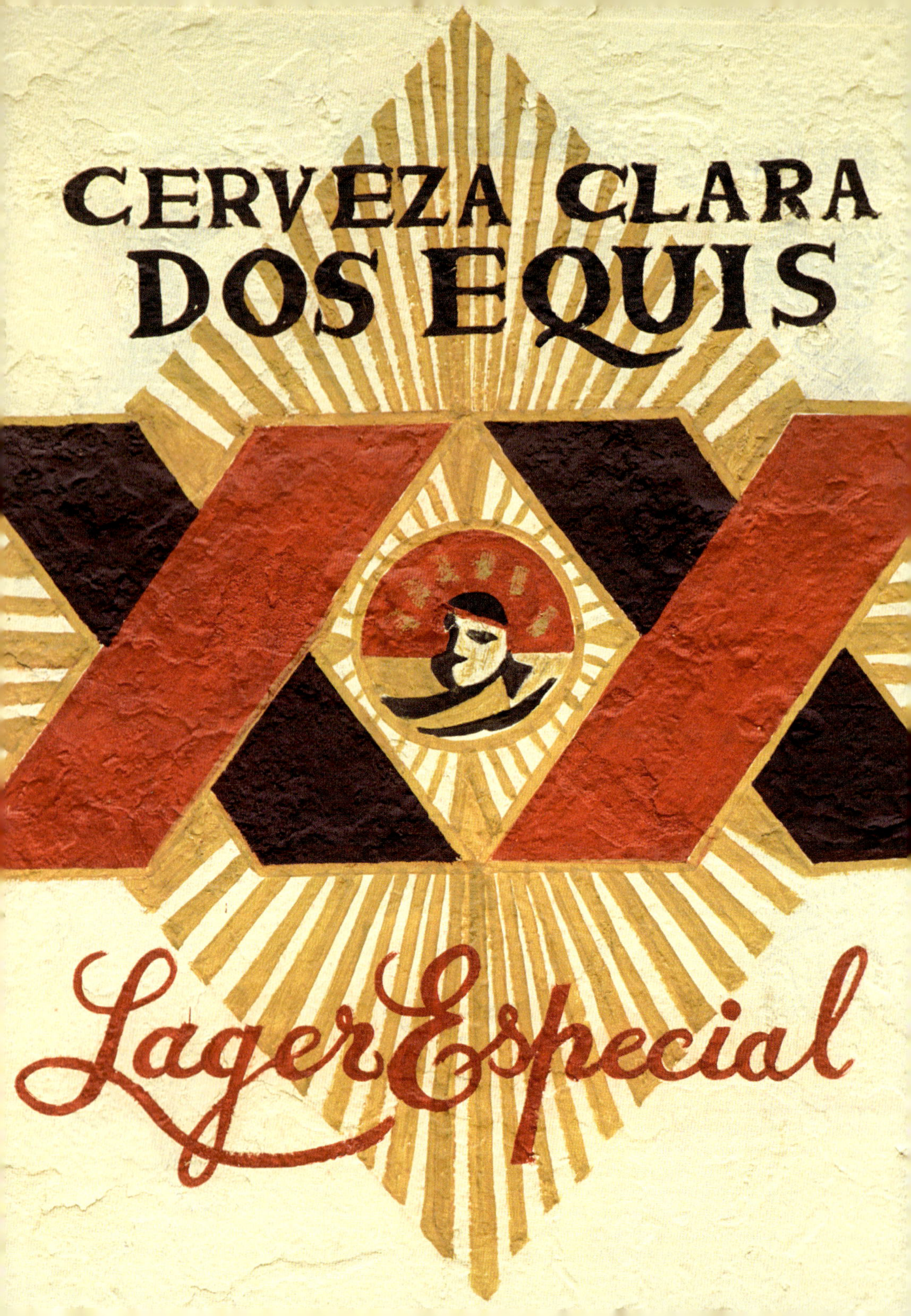
CERVEZA CLARA
DOS EQUIS
Lager Especial

Dos Equis XX Amber

Cuauhtemoc Moctezuma Brewery
www.femsa.com

País de origem México
Lançada em 1900
Teor alcoólico 4,5% vol.
Temperatura ideal 4°- 7°C

A Cuauhtemoc Moctezuma Brewery tem uma história de revoluções, assassinatos, mudanças de sociedade e fusões, inovações industriais e sociais e de algumas cervejas muito boas. Foi fundada em Orizaba, Veracruz, pelo mestre cervejeiro alemão Wilhelm Hasse, em 1894. Hasse queria combinar as tradições alemãs com as mexicanas, e uma das primeiras cervejas da empresa foi a Siglo XX (lançada em 1900 para saudar o novo século), bebida escura, encorpada, criada a partir do estilo Viena, que Hasse conhecia tão bem.

A Dos Equis se tornou o best-seller da Moctezuma durante as décadas de 1940 e 1950, antes de passar por um período de relativa obscuridade. Depois, a Moctezuma se fundiu à cervejaria Cuauhtemoc, que por sua vez se tornou parte da FEMSA, maior produtora de cervejas do México. A Dos Equis (XX) Amber é agora a cerveja escura importada mais vendida nos Estados Unidos. **SG**

Notas de degustação

Âmbar intenso, com coroa de espuma branca, borbulhante e fina. Vestígios de caramelo e lúpulos no nariz se tornam límpidos no paladar, com um sabor doce de malte torrado e um final persistente, ligeiramente amargo.

Double Barrel Ale

Firestone Walker Brewing
www.firestonewalker.com

País de origem Estados Unidos
Lançada em 1996
Teor alcoólico 5% vol.
Temperatura ideal 10°C

Os cofundadores David Walker e Adam Firestone tentaram, a princípio, envelhecer suas cervejas em barris de Chardonnay em um canto da vinícola da família Firestone, acabando com uma cerveja que não era "boa nem para ser usada como xampu". Mas esse tropeço levou à Firestone Union, forma patenteada de usar barris de carvalho que torna tão singulares as cervejas Firestone Walker.

A Firestone Union se inspira no sistema Burton Union, que no passado era frequente em Burton-on-Trent, na Inglaterra, e ainda é usado pela Marston's para a Pedigree. O sistema Burton, desenvolvido nos anos 1840, deixava que os barris de madeira administrassem a levedura durante a fermentação. Não foi projetado para captar sabores da madeira, enquanto que o único objetivo do sistema Firestone é adicionar a personalidade da madeira. O Firestone combina uma cerveja fermentada em tanque de aço inoxidável com outra, fermentada em barris de carvalho. A cerveja fermentada na madeira responde por aproximadamente 15% da Double Barrel. **SH**

Notas de degustação

No copo, tem cor viva e atraente de cobre, com uma coroa de espuma creme. Carvalho e baunilha estão aparentes no nariz. Rica, mas límpida ao paladar, com lúpulos cítricos e taninos picantes e de madeira.

← A Siglo XX foi chamada de "Dos Equis" (ou seja, "Dois Xis") pelos consumidores.

Double Maxim

Double Maxim Beer Company | www.maximbrewery.co.uk

País de origem Inglaterra
Lançada em 1901
Teor alcoólico 4,7% vol.
Temperatura ideal 11°C

A Double Maxim foi produzida inicialmente em 1901 pela Vaux Brewery, em Sunderland, Inglaterra, e chamada, em um primeiro momento, de Maxim Ale. Foi criada em homenagem a um destacamento de soldados da área, os Hussardos de Northumberland, que haviam voltado para casa em segurança, vindos da Guerra dos Boers, na África do Sul. No combate, eles usaram a mortal Maxim, primeira metralhadora automática do mundo, capaz de dar 600 disparos por minuto. As tropas eram comandadas pelo major Ernest Vaux, cujo avô, Cuthbert Vaux, foi o fundador da cervejaria em 1837.

A Double Maxim é uma clássica brown ale, com sabor harmonioso e frutado. Corre uma história que, não muito depois de estrear nos pubs regionais, os proprietários reclamavam que era forte demais e que fazia a clientela cair no sono. Em 1938, passou a ser chamada Double Maxim e o teor alcoólico mudou. A cerveja foi um sucesso regional, considerada como a versão de Sunderland para a Newcastle's Brown Ale. Como estilo, as brown ales do nordeste da Inglaterra eram encaradas de forma diferente daquelas do sul do país, mais doces e mais fracas.

A cervejaria Vaux sobreviveu por mais de 160 anos, mas foi vendida, fechada e demolida em 1999. Porém, a Double Maxim Beer Company foi organizada em 1999 por dois ex-diretores da Vaux – Doug Trotman e Mark Anderson –, com o apoio do seu ex-mestre cervejeiro, Jim Murray. Em 2007, a cerveja, como os artilheiros da guerra, voltou para sua cidade natal e para as instalações eficientes e especialmente construídas da Maxim Brewery em Houghton Le Spring. **TH**

Notas de degustação

Maltes claros Maris Otter e cristal e lúpulos aromáticos Golding entram na mistura, fornecendo um nariz de caramelo doce com um toque picante de frutas. No paladar, é bem equilibrada e harmoniosa, com uma doçura distinta, mas delicada, ao fundo.

Double Simcoe IPA

Weyerbacher Brewing | www.weyerbacher.com

País de origem Estados Unidos
Lançada em 2006
Teor alcoólico 9% vol.
Temperatura ideal 8°C

Alto teor de ácido alfa é o Santo Graal da produção cervejeira, procurado por gigantes da indústria para baratear os custos dos suprimentos de lúpulo e adorado por um número de pequenos cervejeiros que buscam criar, de forma artesanal, cervejas escandalosamente amargas. Há um lado sombrio nesse fervor quase religioso em busca do Graal, e é o *cohumulone* – a substância grosseira que aparece em grandes quantidades de lúpulo com alto teor de ácidos alfa. Cabe à ciência nos fornecer o lúpulo perfeito, Simcoe.

Introduzido em 2000 pelo Select Botanicals Group no estado de Washington, o Simcoe é rico em ácidos alfa, mas pobre em *cohumulone*. Para grandes cervejarias, é um presente dos deuses. Um pouquinho rende muito. Os produtores artesanais adoram seu específico aroma cítrico e o amargor forte, mas agradável. O cervejeiro Dan Weirback o descobriu quando reformulava sua popular India Pale Ale, a Hop Infusion. Deu à bebida um sabor mais refrescante e terroso. Ele disse: "Fiquei pensando: o que aconteceria se alguém produzisse uma cerveja apenas com Simcoe?"

Uma cerveja varietal – de forma semelhante a um vinho que depende de uma variedade de uvas – não era algo completamente inédito, especialmente entre os cervejeiros artesanais norte-americanos, cujas ales tipicamente são pródigas em lúpulos. Quando a Weyerbacher introduziu sua nova IPA imperial em 2006, porém, foi a primeira inteiramente dependente do Simcoe. Como é de se esperar, a Double Simcoe tem amargor intenso. Porém o lúpulo traz à tona uma variedade de sabores para esta forte ale: abacaxi e pinho, com certa qualidade terrosa que lembra um passeio por uma floresta em busca, talvez, daquele Santo Graal. O importante é a ausência da tradicional aspereza. Adeus, *cohumulone*. **DR**

Notas de degustação

Frutas cítricas – toranja e laranja – predominam, enquanto algumas notas herbáceas e de relva emergem no nariz. Uma coroa de espuma espessa promete cremosidade e o primeiro gole é decididamente doce, com malte abiscoitado. Intenso amargor domina, seguido por um final límpido e seco.

Downtown Brown

Lost Coast Brewery | www.lostcoast.com

País de origem Estados Unidos
Lançada em 1991
Teor alcoólico 5% vol.
Temperatura ideal 7°C

A Lost Coast Brewery foi fundada pela farmacêutica Barbara Groom e a terapeuta familiar Wendy Pound, que, em 1986, tiveram um momento eureca: quer dizer, em Eureka, na Califórnia. Depois de viajarem pela Inglaterra, pesquisando e estudando o que seria necessário para darem início a uma choperia, elas adquiriram, em 1989, o antigo Castelo Pythian, com cem anos. Depois de reformas extensas, um ano depois elas inauguraram a Lost Coast Brewery e Café.

A Downtown Brown foi uma das primeiras bebidas concebidas por Barbara Groom, que tinha pensado na cerveja visando torná-la ideal para a harmonização com comida. Ela se afastou das regras que regem o estilo para simplesmente favorecer as características que desejava. O resultado não é uma brown ale tradicional, mas uma cerveja menos lupulada e mais encorpada do que a maioria das brown ales norte-americanas, e mais equilibrada do que muitas das inglesas. É quase uma combinação entre uma Porter e uma brown ale tradicional, com fortes notas de chocolate e um toque de café torrado. É produzida com lúpulos Willamette e Mount Hood, junto com malte Crystal e, naturalmente, um pouco de malte de chocolate.

Groom também descobriu que o clima fresco e marinho de Eureka é ideal para a alta fermentação da levedura de ales. A tais tradições cervejeiras inglesas, Groom acrescentou cevada e trigo das grandes planícies do Oeste e a água excepcionalmente límpida de Humboldt County para dar um perfil de sabores inconfundível para sua cerveja. O artista Duane Flatmo, da região, criou a arte para o rótulo, que lembra Picasso. A choperia original permanece no local, servindo comida e cerveja Lost Coast, mas a produção de cerveja envasada foi transferida em 2000 para instalações mais espaçosas. **JB**

Notas de degustação

Coroa de espuma espessa e densa e bela cor marrom--acobreada. Com aromas de nozes e sugestão de notas de chocolate, os sabores são maltados e ricos, com café e lúpulos americanos contribuindo para criar uma bebida consistente e complexa. O final é límpido, com um pouco de persistentes características de nozes.

Drake's IPA

Drake's Brewing Company | www.drinkdrakes.com

País de origem Estados Unidos
Lançada em 2002
Teor alcoólico 7% vol.
Temperatura ideal 10°C

A Drake's Brewing é uma história feita por Rogers. O primeiro, Roger Lind, fundou aquilo que batizou inicialmente como Lind Brewing Company em 1989 e usou um tema náutico para suas cervejas, inspirado pelas proezas do explorador Sir Francis Drake. Um dos parentes de Lind criou o logo da cervejaria e os rótulos com o veleiro *Golden Hind*.

Uma década depois, em 1999, a cervejaria foi comprada pela Rogers Family Company. Eram vizinhos de porta cujo principal negócio era a venda de café. A família Rogers assumiu as marcas que Lind vinha usando e mudou o nome da cervejaria para Drake's Brewing. Lind havia chamado a primeira IPA apenas de Drake's Ale e, na forma original, a levedura empregada enfatizava as características do malte.

Depois de alguns anos, em 2002, os novos donos trouxeram um novo cervejeiro para sacudir o negócio, e era mais um Roger (ou quase, nesse caso), o cervejeiro Rodger Davis, da região. Foi na mesma época em que cervejas lupuladas começavam a se tornar mais populares. Davis passou a usar uma levedura que acentuava as características do lúpulo e adicionou, como diz, "uma barcada de lúpulos", também aumentando a quantidade usada para *dry hopping*. A cerveja utiliza Cascade e Columbus, apresentando um poderoso índice de 65 IBU, o que a colocou logo acima do limite superior que definia uma India Pale Ale na época. A nova Drake's IPA, de Rodger Davis, fez sucesso imediato tanto com os consumidores quanto com os juízes de concursos da bebida. Naquele mesmo ano, ganhou uma medalha de ouro no Grande Festival Americano da Cerveja e veio a conquistar diversos prêmios nos anos seguintes. **JB**

Notas de degustação

Com cor intensa de âmbar dourado, ligeiramente turva, a Drake's IPA é uma grande releitura à moda da Costa Oeste dos Estados Unidos, densa com aromas de lúpulos cítricos, de toranja e herbáceos. Os sabores também são grandes e lupulados, apesar de bem equilibrados com um final longo, persistente e ácido.

Drop Top Amber Ale

Widmer Brothers Brewing | www.widmer.com

País de origem Estados Unidos
Lançada em 2003
Teor alcoólico 5% vol.
Temperatura ideal 7°C

A Widmer Brothers é mais conhecida pelo seu carro-chefe, a Hefeweizen, mas também faz a ale âmbar mais vendida no estado do Oregon. A Drop Top Amber apareceu como produto sazonal em 2003, mas conquistou tanta popularidade que a cervejaria passou a disponibilizá-la o ano inteiro. Não é tão surpreendente quanto poderia parecer a princípio, pois a primeira cerveja produzida pela Widmer foi uma Düsseldorf Altbier, uma das primeiras alemãs a usar levedura de ale de alta fermentação, e a Altbier e as ales âmbar apresentam muitas semelhanças.

A Drop Top Amber é produzida com maltes claros, caramelo e extra especiais, mas o que a diferencia é um singular malte de mel com "apenas um toque de leite em pó não fermentável". Isso dá uma textura aveludada e harmoniosa à cerveja, enquanto a levedura americana de ale acrescenta ésteres frutados no nariz e no perfil de sabores. A Drop Top Amber é produzida com duas variedades de lúpulo da região do noroeste da costa do Pacífico: Alchemy e Simcoe. O Alchemy fornece um suave amargor, enquanto o Simcoe entrega seus aromas herbáceos e acebolados típicos.

O nome da cerveja vem de uma gíria usada para automóveis conversíveis, baseada no fato de que a capota (*top*) pode ser derrubada (*dropped*) ou dobrada na traseira ou sobre a mala do carro. A inspiração para o cão que aparece no rótulo da Drop Top foi o golden retriever do cofundador Rob Widmer, que, como a maioria dos cães, adora dar uma volta em um conversível. A Drop Top foi premiada duas vezes com a medalha de ouro no Grande Festival Americano da Cerveja, em 2004 e, mais uma vez, em 2008. É um complemento ideal para comidas gordurosas e pesadas, como churrasco, hambúrgueres, filés grelhados e pizza. **JB**

Notas de degustação

A Drop Top Amber Ale é âmbar, com uma espessa coroa de espuma cor de canela. O nariz é frutado, com uma doçura de mel. Os sabores são maltados e doces, com uma textura suave de mel na boca. A personalidade do lúpulo fica evidente apenas no último momento e o final é doce e límpido.

De forma pouco habitual, esta figura apresenta o cão Drop Top na companhia de seu dono. →

Dunkles Vollbier

Brauerei Drummer | www.europeanbeerguide.net/bambbrew.htm

País de origem Alemanha
Lançada em 1763
Teor alcoólico 4,8% vol.
Temperatura ideal 8°C

Qualquer pessoa interessada em cervejas precisa visitar a Francônia pelo menos uma vez na vida para ir a uma das muitas choperias da área e beber sua bebida. Provavelmente as cervejas experimentadas serão frescas, bem equilibradas e cheias de personalidade: vai ser sempre a cerveja certa na hora certa.

Essa região do norte da Baviera supostamente concentra a maior densidade de cervejarias da Alemanha e talvez do mundo. De fato, aproximadamente metade das 600 cervejarias da Baviera encontra-se nessa área. Quase todas as aldeias têm pelo menos uma choperia. Cidades como Bamberg, Bayreuth, Kulmbach ou Forchheim são caracterizadas por uma longa tradição de produção cervejeira. O que quer dizer que uma cultura regional de porões, festivais e estilos de cerveja evoluiu ao longo dos séculos e permanece cheia de vida. *Ungespundetes* (exposta), *Rauchbier* (defumada) e *Märzen* (a típica lager escura ou negra) estão disponíveis em muitas variedades individuais. Aos pés da Walberla, mística montanha da Francônia, perto de Forchheim, é possível experimentar um desses momentos perfeitos ao se pedir uma Dunkles na Brauerei Drummer, em Leutenbach.

As características da cerveja provavelmente datam das origens da cervejaria, no século 18. A receita inclui malte Munique e a variedade de lúpulo aromático Spalter Select. Peter Drummer, que assumiu o negócio depois da morte do pai, em 1997, alterou um pouquinho o estilo, fazendo-a menos rude. Pode ser bebida sozinha ou com um Schnitzel. As batidas que vêm da cozinha são da senhora Drummer, amaciando os Schnitzels que serão servidos com a Dunkles. Aproveite. **SK**

Notas de degustação

Cobre e marrom-claro, com uma firme espuma bege. Aroma adocicado e picante de turfa e maltes torrados. No palato, o sabor é seco, a princípio, seguido por maltes torrados com sugestões de chocolate, café e fruta seca. Um corpo bem tonificado e um final seco com sabores tostados e picantes.

East Street Cream

RCH Brewery | www.rchbrewery.co.uk

País de origem Inglaterra
Lançada em 1995
Teor alcoólico 5% vol.
Temperatura ideal 10°- 13°C

Quando se pensa em bebida na região oeste da Inglaterra, há muita gente que acha que a sidra é a rainha do pedaço. A área, especialmente o condado de Somerset, é pontilhada por antigos pomares e apresenta uma abundância de fabricantes. E ainda existe um ou outro fazendeiro que a produz a cada outono, em uma prensa velha, para seu consumo pessoal. Porém, a produção cervejeira também mantém uma posição de destaque na mesma região. Bristol foi uma importante cidade cervejeira e existem muitos produtores artesanais. É inteiramente apropriado que a RCH, uma das mais bem-sucedidas cervejarias do West Country, funcione em um lugar que já foi usado para a produção de sidra.

Fundada originalmente em um hotel costeiro – o Royal Clarence Arms – na cidade litorânea de Burnham-on-Sea, a cervejaria mudou-se para a localização atual na cidadezinha de West Hewish em meados dos anos 1990. É basicamente uma cervejaria dedicada à produção de bebidas em barris, com um portfólio de ales que geralmente recebem nomes de locomotivas (como Double Header e Firebox). Tanto o cervejeiro Graham Dunbaven quanto o fundador e proprietário Paul Davey são apaixonados pelos trens a vapor. Porém o nome da East Street Cream tem origens diferentes. De acordo com Davey, "a East Street Cream foi produzida em 1995 especialmente para ser a 500ª cerveja convidada do Dartmouth Inn, que ficava na East Street, em Newton Abbot. A cerveja foi batizada por um dos frequentadores do pub em uma competição organizada pelo proprietário na época". A cerveja tem muitos fãs e conquistou diversos prêmios. Em 2009, ganhou o título de Cerveja Campeã no prestigioso Festival de Tuckers Malting, em Newton Abbot, um belo título para uma cerveja com ligações tão fortes com essa cidade de Devon. **ATJ**

Notas de degustação

De cor castanha, com um nariz fragrante de bolo de frutas e a sugestão formigante de uma Muscat e frutas escuras com caroço, como passas e groselha. O tema da Muscat prossegue no paladar, que é também acompanhado por mais frutas. O final é seco e granuloso, com irresistíveis notas de fruta.

Eggenberg Dark Lager

Pivovar Eggenberg | www.eggenberg.cz

País de origem República Tcheca
Lançada em 1993
Teor alcoólico 4,3% vol.
Temperatura ideal 8°C

A cervejaria da cidade de Český Krumlov, no sul da Boêmia, remonta pelo menos ao ano de 1347. Foi repassada para a nobre família Eggenberg em 1622, como pagamento parcial por despesas de guerra. Em 1625, a família expandiu a cervejaria para as instalações que ela ocupa atualmente.

A Pivovar Eggenberg produziu uma série de cervejas, entre elas lagers claras de muita força e as carismáticas lagers escuras da região, extremamente populares antes da disseminação mais ampla do estilo pilsen. Dessa forma, a chegada da Eggenberg Dark Lager em 1993 foi saudada como um retorno à forma, e não como uma novidade. Como é tradição com a tmavé pivô (cerveja escura) da Boêmia, ela termina com uma nota agridoce, em vez do final levemente adstringente de muitas Schwarzbiers alemãs. É raramente vista fora da região, embora permaneça bem popular em muitos pubs históricos e restaurantes de Český Krumlov. **ER**

Notas de degustação

Menos escura do que âmbar, de corpo médio, coroada por uma densa espuma cor de canela. Na boca, apresenta sabores muito agradáveis de café frio e gengibre, terminando com uma pronunciada doçura.

Einbecker Mai-Ur-Bock

Einbecker Brauhaus | www.einbecker-brauhaus.de

País de origem Alemanha
Lançada em 1378
Teor alcoólico 6,5% vol.
Temperatura ideal 12°- 14°C

Quando se trata de cerveja, a palavra "bock" seria uma corruptela do nome da cidade de Einbeck. A produção de cerveja bock era, originalmente, um assunto comunitário. No dia 1º de maio, desde 1240, 700 cidadãos de Einbeck eram escolhidos para produzir cerveja. Porém, eles só deviam preparar cerveja em quantidade suficiente para seu próprio consumo. Aqueles que produziam mais vendiam o excesso para o conselho municipal, que, por sua vez, negociava com outras cidades. Em 1492, a cerveja estava sendo enviada para os Estados do Mar Báltico, Estocolmo, Dinamarca e Amsterdã.

Em Einbeck, produzem-se três tipos de cerveja bock: escura, clara e âmbar. A Mai-Ur-Bock é uma âmbar feita para a primavera. É projetada para aquecer, em um período em que o frio do inverno começa a ceder lugar às temperaturas mais cálidas. Em 1851, a primeira engarrafadora foi instalada, e o tipo de garrafa escolhido continua a ser usado nos dias de hoje. **RP**

Notas de degustação

O aroma é maltado, com algumas notas frutadas. O paladar revela considerável complexidade, com alguma doçura maltada, calor do álcool e um final um tanto amargoso.

← Cevada para malte na cervejaria Eggenberg, em Český Krumlov.

Eisenbahn Pale Ale

Cervejaria Eisenbahn | www.eisenbahn.com.br

País de origem Brasil
Lançada em 2002
Teor alcoólico 4,8% vol.
Temperatura ideal 3°- 5°C

A Cervejaria Eisenbahn (que significa "estrada de ferro" em alemão) foi criada em julho de 2002 por Juliano Mendes e sua família, na cidade de Blumenau, no estado de Santa Catarina, no sul do Brasil. Insatisfeito com as cervejas disponíveis para consumo de massa, Mendes embarcou em um empreendimento ambicioso para desafiar cervejarias bem estabelecidas ao produzir bebidas de alta qualidade a partir de receitas e métodos tradicionais.

A Eisenbahn Pale Ale é produzida segundo as tradições das clássicas pale ales belgas. Uma das pouquíssimas pale ales disponíveis não apenas no Brasil, mas em toda a América do Sul, a Eisenbahn Pale Ale é, indiscutivelmente, a melhor. Como acontece com outras criações da cervejaria, esta bebida obedece à Lei de Pureza da Baviera, de 1516. O que demonstra que, mesmo em um clima subtropical, a adição de aditivos, como conservantes e estabilizadores, simplesmente não é necessária e que, em geral, sua utilização serve a interesses comerciais e não aos consumidores.

Uma combinação de três maltes e uma mistura secreta de lúpulos do Velho e do Novo Mundo conferem a esta cerveja boa parte de sua personalidade singular e a separam de suas contemporâneas. Não é por acaso que a Eisenbahn está localizada em Blumenau. A cidade atraiu muitos imigrantes alemães no passado e eles trouxeram consigo os métodos de produção tradicional e sua experiência. Infelizmente, muitas dessas pequenas cervejarias tradicionais foram obrigadas a fechar as portas pela atuação de grandes empresas, mais interessadas no volume de vendas do que na qualidade da produção. A Eisenbahn representa um bem-vindo retorno às tradições da pureza na produção cervejeira. **AH**

Notas de degustação

Com o corpo louro e coroa de espuma branca, a Eisenbahn Pale Ale oferece um aroma picante, resultado da mistura de lúpulos. Bem equilibrada e maltada ao paladar, tem um final seco e amargo, de forma refrescante. Excelente com salsichão ou queijos Emmental e Gouda.

EKU 28

Kulmbacher Brauerei | www.kulmbacher.de

País de origem Alemanha
Lançada em 1954
Teor alcoólico 11% vol.
Temperatura ideal 15°- 18°C

A EKU 28 foi, durante muitos anos, a cerveja mais forte da Alemanha, até que outra cervejaria – bem menor – produziu um arrasa-quarteirão de 13%. De qualquer maneira, trata-se ainda de uma bebida a ser tratada com cuidado, uma autêntica Doppelbock produzida o ano inteiro e que se tornou cultuada por um grupo de admiradores na Alemanha. Foi a primeira a ser produzida nos anos de reconstrução do pós-guerra, possivelmente concebida como uma declaração de intenções pela então independente cervejaria EKU. Durante esses anos, a confiança econômica aumentava na Alemanha Ocidental, de forma que uma cerveja poderosa espelhava essa sensação de segurança própria.

A Lei de Pureza da Baviera foi obedecida rigidamente, embora, em se tratando de fermentação, a história seja diferente, pois a levedura pode não funcionar quando se solicita uma fermentação próxima de 12% de teor alcoólico. Os cervejeiros resolveram o problema de uma forma inimitável, com duas ou três pastas separadas de malte claro (é o único tipo de malte empregado, embora o processo preciso permaneça em absoluto segredo), criando dessa forma um mosto com alta concentração de açúcares para alimentar a levedura. A cerveja também ganha bastante tempo para fermentar e amadurecer.

A EKU (que quer dizer "Erste Kulmbacher Brauerei") não é mais independente, depois de se fundir a diversas outras cervejarias regionais sob a marca Kulmbacher, da cidade de Kulmbach, no norte da Baviera, onde estão localizadas. É possível dizer que a irmã da EKU 28 é a Kulmbacher Eisbock, outro monstro com 9,2% vol. Quanto ao número 28, ele se refere ao extrato primitivo da cerveja (em graus alemães), em vez de tratar de seu poder alcoólico. **WO**

Notas de degustação

Âmbar quase avermelhada no copo, sob uma leve coroa de espuma em amarelo-claro. No nariz, há um intenso aroma de malte e fruta. A EKU 28 é encorpada na boca, adocicada, mas também límpida e fresca, antes de chegar a um final longo, rico e aquecido.

Elephant Beer

Carlsberg | www.carlsberg.com

País de origem Dinamarca
Lançada em 1959
Teor alcoólico 7,2% vol.
Temperatura ideal 7°C

O nome Carlsberg não pode ter escapado da atenção de muitos bebedores de cerveja de todo o globo. A empresa dinamarquesa tem 45.000 funcionários, que fabricam e vendem cerveja em 150 mercados pelo planeta afora. Em 2008, sua produção ficou perto de 100 milhões de garrafas de cerveja por dia, transformando o grupo no quarto maior do mundo em seu setor.

A Carlsberg foi fundada em 1847 por J. C. Jacobsen, que estava determinado a introduzir modernas técnicas científicas na antiga arte da produção cervejeira. Deu à empresa o nome de seu filho Carl, que depois fundou a sua própria – a "Nova Carlsberg" – em 1882. Esta última fundiu-se com a "Velha Carlsberg" de seu falecido pai em 1901.

A Carlsberg forneceu ao mundo dois imensos avanços tecnológicos: o desenvolvimento da escala de pH e o isolamento de cepas únicas de levedura. Em 1883, a Carlsberg teve sucesso em obter leveduras puras. A *Saccharomyces carlsbergensis*, a mais usada para lagers claras, foi isolada e o conhecimento foi difundido para outros produtores.

Em 1955, a Carlsberg começou a produzir uma pilsen forte, especial, para ser exportada para a Costa do Ouro (Gana, a partir de 1957) e a Nigéria, região onde a Guiness Foreign Extra Stout, com 7,6%, era popular havia muito tempo. A nova pilsen forte ficou conhecida como Carlsberg Export, mas, devido à popularidade na África, recebeu o apelido de Elephant ("Elefante"). Em 1959, a Carlsberg decidiu lançá-la no mercado doméstico, alterando seu nome oficialmente para Elephant Beer. A imagem no rótulo foi inspirada nas esculturas de elefantes em tamanho real que compõem parte da entrada principal da cervejaria Carlsberg em Copenhague. **JP**

Notas de degustação

Quando servida, apresenta uma cor dourada-escura com coroa de espuma que diminui rapidamente e um aroma de mel doce e limão. O sabor é de malte com mel, com uma característica amadeirada e terrosa. Possui uma sutil personalidade de lúpulo e considerável presença de álcool. Estão evidentes algumas notas de ésteres frutados.

Os dinamarqueses associam o traço sob o nome "Carlsberg", na logomarca, à tromba de um elefante.

Carlsberg
ELEPHANT BEER

Ellie's Brown Ale

Avery Brewing Company | www.averybrewing.com

País de origem Estados Unidos
Lançada em 1994
Teor alcoólico 5,5% vol.
Temperatura ideal 10°C

Quando uma falta mundial de lúpulos em 2006 mandou os preços para o espaço e os cervejeiros norte-americanos começaram a se preocupar se conseguiriam continuar a fazer suas bebidas tradicionalmente lupuladas, Adam Avery, da Avery Brewing, anunciou que colocaria mais lúpulo em algumas de suas cervejas. Considerando-se a reputação da Avery como criadora de cervejas audaciosas, ninguém ficou chocado diante daquela atitude provocadora. Talvez a surpresa fosse descobrir que a terceira cerveja mais vendida – e por muitos anos a mais vendida de todas – pela cervejaria do Colorado, criadora de uma série ultraforte chamada de Demons Ale, era a Ellie's Brown Ale. Esta cerveja, com teor alcoólico de 5,5% e modestos 17 IBU, recebeu o nome do labrador cor de chocolate de Avery, Ellie. A aclamação continuou em 2007, quando o *New York Times* examinou brown ales e sua banca de degustadores selecionou a Ellie's como favorita.

A Ellie's era típica das primeiras cervejas da Avery, em meados dos anos 1990 – excelente do ponto de vista técnico e às vezes audaciosa, segundo os padrões do Colorado, mas nada que causasse agitação entre os apreciadores. "Olhando para trás, eu diria que estava mais sintonizado com a turma que achava que não dava para cometer grandes loucuras", recorda-se Avery.

As cervejas mais vendidas pelos produtores do Colorado na época eram de cor âmbar, sem serem particularmente lupuladas. Isso começou a mudar apenas no início do século 21. Avery rompeu com os padrões em 1996, com sua agressiva India Pale Ale. Ela se tornou a mais vendida da cervejaria em 2000, mas, segundo disse Avery em 2009, "até há três anos, as pessoas ainda devolviam nossa cerveja ao bar dizendo que era amarga demais". **SH**

Notas de degustação

A Ellie's Brown Ale é marrom e vibrante no copo, coroada por uma espuma cor de canela que persiste. Ricos aromas, sabores e textura – chocolate doce e malte caramelo do começo ao fim –, obscurecidos no início por uma personalidade tostada-torrada e depois por lúpulos terrosos.

Emerson's Old 95

The Emerson Brewing Company | www.emersons.co.nz

País de origem Nova Zelândia
Lançada em 1995
Teor alcoólico 7% vol.
Temperatura ideal 10°- 12°C

Em 1990, depois de ter visitado e trabalhado em cervejarias da Grã-Bretanha, da Alemanha e da Austrália, Richard Emerson voltou para casa, na Nova Zelândia, armado com receitas, conhecimento sobre o processo de produção e um desejo ardente de apresentar a seus conterrâneos alguns dos grandes estilos mundiais. Em dois anos, começou sua própria cervejaria. Desde então, Emerson produziu algumas das mais saborosas e elogiadas cervejas de seu país. Ainda no início dos anos 1990, os bebedores locais tinham poucas opções de genuínas ales, sem falar de exemplares mais fortes, acondicionados em garrafas e com potencial de guarda. A Emerson's Old 95 evoluiu a partir de uma cerveja chamada "Old Ale", que apareceu inicialmente em outubro de 1993 como um lançamento de Natal, em edição limitada. No ano seguinte, houve um ajuste no malte moído e o nome passou a ser "Old 94". O resultado foi um progresso, mas ainda não era exatamente aquilo que Emerson buscava. Assim, em setembro de 1995 a receita sofreu novos ajustes e a cerveja passou a ser chamada de "Old 95".

Em 1999, introduziu-se uma levedura de ale de Londres que, como reconhece Emerson, "trouxe à tona bem mais sabor ainda no início da maturação, mas que também se aprimorava com o tempo", e, um ano depois, o malte moído foi alterado para enfatizar o aroma. Pouco mudou por quase uma década, até que os lúpulos usados foram reformulados em 2009 e passaram a incluir três variedades cultivadas na Nova Zelândia: Pacific Gem, Styrian Golding e Cascade. Para maximizar a produção de ésteres frutados, a fermentação da Old 95 acontece a uma temperatura alta, de até 28°C. É geralmente tão poderosa que a espuma da levedura chega a abrir as pesadas tampas de aço inoxidável dos tanques! **GG**

Notas de degustação

A Old 95, quando servida, apresenta um tom âmbar alaranjado sob espuma cor de creme. O aroma e o paladar oferecem uma combinação que lembra geleia de laranja, composta por malte doce, caramelado, com enérgicas notas de lúpulo e cítricos de limão. Malte doce e consistente e lúpulos com toques de relva conduzem a um final enfático e agridoce.

Epic Mayhem

Epic Brewing | www.epicbeer.com

País de origem Nova Zelândia
Lançada em 2006
Teor alcoólico 6,2% vol.
Temperatura ideal 6°C

Luke Nicholas começou a apreciar o lúpulo enquanto morava na Califórnia, no início da década de 1990. Ao voltar para sua terra natal, a Nova Zelândia, ficou determinado a recriar alguns dos estilos de cerveja da Costa Oeste dos Estados Unidos, ricos em lúpulo, que ele tinha passado a amar, mas não conseguiu encontrar trabalho na produção artesanal do país, que ainda dava os primeiros passos. Tempos desesperados exigem medidas desesperadas, e ele se ofereceu para trabalhar gratuitamente na choperia Cock and Bull da região.

Nicholas chegou ao posto de chefe dos cervejeiros à medida que as bebidas do pub ganhavam aplausos da clientela e uma série de medalhas em concursos. Depois de mostrar o que podia fazer, Nicholas estava pronto para apresentar suas cervejas a um público mais amplo e, em maio de 2006, a primeira cerveja Epic, pale ale no estilo americano, foi lançada em garrafas. Na competição anual de cervejas da Nova Zelândia, a Epic Pale Ale derrotou quase 200 rivais e conquistou o prêmio máximo.

Nicholas adquiriu a marca Epic em outubro de 2007 e deixou a cervejaria para se dedicar exclusivamente à promoção de suas próprias criações. Desde então, desenvolveu a marca Epic na internet com a ajuda de conhecidas redes sociais. Hoje em dia, a linha de produtos permanentes da Epic é liderada pela Mayhem, uma interpretação imensamente lupulada de uma IPA americana. Embora Nicholas seja um fã do lúpulo americano Cascade e o empregue em abundância na Epic Pale Ale, ao preparar a Mayhem ele também utiliza o Riwaka, uma variedade fortemente aromática da Nova Zelândia. Os maltes moídos incluem o britânico para pale ale, Munique e cristal, que fornecem uma base sedutora que equilibra o amargor desafiador – ou radical, como dizem algumas pessoas – da cerveja. **GG**

Notas de degustação

Esta premiada cerveja apresenta um tom de âmbar brilhante sob uma coroa de espuma profunda, cor de creme. O aroma e o paladar gritam com notas de frutas tropicais e de caroço sobre um pano de fundo doce de malte abiscoitado. Cerveja intensa, mas deliciosamente equilibrada.

Fair Maiden Ale

Founders Organic Brewery | www.biobrew.co.nz

País de origem Nova Zelândia
Lançada em 2006
Teor alcoólico 5,2% vol.
Temperatura ideal 8°- 10°C

Hoje, a família Duncan é provavelmente a mais antiga família cervejeira da Nova Zelândia, e a única que produz continuamente. Joseph Dodson chegou à Nova Zelândia em 1854 e começou fazer cerveja em Nelson. A filha de Joseph casou-se com Robert Duncan e as duas famílias permaneceram donas e no comando da operação de uma cervejaria até 1969.

Trinta anos depois, John Duncan abriu a Founders Brewery, no parque histórico de Founders. Com uma década de experiência na cervejaria Mac, em Nelson, John sabia do crescente interesse do público por cervejas "produzidas naturalmente" e decidiu dar um passo além. A Founders se tornou a primeira cervejaria orgânica com todas as certificações no hemisfério sul e uma das seis existentes em todo o mundo. Atualmente, os três Duncan envolvidos com a produção – John e os filhos Callum e Matt – preparam uma linha de cinco cervejas permanentes, bem como uma ocasional edição limitada e especialidades servidas apenas na torneira, em sua compacta choperia.

Enquanto John Duncan transfere a produção para os filhos, a Founders reage à sede cada vez maior do público por estilos mais robustos. A primeira resposta foi com a Fair Maiden Ale. O nome funciona em diferentes níveis: "Fair", em inglês, também quer dizer "claro", e a cerveja é uma pale ale. "Maiden" ("Donzela") é porque foi o primeiro projeto solo de Matt. A imagem no rótulo da bela donzela como figura na proa de um barco também é pertinente: além de produzir cervejas, Matt se interessa pela história da navegação.

Além de produtora orgânica, a Founders também tem certificação kosher e não emprega ingredientes que sofreram modificações genéticas. O acondicionamento e a maturação prolongados evitam a necessidade de agentes clareadores à base de peixe ou de ovos. Portanto, também são cervejas adequadas ao consumo pelos vegans. **GG**

Notas de degustação

Ao se servir, apresenta um apetitoso tom de âmbar vibrante sob um colarinho quase branco. O aroma e o paladar estão cheios da doçura do toffee, de cítricos e notas de frutas tropicais com um toque de relva que é típico dos lúpulos da Nova Zelândia. Sua melhor harmonização é com queijos ingleses maduros e farelentos e com embutidos.

Fat Tire Amber Ale

New Belgium Brewing | www.newbelgium.com

País de origem Estados Unidos
Lançada em 1991
Teor alcoólico 5,3% vol.
Temperatura ideal 13°C

As cervejas Coors e Fat Tire Amber Ale não se parecem nem têm gosto parecido, mas compartilham de mais coisas em comum além do fato de serem produzidas no Colorado. Durante os anos 1970, a Coors se tornou uma cerveja *cult*, pois não era encontrada a leste do Mississippi. Trinta anos depois, os bebedores dessas áreas imploravam a seus amigos que lhes trouxessem a Fat Tire.

A Fat Tire encontra-se no centro de uma espantosa história de sucesso. Quando Jeff Lebesch e a esposa Kim Jordan começaram a cervejaria no porão, em 1991, esperavam que a cerveja Abbey se tornasse seu carro-chefe, mas a Fat Tire fez sucesso imediato. Em uma dúzia de anos, a New Belgium se tornou a terceira maior cervejaria artesanal do país, produzindo uma impressionante gama de bebidas. Ao atravessar a cervejaria, há alguns anos, seu mestre cervejeiro Peter Bouckaert comentou: "Por sorte, temos a Fat Tire, e isso nos permite fazer todas as outras coisas." **SH**

Notas de degustação

Os sabores são, de saída, de biscoito e malte, com caramelo tostado, nozes e até mesmo melado no paladar. Personalidade terrosa de lúpulo, bem equilibrada. Termina seca, de um jeito doce.

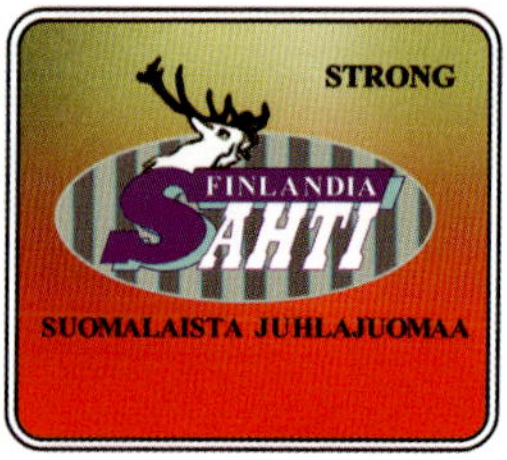

Finlandia Sahti Strong

Finlandia Sahti Ky | www.finlandiasahti.fi

País de origem Finlândia
Lançada em 1992
Teor alcoólico 10% vol.
Temperatura ideal 8°- 10°C

Não há nada de sutil em se beber sahti: algumas pessoas adoram sua complexidade áspera, enquanto outras se surpreendem, dão de ombros e vão embora. A Finlândia tem umas das maiores restrições ao consumo do álcool no mundo inteiro e, há gerações, muita gente faz bebidas alcoólicas ilegalmente. Uma mudança na lei permitiu que Antii Vesaka montasse uma pequena cervejaria em 1992 e ele foi um dos primeiros cervejeiros a produzir sahti comercialmente.

Como estilo cervejeiro, a sahti provavelmente tem suas origens em tempos medievais. Era amassada em antigas gamelas de madeira que continham uma camada de gravetos de junípero. Isso funciona como um filtro e supostamente também contém muitas leveduras selvagens misteriosas que dão uma complexidade visceral à cerveja. A bebida não leva lúpulo. É cheia de proteína, com a levedura ajudando a criar uma cerveja turva, não filtrada. A Finlandia Sahti Strong foi escolhida duas vezes como a cerveja do Festival de Cerveja de Helsinki. **TH**

Notas de degustação

Âmbar turvo com proteínas, coroada por uma espuma branca e áspera. Aroma terroso com notas crescentes de junípero. Gosto de chiclete e banana. Encorpada no palato, com um toque de oleosidade.

First Harvest Ale

Cascade Brewery | www.cascadebrewery.com.au

País de origem Austrália
Lançada em 2002
Teor alcoólico 5,5% vol.
Temperatura ideal 8°C

Construída em 1824, a Cascade Brewery fica localizada aos pés do monte Wellington, cujos córregos de águas puras contribuíram para o sucesso da cervejaria, junto com o clima da Tasmânia, mais frio, tão adequado à produção artesanal, e também graças à força dos lúpulos regionais. Muitos australianos, nos tempos coloniais, sofreram para cultivar essa flor tão essencial, mas os colonos de Van Diemen's Land tiveram considerável sucesso e, atualmente, os lúpulos da Tasmânia são empregados no mundo inteiro.

A proximidade da cervejaria dos grandes campos da Tasmânia permite que a Cascade utilize lúpulos horas depois de serem colhidos. Essas flores verdes especiais são úmidas ao toque e explodem com um sabor e um aroma frescos que deixariam cervejeiros experientes de joelhos. Os nativos da Tasmânia gostam de usar produtos regionais, por isso não é surpresa o fato de a First Harvest Ale também empregar a primeira cevada colhida na estação – maltada na própria cervejaria, naturalmente. **DD**

Notas de degustação

Espere uma modesta coroa de espuma nesta cerveja cor de cobre, apoiada por um aroma folhoso e herbáceo proveniente da adição tardia de lúpulo fresco. Você talvez experimente sabores de caramelo e toffee, seguidos por um final picante.

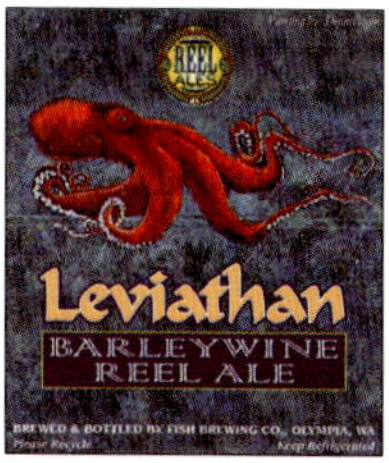

Fish Tale Leviathan

Fish Brewing Company | www.fishbrewing.com

País de origem Estados Unidos
Lançada em 1995
Teor alcoólico 10% vol.
Temperatura ideal 9°- 11°C

Situada na ponta sul do estreito de Puget, um grande braço de mar no extremo noroeste dos Estados Unidos, é de se esperar que a Fish Brewing produza cervejas com nomes inspirados em temas marinhos. Esta ale americana, no estilo barleywine, ganhou o nome de um mitológico monstro marinho.

No final dos anos 1990, os cervejeiros fizeram ajustes na receita para melhor adequá-la ao paladar cada vez mais exigente do público da região e chegaram ao atual teor alcoólico de 10%. Ao mesmo tempo, o gerente-geral Martin Bills começou a fazer experiências com o envelhecimento de cerveja em barris. Em vez de utilizar barris de uísque ou de bourbon, como fizeram muitos dos pioneiros, a Fish Brewing escolheu envelhecer a Leviathan e a Poseidon, uma stout imperial, em barris de vinho obtidos de uma vinícola não identificada. Dando prosseguimento ao tema do vinho, a Fish começou a engarrafar as cervejas em garrafas com o mesmo tamanho das de vinho – outra prática não habitual na época. **LMo**

Notas de degustação

Traços de caramelo, açúcar mascavo e frutas secas se casam com uma boca doce, grudenta e equilibrada de lúpulos e malte caramelo. Os 10% de teor alcoólico estão bem mascarados e podem pegar você desprevenido.

Flying Fish Belgian Style Dubbel

Flying Fish Brewing Company | www.flyingfish.com

País de origem Estados Unidos
Lançada em 1997
Teor alcoólico 7,2% vol.
Temperatura ideal 10°C

Gene Muller criou a Flying Fish Brewing em 1995, como uma "cervejaria virtual" na internet. O plano era obter divulgação para atrair investidores e transformar a cervejaria virtual em uma operação de produção real. A página da internet deu aos amantes da bebida a oportunidade de ajudarem a "construir" a cervejaria, darem nomes às bebidas, projetarem os rótulos e produtos, e até de se candidatarem à função de mestre cervejeiro.

No final de 1996, Muller tinha aberto uma cervejaria para valer no sul de Nova Jérsei e a Flying Fish Brewing nasceu. A Flying Fish produz quatro cervejas o ano inteiro: a Belgian Style Dubbel, a Extra Pale Ale, a ESB Ale e a HopFish IPA. A gama de cervejas sazonais inclui OktoberFish, Farmhouse Summer Ale e Grand Cru Winter Reserve. A Exit Series ("Série Saída") é uma coleção de cervejas em edições limitadas que usam a autoestrada de Nova Jérsei para celebrar os aspectos singulares do Garden State. Os dois primeiros lançamentos foram a Exit 4, uma tripel belga finalizada com lúpulos americanos, e a Exit 11, uma ale à base de trigo, bem lupulada.

O objetivo da Flying Fish é criar cervejas equilibradas que combinem bem com comida. A Flying Fish Belgian Style Dubbel é feita com malte claro de duas fileiras, Munique, Special B e de chocolate, açúcar demerara, lúpulo Styrian Golding e levedura de ale belga. A cervejaria faz versões da ale para ocasiões especiais, como a infusão de cerejas para a Love Fish, no Dia dos Namorados, e a Bourbon Dubbel, envelhecida em barris de uísque. A Flying Fish aparece com regularidade em grandes eventos, como o Grande Festival Britânico da Cerveja, o Festival dos Produtores de Cerveja do Oregon e o Mondial de La Bière, em Montreal. **RL**

Notas de degustação

Ale cor de cobre que apresenta uma generosa camada de espuma creme revestindo o copo. A Belgian Style Dubbel começa com um nariz frutado e o primeiro gole entrega, de cara, um atraente sabor maltado. Depois fica ligeiramente ácida e termina seca.

Forester Pale Ale

Two Metre Tall Company | www.2mt.com.au

País de origem Austrália
Lançada em 2005
Teor alcoólico 5,5% vol.
Temperatura ideal 8°- 10°C

Ashley Huntington, da Two Metre Tall Company, encara os cervejeiros essencialmente como fazendeiros que acrescentam valor aos ingredientes cultivados em suas terras. Pode parecer radical, mas é como os vinicultores sempre se identificaram – uma vinícola que não cuidasse de suas uvas não seria levada a sério. Da mesma forma, se um cervejeiro deseja ter controle sobre os atributos de sua cerveja, ele deve plantar, cuidar e colher a matéria-prima usada para produzi-la.

Quem leva esse papel na produção de alimentos um passo além começa a questionar outro mantra das cervejarias comerciais, que é a consistência. Os cervejeiros se orgulham de conseguir produzir a mesma cerveja, sob a mesma marca, por anos a fio, centenas de anos em alguns casos. Mas, quando se aceita que a cerveja é um produto da terra, então sua natureza deve se transformar com as estações e com seus caprichos. Há anos de mais sol e chuva do que outros. As flores de lúpulo, cuja colheita acontece uma vez por ano, ficam mais frescas no dia em que são colhidas do que quando entram na produção de cerveja dez meses depois. Como acontece com o vinho, uma cerveja é um autêntico produto do seu ambiente e por isso, provavelmente, vai apresentar diferenças sutis ou mesmo significativas de uma leva para outra.

É por causa dessa abordagem que a Two Metre Tall Company é uma das únicas cervejarias do mundo que cultiva seus grãos e lúpulos. A água empregada, colhida de um rio da região ou da chuva, não é filtrada. Como as cervejas lambic, suas ales não são para todo mundo, mas experimentar uma delas é como voltar no tempo até um período em que as pessoas produziam cerveja natural com ajuda da visão e do cheiro, usando nada além de sua argúcia e dos frutos de seu trabalho. **DD**

Notas de degustação

A personalidade desta cerveja vai depender dos caprichos da estação em que é produzida. Pode-se encontrar um corpo turvo e laranja, coberto por uma felpuda coroa de espuma branca, talvez seguida por alguns lembretes encantadores da terra e por um final forte e amargo.

Formidable

Birrificio Cittavecchia | www.cittavecchia.com

País de origem Itália
Lançada em 2001
Teor alcoólico 8% vol.
Temperatura ideal 15°C

Formidable era o nome da cerveja favorita do inspetor Maigret, nas histórias criadas por Georges Simenon. Michele Barro, fundador e cervejeiro do Birrificio Cittavecchia, é um grande fã dos romances e deu a sua cerveja mais forte o nome da bebida do inspetor.

Como muitos produtores artesanais, Barro começou a fazer cerveja em casa. Em 1999, decidiu levar o hobby mais longe e abriu o Birrificio Cittavecchia, perto de Trieste. A região tem uma longa tradição na produção cervejeira. Por exemplo, os moradores costumavam beber cerveja com pratos tradicionais como *bollito* (carne cozida) e *cren*, molho feito com raiz-forte. Barro reviveu essa antiga tradição com sua cervejaria, produzindo bebidas de alta e baixa fermentação. Originalmente, a Formidable era um produto de Natal, feito no inverno, mas o sucesso imediato persuadiu Barro a produzi-la o ano inteiro. O estilo é difícil de definir: levedura britânica, seleção de maltes que inclui Pilsen, Munique, Viena e algum malte tostado de cevada. Os lúpulos são Hallertau Perle, para conferir amargor, e East Kent Golding e Saaz, principalmente para o aroma. Um pouco de açúcar e um ou dois toques de coentro também entram na receita. A cerveja amadurece por um par de meses, com mais um mês de maturação na garrafa. A Formidable é um ótimo fecho para uma noitada, mas Barro também a recomenda com queijos maduros ou com o bolo vienense *Sachertorte*, de fama mundial. **MM**

Notas de degustação

Fascinante cor de mogno, ligeiramente turva, com espuma densa, branca e persistente. Aroma muito rico e intenso, com muita cereja, depois alcaçuz e um toque de notas defumadas.

Fred

Hair of the Dog Brewing | www.hairofthedog.com

País de origem Estados Unidos
Lançada em 1997
Teor alcoólico 10% vol.
Temperatura ideal 10°C

A Fred é uma cerveja difícil de classificar. Alguns a chamam de tripel, no estilo belga. Outros dizem que se trata de uma ale forte. Há quem garanta que a Fred é uma IPA dupla ou uma ale no estilo barleywine. O dono da Hair of the Dog, Alan Sprints, aprecia a característica indefinível da bebida e deixa que os fãs decidam em que estilo ela se encaixa. Porém, diz que a Fred foi parcialmente inspirada pelas tripels belgas.

A cerveja, que é a mais vendida em toda a linha da Hair of the Dog, também foi inspirada por Fred Eckhardt, escritor norte-americano especializado na bebida. Atualmente na casa dos 80 anos, Eckhardt escreve sobre cerveja de sua casa em Portland, no Oregon, desde antes do nascimento de muitos dos atuais produtores. Teve um papel fundamental no nascimento do movimento das cervejarias artesanais nos Estados Unidos. "Fred foi uma grande inspiração para mim, como produtor caseiro. Apareceu em uma das reuniões de nosso clube de cervejeiros, nos ajudou e nos falou sobre estilos de cerveja de que nunca tínhamos ouvido falar antes", diz Sprints. "Quis criar uma cerveja para lhe agradecer. Fiz a Fred para homenageá-lo."

Sprints descobriu que Eckhardt apreciava o sabor do centeio e que era um grande fã de cervejas lupuladas. Assim, Sprints adicionou grandes quantidades dos dois ingredientes ao conceber a Fred. "É realmente a materialização do homem sob a forma de cerveja", diz ele. "Basicamente, coloquei o máximo que podia dentro da panela, e de lá saiu a Fred." **LMo**

Notas de degustação

Dourado intenso. Picante, com grandes quantidades de lúpulo e malte, a Fred pode ser apreciada imediatamente. Mas também pode ser armazenada, assumindo diferentes sabores com o tempo.

Uma das logomarcas da Hair of the Dog estrelada por Roswell Barker, o cão. →

HAIR OF THE DOG

BREWING COMPANY

LOYAL PURE

FAITHFUL WET NOSE

PORTLAND OREGON

Freistädter Rotschopf

Braucommune Freistadt | www.freistaedter-bier.at

País de origem Áustria
Lançada em 2009
Teor alcoólico 5,6% vol.
Temperatura ideal 8°C

Freistadt significa, literalmente, "cidade livre" e, na Idade Média, essa liberdade incluía o direito do morador do burgo de produzir cerveja. Em Freistadt, esse direito estava vinculado à propriedade de uma construção dentro das muralhas da cidade. Dependendo do tamanho dessa edificação, a licença anual variava de 15 a 140 "Eimer" (antiga medida de volume que equivale a cerca de 56 litros).

A produção de cervejas deve ter sido bem lucrativa. Localizada em uma rota de mercadores entre os Alpes e a Boêmia, e chamada de *"Zlatá stezka"* ("Estrada Dourada"), Freistadt recebeu o direito de impor um imposto sobre os bens vendidos ou comprados ali – com o sal, peixe e cerveja entre os itens de maior destaque em vendas. Havia doze cervejarias em atividade em 1525, mas, no curso do século e meio que se seguiu, esse número caiu para duas em 1687 – uma para cerveja branca (supostamente de trigo) e outra para cerveja escura. Em 1777, as duas se fundiram para dar origem à Braucommune (cervejaria comunitária). As ações das cervejarias ainda estão vinculadas à propriedade de edificações na cidade e a denominação das cotas ainda é em Eimer.

Embora a composição societária da cervejaria ainda seja organizada de forma tradicional, a fábrica propriamente dita sofreu grandes modernizações técnicas nos últimos anos. Também tem sido bem corajosa ao desenvolver novas cervejas a partir de ingredientes locais, como os lúpulos da região. Um desses produtos foi uma Rauchbier – a produção foi interrompida na mesma época em que a Rotschopf foi lançada. As cervejas Freistädter podem ser encontradas principalmente na região ao norte de Linz, chamada de Mühlviertel, e, naturalmente, nos bares e cafés do centro de Freistadt. **CS**

Notas de degustação

Âmbar avermelhada, como sugere o nome, esta lager no estilo Viena aparece no copo sob uma grande coroa de espuma branca. É encorpada, com uma doçura maltada que sublinha a personalidade vigorosa, mas logo cede para um amargor distinto, proveniente dos lúpulos regionais, para obter equilíbrio.

Füchschen Alt

Brauerei im Füchschen | www.fuechschen.de

País de origem Alemanha
Lançada em 1848
Teor alcoólico 4,8% vol.
Temperatura ideal 8°C

O centro do universo da produção de Altbier encontra-se na cidade de Düsseldorf, na Altstadt (cidade velha), onde as quatro choperias de Düsseldorf Altbier podem ser encontradas. Esse pequeno bairro às margens do Reno conta com 300 pubs e clubes e se denomina "o maior bar do mundo".

Desde 2001, a Brauerei im Füchschen ganhou condição de *cult* entre jovens consumidores, ajudando a triplicar a produção da cervejaria em apenas uma década. Porém a cerveja permanece a mesma, como destaca alegremente o mestre cervejeiro Frank Driewer. Famosa como a mais branda entre as Düsseldorf Altbiers, a Füchschen ("Raposinha") Alt, com toda a certeza, oferece um amargor pronunciado, bem como uma boa pegada. A produção ainda é feita de forma tradicional, artesanal: empregando quatro tipos de malte, o nobre lúpulo alemão Hallertauer Tradition, alta fermentação em tanques abertos e três semanas de maturação. Como revela Driewer, ainda aplicam o método tradicional de colocar lascas de madeira no interior dos tanques. Essas lascas fornecem uma área substancial para que as células de levedura se acomodem e, assim, clareiam e harmonizam a cerveja.

A revitalização da Füchschen veio com o proprietário Peter König, integrante da quarta geração, cozinheiro de formação, cervejeiro e produtor de malte. Ele assumiu o negócio em 1995, acrescentou pratos leves ao menu, modernizou a choperia, relançou a marca e montou uma nova programação de eventos. Levando-se em conta a natureza dos habitantes da cidade (conhecida como "alegria do Reno"), não parece exagero sugerir que a indicação de König como Príncipe do Carnaval em 2001 também ajudou a estimular a ascensão da Füchschen. **SK**

Notas de degustação

Âmbar com tom alaranjado. Grande montanha de espuma bege. Esta cerveja oferece um nariz maltado com toques de caramelo. O primeiro gole revela uma textura suave, que evolui para um pronunciado amargor, complementado por um azedume generoso. Final seco e suave.

Fujizakura Heights Rauch

Fujizakura Heights Beer | www.fuji-net.co.jp/beer

País de origem Japão
Lançada em 1998
Teor alcoólico 5,5% vol.
Temperatura ideal 6°- 8°C

Situada perto do lado norte do monte Fuji, essa pequena cervejaria se especializa em bebidas ao estilo alemão. Para aprender a fazê-las, o mestre cervejeiro Hiromichi Miyashita passou dois meses no oeste do Japão e mais dois meses no norte do país, aprendendo com cervejeiros alemães residentes. Entre os dois períodos, ele também passou uma temporada de seis semanas estudando na Alemanha. Porém os aspectos relacionados com a higiene foram a maior dificuldade de Miyashita. A cervejaria é dotada de tanques abertos de fermentação, o que faz com que as tarefas rotineiras de higienização tenham um papel extremamente importante na operação.

A cerveja mais singular produzida pela Fujizakura é esta Rauchbier, estilo alemão de lager defumada. É feita com maltes defumados, Munique, caramelo e tostado e leva uma adição de lúpulos Perle. É o malte defumado que cria tantas dificuldades para se produzir a cerveja, mas ele também é o responsável por criar seu sabor inconfundível. Cada leva de malte defumado varia em intensidade de sabor, por isso sua quantidade, junto com a de malte caramelo, precisa ser ajustada a cada vez para que se obtenham resultados consistentes.

Miyashita admite que levou um tempo para que a clientela se acostumasse com o sabor incomum da cerveja defumada. Gradualmente, porém, ela caiu no gosto do público depois que muitos descobriram que ficava excelente ao acompanhar salsichões defumados e presunto fresco curado, sem falar em outros suculentos pratos de carne. Com uma identidade fortemente vinculada ao estilo alemão de cervejas, a Fujizakura continua a se dar bem no Japão, país onde a cerveja é considerada essencialmente uma bebida alemã. **BH**

Notas de degustação

A cor é de um profundo castanho-avermelhado, com coroa de espuma clara, em tom de canela. Há um límpido aroma de malte e sabores defumados, leve no conjunto, com um toque de acidez. É frutada de uma forma interessante, obscurecida por uma carbonatação vibrante. O sabor defumado não persiste por muito tempo.

Fuller's ESB

Fuller, Smith & Turner | www.fullers.co.uk

País de origem Inglaterra
Lançada em 1969
Teor alcoólico 5,5% vol. (5,9% em garrafa)
Temperatura ideal 11°C

A Extra Special Bitter foi lançada em 1971, embora tenha aparecido inicialmente em 1969 como uma sazonal sob o nome de Winter Beer, substituindo uma cerveja chamada Old Burton Ale. Cerveja forte, altamente complexa, é produzida a partir de maltes claro e cristal com um intenso coquetel de lúpulos Target, Challenger, Northdown e Golding.

A ESB deu prosseguimento à tradição de muitos cervejeiros britânicos que produziam uma bebida mais forte, mais intensa, que aquecia a boca, ideal para ser consumida durante os meses de inverno. Porém, logo se estabeleceu como cerveja engarrafada, disponível o ano inteiro. Os consumidores a amam e ela ganhou muitos prêmios, entre eles o prestigioso título de Cerveja Campeã da Grã-Bretanha, que a Fuller's também recebeu com outras duas de suas cervejas – Chiswick Bitter e London Pride –, um recorde nunca superado por outro cervejeiro.

Nos Estados Unidos, a Extra Special Bitter passou a denominar uma classe de cervejas com alto teor alcoólico e com muito sabor de lúpulo, mas sem a personalidade assertiva da India Pale Ale. Costuma-se dizer que muitos dos produtores artesanais dos Estados Unidos foram inspirados a fazer cerveja por causa da clássica criação da Fuller's. Como experiência, o atual cervejeiro da Fuller's, John Keeling, anda armazenando a ESB e outras em barricas de madeira usadas para uísque, o que produz sabores sedutores, enfumaçados, de turfa.

Localizada nas imediações de um dos mais movimentados cruzamentos de Londres, a produção acontece na sede da Griffin Brewery, no bairro de Chiswick, na região oeste de Londres, há mais de 350 anos. John Fuller se envolveu com a produção de cervejas em 1829 e Henry Smith e John Turner se juntaram a ele em 1845 – formando a Fuller, Smith & Turner como ainda a conhecemos nos dias de hoje. **TH**

Notas de degustação

Bronze intenso. Com um nariz rico em lúpulo, a Fuller's ESB tem sabor complexo dominado por uma nota ácida de geleia de laranja e outros sabores cítricos ricos em açúcar. Isso é suavizado por um levíssimo toque de fudge *doce. Com muito álcool, ela aquece a língua.*

Fuller's Golden Pride

Fuller, Smith & Turner | www.fullers.co.uk

País de origem Inglaterra
Lançada em 1967
Teor alcoólico 8,5% vol.
Temperatura ideal 12°C

Como referência para muitos barleywines, a Fuller's Golden Pride com certeza resistiu ao teste da passagem do tempo. Desenvolvida originalmente em 1967, a cerveja foi criada para substituir a ale forte da cervejaria na época, uma bebida escura com 7% de álcool cujas vendas começavam a declinar. O plano sempre foi deixar claro que ela fazia parte da família London Pride, marca que ainda era o carro-chefe da empresa, baseando-se originalmente em uma mistura de maltes de London Pride, ESB e pale ale. Os lúpulos continuam a ser Target, para conferir amargor, e Northdown e Challenger, para o aroma – variedades bem modernas à época.

Os lúpulos e o processo completo de fermentação que garantia uma excelente atenuação (conversão do máximo de açúcares possível em álcool) criaram uma cerveja bem menos doce do que muitas de suas contemporâneas, o que poderia responder por sua popularidade. Um dos cervejeiros, Reg Drury, recorda-se de que a equipe tentava obter uma cerveja clara, mas forte, e, embora a princípio fosse produzida com 9%, posteriormente, nos anos 1980, esse índice foi reduzido para os atuais 8,5%, o que, segundo ele, a tornou uma cerveja melhor por ficar mais equilibrada.

Embora não seja mais vendida como barleywine, a popularidade da Golden Pride permitiu que ela praticamente se tornasse uma sobrevivente solitária de seu estilo, bem como uma baliza e uma inspiração para a nova onda de barleywines que surge de produções artesanais britânicas. É uma cerveja que não foi feita apenas para ser saboreada sozinha, mas fica ótima com comida, funcionando como parceira ideal para queijos salgados de mofo azulado e até mesmo ao lado de crème brûlée – um testemunho da qualidade, da versatilidade e da maravilhosa facilidade para se beber a Golden Pride. **MC**

Notas de degustação

Um aroma intenso de pão de malte, xarope dourado e caramelo se desprende desta cerveja no minuto em que é decantada no copo, exibindo sua cor âmbar, rica e intensa. O sabor é altamente satisfatório, de laranja com figo, com um toque tostado, equilibrado com um ligeiro amargor seco.

A Fuller's celebra a vida esportiva neste clássico anúncio dos anos 1930. →

Keep fit on
BEER
by
FULLERS

Fuller's London Pride

Fuller, Smith & Turner | www.fullers.co.uk

País de origem Inglaterra
Lançada em 1959
Teor alcoólico 4,7% vol.
Temperatura ideal 11°- 14°C

Embora tenha sido lançada oficialmente no dia de São Jorge, em 1959, a principal ale premium da Grã-Bretanha vem de uma linhagem bem mais antiga. A London Pride nasceu de uma cerveja anterior da Fuller's, chamada de Special Pale Ale, e de uma receita que remonta ao século 19 ou a antes disso.

A Fuller's tem feito cervejas na zona oeste de Londres há mais de 350 anos e muitos dos antigos livros de receitas estão agora sob a guarda do mestre cervejeiro John Keeling. É possível olhar para trás, por intermédio desses livros, e desenhar uma "árvore genealógica" de uma cerveja como a Pride. Muitas das cervejas da Fuller's foram desenvolvidas a partir de receitas mais antigas, de forma semelhante. Enquanto hoje os produtores se sentam à mesa e criam uma cerveja do nada, para preencher uma lacuna no mercado, as bebidas do passado eram criadas a partir de receitas que a cervejaria já possuía.

A London Pride é a mais popular da Fuller's. A cervejaria atualmente produz 200.000 barris por ano, sendo que três quartos deles estão cheios de London Pride. Para uma bebida de tanto sucesso, porém, a London Pride é bem simples: usa apenas dois maltes – cristal e pale ale. Também são usados relativamente poucos lúpulos: Target, para conferir amargor, e Challenger e Northdown são adicionados mais tarde, no cobre.

Keeling diz que a popularidade da cerveja se deve à facilidade com que pode ser bebida, o que ele atribui ao equilíbrio quase perfeito entre o frescor do lúpulo e a personalidade abiscoitada do malte. É possível verificar a facilidade com que uma cerveja é bebida. Para fazê-lo, basta distribuí-la em algum clube esportivo e medir quanto bebem. Pode não parecer científico, mas as empresas que oferecem esse serviço o consideram com grande seriedade. **ST**

Notas de degustação

Extremamente equilibrada. Sua natureza maltada e abiscoitada é apoiada com firmeza por lúpulos frutados no nariz, com um toque de toffee e melado na boca. O final amargo e refrescante perdura por muito tempo. Perfeito acompanhamento para um almoço em um pub britânico.

Fuller's Vintage Ale

Fuller, Smith & Turner | www.fullers.co.uk

País de origem Inglaterra
Lançada em 1997
Teor alcoólico 8,5% vol.
Temperatura ideal 9°- 10°C

Esta cerveja extraordinariamente complexa começou sua vida como uma ideia simples: criar uma bebida especial, comemorativa, que utilizasse os melhores ingredientes comprados naquele ano.

Todos na Fuller's concordaram que a cerveja devia ser forte e engarrafada. Foi criada como edição limitada, com garrafas numeradas. Era 1997 e os melhores malte e cevada daquele ano foram para uma cerveja que se tornou bem maior do que as ideias que a inspiraram inicialmente. Depois de seis meses, todos foram unânimes ao concordar que a ale havia se aprimorado. Seis meses depois, estava melhor ainda. Cervejas envelhecidas vêm se tornando populares em todo o mundo, mas nos últimos anos do milênio passado a Fuller's sentia que estava redescobrindo alguns princípios muitos antigos e esquecidos da produção cervejeira.

A Vintage Ale vem sendo preparada pela Fuller's a cada ano, desde então. A receita é modificada anualmente, dependendo dos melhores ingredientes disponíveis e, ocasionalmente, ela reflete temas contemporâneos – chegou a haver uma versão orgânica em 2000. Expressões mais jovens da cerveja têm uma forte personalidade lupulada, que é a primeira característica que muda com o tempo. Alguns anos depois, o malte se suaviza e se torna mais frutado. O mestre cervejeiro John Keeling prefere consumir a ale quando está com quatro ou cinco anos, mas logo acrescenta que esse gosto é inteiramente subjetivo.

É uma cerveja que leva cinco meses para ser produzida e só são disponibilizados para venda de cem a duzentos barris por ano. Porém ela continua a surpreender, encantar e educar consumidores e produtores do mundo inteiro. **PB**

Notas de degustação

Sirva em uma taça de conhaque, com a temperatura mais baixa recomendada para o armazenamento, para que os aromas se desprendam à medida que a cerveja se aquece. A personalidade se desenvolve com a idade, mas espere que traços poderosos de malte frutado abram caminho para notas complexas e picantes, que podem lembrar o xerez.

A MOST
PARTICULAR PALE.
Furthermore
★ KNOT STOCK ★
FMB

Furthermore Knot Stock

Furthermore Beer | www.furthermorebeer.com

País de origem Estados Unidos
Lançada em 2006
Teor alcoólico 5,5% vol.
Temperatura ideal 7°C

Chris Staples e Aran Madden criaram a Furthermore Beer em 2006, na cidade de Spring Green, Wisconsin, mas a inspiração para sua Knot Stock Pale Ale apareceu cinco anos antes. Madden trabalhava em uma choperia de Pittsburgh quando experimentou um biscoito de pimenta-do-reino da Enrico Biscotti Company. Lembrou-se de que, com toda a certeza, era estranho, mas tinha uma memorável combinação de sabores. Quase imediatamente lhe ocorreu a ideia de combinar pimenta-do-reino com uma pale ale americana bem lupulada.

Nas raízes da Knot Stock encontra-se uma pale ale americana de 65 IBU que utiliza lúpulos Northern Brewer e tem uma saudável quantidade de malte caramelo para suavizar o conjunto na boca. A pimenta rachada é colocada em um saco, fervida e passa por uma infusão a frio. O resultado é um intricado conjunto de sabores dominados pela singularidade dos grãos de pimenta liquefeitos. A Knot Stock não é o único sabor incomum da Furthermore. A cervejaria faz a Fallen Apple, uma combinação de cream ale e sidra; a Three Feet Deep, uma stout com um toque de malte tostado e defumado na turfa; e a Oscura, uma lager de café que usa grãos frescos da Nicarágua, tostados. A Furthermore não é tímida quando se trata de dar nomes a suas cervejas. A Fatty Boombalatty é uma cerveja clara no estilo belga, que recebe lúpulos como se fosse uma IPA. **RL**

Notas de degustação

Cerveja em âmbar dourado com espesso colarinho quase branco. No nariz, sente-se quase que imediatamente os grãos rachados de pimenta. Reveste a boca com um portentoso amargor de lúpulo.

Galway Hooker Irish Pale Ale

Hooker Brewery | www.galwayhooker.ie

País de origem Irlanda
Lançada em 2006
Teor alcoólico 4,4% vol.
Temperatura ideal 7°C

As microcervejarias irlandesas deram seus primeiros passos hesitantes em meados dos anos 1990, com a abertura de uma série de pequenas produtoras independentes. Os companheiros da Biddy Early, em County Clare, e da Porterhouse, em Dublin, tinham consciência da colina que precisavam escalar para afastar o público irlandês das cervejas industrializadas servidas por grandes fabricantes havia uma geração ou mais. Como resultado, esses artesãos de vanguarda se mantiveram próximos dos estilos irlandeses populares e tradicionais, com uma stout, uma red ale e uma lager clara como seleção típica.

No verão de 2006, a Hooker Brewery chegou. Em vez da trilogia padrão, havia apenas uma cerveja e duas armas secretas: uma atenção regional aos animados pubs de Galway e um estilo de cerveja desconhecido do paladar irlandês – uma pale ale criada com lúpulos intensamente amargos e frutados, Saaz e Cascade. Desde então, Aidan Murphy e Ronan Brennan, proprietários e administradores dessa minúscula cervejaria, conquistaram seguidores em todo o país para sua bebida, distribuindo o produto para dúzias de pubs. A Galway Hooker virou uma cerveja *cult* entre os apreciadores da bebida na Irlanda e ganhou múltiplos prêmios, inclusive o de Cerveja do Ano na Irlanda, duas vezes seguidas. **JD**

Notas de degustação

A Galway Hooker ganha complexidade por conta de uma base de malte cristal bem irlandês, que cria uma personalidade deliciosamente doce e abiscoitada em contraste com a acidez de toranjas dos lúpulos Cascade. Fica ótima com comida picante.

← O rótulo de cerveja criado por Erin Fuller ganhou um prêmio da *Print Magazine* em 2007.

Garrison Imperial I.P.A.

Garrison Brewing Company | www.garrisonbrewing.com

País de origem Canadá
Lançada em 2007
Teor alcoólico 7% vol.
Temperatura ideal 8°C

A não ser pela Granite Brewery, pioneira em Halifax, a produção artesanal de cervejas demorou a chegar às províncias marítimas do Canadá. Houve alarmes falsos, como aconteceu em quase toda parte no momento em que a produção cervejeira em pequena escala se restabeleceu na América do Norte, mas nada duradouro chegou à Nova Escócia, New Brunswick e à Ilha do Príncipe Edward até meados dos anos 1990, uma década depois de a produção artesanal se encontrar firmemente estabelecida em Ontário. Uma das primeiras a chegar foi a Garrison Brewing, fundada por um oficial da Marinha aposentado chamado Brian Titus. Como muitos militares da reserva fizeram antes dele, Titus se perguntava por que os grandes estilos de cerveja que ele havia encontrado em suas viagens não estavam disponíveis em sua cidade natal. Decidiu abrir uma cervejaria que os produzisse. Como os moradores das províncias marítimas podem ser muito teimosos, os primeiros dias não foram fáceis para Titus e sua vizinha, a Propeller Brewing, que abriu as portas na mesma época. Ele insistiu e obteve aceitação geral para seus principais rótulos antes de expandir suas fronteiras.

O resultado foi a Garrison Imperial, uma cerveja imensamente lupulada, inspirada pelas IPAs duplas que tinham se popularizado recentemente nos Estados Unidos. Ainda assim, criar e negociar uma ale tão dramaticamente diferente, em uma região famosa por seu conservadorismo em termos de cerveja, deve ter sido um desafio. Logo a Imperial encontrou seu nicho, ajudada por prêmios sucessivos, como Cerveja Canadense do Ano. No ano após sua aparição, Titus teve a inspiração de acrescentar três novas cervejas a sua linha sazonal, incluindo a Grand Baltic Porter, uma das únicas bebidas desse estilo produzidas no Canadá. **SB**

Notas de degustação

Como IPA de pedigree "imperial", o amargor do lúpulo obviamente se apresenta de forma proeminente nesta ale. Mas são o malte abiscoitado e o final que aquece, quase consistente, que lhe dão estilo e personalidade e fornecem o apoio para todos aqueles lúpulos com cítricos e pinho.

Gavroche

La Brasserie de St.-Sylvestre | www.brasserie-st-sylvestre.com

País de origem França
Lançada em 1997
Teor alcoólico 8,5% vol.
Temperatura ideal 10°C

A aldeia de Saint-Sylvestre-Cappel, na parte francesa de Flandres, é apenas uma faixa de casas, lojas e bares amontoados em torno da rua principal. Porém, pegando-se uma rua lateral no centro, encontra-se a cervejaria St.-Sylvestre, cujas cervejas são exportadas para o mundo inteiro. Embora seja mais famosa pelo clássico mundial Trois Monts, a cervejaria tem uma excelente seleção de bebidas, sendo uma delas a Gavroche. Quando foi lançada, a Gavroche representava uma mudança, um desafio e uma espécie de dilema: o que constitui uma bière de garde? Muito foi escrito sobre bières de garde dessa região ao norte da França, mas uma boa seleção delas, hoje em dia, parece dever um bocado a suas primas do norte, na Bélgica. Veja, por exemplo, Cuvée des Jonquilles e Gayant Goudale. A Gavroche ficaria muito bem em um bar de cervejas especiais em Bruxelas, com sua bela aparência escura e um compêndio picante e rico de aromas que costumam ser encontrados com mais frequência em uma dubbel. Mas, com toda a certeza, trata-se de uma cerveja francesa, pois nada poderia ser mais francês do que uma cerveja que ganhou seu nome do menino de rua espevitado e cheio de vida da obra *Os miseráveis*, de Victor Hugo. Olhe a silhueta no rótulo da garrafa: é Gavroche.

Apesar de a cerveja ter sido lançada inicialmente em 1997, foi originalmente planejada para aparecer em 1989, quando a República Francesa celebrava o bicentenário da Revolução. O lançamento foi adiado porque a cervejaria não estava satisfeita com o produto final, naquela época, e levou mais alguns anos para fazê-lo. Seja uma tradicional bière de garde ou uma dubbel francesa, a espera certamente valeu a pena. **ATJ**

Notas de degustação

Esta cerveja engarrafada apresenta uma cor âmbar escura sob uma coroa de espuma cremosa, cor de cappuccino. Na boca, lúpulo picante, frutas escuras e toques de tostado chamam a atenção. Encorpada, chega ao final com um toque de calor alcoólico, a secura do malte e a força do lúpulo.

Glops Torrada

Llúpols i Llevats | www.llupolsillevats.com

País de origem Espanha
Lançada em 2005
Teor alcoólico 4,8% vol.
Temperatura ideal 13°C

Àlex Padró Ruiz tinha dezoito anos quando se encontrou face a face com o mundo da produção cervejeira, na Alemanha. Decidiu que, ao retornar à Espanha, faria algo parecido. Na universidade, encontrou Steve Huxley, um mestre cervejeiro inglês, residente na Espanha, que agora faz parte da famosa loja de Barcelona La Cerveteca. Graças a esse encontro fortuito, Ruiz aprendeu a fazer cerveja com Huxley e, junto com ele e outros, foi membro fundador do Humulus Lupulos – Cultura de Cerveza, uma associação espanhola de cerveja. Em 2005, ele montou a primeira microcervejaria espanhola fora de Barcelona.

O nome Llúpols i Llevats pode ser traduzido como "lúpulos e levedura". Fiel ao país onde descobriu sua paixão, Ruiz produz cervejas no estilo lager, vendidas sob a marca Glops. Elas são feitas de acordo com as Reinheitsgebot e evitam qualquer filtragem ou pasteurização. A Glops Torrada é uma lager ao estilo dunkel, de baixa fermentação, produzida com malte Munique e lúpulo Saaz. Amadurece e ganha suavidade durante pelo menos três semanas no tanque, e em seguida é engarrafada usando pressão isobárica. A produção inteira é praticamente manual, a não ser por algumas operações que exigem equipamentos mecânicos.

Como primeira microcervejaria espanhola fora de Barcelona, foi difícil para a Llúpols i Llevats, no princípio, convencer o público a experimentar esta nova cerveja. Porém, ao promover festivais regionais e com o auxílio de uma boa distribuição, ela se tornou bem conhecida e apreciada. Ruiz recomenda que seja bebida com uma especialidade da região – *coca* (pão torrado) com figo e foie gras – o casamento perfeito, em sua opinião. **SS**

Notas de degustação

Em âmbar cor de mel, com uma coroa de espuma cremosa que não dura muito e carbonatação suave. No nariz, há uma brisa suave de levedura e notas de pão, enquanto na boca o malte é onipresente, com apenas um ligeiro toque de amargor.

Granite Best Bitter Special

Granite Brewery | www.granitebrewery.ca

País de origem Canadá
Lançada em 1992
Teor alcoólico 4,5% vol.
Temperatura ideal 13°C

A Granite Brewery original, por estranho que pareça, nasceu de um empreendimento imobiliário. Depois de passar anos comprando, restaurando e vendendo propriedades em Halifax, na Nova Escócia, os irmãos Wilfred e Kevin Keefe decidiram reformar o Gainsborough Hotel, no centro da cidade, e abrir um bar no local. Assim nasceu a Gingers Tavern.

Em 1984, Kevin Keefe começou a se dedicar seriamente a aprender a produzir cerveja e resolveu abrir sua cervejaria dentro da Gingers. Um ano depois, ela começou a funcionar e a Nova Escócia ganhou sua primeira cerveja artesanal. Porém, demorou até 1992 para que a maravilhosa Best Bitter Special, que passa por *dry hopping* e é acondicionada em barricas, viesse ao mundo. Aconteceu depois que Ron, o terceiro irmão, morador de Toronto, entrou para a turma dos cervejeiros, após a lastimável morte de Wilfred. Com Kevin, Ron abriu em Toronto um posto avançado da Granite, em 1991, produzindo inicialmente as mesmas ales vendidas nas províncias marítimas, mas acabou expandindo-se para trabalhar com acondicionamento em barricas com a Special.

Por muitos anos, todas as cervejas Granite de Toronto, inclusive a Best Bitter Special, só estavam disponíveis na choperia. Em 2004, uma mudança na lei de Ontário permitiu que Keefe mudasse sua licença de operação para que se enquadrasse na categoria cervejaria, tratando sua locação como um empreendimento conjunto. Livre das restrições da licença de choperia, ele abriu uma pequena loja em um canto do bar e começou a vender *growlers* para os sedentos moradores da área e também para os ocasionais amantes das cervejas, que vinham de regiões bem mais distantes. Assim nasceu uma memorável lenda cervejeira. **SB**

Notas de degustação

Como bitter de barril, a cerveja tem tom de âmbar claro, com um aroma fresco, de folhas secas, e sabor seco, suavemente caramelado. Em barricas, é bem mais aromática e consideravelmente mais seca, mas ainda com uma robusta personalidade maltada e leve perfume de laranja.

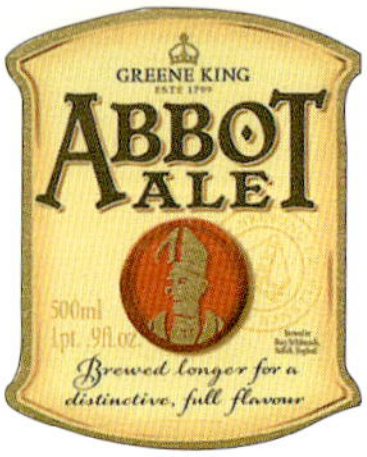

Greene King Abbot Ale

Greene King | www.greeneking.co.uk

País de origem Inglaterra
Lançada em 1955
Teor alcoólico 5% vol.
Temperatura ideal 10°- 13°C

O vínculo entre cerveja e Igreja é antigo na Inglaterra. Antes de serem espoliados, sob as ordens do rei Henrique VIII, a maioria dos mosteiros produzia sua própria ale, e na cidade de St. Edmunds, em Suffolk, os produtores de Abbot da Grande Abadia de St. Edmundsbury foram registrados no *Domesday Book*. Em 1799, Benjamin Greene abriu uma cervejaria ao lado da casa do antigo abade. A empresa ficou conhecida como Greene King, no século 19, depois se fundiu com a Frederick King em 1887. A Greene King é agora uma das maiores cervejarias do Reino Unido, e a Abbot Ale fascina os amantes da cerveja. É uma best bitter forte, sempre representada pela imagem de um religioso de bochechas coradas, mas, segundo a lenda, a imagem desse homem santo é baseada em uma pintura de um marquês inglês sem qualquer ligação com a Igreja. **ATJ**

Notas de degustação

Caramelo no nariz, com uma sugestão de fruta cítrica ao fundo. Avelã, caramelo e a doçura do malte escalam o palato com um frutado cítrico e lupulado. O final é seco e amargo.

Grošák

Minipivovar Koníček | www.minipivovarkonicek.cz

País de origem República Tcheca
Lançada em 2006
Teor alcoólico 6,3% vol.
Temperatura ideal 8°C

A região um tanto remota da Morávia e Silésia, na República Tcheca, é o lar de uma das cenas mais dinâmicas da produção artesanal na Europa Central. A comunidade cervejeira da área parece apreciar a competição entre vizinhos, e a querida choperia Hukvaldy, segundo se diz, inspirou a microcervejaria Koníček em Vojkovice, que apareceu no final de 2006. Logo depois da inauguração, a Koníček criou uma cerveja âmbar para completar o conjunto ao lado da lager clara Ryzák e da escura Vranik. Chamada de Grošák, era produzida inicialmente para o Natal, mas demonstrou ser tão popular que a cervejaria a colocou em produção permanente.

O cervejeiro Mojmir Velké usa malte da Moravamalt, na cidade próxima de Brodek, e adquire levedura pura na grande cervejaria Zubr, em Přerov. A Grošák só é disponível na torneira e ganhou diversas premiações em concursos para cervejeiros tchecos. **ER**

Notas de degustação

Coberta por uma espessa espuma bege, esta lager âmbar turva esconde sua força por trás de notas de mel do rico malte e um amargor do lúpulo perfeitamente equilibrado, terminando com um gole seco e ligeiramente ácido.

Grottenbier

Brouwerij St. Bernardus | www.sintbernardus.be

País de origem Bélgica
Lançada em *ca.* 2000
Teor alcoólico 6,5% vol.
Temperatura ideal 6°- 11°C

Muito antes de as cervejarias em Buggenhout começarem a fazer "cervejas champanhe", Pierre Celis teve a ideia de tratar a cerveja do modo champenoise. O que queria dizer que, em vez de filtrar a bebida no momento do engarrafamento, ela recebia uma dose extra de leveduras frescas e açúcar, era virada em estruturas especialmente construídas (*pupitres*) e finalmente congelava-se o pescoço para remover a levedura.

Ele queria amadurecer a cerveja em adegas e encontrou um lugar adequado em Kanne, perto de Maastricht. Em seguida, procurou por uma cervejaria para preparar a bebida básica. Acabou encontrando uma em St. Bernardus, que começou a produzir esta cerveja escura e enigmática. A experiência demonstrou que a Grottenbier não deve ser excessivamente refrescada para não perder sua incrível complexidade. A Grottenbier se tornou tão bem-sucedida que uma versão mais clara também foi criada, mas muitos consumidores continuam a preferir a original. **JPa**

Notas de degustação
Nariz frutado, com leveduras, não muito diferente de um refrigerante tipo cola. Frutas escuras e cogumelos determinam o sabor ligeiramente azedo que termina em notas queimadas, tostadas, reduzindo-se para a doçura mais simples da água de rosas.

Gulpener Dort

Gulpener Bierbrouwerij | www.gulpener.nl

País de origem Holanda
Lançada em 1953
Teor alcoólico 6,5% vol.
Temperatura ideal 7°C

Mais de 125 anos depois da fundação da cervejaria, a Gulpener decidiu produzir sua primeira cerveja especial. O mestre cervejeiro era Joep de Kroon, e sua inspiração vinha da Meibier, cerveja feita especialmente para o mês de maio. A Gulpener Dort é feita com malte claro, mais lúpulos caramelo e Hallertau. É empregada levedura de baixa fermentação e a Dort fica em tanques durante dez semanas. A cervejaria tenta manter a sustentabilidade da sua produção tanto quanto possível, usando lúpulo e malte da região. O fato de que uma cerveja não holandesa tenha sido feita e vendida com sucesso na Holanda durante 55 anos é simplesmente notável. A cervejaria reconhece que a atual versão da Dort não é a mesma dos anos 1950 e 1960 e atribui essas mudanças em parte às exigências legais da União Europeia, em parte às mudanças técnicas e tecnológicas no preparo de cervejas que ocorreram com o passar dos anos. **RP**

Notas de degustação
No copo a coloração varia de marrom-claro a ouro escuro. O aroma é determinado pelo malte, enquanto o paladar vibra com uma doçura bem definida, embora notas secas e granulosas ajudem a equilibrar qualquer excesso em direção à doçura.

Leupold' dux Bawarie
Chunradus Romanoꝝ rex
Zwetlensis monasterii.

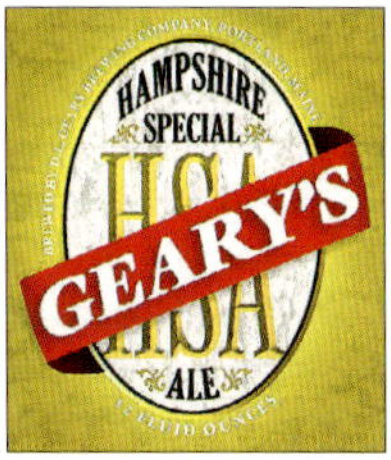

Hadmar

Weitra Bräu Bierwerkstatt | www.bierwerkstatt.at

País de origem Áustria
Lançada em 1994
Teor alcoólico 5,2% vol.
Temperatura ideal 9°C

Esta lager ao estilo Viena recebeu seu nome de Hadmar von Kuenring, que fundou a cidadezinha de Weitra em 1201. Em 1321, Weitra recebeu o alvará que permitiu que os burgueses produzissem e vendessem cerveja, e logo se tornou importante por conta dessa atividade. Em seu apogeu, Weitra tinha 22 cervejarias, sendo que duas delas sobrevivem até hoje.

O estilo Viena tinha praticamente desaparecido da Áustria, mas ao voltar, em 1994, ele teve sucesso imediato. Hoje, a receita mudou um pouco – para substituir os maltes habituais por outros, orgânicos –, mas os métodos de produção permanecem imutáveis: o mosto é fervido em panela de cobre do início dos anos 1960, em fogo direto. A Bierwerkstatt ainda usa fermentadores abertos e deixa que suas cervejas (além da Hadmar, há uma pequena quantidade de Helles) maturem em tanques lager horizontais. **CS**

Notas de degustação

A cor de cobre e o nariz ligeiramente doce são característicos do estilo Viena – como são o amargor equilibrado e a intensa personalidade de malte tostado. Baixa carbonatação, extremamente harmoniosa.

Hampshire Special Ale

D. L. Geary Brewing | www.gearybrewing.com

País de origem Estados Unidos
Lançada em 1989
Teor alcoólico 7% vol.
Temperatura ideal 10°C

David Geary usou como modelo para sua forte ale inglesa as muitas ales acondicionadas em barris que ele provou enquanto aprendia o ofício na Escócia. Quando o crítico de cervejas inglês Michael Jackson visitou sua cervejaria, Geary mostrou o que havia aprendido. Poderia esta ale magnificamente maltada fazer frente àquelas servidas nos tradicionais pubs de Londres? "Lembro-me dele sentado na sala de degustação. Servi uma Hampshire de barrica. Ele a cheirou e fez todo o ritual para provar a cerveja. Depois levantou os olhos e disse: 'É uma cerveja muito especial.' Fiquei tonto."

A princípio, a Hampshire Special Ale estava disponível apenas em dezembro e sua distribuição era esperada com ansiedade. O sabor longo, persistente, majestosamente equilibrado do lúpulo e do malte a tornava uma iguaria especial para o Natal. Geary disse que era "uma maluquice" fazer com que os fãs esperassem o ano todo por um gole. Hoje, esta ale especial é oferecida o ano inteiro. **DR**

Notas de degustação

Rico tom de cobre, grande aroma maltado e densa personalidade frutada. Uma ferroada de amargor de lúpulo no paladar é rapidamente contrabalançada por caramelo ligeiramente doce. Final harmonioso.

← Miniatura que mostra Hadmar (à direita), que deu nome à lager no estilo Viena de Weitra.

Gruss aus Appenzell
LOCHER BRÄU
APPENZELLER BIER

Gruss aus Appenzell
APPENZELLER BIER

Gruss aus Appenzell
APPENZELLER BIER

Gruss aus Appenzell
APPENZELLER BIER

Gruss aus Appenzell
APPENZELLER BIER

Gruss aus Appenzell
APPENZELLER BIER

Gruss aus Appenzell
APPENZELLER BIER

Gruss aus Appenzell
APPENZELLER BIER

Gruss aus Appenzell
APPENZELLER BIER

Gruss aus Appenzell
APPENZELLER BIER

Hanfblüte

Brauerei Locher | www.appenzellerbier.ch

País de origem Suíça
Lançada em 2000
Teor alcoólico 5,2% vol.
Temperatura ideal 8°- 12°C

A Brauerei Locher produz sete cervejas diferentes. A maioria é vendida sob a marca Appenzell, nome do cantão onde a cervejaria se situa. Negócio familiar desde 1886, conquistou reputação por sua alta qualidade e abordagem inovadora. É uma das pouquíssimas cervejarias suíças a produzir lager amadurecida durante o ano inteiro em barris de madeira. Ainda usa fermentadores abertos e clássicos tanques horizontais para maturação. Karl Locher, que comanda os negócios com o primo Raphael, admite que a Appenzeller Hanfblüte era difícil de produzir. "Temos três partes de cânhamo introduzidas em momentos diferentes", diz ele. "Não obtemos o THC (tetraidrocanabinol), a substância alucinógena, mas há quem diga que sente alguma coisa." O rótulo original da cerveja mostrava uma cena de colheita com um personagem sentado sob uma árvore fumando o tradicional cachimbo de Appenzell. A instituição local que rege o comércio teve uma visão estreita e ameaçou interromper a produção. A cervejaria apagou o cachimbo e agora o personagem está com o dedo na boca.

A Brauerei Locher produziu a primeira cerveja orgânica da Suíça – a Vollmond. Outras cervejas incluem a Appenzeller Swiss Mountain e a Castegna, cerveja de castanha com um aroma de mofo e ligeira doçura de nozes, que leva mais de três meses para amadurecer e dois goles para se apreciar. **AG**

Notas de degustação

Folhas e flores de cânhamo dão um peculiar aroma herbáceo e floral e um sabor que chega perto do gengibre, com toques de vegetação fresca. Feita com malte Viena e lúpulos Stammheim.

Harveys Christmas Ale

Harveys Brewery | www.harveys.org.uk

País de origem Inglaterra
Lançada em 1971
Teor alcoólico 8,1% vol.
Temperatura ideal 13°- 18°C

A Harveys é uma cervejaria rica em herança, que está em atividade na cidade de Lewes, na Inglaterra, há cerca de duzentos anos. Fundada por John Harvey no século 18, ela continua a ser um negócio de família e representa um bom exemplo da produção cervejeira britânica.

A cervejaria há muito mantém um caso de amor com boas cervejas de barrica, mas a Christmas Ale está demonstrando que as engarrafadas são igualmente boas, e esta bebida sazonal para o inverno merece sua popularidade. Com teor alcoólico ligeiramente superior a 8%, é uma cerveja ao estilo barleywine, melhor de se saborear do que de se entornar.

Tenha cautela se não estiver acostumado ao estilo, porque pode ser um desafio para o paladar, por ser relativamente densa e doce. Com lúpulos intensos, exprime a abordagem dos cervejeiros artesanais e contém ingredientes produzidos em Sussex e nos condados vizinhos de Kent e Surrey. Quanto à água para a cerveja, ela vem de um poço na propriedade.

Todos esses fatores se combinam para tornar a Christmas Ale uma verdadeira experiência em matéria de bebidas, bem como um excelente acompanhamento para um bom filé suculento. Embora seja sazonal, é tão popular que a Harvey sempre produz o suficiente para durar o resto do ano. A cervejaria também produz um barleywine dourado chamado Elizabethan Ale, que fez sua primeira aparição em 1953, ano da coroação de Elizabeth II. **TS**

Notas de degustação

Tão aveludada que desliza pela garganta, mas não antes de você se espantar com sua cor âmbar profunda e o aroma de madeira. A doçura lembra o açúcar de melado e há bastante canela para combinar.

← Arte original encomendada pela cervejaria Locher para representar sua ampla gama de cervejas.

Hercules Double IPA

Great Divide Brewing | www.greatdivide.com

País de origem Estados Unidos
Lançada em 2004
Teor alcoólico 10% vol.
Temperatura ideal 10°C

O nome é apropriado. Hercules é, sem dúvida, um homem forte no mundo das cervejas, com teor de 10% e 85 IBU. Mas, como muitos sujeitos grandes e durões, a Hercules Double IPA é, por dentro, um gatinho doce, um segredo que camufla seu exterior amargo e potente. "A Hercules é bem lupulada. Mas muita gente percebe mais amargor em nossa Titan IPA, que tem 65 IBU – vinte unidades a menos do que a Hercules", diz Brian Dunn, fundador da Great Divide. "A Hercules tem uma imensa base de malte, o que a torna extremamente bem equilibrada, e todo aquele malte faz um grande trabalho e contrabalança o amargor. Desenvolvemos esta cerveja tendo em mente uma moderada IPA dupla e não uma bomba de lúpulo unidimensional."

Feita com lúpulos Columbus, Centennial e Simcoe, a Hercules é completamente diferente da Titan, ao contrário de algumas IPAs duplas em que o cervejeiro simplesmente incrementa a composição de lúpulo e malte de sua India Pale Ale. Vencedora de vários prêmios, a Hercules não foi modificada desde o seu desenvolvimento.

"Na época em que a Hercules foi criada, não fazíamos levas de teste para as cervejas. Simplesmente não tínhamos pessoal nem espaço para isso", diz Dunn. "Por isso, escrevi os parâmetros que queríamos alcançar com esta cerveja – o teor alcoólico, IBU, o perfil de sabores, essas coisas – depois, nos sentamos na cervejaria e fizemos os ajustes no papel... Realmente não fizemos mudanças na receita desde então."

Dunn diz que a Hercules é suficientemente equilibrada para cair bem com uma grande variedade de alimentos, mas recomenda harmonizá-la com peixe grelhado ou com Roomano, um queijo holandês duro que não é a mesma coisa que o onipresente queijo italiano Romano. **LMo**

Notas de degustação

O impacto maciço do lúpulo traz resina de pinho, frutas cítricas e características de relva e dá equilíbrio ao que poderia ser uma doçura exagerada se esse meninão caísse em mãos erradas. Mas a Great Divide trata a Hercules com delicadeza. Um ligeiro álcool torna a experiência de sabor mais redonda.

Hibernation Ale

Great Divide Brewing | www.greatdivide.com

País de origem Estados Unidos
Lançada em 1995
Teor alcoólico 8,1% vol.
Temperatura ideal 13°C

No final dos anos 1990, diversas cervejarias do Colorado adicionaram o sufixo "-ation" a cervejas lançadas para serem bebidas no inverno (sem dúvida em homenagem à prática alemã de se adicionar "-ator" aos nomes das cervejas para o frio). Entre os exemplos produzidos no Colorado estão a Old Jubilation Ale, da Avery Brewing, a Isolation Ale, da Odell, e a particularmente bem-sucedida Hibernation Ale, da Great Divide. A cervejaria com sede em Denver faz a Hibernation no mês de julho, mas não a lança antes do começo de novembro. Muitos de seus fãs deixam que ela envelheça por um ano ou mais em suas adegas, para obter um sabor mais rico e intenso.

Quando Brian Dunn iniciou a Great Divide Brewing, era apenas um trabalhador em tempo integral. Depois de se formar em ciências do solo e obter um mestrado em questões ambientais, ele viveu no exterior durante cinco anos, cuidando de grandes fazendas ou fazendo pesquisa de novas operações de exportação para produtos agrícolas. Infeliz com a perspectiva profissional, ele preparou um plano de negócios para abrir a microcervejaria de Denver. Levantou o dinheiro, redividiu o prédio e instalou os equipamentos. A primeira produção foi em maio de 1994. Suas cervejas logo mereceram elogios por seu equilíbrio cuidadoso, entre elas a Denver Pale Ale, a St. Bridget's Porter e a Hibernation Ale, bem mais forte, descrita às vezes como uma old ale e outras, como uma ale forte.

A cervejaria se expandiu diversas vezes desde a abertura. Em 2007, a Great Divide reformou a construção para que ela passasse a incluir uma taverna, de modo que os turistas da cerveja pudessem provar ali mesmo, na cervejaria, a crescente gama de bebidas que são oferecidas. **SH**

Notas de degustação

No princípio, percebe-se muito chocolate e especiarias, mais uma personalidade torrada (com nozes e toques de grãos de café) no nariz e na boca. Sabores de caramelo e de frutas escuras, bem como sua doçura, encontram-se bem equilibrados pela textura terrosa e forte.

Hightail Ale

Mountain Goat Brewery | www.goatbeer.com.au

País de origem Austrália
Lançada em 1997
Teor alcoólico 4,5% vol.
Temperatura ideal 8°C

Foi apenas nos últimos trinta anos que os australianos tiveram acesso a outras cervejas além dos geladíssimos derivativos de pilsen (além de uma ou outra stout). Para muitos, o relacionamento exclusivo com esse estilo de cerveja era produto da necessidade e da ignorância, e não de alguma seleção genuína baseada no mérito. Ainda existem aqueles que se lembram dos dias sombrios dos anos 1980, quando a maioria dos pubs tinha apenas uma ou duas cervejas na torneira e causaria escândalo entre amigos se alguém escolhesse uma bebida de outro país. Isso acontecia especialmente quando se faziam pedidos de jarras para serem divididas. Olhando para trás, não causa surpresa que o foco do consumo de cerveja na Austrália, até recentemente, tenha se resumido à cultura e aos rituais do companheirismo, sem levar em conta a apreciação e o sabor da cerveja.

Aqueles que tinham uma visão mais ampla geralmente haviam bebido cerveja em outros países ou eram produtores caseiros. Os dois fundadores da Mountain Goat Brewery se envolveram em ambas as atividades. Dave Bonighton fazia cerveja no quintal de sua casa em Melbourne, no início dos anos 1990, quando recebeu um cartão-postal de Cam Hines, que viajava pelo Canadá como mochileiro. As experiências de Hines com a cerveja foram uma verdadeira revelação e seu cartão sugeria que os dois abrissem seu próprio negócio.

Sob todos os aspectos, os primeiros anos foram muito difíceis, com Hines e Bonighton (e os amigos) bebendo a maior parte da Hightail Ale que eles conseguiam convencer os donos de pub a armazenar. Com o tempo, porém, os bebedores de Melbourne, que conhecem muito sobre comida e vinho, se encantaram com esta ale âmbar produzida na região e ela agora estabeleceu com firmeza seu lugar como ícone vitoriano. **DD**

Notas de degustação

A Hightail Ale anuncia sua presença com um colarinho forte e cremoso e cor intensa de cobre, ao mesmo tempo que emite ligeiro aroma de lúpulos florais e doçura. Um sabor bem equilibrado de malte caramelo e final refrescante vêm em seguida. É perfeita com costelinhas assadas.

Hitachino Nest Beer XH

Kiuchi Brewery | www.kodawari.cc

País de origem Japão
Lançada em 1997
Teor alcoólico 8,3% vol.
Temperatura ideal 12°C

O nome XH vem do inglês *"extra high"* e reflete o alto teor de álcool desta cerveja saborosa, produzida no estilo de uma forte ale belga. A XH começa com malte claro, Munique e cristal, e é fermentada com uma levedura belga com alto teor de álcool, parecida com aquela usada nas cervejas das abadias, o que também contribui para um aroma doce e forte. Os lúpulos Chinook são usados para dar amargor e o Styrian Gold, para o aroma. O mestre cervejeiro Koichi Taka explica que, como o sabor se transforma à medida que a cerveja envelhece, é difícil explicar quando ela deve ser consumida. Também diz que a quantidade de malte, que é mais ou menos superior em 50% ao usado nas cervejas convencionais, faz com que ela seja difícil de produzir, particularmente nas etapas de lavagem do bagaço com água quente. Devido ao alto teor alcoólico, a coroa de espuma é menor e se dissipa mais depressa. Porém a presença de álcool permite que ela seja envelhecida por até cinco anos, em condições ideais. Uma versão especial, na qual a cerveja é envelhecida durante seis meses em barris de carvalho antes do engarrafamento, é produzida para o mercado norte-americano.

A criação da XH pela Kiuchi é um reflexo da prolongada popularidade das cervejas belgas no Japão, que começou em meados dos anos 1980 nas principais cidades do país. Só na região central de Tóquio existem mais de trinta bares especializados em cervejas belgas. A popularidade pode ser explicada ao se compará-las com o saquê, bebida nacional produzida a partir de arroz fermentado, que é ao mesmo tempo doce e com elevado teor alcoólico. A XH é uma favorita daqueles que apreciam cervejas belgas fortes e é boa com muitos pratos à base de carne. O mestre cervejeiro Taka destaca que ela é particularmente popular entre ocidentais residentes no Japão, que com frequência encomendam caixas dela. **BH**

Notas de degustação

A Hitachino Nest Beer XH tem um intenso tom âmbar avermelhado, com leve colarinho cor de canela. O aroma de bolo de frutas doces com notas de lúpulo herbáceo saúda o bebedor, com um perfil de malte rico e ácido e doçura de frutas secas. É um pouco parecida com vinho do Porto, com um final doce e ácido.

Hobgoblin

Wychwood Brewery | www.wychwood.co.uk

País de origem Inglaterra
Lançada em 1988
Teor alcoólico 4,5% vol.
Temperatura ideal 11°C

Será que os duendes viviam, na Idade Média, em Wychwood, floresta que margeia a cidade histórica de Witney, em Oxfordshire? Ninguém sabe, mas o antigo mestre cervejeiro Chris Moss criou, com certeza, uma poção mágica quando pegou maltes claro, cristal e chocolate e os misturou com lúpulos Fuggle e Styrian para fazer a primeira Hobgoblin (duende, em inglês). Na Wychwood Brewery, em 1988, pediram a Moss que criasse uma ale comemorativa para o casamento da filha do dono de um pub local. Foi um imenso sucesso e, na hora do brinde aos noivos, surgiu a ideia de que esta ale, deliciosamente escura e intensa, pudesse se tornar um sucesso comercial.

A Wychwood ganhou fama por suas embalagens diferentes e criativas. A arte de muitos rótulos foi inspirada pelos mitos e lendas associados a Wychwood. A cervejaria ganhou um número crescente de fãs tão interessados nas cervejas quanto na arte dos rótulos. Em 1996, a bebida foi engarrafada e vendida em supermercados britânicos pela primeira vez, em uma época em que cervejas engarrafadas eram embaladas e rotuladas de uma forma muito tradicional. Porém, a imagem de um duende vagando por Wychwood capturou a imaginação de uma nova geração de bebedores, que ajudaram a torná-la a quinta ale engarrafada mais vendida do Reino Unido.

Recentemente, o teor alcoólico da versão de torneira desta cerveja foi reduzido para 4,5%, uma decisão que ajudou a aumentar as vendas. Agora, a empresa pertence à Marston, cervejaria de porte nacional, que diz não ter planos de afastar a produção de Witney, perto da floresta mágica. **TH**

Notas de degustação

De cor rubi, a Hobgoblin é uma cerveja encorpada com muito sabor de malte. Tem uma deliciosa personalidade de malte chocolate e toffee no paladar, equilibrada por um amargor moderado e um toque frutado. O final é repleto de frutas escuras.

Hobsons Postman's Knock

Hobsons Brewery | www.hobsons-brewery.co.uk

País de origem Inglaterra
Lançada em 2006
Teor alcoólico 4,8% vol.
Temperatura ideal 8°- 10°C

A Postman's Knock é uma homenagem. A cerveja é dedicada à memória de Simon Evans, escritor e locutor que se mudou para Shropshire nos anos que se seguiram à Primeira Guerra Mundial e imortalizou a região em suas histórias. Evans foi uma vítima da guerra. Envenenado por gás nas trincheiras, foi aconselhado a buscar o ar puro e fresco do campo para auxiliar na sua recuperação. Mudou-se de Liverpool para a cidade rural de Cleobury Mortimer, onde a função de carteiro o obrigava a caminhar muitos quilômetros por dia. Pelo caminho, ele se encontrava com muitos personagens interessantes, gente que descreveu com todas as suas encantadoras excentricidades em deliciosos contos e transmissões radiofônicas na década de 1930.

Cleobury Mortimer é, atualmente, a sede da Hobsons Brewery, que decidiu homenagear Simon Evans com esta cerveja em 2006. O negócio foi estabelecido pela família Davis em 1993 e desde então já foi transferido e expandiu-se. Entre suas cervejas está uma bela best bitter, uma ale dourada, uma old ale e a Hobsons Mild, que ganhou o título de Cerveja Campeã da Grã-Bretanha em 2007. A Postman's Knock também pertence à categoria meio amarga, mas com força, com favas de baunilha jogadas ao cobre para aumentar a cremosidade das notas de café e chocolate desenvolvidas pelos maltes cristal e chocolate na mostura. Fuggle e Golding são os lúpulos, mas seu impacto é restrito a fornecer um amargor para dar equilíbrio, sem criar extravagantes sabores de fruta. A Postman's Knock é um belo tributo ao homem que ajudou a colocar Cleobury Mortimer no mapa, mas também tem seu valor por si só. A cada garrafa vendida, é feita uma pequena doação de fundos para um hospital infantil. **JE**

Notas de degustação

Uma mild (meio amarga) em rubi vibrante, com chocolate, noz, café e melado no nariz. O suave sabor amargo é recheado com chocolate suave, malte abiscoitado e grãos de café recém-moídos. Há mais nozes e café no final seco, agradavelmente amargo.

Hoepfner Maibock

Privatbrauerei Hoepfner
www.hoepfner.de

País de origem Alemanha
Lançada em *ca.* década de 1920
Teor alcoólico 6,6% vol.
Temperatura ideal 8°C

Uma das mais famosas entre as bock é a Maibock, iguaria de primavera que só se encontra disponível de março ao início de maio a cada ano. Esta é uma cerveja que funciona como uma ponte entre as fortes e escuras doppelbocks de Lent e as mais leves e enérgicas cervejas douradas, tão bem-vindas no sol de verão. A contribuição da Hoepfner para a causa Maibock é uma das mais famosas na Alemanha, e a cerveja ganhou uma medalha de ouro na Copa do Mundo da Cerveja em 2008. Essa aclamação poderia ter alguma relação com o cuidado com que a cervejaria seleciona sua matéria-prima. A cevada é maltada na maltaria própria da Hoepfner, perto da cervejaria, enquanto a bebida recebe lúpulos Tettnang (cultivados próximo da região de Bodersee) e Hallertau. Após a fermentação, ela é armazenada por até doze semanas em tanques de aço, antes de ser enviada para ansiosos bebedores de Maibock. **WO**

Notas de degustação

Cor de um dourado intenso, com forte aroma de malte, seguido por uma bem equilibrada personalidade de lúpulo. No paladar, a doçura inicial é moderada por um amargor leve e agradável.

Hofbräu Maibock

Staatliches Hofbräuhaus in München
www.hofbraeu-muenchen.de

País de origem Alemanha
Lançada em 1614
Teor alcoólico 7,2% vol.
Temperatura ideal 5°- 12°C

A Staatliches Hofbräuhaus foi fundada por Guilherme V, duque da Baviera, fundador da cervejaria que importava cerveja (o que é hoje chamado de bockbier) de Einbeck. Seu filho, Maxilimiliano I, preferia Weissbier, mas, em 1614, o mestre cervejeiro Elias Pichler decidiu que produzir apenas cerveja escura e Weissbier não bastava – precisava haver alguma coisa mais forte. Ele revelou uma novidade: a Maibock, uma interpretação bávara da bock. Cerca de 200 anos depois, em uma festividade que celebrava o casamento do príncipe Ludwig da Baviera com Therese von Sachsen-Hildburghausen, o cervejeiro da agora real Hofbräuhaus quis fazer algo de especial para a ocasião. Aquela cerveja (e evento) ficou conhecida como Oktoberfestbier. Em 1896, depois de passar várias centenas de anos no mesmo lugar, foi construída e aberta uma nova cervejaria. Depois de quase destruída na Segunda Guerra Mundial, foi reconstruída e lá permanece até hoje. **RP**

Notas de degustação

Um tanto escura – quase cor de cobre –, com uma pequena coroa branca. O aroma é maltado, com algumas notas de fruta. O sabor é bem maltado, embora equilibrado, terminando com algum amargor.

Uma colorida gravura de época mostra a famosa Hofbräuhaus de Munique durante a Oktoberfest. →

Hoftrol

Brouwerij 't Hofbrouwerijke
www.thofbrouwerijke.be

País de origem Bélgica
Lançada em 2005
Teor alcoólico 6,2% vol.
Temperatura ideal 12°C

Inspira muito orgulho regional esta pequena cervejaria. Jef Goetelen abriu a 't Hofbrouwerijke em 2005 e, desde então, o empreendimento e suas bebidas vêm ganhando constantemente em qualidade e produção. 't Hofbrouwerijke pode ser traduzido em português como "A cervejaria do jardinzinho", nome que faz referência ao pequeno jardim no quintal da casa de Goetelen. A maioria dos nomes das cervejas começa com o prefixo "hof", que significa jardim ou pátio em holandês. A Hoftrol é uma bebida de cor âmbar, intensidade média, com moderados azedume e amargor devido ao uso de cepas de levedura *Brettanomyces* e de bons lúpulos. Os amantes das cervejas trapistas talvez achem que ela lembra certa bebida de grande reputação, com origem na província de Luxemburgo. Goetelen prepara cervejas que ele gosta de beber, como a Orval, que também é amada por muitos outros. Tal qual a Orval, a Hoftrol não é filtrada nem pasteurizada, e é refermentada na garrafa. **CC**

Notas de degustação

Líquido em âmbar avermelhado, turvo, com um amplo colarinho cor de canela ao ser servido. O aroma é frutado, com levedura e malte e, com toda a certeza, notas de Brettanomyces. *O sabor é maltado, moderadamente azedo, amadeirado, com notas de maçã.*

Hog Heaven

Avery Brewing Company
www.averybrewing.com

País de origem Estados Unidos
Lançada em 1998
Teor alcoólico 9,2% vol.
Temperatura ideal 13°C

A ideia de como um barleywine deve ser já foi reinventada muitas vezes desde que a Anchor Brewing, de São Francisco, reviveu o estilo com a Anchor Foghorn. Olhando para trás, Adam Avery, um dos fundadores da Avery, talvez não tivesse incluído as palavras "Barleywine-Style Ale" em seu rótulo, mas, em 1998, parecia apropriado. "Agora, a maioria das pessoas chama de IPA dupla", diz Avery. "Naquele tempo, nunca tinha ouvido falar em 'IPA dupla'."

Avery queria fazer uma cerveja aromática sem usar excesso de malte cristal. Quanto ao lúpulo, ele gostava do Columbus, rico em ácidos alfa e ainda relativamente novo em 1998. É repleto de aroma de pinho, embora um pouco rude. Ele usa apenas o Columbus ao preparar a Hog Heaven, empregando o suficiente na receita para terminar com mais de 100 IBU, como planejado. Os maltes são de duas fileiras e caramelo. A cerveja se aprimora com a idade e pode ser armazenada durante três anos. **SH**

Notas de degustação

Uma explosão de cítricos (especialmente de toranja) no nariz é logo seguida por notas de algodão-doce. Há uma coleção de frutas no paladar, complexas e em diversas camadas. Astuciosamente amarga.

Hop Rod Rye

Bear Republic Brewing
www.bearrepublic.com

País de origem Estados Unidos
Lançada em 2000
Teor alcoólico 8% vol.
Temperatura ideal 10°C

Desde que a cervejaria de Healdsburg abriu as portas em 1995, a Bear Republic começou a ganhar fama por cervejas ricas em sabor de lúpulo, bem como por um amargor nada insignificante.

Talvez não seja surpreendente que a Hop Rod Rye desafie classificações. Com 8% de teor alcoólico e mais de 90 IBU, fica em algum lugar entre uma India Pale Ale e uma IPA dupla. Porém, há também 20% de centeio no *grist*, que lhe fornece uma textura densa, de pão. A produção de bebidas com centeio é particularmente difícil, pois, como o trigo, o centeio não tem uma casca. Fica espesso durante a mostura e pode se tornar duro como uma pedra se o cervejeiro não for cauteloso. Porém, os cervejeiros da Bear Republic parecem ficar à vontade com o grão, pois também fazem uma cerveja menos potente, com 5% vol., com 100% de malte de centeio. A cervejaria comemorou seu décimo aniversário em 2006 e também abriu uma linha de produção da bebida em separado. **SH**

Notas de degustação

Lúpulos vibrantes, de pinho e cítricos, com notas picantes no nariz. A personalidade escura, de pão, combina harmoniosamente com os sabores cítricos do lúpulo na boca, onde há uma poderosa pegada no final.

Hopleaf Extra

Simonds Farsons Cisk
www.farsons.com

País de origem Malta
Lançada em 2006
Teor alcoólico 5% vol.
Temperatura ideal 8°- 10°C

Na década de 1880, o produtor britânico H. & G. Simonds, de Reading, montou um negócio em Malta para engarrafar cerveja vinda da Inglaterra. A produção começou na ilha na década de 1920, sendo que a atual cervejaria foi construída em 1946. A Simonds Farsons Cisk continua a produzir uma gama de cervejas secas, com lúpulo intenso, sob o nome Hopleaf. Durante muitos anos as ales eram produzidas à inglesa, com fermentadores quadrados, abertos, mas em 1998 instalaram-se modelos cônicos e fechados. Como Malta não tem tradição no plantio de lúpulo e cevada, todos os ingredientes dessas cervejas inglesas são importados. A Hopleaf Extra foi introduzida em 2006 – uma companhia mais potente para sua irmã Hopleaf, que apresenta um modesto teor alcoólico de 3,8%. A Hopleaf Extra tem uma personalidade forte, fresca, e é suficientemente robusta para ser servida gelada, o que é essencial em uma ilha onde as temperaturas no verão podem ser bem elevadas. **TH**

Notas de degustação

Pale ale forte, ao estilo inglês. Os lúpulos Challenger e Target produzem uma cerveja de grande intensidade e complexidade, com camadas de sabores cítricos que cedem espaço para uma súbita secura.

Hövels Original

Hövels Hausbrauerei | www.hovels-hausbrauerei.de

País de origem Alemanha
Lançada em 1893
Teor alcoólico 5,5% vol.
Temperatura ideal 7°- 9°C

A cor avermelhada desta cerveja parece combinar as qualidades de muitos estilos, e é apropriado que seja a única a fazer parte da lista da associação de sommeliers de vinho da Alemanha. Além do mais, talvez seja a mais sofisticada criação da antiga "capital da cerveja" na Alemanha, Dortmund. Situadas no Ruhr, região do carvão e do aço, as grandes cervejarias de Dortumund saciavam a sede de mineiros e de trabalhadores da região. O principal produto desde a década de 1850 era uma lager clara, que se tornou conhecida como Dortmunder Export devido ao sucesso que extrapolou as fronteiras do Ruhr.

A Brauerei von Hövel, Thier e Companhia era uma cervejaria de lager de médio porte daquele período, cujo novo dono investiu, em 1889, na mais atualizada tecnologia, como máquinas de refrigeração e caldeiras de cobre com um preciso controle de temperatura. Assim, era capaz de fazer a mostura depois da infusão, processo de rotina nos dias de hoje, mas uma inovação naqueles tempos. Como também era incomum na época, em 1893 ela começou a produzir uma segunda marca. Enquanto a Export permaneceu como bebida dos trabalhadores, a Bitterbier, como a Hövels Original era chamada então, pretendia suprir a demanda por cervejas mais ambiciosas. Mistura de quatro maltes, é complementada por lúpulo Hallertau.

A cerveja perdeu as graças do público depois da Primeira Guerra Mundial, mas foi reintroduzida em 1984. Hoje, é produzida na fábrica da Dortmunder Actier-Brauerei, que pertence ao grupo Radeberger. Em 2009, os construtores demoliram a histórica cervejaria Hövel, Thier e Companhia, sobrevivendo apenas a choperia Hövels Hausbrauerei – e, o que é mais importante, a inimitável Hövels Original. **SK**

Notas de degustação

Cor castanho-clara com nuances vermelhas e colarinho cremoso e bege. Esta cerveja oferece um nariz de frutas cítricas com toques de aromas de caramelo e pão. No palato, espere sabores secos, de pão e caramelo, acompanhados por um amargor fresco. O final é límpido, aveludado, seco e amargo.

Humulus Ludicrous

Half Pints Brewing Company | www.halfpintsbrewing.com

País de origem Canadá
Lançada em 2007
Teor alcoólico 8% vol.
Temperatura ideal 8°C

Embora a região cultive uma quantidade considerável de cevada usada para o preparo de cervejas, a pradaria canadense não demonstrou ser solo fértil para as cervejarias. Desde que a Big Rock Brewery abriu as portas em 1984, apareceram poucos novatos bem-sucedidos em Alberta (à exceção de Wild Rose e Alley Kat). Saskatchewan testemunhou um boom de choperias em sua maioria dignas de esquecimento. E Manitoba? Pois é, a província mais oriental das pradarias era uma espécie de deserto da produção artesanal. Até que David Rudge dirigiu-se para Winnipeg para abrir a Half Pints Brewing. Ao fazê-lo, não trouxe apenas uma nova estética, mas também adicionou uma maravilhosa nota de irreverência à cena cervejeira regional.

Manitoba tinha testemunhado bem pouca produção de cerveja, artesanal ou não. Tanto a Molson quanto a Labatt encerraram as operações na província em 1998, deixando apenas a Fort Garry Brewing Company como fornecedora de bebidas de produção regional. A jovem cervejaria artesanal foi acompanhada por duas outras no ano seguinte, mas ambas tiveram dificuldades para sobreviver à virada do novo milênio, junto com uma choperia que teve um destino infeliz. Nesse mercado tumultuado, nasceu a Half Pints.

Talvez o que mantenha a empresa à tona seja o senso de humor de Rudge, evidente em nomes como Little Scrapper IPA (Pequeno Batalhador IPA) – presumivelmente uma referência à altura pouco avantajada do próprio Rudge – e Weizen Heimer. Mas é mais provável que seja a fé do cervejeiro na ética "Se eu produzir cerveja, eles virão" que tenha resultado na criação de numerosas bebidas que desafiam o paladar, como a Burley Wine, encorpada, ao estilo barleywine, e a IPA dupla sazonal Humulus Ludicrous. **SB**

Notas de degustação

Cerveja grande, de lúpulo intenso, a Humulus Ludicrous começa com aroma perfumado que carrega notas de casca de laranja queimada. No corpo, transporta uma personalidade lupulada sobre uma sólida base maltada, que conduz a um final modestamente amargo, com toque de toffee. Forte, mas sutil.

India Pelican Ale

Pelican Pub & Brewery
www.pelicanbrewery.com

País de origem Estados Unidos
Lançada em 1997
Teor alcoólico 7,5% vol.
Temperatura ideal 7° - 10°C

A India Pelican Ale foi produzida inicialmente como cerveja sazonal. Depois que a segunda leva ficou pronta, um ano depois, a demanda era tamanha que a India Pelican Ale passou a ter produção regular.

Na época, o cervejeiro Darron Welch ouviu as opiniões de clientes que queriam que a IPA se beneficiasse com mais lúpulos. Welch havia, pouco tempo antes, contratado os serviços de um laboratório externo para ajudar a manter a qualidade e a consistência de suas cervejas e aprendeu com eles que o amargor real da India Pelican Ale era substancialmente mais baixo do que ele havia planejado. "Então os fregueses tinham razão!", diz Welch, e ele começou a adicionar mais lúpulo à cerveja a cada leva, para modificar lentamente as especificações da bebida até chegar aos níveis desejados. "E aconteceu uma coisa engraçada. Quanto mais lúpulo eu botava, mais rápido eu vendia a cerveja." A IPA chegou a suas especificações atuais no final de 2003. **LMo**

Notas de degustação

Sabores de pinho, limão, toranja, laranja e até abacaxi dançam graciosamente com notas de caramelo e malte. O final é pontuado por um amargor vibrante e revigorante, com toque cítrico.

IPA Samuraj

Pivovar Kocour Varnsdorf
www.pivovar-kocour.cz

País de origem República Tcheca
Lançada em 2008
Teor alcoólico 4,8% vol.
Temperatura ideal 9°C

As florescentes cervejarias artesanais da República Tcheca ainda permanecem, em grande parte, focadas nos estilos tradicionais de lagers claras e escuras. Mas a Pivovar Kocour ganhou fama por uma linha mais inovadora, oferecendo diversas ales notáveis, muitas delas desenvolvidas por cervejeiros convidados. Talvez a mais notável seja a IPA Samuraj, India Pale Ale à moda americana, criada pelo mestre cervejeiro itinerante Toshi Ishii, do Japão. A combinação de um cervejeiro japonês com lúpulos americanos pode parecer incomum, mas Ishii passou vários anos na Stone Brewing Company, em San Diego, antes de passar a produzir suas próprias cervejas artesanais de estilo americano na Yo-Ho Brewing Company, no Japão. Sua IPA Samuraj é produzida a partir de malte claro da Boêmia, com lúpulos Centennial, Amarillo e Columbus e uma levedura de alta fermentação da cepa California Ale. O resultado é uma pale ale muito americana sem nenhuma aparente influência japonesa ou tcheca. **ER**

Notas de degustação

Aroma intenso, com perfume cítrico, embora a imagem de ouro límpido seja igualmente arrebatadora. Apesar do lúpulo intenso, é uma cerveja elegante e bem equilibrada.

Iron Duke

Wellington County Brewery
www.wellingtonbrewery.ca

País de origem Canadá
Lançada em 1986
Teor alcoólico 6,5% vol.
Temperatura ideal 10°C

Em meados dos anos 1980, três cervejarias competiram para ser a primeira cervejaria artesanal moderna da província de Ontário. A Wellington County chegou em terceiro lugar, abrindo no outono de 1985. Entre as três primeiras e as dúzias de pequenos empreendimentos que se seguiram, os planos da Wellington eram, de longe, os mais ambiciosos e otimistas: introduzir ale em barris em um mercado inundado por lagers servidas na chopeira. As coisas não correram exatamente desse jeito. Os donos de pub não foram correndo procurar a Wellington em busca daquela ale em barril, e por isso a cervejaria precisou desenvolver planos de emergência. A solução encontrada foi vender a cerveja em garrafas plásticas de 1 litro. Com o tempo, novos rótulos foram adicionados ao portfólio da empresa, entre eles a invernal Iron Duke. Embora a empresa permaneça pequena, especialmente em relação às outras cervejarias pioneiras que entraram em rápida expansão, ela conquistou uma reputação sólida e consumidores fiéis. **SB**

Notas de degustação

Uma ale conduzida pelo malte, com toffee *e frutas secas no nariz e um corpo que lembra vinho, com caramelo de chocolate, frutas cozidas, toques de cacau cru e uma pitada de café no final.*

J. W. Lees Bitter

J. W. Lees
www.jwlees.co.uk

País de origem Inglaterra
Lançada em 1828
Teor alcoólico 4% vol.
Temperatura ideal 12°C

Manchester, na Inglaterra, tem um setor cervejeiro dinâmico que remonta aos primeiros tempos da Revolução Industrial. A Lees é uma das quatro cervejarias da cidade que sobraram daquele período. A empresa pode acompanhar suas raízes até 1828, embora seu nome só se tornasse J. W. Lees em 1876. Porém, é provável que a Lees tenha sempre produzido uma versão de sua bitter clara, seca e límpida. A J. W. Lees Bitter é típica dessa região da Inglaterra – onde secura e doçura competem pela atenção no paladar. É uma cerveja clara, âmbar, com um aroma maltado e frutado, sabor claramente maltado e um final refrescante. Não é surpresa que seja a bebida mais popular da cervejaria, vendida em todos os seus 170 pubs. Ela fica maravilhosa na companhia de comidas como o tradicional cozido de Lancashire ou com o queijo farelento de Lancashire, com sabores cremosos e de nozes do queijo se combinando à doçura e ao frutado da cerveja. **TH**

Notas de degustação

Bitter âmbar e cor de cobre. Apresenta múltiplas camadas de doçura maltada e um final frutado, cítrico, com limão. É bem seca. Sua potência permite que seja consumida em uma noite inteira.

James Squire Golden Ale

Malt Shovel Brewery | www.malt-shovel.com.au

País de origem Austrália
Lançada em 2005
Teor alcoólico 4,5% vol.
Temperatura ideal 4°- 7°C

A mais perfeita imagem da cerveja australiana é uma rodada de copos estupidamente gelados de lager, consumida por um grupo de amigos em um cenário ensolarado, ao ar livre. Embora nem toda cerveja seja consumida dessa forma naquele país, é verdade que o clima da Austrália provocou determinado comportamento e preferências nos bebedores. Os verões quentes e prolongados e os invernos amenos não ajudaram as cervejas mais pesadas e tradicionais da Inglaterra, e a Austrália adotou a lager no estilo pilsen quase um século antes de o país europeu dar uma olhada mais atenta na bebida.

É provável que essa seja a razão que leva as cervejas artesanais australianas a representarem ainda uma pequena fração do volume de lagers refrescantes consumidas pelos habitantes do país a cada ano. Outro fator a ser levado em conta é o importante papel nos rituais de companheirismo, que buscam reforçar os vínculos entre os bebedores em sessões prolongadas. Para muitos australianos que participam dessa tradição, a possibilidade de consumir a bebida durante um período extenso é até mais importante do que suas qualidades refrescantes.

Talvez sejam essas razões que levam a Golden Ale (versão australiana para as ales inglesas de verão) a ser a mais popular da James Squire. A cerveja tem todo o sabor e o aroma de um produto artesanal, ao mesmo tempo que apresenta a facilidade de ser bebida que tantos australianos apreciam. Chuck Hahn, da Malt Shovel Brewery, usou levedura de ale da sua popular Amber Ale, mas fermentou-a em temperaturas ligeiramente reduzidas e usou 30% de malte de trigo para criar uma acidez no final mais parecida com a secura de uma lager. Esse delicioso híbrido também é popular entre as australianas, que apreciam o agradável aroma de frutas tropicais e o amargor moderado. **DD**

Notas de degustação

A cor de âmbar alaranjado desta cerveja reluz ao sol e a bebida foi pensada para ser consumida nesta situação. Aproveite para apreciar o aroma de frutas tropicais no nariz antes de matar a sede com esta ale moderadamente amarga e muito adequada a sessões prolongadas.

James Squire Original Amber Ale

Malt Shovel Brewery | www.malt-shovel.com.au

País de origem Austrália
Lançada em 1998
Teor alcoólico 5% vol.
Temperatura ideal 7°C

A Austrália não é conhecida pelas brown ales, embora o estilo fosse popular no tempo em que James Squire (cervejeiro que deu nome às bebidas da Malt Shovel Brewery) ainda era vivo. James Squire foi levado para a Austrália em 1788, como degredado, na Primeira Frota. Naqueles tempos, o rum era a bebida favorita (e até mesmo uma moeda não oficial) da colônia, porém era considerado pelos funcionários do governo como causador de destruição e corrupção. Por essa razão, possivelmente pela primeira e última vez na história da Austrália, a produção e o consumo de cerveja foram encorajados oficialmente.

James Squire foi um dos primeiros a enfrentar o desafio, começando a produzir na década de 1790. Não foi uma tarefa fácil, levando-se em conta os verões quentes e prolongados da Austrália, as leveduras selvagens e a ausência de ingredientes básicos, condições que dificultavam em muito o preparo de cerveja de qualidade. Porém, ele insistiu e, em 1806, foi premiado com uma vaca do rebanho do governador por se tornar o primeiro da colônia a ter sucesso no cultivo do lúpulo.

A Original Amber Ale é supostamente uma homenagem à brown ale que James Squire teria produzido para seus companheiros degredados e colonos livres. Porém é provável que sua cerveja fosse bem mais espessa do que a versão moderna, e certamente não era filtrada. O verdadeiro apelo da versão atual está no fato de ser complexa e ao mesmo tempo acessível. Para muitos australianos, a Original Amber Ale é o primeiro passo em um movimento mais amplo de saída de um relacionamento exclusivo com os refrescantes derivados da pilsen, rumo a uma seleção mais criteriosa de cervejas com estilos e complexidades variáveis. **DD**

Notas de degustação

Assim que é servida, uma coroa de espuma espessa deve envolver a cerveja em tom castanho-escuro, que libera aromas que sugerem caramelo e a doçura do malte que seguem no paladar. Surpreendentemente refrescante, o final persistente complementa com perfeição pratos de carne à moda italiana.

Jenlain Ambrée

Brasserie Duyck | www.duyck.com

País de origem França
Lançada em 1968
Teor alcoólico 7,5% vol.
Temperatura ideal 6°- 8°C

Faça uma viagem pelo norte da França e você se encontrará no país da cerveja – da costa do Canal até a fronteira oriental, Baco dá lugar a Jean Barleycorn, com bières de garde de fama mundial. Siga até o vilarejo de Jenlain e você conhecerá a Brasserie Duyck, há muito considerada como aquela que deu início ao renascimento das bières de garde com a pioneira Ambrée. Era uma cerveja rude e rústica envasada em garrafas de champanhe com rolhas de cortiça e arames desde 1950 (embora também seja encontrada em garrafas convencionais). Era vendida como "Cerveja Velha" nessa época, mas, em 1968, Robert Duyck tomou a decisão que transformaria o destino da cerveja e deu à bebida o nome do vilarejo onde desenvolvia sua produção.

Bem no momento em que a produção cervejeira francesa parecia jogar a toalha e se render aos estilos lager de fermentação a frio, nos anos 1970, os estudantes da cidade de Lille passaram a cultuar esta ale de cor âmbar, de alta fermentação. "Foi o começo de um crescimento nas vendas", diz Raymond Duyck, que comanda a cervejaria, e é membro da quarta geração de cervejeiros da família, uma linhagem iniciada com seu bisavô em Dunquerque e que chegou a Jenlain na década de 1920.

A atual cervejaria é uma operação moderna e eficiente, com a mecanização dando as cartas: as garrafas zumbem ao desfilar em esteiras transportadoras, rótulos com o logotipo da marca são aplicados em dúzias de garrafas e braços robóticos movimentam *pallets* de cervejas pelo salão de engarrafamento. Ao mesmo tempo, na sala de maturação, tanques de Jenlain Ambrée (bem como de outras cervejas) dormem o sono dos justos, fiéis a uma forma mais antiga de produção. **ATJ**

Notas de degustação

A Jenlain Ambrée tem o perfil considerado clássico para bière de garde. É de cor âmbar, com nariz aromático e terroso. Na boca, é picante, herbácea e harmoniosa, com um toque terroso antes de um final generoso, com presença de malte.

Jenlain Noël

Brasserie Duyck | www.duyck.com

País de origem França
Lançada em 1950
Teor alcoólico 6,8% vol.
Temperatura ideal 9°C

As cervejas de Natal se tornaram uma tradição no norte da França nos anos após a Segunda Guerra Mundial. Eram geralmente produzidas como um presente sazonal para os fregueses mais fiéis de uma cervejaria. Levando-se em consideração que a temperatura caía e que os bebedores precisavam se aquecer, essas cervejas eram mais escuras, com teor alcoólico mais elevado. A maioria das cervejarias do coração cervejeiro da França manteve essa admirável tradição natalina, com exemplos que incluem a Cuvée de Noël, da Brasserie Bailleux, e La Bière de Noël, da Brasserie St.-Sylvestre – ambas com mais de 7% vol. A Bière de Noël de Jenlain não é diferente, uma versão incrementada com especiarias da mesma Ambrée produzida na casa, com uma mistura de lúpulos aromáticos Alsace e Hallertau e uma forma de trabalhar o malte que extrai as melhores características de três variedades: Plaisant, Cambri e Prisma.

Quando Léon Duyck deu início à produção cervejeira em 1900, de forma brilhante, parecia natural que a atividade passasse de geração a geração. Hoje, Raymond Duyck (bisneto de Léon) está no comando e a reputação da cervejaria continua a crescer, com a chegada de novos rótulos bem-sucedidos, como a Jenlain Blonde, e a modernização tão necessária da fábrica. Investimentos adicionais em 2007 eliminaram a aparência espartana da cervejaria, dotando-a de vitrais coloridos e de um pátio agradável. Quando o Natal se aproxima, não há lugar melhor para se apreciar um bom gole anual da Bière de Noël servido na chopeira do que em um bar em Jenlain. Lá dentro, os bebedores encaram uma grande variedade de cerveja. Assim, se você pedir uma Jenlain, a resposta vai ser "qual delas?". Em dezembro, só pode ser a Noël. **AG**

Notas de degustação

Cor cobre intensa, com colarinho impressionante. Um pouco de lúpulo terroso no aroma, suplantado por nuances de especiarias e ervas. O paladar é frutado e maltado, antes que uma personalidade de especiarias e lúpulo se estabeleça, junto com um calor do álcool. Alternadamente floral e caramelada no final.

John Barleycorn Barleywine Ale

Mad River Brewing Company | www.madriverbrewing.com

País de origem Estados Unidos
Lançada em 1991
Teor alcoólico 9% vol. (mas há pequenas variações)
Temperatura ideal 13°C

Blue Lake, na Califórnia, é uma cidadezinha com pouco mais de 1.000 habitantes, localizada na beleza idílica de Humboldt County, região norte do estado. Lá, em 1989, perto da bifurcação norte do Mad River, Bob Smith fundou a Mad River Brewing, realizando um sonho seu que começou nos anos 1970. A primeira cerveja foi a Steelhead Extra Pale Ale, que permanece como seu carro-chefe.

Em 1991, a Mad River começou a produzir uma bebida de inverno, especialmente para as festas de fim de ano, uma ale no tradicional estilo barleywine. Como se vê na garrafa, a cerveja "é preparada para celebrar a alegria da colheita" e tradicionalmente na lua da colheita, que é a lua cheia mais próxima do equinócio de outono no hemisfério norte. O nome John Barleycorn se baseia em uma antiga canção folclórica inglesa do século 16. John Barleycorn é a personificação da cevada, que é agredido, sofre indignidades e acaba morrendo. Isso corresponde, grosso modo, aos estágios do plantio da cevada. Depois da morte de John Barleycorn, ele ressurge como cerveja, pão e uísque.

Todos os anos, a artista Janis Taylor, da região, cria um novo rótulo em xilogravura, inspirado na história de John Barleycorn. Nos primeiros anos, adicionavam-se novas especiarias à cerveja. Em 1991, utilizaram-se melado, anis e mel. No ano seguinte, gengibre e mel. Desde 1998, malte 100% orgânico faz parte da receita, e há apenas mudanças nos lúpulos a cada ano, assim como pequenas variações no processo de produção. A cerveja é preparada em dez barris e, devido a sua potência, pode ser armazenada e envelhecida. A versão 2007 ganhou uma medalha de ouro no Grande Festival Americano da Cerveja. **JB**

Notas de degustação

Generoso colarinho cor de canela e tonalidade âmbar com nuances de vermelho fazem uma apresentação atraente para a versão 2008. O nariz é todo de doçura maltada, mas os sabores são calorosos, com características de especiarias sutis e maravilhosas. A textura é densa, consistente e o final picante é longo e persistente.

Julebuk

Søgaards Bryghus | www.soegaardsbryghus.dk

País de origem Dinamarca
Lançada em 2007
Teor alcoólico 6,3% vol.
Temperatura ideal 8°C

Quando a produção artesanal finalmente alcançou o país da Carlsberg, ela chegou de forma impetuosa. Provocou a proliferação de punhados de cervejarias que se transformaram em dezenas e, depois, em um número muito superior a uma centena (é difícil calcular um número exato porque novas cervejarias abrem com regularidade). A onda da produção artesanal chegou até mesmo à cidade portuária de Aalborg, no norte do país, mais conhecida pela aquavit do que pela ale e a lager. O homem por trás da cerveja, nesse caso, é Claus Søgaards, criado em Aalborg, que foi aprendiz de açougueiro, depois *chef* de cozinha e finalmente se tornou cervejeiro. Em 2004, ele e Lisa, sua esposa e sócia, montaram a cervejaria na praça conhecida como C. W. Obels Plads. Como os dois tinham vasta experiência no setor, também incorporaram às instalações um restaurante de 125 lugares e um bar, com cinquenta lugares. A Julebuk é a cerveja de Natal da casa, batizada com o nome de uma antiga brincadeira de fantasia e com o estilo alemão de cerveja chamado de bock ou buk, em dinamarquês. Diferentemente de suas colegas teutônicas, porém, esta bock recebe especiarias natalinas, algo que nunca seria permitido na terra das Leis de Pureza.

Em 2008, Søgaards chegou aos noticiários antes do primeiro Festival Europeu de Cerveja de todos os tempos, ao apresentar aquela que era, na época, a cerveja mais cara do mundo, a Egtvedpigens Bryg. Baseia-se em uma receita desenvolvida a partir da análise de uma tigela escavada de uma sepultura datada de 1357 a.C., que também continha os ossos da "Garota Egtved", que dá nome à cerveja. Cada garrafa foi vendida a 2.021 coroas dinamarquesas, o equivalente na época a mais de 400 dólares. **SB**

Notas de degustação

Em marrom intenso, com um nariz de xerez e vinho do Porto, acentuado por especiarias, esta bock doce começa com uma leve qualidade frutada antes de apresentar chocolate, canela, frutas secas e notas de baunilha, tornando-se seca para um final caloroso. Maravilhosa lager de inverno, fresca ou envelhecida.

Krampus Imperial Helles Lager

Southern Tier Brewing | www.southerntierbrewing.com

País de origem Estados Unidos
Lançada em 2008
Teor alcoólico 9% vol.
Temperatura ideal 9°C

Ah, o Natal! Há séculos são preparadas cervejas especiais para comemorar a data: fortes, com especiarias e rótulos que, com frequência, representam a alegria e a inocência dessa fantasia infantil.

Krampus é a criatura com presas e chifres de bode da antiga mitologia germânica que acompanha São Nicolau. Ele enfia os meninos travessos em um saco e os arrasta para as profundezas. É o anti-Papai Noel, personificação sinistra do mal que desce subitamente – como se fosse uma cantiga de Natal rabiscada por Wes Craven.

A Krampus é também a cerveja que os estranhos personagens da Southern Tier Brewing, em Nova York, escolheram como iguaria de Natal. É um nome especialmente adequado, porque os cervejeiros assumiram um estilo de cerveja completamente inocente, German Helles, e o perverteram até que se transformasse em seu gêmeo perverso: Imperial Helles. É uma espécie de contradição: uma lager meio amarga incrementada. O cervejeiro "Phin" DeMink disse que escolheu o estilo por causa do nome: Helles (que quer dizer "brilhante" em alemão e é semelhante a inferno, em inglês) pareceu apropriado para um personagem infernal. Apesar da gravidade original elevada, as raízes da Krampus Helles estão devidamente evidentes. O malte Munique é ao mesmo tempo abiscoitado e levemente doce. Os lúpulos Chinook e Willamette fornecem um final equilibrado e frutado. A maturação a frio parece ter suavizado um pouquinho a cerveja, quase a ponto de dar vontade de beber de um gole só.

Mas isso não seria o verdadeiro sinal do mal? Em vez de armar uma tempestade, como uma bomba de malte que solta fogo pelas ventas, a Krampus é astuciosa e sutil. Você não vai ter ideia do que o atingiu até estar dentro daquele tal saco. **DR**

Notas de degustação

Âmbar avermelhado, com um nariz de toranja e um toque de mel e cravo. Intensas notas de caramelo emergem rapidamente e ameaçam tomar conta do palato, apenas para serem contrabalançadas por lúpulos excepcionalmente ricos em resina. Sem ser dominador, seu corpo médio termina doce e de forma satisfatória.

Krinitsa Porter

Krinitsa | www.krinitsa.by

País de origem Bielorrússia
Lançada em 2008
Teor alcoólico 8% vol.
Temperatura ideal 8°C

A Bielorrússia é um novo país a aparecer no radar dos bebedores de cerveja. Apesar do fato de que os destilados sempre ficaram em segundo plano em relação à cerveja (ainda é legal ter seu próprio alambique), a cerveja é produzida na região nos últimos dois séculos.

A Krinitsa é praticamente o garoto novo na escolinha das cervejarias, montada em uma área industrial nos arredores de Minsk em 1973, com as primeiras bebidas saindo dois anos depois. É a maior cervejaria da Bielorrússia, em sociedade com o Estado. Em 2006, a Baltic Beverage Holdings e a Carlsberg se juntaram para adquirir 51% da cervejaria, mas o polêmico Lukashenko, presidente do país, entrou em cena para impedir a operação.

A Krinitsa Porter é um acréscimo recente a seu portfólio, embora uma cerveja do mesmo nome tivesse sido produzida alguns anos antes (e, de fato, ganhado um prêmio em 2004). Esta é, porém, uma cerveja completamente diferente, feita para o Natal de 2008. Dizem que a equipe de cervejeiros estava infeliz com o resultado, por isso voltaram a prepará-la – com novos rótulos. O resultado é uma variação forte e escura do tema da porter do Báltico: perfeita para noites de inverno em que o vento sopra e a chuva cai com gotas que parecem afiadas folhas de pinheiro.

Não é surpreendente descobrir que a cerveja mais vendida da Krinitsa é uma pilsen, mas o que é ligeiramente diferente é que ela é chamada Aleksandria e teria sido preparada e batizada em homenagem ao presidente Lukashenko. Não se sabe se foi produzida como uma forma de agradecimento por sua intervenção na disputa pelo controle com a Baltic Beverage Holdings. **ATJ**

Notas de degustação

No copo, âmbar sob uma coroa branca caramelada. O nariz é terroso, com toques de cítricos e perfumes esmaecidos de lúpulo. Na boca, alcaçuz, maltes escuros, toffee de melado, xarope para tosse e álcool. Personalidade bem alcoólica, com um duradouro final medicinal.

La Bavaisienne

Brasserie Theillier
www.bottledbeer.co.uk

País de origem França
Lançada em década de 1980
Teor alcoólico 7% vol.
Temperatura ideal 9°C

Tradicionais bières de garde do norte da França ganharam reconhecimento nos anos 1980, quando houve uma nova onda de interesse por parte dos produtores rurais e dos consumidores. La Bavaisienne Ambrée foi uma das cervejas que se beneficiou dessa curiosidade pelo que era visto até então como um estilo de cerveja antiquado e fora de moda. É produzida com uma cevada maltada, Escourgeons, variedade de inverno produzida na região, e uma única variedade de lúpulo, o Alsace, apreciado pelas qualidades aromáticas herbáceas e picantes. A cerveja atraiu comparações favoráveis com ales de origem britânica, de lúpulo intenso, acondicionadas em barris.

As temperaturas frias do norte da França querem dizer que a terra fértil é perfeita para as matérias-primas da cerveja: cereais e lúpulo. A Theillier é considerada a mais antiga cervejaria na região do Nord-Pas-de-Calais, e sobreviveu a tempos turbulentos em uma área que abrigou no passado 575 cervejarias e onde existem hoje menos de trinta. **AG**

Notas de degustação

A cor varia do vermelho-escuro ao âmbar. O nariz tem boa presença frutada e de malte herbáceo, convidando a sugestões de vinho. No perfil de sabores aparecem cítricos, grama e levedura de pão, em uma onda agridoce.

La Binchoise Spéciale Noël

Brasserie La Binchoise
www.brasserielabinchoise.be

País de origem Bélgica
Lançada em 1993
Teor alcoólico 9% vol.
Temperatura ideal 10°C

Bruno de Ghorain trabalha como mestre cervejeiro em La Binchoise desde 1989, quando ela abriu as portas em Binche. A cervejaria é um negócio familiar: o primo de Bruno, Benoit de Ghorain, lida com marketing e vendas e também ajuda na produção. A Spéciale Noël, rotulada como Reserve Spéciale para exportação para os Estados Unidos e para o Reino Unido, é a mais forte e agressiva de suas bebidas. Com a crescente popularidade das cervejas de Natal na Bélgica, nos anos 1990, La Binchoise viu esta cerveja como uma extensão lógica de sua gama de produtos. Como sugere o nome, começou como uma sazonal, mas agora se encontra disponível o ano inteiro. Todas as cervejas La Binchoise são acondicionadas em garrafas, sem filtragem e sem pasteurização, e algumas também podem ser servidas como chope. A água rica em minerais da região é perfeita para o preparo de muitos estilos de ales belgas, e a Binchoise produz sete cervejas o ano inteiro. **CC**

Notas de degustação

Cerveja de cor castanha, com personalidade frutada e picante agradável. Notas de noz-moscada e canela estão em evidência. Bebida encorpada, maltada, com final um tanto adocicado.

La Moneuse

Brasserie de Blaugies
www.brasseriedeblaugies.com

País de origem Bélgica
Lançada em 1988
Teor alcoólico 8% vol.
Temperatura ideal 6°C

No final do século 18, um bandido chamado Antoine Joseph Moneuse liderava uma quadrilha que aterrorizava os aldeões em todo o norte da França. A diversão deles acabou em 1798, quando as autoridades de Douai enviaram toda a turma para a guilhotina, mas o nome do assaltante ainda vive nesta ale clara, forte e seca, feita perto da fronteira com a França.

Marie-Noelle Pourtois, descendente de Moneuse, começou a produzir cerveja em Blaugies em 1988. Quando se trata de cervejarias rurais, essa é o artigo legítimo. A família ainda faz cervejas de renome mundial com a ajuda de um kit na garagem e o engarrafamento acontece no celeiro, do outro lado da estrada. Teoricamente, o filho Kévin assumiu o comando da produção, mas Marie-Noelle raramente fica longe da caldeira. A Moneuse é ideal para acompanhar uma refeição, oferecendo sabores honestos de cereais e lúpulos nobres. Na verdade, parece que os próprios cervejeiros cultivaram os ingredientes no quintal e jogaram tudo fresquinho na panela. **JS**

Notas de degustação

Uma cerveja âmbar claro, opaca, com uma pedregosa coroa branca e renda belga grudenta. Cheira a lúpulo e pão com alguns ésteres de laranja ao fundo. Bastante seca no final.

La Trappe Dubbel

Bierbrouwerij de Koningshoeven
www.latrappe.nl

País de origem Holanda
Lançada em 1982
Teor alcoólico 7% vol.
Temperatura ideal 12°- 16°C

Abdij Onze-Lieve-Vrouw van de Koningshoeven é a única cervejaria trapista que existe fora da Bélgica. Em 1999, depois que os monges assinaram um contrato de produção com a Bavaria, uma cervejaria comercial holandesa especializada em cervejas para o consumo de massa, a Associação Internacional dos Trapistas retirou a permissão para que a Koningshoeven apresentasse o logotipo da entidade. Esse logo tem como objetivo identificar uma cerveja como um produto trapista autêntico. A cervejaria continuou a rotular (sem o logo) suas bebidas como sendo trapistas, apesar de tudo. Em 2005, o contrato entre os monges e a Bavaria foi modificado para que a cervejaria pudesse novamente ser reconhecida oficialmente como trapista.

A abadia holandesa há muito superou suas irmãs belgas na comercialização de cervejas. No início do século 20, a Koningshoeven produzia muitas bebidas além de cerveja e chegou a comprar diversos bares. **RP**

Notas de degustação

A cerveja se diferencia de diversas dubbels trapistas belgas ao suavizar notas de café e chocolate. É mais doce ao paladar, com ligeiras notas de lúpulo aromático no nariz.

Lagunitas Brown Shugga'

Lagunitas Brewing Company | www.lagunitas.com

País de origem Estados Unidos
Lançada em 1996
Teor alcoólico 9,5% vol.
Temperatura ideal 7°- 10°C

O fundador da Lagunitas, Tony Magee, descreve a Brown Shugga' como uma "cerveja estranha e irresponsável". Esta ale sazonal nasceu como resultado de uma série de contratempos no turno da noite, em 1996. "Estava em casa e recebi um telefonema do cervejeiro me dizendo que a gravidade original da Gnarleywine que ele preparava estava baixa demais. Eu havia calculado errado a receita." Foi um teste de habilidade e criatividade para um mestre cervejeiro. "Disse a ele que fosse a todas as mercearias de Petaluma, comprasse todo o açúcar mascavo que pudesse encontrar e colocasse tudo na panela até conseguir a cerveja com a potência correta. Na manhã de segunda-feira, cheguei cedo na cervejaria e havia umas 200 caixas de açúcar mascavo C and H espalhadas pelo chão." O progresso no fermentador era imprevisível, mas, depois de algumas semanas, uma linda criatura emergiu dos tanques de maturação.

O açúcar tem uma história com a cerveja que remonta a meados do século 19, na Inglaterra. O açúcar barato das colônias e algumas safras ruins de cevada levaram a sua adoção em cervejas como as India Pale Ales. Ao contrário do que se pode esperar, o açúcar afina o corpo de uma cerveja e a torna menos doce, porque fermenta completamente, o que não acontece com o malte. Pode ajudar cervejas fortes a se tornarem mais fáceis de beber, como acontece com as dubbels e tripels belgas, e é esse o papel que exerce na Brown Shugga'. O açúcar mascavo contém melado e isso adiciona uma camada de sabor, ao mesmo tempo que dá leveza ao que poderia se tornar uma cerveja bem consistente.

Aliás, se você conhece a carreira de Frank Zappa, talvez tenha percebido que aquela improvisada ação de salvamento que criou esta cerveja guarda uma mensagem secreta: a necessidade é mesmo a mãe da invenção. **RM**

Notas de degustação

Um nariz complexo com notas intensas tostadas e aromas de açúcar queimado, junto com um pouco de resinas do lúpulo e características frutadas da ameixa. Doce no paladar, com sabores complexos, frutados, maltados, açucarados e alguma intensidade. Retrogosto similar, com alguns indícios alcoólicos.

A refinaria C and H, na cidadezinha de Crockett, na Califórnia. →

C and H
PURE CANE SUGAR

Lagunitas Maximus

Lagunitas Brewing Company | www.lagunitas.com

País de origem Estados Unidos
Lançada em 1996
Teor alcoólico 7,5% vol.
Temperatura ideal 10°C

A Lagunitas Maximus é um dos primeiros exemplos conhecidos de uma IPA imperial ou dupla e não saiu de produção desde que apareceu em 1996. Isso a torna uma candidata ao posto de mais antiga IPA dupla produzida continuamente nos Estados Unidos ou mesmo no mundo. Era a quinta sazonal preparada pela Lagunitas e apenas uma delas nunca roi repetida. A Maximus alcançou tanta popularidade que, quando a temporada acabou, a Lagunitas continuou a produção e não parou até agora. Seu nome original seria "Hair of the Dog Ball Ale", o que se encaixava com outras cervejas da época: Hairy Eyeball e Eye of the Hairball. A outra opção era "Eye of the Dog", mas ela acabou se chamando "Maximus". O mestre cervejeiro e fundador da Lagunitas, Tony Magee, criou a Maximus ao pegar a receita de IPA, que desde então se tornou o carro-chefe da cervejaria, e aumentar em 35% a quantidade de todos os ingredientes. Os lúpulos usados são Cascade, Centennial, Horizon, Liberty e Willamette, todos na primeira edição e depois também empregados em *dry hopping*.

O malte inclui duas fileiras de Rahr, um toque de malte de trigo e, como diz Magee, "um punhado de malte cristal". Ele acrescenta: "A temperatura da mostura também é um pouquinho alta, por isso temos uma forte estrutura de malte para amontoar todos aqueles lúpulos. Acho que isso se chama equilíbrio. Algumas pessoas acham que o equilíbrio é algo superestimado." A cerveja jamais ganhou prêmios, porque a Lagunitas nunca a inscreveu em nenhum concurso. Fiel ao espírito da empresa, ela fala por si. De acordo com a Lagunitas, "a cerveja fala, as pessoas resmungam". **JB**

Notas de degustação

De cor âmbar intensa, a Maximus o acerta no nariz com um tiro de canhão de lúpulos. Há domínio de fortes aromas de cítricos, grama e vegetais. Sabores igualmente colossais de lúpulos são sustentados por uma estrutura de malte que, em última instância, dá equilíbrio à cerveja. O final é acido e persistente.

Le Merle

North Coast Brewing | www.northcoastbrewing.com

País de origem Estados Unidos
Lançada em 2007
Teor alcoólico 7,9% vol.
Temperatura ideal 4°- 7°C

Esta cerveja começou, como tantas, como uma experiência isolada. "Há algum tempo a gente queria fazer uma saison", diz Mark Ruedrich, presidente e mestre cervejeiro da North Coast. "Então, quando a Whole Foods nos procurou para pedir uma cerveja comemorativa de seus 25 anos, em 2006, achamos que uma cerveja de fazenda ficaria perfeita para eles."

Saison é um estilo complexo, de origens obscuras, mas parece estar principalmente associado às regiões rurais da Valônia ou da Bélgica de idioma francês. Clara, turva, alternando-se entre fraca e forte, os charmes rústicos da saison foram redescobertos nos últimos anos.

Como todas as saisons, Le Merle tem grande dependência da levedura. "Algumas cepas nos deixaram apavorados", diz Ruedrich ao se referir a seu estranho e imprevisível comportamento na cervejaria. "Aquela que usamos simplesmente borbulha o tempo todo." Sempre determinada a explorar os mínimos detalhes em relação ao equilíbrio, a equipe da North Coast começou, recentemente, a dar atenção ao papel da acidez na cerveja. "Nossa levedura cria uma bebida com um toque ácido no final, o que nos permite brincar com o equilíbrio do lúpulo." A levedura contribui para revelar um pouco de características sedutoras de abacaxi, misturadas a aromas tropicais semelhantes provenientes do lúpulo Simcoe. A base da cerveja não é nada de muito exótico, apenas malte Pilsen e um pouquinho de açúcar para dar mais leveza ao corpo. A magia está na levedura e nos lúpulos.

A cerveja ganhou o nome da esposa de Ruedrich, Merle, que "labuta a meu lado há mais de vinte anos, enquanto eu faço as coisas divertidas", diz Ruedrich. "Sinceramente, acho que saí no lucro e, em troca, precisei apenas dar o nome dela a uma cerveja." **RM**

Notas de degustação

Complexo aroma de cítricos, abacaxi e um toque picante de jujuba (pimenta-da-jamaica) no nariz. Encorpada e muito cremosa na boca, mas com uma vibrante acidez que dá vida, tudo equilibrado por um suave amargor. Final longo, frutado e picante.

Leafer Madness

Beer Valley Brewing | www.beervalleybrewing.com

País de origem Estados Unidos
Lançada em 2008
Teor alcoólico 9% vol.
Temperatura ideal 10°C

A coisa que mais perguntam a Pete Ricks, dono e cervejeiro da Beer Valley Brewing, é se a inspiração para o nome da Leafer Madness Double IPA veio do filme sensacionalista sobre a maconha *ReeferMadness* (no Brasil, *A porta da loucura*), um clássico *cult*. Não, não é verdade.

O nome, na realidade, presta homenagem a tempos muito sombrios, nos primeiros dias da existência da Beer Valley. Era 2007 e o preço dos lúpulos começou a disparar devido a uma escassez mundial. Depois de muitas noites insones, penando sobre onde encontraria lúpulos para a cervejaria iniciante, Ricks recebeu um telefonema de um produtor de lúpulo da região que contou que precisava arar uma grande plantação porque algumas plantas tinham sido danificadas por um incêndio nas imediações. O agricultor disse a Ricks que podia ficar com todo o lúpulo que conseguisse resgatar antes que as máquinas começassem a funcionar.

Enquanto se armava uma grande tempestade, Ricks agarrou algumas caixas grandes cheias de sacolas de lixo e se dirigiu à plantação, que ficava a 64 quilômetros de distância. "A essa altura, estava escuro e a tempestade tinha chegado", diz Ricks. "E lá estava eu, ali de pé, com lúpulo até a altura dos joelhos, diante do meu caminhão com o farol aceso, recolhendo todo o lúpulo que eu conseguia em sacos de lixo com a ajuda de um balde de 19 litros." Ele levou o primeiro lote para a cervejaria e voltou para pegar mais. "Quando tinha juntado todos os sacos que pude enfiar no caminhão, fiquei sentado ali pensando que aquilo era uma loucura", diz ele. "Nunca imaginei, ao começar a empresa, que sairia por aí, dirigindo durante uma tempestade, no meio da noite, para colher lúpulo. Foi daí que veio o nome Leafer Madness." **LMo**

Notas de degustação

Produzida com uma série de lúpulos, a Leafer Madness é uma bomba de lúpulo, mas ainda assim tem um belo equilíbrio, com robusta estrutura de malte. Lúpulos terrosos começam a dançar com notas de cítricos e pinho, em seguida. Um gosto residual agradavelmente alcoólico só aumenta o prazer.

Left Hand Sawtooth Ale

Left Hand Brewing | www.lefthandbrewing.com

País de origem Estados Unidos
Lançada em 1994
Teor alcoólico 4,8% vol.
Temperatura ideal 12°C

A história do início da Left Hand Brewing, no Colorado, é semelhante a muitas que se contam sobre os primeiros tempos da produção artesanal nos Estados Unidos. Eric Wallace e Dick Doore conheceram-se quando eram cadetes na Academia da Força Aérea dos Estados Unidos, em Colorado Springs, no início dos anos 1980. Wallace passou oito anos na Itália e na Turquia como oficial de comunicações, conhecendo sua esposa, uma italiana, no meio do caminho. Mudaram-se para o Colorado em 1993, quando a produção artesanal já andava a toda. Doore, por seu lado, obteve um mestrado em engenharia mecânica antes de voltar para o Colorado.

A dupla logo começou a produção caseira. Viviam na cidade de Niwot – homenagem ao chefe Niwot, cujo nome significa "Mão Esquerda" – quando decidiram abrir uma microcervejaria. Encontraram um prédio nas proximidades: uma antiga fábrica de salsicha (originalmente, a caldeira de mostura ficava no andar do matadouro de porcos) que tinha criado um sistema de ralos e drenagem que era perfeito para uma cervejaria.

A Sawtooth Ale, baseada em uma das receitas caseiras favoritas de Doore, logo se tornou o carro-chefe. Embora a água de geleiras de Longmont, muito suave, seja ideal para a produção de muitos estilos de cerveja, os produtores colocam minerais para simular a água de Burton-on-Trent. A Sawtooth é feita com cinco maltes e lúpulos ingleses. Seu melhor momento ocorre quando se encontra adequadamente acondicionada em barris. A cervejaria também faz uma versão peso-pesado, embora não com regularidade. A Chainsaw Ale leva bem mais maltes e lúpulos, o que a torna, essencialmente, uma "dupla", com 9% de álcool. Mais adequada a ser servida em um copo do tipo *snifter* do que em um *nonic* de 590 mililitros, é rica em sabores de caramelo, *toffee* e cereja escura. **SH**

Notas de degustação

Âmbar vibrante no copo, com coroa de espuma cor de creme. Nariz cheio de florais que inclui notas de caramelo doce. O caramelo também se combina com características de maçã na boca e os sabores são acentuados por uma textura cremosa. O amargor do lúpulo é restrito mas persistente, fornecendo equilíbrio.

Ley Line

Birrificio Bi-Du | www.bi-du.it

País de origem Itália
Lançada em 2005
Teor alcoólico 5% vol.
Temperatura ideal 10°- 12°C

Beppe Vento, fundador da Bi-Du, não sofre de falta de imaginação quando se trata de pôr no fogo a panela de brassagem. Todos os anos, ele cria cervejas diferentes que fornecem numerosas razões para que os apreciadores experimentem e comprem suas produções. A escolha dos ingredientes originais é muito liberal. Existe a cerveja Saltinmalto, por exemplo. Como palavra, Saltinmalto é difícil de traduzir, mas pense em uma composição de "sal" e "malte", com provavelmente uma colher de chá de sal negro do Havaí: esta cerveja é personalizada por Vento. Ele argumenta que a comida salgada deixa as pessoas com sede, portanto, com uma cerveja salgada você nunca vai parar de beber! Deixando as piadas de lado, talvez o que realmente esteja por trás desta cerveja é o fato de que Vento havia descoberto o estilo Leipziger Gose, que emprega sal na brassagem.

A Ley Line ganhou seu nome de uma teoria mística criada pelo antiquário (e cervejeiro) Alfred Watkins no final do século 19. A teoria das trilhas em linha reta presume que linhas de energia atravessam a Terra e podem ser usadas para descobrir água, antigos sítios e até tesouros, o que inspirou Vento a produzir uma cerveja que atravessa tantas culturas: a Inglaterra fornece o malte e alguns lúpulos; a Bélgica, mais malte e levedura; e a Alemanha entra com ainda mais malte e lúpulo. Quanto ao componente italiano, Vento adiciona mel de *corbezzolo* (medronheiro ou *Arbutus unedo*) à receita. **MM**

Notas de degustação

No copo, é turva. Aroma intrigante e delicado, floral e frutado (maçã). Corpo bem proporcionado, elegante e persistente no final. O toque de mel é perceptível, sem ser invasivo.

Liefmans Goudenband

Brouwerij Liefmans | www.liefmans.be

País de origem Bélgica
Lançada em 1956
Teor alcoólico 8% vol.
Temperatura ideal 9°- 12°C

As origens da Liefmans remontam a 1679. Desde a Segunda Guerra Mundial, a cervejaria teve diversos donos: a cervejaria Vaux, de Sunderland; a Belgolaise Investment; e, em 1990, o grupo Riva, que decidiu que o antigo equipamento precisava ser substituído. A produção de cerveja foi transferida para a fábrica em Dentergem e as instalações em Schelde ficaram para os tanques de maturação.

A maturação é crucial para as cervejas Liefmans, e elas sempre exibiram ao lado o título "Provisiebier" (cerveja envelhecida), nos rótulos ou mais tarde na famosa embalagem de papel conhecida como "pijama".

A Goudenband, que leva diversos maltes claros e escuros, é amadurecida durante um ano antes de ser misturada à cerveja mais jovem para recomeçar a fermentação. É um exemplo clássico de cerveja flamenga misturada. Algumas levas são amadurecidas durante mais de dois anos, e a Goudenband tem validade de dez anos. Neste século, a Riva passou por sérios problemas e a nova direção foi a primeira a perceber a importância da linhagem Liefmans, mudando seu nome para Brouwerij Liefmans. Porém, o grupo Duvel-Moortgat assumiu o negócio em 2008. Moortgat nunca fez segredo do fato de estar interessado apenas nas cervejas originais da Liefmans. Reduziram a produção para quatro cervejas, além de uma nova bebida. A Goudenband é, de longe, a mais forte de todas. **JPa**

Notas de degustação

Notas tostadas e doces no nariz. Um toque terroso de cogumelo. A Goudenband é bem complexa: quando jovem, apresenta notas doces, levemente azedas e de um amargo tostado.

As garrafas são armazenadas em caixotes, antes de serem invididualmente embaladas com papel de seda.

Liefmans
OUDENAARDE

Ligera

Birrificio Lambrate | www.birrificiolambrate.com

País de origem Itália
Lançada em 2007
Teor alcoólico 5% vol.
Temperatura ideal 6°C

O Birrificio Lambrate, também conhecido como "Skunky Pub", foi a primeira choperia a se estabelecer em Milão, criada em 1996 pelos amigos Davide e Giampaolo Sangiorgi e Fabio Brocca. Embora, a princípio, produzisse pequenas quantidades, apenas para o consumo do bar, foi preciso crescer depressa, porque a cerveja acabava depois de alguns dias. O Lambrate produz agora uma variedade de cervejas encontradas em seu bar animado e acolhedor, bem como em diversos outros bares de bom padrão em Milão (como o Hop, um barzinho descolado diante da histórica Rotonda della Besana). A Ligera foi uma das últimas "ideias cervejeiras" e o nome vem do apelido de um gângster da região, em atividade nos anos 1920. O mestre cervejeiro Fabio Brocca, trabalhando em dupla com o assistente Stefano Di Stefano, decidiu que o que buscavam era uma espécie de pale ale americana, rica em sabor de lúpulo, mas fácil de beber: uma cerveja que eliminasse a sede em um dia quente de verão.

A Ligera usa maltes alemães, uma levedura britânica e diferentes variedades de lúpulo: apenas um toque de Cascade, muito Chinook, principalmente para dar amargor, além de Amarillo e Willamette. De fato é amarga, mas não demais. A Ligera apresenta 47 IBU. Forte, sim, mas não o suficiente para atacar o esmalte dos dentes dos bebedores. Também há um *dry hopping* ao final, com Amarillo e Willamette, que pode durar as duas ou três semanas em que a bebida amadurece. Embora seja uma cerveja que brinca com o perfil lupulado, é bem fácil de beber. Vendida principalmente na chopeira do Skunky Pub, a Ligera é ideal para abrir a noite: refrescante, revigorante, exatamente como o Birrificio Lambrate. **MM**

Notas de degustação

Âmbar claro, levemente turvo, com espuma branca que não é excessivamente abundante. Um aroma intrigante de lúpulos frescos, cítricos e tons florais. Belo corpo que retribui de forma agradável com lúpulo intenso, persistente, criando o desejo de mais um gole. Perfeita para matar a sede.

Little Creatures Pale Ale

Little Creatures Brewery | www.littlecreatures.com.au

País de origem Austrália
Lançada em 2000
Teor alcoólico 5,2% vol.
Temperatura ideal 6°C

A Little Creatures Brewery foi formada em 2000, depois que Phil Sexton, Nick Trimbole e Howard Cearns se lamentaram da situação do setor nos anos 1990. Para Cearns, era uma época em que os bebedores priorizavam o estilo em relação ao conteúdo. Para Sexton, havia assuntos pendentes após a venda de sua cervejaria para a Carton and United. Foi uma boa combinação de talentos. Sexton era um mestre cervejeiro e fundador da Matilda Bay Brewery. Cearns tinha antecedentes em marketing criativo para o setor cervejeiro. Ao receber investimentos de alguns colegas de faculdade (e, no final das contas, de Lion Nathan), os fundadores estavam em boa posição para liderar a segunda onda da revolução das microcervejarias na Austrália.

E a cerveja? Na época, além de uma ou outra exceção, as favoritas dos australianos eram geladíssimas, refrescantes e um tanto sem graça. O estilo que empolgava Sexton e Cearns (e boa parte do mundo, na época) era a interpretação norte-americana da tradicional India Pale Ale inglesa. Era um estilo em que Sexton dispunha de algumas credenciais, depois de trabalhar nos Estados Unidos e participar do desenvolvimento da famosa BridgePort IPA.

A Little Creatures deu seu próprio toque, naturalmente, lançando mão de uma variedade de maltes australianos para equilibrar o frenesi de lúpulos importados dos Estados Unidos. Cearns pensou no nome da cervejaria depois de ler sobre as pequenas criaturas que vagavam de bar em bar no livro *O Hobbit*, de J. R. R. Tolkien, e pensar que aquilo lembrava um pouquinho a levedura usada na fermentação. Não demorou muito tempo para que a marca e a cerveja ficassem bem conhecidas dos consumidores em toda a Austrália. **DD**

Notas de degustação

Conceda-se tempo para inalar profundamente os aromas comandados pelo lúpulo: maracujá, laranjas, toranja e lichia. Sabores cítricos e de mel devem ser equilibrados por uma leve doçura e um final seco que persiste o suficiente para fazer companhia a um prato de bucatini all'Amatriciana

Little Korkny Ale

Nørrebro Bryghus
www.noerrebrobryghus.dk

País de origem Dinamarca
Lançada em 2006
Teor alcoólico 12,25% vol.
Temperatura ideal 10°- 12°C

A Nørrebro Bryghus, em Copenhague, apresenta novas cervejas em velocidade notável. Desde que abriu as portas em 2003, a cervejaria se consagrou por domar os "selvagens" estilos norte-americanos, sem perder o equilíbrio e sem complicar o consumo. O sucesso se deve, em grande parte, ao fundador e mestre cervejeiro Anders Kissmeyer. Ele se aprimorou na função como um dos "cervejeiros voadores" da Carlsberg, viajando para vários países para resolver problemas. A experiência fez com que ele apreciasse a produção britânica e o apresentou à revolução norte-americana das microcervejarias.

A Little Korkny Ale, o primeiro barleywine produzido pela Nørrebro Bryghus, é um exemplo perfeito da habilidade da cervejaria em misturar sabores complexos sem comprometer a facilidade de beber – um desafio em uma bebida com teor alcoólico de 12,25%. Produzida com maltes claro e cristal, é envelhecida em barril durante dois anos. Em 2008, a cerveja ganhou a medalha de bronze na categoria Cerveja Envelhecida, na Copa do Mundo da Cerveja. **AA**

Notas de degustação

Cerveja escura em marrom-acobreado, com um rico aroma de caramelo e frutas secas. O sabor é de lúpulo intenso, com mais caramelo, ameixa e um gosto residual longo e aquecido. Evidentemente doce.

Little Scotney Pale Ale

Westerham Brewery Co.
www.westerhambrewery.co.uk

País de origem Inglaterra
Lançada em 2004
Teor alcoólico 4% vol.
Temperatura ideal 12°C

Kent foi no passado o jardim do lúpulo da Grã-Bretanha, mas viu muitas de suas plantações serem substituídas e as casas cônicas usadas na secagem transformadas em refúgios de fim de semana. Na era de ouro da produção cervejeira britânica, o castelo Scotney, perto de Turnbridge Wells, era o lugar onde a família Fuggle plantava o lúpulo de fama mundial que hoje em dia leva seu nome. O castelo é agora a única plantação de lúpulo sob os cuidados do National Trust, um grupo dedicado à preservação.

A Westerham Brewery criou a Little Scotney Pale Ale usando lúpulos Target de Scotney, e uma percentagem da venda de cada garrafa é doada para ser reinvestida na plantação. Doses generosas são adicionadas ao final da fervura, com mais adição no *dry hopping*, o que produz uma intensa personalidade floral. A cerveja é um hino ao lúpulo, mas não de forma intensa e explosiva. Ela evoca a planta miraculosa como se você estivesse com flores frescas nas mãos. O lúpulo, com toda a certeza, ocupa posição central nesta ale de dar água na boca. **PB**

Notas de degustação

No nariz, aroma de resina floral de lúpulos frescos. Malte doce atinge o palato a princípio, abrindo-se com um toque de caramelo leve. Uma explosão de doçura floral antes de um final longo e seco.

Mad Elf Ale

Tröegs Brewing
www.troegs.com

País de origem Estados Unidos
Lançada em 2002
Teor alcoólico 11% vol.
Temperatura ideal 11°C

A Tröegs Mad Elf Ale é um fenômeno singular no leste dos Estados Unidos, atraindo filas de fãs ansiosos a lojas regionais por ocasião de sua chegada, todos os outonos. Alguns de seus adeptos mais fervorosos chegam a encomendar antecipadamente até dez caixas da cerveja de Natal para armazenar e racionar durante o resto do ano. Esta cerveja é um tesouro líquido.

A cada estação, a minúscula cervejaria aumenta sua produção, e, a cada ano, o produto se esgota antes do Natal. Embora as cerejas e o mel produzam, com toda a certeza, sabores singulares, a personalidade mais profunda desta ale de intensos sabores não vem desses ingredientes. É a levedura belga – um clone de Duvel – que faz o trabalho, fermentando lentamente durante dois meses em temperaturas relativamente altas para produzir a excepcional qualidade picante. Pense em pimenta, cravo e gengibre. O conjunto lembra em muito um bolo de frutas ou talvez uma taça de Malbec. **DR**

Notas de degustação

A cor rubi vibrante indica claramente a adição de cerejas após a fermentação. Um aroma de mel fresco alcança o nariz antes que o sabor picante da pimenta e do cravo cheguem à língua para um final que limpa o paladar.

Mad Hatter

New Holland Brewing Company
www.newhollandbrew.com

País de origem Estados Unidos
Lançada em 1998
Teor alcoólico 5,25% vol.
Temperatura ideal 2°- 3°C

"Foi a primeira cerveja com *dry hopping* da cervejaria, ainda em 1998", afirma o "cervangelista" da New Holland, Fred Bueltman. Na época, o cofundador Brett VanderKamp vinha fazendo experiências com *dry hopping*, técnica de adicionar lúpulos à fermentadora para dar aroma. O momento "eureca" aconteceu quando ele deixou cair cones de lúpulo nos tanques. O aroma simplesmente saltou do copo, depois disso.

As India Pale Ales têm uma longa história e, ao longo dos séculos, as receitas permanecem as mesmas: malte claro de alta qualidade, talvez uma pitada de outros maltes para dar personalidade, e uma grande quantidade dos melhores lúpulos que puderem ser encontrados, com ênfase especial no aroma. A Mad Hatter se encaixa nessa fórmula, embora, com 5,25% vol., seja suficientemente leve para permitir que se bebam alguns copos por vez. Esta cerveja refrescante e equilibrada é versátil com comida. A cervejaria a recomenda especialmente com saladas de folhas amargas. **RM**

Notas de degustação

Nariz potente, com lúpulos cítricos que recendem ligeiramente a resina. Algum sabor maltado de pão, com vagas notas de frutas e de mel. Suavemente maltada ao paladar, conduzindo a um final longo e de lúpulo intenso.

Magnumus Ete Tomahawkus ESB^2

Rock Art Brewery | www.rockartbrewery.com

País de origem Estados Unidos
Lançada em 2006
Teor alcoólico 8% vol.
Temperatura ideal 10°C

Mesmo se alguém resolvesse ignorar a advertência obrigatória contra o consumo de bebidas alcoólicas na gravidez, o rótulo desta garrafa já apresentaria avisos suficientes para assustar os bebedores mais empedernidos. O nome lembra uma batalha entre sanguinolentos gladiadores romanos. Em negrito, há o alerta: "EXTREME" (RADICAL). E, se isso passar despercebido, ainda há o aviso: "Não é para Filhinhos de Mamãe nem para Filhinhas de Papai".

O cervejeiro Matt Nadeau dá risadas da linguagem admonitória e explica: "Bem, a gente queria que nossos clientes habituais soubessem que esta cerveja é completamente diferente de tudo que fazemos." De fato, durante os primeiros anos após a Rock Art se estabelecer em Vermont, ela ficou conhecida principalmente por ser muito competente em estilos clássicos. Nadeau comandava sozinho, de seu porão, a cervejaria, que produzia pequenas levas, e terminava longos dias de trabalho carregando barris cheios escada acima. A cerveja mais "radical" era a Ridge Runner, um barleywine ao estilo inglês, com 7,5% de álcool – teor um pouquinho baixo para os padrões norte-americanos.

Ao se transferir para instalações mais espaçosas, Nadeau pôde fazer experiências com bebidas mais fortes. A Magnumus Ete Tomahawkus ESB^2 foi a primeira da série Extreme, uma extra special bitter ao quadrado, com o dobro de malte e o dobro de álcool. O amargor também está lá no alto, graças a uma generosa adição de intensos lúpulos Tomahawk. "Eu queria fazer uma ESB ao cubo, mas teria problemas com a distribuição", disse Nadeau, destacando que as regras regionais exigem que cervejas com teor alcoólico superior a 8% sejam distribuídas por lojas operadas pelo Estado. Desde então, o limite foi elevado, mas Nadeau está bem feliz em deixar esta cerveja extraespecial do jeito que ela é. **DR**

Notas de degustação

Servida em um pint, o corpo âmbar levemente alaranjado cria uma generosa coroa de espuma com um aroma cítrico firme e atraente. Um pouco de malte doce e abiscoitado chega primeiro ao paladar, mas é logo sobrepujado por notas de pinho, do lúpulo. O final é harmonioso e seco.

The Maharaja Imperial India Pale Ale

Avery Brewing Company | www.averybrewing.com

País de origem Estados Unidos
Lançada em 2004
Teor alcoólico 10,2% vol.
Temperatura ideal 7°- 10°C

De acordo com o dicionário, "Maharaja" (ou marajá, em português) deriva de duas palavras em sânscrito: *mahat*, que quer dizer "grande", e *rajan*, "rei" – e, semelhante a um querido governante, a Maharaja Imperial IPA da Avery Brewing é tida em alta conta. A Maharaja controla lúpulos e malte com mão pesada. Embora possa ser intensa e imponente, a Maharaja governa com equilíbrio, o que faz dela uma cerveja surpreendentemente acessível.

Esta cerveja só apareceu em 2004, mas a ideia por trás dela surgiu por acaso vários anos antes. "A viagem rumo à Maharaja, na realidade, foi longa, datando provavelmente do final de 1997, quando produzimos a Hog Heaven, ale no estilo barleywine", diz o diretor de marketing da Avery. "Depois de anos produzindo e apreciando a Hog Heaven, começamos a nos perguntar qual seria o próximo passo. Embora a Hog Heaven fosse deliciosa, queríamos ver se era possível criar um aroma ainda mais robusto de lúpulo e um sabor de lúpulo mais forte e ao mesmo tempo equilibrado."

Os cervejeiros da Avery foram iniciados em IPAs imperiais quando produziram a Eleventh Anniversary Ale. A Maharaja assumiu o trono pouco depois daquela brassagem inaugural. "Adoramos a Eleven e decidimos que precisávamos fazer uma IPA imperial todos os anos, e a Maharaja era aquela cerveja." Produzida de março a agosto, a Maharaja saúda seus admiradores a cada verão e é parte da série Dictators (Ditadores) da Avery, que também inclui a Kaiser Imperial Lager e a Czar Imperial Stout. Por ser lançada no verão, a Maharaja fica perfeita em churrascos e piqueniques. **LMo**

Notas de degustação

Enérgica e vibrante, a Maharaja domina uma enorme quantidade de lúpulos florais e cítricos, seguramente sustentados por uma robusta estrutura de malte tostado. O final é viscoso e harmonioso, com uma presença de álcool disfarçada, que esconde sua força.

+Malta

Companyia Cervesera del Montseny | www.ccm.cat

País de origem Espanha
Lançada em 2007
Teor alcoólico 5,1% vol.
Temperatura ideal 9°C

Más Malta é a pale ale da Companyia Cervesera del Montseny, que presta tributo ao tradicional estilo inglês, sem seguir os moldes da favorita dos norte-americanos, a cerveja que sozinha impulsionou a revolução da produção artesanal nos Estados Unidos. Maltes claro, cristal e de trigo compõem a seleção de grãos, enquanto Challenger, East Kent Golding e Fuggle em forma floral, *in natura*, são os lúpulos responsáveis pelo agradável amargor. A cerveja passa por uma fermentação secundária na garrafa, processo que ajuda a formação de uma carbonatação robusta e ao mesmo tempo agradável na boca.

O cervejeiro Pablo Vijande gosta de enfatizar que suas cervejas são "naturais e integrais". Nenhuma é pasteurizada ou filtrada e ele também só emprega lúpulos florais integrais. Práticas como essas são verdadeiros pressupostos no interior da comunidade de produtores artesanais do Reino Unido e da América do Norte, mas na Espanha, onde a maioria dos apreciadores de cerveja bebe lagers geladas e refrescantes, o mesmo pensamento não ocorre necessariamente em relação à produção e à estética. Para dar maiores informações ao público sobre cervejas artesanais, Vijande e sua equipe organizam minifestivais junto com outras microcervejarias da região, ocasiões em que as pessoas têm oportunidade de conversar com os produtores e aprender mais sobre a bebida artesanal.

Na primavera de 2009, uma nova versão da +Malta foi lançada pela Companyia Cervesera del Montseny: a +Malta Cuvée, uma cerveja de reserva especial que descansa em barris de carvalho durante quase um ano. Isso deu a Vijande mais uma oportunidade de divulgar a versatilidade e a inovação da produção artesanal para um público ainda maior na Espanha. **SS**

Notas de degustação

De cor âmbar avermelhado, com uma firme coroa branca. No nariz, tem notas doces, maltadas, quase frutadas. Na boca, mantém uma doçura frutada semelhante, embora o límpido amargor e toques tostados promovam o equilíbrio. A +Malta é engarrafada sem filtragem.

Mammoth

Pink Elephant | www.paradise.net.nz/pinkelep/index.html

País de origem Nova Zelândia
Lançada em 1990
Teor alcoólico 7% vol.
Temperatura ideal 12°- 14°C

Em 1990, uma década depois de emigrar da Inglaterra, Roger Pink começou a produzir cervejas comercialmente perto de Nelson, em South Island, na Nova Zelândia. Desde o primeiro dia, Pink estava determinado a produzir ales de estilo inglês. Era uma postura muito corajosa em um país dominado – e, de certa forma, continua a ser – por lagers adocicadas e efervescentes. As robustas bebidas de Pink nunca teriam um sucesso imediato com o consumidor padrão e a demanda permaneceu limitada. Em busca de uma clientela mais exigente e aberta a novas ideias, Pink transferiu a cervejaria para Marlborough em 1996, inaugurando uma área para degustação e um café no coração da famosa região vinícola.

Depois de conquistar uma série de prêmios e atrair muitas críticas positivas, Pink ficou tentado a produzir estilos ainda mais exóticos, e a linha de produtos da Pink Elephant cresceu gradualmente. Mas produzir até dez cervejas e ao mesmo tempo receber visitantes demonstrou ser demais para um homem só. A sala de degustação foi fechada e a linha de produtos, racionalizada.

Localizada agora na zona rural, a cervejaria artesanal mais antiga de Marlborough se concentra na produção de cervejas especiais de alta potência e sazonais de vida curta e edição limitada. A Mammoth Strong Ale foi uma das primeiras criações da cervejaria e agora é a única representativa de seu perfil original. Desde então, foi superada em potência por lançamentos especiais, como a Trumpet, de edição limitada, um barleywine com infusão de mel, e pela intensa e tostada Imperious Rushin Stout. **GG**

Notas de degustação

Com a cor de um refrigerante do tipo cola, sob um colarinho fino, em cor de canela, há um doce aroma confeitado de toffee e frutas silvestres. No palato, os sabores de fruta e caramelo conduzem a um final ácido, com o amargor persistente do lúpulo. Enganadoramente fácil de beber e perfeita com queijos Cheddar maduros.

Maredsous 10

Duvel Moortgat | www.duvel.be

País de origem Bélgica
Lançada em 1963
Teor alcoólico 10% vol.
Temperatura ideal 8°C

Qualquer cerveja irmã da forte ale dourada Duvel, verdadeira gigante, corre o risco de ser, por definição, ignorada. Ainda causa mais pena quando essas irmãs são cervejas de abadia Maredsous, produzidas pela Duvel Moortgat. A abadia beneditina em Denée ainda se envolve nas decisões relativas às três cervejas Maredsous e a cervejaria destaca, com orgulho, que uma parte significativa dos lucros com a marca é voltada para obras de caridade promovidas pelos monges. (Como muitas outras casas religiosas com ligações com a produção cervejeira, em suas instalações ou fora delas, a abadia de Maredsous também produz queijo.) As ales Maredsous vêm em trios, cada uma com um número. A referência original era em relação ao extrato primitivo da cerveja não fermentada, expressa em graus belgas – essencialmente uma medida de quanto açúcar fermentável encontrava-se disponível para a levedura. Embora o número, com frequência, seja equivalente ao teor alcoólico final, nem sempre é o caso, particularmente quando se trata de cervejas mais potentes. Assim, a Maredsous 10, por exemplo, com um extrato primitivo de 10 graus belgas, emergia da fermentação com teor alcoólico pouco superior a 9,5%. Para simplificar as coisas, a cervejaria alterou as receitas para que os números refletissem diretamente a força. A 6 é uma ale delicada mas satisfatória, com personalidade perfumada e um final seco apetitoso. A 8 é uma dubbel escura, achocolatada, e a 10, embora anunciada como uma tripel, não parece exatamente adequada à descrição. Havia também a Maredsous 9, cuja produção foi descontinuada por razões que somente a cervejaria conhece. **SB**

Notas de degustação

De cor âmbar dourado, a maior cerveja produzida pela Maredsous oferece notas de geleia de laranja no nariz e um corpo bem vigoroso, equilibrado e frutado, até um pouco cremoso. Sua força significativa fica mais óbvia no final longo e cálido.

A abadia neogótica de Maredsous foi fundada em 1872.

Märzen

Staffelberg Bräu | www.staffelberg-braeu.de

País de origem Alemanha
Lançada em 1949
Teor alcoólico 5,5% vol.
Temperatura ideal 8°C

Apesar de Karl-Heinz Wehrfritz ter se preparado para se tornar um açougueiro e não aspirar a ser um cervejeiro, ficou claro que seu futuro estava na produção de cervejas quando ele se casou com Helga, filha de Anton e Maria Geldner, donos da Staffelberg Bräu. Ao lado da esposa e da família dela, Wehrfritz comanda um negócio familiar que já completou 150 anos. Porém ele não se esqueceu da atividade para a qual foi treinado originalmente: além da cervejaria, a empresa inclui um açougue e uma taverna aconchegante, e Wehrfritz com frequência passa da fabricação de salsichas para o cuidado com o mosto e vice-versa, tudo no mesmo dia. Assim, os visitantes comem e bebem bem no bar que fica no coração da Francônia.

Que tal um prato de carne fresca com uma Staffelberg Märzen? Esta é uma lager da Francônia, de cor âmbar, no estilo tradicional raramente encontrado nos dias de hoje. Ela seduz com o corpo de caramelo e equilibra sua riqueza maltada com um amargor adequado, mas não excessivo. Na brassagem, Wehrfritz usa maltes Munique e Pilsen em uma decocção. Parte do mosto é separado e fervido em outro recipiente, depois reintroduzido na tina de maceração para aquecer o restante. A panela é aquecida em fogo direto, o que contribui para o efeito de caramelização. Com atenuação final de aproximadamente 75%, ela é bastante doce, uma das razões que levou a maioria das cervejarias a abandonar o estilo. A cervejaria fica ao norte de Bamberg, no deslumbrante vilarejo de Loffelden, aos pés da impressionante montanha Staffelberg. Nos arredores, o complexo barroco do mosteiro de Banz e a famosa construção em estilo rococó da Basilika Vierzehnheiligen também atraem para a região visitantes interessados em cultura. **SK**

Notas de degustação

Âmbar brilhante, com nuances de laranja, cabeça cor de creme firme. O nariz fornece um delicioso aroma de caramelo e algumas ervas. Na boca, espere um maltado doce, de pão, com sabores tostados e coroados por notas de caramelo. Encorpada com final discretamente lupulado.

Märzen Export Eiszäpfle

Badische Staatsbrauerei Rothaus | www.rothaus.de

País de origem Alemanha
Lançada em *ca.* século 19
Teor alcoólico 5,6% vol.
Temperatura ideal 8°- 10°C

Pelos antigos calendários, março era o começo de um novo ano. Para um setor, porém, antes de a tecnologia transformar tudo, março costumava marcar o fim da labuta: o preparo de cerveja era interrompido.

Afinal, é um processo que depende de temperaturas frescas. Depois da mostura, a temperatura da brassagem precisa ser baixada rapidamente – senão a fermentação tem início, resultando em uma gororoba azeda. Pelas mesmas razões, a cerveja armazenada em ambiente quente demais se torna impossível de beber em pouco tempo. É por isso que os cervejeiros usavam grandes prateleiras de madeira onde "cultivavam" grandes pontas de gelo. Elas serviam para refrescar e, enterradas no fundo da terra ou guardadas em porões, às vezes permaneciam intactas até o final do verão seguinte. Debaixo do solo, sob a antiga cidade de Nuremberg, por exemplo, existe um sistema cavernoso de centenas de armazéns de cerveja.

Chamada de "Märzen" em homenagem ao mês de março, a lager era cozida por muito tempo e a gravidade original era elevada. Tradicionalmente, os sabores maltados dominavam e, para ajudar com a estabilidade, a quantidade de lúpulos adicionados era alta, apesar de em março os lúpulos armazenados já terem perdido algo de suas propriedades aromáticas. Por sorte, a Badische Staatsbrauerei Rothaus conta com uma água extraordinária para acentuar todos as nuances de aromas dos lúpulos Tettnang e Hallertau usados no preparo. Ninguém sabe quando a Rothaus produziu a Märzen pela primeira vez, pois os arquivos foram destruídos durante a Segunda Guerra Mundial, mas a cerveja provavelmente apareceu em algum momento do século 19. **SK**

Notas de degustação

Âmbar com nuances douradas e espuma fina e volátil. Esta cerveja oferece um nariz maltado com toques de especiarias de lúpulo. O primeiro sabor é doce, seguido por notas lupuladas. A personalidade predominantemente maltada é equilibrada por sabores amargos. Corpo médio e final agridoce.

M
MASTER

Master Polotmavý

Plzeňský Prazdroj | www.pivomaster.cz

País de origem República Tcheca
Lançada em 2007
Teor alcoólico 5,2% vol.
Temperatura ideal 8°C

Em 2007, o veterano mestre cervejeiro Václav Berka apresentou uma nova linha de produtos a um pequeno grupo de amantes da bebida em Praga. Ao contrário de outras marcas da cervejaria, muitas vistas principalmente em garrafas, a nova linha estaria disponível apenas na chopeira, extraída de pequenos barris, para garantir o máximo frescor, e apenas em bares escolhidos. Denominada "Master", incluía uma lager escura e muito forte que lembrava uma porter do Báltico e a Master Polotmavý, uma notável lager âmbar.

Embora alguns fãs especialmente embevecidos talvez suponham que as duas cervejas caíram do céu, a Master Polotmavý teria uma inspiração mais próxima, com a nítida influência da famosa lager Viena, de Anton Dreher, produzida inicialmente por volta de 1840. Apesar de as lager ao estilo Viena estarem extintas em sua terra natal, do outro lado da fronteira, onde hoje fica a República Tcheca, muitos cervejeiros fazem uma lager polotmavý (semiescura) de cor, aroma e sabor semelhantes e a Master Polotmavý parece descender diretamente da tradição da lager âmbar. É uma cerveja que combina muito bem com comida, especialmente com pratos de massa e pizza, cujas notas adocicadas se harmonizam bem com o malte açucarado. Embora a Master Polotmavý continue disponível apenas na pressão, e em geral apenas na República Tcheca, a bebida tem aparecido ocasionalmente em festivais de cerveja fora de seu país natal. **ER**

Notas de degustação

Esta lager âmbar é extremamente rica em sabor de malte, equilibrando a doçura com um amargor moderado complementado por notas de baunilha, caramelo e laranja cristalizada.

Maudite

Unibroue | www.unibroue.com

País de origem Canadá
Lançada em 1993
Teor alcoólico 8% vol.
Temperatura ideal 8°C

No início dos anos 1990, quando a produção artesanal ainda era objeto de alguma curiosidade, um empreendedor corajoso decorou o rótulo da segunda marca de sua cervejaria com a imagem de uma canoa que voava em meio a um céu escarlate, enquanto o Diabo dava risadas lá embaixo. Mais corajoso ainda foi o homem que chamou a tal cerveja de Maudite (maldita, em francês). Mas esse é o tipo de homem que André Dio é, ou pelo menos era ao começar a Unibroue.

A primeira cerveja de Dio, Blanche de Chambly, era de trigo, ao estilo belga. Por mais surpreendente que fosse a Blanche para os bebedores de Québec, mais acostumados a golden ales e lagers triviais, a Maudite também representou um desafio para suas sensibilidades. Além do nome e dos desenhos surpreendentes, ambos retirados de uma fábula bem conhecida na cidade sobre um grupo de lenhadores em canoas que arranjam confusão com o Demônio, quando a Maudite apareceu era escura, condimentada, forte e absolutamente diferente de qualquer coisa vista antes no mercado doméstico. Permanece como o carro-chefe da cervejaria de Québec desde então. Embora com frequência haja referências à Maudite como cerveja ao estilo belga, seria indiscutivelmente mais correto chamá-la de cerveja de inspiração belga, pois os temperos idiossincráticos, a decantada reputação de bom acompanhamento para comida e o uso de histórias de Québec a posicionam com firmeza como um produto de sua província de origem. **SB**

Notas de degustação

Espere um nariz pleno, com amplas notas de coentro, pimenta-da-jamaica e outras especiarias. No corpo, há uma mistura vagamente terrosa, intensa e seca de chocolate, cítricos, frutas vermelhas e canela.

← A Polotmavý foi inspirada em uma receita histórica de 1585.

McNally's Extra Ale

Big Rock Brewery | www.bigrockbeer.com

País de origem Canadá
Lançada em 1986
Teor alcoólico 7% vol.
Temperatura ideal 10°C

Em meados da década de 1980, praticamente toda a cerveja forte do Canadá era carregada de adjuntos, às vezes com um xarope conhecido como "licor de malte". Por isso, para uma pequena cervejaria, o lançamento de uma ale forte, de estilo irlandês, era mais um ato de fé e pouco mais do que uma pequena esperança. Para sorte da primeira cervejaria artesanal de Alberta, ela teve sucesso. Como primeira a abrir entre as montanhas Rochosas e a área da Grande Toronto, a Big Rock encontrou uma tela praticamente vazia onde pintar os conceitos do que uma cerveja deveria ser. E, apesar de contratar um cervejeiro teutão chamado Bernd Pieper, Ed McNally anteviu os estilos ingleses e celtas. A primeira a fugir da linha foi a Big Rock Traditional Ale, hoje um verdadeiro ícone, conhecida por seus fãs em toda parte simplesmente como "Trad". Foi seguida por uma best bitter, depois rebatizada como Classic Ale, e uma porter. O lançamento desta última cerveja foi uma atitude particularmente corajosa, pois, na época, o mercado de Alberta era povoado quase que apenas por lagers douradas e há muito tempo não via uma ale escura produzida no país.

Mas o lançamento da porter não foi nada comparado à chegada da McNally's Extra Ale. Ales fortes simplesmente não existiam nas Pradarias, e a aceitação da cerveja como bebida para aquecer o inverno ou como um drinque para depois das refeições ainda ia levar uma década para acontecer. Não havia sequer um contexto onde encaixá-la. Felizmente, a aclamação veio em pouco tempo, incluindo elogios do famoso crítico Michael Jackson, que a considerou "um clássico". Foi o suficiente até para os cautelosos moradores de Alberta, e o sucesso da cerveja se espalhou rapidamente, levando-a a se tornar uma das marcas mais conhecidas da Big Rock. **SB**

Notas de degustação

Uma das características das ales irlandesas da "velha guarda" é uma personalidade levemente amanteigada, que a McNally's Extra Ale apresenta com liberalidade, junto com um nariz de maçã caramelada e notas maltadas de ameixa em todo o corpo do paladar, antes de conduzir a um final quase seco e caloroso.

Meantime India Pale Ale

Meantime Brewing | www.meantimebrewing.com

País de origem Inglaterra
Lançada em 2005
Teor alcoólico 7,5% vol.
Temperatura ideal 8°- 12°C

Existem dois estilos que deram origem a quase todas as cervejas modernas: porter, que gerou a stout, e India Pale Ale, que levou a pale ale, bitter, real ale e, indiscutivelmente, a lager loura. Quando Alastair Hook montou a Meantime Brewery, sua primeira ambição era criar versões autênticas dos dois estilos. A história da IPA estava particularmente em seus pensamentos, pelo fato de que a original era embarcada na frota da East Indiamen a menos de um quilômetro rio acima do local hoje ocupado pela cervejaria de Greenwich.

Hook sentia que era crucial compreender não apenas a receita, mas também o contexto cultural do produto original, e a Meantime IPA foi desenvolvida com a ajuda de uma imensa e minuciosa pesquisa histórica. Na época, a maioria das IPAs contemporâneas tinha teor alcoólico que variava de 3,5% a 4% e era bebida leve, para consumo em sessões prolongadas. A cerveja que Hook queria recriar era bem mais forte, com 7% a 8% de álcool, e tão cara quanto o clarete francês. A garrafa de champanhe com rolha e arame da Meantime IPA reflete esse sentido de valor.

A cerveja é carregada com todo o lúpulo Fuggle e Golding que poderia ser fisicamente adicionado ao cobre. A tina de clarificação recebe ainda mais lúpulo e, em seguida, ela passa por *dry hopping* para conter uma taxa historicamente precisa de 910 gramas por barril.

A IPA foi desenvolvida a partir de fortes ales de fazendas, armazenadas por vários anos antes de serem consumidas. A famosa maturação na viagem de seis meses até a Índia era uma versão acelerada desse processo. Sem aquela jornada, a Meantime considera que ela fica ainda melhor depois de alguns anos de armazenagem. **PB**

Notas de degustação

Cerveja cor de cobre, com um aroma picante de casca de laranja. No paladar, não há como confundir os lúpulos, mas uma personalidade terrosa complementa o golpe floral e cítrico. Espetacular com queijo, perfeita com curry – faz tudo que a lager pode fazer e muito mais.

Meantime London Pale Ale

Meantime Brewing | www.meantimebrewing.com

País de origem Inglaterra
Lançada em 2007
Teor alcoólico 4,7% vol.
Temperatura ideal 10°C

O que é importante saber sobre as cervejas Meantime é que elas são maravilhosamente inglesas, com origem em Londres. É algo que dá muito orgulho à cervejaria, pois, como destaca Alastair Hook, mestre cervejeiro, a maioria dos estilos ingleses foi inventada em Londres ou tem alguma relação com um personagem londrino. Stout? Londres. Porter? Londres. Pale ale e IPA? Adivinhou: Londres. As águas ricas em gesso de Burton eram mais adequadas à produção de pale ale e seria essa cidade que daria fama ao estilo, mas, como testemunha Hook, foi um londrino que teve a ideia.

Desenvolvida algumas décadas depois da IPA, a pale ale virou uma febre no Império Britânico, pois as pessoas queriam cervejas mais fortes e menos inebriantes, de produção mais veloz e que não exigissem envelhecimento. Elas não precisavam resistir a longas e violentas viagens marítimas, de ida e volta à Índia, por isso fazia muito sentido que tivessem um teor alcoólico menor e menos lúpulo. As novas ales leves e lupuladas se tornaram populares com a classe média inglesa da era vitoriana. Mas a cerveja está sujeita aos caprichos da moda, e, já na década de 1880, a pale ale havia perdido seu lugar. Porém, um século depois, foi retomada e mantida viva por uma nova geração de cervejeiros norte-americanos.

A Meantime London Pale Ale é uma pale ale inglesa tradicional. Ao empregar alguns poderosos lúpulos americanos, contudo, ela presta um respeitoso tributo ao capítulo dos Estados Unidos na história desse grande estilo. Durante o século 19, a demanda por lúpulos excedia a produção doméstica e não era incomum a utilização de lúpulos da Califórnia na produção de cervejas na Inglaterra. **ST**

Notas de degustação

A Meantime London Pale Ale tem um nariz complexo com uma intensa mistura de hortelã, grama e aromas "do saco de lúpulo". No paladar, a fruta dá lugar a um final muito seco, com um amargor persistente. Fica ótima com queijos maduros, penne all'arrabiata ou salada de folhas amargas.

Minoh Double IPA

Minoh Beer | www.minoh-beer.jp

País de origem Japão
Lançada em *ca.* 2006
Teor alcoólico 9% vol.
Temperatura ideal 10°- 13°C

Imagine que seu pai decide lhe dar uma cervejaria de presente de Natal. Parece um sonho? Pois bem, foi basicamente o que aconteceu com Kaori e Mayuko Oshita em 1997, quando Masaji, o pai, próspero atacadista de bebidas alcoólicas que procurava diversificar suas atividades, decidiu construir uma cervejaria e pôs as filhas no comando da produção. Obviamente, foi uma boa ideia, pois desde sua fundação saíram de lá muitas cervejas interessantes. A mais incomum delas talvez seja a Cabernet Ale, feita com suco de uvas Cabernet Sauvignon, ou as cervejas de cânhamo, Hemp High e Ganja High, produzidas em colaboração com outro varejista. A mais recente dessa série é a Minoh Double IPA, com alto teor de álcool e amargor extremo. A mestre cervejeira Kaori Oshita relata que a IPA dupla teve um processo de produção com dificuldades. Ela exige muito malte, por isso era difícil obter uma gravidade original suficientemente elevada. O processo de lavagem do bagaço também precisou de muita dedicação e tempo. Porém, o aspecto mais difícil foi decorrente do suprimento de lúpulos. A cerveja usa Cascade, mas, quando passou a ser oferecida regularmente em 2008, havia falta do produto. A situação melhorou em 2009, e ficou mais fácil obter um fornecimento estável.

Como é extremamente amarga e dotada de elevado teor alcoólico, Kaori Oshita diz que a equipe não tinha certeza de que ela venderia em grandes quantidades, embora soubesse que haveria uma clientela fiel. No entanto, as encomendas são cada vez maiores e superam todas as expectativas. Surpreendentemente, ela parece ser particularmente apreciada pelas mulheres e pela clientela de mais idade. **BH**

Notas de degustação

A cerveja é de um tom intenso de bronze alaranjado, com espuma cor de creme. Há um aroma maltado com notas doces de baunilha sobre o pano de fundo de lúpulo. Um sabor bem forte de malte aparece a princípio, enquanto os lúpulos são discretos, com pouca presença imediata. O final delicado é harmonioso e maltado.

MITCHELL'S
WATERFRONT BREWERY
SCOTTISH
ALE HOUSE

Mitchell's 90/-

Mitchell's Knysna Brewery
www.mitchellsknysnabrewery.com

País de origem África do Sul
Lançada em 1990
Teor alcoólico 5% vol.
Temperatura ideal 13°C

Batizada com o nome de uma antiga moeda britânica, o número de shillings indica sua força. Tais cervejas eram tradicionalmente produzidas na Escócia, sendo que 60/- queria dizer leve e 70/-, pesada. As mais robustas eram as 90/-, e a ale da Mitchell's é um perfeito exemplo delas. A cerveja passa mais tempo do que o habitual na fervura na caldeira, o que ajuda a extrair sabores intensos de açúcar mascavo e caramelo que podem ser saboreados na bebida pronta, como açúcares não fermentados. Esses açúcares a mais também ajudam a dar sua coloração âmbar escura. Como era tradição na maioria das bebidas de estilo escocês, ela não é intensamente lupulada e os aromas maltados dominam o nariz e o paladar, em lugar de características de resina ou florais. Na garrafa, não é pasteurizada, o que acrescenta mais uma dimensão ao sabor.

A Mitchell's Knysna Brewery foi montada em 1983 por Lex Mitchell em um pequeno prédio no centro de Knysna. Em 1985, transferiu-se para a zona industrial da cidade, onde emprega uma combinação da mosturação britânica com tecnologia de maturação lager alemã no preparo de cervejas. Expandiu suas atividades em 1989 com a abertura de uma choperia na Cidade do Cabo, que também produz uma versão da 90/- Ale diferente daquela de Knysna. Em 1989, a empresa foi comprada pela cervejaria britânica Scottish and Newcastle e, em 2002, um consórcio de empresários da região devolveu a companhia às mãos dos sul-africanos. **TH**

Notas de degustação

Notas audaciosas, picantes dominam o paladar – refinadas por complexas notas aromáticas de pudim de Natal, apoiadas com toques de canela e caramelo. Encorpada na boca.

Mitchell's ESB

Spinnakers Brewpub
www.spinnakers.com

País de origem Canadá
Lançada em 1984
Teor alcoólico 5,2% vol.
Temperatura ideal 10°C

A primeira choperia moderna a abrir as portas na América do Norte foi a Horseshoe Bay Brewing Company, que passou na frente de suas colegas norte-americanas por uma questão de meses. Devido a uma peculiaridade da embrionária lei das choperias na Columbia Britânica, porém, tanto a Horseshoe Bay quanto a segunda cervejaria da província, a Prairie Inn, foram obrigadas a abrigar a produção em instalações separadas do pub. Dessa forma, a honra de ser a primeira choperia com produção na própria casa coube à Spinnakers de Victoria.

Para Paul Hadfield e seus sócios, entre eles o pioneiro da produção artesanal na Colúmbia Britânica, John Mitchel, a abertura do pub era um salto no escuro, pois, enquanto avançavam as obras, a emenda que permitia a instalação da cervejaria junto ao pub ainda não havia sido aprovada. Felizmente, deu-se a aprovação e a Spinnakers pôde iniciar suas atividades na data prevista, em maio de 1984.

O título de primeiro pub com produção em suas próprias instalações foi apenas um entre muitos para a Hadfield and Spinnakers. Outros momentos pioneiros que se seguiriam: primeira ale acondicionada em barris produzida no Canadá, primeira a usar uma levedura que havia viajado ao espaço (a bordo do ônibus espacial), primeira cervejaria canadense com uma fábrica de vinagre e primeiro pub da Colúmbia Britânica a colocar suas garrafas em lojas de bebidas alcoólicas da província. **SB**

Notas de degustação

De cor âmbar acobreada, com aroma floral intenso e maltado que conduz a um corpo tostado e frutado, acentuado por um lúpulo moderadamente amargo e com discretas características de nozes. Final seco.

← A cervejaria Mitchell's tem uma ótima localização na orla martítima na Cidade do Cabo.

Moose Drool Brown Ale

Big Sky Brewing Company | www.bigskybrew.com

País de origem Estados Unidos
Lançada em 1995
Teor alcoólico 5,3% vol.
Temperatura ideal 13°C

No mesmo ano (1995) em que a Big Sky Brewing iniciou a produção de cervejas com nomes como Whistle Pig Red Ale e Moose Drool Brown Ale, outra cervejaria ganhou o Grande Festival Americano da Cerveja com uma ale chamada de "Dog Spit Stout" (Stout Cuspe de Cão). Ao escolher tais nomes, que poderiam parecer pouco apetitosos, as pequenas cervejarias sinalizavam que sua produção era um tanto diferente das lagers para o grande mercado que dominavam a cena cervejeira norte-americana. A Moose Drool (Baba de Alce) é, de fato, produzida de acordo com a tradição das brown ales inglesas, moderada no lúpulo, abdicando das variedades do Noroeste, dominadas pelos cítricos, que se tornaram a marca registrada das brown ales dos Estados Unidos. Enquanto desenvolviam as primeiras receitas, os fundadores pediram à mãe de um deles que fizesse desenhos de vários animais. Uma pintura representava um alce erguendo a cabeça de um lago, e, ao vê-la, um dos fundadores disse: "É um alce, está babando, vamos chamá-la de 'baba de alce'." O nome funcionou bem para a Big Sky, embora a cervejaria tenha precisado ir aos tribunais diversas vezes para se defender das acusações de violação de marca registrada promovidas pela canadense Moosehead. O carro-chefe Moose Drool ajudou a Big Sky a se transformar em um dos quarenta maiores produtores artesanais do país, vendendo suas bebidas no Oeste e na parte superior do Meio Oeste.

Missoula, onde a cervejaria está localizada, é um ímã para os amantes das atividades ao ar livre: atrai adeptos das caminhadas, de mountain bike, de canoagem e aqueles que percorrem a trilha Lewis and Clark. Ao acondicionar a bebida em latas de alumínio, em 2003, e montar uma linha de enlatamento em 2009, a Big Sky tornou suas cervejas mais portáteis para tais consumidores. **SH**

Notas de degustação

Marrom ao ser servida, com nuances em cobre. Frutas escuras e chocolate se combinam no aroma e os mesmos sabores, junto com nozes tostadas, aparecem na boca. A cerveja é malte acentuado por lúpulos que fornecem um toque de especiarias e impressões terrosas.

Mythos Red

Mythos Brewery | www.mythosbrewery.gr

País de origem Grécia
Lançada em 2007
Teor alcoólico 5,5% vol.
Temperatura ideal 4°-6°C

A Mythos Red vem de uma cervejaria com uma história confusa: fica em Tessalônica, mas tem raízes alemãs que remontam a 1968 e à Henniger-Brau Frankfurt. Negociações ocorridas nas três décadas seguintes levaram o nome Mythos a emergir em 2000 e, após um breve período com a Scottish and Newcastle, agora ela pertence à Carlsberg.

A cerveja Mythos é a marca principal. Também é conhecida como Mythos "verde" por causa da cor do rótulo, e sua popularidade transformou a Mythos Brewery na segunda maior cervejaria da Grécia, com exportações para trinta países. Mais recentemente, os cervejeiros Adnams assumiram a distribuição no Reino Unido e acredita-se que o caso de amor dos britânicos com as ilhas gregas vai garantir o sucesso.

A Mythos Red é um acréscimo posterior à festa grega, um preparado com água, malte de cevada, lúpulo e levedura, como esperado, mas também leva xarope de glucose, que sem dúvida contribui para sua característica caramelada. A equipe de cervejeiros por trás dela arriscou-se a criar algo diferente da "verde" e a Mythos Red foi produzida aparentemente para "pessoas que buscam alternativas para suas vidas e novas formas de expressar essas escolhas". A equipe conseguiu chegar ao incomum simplesmente porque a cerveja é uma opção surpreendente para uma cervejaria comercial e um sucesso também em termos qualitativos. De fato, é uma bela premium ruiva, em um tom de âmbar vibrante, mas coroado por um colarinho incrivelmente atraente. Há um leve nariz frutado e serve como ótima alternativa para quem está cansado de lagers. **TS**

Notas de degustação

Bem, é ruiva, obviamente, e, graças à glucose, apresenta um belo perfil de caramelo na boca. A coroa é persistente quando a bebida é servida de forma correta e os lúpulos são potentes o bastante para equilibrarem a doçura inicial com o amargor ao fundo.

Negra Modelo

Grupo Modelo | www.gmodelo.com.mx

País de origem México
Lançada em 1926
Teor alcoólico 5,4% vol.
Temperatura ideal 10°C

A Cerveceria Modelo abriu as portas na Cidade do México em 1925 e em apenas três anos já vendia oito milhões de garrafas de Modelo e Corona, que continuam populares. A Modelo passou as oito décadas seguintes adquirindo outras marcas de cervejas mexicanas e abrindo novas cervejarias, e mudou seu nome para Grupo Modelo. Em 2005, quando comemorou seu octogésimo aniversário, ela operava sete unidades de produção em todo o México. Dois anos depois, deu os primeiros passos para construir a oitava e controlava 63% de todo o mercado de seu país.

A maioria das cervejas mexicanas é uma variação das pilsens ou das lagers Viena, da Áustria. Isso acontece porque o homem que se proclamou imperador do México em 1864 era um príncipe da casa dos Habsburgo, filho do arquiduque Franz Karl, da Áustria. Apesar de ter sido derrubado apenas três anos depois, a cultura que introduziu no México, inclusive em relação à cerveja, permaneceu e foi adaptada pelos mexicanos.

Um ano depois da abertura da cervejaria, a Negra Modelo apareceu apenas servida na choperia e, em 1930, já era engarrafada. Permanece como uma das poucas cervejas escuras do México. Porém existe um debate em torno do estilo da Negra Modelo. Muitos acreditam se tratar de uma lager escura, ao estilo Viena, enquanto outros insistem que é mais parecida com uma dunkel à moda de Munique. Encontra-se, de certa forma, em uma categoria à parte, e por isso seu perfil de sabor não se encaixa muito bem em nenhum estilo. De qualquer modo, é uma cerveja com corpo leve, muito sabor e capaz de cumprir a dupla tarefa de não ser pesada demais para o clima quente do México, ao mesmo tempo que é suficientemente saborosa para combinar bem com a picante cozinha daquele país. **JB**

Notas de degustação

A cor é um vibrante âmbar amarronzado. No nariz, predomina a doçura do malte com aroma de nozes. O perfil de sabores é igualmente doce e maltado, com toques de baunilha, caramelo e uma pitada de nozes, como amêndoas. Na boca, é fina mas revigorante, graças ao bom equilíbrio aliado aos sabores plenos.

Newcastle Brown Ale

Newcastle Federation | www.scottish-newcastle.com

País de origem Inglaterra
Lançada em 1927
Teor alcoólico 4,7% vol.
Temperatura ideal 11°C

Para uma cerveja preparada originalmente para os trabalhadores do estaleiro de Tyneside, no nordeste da Inglaterra, a popularidade global da Newcastle Brown Ale chegou às alturas nos últimos setenta anos. "Newkie Broon", como é conhecida por um sem-número de fãs, foi introduzida, a princípio, para contrabalançar o crescimento das vendas de cervejas de Burton-on-Trent e das Midlands. Essas cervejas viajavam para o norte de trem, até Newcastle, na margem norte do Tyne, e para Gateshead, ao sul.

A Newcastle Brown Ale foi produzida inicialmente em uma época em que a maioria das cervejas britânicas era visivelmente mais escura que suas descendentes contemporâneas – a cerveja é translúcida e atraente, uma ale em um tom de marrom-avermelhado, vendida normalmente em uma garrafa de vidro transparente. Logo se tornou favorita em Tyneside, mas sua fama começou realmente a se espalhar em escala nacional quando foi descoberta por uma geração de universitários, depois que a Newcastle Breweries ganhou um contrato para fornecer cerveja para centenas de bares frequentados pelos estudantes em todo o Reino Unido. Esta cerveja vinda da região industrial do nordeste adquiriu, de repente, a condição de chique entre estudantes de classe média. Raramente vendida na torneira, a Newcastle Brown Ale tem uma vocação natural para a exportação.

Durante muitos anos, foi feita no coração de Newcastle, mas essa unidade foi fechada em 2004 e a produção foi transferida para a antiga Federation Brewery, em Gateshead, onde a cerveja é preparada com um teor alcoólico de 7,5%, antes de ser diluída para a potência que chega aos consumidores. Tradicionalmente, deve ser bebida em um copo *schooner* de 285 mililitros – com o bebedor dando pequenos goles antes de servir um pouco mais da bebida fresca. **TH**

Notas de degustação

Cerveja encorpada, com predominância de sabores de açúcar mascavo e bala de caramelo. Notas de fruta se seguem no meio do palato, antes de um final doce e persistente. A cerveja é bem equilibrada e, embora as notas de lúpulo sejam baixas, encontram-se presentes na combinação, com toda a certeza.

Nils Oscar Kalasöl

Nils Oscar Brewery | www.nilsoscar.se

País de origem Suécia
Lançada em 1997
Teor alcoólico 5,2% vol.
Temperatura ideal 10°- 14°C

Há muito que a Suécia mantém uma relação profundamente ambivalente com o álcool. Embora uma votação visando a uma Lei Seca, em 1922, tenha impedido por pouco a proibição cabal, durante muitos anos beber era considerado algo de profundo mau gosto. As coisas mudaram em 1995, quando a Suécia se integrou à União Europeia e encerrou-se o monopólio estatal sobre o álcool. Novas cervejarias se estabeleceram e bares abriram por todo o país. Mas, sem uma cultura nativa sobre o assunto, esses lugares se inspiravam em outros países: Estocolmo tem muitos pubs com temática inglesa, irlandesa e tcheca, mas nenhum que tenha um ar tipicamente sueco.

Considerando-se essa dependência da cultura estrangeira para o consumo de bebidas, não surpreende que uma cervejaria artesanal como a Nils Oscar produza uma variedade de estilos europeus. A Kalasöl, uma cerveja de Oktoberfest, é mais do que apenas outra cópia de um modelo estrangeiro. A Oktoberfest é comemorada em toda a Escandinávia. A cada outono, os bares da Suécia e da Dinamarca são enfeitados com o xadrez azul e branco da Baviera e servem muitas cervejas de Oktoberfest. Kalasöl é uma tradução direta da Festbier alemã, preparada no autêntico estilo da Oktoberfest. De baixa fermentação, é uma lager de cor âmbar, com maltes caramelo e tostado adicionados a uma base de malte claro e Munique. Os lúpulos são um pouco mais ecléticos do que os de uma Festbier tradicional, com Cascade e Fuggle se juntando a Saaz e Hallertau, mais tradicionais. Produzida a princípio como uma cerveja sazonal, a Kalasöl se tornou tão popular que agora é servida o ano inteiro. Fica melhor ao lado de comidas consistentes, como assados, cozidos bem temperados, grelhados e aves. **PB**

Notas de degustação

Ao servir, a cerveja apresenta um tom intenso de âmbar acobreado, com uma espessa coroa bege e um aroma repleto de toffee, malte tostado e pão fresco. Sabores complementares de pão, biscoito, nozes e caramelo no palato são pefeitamente equilibrados por uma personalidade de lúpulo picante e cítrica.

A icônica logomarca da Nils Oscar apresenta o avô do atual dono da empresa. →

Nils Oscar®

Nivura

Birrificio Scarampola | www.birrificioscarampola.it

País de origem Itália
Lançada em 2004
Teor alcoólico 6,5% vol.
Temperatura ideal 10°- 12°C

Maurizio Ghidetti começou a produzir cerveja em 2002, na Osteria del Vino Cattivo (Osteria do Vinho Malvado), e imediatamente decidiu demonstrar a paixão pelas bebidas sem filtragem e sem pasteurização. Desde o início, Ghidetti ficou fascinado por ingredientes locais e bem incomuns: uma de suas primeiras criações, ainda em produção, era uma IPA. Na maior parte dos casos, essas são as iniciais de India Pale Ale, mas, no caso de Ghidetti, o "P" vem a ser *pompelmo*, ou melhor, "toranja" em italiano.

A Nivura segue os mesmos princípios da filosofia de Ghidetti. É uma pale ale de alta fermentação, ao estilo belga, enriquecida com castanhas – a adição delas reflete-se no nome da cerveja. Nivura é uma região onde as castanheiras são tradicionais e permanecem como fonte de trabalho para a pequena comunidade. Junto com as castanhas, o malte claro é acompanhado por uma pitada de malte negro, que ajuda a dar mais cor à cerveja. As castanhas são colhidas de setembro a outubro e depois espalhadas no primeiro andar das pequenas casas onde vão secar (*"tecci"*, em dialeto local). Durante três semanas, uma fogueira queima por baixo delas, de forma bem lenta, secando as castanhas para dar-lhes o aroma defumado.

Cervejas de castanhas são bem populares na Itália. É um estilo desenvolvido por razões históricas, pois eram o alimento tradicional para as pesssoas que moravam nas montanhas durante a última guerra. A Nivura é um dos melhores exemplos desse estilo, uma cerveja com sabor original, harmoniosa e fácil de beber, muito boa para acompanhar queijos macios. **MM**

Notas de degustação

Cor de âmbar, turva, com uma espuma espessa e refinada. O aroma é complexo e articulado, com castanha defumada, mel e notas florais. Bem equilibrada no paladar, esta cerveja revela de imediato uma doçura elegante e termina com um gosto residual sublinhado mais uma vez pelas castanhas.

Nor'wester

The Dux Brewing Co. | www.thedux.co.nz

País de origem Nova Zelândia
Lançada em 1993
Teor alcoólico 6,5% vol.
Temperatura ideal 10°- 12°C

Fundado em 1978 em Christchurch, Dux de Lux foi o primeiro restaurante vegetariano da cidade. Um ano depois, o Dux acendeu o fogo em suas primeiras caldeiras de brassagem e é agora uma das mais antigas choperias da Nova Zelândia. No final de 2003, adquiriu uma segunda choperia na cidade turística de Queenstown. A produção das excelentes cervejas do grupo está dividida entre as duas.

Depois de começar com apenas duas cervejas – a maltada Dux Lager e a tostada Hereford Bitter –, o cervejeiro Richard Fife expandiu sua gama e agora supervisiona a produção de sete cervejas permanentes, além de lançamentos sazonais regulares. Com experiência de *chef* de cozinha e paixão pela produção cervejeira, Fife adora fazer experiências com sabores, e cervejas envelhecidas em barris de vinho usados previamente para guardar Pinot Noir são uma especialidade ocasional. A linha da Dux atende a maioria dos gostos, com pilsens douradas refrescantes; lagers mais escuras e maltadas nos estilos Viena e Munique; uma stout seca cremosa, à moda irlandesa; cervejas de gengibre (alcoólicas e não alcoólicas); a lendária Nor'wester, uma pale ale forte; e a Sou'wester, uma stout doce para o inverno. Até recentemente, as cervejas eram oferecidas apenas na torneira dos pubs, mas desde meados de 2008 uma seleção delas passou a ser oferecida em garrafas.

Com o passar dos anos, as duas choperias ganharam um punhado de prêmios, mas a aclamação suprema veio em 2003, quando a Nor'wester ganhou o título de Grande Campeã nos Prêmios Internacionais de Cerveja da Austrália. Batizada com o nome dos ventos que ressecam a planície da Cantuária, esta bebida complexa é feita com a moagem de seis maltes britânicos e alemães, lúpulos dos dois lados do Pacífico e uma levedura de ale fornecida pela Truman's, de Londres. **GG**

Notas de degustação

Quando servida, apresenta um atraente tom de geleia de laranja sob uma coroa de espuma cor de canela. O aroma pungente da cerveja combina toffee, caramelo, chocolate, fumaça, frutas escuras e lúpulos cítricos, enquanto o paladar é cremoso, de dar água na boca, com malte, frutas e resina de lúpulos se fundindo até chegar a um final longo e agridoce.

Nostradamus

Brasserie Caracole
www.brasserie-caracole.be

País de origem Bélgica
Lançada em 1993
Teor alcoólico 9,5% vol.
Temperatura ideal 10°- 15°C

A Nostradamus é escura, intensa, complexa, alcoólica e atraente – descrições que funcionam tanto para ales de Natal quanto para muitos exemplares da Valônia. A cerveja é, de fato, as duas coisas, tendo começado sua vida como Cuvée de l'An Neuf. Um conjunto de maltes coloridos e tostados ajuda a dar a ela uma personalidade rica e tostada. Os lúpulos incluem Saaz e Hallertau. Muitos degustadores encontram alcaçuz nesta cerveja, mas seus produtores negam o uso dessa especiaria. De fato, são muito criteriosos na seleção dos ingredientes usados e não supreende que uma série de bebidas tenha certificação de produtos orgânicos. A estética também interpreta um papel na imagem da cerveja. Dê uma olhada em Nostradamus: o adivinho medieval francês contempla o mundo sob a forma de um caracol (*caracole*). Tal atenção aos detalhes apenas torna a cerveja ainda mais convidativa, e agora ela está disponível para consumo o ano inteiro. **JPa**

Notas de degustação

No nariz, é perfumada e adocicada, lembrando nozes. Notas de álcool também estão presentes. No paladar, há caramelo doce, um toque levemente tostado e presença de frutas. Muito encorpada.

Obliteration V

Midnight Sun Brewing Co.
www.midnightsunbrewing.com

País de origem Estados Unidos
Lançada em 2009
Teor alcoólico 8,2% vol.
Temperatura ideal 5°C

A Obliteration V é a quinta de uma série de cervejas experimentais produzidas pela Midnight Sun, premiada cervejaria com sede em Anchorage, Alasca. A cada Obliteration, a Midnight Sun emprega diferentes variedades de lúpulo, de forma que o consumidor possa experimentar a personalidade que cada um deles imprime na bebida. A Obliteration V é produzida com lúpulos ricos em ácidos alfa, Warrior e Nugget, e Amarillo é acrescentado à mistura na fase de *dry hopping*. "Listamos os lúpulos empregados em cada garrafa, para que todo mundo possa ter uma sensação do sabor deles em níveis bastante extremos", diz o mestre cervejeiro Gabe Fletcher.

A Midnight Sun produz cervejas no Alasca desde 1995. Seu nome vem das longas horas de sol desfrutadas pelos moradores de Anchorage durante os meses de verão, graças à proximidade da cidade do Polo Norte. **LMo**

Notas de degustação

Aromas de resina de pinho e toranja se manifestam ao servir. O primeiro gole entrega outro golpe de lúpulo, mas toques de malte e de doçura de frutas mantêm o amargor deliciosamente sob controle.

Oerbier

De Dolle Brouwers
www.dedollebrouwers.be

País de origem Bélgica
Lançada em 1980
Teor alcoólico 9% vol.
Temperatura ideal 12°C

Ainda na década de 1970, os três irmãos Herteleer preparavam cerveja, cheios de entusiasmo, na banheira da mãe. O objetivo era criar uma bebida essencial, com um olhar do oeste de Flandres, província que responde por boa parte da tradição cervejeira belga. Obviamente, sabiam o que estavam fazendo, porque se inscreveram em um concurso e ganharam. Em seguida, encontraram uma cervejaria que havia fechado as portas na cidade de Esen, perto de Diksmuide, e começaram a produção.

Quatro maltes, açúcar mascavo de confeiteiro e lúpulo Golding de produção local são usados para garantir à cerveja a típica personalidade Oerbier. A cervejaria recomenda que se armazene a bebida por alguns anos, de preferência a uma temperatura de 8°C, como acontece em seus porões, antes de consumi-la. É uma verdadeira reviravolta, pois as primeiras edições da Oerbier traziam um prazo de validade de cem dias. **JPa**

Notas de degustação
Nariz muito frutado com ameixas, uvas e maltes claros e escuros. Ao paladar, é amarga no princípio, apresentando a seguir um pano de fundo doce, frutado, que lembra toranja e dura até o final.

Oerbier Special Reserva

De Dolle Brouwers
www.dedollebrouwers.be

País de origem Bélgica
Lançada em 2002
Teor alcoólico 13% vol.
Temperatura ideal 14°C

Os "cervejeiros malucos" de Esen faziam bebidas radicais antes que isso virasse moda entre os produtores artesanais dos Estados Unidos. A primeira foi a Oerbier, em 1980. A mais recente e rara é a Oerbier Special Reserva, envelhecida por dezoito meses em barris de vinho francês de Bordeaux, que deve mais à tradição flamenga de ale azeda do que à recente mania de envelhecer cervejas artesanais em barris. Porém, a escala e a complexidade desta cerveja deixam a maior parte das ales flamengas a ver navios, pois é uma bebida que inspira profunda contemplação.

Nesse caso, o envelhecimento em barris adiciona camadas de sabor ao que já é uma das mais interessantes cervejas do mundo. A Oerbier é bem potente, para começo de conversa, iniciando com 9% de álcool. O produto final encontra-se no limiar dos 13%. É tão grande quanto um vinho, porém o vinho raramente – se é que isso acontece alguma vez – tem um sabor tão intenso e forte. Não é uma cerveja para ser bebida, e sim para ser bebericada. **JS**

Notas de degustação
O nariz traz à mente cerejas azedas, vinagre balsâmico, rum escuro e toques de chocolate. Um amargor moderado chega tarde e se junta a um pouco de álcool e torta de frutas em um gosto residual que se prolonga.

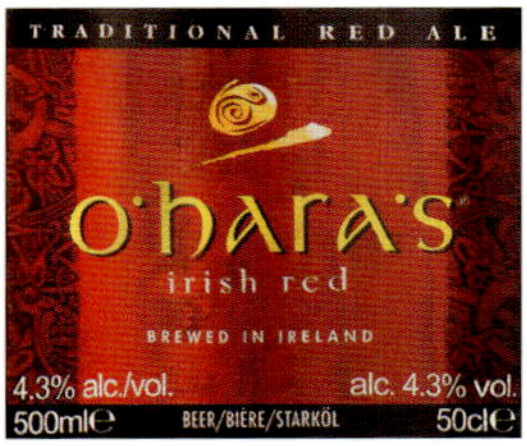

O'Hara's Irish Red

Carlow Brewing Company
www.carlowbrewing.com

País de origem Irlanda
Lançada em 1998
Teor alcoólico 4,3% vol.
Temperatura ideal 10°C

Nos últimos anos, as grandes cervejarias da Irlanda reduziram a produção de ale ruiva, favorecendo as lagers que agora dominam o mercado no país. Isso abriu um nicho para um punhado de microcervejeiros, que sempre apresentam em sua linha de produtos uma bem-sucedida ruiva irlandesa. A O'Hara's Red, conhecida antes como Moling's Irish Red, nome inspirado no do santo da localidade onde fica a cervejaria Carlow, encontra-se entre as melhores do gênero. O ingrediente fundamental para o estilo é o malte cristal, oferecendo um sabor peculiar de caramelo e *toffee* e aroma que traz uma seleção de frutas de verão.

Cerveja aconchegante, reconfortante, com um teor alcoólico que a torna indicada para sessões prolongadas, a O'Hara's Red fica melhor na garrafa, na temperatura do armazenamento, embora esteja disponível ocasionalmente fria, servida na torneira. Enquanto as raízes estilísticas encontram-se em uma forma simplificada de ale irlandesa, ela se destaca como um testemunho do talento e do entusiasmo infatigáveis dos pequenos produtores irlandeses. **JD**

Notas de degustação

De um vermelho intenso, com leve brilho e uma coroa branca e firme. Os sabores de caramelo doce e tostado fazem com que seja um acompanhamento perfeito para pratos à base de carne, como porco assado ou cozido à irlandesa.

Okocim Mocne

Browar Okocim
www.okocim.pl

País de origem Polônia
Lançada em *ca*. início do século 20
Teor alcoólico 7% vol.
Temperatura ideal 4°- 7°C

A tradição da produção cervejeira da Polônia há muito é obscurecida por seus vizinhos da Europa Central. Varsóvia e Cracóvia talvez não tenham a mesma história ou cultura de Munique e Praga, mas o século 21 parece estar prestes a alterar esse desequilíbrio.

A Okocim é uma das mais antigas cervejarias do país e domina o mercado nacional ao lado da Zywiec e da Kompania Piworwarska. Johann Evangelical Gotz fundou a cervejaria na cidade de Brzesko em 1845, inspirado pela criação da Pilsner Urquell, de Joseph Groll, três anos antes, na região oeste da Boêmia. O prédio impressionante encontra-se basicamente no mesmo local em que a produção de cerveja teve início.

Traduzida como "forte", a Mocne faz jus ao nome, com um intenso sabor de malte, popular com os consumidores que desejam algo mais intenso para satisfazer um paladar acostumado à vodca. **SG**

Notas de degustação

Quando servida, apresenta cor âmbar clara com uma saudável coroa de espuma que diminui até se tornar uma camada final, emitindo um nariz floral e lupulado. O paladar é atingido por um sabor de caramelo doce do malte, com toques sutis de fruta.

Cenas do passado da histórica cervejaria Okocim. →

Old Boardhead Barleywine Ale

Full Sail Brewing | www.fullsailbrewing.com

País de origem Estados Unidos
Lançada em 1990
Teor alcoólico 9% vol.
Temperatura ideal 7°C

A Old Boardhead é uma espécie de cerveja do contra. Como tantos barleywines, o nome inclui a palavra "velho", mas a ale está longe de ser amadurecida, passando apenas um mês na cervejaria antes de ser entregue ao público. Muitos barleywines são projetados para serem envelhecidos ou armazenados, mas, com um teor alcoólico relativamente baixo de 9%, a Old Boardhead é feita para ser desfrutada assim que sai da cervejaria – embora o envelhecimento permita que apareçam alguns sabores interessantes e desejáveis. Na verdade, a Old Boardhead costuma ser tema de degustações verticais de variadas safras.

Ao contrário de muitos outros barleywines preparados uma vez por ano para a temporada de inverno, a Old Boardhead é feita várias vezes durante o ano, para atender a demanda e também para garantir que a cerveja esteja o mais fresca possível. A receita muda a cada ano e depende principalmente das variedades de lúpulo disponíveis na época da primeira produção, no outono.

O início foi como uma edição especial para ser servida na pressão quando o ex-cervejeiro Greg Knutson, hoje diretor de recursos humanos da Full Sail, decidiu fazer um barleywine. Voltou a ser preparada no início dos anos 1990, depois que a Full Sail abriu uma pequena cervejaria ao lado do restaurante Harborside, de McCormick e Schmick, em Portland, Oregon. "A abertura da cervejaria de Portland nos permitiu tirar a naftalina da antiga Full Sail e fazer algumas pequenas levas", diz o mestre cervejeiro John Harris. A Old Boardhead foi uma delas e, no final das contas, em 1998, tornou-se uma produção anual para atender um consumo que se mantinha constante. **LMo**

Notas de degustação

Aromas ricos e maltados de açúcar e caramelo dançam com álcool forte e cítricos. Uma doçura inicial de açúcar mascavo e caramelo fica em segundo plano por causa dos lúpulos e das especiarias, à medida que o álcool desabrocha com um caloroso ardor nesta cerveja sedosa e harmônica.

Old Crustacean

Rogue Ales | www.rogue.com

País de origem Estados Unidos
Lançada em 1989
Teor alcoólico 11,5% vol.
Temperatura ideal 10°C

A Old Crustacean é uma cerveja de peso, com teor alcoólico de 11,5% e 120 IBU certificados pelo Instituto Siebel de Tecnologia. A receita vem de uma ale ao estilo barleywine produzida inicialmente em 1986 pelo mestre cervejeiro da Rogue, John Maier, quando ele ainda era um produtor caseiro. (Maier ganhou o título de Cervejeiro Caseiro do Ano da Associação Americana dos Produtores Caseiros em 1988, antes de se profissionalizar.) Ele diz que as inspirações para as primeiras levas de barleywine feito em casa incluíam a Big Foot, da Sierra Nevada, e a Old Foghorn, da Anchor.

Pouco depois de começar a trabalhar para a Rogue, Maier e o assistente Nate Lindquist modificaram a receita premiada para que ela entrasse em produção comercial. Lindquist sugeriu o nome de Old Crustacean em honra dos habitantes das profundezas do oceano Pacífico, que se encontra a alguns passos da entrada da Rogue em Newport, Oregon. Produzir uma cerveja tão poderosa em um sistema pequeno e iniciante, porém, demonstrou ser um desafio.

Quando sai da cervejaria, a "Old Crusty", como costuma ser chamada, é feita para ser armazenada e, como um bom vinho, assume diferentes nuances com a passagem do tempo, se devidamente tratada. "Recentemente, fizemos uma degustação de Old Crustacean com garrafas desde 1993 até 2006", diz Maier. "Foi espantoso constatar como as mais antigas se sustentaram. Havia agradáveis e harmoniosas características de xerez nas mais velhas, que eram mesmo muito boas." Feita para ser bebericada e saboreada lentamente, a Rogue chama a Old Crustacean de "o conhaque das cervejas". **LMo**

Notas de degustação

Intensa, robusta, com uma imensa presença de lúpulos com cítricos e pinho e uma forte estrutura de malte, doce, mas sem exageros. Um toque de frutas e um golpe caloroso de álcool são bem-vindos a este barleywine, acrescentando complexidade à Old Crustacean.

Old Foghorn

Anchor Brewing Company | www.anchorbrewing.com

País de origem Estados Unidos
Lançada em 1975
Teor alcoólico 8,8% vol.
Temperatura ideal 9°C

Durante a década de 1970, a cultura cervejeira norte--americana era extremamente diferente da que conhecemos hoje em dia, e, naqueles anos, Fritz Maytag deu duro para salvar a Anchor Brewing da falência iminente. Com exceção de algumas importadas que apareciam nas prateleiras, as cervejas disponíveis eram bastante homogêneas e o trabalho duro de Maytag ajudou a construir sua fama de produtor de bebidas singulares e de alto padrão.

Em 1975, Maytag viajou para a Inglaterra para inspirar-se na tradição cervejeira daquele país. Ficou surpreso ao descobrir mais técnicas convencionais do que tradicionais, mas houve algo que despertou seu interesse: barleywine. Nunca havia ouvido falar do estilo e ficou intrigado – uma ale que mantém alguma doçura porque a fermentação é interrompida devido à alta presença de álcool. Não havia nada de semelhante nos Estados Unidos. Era raro até mesmo na Inglaterra.

Assim que voltou para casa, a Anchor produziu a Old Foghorn em novembro de 1975. Levava 100% de malte, usando apenas as primeiras mostras da tina de maceração, carregada com lúpulos Cascade (uma das primeiras vezes em que foi usado em uma cerveja comercial). A cervejaria chegou a fazer *dry hopping*, processo inédito na época. Foi finalmente engarrafada na primavera de 1976.

Maytag ficou empolgado com o resultado, mas levou algum tempo para que fossem vendidas as primeiras levas de Old Foghorn, pois era algo de peculiar. Porém, com o tempo, as pessoas passaram a entender a tradição que está por trás dela. Hoje, com nove a dezoito meses de *dry hopping*, é um dos barleywines mais famosos do mundo. **MO**

Notas de degustação

O nariz é pleno e equilibrado, lembrando caramelo escuro com algum aroma de pinho do lúpulo, e uma sutil personalidade de rum. Saborosa, começa com uma substancial doçura que sugere uma textura pegajosa na boca. A resina dos lúpulos se esgueira silenciosamente, com aromas de frutas secas que permanecem até o final.

Old Hooky

Hook Norton Brewery | www.hooky.co.uk

País de origem Inglaterra
Lançada em *ca.* 1900
Teor alcoólico 4,6% vol.
Temperatura ideal 11°C

Ninguém parece saber por que ou de que maneira a Old Hooky ganhou este nome, pois não é, na realidade, uma ale antiga. É, isso sim, uma bitter encorpada e forte. É um estilo tradicionalmente trabalhado por muitos cervejeiros britânicos, como uma versão mais forte de sua bitter comum, que teria normalmente um teor alcoólico em torno de 3,6%.

O malte claro Maris Otter e o cristal são usados juntos na mosturação, com um pouco de malte de trigo (bom para a retenção da coroa de espuma), com o bagaço transformado em ração para os animais de um fazendeiro local. O mosto não fermentado é cozido com um coquetel de lúpulos Challenger, Fuggle e Golding, que fornece profundidade de sabor aromático e amargor. Os lúpulos secos são colocados nos barris e dão mais toque final de notas florais.

A maior parte da histórica cervejaria de Oxfordshire continua como era há mais de um século, quando o grande arquiteto William Bradford a projetou, embora novas tinas de mosturação, fermentadores e um silo de malte tenham sido instalados nos últimos anos. Embora celebre a tradição e a herança cultural, ela não está presa ao passado. O cervejeiro e atual executivo chefe, James Clark, diz que seu tataravô John Harris, fundador da empresa, teria adotado recipientes de aço inoxidável para fazer a Old Hooky, se estivessem disponíveis.

Um centro de visitantes funciona na antiga maltaria. O prédio também abriga um museu e uma coleção de lembranças da aldeia, contando a história das ales de Hook Norton. Aqueles com nariz e olhos apurados para o passado cervejeiro também podem agendar excursões à Hook Norton. **TH**

Notas de degustação

No copo, uma intensa cor de cobre. Esta cerveja de equilíbrio maravilhoso tem um intenso aroma do malte Maris Otter. O gosto é frutado por natureza – com toques de tangerina e bolo de frutas –, bem equilibrado pelo amargor do lúpulo. O final é longo e profundamente satisfatório.

Old Stock Ale

North Coast Brewing | www.northcoastbrewing.com

País de origem Estados Unidos
Lançada em 2000
Teor alcoólico 12,5% vol.
Temperatura ideal 13°C

Com teor alcoólico que se iguala ao de muitos vinhos, acrescido de uma quantidade mais do que generosa de lúpulo, que funciona como um conservante natural, a Old Stock Ale da North Coast não foi feita para ser desfrutada imediatamente após a compra (embora seja bem saborosa assim que sai da cervejaria). É feita para passar um tempo no porão, repousando na garrafa como um vinho do Porto, até que o doce néctar em seu interior desabroche em uma sinfonia de sabores que rivalizam com os de qualquer coisa produzida a partir da uva. As garrafas são datadas por safra, para saber quando a cerveja alcançou seu apogeu.

O presidente e mestre cervejeiro da North Coast, Mark Ruedrich, diz: "Encorajamos degustações verticais de Old Stock." Ruedrich, que morou em Devon, na Inglaterra, durante alguns anos na década de 1970, diz que a Old Stock é preparada com o clássico malte claro Maris Otter e lúpulos Fuggle e East Kent Golding, tudo importado da Inglaterra. "A Old Stock, nossa cerveja mais inspirada naquele país, é minha homenagem ao sudoeste – da Inglaterra, quer dizer", declara, acrescentando que a Old Stock é imbatível na harmonização com queijos. Dentro da temática inglesa, ele diz: "É perfeita com Cheddar da fazenda, como o Montgomery ou o Keen's (ambos produzidos no sudoeste da Inglaterra), ou com Lincolnshire Poacher. Idem com Parmigiano Reggiano – minha harmonização favorita."

Pioneira no movimento de produção artesanal, a North Coast abriu em 1988 como bar em Fort Bragg, na Costa Mendocino, na Califórnia. Além das marcas North Coast, ela ressuscitou a Acme, histórica cervejaria de São Francisco, com uma tradição que remonta à década de 1860. **LMo**

Notas de degustação

Aromas de toffee, carvalho e frutas escuras anunciam os sabores desta cerveja. Uma estrutura forte de caramelo abre o caminho, enquanto toques doces de chocolate, rum e ameixa levantam voo. Uma presença alcoólica, parecida com bourbon, torna a Old Stock Ale uma agradável forma de encerrar a noite.

Old Thumper Extra Special Ale

Shipyard Brewing | www.shipyard.com

País de origem Estados Unidos
Lançada em 1994
Teor alcoólico 5,9% vol.
Temperatura ideal 10°C

A história de como a Old Thumper Extra Special Ale começou a ser produzida pela Shipyard Brewing, no Maine, é um tanto incomum. O cervejeiro britânico Peter Austin, fundador da Ringwood, em Hampshire, na Inglaterra, começou a fazer esta ale em 1978 (Austin costuma ser visto como o pai da revolução das microcervejarias do Reino Unido). Era conhecida como a "No Name Bitter". Houve uma promoção no rádio para dar nome à bebida e o vencedor contou uma história dizendo que apreciava tanto a cerveja no pub perto de sua casa que havia exagerado. Disse que acordou na manhã seguinte com tanta dor de cabeça que parecia que alguém o espancava. Por isso, ela deveria se chamar "Old Thumper" ("Velho Espancador"). Como prêmio, ele ganhou nove litros anuais de Old Thumper pelo resto da vida. Uma década depois, a Old Thumper Extra Special Ale ganhou o título de Grande Campeã no Grande Festival Britânico da Cerveja.

Alan Pugsley, mestre cervejeiro da Shipyard, fez treinamento com Austin na Ringwood. Em 1992, Pugsley e o empresário Fred Forsley começaram a produzir cerveja no Federal Jack's Restaurant and Brewpub, em Kennebuck, Maine. A dupla logo abriu uma cervejaria na orla de Portland, Maine, na antiga fundição Crosby Laughlin. Foi natural para Pugsley obter licença para produzir a Old Thumper na Shipyard, a partir de outubro de 1994. O lançamento americano teve a participação simultânea de 35 tavernas da Nova Inglaterra, conectadas por telefone à Shipyard, no Maine, e à Ringwood, na Inglaterra.

Atualmente, a Shipyard envia cerveja para mais de trinta estados e produz uma linha de doze variedades, entre elas a Summer Ale, feita com trigo; a Pumpkinhead, com abóbora e especiarias; e a Longfellow Winter Ale, um híbrido de porter e scotch ale. **RL**

Notas de degustação

Esta saborosa cerveja de cor âmbar acobreada apresenta uma generosa coroa creme. O nariz traz uma série de leves notas de lúpulo, enquanto sabores frutados dançam no paladar. No conjunto, a Old Thumper dá uma sensação muito harmoniosa na boca, com uma agradável nota de lúpulo no final.

Olde Deuteronomy Barley Wine

Alley Kat Brewing | www.alleykatbeer.com

País de origem Canadá
Lançada em 1995
Teor alcoólico 10% vol.
Temperatura ideal 13°C

Neil Herbst, cofundador da Alley Kat, dava um curso sobre cerveja caseira no campus da Universidade de Alberta, perto de Edmonton, quando teve a ideia de abrir sua própria cervejaria artesanal. Por sorte, a ideia veio na mesma hora em que perdeu o emprego e, com ajuda da indenização que recebeu, ele foi capaz de bancar o novo projeto. Ainda mais afortunado foi o fato de um de seus alunos, Richard Cholon, também enxergar o potencial de uma cervejaria artesanal instalada em Edmonton. A inauguração foi pouco depois, em 1995, e os dois criaram a imagem da cervejaria com um toque de excentricidade, usando figuras às vezes cômicas de "kool kats" ("gatos descolados") nos rótulos – um estilo que hoje aparece apenas na embalagem da Olde Deuteronomy – e enfatizando as imagens felinas em todas as ocasiões. Porém, a cerveja por trás dos "gatos" não se valia de artifícios, recebendo numerosos prêmios ainda nos primeiros anos da operação.

Cholon acabou saindo da sociedade, substituído por Lavonne, esposa de Herbst, e a cervejaria prosseguiu seu processo lento, mas constante, de penetração no duro mercado do norte de Alberta. Cervejas foram somadas e subtraídas do portfólio da empresa nos anos que se seguiram, mas aquelas que sobreviveram ajudaram a consolidar uma ainda crescente reputação de produtos de qualidade.

Por mais estranho que pareça, considerando-se os ventos frios que assolam o país e que fazem crer que o Canadá receberia de braços abertos bebidas próprias para o inverno, o país não tem sido um terreno fértil para o estilo de cerveja conhecido como barleywine. Por isso, a decisão de Herbst de manter uma bebida desse tipo, mesmo de produção esporádica, é muito bem-vinda. **SB**

Notas de degustação

O nariz da Olde Deuteronomy é quase tão fascinante quanto seu sabor, oferecendo uma complexa combinação de especiarias, caramelo de chocolate e frutas escuras e secas. No corpo, sabores de toffee e especiarias levam a um rico frutado antes de um final prolongado e caloroso.

OMB Copper

Olde Mecklenburg Brewery | www.oldemeckbrew.com

País de origem Estados Unidos
Lançada em 2009
Teor alcoólico 4,8% vol.
Temperatura ideal 6°C

A Olde Mecklenburg Brewery fica localizada em um prédio de tijolos recuperado na zona sul de Charlotte, na Carolina do Norte. A cervejaria, uma sociedade entre Jon Hayward, Carey Savoy e John Marrino, fez sua primeira bebida para consumo do público em 2009. Marrino apaixonou-se pelos estilos alemães enquanto vivia em Bielefeld, na Alemanha. Depois que deixou o emprego em uma empresa de tratamento de água nos Estados Unidos, ele levou a família em uma viagem de três meses pelo país. Um dia, leu no jornal a respeito do renascimento da Narragansett Brewery, em Rhode Island, e lhe ocorreu a ideia de entrar no ramo.

Marrino começou a preparar cerveja caseira, a participar de festivais e a visitar cervejarias. Toda essa experiência lhe confirmou que havia uma oportunidade de se fazer tradicionais estilos alemães nos Estados Unidos. Ele montou um plano de negócios e encontrou sócios e financiamento para lançar a Olde Mecklenburg Brewery. A empresa trouxe da Alemanha, como consultor, um experiente cervejeiro de Altbier.

A OMB Copper é uma Altbier à moda de Düsseldorf, maturada, feita a partir do processo de decocção, em que uma parte da mostura é separada, cozida à parte e depois volta a ser misturada. O resultado é uma cerveja revigorante, com doçura sutil e complexidade. O complicado processo de produção exige que, quando a Altbier está sendo feita, o dia comece às 5h30 e termine perto da meia-noite. A Olde Mecklenburg também produz uma Kölsner – um híbrido de Kölsch e pilsen de cor mais clara e sabor mais lupulado – e uma sazonal de outono, a Mecktoberfest. **RL**

Notas de degustação

Apresenta uma coloração âmbar reluzente com um colarinho fofo. O aroma inicial é ligeiramente doce. A cerveja oferece um perfil de sabores pleno, que não exagera no peso, iniciando-se com uma satisfatória personalidade maltada que chega a um final límpido e revigorante.

Orval

Brasserie de l'Abbaye Notre-Dame d'Orval | www.orval.be

País de origem Bélgica
Lançada em 1932
Teor alcoólico 6,2% vol.
Temperatura ideal 7°- 10°C

Uma cervejaria, um nome, uma cerveja – quantos produtores ficam satisfeitos em manter tanta simplicidade, nos dias de hoje, e continuar a fazer sucesso. Os monges trapistas de Orval, no canto sudeste da província de Luxemburgo, na Bélgica, conseguem isso perfeitamente. Os negócios vão bem para essa magnífica abadia e seus residentes, em especial depois da instalação da cervejaria, em 2008.

Jean-Marie Roc é o emblemático cervejeiro e fica feliz em servir aos convidados algo realmente exclusivo: Orval na torneira. Com certeza é diferente da cerveja engarrafada, mas a essência é a mesma. E também há a Petit Orval, bebida servida aos monges nas refeições. Mais uma vez, trata-se da mesma coisa, apenas diluída. Algumas pessoas vão dizer que não existem duas garrafas iguais de Orval, talvez porque a cerveja viaja mal. Porém, ela envelhece de uma forma notável e é difícil decidir o que é melhor: uma garrafa que acaba de ser aberta na cervejaria ou uma coberta de poeira, que permaneceu durante anos no porão.

As primeiras cervejas, preparadas pelos monges com alguma ajuda externa, eram bem diferentes daquelas que conhecemos agora. Tanto o alemão Braumeister Papperheimer quanto o professor de técnicas de produção Jean De Clerck, de fama mundial, imprimiram suas marcas na bebida. Talvez seja por isso que ela é incomparável. A força alcoólica da garrafa vai variar de acordo com o local da compra – porque ninguém pode dizer quando vão parar de fermentar as leveduras *Brettanomyces* adicionadas às garrafas. *Dry hopping* com East Kent Golding também aumenta o poder de sedução. A garrafa arredondada, com design influenciado pelo estilo art déco, completa o charme desta magnífica cerveja. **JPa**

Notas de degustação

O nariz tem amargor obtido de verduras, especiarias e flores. O sabor começa bem amargo, depois é equilibrado pelo malte até quase chegar à doçura. Finalmente, há toques de casca de tangerina, brotos de lúpulo e azeitona. Uma carbonatação leve, parecida com a do champanhe, com um amargor persistente no final.

Ostfriesen Bräu Landbier Dunkel

Ostfriesen Bräu | www.ostfriesenbraeu.de

País de origem Alemanha
Lançada em 1999
Teor alcoólico 4,8% vol.
Temperatura ideal 8°C

Alagadiços, diques, pântanos e charnecas – a Frisia Oriental é uma região plana, rural, pouco habitada. Muitos turistas acorrem a essa região ao norte da Alemanha, alguns de bicicleta, outros de barco. Apreciam a orla marítima, constroem castelos de areia na praia e nadam no mar do Norte, quando as condições climáticas ajudam. Para muitos daqueles que precisam lidar com nuvens cinzentas, chuvas e ventos, a Landbier Dunkel, da Ostfriesen Bräu, é a solução.

Existem apenas umas poucas cervejarias no norte da Alemanha. Além de uma pequena choperia em Werdum, a Ostfriesen Bräu é a única opção na região. Com sede no pequeno vilarejo de Bagband, ela se destaca como um farol. E sua cerveja é mesmo digna de ser lembrada, uma escura de alma leve, com um delicioso corpo de caramelo.

O proprietário e cervejeiro René Krischer abriu as portas em 1999 e transformou a comunidade de Bagband em um "vilarejo da cerveja" do dia para a noite. Além de estabelecer a cervejaria em um antigo laticínio, ele montou um pub, um restaurante e um museu onde as pessoas podem participar de seminários e também produzir sua própria cerveja. Como a bebida, no norte da Alemanha, é loura e amarga, Krischer fez questão de produzir uma lager escura, de boa qualidade, só para ser diferente. Para a Landbier Dunkel, ele usa apenas maltes escuros e tostados em um trabalhoso processo de decocção da mostura, em que uma parte do mosto é retirada e cozida em um recipiente separado. Depois, é reintroduzida na caldeira para aquecer o restante. O cozimento nesse tipo de processo acentua a cor. A cerveja não é filtrada nem pasteurizada, e um longo período de maturação a frio garante seu equilíbrio e sua harmonia. **SK**

Notas de degustação

Marrom-acobreado com nuances em rubi, o nariz é agridoce, com um sussurro de frutas silvestres e caramelo. Espere uma bebida meio amarga, que chega a um corpo médio com sabores tostados e de caramelo. Um amargor delicado se apresenta e leva a cerveja a um final floreado.

Otter Head

Otter Brewery | www.otterbrewery.com

País de origem Inglaterra
Lançada em 1991
Teor alcoólico 5,8% vol.
Temperatura ideal 12°C

Ainda nos anos 1980, David McCaig trabalhava para a gigante cervejeira Whitbread, na fábrica de Liverpool. O fechamento estava em jogo e McCaig resolveu se aposentar. Estabeleceu-se em Devon, onde começou a fazer móveis. Porém, uma vez cervejeiro, sempre cervejeiro. Em 1990, montou a Otter Brewery em uma antiga fazenda no alto das colinas ao norte da pequena cidade de Honiton. Como a nascente do rio Otter (lontra) ficava bem próxima, só poderia haver um nome para o empreendimento. A lontra também se tornou parte da marca da cervejaria, embora o que se vê na garrafa ou nas bolachas de chope seja uma representação que tem mais relação com Picasso do que com o romance de Henry Williamson *Tarka, a lontra*.

A Otter Brewery tem muita relação com interesses familiares. Os ancestrais de Mary-Ann, esposa de McCaig, foram donos da Oak Brewery em Westbury, Wiltshire. "A cerveja corre no sangue", diz ela. Patrick, um dos filhos, cuida do marketing, enquanto Angus, seu irmão, comanda o bar, o Holt, em Honiton. As cervejas são distribuídas na região do West Country e além.

As primeiras a aparecer foram a Otter Ale e a Bitter, mas pouco depois houve o lançamento da Otter Head, uma cerveja forte, de coloração castanha, que desde então permanece cultuada como favorita dos fãs da cervejaria. Enquanto a Bitter leva de seis a sete dias no processo de fermentação e maturação, a Head leva, no mínimo, dez. Esse período permite que seja produzida uma cerveja saborosa e reconfortante, que, apesar de disponível durante o ano inteiro, é especialmente satisfatória durante os dias úmidos e sombrios do inverno. **ATJ**

Notas de degustação

Ale forte, de intenso sabor, com aromas de toffee, *malte e resinas do lúpulo no nariz. No palato, há malte, frutas, nozes e frutas vinosas, até mesmo vestígios de chocolate, equilibrados por um final repleto de lúpulo, com uma secura duradoura.*

Palm

Brouwerij Palm | www.palmbreweries.com

País de origem Bélgica
Lançada em 1904
Teor alcoólico 5,4% vol.
Temperatura ideal 12°- 14°C

As cervejas belgas são famosas no mundo inteiro por sua qualidade, mas o que diz o senso comum é que a maioria delas é constituída por ales fortes e saborosas, criadas, em geral, por monges trapistas. Isso torna mais surpreendente a descoberta de que a ale mais vendida da Bélgica é a Palm, de cor âmbar, leve, fácil de beber, agradável, perfeita para bebericar no jardim em uma noite de verão.

Também não se trata de uma recém-chegada. A Palm foi produzida pela primeira vez em 1904, por Arthur Van Roy, para uma competição realizada por instituições de ensino cervejeiro para ampliar o teor alcoólico das cervejas belgas mais leves para além de 5%. O concurso foi concebido como desafio para as novas lagers e pilsens que invadiam o mercado e ocupavam o espaço das tradicionais ales. As novas cervejas âmbar – "speciale Belge" – eram saturadas com dióxido de carbono para ficarem tão efervescentes quanto as pilsens, com as quais competiam.

A Palm é uma cerveja de alta fermentação, produzida por três cepas de levedura especialmente selecionadas para fornecer um singular sabor frutado de banana. Malte tostado é empregado para dar cor e a suavidade do mel, enquanto os lúpulos vêm de Kent, na Inglaterra, para emprestar um aroma sutil. A própria cervejaria Palm, localizada em Steenhuffel, na Bélgica, remonta ao ano de 1747, quando tinha o nome de De Horne. Foi destruída na Primeira Guerra Mundial, mas Van Roy a reconstruiu e, em 1929, chamou a cerveja de Palm, celebrando sua vitória na competição. É atualmente a maior cervejaria independente da Bélgica. Como acontece com muitas cervejas daquele país, a Palm deve ser servida em um copo *snifter*, para que todo seu buquê possa ser apreciado. **JM**

Notas de degustação

Ale de um âmbar dourado e límpido, com uma coroa de espuma cremosa e branca e aroma apenas suave. Na boca, apresenta uma mistura equilibrada e suave de sabores de caramelo, banana, maltes tostados, laranjas e vibrantes notas de lúpulo, com um final resfrescante, límpido e seco.

Paulaner Salvator

Paulaner Brauerei | www.paulaner.de

País de origem Alemanha
Lançada em 1773
Teor alcoólico 7,9% vol.
Temperatura ideal 7°- 10°C

A Paulaner é a maior cervejaria de Munique e hoje pertence ao grupo Schörghuber. Foi fundada em 1634, como empreendimento monástico. Os monges da época tinham permissão para a produção de cervejas apenas para consumo próprio. Somente em 1780 eles foram autorizados oficialmente a comercializá-las. A Salvator, da Paulaner, é a mais famosa das fortes cervejas da Baviera para a Quaresma, bebidas nutritivas que sustentavam os monges no período de jejum. Foi criada em 1773, quando Frater Barnabas, monge Paulaner, tornou-se mestre cervejeiro, e a cervejaria garante que a receita permanece basicamente a mesma desde aquele tempo.

Foi chamada inicialmente de Sankt-Vaters-Bier, mas depois do fim do mosteiro, em 1799, e da emergência da produção de cervejas feitas por leigos, ganhou o nome de Salvator ("Salvador"). Um de seus maiores fãs foi o rei Ludwig I, que declarou: "A Salvator é um artigo de luxo." A aprovação real, assim como sua primeira apresentação simples e bem-sucedida, provocou uma onda de imitadores em Munique que usavam o mesmo nome, até que, em 1896, a cervejaria registrou com sucesso a patente.

Os devotos da Salvator fazem fila para bebê-la na Nockherberg, grande choperia da Paulaner, que foi reconstruída depois de ter sido devastada por um incêndio em 1999. A cada ano, um dia antes do começo oficial da estação das cervejas fortes, é habitual que atores subam ao palco e satirizem os políticos de Berlim e Munique. Imagina-se que nas duas semanas do festival de cerveja forte em Munique, milhares de litros da Salvator sejam encomendados e bebidos só na Nockherberg. **WO**

Notas de degustação

A Salvator tem cor de âmbar escuro, com um sabor forte e maltado na boca. Há também uma doçura que é bem equilibrada por uma bela e leve personalidade de lúpulo. O álcool aparece devagar, o que a torna muito fácil de consumir, mas também perigosa depois de uns tantos copos.

Pauwel Kwak

Brouwerij Bosteels | www.bestbelgianspecialbeers.be

País de origem Bélgica
Lançada em década de 1980
Teor alcoólico 8% vol.
Temperatura ideal 10°C

Uma cerveja que talvez seja mais conhecida por seu copo incomum do que pelo próprio líquido talvez pareça ser um caso mais de estilo do que de consistência. Porém, assim como o "copo-estribo" Kwak não é nada corriqueiro, a Kwak também é uma ale que foge ao lugar-comum. Batizada com o nome de Pauwel Kwak, estalajadeiro dos tempos napoleônicos que teria comandado uma taverna chamada De Hoorn, na cidade de Dendermonde (sede atual da cervejaria), a Kwak é o produto moderno da Bosteels. É uma tradicional cervejaria familiar, fundada em 1791, que atualmente é administrada pela dupla de pai e filho, Ivo e Antoine Bosteels.

O estilo de ale forte e âmbar, que identifica na Kwak um membro fundador, foi muito apreciado no leste de Flandres, de acordo com diversas fontes, mas com o passar dos anos perdeu a preferência (por ironia, pode ter sido substituído pela pilsen da Bosteels, popularizada pelo primeiro Antoine Bosteels). Ao ressuscitá-lo, porém, a atual geração de Bosteels elaborou uma bela estratégia de marketing ao utilizar um copo-estribo como sua marca registrada. No passado, os cocheiros penduravam o copo em um gancho em forma de C colocado na lateral das carruagens. Nos tempos modernos, a prática poderia ser comparada ao copo de um metro.

Por mais que a estratégia tenha valorizado a cerveja – existem histórias de viajantes obrigados a entregar um sapato como garantia pelo copo –, também fez com que algumas pessoas reduzissem a Kwak a uma bebida que se vale de truques. Não é o caso. Como acontece com os outros dois produtos da cervejaria – DeuS e Karmeliet Tripel –, a Kwak é uma bebida séria, merecedora de atenção e contemplação, mas que não deve ser levada excessivamente a sério, como acontece com seu copo. **SB**

Notas de degustação

Caramelo ou toffee são os sabores que quem prova pela primeira vez vai identificar, mas uma atenção maior revela bem mais – do aroma tostado, terroso a notas de laranja e especiarias no corpo, além de um final longo e seco. Seria capaz de revigorar o mais exausto dos cocheiros.

BITTER
BY VOLUME
MARSTON'S
Pedigree
Better
BREWED IN WOOD
ALCOHOL 4.5% VOLUME
A CLASSIC ALE BREWED IN OAK CASKS

Pedigree

Marston's | www.marstonsbeercompany.co.uk

País de origem Inglaterra
Lançada em 1952
Teor alcoólico 4,5% vol.
Temperatura ideal 11°- 13°C

No seu auge, a Pedigree foi considerada uma das mais sublimes ales britânicas. Produzida com as águas intransigentes, ricas em minerais, de Burton-on-Trent, em Staffordshire, na Inglaterra, tem uma delicadeza de nozes que rivalizava no nariz com o famoso "Burton snatch", uma lufada de enxofre, como um fósforo riscado, subproduto das águas da região. A cerveja apareceu ao público com esse nome em 1952, quando a Marston's batizou como Pedigree sua ale clara, sinal de que os anos austeros após a Segunda Guerra Mundial chegavam ao fim. As bombas manuais ganhavam marcas e os consumidores demonstravam gosto por cervejas em garrafas com bons rótulos. Na época, as engarrafadas costumavam ser servidas em melhores condições do que o chope, pois a restrição quanto a materiais de construção impediu que, durante muitos anos, os porões dos pubs pudessesm passar por reformas.

A cervejaria emprega o clássico sistema Burton Union, introduzido na década de 1840, usado largamente em determinada época para a produção de ales "melhores". No começo da fermentação, a cerveja é transferida para 264 barris de carvalho interligados, com dióxido de carbono, subproduto da fermentação, ajudando a expelir a levedura da cerveja através de canos com forma de pescoço de cisne que terminam em uma calha. Os cervejeiros consideravam que não havia sistema melhor para a produção de ales claras, de cores vivas e límpidas, com sabor forte. A Marston's é a única sobrevivente desse dispendioso sistema de produção. Em 2009, o teor alcoólico da Pedigree engarrafada subiu 0,5%, passando para 5%. Foi um reconhecimento do fato de que as cervejas de garrafa, em geral, precisam de um pouco mais de potência do que suas irmãs do barril para garantir apetitosos sabores e texturas. **TH**

Notas de degustação

Delicadas notas de caramelo no nariz, com um toque de "Burton snatch". Também ao fundo, há um malte tostado e abiscoitado. A textura é arredondada e voluptuosa, com diálogo entre o lúpulo picante e a doçura suave e envolvente do malte, antes de um final seco e duradouro.

← A marca da Marston's ostenta um logo singular com três barris.

Pendle Witches Brew

Moorhouse's Brewery | www.moorhouses.co.uk

País de origem Inglaterra
Lançada em 1982
Teor alcoólico 5,1% vol.
Temperatura ideal 11°C

A Pendle Witches Brew, uma maravilhosa cerveja de cor âmbar, repleta de sabores de malte, foi produzida a princípio para saciar a sede de jogadores de bingo e pinguços da madrugada. Sua origem está em 1982, quando a cervejaria foi comprada por Alan Hutchinson, empresário local, dono de uma cadeia de hotéis, bingos e boates. Ele foi persuadido pelo novo mestre cervejeiro a produzir uma nova bebida para fazer companhia à Premier, a primeira da empresa. O nome Pendle Witches Brew é inspirado pelas famosas bruxas de Pendle, região rural nos arredores de Burnley, onde fica a cervejaria – hoje as bruxas lançam feitiços sobre muitas cervejas, como a Blonde Witch e a Witchfinder General.

A estratégia de duas cervejas foi bem-sucedida e a produção teve um crescimento constante. Infelizmente, Alan Hutchinson faleceu de repente, em 1985, e a empresa do ramo de entretenimento Apollo Leisure adquiriu seus negócios. Os hotéis e os bingos se encaixavam bem na linha de empreendimentos do novo proprietário, mas havia pouco desejo de se manter uma pequena cervejaria. Atualmente, o dono da Moorhouse's é o empresário local Bill Parkinson (que a adquiriu de forma memorável poucos dias antes de seu fechamento) e, sob sua gestão, a cervejaria tem feito progressos.

Para uma cerveja com seu teor alcoólico, ela é bem fácil de beber. De fato, há quem diga que é até fácil demais. É encorpada e bem equilibrada com o Fuggle, grande lúpulo aromático inglês, trabalhando em combinação com maltes claros Maris Otter e Pearl, além de um pouco de malte cristal para cor e corpo. A cerveja é perfeita companhia para a comida. Sua doçura a torna uma boa parceira para um apimentado curry indiano. **TH**

Notas de degustação

Cerveja robusta, mas fácil de beber. No nariz, cítricos delicados e um toque de ameixas maduras. O paladar é repleto de suaves sabores de malte equilibrados com outros, aromáticos e cítricos, do lúpulo, com uma personalidade agridoce. Tudo conduz a um final amargo, seco e satisfatório.

Pietra

Brasserie Pietra | www.brasseriepietra.com

País de origem França
Lançada em 1996
Teor alcoólico 6% vol.
Temperatura ideal 7°C

A Córsega é a quarta maior ilha do Mediterrâneo, depois da Sicília, da Sardenha e de Chipre. Fica a 160 quilômetros da costa oeste da Itália, embora pertença à França desde que foi comprada dos genoveses, em 1764. Boa parte do terreno montanhoso, arborizado, é de *maquis* – vegetação rude e rasteira que cresce em terrenos pedregosos e que emprestou seu nome aos guerrilheiros da Resistência Francesa, na Segunda Guerra Mundial.

Em 1992, Dominique e Armelle Sialelli decidiram criar uma marca de cerveja na Córsega, ilha onde se costuma beber vinho, o que não chega a ser uma surpresa ao se considerar sua posição entre a França e a Itália. O casal estava determinado a usar ingredientes e sabores tipicamente corsos. Depois de quatro anos de planejamento e pesquisa, a lager escura Pietra foi lançada em 1996. É descrita como uma cerveja de castanha. A farinha de castanha não é apenas um ingrediente que dá sabor – é, na realidade, incorporada à mosturação para fornecer açúcares fermentáveis. Como há poucos terrenos aráveis na ilha da Córsega, as castanhas há muito são moídas e transformadas em farinha. Na verdade, 85% da colheita anual são transformados em farinha. O restante é cozido para ser consumido ou se torna conserva em calda açucarada, conhecida como marrom-glacê.

A cervejaria também produz a Serena, uma lager clara, com 5% de teor alcoólico, e a Colomba, uma cerveja de trigo com a mesma potência. Embora a Colomba lembre uma cerveja de trigo à moda belga, ela é temperada com sabores típicos do *maquis*: murta, junípero e medronho (*Arbutus unedo*). A Pietra é perfeita para acompanhar pratos típicos da cozinha corsa, em especial codorna, assado de galinhola, cozido de carnes de caça e javali selvagem. **JP**

Notas de degustação

Apresenta um tom de cobre intenso e espessa coroa branca, com grandes borbulhas. O aroma é maltado. O sabor é, primariamente, maltado, com alguma doçura integral de nozes e baixo amargor. É bem equilibrada, com textura harmoniosa na boca. Um toque frutado fica evidente no final.

Piraat

Brouwerij Van Steenberge | www.vansteenberge.com

País de origem Bélgica
Lançada em 1986
Teor alcoólico 10,5% vol.
Temperatura ideal 8°C

A cervejaria Van Steenberge usa e abusa do lirismo ao falar sobre sua ale dourada, a Piraat. Ao promover a bebida de tema náutico, os produtores lembram os dias em que não se dispunha de água nos navios. (As pessoas não a bebiam em terra, porque a maior parte dela estava contaminada.) O site da empresa declara que era a cerveja que reconfortava os viajantes nos oceanos.

A Piraat é uma criação relativamente nova, integrante de uma série de louras fortes que chegaram à cena cervejeira belga depois do grande sucesso da mundialmente famosa Duvel. Como esta, que leva o nome do Diabo, a Piraat conjura aventura e perversidade. Com muito álcool na mistura, motivos não faltam para isso.

Existem, de fato, duas Piraat na linha de produtos Van Steenberge. A primeira tem 9% de teor alcoólico. Sua irmã é ainda mais forte, golpeando a 10,5%. Mas, apesar de tal potência, ambas permanecem com corpo um tanto leve – truque obtido ao se carregar a tina de maceração com arroz e açúcar, além de malte de cevada, para fornecer muito açúcar fermentável. Perfumadas notas cítricas são fornecidas por uma dose dupla de lúpulos: Saaz, da República Tcheca, e Hallertau, da Alemanha. As duas versões são vendidas em garrafa e barril, o que garante uma leveza de textura que deixa a cerveja muito fácil de beber, levando-se em conta sua força. Uma bela cerveja para bebericar com respeito. **JE**

Notas de degustação

Revigorante e calorosa ale dourada, com aroma de casca de laranja. Notas doces, picantes e perfumadas unem a intensidade cítrica a suaves notas herbáceas no paladar. O final é seco, agridoce e lupulado.

Premier Cru

Brasseries Kronenbourg | www.k1664.co.uk

País de origem França
Lançada em 1997
Teor alcoólico 6% vol.
Temperatura ideal 8°C

A Brasseries Kronenbourg é a mais famosa cervejaria da França e a jornada para o sucesso começou em 1664, quando Jérôme Hatt produziu sua primeira cerveja em Estrasburgo, na região da Alsácia. A cervejaria original ficava no centro da cidade, mas sofria danos sempre que havia inundações do rio Ill. Em 1850, transferiu-se para terreno mais elevado, em Cronenbourg. A forma de escrever o nome reflete a herança alemã da Alsácia.

A Kronenbourg tem ficado, com regularidade, à frente das inovações e das iniciativas do setor, particularmente no desenvolvimento das embalagens. Em 1947, tornou-se a primeira cervejaria a lançar seus produtos em uma garrafa de 330 mililitros. Em 1953, foi das primeiras a adotar a tecnologia do enlatamento. E, em 1963, introduziu o pacote com seis unidades. Outro empreendimento inovador foi a introdução, em 1964, de uma cerveja sem álcool.

A Premier Cru, com sua revolucionária garrafa azul fosca, ganhou uma medalha de ouro na categoria lager forte em uma competição internacional em 2005. O sabor é mais robusto do que o da maioria de suas contemporâneas, enquanto a cor dourada escura, quase âmbar, proveniente de um astucioso regime à base de cevada tostada, complementa a textura suave e aveludada. A Premier Cru também acentua as características do nobre lúpulo Strisselspat – o "caviar" dos lúpulos –, cultivado na região por suas qualidades aromáticas. **AG**

Notas de degustação

De cor dourada intensa, com um leve aroma de especiarias e maçãs. Os sabores de grão tostado e nozes continuam, levando a um final incisivo e seco. Ideal com carne vermelha, caça, peixe e queijo.

Uma gravura da colheita de lúpulo na Alsácia, para a Kronenbourg, por volta de 1880. →

Primátor Exkluziv 16%

Pivovar Náchod | www.primator.cz

País de origem República Tcheca
Lançada em 1996
Teor alcoólico 7,5% vol.
Temperatura ideal 7°C

Para muitos, o termo "lager" é equivalente a "pilsen", mas as tradições europeias de lager incluem dúzias de estilos além do pilsen. Para demonstrar essa amplidão, a extinta revista britânica *Beers of the World* (Cervejas do Mundo) selecionou a Exkluziv, da Primátor, como a melhor lager de 2008. Cerveja forte, ela é, grosso modo, parecida com uma Maibock ou uma Doppelbock clara. Com 7,5% de álcool, a cerveja está longe de ser aquilo que o bebedor de pilsen está acostumado a tomar todos os dias. É preparada com um extrato primitivo com 16 graus Plato e feita exclusivamente com malte claro tcheco. Duas variedades de lúpulos Saaz, tcheco, são usadas, tanto em pelotas quanto em extrato, seguindo uma receita que teria sido encontrada nos arquivos da cervejaria. O resultado é uma bebida agridoce, com um sensível aroma de lúpulo Saaz e um belo final.

Originalmente, cervejas fortes dessa espécie eram uma raridade na Náchod: fundada em 1872 na cidade a leste da Boêmia, sua produção primária era composta de cervejas de mesa, com 10 e 11 graus, com uma ou outra lager clara mais forte produzida para as festas e eventos especiais. Apenas em 1935 a cervejaria começou a usar a marca Primátor, a princípio apenas em sua lager escura e, em seguida, estendendo o nome a toda sua linha de produtos. Todas as cervejas eram encontradas apenas na torneira até 1937. Hoje, as treze estão disponíveis em garrafas. Costumam ganhar prêmios da União dos Amigos da Cerveja, uma organização de consumidores tchecos, que nomeou a Primátor Exkluziv como Melhor Cerveja Especial de 2008. Dizem que se harmoniza de forma magnífica com o querido queijo da terra. **ER**

Notas de degustação

Cor de um dourado intenso e límpido, com um colarinho branco e frouxo. Esta lager forte poderia ser chamada de pilsen imperial: carregada com malte açucarado, com a presença apimentada do lúpulo Saaz e um final agridoce e bem equilibrado. Tenha cuidado, pois ela não se parece com nenhuma outra bebida com teor alcoólico de 7,5%.

Primátor Polotmavý 13%

Pivovar Náchod | www.primator.cz

País de origem República Tcheca
Lançada em 2005
Teor alcoólico 5,5% vol.
Temperatura ideal 8°C

Quando o mestre cervejeiro Pavel Kořínek lançou a nova lager âmbar da Primátor em 2005, o fato teve grande repercussão entre os consumidores da República Tcheca. Com extrato primitivo de 13 graus Plato, a cerveja tinha uma doçura palpável na boca, seguida por um final duradouro, de caramelo. Contendo 5,5% de álcool, foi classificada como "especial", de acordo com os parâmetros tchecos, mas sem ser tão forte que precisasse ser bebericada em minúsculas quantidades.

A história da cerveja remonta a um século ou mais. As lagers de cor âmbar, conhecidas como "estilo Viena", são talvez mais famosas por seu quase completo desaparecimento, embora permaneçam vestígios em países distantes, como o México. Muitas, porém, continuaram a ser produzidas em terras tchecas, do outro lado da fronteira, ao norte. Com o tempo, as cervejas belgas produzidas como lager âmbar foram confundidas com as misturas "batizadas" meio a meio, servidas nos bares do país, um coquetel composto por lager escura, ao estilo Munique, e lager clara, ao estilo pilsen, servidas em porções iguais no mesmo copo. Embora as cores da cerveja "batizada" e da lager Viena sejam semelhantes, o sabor é bem diferente.

Assim, a nova âmbar da Primátor atraiu atenção, especialmente quando comparada a sua interpretação anterior do estilo: preparada a 15 graus Plato, com 6% de álcool, teve sua produção interrompida em 2001. Quatro anos depois, a nova, com 13 graus, poderia ser encarada como uma continuação da primeira, embora pareça ser mais maltada e açucarada à boca, com mais características da Viena do que qualquer outra âmbar da Boêmia. **ER**

Notas de degustação

Com maltes tcheco, bávaro e caramelo entrando na brassagem, junto com um toque de malte de trigo, esta lager âmbar é refrescante e doce ao paladar, com notas açucaradas bem equilibradas por um delicado toque de lúpulo Saaz.

Propeller Extra Special Bitter

Propeller Brewing Company | www.drinkpropeller.ca

País de origem Canadá
Lançada em 1997
Teor alcoólico 5% vol.
Temperatura ideal 10°C

Embora seja possível dizer que quase todas as cervejarias artesanais da era moderna sejam produto de uma fantasia, do sonho de um produtor caseiro que desejou "virar profissional", a história da Propeller segue esse desenho mais ao pé da letra do que a maioria. Antes de se transformar em cervejeiro profissional, o trabalho do proprietário John Allen era criar efeitos especiais para o cinema e a televisão, tecer completas tapeçarias de fantasia e fazer com que parecessem reais. Assim, quando ele finalmente "pirou", como descreve, seu desejo de criar algo mais substancioso o levou a abrir a John Allen Brewing Company em Halifax, Nova Escócia.

Apesar de Allen destacar que dar seu nome ao negócio pareceu uma boa ideia na época, quando chegou a hora de batizar sua cerveja, até ele precisou admitir que John Allen Extra Special Bitter não soava tão bem assim. Optando por um tema náutico, ele decidiu escolher o propulsor como emblema antes mesmo de descobrir que o inventor do propulsor marítimo com hélice foi John Patch, nascido na Nova Escócia. Allen adaptou suas marcas registradas e a Propeller Brewing nasceu.

Como seu passado de produtor caseiro já havia lhe ensinado sobre as ales de estilo britânico e a Granite Brewery, já bem estabelecida, tinha acostumado o paladar da região a ales saborosas, Allen optou por construir o negócio apoiado em estilos clássicos, tornando a Extra Special Bitter (ESB) e a Pale Ale seus carros-chefes. Elas foram seguidas por uma cerveja de cânhamo, que teve vida curta, e uma bem-sucedida porter, e, mais recentemente, uma Honey Wheat e uma IPA lupulada. No final das contas, nenhuma delas conseguiu destronar a ESB do posto de cerveja mais marcante de sua linha de produtos, sem qualquer fantasia. **SB**

Notas de degustação

Com lúpulo que busca mais o seco do que o amargo, esta cerveja oferece um aroma suave de cacau, enquanto o corpo é suavemente tostado, com notas de chocolate, caramelo e castanha tostada, antes de seguir para um final seco e levemente amargo. Profundamente adequada ao consumo em sessões prolongadas.

Propeller IPA

Propeller Brewing Company | www.drinkpropeller.ca

País de origem Canadá
Lançada em 2005
Teor alcoólico 6,5% vol.
Temperatura ideal 8°C

De tempos em tempos, borbulha até a superfície uma cerveja que, para muitos, funciona como uma definição de seu estilo. A Sierra Nevada Pale Ale, por exemplo, é para muita gente a versão definitiva de uma pale ale ao estilo norte-americano, assim como a Westmalle Tripel pode ser considerada a tripel arquetípica. O que acontece, porém, quando a cerveja que parece servir de ilustração para seu estilo nada tem de típico? Aí se encaixa o curioso caso da India Pale Ale de Alexander Keith, produzida pela Labatt.

Famosa no Canadá como uma cerveja do leste, a IPA de Keith é, sem dúvida, a mais conhecida do país, apesar da presença de lúpulo pouco significativa, da falta de características frutadas em seu perfil de malte e de um teor alcoólico bem na média, de 5%. Não é uma IPA padrão, mas tornou-se popular no Canadá, e é considerada por muitos uma demonstração do que uma IPA deve ser.

Foi nesse ambiente que John Allen escolheu produzir sua própria IPA, uma cerveja que o site de sua empresa descreve como "estimulante, amarga e com teor alcoólico mais elevado". Em outras palavras, considerando-se a prevalência do exemplo de Keith, é praticamente o oposto absoluto do que a maioria dos consumidores esperaria de uma IPA. Para impedir qualquer confusão e levar compradores para a nova loja da cervejaria, Allen diz que a Propeller IPA era vendida, originalmente, apenas nesse local. "Nós a vendemos em garrafas de 650 mililitros durante um ano, até que a maioria das pessoas entendeu o que estávamos fazendo", diz ele.

Posteriormente, a cerveja passou a ser oferecida em embalagens de seis unidades, embora a princípio elas também só estivessem disponíveis na loja da cervejaria. É uma estratégia que teve bastante sucesso, quando se considera que, segundo Allen, a IPA passou a ocupar o posto de segunda cerveja mais vendida pela Propeller, perdendo apenas para a Extra Special Bitter. **SB**

Notas de degustação

Combinando uma facilidade de beber equilibrada e harmoniosa, característica das IPAs de estilo britânico, com uma personalidade picante e cítrica, lupulada, da interpretação norte-americana, esta cerveja tem sucesso ao tornar indistinta a linha que separa as duas. Na mesa, é uma boa escolha para acompanhar um curry.

Pure Hoppiness

Alpine Beer Company | www.alpinebeerco.com

País de origem Estados Unidos
Lançada em 2000
Teor alcoólico 8% vol.
Temperatura ideal 10°C

Uma autêntica cerveja *cult*, a Pure Hoppiness é preparada em levas muito pequenas e se esgota todas as vezes que chega ao mercado. Esta IPA dupla difícil de achar é conhecida por sua enorme quantidade de lúpulo. Como Patrick McIlhenny, fundador da Alpine, gosta de dizer: "É tão megalupulada que vai levar você ao paraíso do lúpulo." A cervejaria usa lúpulos no cozimento, naturalmente, mas também os adiciona em um gigantesco *hopback* e, ao final do processo, também inclui "uma incrível quantidade de *dry hopping* para garantir aquele revolucionário 'gostinho de lúpulo'".

McIlhenny era bombeiro quando começou a produção caseira em 1983. Depois de ganhar numerosas competições, ele foi trabalhar em meio período na loja que fornecia ingredientes para a produção caseira na região e começou a dar aulas sobre o tema. As primeiras receitas lhe ensinaram que alguns componentes de sabor eram desejáveis, e outros não, como o amargor excessivo. Quando McIlhenny fez a Pure Hoppiness pela primeira vez, a categoria IPA dupla ainda não existia. Seu propósito original era tentar produzir uma IPA que sua esposa considerasse excessivamente lupulada, pois ela era uma lupulomaníaca assumida. Aparentemente, ele fracassou, pois a mulher adorou a bebida. A Pure Hoppiness leva maltes canadenses e inglês premium. As variedades vêm do noroeste do Pacífico e da região de Hallertau, na Alemanha.

As sementes da Alpine Beer foram plantadas quando McIlhenny se ofereceu como voluntário em uma cervejaria artesanal da região e conseguiu convencer seus donos a deixá-lo produzir sua própria cerveja com os equipamentos disponíveis. Em 2001, ele comprou um pequeno sistema de produção, que ficou guardado até que encontrasse um ponto para erguer a cervejaria. No ano seguinte, com investimento e projeto próprios, ele a construiu. **JB**

Notas de degustação

A Pure Hoppiness é em um âmbar cor de mel, com um generoso colarinho marfim. Seu nariz é denso de aromas críticos e relvados, provenientes do lúpulo. A IPA dupla é uma cremosa bomba de lúpulo que simplesmente transborda como uma intensa delícia lupulada o tempo todo, mas ainda consegue ser equilibrada e bem fácil de beber: uma notável proeza.

Rajah

Stazione Birra | www.stazionebirra.it

País de origem Itália
Lançada em 2006
Teor alcoólico 5,2% vol.
Temperatura ideal 6°- 8°C

Quando se dá a uma cerveja o nome de Rajah, não é difícil presumir que se trate de uma India Pale Ale, e deve ter sido isso o que pensou Fabio Verzieri ao produzir esta ale pela primeira vez. A Rajah tem uma receita bastante simples e, levando-se em conta o estilo, tende a um perfil mais lupulado do que maltado. Entram na tina de maceração maltes Pilsen e caramelo, e lúpulos Hallertau Magnum, Spalter Select e Hersbrucker. Também se usa um pouco de Cascade para o aroma, adicionado uns dez minutos antes do fim do cozimento. Todo o processo de fermentação acontece nos tanques. A maior parte da produção é vendida na choperia. Quando engarrafada, ela repousa no mínimo uma semana antes de ser vendida.

A Rajah, uma das seis cervejas produzidas regularmente pela Stazione Birra, fez sucesso imediato com os consumidores, algo que surpreendeu o próprio Verzieri. É, no momento, uma das campeãs de vendas, provavelmente por dois motivos: além de ser saborosa e fácil de beber, ela também combina com comidas bem temperadas, como nhoque de castanha com molho de abóbora e queijo provolone ou peru na cerveja com amêndoas e abacaxi, pratos vendidos no restaurante e choperia da Stazione Birra.

Verzieri abriu a cervejaria com alguns amigos, em 1998, e, além de se tornar um lugar onde são vendidas cervejas não pasteurizadas, o local virou ponto para quem gosta de ouvir música ao vivo. Às vezes, Verzieri teme que a choperia seja vista apenas como casa de shows, em vez de ser destacada pela bebida. Porém já lhe mostraram que não há nada de errado em se juntar música ao vivo e cerveja de boa qualidade no mesmo lugar. **MM**

Notas de degustação

A Rajah tem cor intensa de âmbar, com uma espuma fina e branca. O aroma é bem complexo, com notas tostadas e um toque de folha de chá preto. No palato, o sabor lupulado é imediato, muito agradável e duradouro. De gosto residual levemente adstringente.

Re Ale

Birra del Borgo | www.birradelborgo.it

País de origem Itália
Lançada em 2005
Teor alcoólico 6,4% vol.
Temperatura ideal 12°- 14°C

Leonardo Di Vincenzo iniciou sua carreira cervejeira com um tributo ao primeiro estilo pelo qual se apaixonou: uma ale inglesa servida em um pub, durante uma visita que fez à Inglaterra. Levando-se em conta o nome, Re Ale, não é difícil imaginar que o copo era de uma real ale, acondicionada em barrica. A produção, porém, ainda estava no futuro, pois Di Vicenzo estava se formando em biologia pela Universidade de Roma. A paixão pela cerveja continuou intensa e acabou prevalecendo. Em 2005, ele abriu uma microcervejaria na cidade de Borgorose, não muito longe de Roma.

No começo, suas ideias permaneciam fortemente influenciadas pelas ales britânicas de alta fermentação, especialmente nas primeiras brassagens experimentais de bebidas como Duchessa ou DucAle. Porém, a Re Ale é a cerveja que lhe deu fama no exaltado mundo da produção italiana. Com um corpo bem arredondado, aroma e sabor intensos, ela era o que Di Vincenzo procurava. Maltes Munique e cristal, além de um pouco de malte caramelizado de trigo, fornecem a base para a Re Ale, enquanto o lúpulo apresenta uma mistura de Cascade, Amarillo e East Kent Golding reunidos no cozimento em intervalos de quinze ou vinte minutos. O processo é bem rápido: vinte dias de fermentação primária, seguidos por mais ou menos duas semanas na garrafa.

A Re Ale é mesmo muito inspirada e agradável, e também uma ótima companhia para a comida. Na Itália, fica magnífica com pratos picantes de massa ou com um queijo de ovelha bem amadurecido. Também é ótima para ser bebida e apreciada sozinha. **MM**

Notas de degustação

Cor âmbar brilhante, com bela espuma branca. No nariz, o aroma começa muito cítrico (toranja e laranja), com toques de especiarias e pimenta. Na boca, há uma baixa carbonatação e bom equilíbrio entre um malte vibrante e frutas cítricas, antes de um floreio final com o amargor do lúpulo.

Red MacGregor

Orkney Brewery | www.orkneybrewery.co.uk

País de origem Escócia
Lançada em 1996
Teor alcoólico 4% vol.
Temperatura ideal 10°C

Roger White, primeiro dono da Orkney Brewery, afirmava ser descendente do clã dos MacGregor, da Escócia, e por isso deu seu nome a esta cerveja tão singular. O mais famoso dos MacGregor foi Rob Roy (1671-1734), ladrão de gado, flibusteiro, simpatizante jacobita e guerreiro. A Red MacGregor é tão peculiar em cor e tão robusta quanto seu xará, mas também é delicada e sofisticada.

A versão de barril foi a primeira bebida escocesa a ganhar a medalha de ouro no Prêmio Mundial de Cervejas em Barril do Instituto Britânico de Hospedarias e ficou em segundo lugar no torneio Cerveja Campeã da Escócia em 2009, perdendo apenas para a Raven Ale, outra cerveja das ilhas Orkney, proeza que confirma a reputação do arquipélago como produtor de comida e bebida de qualidade excepcional, como uísque de malte, queijo, carne, salmão, lagosta, caranguejo e mexilhões. À mesa, todos ficam em ótima companhia ao lado da Red MacGregor.

A Orkney Brewery foi montada em 1988 em uma antiga escola de Quoyloo, em Orkney. Fundiu-se à Atlas Brewery em 2004, sob o nome de Highland and Islands Breweries, que depois ficou sob o controle da Sinclair Breweries. O negócio funciona sob rígidos parâmetros ecológicos, com a filtragem da água usada através de dois lagos das vizinhanças, dando suporte aos peixes e a aves marítimas.

Orkney tem alguns dos melhores sítios arqueológicos da Europa, incluindo sepulturas neolíticas com 5.500 anos e círculos de pedra que ganharam a condição de patrimônio da humanidade concedida pela UNESCO. A cervejaria considera que esse vínculo e sua localização são fundamentais para seu trabalho, mais ou menos como o indefinível *terroir* dos produtores de vinho franceses. De fato, seu slogan é "5.000 anos de preparativos". **AG**

Notas de degustação

De um tom rubi brilhante que contrasta com a coroa de espuma branca e suave. Deliciosamente perfumada, os aromas florais e de lichia revelam notas de violeta e água de rosas com toques de especiarias e de maltes tostados. Na boca, frutos silvestres de verão e malte com nuances de toffee dão lugar a um amargor seco e floral de lúpulo.

Rejewvenator

Shmaltz Brewing | www.shmaltz.com

País de origem Estados Unidos
Lançada em 2008
Teor alcoólico 7,8% vol.
Temperatura ideal 9°C

O que começou como uma brincadeira de colegiais tornou-se realidade quando a Shmaltz Brewing foi fundada em 1996 por Jeremy Cowan e a marca He'Brew foi lançada. Seu slogan é "A Cerveja Escolhida". A princípio, a operação consistia em apenas uma centena de caixas de cerveja produzidas com romã, engarrafadas manualmente e entregues pelo próprio Cowan em São Francisco. Vendiam como *knish* quentinho e, em 1997, a Shmaltz tornou-se oficialmente uma cervejaria comercial.

Cowan queria criar uma bebida que se comunicasse com a comunidade judaica – um produto de alta qualidade que mantivesse o humor e a cultura dos judeus. A cada outono, para celebrar o aniversário da Shmaltz e os dias sagrados da fé judaica, a empresa lança uma nova cerveja da série Jewbelation. Em 2007, foi a vez da linha Sacred Fruit, para a primavera, com a presença de um fruta em cada cerveja. As frutas usadas têm alguma referência bíblica exibida no rótulo. A Rejewvenator foi produzida inicialmente em 2008 como parte dessa série.

Tem estilo misto, com elementos de uma Doppelbock e de uma dubbel belga. A fermentação começa em baixas temperaturas, com uma levedura lager. Depois, a cerveja é aquecida, e lança-se uma cepa de levedura de abadia, de alta fermentação. Por fim, suco de frutas frescas é adicionado à fermentadora e, depois de um mês de maturação, ela passa por filtragem com centrifugação e é engarrafada. Em 2008, foi produzida com figos e, em 2009, ela voltou a pedido do público, com suco fresco de tâmaras adicionado ao tanque. Fez tanto sucesso que parece que esta cerveja He'Brew deverá voltar a cena por muitos anos. **MO**

Notas de degustação

Mogno, com coroa bege. O nariz é pleno em notas de frutas vermelhas, açúcar de confeiteiro e tons terrosos. A boca tem uma doçura sutil que evolui para a secura, deixando o malte um passo à frente. O final demonstra amargor substancioso, enquanto os aromas de frutas secas e ameixas persistem. Calorosa.

Riggwelter

Black Sheep Brewery | www.blacksheepbrewery.com

País de origem Inglaterra
Lançada em 1995
Teor alcoólico 5,7% vol.
Temperatura ideal 11°C

O bom humor nunca se afasta muito de Paul Theakston, fundador da Black Sheep Brewery. A expressão "ovelha negra" se refere ao membro de uma família que é considerado indesejável. O nome reflete o cisma familiar de Theakston, sanado há muito tempo, que aconteceu quando ele se afastou para abrir seu próprio negócio. As ovelhas também são a principal fonte de renda dessa comunidade rural. O tema prossegue em Riggwelter. No dialeto de Yorkshire, refere-se a uma ovelha que caiu de costas e não consegue se levantar. O criador da cerveja, o ex-cervejeiro chefe Paul Ambler, disse que foi fácil criar a bebida. O difícil foi persuadir Paul Theakston a produzi-la. Embora Ambler tivesse recebido instruções para fazer uma bebida com sabor peculiar, Theakston não é um fã de fortes sabores tostados, e a Riggwelter está cheia deles.

Para a moagem, Ambler selecionou maltes claro Maris Otter, cristal e trigo tostado, o que ajuda a criar o glorioso colarinho branco ao servir, e depois adicionou malte claro de chocolate. O teor mais forte de álcool vem do uso de açúcar no *grist*. Para equilibrar o álcool e os sabores tostados do malte claro de chocolate, uma quantidade dupla de Golding é usada como lúpulo tardio, adicionando mais aroma e amargor.

As cervejas Black Sheep são fermentadas em recipientes conhecidos como "Quadrados de Yorkshire". Hoje, eles têm forma circular e são feitos em aço inoxidável, mas o processo é o mesmo. O mosto não fermentado é despejado na parte de baixo de uma câmara em dois níveis e, enquanto a cerveja fermenta, a levedura vai para o segundo nível, onde é coletada, permitindo que o líquido, lá embaixo, fique separado. **TH**

Notas de degustação

Um lobo em pele de cordeiro, cheia de malte tostado, lúpulo e sabor de banana. O paladar é seco, com uma complexa combinação de lúpulo, frutas, malte tostado e um final seco e revigorante. Como um saboroso vinho da Borgonha, a Riggwelter acompanha bem carnes vermelhas.

Rising Sun Pale Ale

Baird Brewing | www.bairdbeer.com

País de origem Japão
Lançada em *ca.* 2001
Teor alcoólico 5% vol.
Temperatura ideal 8°- 12°C

A Baird Brewing, literalmente, foi construída do zero em Numazu, pequena cidade de pescadores a duas horas de trem ao sul de Tóquio. Fundada por Bryan Baird, de Ohio, e Sayuri, sua mulher, a cervejaria começou em 2001 com um sistema de produção para trinta litros. Proporções tão pequenas mantiveram Baird bem ocupado por pouco mais de dois anos, quando ele finalmente conseguiu passar para um sistema maior, de dois barris. Mas continuava a ser um desafio enfrentado pelo enérgico Baird, que construiu uma linha de sete cervejas com produção regular. Em 2006, ele finalmente instalou um sistema de oito barris, mas mantém o de dois barris para as sazonais.

Sua criação mais representativa talvez seja a Rising Sun Pale Ale. Diz que, como já produzia uma IPA, ele esperava tornar esta cerveja diferente, usando as pale ales da Costa Oeste dos Estados Unidos como fonte de inspiração. Naturalmente, isso dependia, em grande parte, do perfil dos lúpulos usados. A princípio, ele usou Amarillo, Centennial e Perle, mas, com o passar dos anos, a cervejaria começou a fazer experiências com outras variedades. No momento, a bebida leva Simcoe, Centennial, Amarillo, Cascade e Ahtanum. Baird admite que a Rising Sun não é de fácil preparo. O maior desafio – e uma das chaves para seu sucesso – é a combinação dos sabores cítricos de lúpulo para obter o resultado desejado.

Embora a Rising Sun Pale Ale seja a mais vendida entre as sete cervejas de produção regular da Baird, ela ainda responde apenas por 25% do total. Existem planos para a introdução de duas novas cervejas regulares: provavelmente uma lager e outra com levedura belga. Com um desfile constante de sazonais, Bryan Baird, com certeza, vai continuar ocupado. **BH**

Notas de degustação

Bronze dourado com espuma marfim. Há um aroma bem definido de lúpulo norte-americano, com um ligeiro malte ao fundo. O sabor vibrante, dominado por lúpulo, é apoiado pelo malte de textura cremosa. O final é forte e enérgico, com lúpulos persistentes.

Rogers' Beer

Little Creatures Brewery | www.littlecreatures.com.au

País de origem Austrália
Lançada em 2001
Teor alcoólico 3,8% vol.
Temperatura ideal 4°C

A Little Creatures Brewery precisou dar duro para que a pale ale que é seu carro-chefe fosse aceita tanto pelos donos dos pubs quanto pelos consumidores, depois do lançamento em 2000. Como outras cervejas de seu estilo, para muita gente ela era um tanto chocante e, na época, os australianos não estavam acostumados a encontrar tanto sabor na cerveja. Embora a pale ale viesse a conquistar muitos apreciadores por todo o país, os fundadores da Little Creatures quiseram desenvolver uma ale fácil de beber. Apesar de os australianos também não estarem familiarizados com tal conceito naquele tempo.

A Rogers' é uma das mais astuciosas cervejas disponíveis. Cuidadosamente projetada, usa pelo menos cinco tipos de malte para obter a coloração âmbar, as notas de caramelo e a textura harmoniosa. Em contraste com a pale ale, é levemente lupulada, o que a deixa menos amarga e mais apropriada para o consumo em prolongadas sessões. Porém, sua verdadeira genialidade está em fazer tudo isso com apenas 3,8% de álcool. A Austrália tem uma ampla seleção de cervejas com potência média, mas a visão daqueles que tendem a pensar em tais coisas é de que a vida é curta demais para bebê-las. A Rogers' é a única e marcante exceção.

A equipe da Little Creatures ficou tão impressionada com a criação desta cerveja que decidiu lhe dar o nome de seus criadores. Roger Bussel sabia um bocado sobre malte e, reconhecidamente, era o melhor quando se tratava da produção de ale. Roger Bailey era um experiente engenheiro de produção. O prolífico Phil Sexton trabalhou como consultor técnico. O melhor lugar para se apreciar a Rogers' é na própria cervejaria, em Fremantle, no oeste da Austrália, que funciona em uma antiga criação de crocodilos e é tão acolhedora quanto a porta de um celeiro. **DD**

Notas de degustação

Melhor quando servida gelada, a cerveja apresenta um corpo em âmbar claro e espuma suave. Uma combinação de aromas florais e caramelados é seguida por um corpo de nozes frutado e um final amargo e firme. Extremamente adequada a sessões prolongadas e perfeita para se consumir no meio da semana.

Sagres Bohemia

Sagres | www.sagresbeer.com

País de origem Portugal
Lançada em 2005
Teor alcoólico 6,2% vol.
Temperatura ideal 9°C

Considerando-se que Portugal é mais conhecido pelo vinho do Porto, o que surpreende na Sagres Bohemia é o fato de ser tão boa ou melhor do que muitas cervejas âmbar da Baviera e da Áustria. A cor e o sabor têm muito em comum com lagers de Viena ou as sazonais Märzen e Oktoberfest, da Alemanha.

O lugar clássico para se tomar esta cerveja é, provavelmente, a Cervejaria Trindade, em Lisboa, restaurante que pertence à Central de Cervejas. Imagine um estabelecimento português, especializado em carnes e peixes, com um quê de cervejaria de Munique, e você capta a ideia. Embora o restaurante fique repleto de turistas, é difícil ficar indiferente à atmosfera agitada ou às paredes azulejadas que mostram monges alegres, bebendo cerveja. A Trindade celebrou 170 anos em 2006 e a Centralcer comemorou com o lançamento de uma versão especial da Sagres Bohemia.

A empresa diz que a bebida foi criada para acompanhar comida e cumpre a função com louvor. O aroma de pão e os sabores moderadamente doces podem trazer à tona o que há de melhor em carnes grelhadas ou salsichão, ao mesmo tempo que o amargor e a carbonatação são suficientes para fazer frente à gordura. Apesar da potência semelhante à de uma bock, ela permanece leve e refrescante. Não causa surpresa que seja uma das poucas portuguesas disponíveis em garrafas de 750 mililitros, ideais para se compartilhar.

Na Trindade, a bebida é servida em uma tulipa congelada, talvez ao lado de uma seleção de embutidos da fazenda. Quando a comida, a bebida e o ambiente se completam, não há necessidade de fechar os olhos e fingir que se está em Munique. Portugal é um ótimo lugar. Até para os amantes da cerveja. **JS**

Notas de degustação

Ao servir, apresenta um tom âmbar avermelhado no copo sob uma camada de espuma creme. O nariz traz pão e doçura de caramelo. Na boca, não é tão doce quanto poderia se temer. Em vez disso, há um amargor moderado, de relva. Toques de álcool não interferem. Refrescante, apesar da força.

Saison Rue

The Bruery | www.thebruery.com

País de origem Estados Unidos
Lançada em 2008
Teor alcoólico 8,5% vol.
Temperatura ideal 10°C

A Saison Rue faz parte de uma nova geração de cervejas dos Estados Unidos inspiradas na Bélgica, mas com preocupações de criar algo que seja especificamente norte-americano. Patrick Rue, jovem fundador da The Bruery, concentra-se em bebidas arrojadas, em tamanhos grandes, acondicionadas em garrafas, segmento que cresce com velocidade no mercado de produção artesanal em seu país.

Segundo Rue, a Saison Rue é uma interseção de diversos interesses. "Sou um grande fã da Dupont Avec Les Bon Voeux, por ser complexa, picante, grande e ao mesmo tempo fácil de ser apreciada. Também sou fã de cervejas que contêm a levedura *Brettanomyces*, pois ela dá outra dimensão à bebida, e as mudanças com a passagem do tempo são perceptíveis. Centeio é o ingrediente perfeito para uma cerveja que vai se tornar extremamente seca, pois adiciona consistência e textura." O centeio é um ingrediente desafiador na brassagem, pois pode se tornar grudento na tina de maceração, dificultando a separação do mosto. Mas as características apimentadas e a textura cremosa, tão peculiares, fazem o esforço valer a pena.

Do ponto de vista histórico, as origens da saison são um tanto obscuras. Uma das acepções da palavra é usada para designar cervejas mais fortes, produzidas apenas no inverno, estação de brassagem, ou melhor, *en saison*. O estilo depende muito das características da levedura. Algumas saisons, mas nem todas, empregam *Brettanomyces*, que adiciona uma variedade de sabores frutados e terrosos, além de um pouco de acidez. Como todas as cervejas acondicionadas em garrafas, a Saison Rue é uma entidade viva. "Em geral, ela passa por dois meses de acondicionamento a quente antes do lançamento, para permitir que o *Brettanomyces* apareça", diz Rue. "Eu aprecio a Saison Rue ao máximo após seis meses na garrafa, quando o *Brett* fica particularmente dominante." **RM**

Notas de degustação

A Saison Rue caracteriza-se por um nariz repleto de sabores frutados vibrantes, com algumas fortes notas herbáceas e picantes. Um sabor intenso, com uma boa quantidade de acidez e uma espécie de presença apimentada, equilibrada por um elemento de doçura e pela cremosidade do centeio.

Saison Voisin

Brasserie des Géants (Légendes) | www.brasseriedesgeants.com

País de origem Bélgica
Lançada em 2001
Teor alcoólico 5% vol.
Temperatura ideal 12°C

Um velho castelo com uma cervejaria em seu interior: o que poderia ser melhor? A Géants abriu as portas em 2000, no Château de Irchonwelz, perto da cidade de Ath, em Hainaut. A área é famosa pelo desfile anual de marionetes gigantes – daí vem o nome da cervejaria. No interior do castelo, as pequenas instalações são surpreendentemente modernas. As portas se abrem para o público em certos dias do ano, em pequenas feiras medievais, nas quais a Saison Voisin é servida invariavelmente na pressão. É um desafio beber apenas uma dose, especialmente de um copo curvilíneo que encoraja que se beba em grandes goles, em vez de se bebericar de forma elegante.

A Saison Voisin é uma espécie de herói desconhecido, não apenas entre as cervejas Géants, mas também entre outras saisons em geral. É menos complexa do que a famosa Saison Dupont e menos alcoólica do que algumas das chamadas supersaisons. Afirma-se que ela é preparada a partir de uma receita de 1883. Algumas gerações da família Voisin fizeram uma versão dela em Flaubecq, nas imediações, até o fechamento da Brasserie Voisin. Depois, a Géants adquiriu o equipamento e o velho Léon Voisin ficou tão impressionado que entregou a receita da Saison Voisin.

A cerveja aprimorou-se com um amargor de lúpulo que parece ter aumentado durante os últimos anos. O sabor de biscoito do malte continua ali, mas menos pronunciado. Ao mesmo tempo, seu teor alcoólico relativamente baixo torna a Voisin uma cerveja adequada para longas sessões, segundo os padrões belgas, quase como uma regressão às tradicionais saisons mais fracas, das quais ela descende. O resultado atual é uma ale âmbar honesta, totalmente seca, amarga e refrescante, que merece mais fama. Em 2006, a Géants se fundiu com a Ellezelloise para formar a cervejaria Légendes. **JS**

Notas de degustação

Apresenta uma bela cor de cobre com coroa de espuma bege. No nariz, lúpulos com toques de grama se encontram com malte abiscoitado e notas de pera e cidra ácida. Praticamente não há doçura, e sim um amargor seco e relvado que envolve a língua. Final muito seco com um gosto residual amargo e persistente.

Samichlaus Bier

Castle Brewery Eggenberg | www.schloss-eggenberg.at

País de origem Áustria
Lançada em 1979
Teor alcoólico 14% vol.
Temperatura ideal 10°C

A história de uma das lagers mais fortes do mundo começa no sopé das montanhas da região central da Suíça, onde, na década de 1970, a Hürlimann Brewery ganhou fama por experiências arrojadas com leveduras. Os suíços descobriram uma forma de fermentar o mosto para criar uma bebida com teor alcoólico de 14%, confortavelmente acima dos níveis obtidos com leveduras de cervejeiros. De forma sensata, decidiram transformar o fruto de seus esforços em uma bebida comemorativa, com o Natal como ocasião perfeita para a apresentação de sua criação. Batizada com o nome de Samichlaus (Papai Noel, no alemão falado na Suíça), ela conquistou um lugar no *Guiness Book of World Records*.

O destino da Samichlaus parecia sombrio ao final dos anos 1990, quando a Hürlimann passou a ser controlada pela Felschlössen, sua rival regional, e a cerveja saiu de produção. Felizmente, a cervejaria austríaca Eggenberg veio em seu socorro. Esse negócio familiar também se especializou em cervejas fortes e especiais e, em 1999, aproveitou a oportunidade de assumir a produção e o marketing de um produto tão fora do comum.

A Samichlaus é produzida, todos os anos, em 6 de dezembro, dia de São Nicolau. Fermenta durante três semanas e depois é amadurecida a frio por dez meses antes de ser envasada e lançada para o Natal. Os maltes são Pilsen, Munique e tostado, com o lúpulo regional Muehlviertler acompanhado por Perle, Magnum e Spalter Select, para garantir o equilíbrio. Mas é a levedura que fornece o caráter singular à cerveja, elevando sua potência a padrões estonteantes e presenteando o mundo com uma bebida reconfortante que ajuda a entrar no espírito de Natal. **JE**

Notas de degustação

Malte, xerez e frutos vinosos tomam conta do aroma desta cerveja em âmbar escuro. O sabor é igualmente pleno e doce, com passas, ameixas e toques de laranja sobre malte cremoso e macio. As mesmas qualidades frutadas estão presentes no final cremoso, seco, ácido e caloroso.

Samuel Adams Boston Lager

Boston Beer | www.samueladams.com

País de origem Estados Unidos
Lançada em 1985
Teor alcoólico 4,9% vol.
Temperatura ideal 5°C

A Boston Lager tem um estranho poder sobre os amantes da cerveja, 25 anos depois de sua aparição. Agora, se trata de uma bebida "das antigas", tão lugar-comum que costuma frequentar os freezers de restaurantes especializados em refeições para viagem e está presente nas lanchonetes dos estádios de beisebol. Alguns esnobes da cerveja – sempre em busca da próxima grande novidade – a descartam sem pensar duas vezes. A própria cervejaria parece ter feitos progressos em relação a esse carro-chefe, produzindo de forma regular mais de trinta variedades, entre elas alguns estilos experimentais muito elogiados, preparados em pequenas levas, com sabores exóticos.

Quando a Boston Lager apareceu, não existia nada semelhante nos Estados Unidos. As lagers produzidas em massa eram efervescentes, amarelas e sem personalidade. As poucas variedades artesanais disponíveis eram, em geral, ales lupuladas. Ali estava uma lager âmbar que tinha orgulho de seus ingredientes singulares: cevada de duas fileiras e lúpulos aromáticos alemães "nobres". A decocção e o *krausen* dotavam-na de um final harmonioso. O *dry hopping*, então inédito nos Estados Unidos, dava-lhe um nariz peculiar.

À medida que o renascimento da produção artesanal dos Estados Unidos chega à segunda geração, é tentador homenagear esse rótulo revolucionário por conta dos velhos tempos. Não é necessário: qualquer um que tomar um bom gole nos dias de hoje vai reconhecer por que ela permanece como uma fonte de prazer. Malte doce, levemente tostado, e lúpulos frescos dançam no palato em confortável harmonia. Refrescante e perfeita para matar a sede, a Boston Lager é, contudo, companhia encorpada para uma variedade de pratos. Se essa é a versão moderna de uma cerveja que é "pau para toda obra", uma opção sempre confiável, vivemos então em um mundo maravilhoso. **DR**

Notas de degustação

Esta cerveja, em âmbar acobreado, tem uma orgulhosa coroa de espuma firme e aroma forte de grama recém-cortada, do lúpulo. Embora seja excepcionalmente bem equilibrada, a doçura do malte e o amargor do lúpulo fornecem uma complexidade notável e um final harmonioso e brando.

Samuel Adams Double Bock

Boston Beer | www.samueladams.com

País de origem Estados Unidos
Lançada em 1988
Teor alcoólico 9,5% vol.
Temperatura ideal 7°C

Quando Jim Koch aparece para servir algumas rodadas no estande da Boston Beer, no Grande Festival Americano da Cerveja, as multidões avançam e copos se erguem em sua direção. Mas Koch só entrou para o mundo da cerveja quando tinha 35 anos, ao descobrir uma receita do seu tataravô Louis Koch Lager no sótão da casa dos pais. Em 1984, fez a primeira leva caseira da Samuel Adams Boston Lager, uma das mais bem-sucedidas cervejas lançadas nos Estados Unidos na era da produção artesanal.

A Boston Beer tem uma pequena operação na antiga Haffenreffer Brewery, na região de Jamaica Plain, em Boston, mas a maior parte de seus produtos é criada em cervejarias adquiridas em Cincinnati (a antiga Hudepohl-Schoeling Brewery) e nos arredores de Allentown (originalmente a F and M Schaefer Brewery). Com toda a consolidação que aconteceu no setor, quando a Inbev assumiu o controle da Anheuser-Busch, em 2008, a Boston Beer se tornou a maior cervejaria de propriedade de americanos a ter sua própria fábrica (a Pabst Brewing produz maior volume, mas faz isso mediante contratos com outros cervejeiros).

A Samuel Adams Double Bock é parte da série Imperial e dá para sentir o sabor de quase meio quilo de malte Harrington Metcalfe e caramelo 60 que entram na receita. A Double Bock é preparada com apenas o primeiro mosto – mosto que não foi lavado na tina de clarificação –, que dá origem a um líquido de altíssima gravidade. A cerveja amadurece por mais quatro semanas, o que ajuda a intensificar os sabores. O resultado é uma Doppelbock em clássico estilo alemão. **RL**

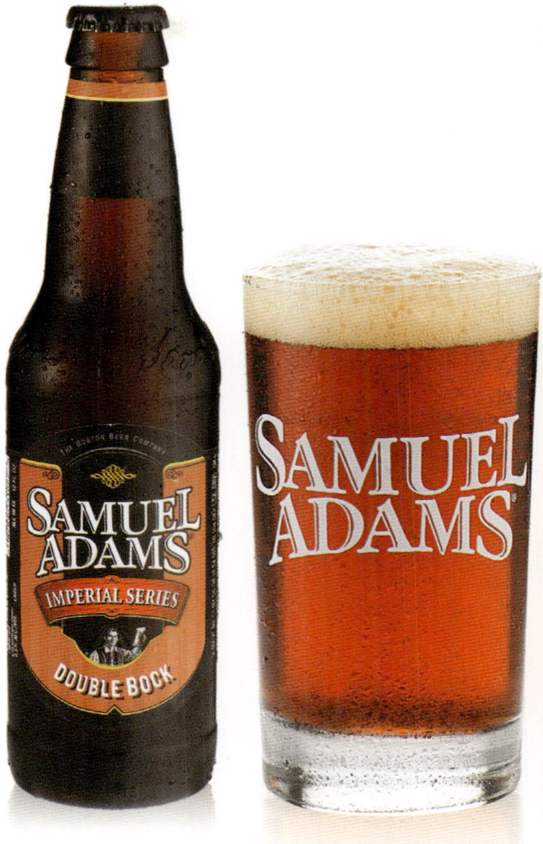

Notas de degustação

Cerveja com cor escura de cobre, com espuma em tom de canela, relativamente fina, mas duradoura. Há um imediato aroma doce e maltado que persiste. É possível sentir o gosto do álcool, mas o malte caramelizado entrega uma textura sedosa e um final longo e satisfatório.

Samuel Adams Irish Red

Boston Beer | www.samueladams.com

País de origem Estados Unidos
Lançada em 2007
Teor alcoólico 5,5% vol.
Temperatura ideal 5°C

"Quando se é pequeno", diz Jim Koch, fundador da Boston Beer, "não é possível bancar promoções com lindas modelos, distribuir passagens, lutadores de sumô infláveis ou fazer as mesmas coisas que os grandões fazem... Quando vamos aos bares, queremos educar as pessoas, e a melhor forma de fazê-lo é com nossas cervejas. Deixando que experimentem e explicando as diferenças." E então, algum gênio no departamento de marketing da Boston Beer decidiu criar a campanha Beer Lovers Choice (a escolha dos amantes de cerveja) para comparar dois protótipos em uma competição. Frequentadores de bares e apreciadores experimentam as duas variedades em centenas de eventos a cada ano e votam em seus favoritos. O vencedor entra em produção no ano seguinte. Esta boa Irish Red foi a preferida de 2007, por maioria, e logo se tornou uma das melhores a aparecer com o rótulo Samuel Adams.

Nos dias de hoje, uma red ale irlandesa é algo de assustador e seu nome se aplica a qualquer coisa que tenha um mero toque de rosa por trás do âmbar. Impostores e novatos se agarram ao estilo por saber que qualquer coisa com o adjetivo "Irish" (irlandês) vai atrair os bebedores, independentemente de sua qualidade. "Quando a Boston Beer projetou esta daqui", diz Koch, "deu um passo para trás, até as origens do estilo no século XVIII, quando ele apareceu como paladino do malte". O corpo se deve à cevada maltada Harrington and Metcalfe. Enquanto isso, o caramelo 60 – malte que costuma aparecer na bock ou na lager Viena – fornece o tom vermelho intenso e o colarinho duradouro. O conjunto é equilibrado por lúpulos terrosos East Kent Golding e Spalt Spalter. Naturalmente, os milhares de amantes da cerveja que elegeram a Irish Red não conhecem seu pedigree. Gole a gole, amam apenas o seu paladar. **DR**

Notas de degustação

O tom vermelho profundo que define este estilo reluz como o mais luminoso rubi. Malte doce com um toque de frutas encontra um aroma de lúpulo terroso. Sua considerável porção de malte é abiscoitada, sem ser doce em excesso: um triunfo de equilíbrio, soberbo e encorpado.

Samuel Smith's Nut Brown Ale

Samuel Smith | www.samuelsmithsbrewery.co.uk

País de origem Inglaterra
Lançada em *ca.* 1900
Teor alcoólico 5% vol.
Temperatura ideal 13°C

Brown ale é um estilo que tem fortes associações com o norte da Inglaterra. Seu mais conhecido arquétipo, a Newcastle Brown Ale, é uma boa representação. Embora possa não ser exatamente como antes, permanece nela suficiente do original para servir de exemplo ao estilo – cor marrom, média a escura, apenas ligeiramente lupulada, com uma personalidade de malte que lembra o *toffee*. É uma espécie de paradoxo – as cervejas são bastante doces e redondas, mas ao mesmo tempo têm uma austeridade levemente seca e de nozes.

O exemplar da Samuel Smith, que possivelmente antecede o suposto original de Newcastle, é bem mais robusto. É muito encorpado, com características de malte tostado e nozes, com uma consistência que realmente não é encontrada em nenhum outro exemplo do estilo. Essa qualidade viria do uso de um antigo sistema de fermentação, o Yorkshire Square (Quadrado de Yorkshire) – um imenso recipiente de pedra em dois níveis, que dizem ser capaz de produzir um estilo de cerveja mais bem acabado. Ela fermenta na câmara inferior, e a espuma da levedura ganha acesso ao alto através de uma abertura. Para isso, é necessária uma frequente "estimulação" – a cerveja é borrifada pela camada de espuma da levedura, para encorajar a fermentação. Sugeriu-se que o sistema incentivou o aparecimento de uma cepa mais vigorosa de levedura com o passar do tempo, e, com certeza, as ales Smith apresentam-se encorpadas de forma pouco comum. A Samuel Smith é uma das últimas cervejarias a empregar o sistema e preserva com orgulho os imensos quadrados em ardósia galesa. Embora os bebedores atuais se encantem com características cada vez mais vibrantes e intensas do lúpulo, a Samuel Smith's Nut Brown é um paradigma da tradição. **ZA**

Notas de degustação

Esta cerveja marrom-avermelhada apresenta limpidez excepcional no copo, com carbonatação fina e persistente. O aroma lembra nozes, um pouco de toffee, com uma nota terrosa de lúpulo. Meio seca, com predomínio de malte com características de nozes e uma ligeira madeira no final.

Samuel Smith's Old Brewery Pale Ale

Samuel Smith | www.samuelsmithsbrewery.co.uk

País de origem Inglaterra
Lançada em *ca.* anos 1980
Teor alcoólico 5% vol.
Temperatura ideal 11°C

A reputação desta cerveja se estende de Nova York até a Califórnia, de Perth a Brisbane, e a ironia é que ela provém de uma cervejaria discreta e misteriosa em uma pequena cidade do norte de Yorkshire. Sua popularidade deve ter relação com o fato de ser um exemplo sublime da bitter inglesa mais potente. Na torneira, a bebida é repleta de delicadas características de biscoito maltado e tem o sabor claro e vibrante que se espera de uma cerveja fermentada em Yorkshire Squares (Quadrados de Yorkshire).

Outros produtores possuem quadrados de aço inoxidável e alguns são até redondos, mas a tradição significa muito na Samuel Smith e seus quadrados não são apenas quadrados, mas também são feitos com pedras de Yorkshire. Outros aspectos da tradição incluem o fato de que o malte claro e cristal, moído, é cozido em tradicionais tinas de mostura e os lúpulos são Golding e Fuggle. Acrescentados mais tarde, eles dão um toque de especiarias à bebida. A levedura usada é a mesma há mais de cem anos e seus vigor e vitalidade criam a grande camada de espuma na sala de fermentação. O poço original, aberto em 1758, continua a ser usado e a água empregada na Old Brewery Pale Ale vem das profundezas do subsolo. A cervejaria tem ainda um daqueles raros unicórnios do *métier*: um tanoeiro que constrói e conserta todas as barricas de madeira usadas para servir a Old Brewery Pale Ale em muitos dos pubs da empresa.

A Samuel Smith foi fundada em 1758, embora a família Smith só tenha assumido o negócio em 1847. Ela também foi responsável pela fundação da cervejaria John Smith, que funciona ao lado. **TH**

Notas de degustação

A Old Brewery Pale Ale é uma tradicional bitter à moda de Yorkshire – de cor de canela escura, com a efervescência da cerveja ajudando a formar uma alta coroa de espuma no topo. Tem sabor maltado, com um toque de doce de manteiga, nozes, fruta e uma pitada de lúpulos picantes.

A Old Brewery, em Tadcaster, no norte de Yorkshire, na Inglaterra. →

Samuel Smith
THE OLD BREWERY

Münchener
Special
Farb:
malz
Münchener Farbmalzfabrik
·Emil Gunßer·
Reichenbachstr·39·Tel·5334
Münchener Farbmalz entspricht den
steueramtlichen Vorschriften·
·Franz Roth·1912·

Schäazer Kronabier

Brauerei Drei Kronen | www.kronabier.de

País de origem Alemanha
Lançada em 1837
Teor alcoólico 5,1% vol.
Temperatura ideal 8°C

Prepare-se para bater na mesa ao entrar na choperia Drei Kronen. É o que os proprietários locais costumavam fazer em tavernas da Francônia para saudar os convidados, e a Drei Kronen (Três Coroas) ficou famosa por conta disso. A lager da cervejaria apresenta um malte frutado, intensas notas florais e uma interação equilibrada entre sabores doces e amargos. É produzida desde a fundação do negócio da família do mestre cervejeiro Josef Lindner, em 1837, e provavelmente antes disso. Lindner usa maltes Pilsen e Munique para criar a coloração cálida. Trabalhou no amargor para deixá-lo mais harmonioso e passou a adotar, no lugar de lúpulos mais amargosos, a nobre espécie alemã Hallertauer Tradition. Em homenagem ao avô de Lindner, que os moradores da região chamavam de "Kronawirt" (senhor da coroa), a cervejaria fez o relançamento da marca no início dos anos 1990, chamando-a de Schäazer Kronabier. **SK**

Notas de degustação

A lager tem cheiro de mel. O primeiro gole é de um malte frutado e doce, corpo médio, com elegantes notas florais. Equilibrada por um amargor moderado que só aparece no final.

Schlägl Doppel Bock

Stiftsbrauerei Schlägl | www.stift-schlaegl.at

País de origem Áustria
Lançada em 1580
Teor alcoólico 8,3% vol.
Temperatura ideal 10°C

Os Cônegos Brancos da ordem Premonstratense começaram a preparar cerveja bem antes de 1580, em uma remota aldeia ao sul da floresta da Boêmia. O mosteiro foi fundado em 1202, mas não existem registros sobre a cervejaria até o final do século 16. Embora a palavra "doppel" em Doppelbock tenha o sentido de "dobro", esta cerveja não é duas vezes mais forte do que as bocks comuns. Porém é um pouquinho mais forte. As bocks alemães costumam apresentar teor alcoólico em torno de 7% vol.

Como acontece com muitas outras cervejarias austríacas, a bock da Schlägl é produzida a tempo para o Natal e só está disponível de novembro ao final de dezembro. A Schlägl é a única cervejaria da Áustria que pertence inteiramente a um mosteiro, e fica em frente ao próprio mosteiro em estilo barroco. Ele inclui uma igreja com uma cripta romanesca que, segundo a lenda, foi usada para armazenar cerveja durante algum tempo. **CS**

Notas de degustação

O nariz é doce e fragrante, lembrando violetas. A carbonatação é um tanto baixa, assim o corpo potente e a doçura tendem a dominar a impressão geral.

← Estampa de 1912 que mostra a maltaria Emil Gussner, de Munique.

Schumacher Alt

Brauerei Schumacher | www.schumacher-alt.de

País de origem Alemanha
Lançada em 1838
Teor alcoólico 4,6% vol.
Temperatura ideal 8°C

Depois de sofrer intensos bombardeios na Segunda Guerra Mundial, a cidade de Düsseldorf foi completamente reconstruída e, quando se caminha pela cidade velha (ou "Altstadt"), não se imagina que a maior parte dela tem apenas cinquenta anos ou menos. É uma área animada, cervejeira, cheia de bares e restaurantes, conhecida como "o bar mais longo do mundo". É uma cidade de Altbier, e anúncios da Diebels, a mais vendida nesse estilo, aparecem em toda parte, seguidos de perto pelos de uma de suas rivais, a Frankenheim. Porém, é o quarteto de pequenas choperias que atrai a atenção dos apreciadores de alt: Schüssel, Fühschen, Uerige e Schumacher. A Uerige talvez seja a mais conhecida do grupo, mas a Schumacher ocupa a segunda posição, bem próxima.

A Schumacher Alt é produzida desde 1838, quando Johann Matthias Schumacher assumiu o comando de uma cervejaria já existente. Trinta e três anos depois, ela deixou a Altstadt e foi para a Oststrasse, nas imediações, onde ainda se encontra nos dias de hoje, junto com seu restaurante. Aqui, a bebida chega o mais fresca possível, em barris de madeira. A cervejaria ainda mantém um ponto importante e tradicional dentro da Altstadt, no Goldenen Kessel. Uma visita a ambos (bem como aos outros três produtores de Altbier) leva os bebedores a serem servidos por garçons de camisa azul, chamados de "Kobes", que se agitam em meio às multidões, procurando por copos vazios que precisam ser reabastecidos. Eles perambulam, de bandeja na mão, saciando os sedentos e posando para fotos. Quando se pede uma cerveja, eles fazem uma marca na bolacha, como um controle para calcular a conta. Por isso, tenha cuidado para não fazer mais rabiscos nas bolachas e aumentar o valor a pagar. **WO**

Notas de degustação

A cor de mogno escuro da Schumacher Alt é característica, bem como a fina espuma no alto dos pequenos copos. A Schumacher Alt tem sabor bem fresco, com um leve amargor dos lúpulos no paladar e um final de lúpulo fresco com notas leves e agradáveis de levedura.

Scotch Ale

Red Hill Brewery | www.redhillbrewery.com.au

País de origem Austrália
Lançada em 2005
Teor alcoólico 5,8% vol.
Temperatura ideal 8°- 12°C

Embora os cervejeiros detestem admitir, as leis e os impostos que regulam as atividades do setor levaram a decisões sobre a bebida que, de outra forma, não teriam sido tomadas. Raramente as mudanças foram para melhor, do ponto de vista da cerveja. A taxação, por exemplo, é a razão que leva a maioria das cervejas australianas a apresentar teores alcoólicos de 5% vol. ou inferiores. Na maioria dos casos, o produtor prepara a bebida do jeito que gostaria e, depois de provar, com tristeza, despeja água no tonel para baixar o álcool até o percentual exigido para manter o fisco sob controle.

No caso da Red Hill Brewery, porém, na península de Mornington, em Victoria, a lei teve uma consequência inesperada que só pode ser descrita como uma situação ganha-ganha. Depois de passar sete anos planejando uma cervejaria e hipotecando a própria casa para garantir os recursos, David e Karen Golding descobriram, horrorizados, que estavam proibidos de abri-la, a menos que houvesse algum vínculo agrícola com a terra. Depois de muita deliberação, David e Karen decidiram plantar lúpulo e operar uma cervejaria para empregar suas abundantes colheitas.

E puseram a mão na massa. A Red Hill Brewery é agora a única da Austrália a cultivar seu próprio lúpulo. Uma vez por ano, um grupo de voluntários da comunidade ajuda na colheita de cinco variedades, em troca de algumas amostras de alta qualidade. Isso significa que o lúpulo é cultivado de acordo com a demanda e é tão fresco quanto uma cerveja poderia desejar. Não causa surpresa que os moradores da região tenham o hábito de brindar os fazendeiros favoritos da península de Mornington, erguendo copos da Scotch Ale. **DD**

Notas de degustação

Esta ale apresenta um convidativo tom vermelho-queimado e atrai com um forte aroma caramelizado, antes de entregar uma bem equilibrada doçura de toffee em seu malte. As flores de lúpulo colhidas na região contribuem de forma sutil para um final moderadamente amargo. Uma companhia perfeita para um prato de fricassée de frango ao vinho tinto.

Scotch Silly

Brasserie Silly | www.silly-beer.com

País de origem Bélgica
Lançada em 1919
Teor alcoólico 8% vol.
Temperatura ideal 8°C

A Brasserie Silly é um negócio familiar aberto em 1850 na cidadezinha de Silly, na província de Hainaut. Até a Segunda Guerra Mundial, os moradores da região trabalhavam principalmente na agricultura e, quando apareceu, a cervejaria ficava em uma fazenda. Durante a década de 1970, passou por uma série de mudanças, a começar pela troca do nome Meynsbrughen (sobrenome da família) para Silly, e depois ampliando a gama de cervejas para se tornar mais conhecida na Bélgica e em outros países.

A Scotch da Silly é uma das grandes sobreviventes, uma cerveja de estilo escocês, com uma história intrigante. Dizem que um regimento da Escócia ficou baseado em Silly, logo depois da Primeira Guerra Mundial, e que as tropas desejavam algo que lembrasse seu lar: em outras palavras, uma cerveja. Os oficiais pediram ao dono da cervejaria que produzisse uma ale forte, ao estilo escocês, que seria um tanto escuro, maltado e ligeiramente doce. Ele concordou e fez experiências com uma série de receitas diferentes, testando cada uma delas com um ou dois barris de amostra que eram provados pelas tropas em uma festa de degustação. Como as plantações de lúpulo da Bélgica haviam sido dizimadas por quatro anos de guerra, importou-se East Kent Golding da Inglaterra, uma cortesia do exército inglês (o mesmo lúpulo é utilizado hoje em dia, mas chega de forma mais convencional). Foi presenteado sem custos. Afinal, decidiu-se qual era a receita favorita dos soldados e, de acordo com a Brasserie Silly, é a mesma usada até hoje. Um delicioso final para a história conta que o filho de um dos soldados escoceses acabou trabalhando na cervejaria. **CC**

Notas de degustação

No copo, apresenta um tom de âmbar amarronzado e se acomoda sob um moderado colarinho cor de canela. No nariz, há notas de malte caramelo, frutas escuras e melado. O sabor é doce, com chocolate amargo e açúcar mascavo, toques de especiarias e um moderado ardor de álcool.

Sella del Diavolo

Birrificio Barley | www.barley.it

País de origem Itália
Lançada em 2006
Teor alcoólico 6,5% vol.
Temperatura ideal 12°C

A Sella del Diavolo (Sela do Diabo) tem o nome inspirado em um promontório perto da famosa praia de Poetto, próxima a Cagliari. Conta a lenda que, depois de uma batalha com os anjos, o diabo caiu do cavalo e perdeu a sela, que se transformou nesse promontório banhado pelo mar da Sardenha. A cerveja produzida por Nicola Perra não é tão diabólica como o nome poderia sugerir, mas é cheia de tentações. Ao contrário do que acontece com outras bebidas produzidas pelo Birrificio Barley, como a BB10 ou a Zàgara (que leva mel de flor de laranjeira na receita), ela deixa que a magia corra por conta apenas da cevada maltada e do lúpulo – bem como da água de nascente que é usada em todas as bebidas do Birrificio Barley.

A Sella del Diavolo é uma cerveja desenvolvida por Perra quando ele era ainda um produtor caseiro. E ele precisou de dois anos de experiências para aperfeiçoá-la. Cinco tipos de malte diferentes (três alemães e dois caramelos da Bélgica), além de duas variedades de lúpulo alemão da região de Hallertau (Tradition e Hersbrucker) entram na caldeira de brassagem. O primeiro lúpulo é adicionado para fornecer amargor, enquanto o mosto está cozinhando, ao passo que o segundo é principalmente para dar aroma, e entra nos últimos minutos. A bebida passa por duas semanas de fermentação na garrafa.

Embora a Sella del Diavolo seja de alta fermentação, pode ser difícil defini-la: o perfil maltado é comparável ao das bocks alemãs, mas, do ponto de vista do lúpulo, ela lembra mais um produto britânico. Além do mais, Perra não gosta de classificar suas cervejas e fica feliz que os bebedores aceitem a Sella del Diavolo como ela é: uma ale muito saborosa, fácil de beber. É maravilhosa com assados ou queijos que não sejam excessivamente amadurecidos. **MM**

Notas de degustação

Aroma doce e frutado, cogumelo e ameixas, no princípio, seguido por notas frescas, levemente apimentadas. A Sella del Diavolo é bem equilibrada na boca, com toques frutados e doçura. Gosto residual agradável que não persiste demais.

Sharp's Doom Bar

Sharp's Brewery | www.sharpsbrewery.co.uk

País de origem Inglaterra
Lançada em 1995
Teor alcoólico 4,3%
Temperatura ideal 12°C

Doom Bar é um banco de areia na costa norte da Cornualha. Protege o estuário do rio Camel da agitação do oceano Atlântico, mas, com o passar dos séculos, tornou-se um grande problema para o transporte marítimo, fazendo com que muitas embarcações encalhassem. Desde 1995, porém, uma cerveja com o nome dessa ameaça submarina fornece uma base sólida para um empreendimento extremamente bem-sucedido.

Bill Sharp é o fundador da Sharp's Brewery, sediada bem diante do estuário, no porto de Padstow. Ele começou a fazer cervejas como um hobby, mas descobriu que existia um mercado para suas bebidas na própria região e se profissionalizou em 1994. A Doom Bar foi uma de suas primeiras criações. A princípio, era uma combinação de outras duas – Cornish Coaster e Sharp's Own –, mas hoje é uma autêntica cerveja por si só, construída com cuidado a partir de maltes claro e cristal, perfumada com lúpulos Northdown e Northern Brewer.

Sharp vendeu a cervejaria a seus novos proprietários em 2003. Eles levaram o negócio adiante, mirando o mercado doméstico do Reino Unido com a Doom Bar. O mestre cervejeiro Stuart Howe gosta de fazer experiências com intrigantes ales acondicionadas em garrafas, como a Chalky's Bite (misturada com funcho), a Honey Spice Wheat Beer e o poderoso mas suave barleywine Massive Ale. Mas é a Doom Bar que permanece como favorita da freguesia: sua natureza fácil de beber atrai uma grande variedade de consumidores – de fato, ela responde por 70% dos negócios. Os marinheiros da Cornualha sempre precisaram prestar atenção em Doom Bar. Agora, parece que o resto do país – e, com o aumento das exportações, o resto do mundo – em breve vai tomar conhecimento de sua existência. **JE**

Notas de degustação

Ale âmbar bem equilibrada, com características de nozes no aroma de malte cremoso, além de um toque picante de lúpulo. As mesmas características do malte conduzem o paladar com uma intensidade lupulada e um pouco de frutas agridoces, e prosseguem até um final seco, acompanhadas por um amargor agradável e crescente.

Shipyard IPA

Shipyard Brewing | www.shipyard.com

País de origem Estados Unidos
Lançada em 1997
Teor alcoólico 5,8% vol.
Temperatura ideal 10°C

Alan Pugsley, cofundador da Shipyard Brewing, é uma das personalidades mais influentes do setor de produção artesanal nos Estados Unidos. Antes de ir para o país, ele foi aprendiz na Ringwood Brewery, sob a tutela de Peter Austin, considerado "o avô do movimento das microcervejarias". Desde que chegou aos Estados Unidos em 1992, Pugsley ajudou a estabelecer numerosas cervejarias artesanais e choperias. A levedura Ringwood, que veio com ele, tornou-se uma das mais populares entre aquelas usadas pelas microcervejarias. É também a levedura usada para criar esta IPA.

A Shipyard IPA é produzida com malte britânico claro de duas fileiras, junto com cristal e trigo maltado. Mas é o lúpulo que realmente faz a diferença. A maioria das cervejas usa uma combinação de duas ou mais variedades, mas a Shipyard usa apenas uma. Tais cervejas são conhecidas como de um lúpulo só. Costumam ser preparadas de forma experimental, para que os produtores e os aficionados possam apreciar as qualidades individuais de uma variedade específica. Algumas são suficientemente versáteis para serem usadas sozinhas e darem origem a uma cerveja comercial.

O lúpulo usado na Shipyard IPA é o Fuggle. É popular entre os cervejeiros por sua suavidade e seus aromas picantes, especialmente quando usado para uma série de ales de estilo inglês. Embora seja suave demais para India Pale Ales mais fortes, Pugsley conseguiu chegar a 50 IBU com o Fuggle, usando um "coador de lúpulo" lotado e colocado na panela de brassagem para fornecer a intensidade necessária. Conhecida originalmente como Shipyard Fuggles IPA, a cerveja passou a ser chamada recentemente apenas de Shipyard IPA, mas permanece exatamente a mesma. **JB**

Notas de degustação

A Shipyard IPA é de um âmbar vibrante e alaranjado, com um denso colarinho marfim. O lúpulo fornece aromas relvados e herbáceos para um nariz que é, a princípio, doce e maltado. Com uma textura cremosa e efervescente na boca, os sabores amargos destacam-se de forma proeminente e o final é muito seco e ácido.

Sierra Nevada Bigfoot Barleywine Style Ale

Sierra Nevada Brewing Company | www.sierranevada.com

País de origem Estados Unidos
Lançada em 1982
Teor alcoólico 10,4% vol.
Temperatura ideal 13°- 16°C

A Bigfoot (Pé Grande) tem um nome apropriado, pois esta cerveja é um monstro lendário. Começou como uma busca. "Eu viajava ocasionalmente à Inglaterra, comprando todas as ales fortes que conseguia encontrar", relembra Ken Grossman, fundador da Sierra Nevada. "Fritz (Maytag, da Anchor) acabara de lançar a Old Foghorn e eu tinha uma cervejaria caseira e acesso a todos os tipos de ingredientes. Parecia correto tentar fazer um barleywine forte."

A Bigfoot foi uma cerveja radical, em seu tempo. Ainda é formidável. "O objetivo desta cerveja de 10,4% vol.", diz Grossman, "é equilibrar os lúpulos e o malte para criar algo bebível". A seleção de grãos é relativamente simples – Pilsen de duas fileiras e malte caramelo inglês – mas, com 10,4% vol., tudo é amplificado. Os aromas de caramelo tostado e açúcar queimado aparecem com força. É uma coisa boa, pois ela está carregada de lúpulos cheios de resina, adicionados para chegar a 90 IBU. Depois, há *dry hopping* com Cascade, Centennial e Chinook.

A Sierra Nevada é famosa pela levedura, uma cepa robusta e adaptável, usada pela antiga cervejaria Ballantine. É basicamente neutra, mas adiciona uma qualidade frutada, suave e redonda em todas as bebidas da Sierra Nevada. Tem tolerância ao álcool, o que é bom nesse caso. Grossman diz que ela fica melhor quando os sabores vibrantes do lúpulo estãos frescos e bem evidentes. Existem aficionados que dão algum tempo para ela. Cervejas desse tipo costumavam ser envelhecidas por uma década ou mais, na Inglaterra do século 18. A Bigfoot aguenta bem de quatro a dez anos, mas a personalidade muda, tornando-se mais vinosa e maltada, às vezes apresentando um pouco de couro velho no nariz. **RM**

Notas de degustação

Aromas de malte que lembram toffee, *mais lúpulos picantes, levemente resinados, com uma complexidade de madeira. Álcool e frutas estão em evidência. Muito doce e encorpada a princípio, conduzindo a um amargor colossal com nuances de caramelo e laranja. Final longo, caloroso e agridoce.*

Sierra Nevada Harvest

Sierra Nevada Brewing Company | www.sierranevada.com

País de origem Estados Unidos
Lançada em 1996
Teor alcoólico 6,7% vol.
Temperatura ideal 9°- 10°C

Esta é a análise de uma série de três cervejas e do conceito por trás delas. Por muito tempo, o vinho manteve-se teimosamente arraigado ao conceito de *terroir*: as influências do solo, do clima e de outros fatores que podem ser provados em uma taça. Por um par de séculos, a cerveja tem sido um produto industrial, separado da terra. Agora que a produção cervejeira voltou a se tornar mais artesanal, é útil lembrar às pessoas que se trata, fundamentalmente, de um produto de origem agrícola.

A cervejaria Sierra Nevada fica muito próxima de algumas antigas áreas de plantação de lúpulo, no norte da Califórnia, e esta cerveja tinha como objetivo combinar a tradição com o novo entusiasmo pelo lúpulo apresentado pelo mercado de bebidas artesanais. "Queríamos mostrar para as pessoas o que entra na composição", diz Ken Grossman, presidente da Sierra Nevada. A primeira da série de três cervejas Sierra Nevada Harvest é a Wet Hop Harvest Ale. Para esta cerveja, o lúpulo vem fresco dos campos, sem passar por desidratação, como é o normal. Isso significa que os lúpulos precisam entrar na panela dentro de poucos dias depois da colheita ou sofrerão decomposição.

A cervejaria atualmente possui 6,4 hectares de plantações de lúpulos, usados na Chico Estate Harvest Ale. No momento em que este artigo estava sendo escrito, Grossman tinha esperanças de que os 10,5 hectares de cevada da empresa pudessem ser maltados e usados na leva a ser produzida no outono de 2009. A terceira da série é a Southern Hemisphere Harvest Ale e, como o nome sugere, emprega lúpulos da Nova Zelândia. **RM**

Notas de degustação

A Southern Hemisphere tem um belo nariz de lúpulo com nuances de laranja, muito perfumado e ligeiramente herbáceo, que se funde com o malte caramelado. Doce e maltada a princípio. Depois, um amargor muito límpido entra em cena. Grandes sabores na boca, mas sem ser pesada. Final longo e amargo, mas ao mesmo tempo viçoso e elegante.

Skull Splitter

Orkney Brewery | www.orkneybrewery.co.uk

País de origem Escócia
Lançada em 1988
Teor alcoólico 8,5% vol.
Temperatura ideal 13°C

A Skull Splitter (Rachador de Crânios) tirou seu nome do apelido dado a Thorfinn "Hausakluif" Einarsson, sétimo marquês viking de Orkney por volta do ano 950, que, como o nome sugere, era famoso por sua habilidade com o machado nas batalhas. A bebida situa-se com firmeza na categoria de cervejas escocesas "Wee Heavy" (Um Tantinho Pesadas) e ganhou o título de Campeã Suprema entre as Cervejas de Inverno da Grã-Bretanha em 2001. "Wee Heavy" é outro nome para a scotch ale forte, preparada com teor alcoólico entre 5,5% e 6,5% vol. Cervejas nessa categoria robusta e potente – o barleywine é outra delas – tendem a apresentar doçura e a ser encorpadas, com baixa presença de lúpulo.

A Skull Splitter tem presença substancial de malte de pale ale, enquanto a adição de maltes cristal e chocolate fornece uma estrutura rica e frutada, perfeitamente equilibrada pela personalidade herbácea e picante do lúpulo East Kent Golding. A natureza complexa no paladar faz com que seja perfeita para o final de noite, mas também é ideal à mesa, funcionando bem com patês, carnes vermelhas e queijos fortes.

A Orkney Brewery abriu em 1988 em Orkney, na costa norte da Escócia. Em 2004, o negócio se fundiu à Atlas Brewery, de Argyll, sob o nome de Highland and Island Breweries. Dois anos depois, passou a ser controlado pela Sinclair Breweries. Com certo atraso, depois de vinte anos em produção, a Skull Splitter encontrou-se no centro de uma polêmica em 2008, quando o "vigilante" do álcool britânico, The Portman Group, fez uma investigação sobre queixas de que a bebida tinha um tema "agressivo" e que devia mudar de nome. A cervejaria imediatamente deslanchou uma campanha pública para salvá-la e conseguiu que a organização voltasse atrás. **AG**

Notas de degustação

Cor vermelho-vibrante, com nuances em marrom-amarelado. Características de malte suculentas, quase frutadas, com uma variedade de aromas de frutas secas – tâmaras e figos –, toques de gengibre, canela e um véu de baunilha. A complexidade saborosa e frutada na boca, que lembra a do vinho, inclui cítricos frescos, frutas secas e especiarias exóticas.

Sneck Lifter

Jennings | www.jenningsbrewery.co.uk

País de origem Inglaterra
Lançada em 1990
Teor alcoólico 5,1% vol.
Temperatura ideal 11°C

A Sneck Lifter foi produzida inicialmente em 1990, como uma sazonal para o inverno, que, por tradição, costuma ser uma ale forte e escura com o objetivo de alegrar os corações dos amantes de cerveja (embora possa se argumentar que o teor alcoólico da Sneck Lifter, relativamente baixo, a torna mais próxima de uma bitter forte do que propriamente de uma bebida de inverno). Sua gênese se encontra em um período de mudanças turbulentas no setor cervejeiro britânico: época em que o governo mudou a lei da concorrência e permitiu que os licenciados de mais de 10.000 pubs que pertenciam a grandes cervejarias nacionais comprassem barris de sua escolha, de qualquer produtor.

Cervejeiros empreendedores reconheceram que era uma oportunidade para incrementar a venda de bebida para além de seus pubs próprios – e o que aconteceu foi que as cervejas mais fortes, mais intrigantes e saborosas fizeram sucesso nesse novo mercado. A Sneck Lifter foi uma dessas sortudas. Fez tanto sucesso que, a partir de 1995, começou a ser produzida o ano inteiro.

A Jennings é um tradicional produtor inglês de ale, situada na pitoresca cidadezinha de Cockermouth, em Cumberland, à beira do Lake District. Suas raízes remontam a 1828, quando John Jennings, filho de um produtor de malte, abriu uma pequena cervejaria no vilarejo de Lorton. A empresa costuma dar nomes bem-humorados às bebidas, derivados do dialeto local. "Sneck lifter" é uma pessoa esperta que, silenciosamente, tenta levantar a tranca (*sneck*) da porta do pub para se esgueirar e gastar a última moeda em um copo de cerveja na esperança de puxar assunto com alguém que vai lhe comprar um segundo ou até mesmo um terceiro copo. **TH**

Notas de degustação

No copo, a ale tem um tom avermelhado-escuro, com complexo equilíbrio de açúcar, malte e lúpulos no nariz. O sabor seco e abiscoitado do malte abre caminho para notas de chocolate e café que dançam em harmonia com as características apimentadas e agridoces dos lúpulos Golding e Fuggle.

Snow Cap

Pyramid Breweries | www.pyramidbrew.com

País de origem Estados Unidos
Lançada em 1986
Teor alcoólico 7% vol.
Temperatura ideal 13°C

A Pyramid Breweries começou em 1984 como Hart Brewing Company, a partir do nome da fundadora Beth Hartwell. Quando um fundo de investimentos comprou a Hart Brewing, no estado de Washington, e a Thomas Kemper Brewery, de Bainbridge Island, em 1989, ambas as operações foram transferidas para Seattle, sob o nome de Pyramid Breweries, a partir da marca Pyramid, criada pela Hart Brewing.

A primeira bebida da Pyramid foi uma pale ale. Embora evocasse imagens do Egito antigo, o nome foi inspirado, na realidade, pelo pico Pyramid, montanha de 2.189 metros na cordilheira Cascade. Fica localizado no Parque Nacional North Cascades e é um entre diversos picos que formam uma meia-lua em torno da geleira Colonial. Quando a Hart Brewing decidiu criar uma cerveja para o final do ano, ela acrescentou neve à ponta do desenho da pirâmide, para lembrar o pico que lhe deu nome. E assim nasceu a ale Snow Cap. É uma bebida para aquecer o inverno, na tradição britânica, ou seja, um tipo de ale inglesa forte ou antiga, com grande intensidade de malte. São normalmente doces, mas sem presença de especiarias.

A Snow Cap é produzida com malte de duas fileiras, caramelo 80L e chocolate, além de três variedades de lúpulo: East Kent Golding, Nugget e Willamette. Uma levedura inglesa flocosa – o que quer dizer que ela se aglomera, afundando, o que ajuda a clarificar a cerveja – é usada para dar uma textura rica e encorpada na boca. A Pyramid Snow Cap é boa para bebericar e pode ser apreciada por si só. Também pode ser harmonizada com mariscos, caças de sabor forte e sobremesas de chocolate. **JB**

Notas de degustação

A Snow Cap, da Pyramid, tem intensa cor castanha, com uma coroa de espuma nevada, em tons de creme. O nariz é complexo, com aromas de caramelo, banana madura e frutas, como groselha-negra, morango e cereja. Suaves sabores de malte com toques de toffee e avelã e um final caloroso, longo e picante.

Special De Ryck

Brouwerij De Ryck | www.brouwerijderyck.be

País de origem Bélgica
Lançada em 1920
Teor alcoólico 5,5% vol.
Temperatura ideal 6°C

A cervejaria De Ryck é um daqueles negócios familiares que se acredita não existir mais. Apesar do sucesso regional – suas cervejas são populares e facilmente encontradas no vilarejo de Herzele e nas cidades das imediações –, ainda não foi engolida pelo peixe grande. Por sorte. A cervejeira An De Ryck é a bisneta do fundador Gustaaf De Ryck e, como seu ancestral, aprendeu o ofício na Alemanha. Gustaaf trabalhou em uma produtora de Altbier chamada Zum Goldenen Adler (A Águia Dourada). A cervejaria que ele abriu em 1886 tinha o mesmo nome, mas, de forma bilíngue, podia ser chamada tanto de l'Aigle D'Or quanto de De Gouden Arend (é difícil imaginar, nos dias de hoje, um estabelecimento flamengo adotando um nome em francês ou em holandês). A linha atual de cervejas Arend, ao estilo abadia, presta homenagem a suas raízes no século 19.

Em 1920, a cervejaria passou a se chamar De Ryck e lançou a Special, uma pale ale inspirada pelas inglesas que foi muito popular na Bélgica entre as duas guerras. Curiosamente, a versão da De Ryck é anterior às famosas Palm (1928) e De Koninck (1939) – embora haja diversas referências a pale ales "especiais" belgas desde 1900. A Special permanece simples. Sua força foi elevada de 4% para 5,5%, mas continua adequada ao consumo em sessões prolongadas e é ótima para matar a sede. Embora a estrutura de malte e os lúpulos classudos lhe deem um ar inglês, o corpo leve e a efervescência revigorante têm natureza especificamente belga. Como a própria cervejaria, a Special, sem dúvida, evoluiu com o passar dos anos. Mas, provavelmente, não muito. Mais uma vez, por sorte. **JS**

Notas de degustação

A Special De Ryck apresenta tom de âmbar vibrante e límpido, quando servida da garrafa ou como chope. Leves lúpulos florais e biscoito aparecem no nariz. Atualmente, o amargor do lúpulo está mais perceptível do que a ligeira doçura maltada, em especial quando a bebida está fresca. Implora para ser engolida em grandes quantidades.

Spezial Rauchbier

Brauerei Spezial
www.brauerei-spezial.de

País de origem Alemanha
Lançada em 1550
Teor alcoólico 4,7% vol.
Temperatura ideal 8°C

Rauchbier – cerveja defumada – é a famosa marca registrada de Bamberg e esta, produzida pela Brauerei Spezial, costuma ser apontada como a mais antiga. Nos dias de hoje, a cevada maltada é seca em fornalhas e o calor pode ser controlado, mas, em outros tempos, os mestres cervejeiros costumavam trabalhar o malte em fogo aberto. O sabor dependia em parte da madeira usada e algumas delas tinham, provavelmente, gosto de presunto defumado. É uma das características de sabor que sobreviveram. A Spezial é uma das poucas cervejarias que fazem malte de cevada para seu próprio uso, tendo a faia como madeira escolhida. Embora a cerveja seja preparada sem gosto de fumaça há quase duzentos anos, ainda existem paladares adequados e a Rauchbier atende a demanda em Bamberg. O maior problema para o produtor é garantir que o amargor da fumaça se combine com sucesso ao amargor do lúpulo durante a produção. Sem esse equilíbrio, a bebida pode se tornar intragável.

O local onde funciona a Brauerei Spezial teria abrigado uma cervejaria pela primeira vez em 1531, quando um certo Linhard Großkopf começou a fazer a bebida. Em 1900, a família Merz comprou a cervejaria, que continua até hoje em suas mãos. A Spezial também possui um popular restaurante e choperia, que se destaca pelos belos pratos, bem harmonizados com a Rauchbier. **WO**

Notas de degustação

Um toque belo e suave de fumaça no nariz e na boca. O aroma do malte é bastante nítido, com bom equilíbrio entre o amargor do lúpulo e o da fumaça.

Staropramen Granát

Pivovary Staropramen
www.pivovary-staropramen.cz

País de origem República Tcheca
Lançada em 1884
Teor alcoólico 5% vol.
Temperatura ideal 9°C

Quando a cervejaria foi fundada, em 1871, era conhecida como Smíchov, com capacidade original de apenas 22.500 hectolitros. Em 1889, a produção tinha mais do que quadruplicado e, em 1939, era a maior da Europa Central. Hoje, produz mais de quarenta vezes sua capacidade original, com exportações para todo o mundo. Quando o conselho de direção da empresa registrou sua marca em 1911, examinou dezessete possíveis nomes, entre eles Pračep (Torneira Original), Starozdroj (Velha Fonte) e Starosmíchovský (Velho Smíchov). Por sorte, selecionou Staropramen, ou melhor, Velha Nascente.

Menos conhecida do que as lagers claras e escuras da cervejaria é a incomum Granát, ou granada, bebida semiescura. Saiu de produção por muitos anos até 1999, quando reapareceu como Millenium, recuperando o nome original de Granát alguns anos depois. Inspirada pelas lagers âmbar de Viena, desenvolvidas por Anton Dreher, a Granát recebe o crédito por reapresentar a lager semiescura ou âmbar para um público mais amplo. Em sua atual encarnação, a Granát costuma ser servida em um copo pequeno, como se a presença de malte na bebida fosse excessiva para um copo maior. É produzida com uma mistura de maltes claros e escuros, com um sabor que faz a ponte entre a personalidade vibrante e lupulada de uma lager clara e o corpo saboroso de uma lager escura. **ER**

Notas de degustação

Âmbar intenso com reluzentes notas avermelhadas, coroado com uma espuma densa, arenosa. Esta lager especial tem belas notas de cola e caramelo no nariz, e uma textura plena e maltada na boca, com um corpo açucarado.

Letreiro original da choperia Staropramen, em Praga, na República Tcheca. →

Registrovaná slovní i obrazná ochranná známka.
Starosmíchovské, Pračep, Starozdroj.
AP
Ochranná známka
SMÍCHOVSKÝ
„STAROPRAMEN"
Z PRVNÍHO
AKCIONÁŘSKÉHO PIVOVARU
NA SMÍCHOVĚ Č.P. 43.
ZALOŽENÉHO R. 1869.
Vyznamenán prvními cenami na všech obeslaných výstavách.

Stern-Bräu Festbier

Stern-Bräu Günter Scheubel | www.landgasthof-sternbraeu.de

País de origem Alemanha
Lançada em 2004
Teor alcoólico 5,5% vol.
Temperatura ideal 8°- 10°C

Para aqueles que sonham com uma lager mais leve, elegante e refinada, mas que também apresente um bom nariz, a Stern-Bräu Festbier preenche exatamente todos os requisitos. Esta cerveja sem filtragem é límpida e direta, complexa e sutil ao mesmo tempo. Tem corpo médio, encantador aroma de lúpulo e 10% de malte defumado. A cor é reluzente e viva devido a uma fermentação lenta, a frio, e doze a quatorze semanas em tanques de maturação a frio.

Günter Scheubel, mestre cervejeiro, proprietário e chefe mais jovem da pequena cervejaria Stern-Bräu, em Schlüssefeld, na Francônia, criou a cerveja através de diversas experimentações. Foi aprendiz da Brauerei Greifenklau, em Bamberg, onde aprendeu a arte de usar malte defumado. Trabalhando com produtores de renome internacional, descobriu mais sobre maltes especiais e sobre o efeito que exercem na coloração. Com certeza, aprecia a Schlenkerla Smokebeer, mas Scheubel fez algo de diferente. Fez uma cerveja do jeito que ele prefere, o que tem muita relação com a escolha de lúpulos. Um dos melhores para uma lager leve, diz ele, é o Tettnanger, com seu maravilhoso aroma.

Scheubel adora a profissão e é o mais novo mestre cervejeiro em uma longa linhagem familiar. A família começou no ramo em 1828, mas ele não parece estar aprisionado por essa herança. Nem a tradição nem a inspiração são questões relevantes: para simplificar, ele é um artesão da Francônia, sensato, sem aspirações ambiciosas, mas dotado de habilidade e de uma única paixão – fazer uma boa cerveja. Como demonstra a Stern-Bräu Festbier, ele conseguiu. **SK**

Notas de degustação

Cor laranja lustrosa no copo, sob uma suave coroa de espuma. Aromas florais, cremosos e defumados encantam o nariz. Na boca, espere uma decente doçura de pão equilibrada por um amargor seco, inspirado por notas florais de lúpulo, e agradáveis sabores defumados. Final seco e amargo.

Stonecutter

Renaissance Brewing | www.renaissancebrewing.co.nz

País de origem Nova Zelândia
Lançada em 2005
Teor alcoólico 7% vol.
Temperatura ideal 10°- 12°C

Estabelecida em Blenheim em 2005, a Renaissance Brewing é invenção de dois cunhados que adoram cerveja, ambos vindos da Califórnia – Andy Deuchars e Brian Thiel. Além da paixão compartilhada pela produção artesanal, os dois têm habilidades complementares: Deuchars tem uma ampla experiência na produção, enquanto Thiel é um bem qualificado mecânico de motores, com os conhecimentos de engenharia que o capacitam a cuidar da manutenção de uma cervejaria moderna.

Compartilhando do sobrenome de uma das famosas famílias de cervejeiros escoceses, não chega a ser surpresa que Deuchars tivesse a produção no seu sangue. Com experiência adquirida no Brewski's Gas Lamp Pub and Brewery, em San Diego, e na respeitada Anderson Valley Brewing, no norte da Califórnia, Deuchars é enfático ao falar de sua filosofia: "Como se percebe, toda minha experiência é no preparo de ales e não tenho qualquer interesse em lagers, especialmente nas leves e douradas!" Em um país como a Nova Zelândia, onde a maioria das cervejas para o grande consumo é constituída por lagers douradas ou âmbar, trata-se de uma abordagem corajosa, mas que deu certo. A cervejaria ganhou uma série de prêmios e experimenta crescimento constante.

Fáceis de reconhecer graças à embalagem classuda, as cervejas Renaissance também estão disponíveis na torneira. Se jamais existiu uma bebida com um autêntico pedigree internacional, esta é a Stonecutter Scotch Ale. Produzida por dois americanos com maltes moídos da Austrália, Alemanha e Reino Unido, além de duas variedades de lúpulo neozelandês e uma levedura de Londres, é a versão da cervejaria para uma ale escocesa. Uma pequena adição de malte turfado – usado habitualmente em uísques – dá um agradável toque de fumaça a esta ale cheia de sabor e calor. **GG**

Notas de degustação

Âmbar escuro com nuances rubi sob coroa cor de canela. Notas de toffee, caramelo, chocolate, passas e álcool e um toque de fumaça se combinam no aroma e no paladar. Encorpada, calorosa, sedutora, com um longo final. Ótima combinação para ensopados consistentes ou para biscoitos amanteigados.

Strzelec Mocne

Browar Jędrzejów | www.piwostrzelec.pl

País de origem Polônia
Lançada em 1995
Teor alcoólico 7% vol.
Temperatura ideal 10°C

Jędrzejów é uma pequena cidade na região central da Polônia, famosa pelo museu de astronomia, o mosteiro medieval cisterciense e a cerveja. O museu tem uma das melhores coleções de relógios astronômicos e de sol em todo o mundo e a cervejaria local recebeu o nome de Strzelec, ou melhor, Sagitário.

Por que não Leão ou Órion? A resposta está na insígnia de Jędrzejów, conferida ao município no século 13. Lembra uma grande flecha branca sobre um fundo vermelho. É quase idêntica ao símbolo astronômico de Sagitário, e o rótulo da Strzelec Mocne apresenta a imagem desse arqueiro. Como a segunda parte do nome poderia sugerir, ela é forte. Mocne, em polonês, significa "forte", e costuma ser visto como uma categoria ou estilo do país. Porém, os fãs das cervejas radicais norte-americanas e de algumas tripels belgas talvez considerem o teor alcoólico de 7% um tanto adequado para longas sessões. **RZ**

Notas de degustação
Âmbar claro sob espuma branca e cremosa. Delicado aroma maltado conduz a um doce sabor seguido por delicado amargor. Ideal para acompanhar pato assado com maçãs.

Styrian Ale

Handbrauerei Forstner | www.forstner-biere.at

País de origem Áustria
Lançada em 2005
Teor alcoólico 6,2% vol.
Temperatura ideal 10°C

Gerhard Forstner começou a choperia em 2001 no pequeno vilarejo de Kalsorf, ao sul de Graz. Em 2004, foi convidado a participar de um festival de cerveja na Estíria e enfrentou um desafio que nenhum outro produtor da província se dispôs a aceitar: fornecer uma ale para o evento. Forstner tinha bem pouca experiência com ales, mas havia produzido uma Irish Red anteriormente. Pesquisou receitas de ales fortes e criou a bebida. Foi um sucesso imediato, de tal maneira que Forstner decidiu fazer uma cerveja do mesmo estilo para ser incluída em seu portfólio habitual. A Styrian Ale tornou-se a primeira ale engarrafada criada por uma choperia austríaca – e ainda é produzida em quantidades limitadas. O "Styrian" do nome se refere ao uso da água da região e não aos lúpulos: a receita pede Cascade. Os maltes são Pilsen, de trigo, caramelo e chocolate, enquanto a levedura é da conhecida cepa Nottingham. **CS**

Notas de degustação
Quando servida, apresenta um tom que varia entre o âmbar escuro e o marrom-avermelhado, pouca espuma, mas aroma intenso e frutado, com toques de cacau, mirtilo e morango silvestre. Encorpada na boca. Final leve e amargo.

Surly Furious

Surly Brewing | www.surlybrewing.com

País de origem Estados Unidos
Lançada em 2006
Teor alcoólico 6,2% vol.
Temperatura ideal 10°C

Desde o princípio da história da Surly Brewing, o mestre cervejeiro Todd Haug dizia ao fundador Omar Ansari: "Um dia desses, vou botar nossa cerveja em latas." A princípio, Ansari riu da ideia, mas manteve a mente aberta. Quando examinou com mais atenção as especificações técnicas, percebeu que a ideia não era nada ruim. Porém, não ficou completamente convencido até que a esposa de Haug sugeriu que pusessem a cerveja em "latas altas". "Quando ela disse aquilo, a ficha caiu", lembra Ansari. "As pessoas não pensam na Guinness ou na Boddington's como cerveja enlatada; pensam que é uma boa cerveja em lata."

No entanto, a Surly não queria fazer qualquer cerveja enlatada, e sim uma grande cerveja. A primeira delas veio a ser a Furious (Furiosa), descrita como "tempestade na língua". É uma IPA norte-americana com 99 IBU, que usa grandes aromas de lúpulos americanos equilibrados com malte escocês. **JB**

Notas de degustação

De cor de cobre intensa, com espuma espessa, marfim. O nariz complexo tem aromas florais com notas cítricas, de toranja e pinho. Forte presença de lúpulo com um toque de caramelo e final seco e amargo.

Sussex Best Bitter

Harveys Brewery | www.harveys.org.uk

País de origem Inglaterra
Lançada em 1955
Teor alcoólico 4% vol.
Temperatura ideal 12°- 13°C

As best bitter britânicas tratam do equilíbrio entre o cereal maltado e as características cítricas e frutadas do lúpulo, com um pouco de amargor na mistura. Bitters acondicionadas em barris permanecem como o baluarte de muitos pubs britânicos e especialmente no condado de Sussex, no sul da Inglaterra. E esta eloquente e exuberante criação da cervejaria Harveys, localizada em Lewes, é uma clássica bitter inglesa.

A cerveja já completou mais de cinquenta anos. Antes de seu aparecimento, as mais vendidas de seu produtor eram uma mild e uma bitter chamada IPA. De acordo com o diretor Miles Jenner: "Foi nos anos 1950 que estabilizamos o perfil de sabores de nossa cerveja com boas características de lúpulo e uma ligeira doçura, muito apetitosa. A doçura se devia ao fato de que os consumidores do pós-guerra gostavam de coisas ligeiramente doces." Não é preciso dizer que a Sussex Best Bitter tem sido contemplada com incontáveis prêmios. **ATJ**

Notas de degustação

No nariz, uma presença de lúpulo poderosa e almiscarada, graças a uma seleção de lúpulos Fuggle, Golding, Progress e Brambling Cross. O paladar é encorpado, com uma ligeira doçura como pano de fundo.

Tanglefoot

Hall & Woodhouse | www.hall-woodhouse.co.uk

País de origem Inglaterra
Lançada em *ca.* 1985
Teor alcoólico 5% vol.
Temperatura ideal 11°C

Como muitas cervejarias bem estabelecidas, a Hall & Woodhouse tem uma sala de degustação onde o mestre cervejeiro pode provar as criações mais recentes da empresa na companhia da equipe – alguns protótipos nunca passam dessa etapa. Em meados da década de 1980, a Hall & Woodhouse estava determinada a produzir uma ale clara que reproduzisse alguns dos atributos de uma lager inglesa loura, mas com a potência alcoólica de uma cerveja do continente. Era um momento de mudança nas preferências de consumo da Inglaterra, pois as pessoas deixavam de lado as ales mais escuras, dando preferência às lagers mais claras.

Diversas bebidas experimentais foram preparadas, algumas vendidas em pubs da região, embora outras não saíssem da sala de degustação. Uma delas se destacou – mas como deveria se chamar? O acaso deu sua contribuição para o nome: um dia, depois de vários copos, o respeitável mestre cervejeiro John Woodhouse tentou se levantar e tropeçou nos próprios pés – e assim nasceu a Tanglefoot (numa tradução livre, Troca-Pés). Foi, com toda a certeza, a decisão correta, pois ela se tornou um sucesso imediato e foi votada como Melhor do Mundo nos Prêmios Internacionais do Setor Cervejeiro em 1987.

As origens da Hall & Woodhouse datam de 1777, quando Charles Hall fundou uma pequena cervejaria no vilarejo vizinho de Ansty, em Dorset. Os negócios prosperaram com a clientela formada por trabalhadores agrícolas e soldados, estes alojados em Weymouth, nas vizinhanças, na época das guerras napoleônicas. A empresa adotou a marca Badger (texugo) em 1875 e, em 1988, ela se transferiu para a atual localização nas margens do rio Stour, em Blandford St. Mary. É parte integrante da cena cervejeira do sul da Inglaterra, de propriedade da quinta geração da família Woodhouse. **TH**

Notas de degustação

Ale clara, de coloração âmbar, com um leve toque de dropes de pera e melão no nariz, e sugestões de toffee. *O caráter frutado (com mais bala de pera e limão) continua no paladar, na companhia de sussurros de voluptuosidade do caramelo. Um final frutado com toques calorosos de álcool.*

Placa de um pub da Hall & Woodhouse no vilarejo de Widecombe-in-the-Moor, em Devon, na Inglaterra.

17 77
Independent Family Brewers
THE OLD INN
THE
OLD
INN
HALL & WOODHOUSE
FOOD ALL DAY

Theresianer Strong Ale

Theresianer | www.theresianer.com

País de origem Itália
Lançada em 1999
Teor alcoólico 8,5% vol.
Temperatura ideal 12°C

Esta é a história de Martino Zanetti, empresário italiano do ramo do café que um dia decidiu se aventurar no mundo da cerveja. O dono da marca de café Hausbrandt se apaixonou pela bebida há alguns anos e decidiu abrir sua própria cervejaria. Escolheu o nome de Borgo Teresiano, inspirado pelo bairro da cidade de Trieste onde foi aberta, em 1766, a primeira cervejaria austríaca. Na época, era o mais importante porto do Adriático, sob o domínio do Império Habsburgo.

Com a colaboração de Tullio Zangrando, mestre cervejeiro formado em Weihenstephan, e de Christian Romano, seu pupilo jovem e inteligente, a Theresianer produz uma grande variedade de bebidas, como uma lager ao estilo Viena, uma pale ale e uma Weizen. Todas são feitas com a água pura das Dolomitas, montanhas que se erguem nas imediações de Nervesa della Battaglia, onde se encontra a Theresianer.

A Theresianer Strong Ale usa levedura de alta fermentação e é feita com uma grande adição de malte Pilsen, além de algum Munique para dar cor e um toque de malte negro para ajudar a desenvolver as leves notas tostadas que ficam tão aparentes na degustação. O malte e os lúpulos vêm da Alemanha. A seleção do cervejeiro – sujeita à disponibilidade – inclui Spalter Select, Saaz e Tettnang. A fermentação leva cinco dias e a ale amadurece por, no mínimo, seis semanas antes de estar pronta.

Cervejas de alta fermentação são uma opção incomum para estabelecimentos de médio porte na Itália, mas esta ale compensa o esforço. Combina bem com queijos maduros ou azuis, mas a opção favorita de seu produtor é acompanhá-la com bolos de chocolate, como a *Sachertorte*. **MM**

Notas de degustação

Cor âmbar profunda, com reflexos em marrom-amarelado, intenso nariz frutado com notas de damasco e abacaxi. No paladar, revela uma sensação cálida, cercada por notas de mel e sugestões de alcaçuz e frutas secas. No gosto residual, é fácil reconhecer um fundo de café torrado.

Thomas Hardy's Ale

O'Hanlon's Brewery | www.mythbirdbeer.com/thomashardysale.shtml

País de origem Inglaterra
Lançada em 1968
Teor alcoólico 11,7% vol.
Temperatura ideal 13°- 18°C

A Thomas Hardy's Ale é uma das mais festejadas bebidas britânicas das últimas décadas, um barleywine venerado e venerável que já teve a honra de ser a mais forte cerveja produzida nas Ilhas Britânicas. Apareceu pela primeira vez em 1968, produzida para comemorar o quadragésimo aniversário da morte do escritor inglês Thomas Hardy.

Era produzida uma vez por ano e a cervejaria afirmava que cada safra poderia sobreviver até 25 anos. Na virada do século, a Eldridge Pope (que tinha mudado seu nome para Thomas Hardy) parou de produzi-la e parecia que a bebida havia encontrado seu fim. Porém, com os direitos da marca adquiridos por um importador de cervejas dos Estados Unidos, sua produção coube a uma pequena cervejaria artesanal do West Country chamada O'Hanlon's e a primeira safra apareceu em 2003. De acordo com um dos proprietários e fundadores, John O'Hanlon: "Foi um verdadeiro desafio para nós e modificou a situação da cervejaria."

A O'Hanlon's foi merecidamente elogiada pelo cuidado e a atenção dedicados a este ícone britânico, e a Thomas Hardy's Ale recebeu muitos prêmios. Em 2009, a história sofreu uma nova virada quando a O'Hanlon's anunciou a interrupção da produção. "Não foi uma decisão fácil", disse o proprietário. "No final, não valia mais a pena. Nossas cervejas em geral consomem duas semanas de produção. Com a Thomas Hardy, iniciávamos em janeiro e só podíamos começar a engarrafá-la em setembro." Porém, como o direito de produção pertence ao importador norte-americano George Saxon, existem chances de que ela reapareça em breve. **ATJ**

Notas de degustação

No nariz, sugestões de frutas escuras com caroço, malte tostado, álcool, fumaça de turfa e lúpulos florais. No paladar, lembra o Porto, com notas de bolo Stollen, brandy, bananas assadas e damasco maduro. Para manter o excesso de doçura sob controle, toques picantes e apimentados de lúpulo.

Tickle Brain

Burton Bridge Brewery
www.burtonbridgebrewery.co.uk

País de origem Inglaterra
Lançada em 2006
Teor alcoólico 8% vol.
Temperatura ideal 13°C

A Burton Bridge Brewery tem o nome de uma ponte sobre o rio Trent, em Burton-on-Trent, na Inglaterra, sem dúvida a cidade cervejeira mais famosa do mundo, com estabelecimentos do passado e do presente, como Bass, Allied, Marston's e Everards. Foi criada em 1982 por Bruce Wilkinson e Geoff Mumford, no antigo pub Fox and Goose, e os dois sócios trabalhavam com um orçamento apertado, fazendo tudo praticamente sozinhos durante os primeiros sete anos de atividade. Chegaram a cuidar pessoalmente de boa parte da construção da cervejaria, furando à mão 9.000 buracos no fundo falso da tina de maceração de aço inoxidável.

A Tickle Brain é uma réplica deliberada de uma belga ao estilo abadia. O nome, porém, refere-se à descrição Tudor para uma ale forte e o rótulo e a insígnia na chopeira apresentam o mais identificável de todos os Tudor, Henrique VIII, lembrado por ter separado a Igreja inglesa de Roma e por suas seis esposas (duas delas decapitadas por ordem sua). A Tickle Brain emprega lúpulo Northdown e maltes claro e chocolate para chegar a sua personalidade saborosa e bem equilibrada. A Burton Bridge, que tem sido finalista em competições nacionais em todos os anos desde que foi criada, possui cinco pubs na região de Burton, todos com inquilinos independentes, e cada um deles com identidade própria. **AG**

Notas de degustação

Nariz doce e maltado com alguma cevada tostada e apreciáveis notas de álcool. Caramelo, mais malte tostado e frutas doces e secas evoluem para um sabor encorpado, adocicado e caloroso.

Tijuana Morena

Consorcio Cervecero de Baja California
www.tjbeer.com

País de origem México
Lançada em 2000
Teor alcoólico 4,8% vol.
Temperatura ideal 4°- 7°C

Tijuana é uma metrópole inebriante e enlouquecedora na fronteira entre o México e os Estados Unidos, diante da vizinha San Diego, na Califórnia. Localizada nos arredores da agitada cidade fronteiriça, a Cerveza Tijuana é um bom exemplo da florescente produção artesanal mexicana. O fundador José González Ibarra, cujo pai trabalhou no setor cervejeiro do país, queria criar um novo tipo de cerveja mexicana. Fez as malas e viajou à Europa, para estudar tradições e métodos, e voltou para tornar seu sonho realidade, com a montagem da Cerveza Tijuana (conhecida como "TJ") em janeiro de 2000.

A Tijuana Morena é uma das três cervejas feitas pelo mestre cervejeiro David Masa, que pertence a uma longa linhagem e que aperfeiçoou seu talento em alguns dos estabelecimentos de maior prestígio na República Tcheca. A cerveja escura, feita com quatro tipos de malte europeu, tem um suave sabor de caramelo, que, graças à propaganda boca a boca, ganhou muitos adeptos em um país infestado por uma série de lagers insípidas.

A TJ é agora um personagem de ponta na revolução microcervejeira mexicana e começou a exportação pela fronteira dos Estados Unidos. Quem visita Tijuana pode fazer uma excursão pela fábrica e experimentar, na taverna que funciona no local, excelentes bebidas mexicanas com um toque tcheco. **SG**

Notas de degustação

Um aroma de malte intenso e doce enche o copo, com o paladar estimulado por malte caramelizado com notas ligeiramente tostadas, que liberam um doce gosto residual.

A Morena e a Güera têm teor alcoólico de 4,8%. A outra bebida da cervejaria é uma light.

CERVEZA
TJ
Tijuana
T·J
GÜERA
MORENA
CERVEZA
Tijuana
T·J
BEER

Timothy Taylor's Landlord

Timothy Taylor | www.timothy-taylor.co.uk

País de origem Inglaterra
Lançada em 1953
Teor alcoólico 4,3% vol.
Temperatura ideal 11°- 14°C

Toda cerveja que faz por merecer sua cevada maltada ganha apoios, mas poucas podem competir com a Timothy Taylor's Landlord, em se tratando de receber uma mãozinha de grandes celebridades. Em 2003, quando Madonna estava apaixonada por tudo que era britânico (inclusive pelo novo marido, Guy Ritchie), ela confidenciou seu encanto pela cerveja das ilhas em um programa de entrevistas em rede nacional: "Aprendi a adorar a real ale. A Timothy Taylor é a melhor." Depois, foi a vez de Hugh Grant, que, na abertura de uma exposição, brincou com os paparazzi dizendo que só estava ali para tomar Landlord.

A fama da bebida de Yorkshire se espalhou por bons motivos. Não tem rivais na condição de quatro vezes vencedora do título Campeã da Grã-Bretanha, a mais importante honraria distribuída pela Campanha em Prol da Real Ale. Timothy Taylor se gaba – da forma discreta que lhe é característica – de que a Landlord ganhou mais prêmios nacionais do que qualquer outra.

De forma surpreendente, considerando-se seu status como ale de barrica, a Landlord começou sua vida em 1952 como produto engarrafado. Tornou-se disponível na torneira em 1953. O rótulo icônico e inconfundível da Landlord é um assunto de família. Roberta, filha do então diretor administrativo Philip Taylor, foi a estudante de arte que criou a atraente imagem do estalajadeiro jovial que permanece em destaque até hoje.

A base da cerveja é de 100% de cevada maltada Golden Promise, e ela leva exclusivamente água de nascente. Empregam-se apenas lúpulos integrais, uma combinação das variedades Whitbread Golding, Fuggle, Golding e Styrian Golding. O mestre cervejeiro Peter Eells é fervoroso defensor dos lúpulos integrais e discorre sobre a contribuição que dão ao sabor fazendo uma comparação entre uma pizza temperada com ervas frescas e uma feita com ervas desidratadas. **LN**

Notas de degustação

O nariz apresenta perfume cítrico e floral do lúpulo. A cor é âmbar claro, lembrando o tom marrom-alaranjado intenso de uma abóbora de Halloween. O sabor é equilibrado. Na frente, encontra-se o frutado do lúpulo sobre um fundo maltado com características de nozes. Um final longo e caloroso, com um amargor persistente e delicioso.

Tommyknocker Butthead

Tommyknocker Brewery | www.tommyknocker.com

País de origem Estados Unidos
Lançada em 1995
Teor alcoólico 8,2% vol.
Temperatura ideal 7°C

A Tommyknocker Brewery está localizada em Idaho Falls, Colorado, a cerca de quarenta quilômetros de Denver. A choperia fica na Placer Inn, que data de 1859, e fica próxima do lugar onde a descoberta de metal precioso deu origem à corrida do ouro do Colorado. Seu nome e a logomarca refletem a tradição de mineração da região. Um Tommyknocker é um ser lendário, parecido com um duende, que alguns mineiros vindos da Cornualha diziam habitar as minas de ouro e prata. Os Tommyknockers eram zombeteiros e derrubavam marmitas de almoço, escondiam ferramentas e, em algumas ocasiões, batiam nas paredes das minas para avisar onde se encontravam os mais ricos veios.

Hoje, a Tommyknocker é popular entre os residentes e os visitantes que passam pela cidade a caminho das estações de esqui das montanhas Rochosas. Em 2008, a companhia produziu 9.000 barris, sendo que a Maple Nut Brown Ale foi a mais popular entre as cervejas engarrafadas e a Pick Axe Pale Ale, a mais vendida na torneira do pub. A empresa produz uma variedade de bebidas, entre elas uma versão envelhecida em carvalho da Butthead Doppelbock, Jack Wacker Wheat Beer, Black Powder Stout e Cocoa Porter Winter Warmer.

A Tommyknocker Butthead foi uma das primeiras, embora tenha sido identificada, originalmente, como uma sazonal para o outono. Logo ganhou seguidores fiéis e se tornou a mais premiada cerveja da Tommyknocker, ganhando medalhas em diversas competições, sendo que cinco delas no Grande Festival Americano da Cerveja. Logo passou a integrar a linha regular da empresa. Produzida com maltes Munique, caramelo e chocolate, equilibrada por lúpulo Hallertau, ela obedece à Reinheitsgebot. **RL**

Notas de degustação

Esta cerveja começa com aroma doce e levemente frutado de álcool, com uma cor de mogno intensa e espuma cor de canela. O sabor é dominado pelo malte caramelizado e pela baunilha que envolve as papilas gustativas, mas o final chega com uma nota ligeiramente ácida e seca.

Tonneke

Brouwerij Contreras
www.contreras.be

País de origem Bélgica
Lançada em 1920
Teor alcoólico 4,8% vol.
Temperatura ideal 9°C

A histórica cervejaria próxima a Ghent teve seu início em 1818, sob o nome de Latte. A família Contreras a adquiriu em 1898, acrescentou uma série de novas bebidas e aumentou a produção nos anos 1920. Também mudou o nome para Brouwerij Contreras. A ale âmbar Tonneke ganhou o nome dos pequenos barris de carvalho de onde era servida – *tonnen*, em holandês. A Tonneke era, essencialmente, semelhante às ales de barricas da Grã-Bretanha. A Bélgica tem algumas cervejas de primeira linha ideais para consumo em sessões prolongadas, de cor âmbar, aromáticas, de lúpulo suave, e a Tonneke está entre as melhores.

A Contreras vivia alguns anos de decadência quando o ex-arquiteto Frederik de Vrieze se casou com a filha do proprietário Willy Contreras e assumiu os negócios. Sob a direção de De Vrieze, a produção aumentou, chegando a 3.000 hectolitros em 2008, o triplo do que foi produzido em 2004. Diversas novas cervejas foram criadas e as exportações começaram a chegar ao Reino Unido e aos Estados Unidos. A Contreras é uma cervejaria muito fotogênica e uma de suas raridades é um antigo conversor de calor em cobre, ainda em uso, junto com uma tina de maceração aberta, caldeira de brassagem em cobre e uma série de fermentadores baixos e robustos. A cerveja é feita de uma forma que exige esforço intensivo de muitos trabalhadores e pode ser descrita, com honestidade, como resultado de trabalho manual, expressão que costuma ser usada de forma inadequada por alguns produtores. **CC**

Notas de degustação

Cerveja de cor âmbar, turva. O aroma é leve, com doces maltes de caramelo e algumas características frutadas. O sabor é doce, de maltes tostados, com lúpulos brandos e toffee*, e final agridoce.*

Torpedo Extra IPA

Sierra Nevada Brewing Company
www.sierranevada.com

País de origem Estados Unidos
Lançada em 2009
Teor alcoólico 7,2% vol.
Temperatura ideal 9°- 10°C

A Torpedo Extra IPA tem um gosto bom para quem aprecia lúpulo, mas a maioria dos bebedores nunca imaginaria que métodos um tanto extremos foram empregados para garantir tanta intensidade aromática para a cerveja. "Fazíamos *dry hopping* havia mais de trinta anos", diz Ken Grossman, fundador da Sierra Nevada, referindo-se ao processo de adicionar lúpulos ao fermentador para dar aroma adicional. "Começamos a pensar em como poderíamos obter um pouco mais, mantendo o fluxo de líquido junto aos lúpulos. Chegamos a um design em que a cerveja fluía através de um leito de lúpulos externo ao fermentador, durante um período de dias ou semanas."

O formato do recipiente em aço inoxidável criado para as infusões de lúpulo, que se assemelhava a um torpedo, deu origem ao nome. Grossman prefere usar lúpulos inteiros em vez de pelotas, pois os lúpulos pulverizados soltam todo tipo de substância. O foco da Torpedo é lúpulo, lúpulo e mais lúpulo. A cervejaria vem exibindo algumas variedades incomuns: a Citra, com notas cítricas, como sugere o nome, e a Magnum, selecionada especialmente por conta de seu alto teor de óleo. A determinação da Sierra Nevada em obter um sabor específico demonstra que Grossman é uma das mentes mais afiadas na produção artesanal. Esse talento está aparente nos impressionantes aparelhos de captação de energia solar, mas é maravilhoso também poder saboreá-lo no copo. **RM**

Notas de degustação

Nariz muito vibrante, com aromas verdes de grama e feno com nuances de limão. Suave malte de caramelo, a princípio; depois, lúpulos. O amargor domina, mas é refinado, sem lembrar alcatrão. Final amargo e límpido.

O rótulo rústico oculta a habilidade técnica que entra no preparo da Torpedo. →

Purest Ingredients
Finest Quality
SIERRA NEVADA®
TORPEDO™
EXTRA IPA
ALE
12 FL OZ
BREWED & BOTTLED BY SIERRA NEVADA BREWING CO., CHICO, CA

Traquair House Ale

Traquair House Brewery | www.traquair.co.uk

País de origem Escócia
Lançada em 1965
Teor alcoólico 7,2% vol.
Temperatura ideal 12°- 15°C

A Traquair House, em Innerleithen, perto de Peebles, na região de Scottish Borders, foi construída como um abrigo de caça para a realeza há 900 anos e é a mais antiga casa habitada da Escócia. A cervejaria havia sido abandonada no início da década de 1880, mas foi descoberta por acaso nos anos 1960 por Peter Maxwell Stuart, pai da atual proprietária (sua vigésima quinta), Lady Catherine Maxwell Stuart. A estrutura estava intacta, com a caldeira de brassagem em bronze e carvalho russo, tina de maceração, *coolers* e fermentadores. A Traquair House Ale foi a primeira cerveja de Peter Maxwell Stuart e determinou o estilo das fortes ales escuras tradicionais na Escócia séculos atrás. "Baseia-se em uma receita que a dona da casa teria preparado há muitos séculos", diz o mestre cervejeiro Ian Cameron. "Por volta de 1745, teriam usado casca de laranja para dar sabor à bebida. Agora, usamos coentro." **AG**

Notas de degustação

Uma das mais memoráveis cervejas de inverno no mercado, com aroma de malte frutado, influenciado pelo carvalho, e sabor picante de frutas que revela traços de baunilha e de xerez doce.

Tribute

St. Austell Brewery | www.staustellbrewery.co.uk

País de origem Inglaterra
Lançada em 1999
Teor alcoólico 4,2% vol.
Temperatura ideal 11°- 13°C

Às 11 horas da manhã de 11 de agosto de 1999, um silêncio sinistro tomou conta do Reino Unido por ocasião do primeiro eclipse total do sol visível na Grã-Bretanha em 72 anos. A totalidade, porém, só aconteceu na Cornualha, que recebeu milhares de visitantes.

Os cervejeiros da região logo perceberam o potencial desse raro evento. A mais bem-sucedida bebida que apareceu na ocasião veio da St. Austell Brewery, da Cornualha: a ale astuciosamente chamada de Daylight Robbery (Roubo da Luz do Dia). Depois do eclipse, porém, foi preciso mudar o nome. E a Daylight Robbery transformou-se na Tribute, que logo se tornou a mais popular cerveja da St. Austell. Uma das razões para o sucesso é a personalidade cítrica extraída dos lúpulos Willamette, Fuggle e Styrian Golding, mas a base de malte é o mais importante. Para a Tribute, a St. Austell criou um novo tipo, de grão mais escuro: Cornish Gold. Ao lado do malte claro Maris Otter, ele intensifica o tom dourado e dá uma suave nota de *toffee*. **JE**

Notas de degustação

Refrescante cerveja em tom de ouro escuro, com notas cítricas que se estendem do aroma até o final amargo e seco. Toques de toffee *e de biscoito contribuem para dar profundidade a sua personalidade.*

Triple 22

Handbrauerei Forstner | www.forstner-biere.at

País de origem Áustria
Lançada em 2007
Teor alcoólico 9,5% vol.
Temperatura ideal 12°C

Em 2006, Gerhard Forstner foi para a Bélgica e passou um tempo estudando os produtores e as bebidas locais. Quando voltou para sua pequena choperia na Estíria, Áustria, começou a produzir levas experimentais. Com 9,5% de teor alcoólico, a Triple 22 é a cerveja de personalidade belga mais acentuada entre as produzidas pela Handbrauerei Forstner.

"Handbrauerei" significa "cervejas produzidas à mão". São preparadas em levas extremamente reduzidas, com uma generosa seleção de maltes de cevada e trigo, junto com lúpulos Perle, Magnum e Cascade. A fermentação e a maturação levam mais de seis meses. Para a Triple 22, Forstner emprega três diferentes cepas de levedura belga, adiciona açúcar de confeiteiro e faz o engarrafamento manual, em tiragens limitadas a 700 unidades. Nelas, há uma quarta fermentação com levedura de champanhe. Forstner confia que a cerveja seja capaz de amadurecer bem na garrafa, mas sobram poucas sem serem bebidas, para se fazer uma verificação. **CS**

Notas de degustação

Espere um nariz muito doce, com toques de damasco bem maduro. O sabor é doce e frutado, mas um intenso amargor está presente desde o início. Equilibrada por um final achocolatado.

Troegenator Double Bock

Tröegs Brewing | www.troegs.com

País de origem Estados Unidos
Lançada em 2002
Teor alcoólico 8,2% vol.
Temperatura ideal 8°C

Chris e John Trogner, os irmãos que comandam a Tröegs Brewing, sonharam com uma bock dupla rica, maltada, capaz de matar a sede, igual àquela produzida na cervejaria do mosteiro Andechs, ao sudoeste de Munique. Antes de comprarem uma panela de brassagem, em meados dos anos 1990, já haviam batizado sua primeira cerveja imaginária. "O apelido da família, o jeito com que todo mundo nos chamava", diz Chris, "era 'Troeg' (que rima com "rogue", em inglês). Se fôssemos adicionar o sufixo '-ator', como costuma acontecer com as tradicionais bocks duplas, teríamos, naturalmente, uma bebida com o nome Troegenator."

A Troegenator é ligeiramente bronze, um pouco menos escura do que uma típica bock dupla. A seleção de maltes Munique costuma dar um toque a menos de alcaçuz. Suave e sedosa, a lager é do tipo sorrateiro, com doçura equilibrada por lúpulos Saaz e Hallertau e o álcool bem oculto. Por ser tão fácil de beber, esta cerveja premiada se tornou a segunda mais vendida da Tröegs Brewery. **DR**

Notas de degustação

Bronze com uma grande e fofa coroa de espuma, aroma de pão. O malte doce atravessa com leveza o paladar, conduzindo a um final lupulado e ligeiramente picante. Chocolate e melado aparecem à medida que o copo se aquece.

Tuatara Indian Pale Ale

Tuatara Brewing
www.tuatarabrewing.co.nz

País de origem Nova Zelândia
Lançada em 2002
Teor alcoólico 5% vol.
Temperatura ideal 8°- 10°C

Depois de seu primeiro trabalho profissional na choperia Parrot and Jigger, em Wellington, o neozelandês Carl Vasta abriu sua própria cervejaria em um clube frequentado por trabalhadores. Depois de trabalhar como consultor na Austrália, voltou para casa e montou a Tuatara Brewing junto com dois proprietários de pubs em Wellington. Morando em uma fazenda aos pés das montanhas Tararua, ele também começou a produzir cervejas Tuatara nas pequenas instalações de sua residência. Atualmente, é uma das maiores cervejarias artesanais da Nova Zelândia.

Além de uma pilsen refrescante e frutada com o toque cítrico e relvado, marca registrada dos lúpulos da Nova Zelândia, Vasta usa leveduras importadas e tratamentos de água para obter os aromas e sabores dos estilos europeus que produz. Sua gama de produtos inclui uma Hefeweizen ao estilo da Baviera, e a Helles, uma ale forte e dourada de inspiração belga, além de uma porter bem inglesa. **GG**

Notas de degustação

No copo, a cor varia do âmbar ao cobre claro. Há muito malte com características de toffee *e toques de doce de manteiga e lúpulos cítricos no aroma e no paladar. Cremosa e suave, termina com uma secura terrosa e herbácea.*

Uerige Alt

Uerige Obergärige Hausbrauerei
www.uerige.de

País de origem Alemanha
Lançada em 1862
Teor alcoólico 4,7% vol.
Temperatura ideal 8°C

Esta cerveja é uma verdadeira lenda. Altbier de alta fermentação, é uma das mais famosas da região em torno de Düsseldorf, capital do estado alemão da Renânia do Norte-Vestfália. A Alt é a cerveja que está mais associada à cidade. Obtém sua cor pela adição de malte de cevada escuro e tostado. Ao que consta, a receita não sofreu alterações em 147 anos. É um segredo: as pessoas conhecem os ingredientes – malte de cevada, tostado, caramelo, lúpulos e água, além da levedura especial da Uerige –, mas não sabem as proporções.

Nos séculos 17 e 18, o prédio da cervejaria era uma residência familiar, depois se tornou uma padaria e, finalmente, um restaurante com um pequeno hotel. Em 1862, o proprietário vendeu a casa ao cervejeiro Wilhelm Cürten. Sua viúva a transferiu para o mestre cervejeiro Jean Keller. Depois da Segunda Guerra Mundial, quando a Uerige foi destruída, Rudolf Arnold construiu a nova cervejaria, que atualmente produz esta inimitável Alt. **WO**

Notas de degustação

Bom nariz maltado, sublinhado por uma sutil personalidade resinada de lúpulo. No paladar, é perfumada e frutada, com toques de doçura de caramelo que conduzem a um final seco, picante e de lúpulo intenso.

Ulmer Maibock

Familienbrauerei Bauhöfer
www.ulmer-bier.de

País de origem Alemanha
Lançada em 1893
Teor alcoólico 7,3% vol.
Temperatura ideal 7°- 10°C

A Ulmer Maibock é uma renomada iguaria da região de Ortenau, na planície superior do Reno. É produzida na aldeia de Renchen-Ulm desde 1893 e o mestre cervejeiro e proprietário Gustav Bauhöfer, da quarta geração da família, há muito sabe que as cervejas comuns não são o suficiente para agradar o paladar da região.

A Ulmer Maibock combina leveza com profundidade, caráter com facilidade de beber. É feita com malte Pilsen e fermenta lentamente em recipientes abertos. Amadurece durante cerca de seis semanas. Bauhöfer atribui sua popularidade a uma certa Frau Schindler, garçonete da taverna da cervejaria no pós-guerra, quando havia apenas a Export e a Maibock no menu. Antes de anotar os pedidos, Frau Schindler descrevia a Maibock para os inocentes, com uma dedicação apaixonada que é difícil de ser encontrada nos bares dos dias de hoje e que introduziu a Ulmer Maibock na categoria de cervejas imperdíveis. **SK**

Notas de degustação

Aroma quase neutro, com toques de borracha. O primeiro gole é encorpado, mas direto, evoluindo em volumoso amargor: notas herbáceas e florais. Final seco, amargo, mas caloroso.

Ulrichsbier

Berg Brauerei Ulrich Zimmermann
www.bergbier.de

País de origem Alemanha
Lançada em 1911
Teor alcoólico 5,3% vol.
Temperatura ideal 8°C

Produzida inicialmente em 1911, a Ulrichsbier é, indiscutivelmente, a cerveja mais antiga ainda em produção na Suábia Superior. Feita com uma mistura de maltes claros e tostados, além do lúpulo alemão Hallertauer Magnum, para o amargor, e de Tettnanger Perle para notas aromáticas no nariz, esta bebida de cor âmbar dourada é uma representante clássica das cervejas de baixa fermentação, comuns antes do advento das lagers claras.

A Ulrichsbier original foi lançada em um festival anual que acontece na sede da cervejaria em 4 de julho, dia de São Ulrich. Curiosamente, costumava apresentar uma gravidade original diferente. Com frequência, era preparada como bock. Seguindo essa tradição, a Berg Brauerei produz uma versão mais forte, com teor alcoólico de 7,1% durante o inverno. Propriedade familiar desde 1757, a cervejaria emprega ingredientes locais de alta qualidade e métodos tradicionais. **SK**

Notas de degustação

Doçura inicial, corpo médio, amargor moderado, mas duradouro, equilibrado por malte tostado e sabores de café, com frescor ácido. Final agradavelmente amargo, com toque de acidez.

Union

Meantime Brewing | www.meantimebrewing.com

País de origem Inglaterra
Lançada em 2000
Teor alcoólico 4,9% vol.
Temperatura ideal 8°C

Alastair Hook, fundador e mestre cervejeiro da Meantime, nunca foi uma pessoa que escolhe fazer o óbvio. Apesar de sua introdução ao mundo da cerveja ter se dado a partir de visitas a festivais de real ale, uma viagem pela Europa, assim como o tempo que passou estudando na Baviera, despertou seu olhar e o paladar para as glórias das lagers. Durante os anos 1990, ele se tornou conhecido como um paladino da lager, trabalhando tanto na cervejaria Freedom quanto na choperia Mash. Por isso, ninguém ficou surpreso quando uma das primeiras bebidas produzidas pela Meantime foi uma lager. Apesar da cor de cobre escuro e intenso, a Union era, com toda a certeza, uma lager, mas de um jeito que as pessoas desconheciam.

Peter Haydon, diretor de comunicações da cervejaria, diz: "A Meantime desafia a percepção das pessoas, e um dos maiores equívocos do mundo das cervejas é achar que a lager é fria, loura e efervescente. Parecia óbvio produzir uma lager que não fosse aquilo que se esperava. Isso significava que, ao experimentá-la, os consumidores ficavam curiosos em saber por que motivo ela era diferente, o que dava a chance de contar, de uma vez, duas histórias. Uma sobre as lagers ao estilo Viena e a outra, sobre a Meantime."

Hook lançou seu olhar sobre Viena para encontrar inspiração para a Union, produzindo uma cerveja encorpada e sedutora, disponível em garrafas e também servida na torneira. Quanto ao nome Union (União), um tanto pragmático, ele foi pensado por um velho amigo de Hook: "O raciocínio era que a Meantime era uma união, uma junção de amigos para realizar um objetivo, ao mesmo tempo que a cerveja era uma junção – uma união – de malte, água e lúpulos, com um propósito semelhante." **ATJ**

Notas de degustação

Âmbar amarronzado no copo. Elegante e sensual. No nariz, notas de café, chocolate e lúpulo resinado convidam a maiores explorações. O paladar é suave, encorpado, com mais chocolate e café, além de um toque de fumaça e uma leve vibração de frutas antes de um final seco e revigorante.

Urthel Samaranth

Brouwerij de Leyerth | www.urthel.com

País de origem Bélgica
Lançada em 2002
Teor alcoólico 11,5% vol.
Temperatura ideal 10°- 12°C

Sim, as cervejas Urthel *são* belgas. Porém são produzidas na cervejaria trapista Koningshoeven, do outro lado da fronteira holandesa, lar das cervejas La Trappe. Sua criadora, a mestre cervejeira Hildegard van Ostaden, é flamenga até a medula e vive em Ruisled, na Flandres Ocidental. Também estudou cervejas em Ghent, antes de passar a dar aulas em sua antiga escola.

Durante os primeiros anos das bebidas De Leyerth, elas vinham da cervejaria Van Steenberge, no leste de Flandres, mas em 2007 a produção foi transferida para Koningshoeven, na província holandesa de Brabante do Norte. Descobrir quando uma cerveja foi produzida pela primeira vez nem sempre é fácil, mas a Samaranth é a exceção que confirma a regra. É possível chegar até mesmo a uma data para o primeiro copo: 5 de setembro de 2002, dia do casamento de Van Ostaden. A Samaranth é, portanto, uma ale de casamento: um casamento escrito nas estrelas, de força excepcional, se a qualidade da bebida serve como alguma indicação. Pode ser descrita como um barleywine com toque belga, apesar de não receber especiarias, o que a diferencia das costumeiras ales belgas para as festas de final de ano.

Nenhuma das Urthel pode ser completamente dissociada dos anõezinhos narigudos, conhecidos como "Erthels", que aparecem nos desenhos que enfeitam os rótulos das garrafas. Tal leveza pode desagradar alguns dos mais sérios exploradores da cerveja, que prefeririam descobrir mais sobre os tipos e especificações de maltes e lúpulos empregados no preparo, mas demonstrou ter um efeito positivo sobre as vendas. A arte é uma especialidade de Bas, o marido, ilustrador talentoso cuja inspiração poderia muito bem ter vindo do parque temático Efteling, na Holanda, que fica nas vizinhanças de sua antiga residência. **JPa**

Notas de degustação

Frutada e folhosa na primeira passagem ao nariz, transformando-se em conserva de laranja, calda de morango e figos secos. O sabor é de levedura, quase carnudo, também amargo com toques de casca de noz. Doçura como no licor Mandarine Napoléon. Muito cremosa, aveludada e intensa no paladar.

Victory HopDevil

Victory Brewing | www.victorybeer.com

País de origem Estados Unidos
Lançada em 1995
Teor alcoólico 6,7% vol.
Temperatura ideal 7°C

Depois de estudarem no Weihenstephan Institute, na Alemanha, os cervejeiros Bill Covaleski e Ron Barchet pareciam destinados a carreiras dominadas pelas lagers ao estilo alemão. Tradicional, maltada, determinadamente da Baviera: essas são características da bebida que produzem em uma antiga padaria nos arredores de Filadélfia.

Algo de engraçado aconteceu no meio do caminho que conduzia à fama no reino das lagers. Enquanto os dois jovens montavam o restaurante da cervejaria em 1995, puseram as mãos em um muito esperado suprimento de Celebration, da Sierra Nevada, cerveja da Califórnia famosa pelos lúpulos intensos, lançada uma vez por ano, na época do Natal. "Aquilo nos atingiu como uma tonelada de tijolos", disse Covaleski. "Olhamos um para o outro e dissemos: 'Temos nossa própria cervejaria! Não precisamos esperar uma vez por ano para provar uma cerveja lupulada.'" Assim nasceu a HopDevil, homenagem da Victory ao lúpulo.

Foi paixão ao primeiro gole para a equipe do restaurante e o mesmo aconteceu com seus fãs. Logo ela deixou para trás as lagers tão respeitadas da Victory e se tornou a cerveja mais vendida. Não se trata de um clone da Celebration. A HopDevil é o tipo de bebida que poderia ser feita em Munique, se deixassem de lado o Hallertauer e caso se convertessem ao uso do Cascade – montes de flores de Cascade *in natura*, além de Centennial e de uma terceira variedade de lúpulo da qual Covaleski diz apenas: "Não falamos do assunto." Não se trata de um suco de lúpulo unidimensional. Aqueles apreciados maltes alemães fornecem estrutura e complexidade únicas para esta India Pale Ale. De cor de cobre, sutilmente doce, um gole preenche o palato com uma suavidade surpreendente para um estilo tão amargo. Com o passar dos anos, a fama da HopDevil se espalhou. Em 2002, foi indicada como a melhor dos Estados Unidos no Grande Festival Britânico da Cerveja. **DR**

Notas de degustação

No nariz, imensos aromas de pinho e cítrico ascendem sobre uma coroa de espuma cremosa. A doçura do malte domina o paladar a princípio, seguida por lúpulos relvados, cítricos, com uma qualidade picante e tensa. Depois, há um final doce, suave e satisfatório, que nunca fica enjoativo.

Voll-Damm

S. A. Damm | www.volldamm.es

País de origem Espanha
Lançada em 1953
Teor alcoólico 7,2% vol.
Temperatura ideal 6°- 8°C

Seguindo o grande sucesso obtido pela Damm com Estrella Dorada (que teve seu nome alterado para Estrella Damm), decidiu-se que estava na hora de se introduzir uma novidade. Assim, em fevereiro de 1953, a Voll-Damm foi preparada pela primeira vez com a etiqueta "Das originale Märzenbier". Era uma referência às cervejas de Oktoberfest, tipo singular de bebida desenvolvido em Munique e produzido originalmente em março no final da temporada de produção.

Esta versão espanhola adéqua-se com perfeição à categoria ao respeitar o período de produção e manter o caráter sazonal. Porém, a demanda e a apreciação do público foram tão grandes que, dois anos depois de aparecer pela primeira vez, a empresa decidiu disponibilizá-la o ano inteiro. Como está implícito no nome em alemão "Voll", ela é bem encorpada graças ao malte extra utilizado em uma típica receita de Märzen. Mas os tempos mudaram e, atualmente, a receita não leva apenas malte; extrato de malte de cevada, arroz e milho também entram na mistura. Seu apelo não diminuiu: em 2004, recebeu a medalha de ouro na categoria lager forte dos prêmios da Competição Internacional da Cerveja e, em 2007, foi apontada como Melhor Lager Forte do Mundo, nos Prêmios Mundiais de Cerveja.

Por suas características robustas e encorpadas, a Voll-Damm fica melhor com frutos do mar, carnes e verduras grelhadas. É a única espanhola de duplo malte. Menos popular do que sua irmã mais velha, a Estrella Dorada, ela é um pouco mais difícil de ser encontrada em bares e pubs, principalmente fora de seu lar, na Catalunha. Lá, ela é a terceira cerveja mais popular, mas, fora dessa região, sua popularidade parece diminuir. **SS**

Notas de degustação

De cor âmbar dourada, coberta por espuma branca. O nariz produz alguns leves aromas de lúpulo, enquanto o sabor e a textura são mais intensos, caracterizados por um corpo lupulado com suave carbonatação. O final traz uma leve sensação de lúpulo e álcool.

Wadworth 6X

Wadworth | www.wadworth.co.uk

País de origem Inglaterra
Lançada em 1928
Teor alcoólico 4,3% vol.
Temperatura ideal 11°- 13°C

Existem bem poucas cervejas tão ligadas ao conceito de tradicional ale de barrica no Reino Unido como a Wadworth 6X. Nos anos 1970, quando a real ale – como era chamada pela Campanha em Prol da Real Ale, associação de consumidores que acabava de ser criada – corria o risco de entrar em extinção, a 6X era vista como uma das maiores defensoras dessa modalidade moribunda. Junto a outras, como a Pedigree, da Marston, a Ruddles County e a Best Bitter, da Theakston, era uma cerveja cuja reputação transcendia sua região de comercialização, tornando-a conhecida dos aficionados em todo o Reino Unido.

O cenário para a real ale na Grã-Bretanha sofreu grandes progressos a partir daqueles dias sombrios, mas a 6X continua empunhando a bandeira da tradição. Tudo nela é repleto de lembranças, desde a construção vitoriana em Devizes, Wiltshire, onde é produzida, aos ingredientes tipicamente britânicos que criam um sabor frutado e maltado tão peculiar.

A 6X apareceu em dezembro de 1928. A princípio, era uma *blended* engarrafada, parte de uma série de ales que também incluía a 2X e a 3X. Hoje é a mais vendida da Wadworth, tomando conta da maior parte da capacidade de produção da cervejaria de tijolos vermelhos no centro da cidade. Malte claro é combinado a um pouquinho de malte cristal e um pouco de açúcar de cana na tina de maceração, enquanto os lúpulos são 85% Fuggle e o resto, Golding: a grande dupla britânica que fornece um amargor delicado e equilibrado, além de um sabor suave e frutado. Também há um terceiro ingrediente, para quem tem a sorte de achá-lo. É o carvalho. A Wadworth ainda mantém seu próprio tanoeiro e pubs selecionados servem 6X a partir de barricas de madeira. **JE**

Notas de degustação

Esta cerveja âmbar, de cor intensa, exemplifica o perfil de malte que define a maioria das bebidas da Wadworth. O malte preenche o aroma e conduz ao final agridoce, onde se reúne com notas levemente perfumadas, de passas, com os lúpulos crescendo para um final amargo, seco, mas ainda maltado.

Um tanoeiro conserta os tradicionais barris de madeira da cervejaria.

Wailing Wench

Middle Ages Brewing | www.middleagesbrewing.com

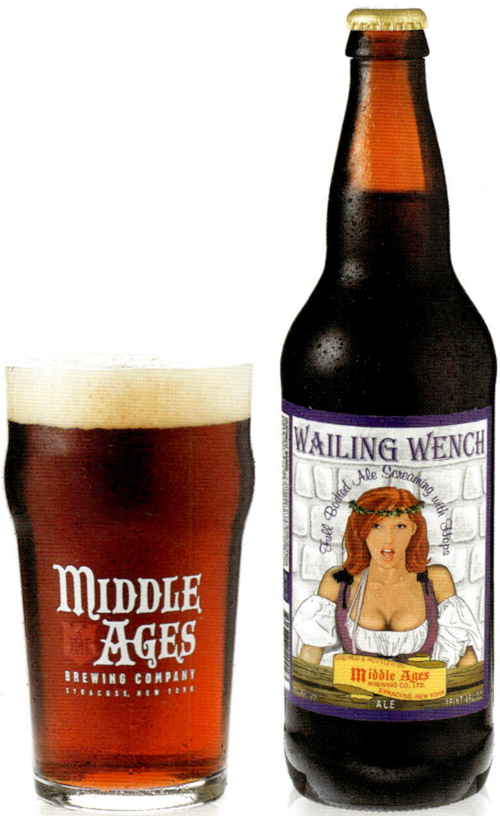

País de origem Estados Unidos
Lançada em 2003
Teor alcoólico 8% vol.
Temperatura ideal 10°C

Talvez não haja um comentário mais triste – nem mais delicioso – sobre a natureza hedonista do consumo do álcool do que a presença da chamada "moça da cerveja" em alguns dos eventos esportivos norte-americanos. É a mulher atraente, contratada para levar bebida aos consumidores, para que ninguém perca um único momento do jogo na fila. Com um pouco de sorte, a jovem pode até trazer um copo de sua colega, a Wailing Wench (Rapariga Gritadora), uma ale escura e robusta que, de acordo com o rótulo, apresenta "lúpulos gritantes".

Antes que se façam objeções a esse exemplo politicamente incorreto, é preciso saber que foi uma mulher que pensou no nome e no slogan. Mary Rubenstein comanda a Middle Ages Brewing em Syracuse, Nova York, ao lado do marido Marc. E tudo é feito com uma referência brincalhona ao passado. "Somos grandes fãs do Monty Python e muitas das ideias para a cervejaria vieram do filme", diz Marc, referindo-se ao clássico *Monty Python – Em busca do cálice sagrado.* As cervejas têm nomes como Dragonslayer (Matador de Dragões), Druid Fluid (Fluido dos Druidas) e Wizard's Winter (Inverno do Feiticeiro), que parecem saídos diretamente da távola redonda do rei Arthur e seus cavaleiros.

De fato, há uma forte influência da velha Inglaterra na Middle Ages. Marc foi treinado por Alan Pugsley, expatriado britânico que disseminou o evangelho de seu conterrâneo, o mestre cervejeiro Peter Austin, pelos Estados Unidos. A Middle Ages usa a clássica levedura Ringwood de Austin, conhecida por dar um sabor de nozes às ales. "Acho que é uma levedura incrível", diz Marc. "Vai depressa para o fundo do fermentador, o que a torna perfeita para ales de barrica." É isso aí. A Wailing Wench é mesmo uma raridade nos bares americanos: uma real ale. **DR**

Notas de degustação

Talvez os lúpulos não gritem tanto, mas esta ale âmbar, forte e escura, deixa claro ao que veio, pois passa por um processo colossal de dry hopping. *Fortes lúpulos herbáceos e florais se equilibram com malte com características de* toffee *no paladar, depois terminam com amargor e uma onda calorosa e inteligente de álcool.*

Wells Bombardier

Wells & Young's | www.wellsandyoungs.co.uk

País de origem Inglaterra
Lançada em 1980
Teor alcoólico 5,2% vol.
Temperatura ideal 10°- 12°C

Tão inglesa quanto os chapéus-coco, os guarda-chuvas e o críquete, a Wells Bombardier é "a bebida da Inglaterra" e a principal marca da Wells & Young's. É uma bitter de sabor frutado, com forte ligação com o dia de São Jorge, o santo padroeiro da Inglaterra. Enquanto os irlandeses brindam o dia de São Patrício com Guiness, se a Wells & Young's conseguir o que quer, os ingleses vão estar bebericando exclusivamente Bombardier, todos os anos, no dia 23 de abril – nada mau!

A cerveja é produzida no coração da região central da Inglaterra, com pura água mineral retirada de um poço aberto em Bedford por Charles Wells, fundador da cervejaria, em 1902. A Wells Bombadier apareceu para celebrar o Prêmio da Rainha para Sucesso em Exportações recebido pela empresa. Logo deixou de ser apenas uma bebida de popularidade regional para se tornar um sucesso mundial.

Mestre cervejeiro durante os últimos dez anos, Jim Robertson assegura que apenas os melhores ingredientes são empregados no processo de produção. Os lúpulos são examinados manualmente, para garantir a qualidade, e utilizam apenas os mais maduros English Challenger e Fuggle. A cervejaria também acrescenta bem mais malte por *pint* do que em muitas outras, e, para contribuir para o sabor pleno da Bombardier e sua intensa cor vermelho-acobreada, o malte cristal é esmagado em vez de ser moído. Depois, ela é fermentada por, no mínimo, sete dias. O resultado é uma bebida maravilhosamente amarga, muito satisfatória. Outra grande coisa a respeito da Bombardier é o fato de ser a Cerveja Oficial da Tradição Inglesa. Assim, o simples ato de sentar e relaxar com um copo é uma contribuição para a preservação do ambiente histórico da Inglaterra. Melhor, impossível! **JM**

Notas de degustação

Ale com cor de cobre intensa e atraente, que imediatamente chama a atenção com um tentador aroma de frutas escuras e lúpulos picantes e discretos. Sedutoras notas maltadas e toques de fruta se combinam no paladar, antes de conduzirem a um final amargo.

Westvleteren Abt 12°

Brouwerij der Abdij van St. Sixtus
www.sintsixtus.be

País de origem Bélgica
Lançada em *ca.* 1941
Teor alcoólico 10,2% vol. (mínimo)
Temperatura ideal 12°C

O que caracteriza a Abadia de Westvleteren mais do que outras cervejarias trapistas é o fato de que a cerveja é feita exclusivamente pelos religiosos. De acordo com os monges, essa é a razão principal para o rígido limite de produção. Se cedessem à demanda pela bebida (uma demanda que cresceu de forma fenomenal depois que a cerveja foi apontada como a melhor do mundo por um site de avaliações na internet), eles seriam obrigados a contratar empregados para ajudar.

Até 1992, a cervejaria permitiu que sua vizinha, a St. Bernard, utilizasse o nome St. Sixtus em suas bebidas. O divórcio foi bastante amargo e os tribunais decidiram que o nome Sixtus não poderia ser empregado por nenhuma das duas, daí a mudança para Westvleteren. A cerveja com 12 graus é, com certeza, o principal produto. Aficionados do mundo inteiro acorrem ao local, em busca desta bebida tão venerada. **JPa**

Notas de degustação
Nariz de malte escuro, queijo azul, madeira, ameixa e passas. Maltes tostados com uma exuberante doçura quando jovem, transformando-se, com o tempo, em Sauternes ou xerez, chocolate e frutas excessivamente maduras.

The Wise ESB

Elysian Brewing
www.elysianbrewing.com

País de origem Estados Unidos
Lançada em 1997
Teor alcoólico 5,9% vol.
Temperatura ideal 10°C

Fundada em 1996, a Elysian Brewing possui e opera três choperias em Seattle. Desde a abertura, o mestre cervejeiro Dick Cantwell criou mais de sessenta cervejas diferentes, em um modesto sistema de 200 barris, inclusive seis bebidas oferecidas durante o ano inteiro. Entre elas, The Wise ESB (A Sábia ESB) foi a primeira a ser produzida pela Elysian. Todas apresentam temas ligados à mitologia grega e a referência à sabedoria no nome da ESB é uma alusão à deusa Atena, da sabedoria, da paz, da guerra, da estratégia, do artesanato e da razão.

A ESB da Elysian começa com maltes tradicionais, como o claro, Munique, cristal e o belga Special B, mas os lúpulos vêm com um selo dos Estados Unidos, da região do noroeste da costa do Pacífico. A principal variedade é a Chinook, mas ela é finalizada também com Cascade e Centennial. Ganhou três medalhas de ouro no Grande Festival Americano da Cerveja desde 2003. **JB**

Notas de degustação
Nariz complexo e maltado, com aromas de toffee, *cítricos e toranja. A ESB tem uma textura cremosa na boca, com a doçura do malte equilibrada pelas características do lúpulo americano.*

Witkap-Pater Dubbel

Brouwerij Slaghmuylder
www.witkap.be

País de origem Bélgica
Lançada em 1929
Teor alcoólico 7% vol.
Temperatura ideal 8°- 10°C

Embora a Witkap nunca tenha mantido uma ligação oficial com qualquer instituição religiosa, ela pode reivindicar uma linhagem que vai até a cervejaria trapista de Westmalle. Foi ali que o criador das Witkap, Hendrik Verlinden, aperfeiçoou suas habilidades cervejeiras antes da Primeira Guerra Mundial. Depois de iniciar o próprio negócio, ele começou a trabalhar em uma cerveja ao estilo trapista e a batizou de Witkap (Coroa Branca), fazendo uma referência esperta aos capuzes brancos da Ordem Cisterciense de monges e, ao mesmo tempo, à sedutora espuma da própria cerveja.

DrieLinden,posteriormente,encarregouaSlaghmuylder de cuidar da produção. É um empreendimento familiar dos anos 1860, na região leste de Flandres, que ganhou os direitos completos sobre a marca dois anos depois, estendendo a gama de produtos para incluir uma dubbel, uma tripel e uma loura. A cervejaria recomenda que a dubbel seja servida com cuidado, para que a levedura fique na garrafa, e depois que ela seja degustada na companhia de uma sobremesa com chocolate belga. **DdM**

Notas de degustação

O paladar poderoso traz frutas agridoces, cedro, marmelada fresca, tabaco, alcaçuz e toffee e um final bem-acabado, com angélica ligeiramente seca e um toque de fumaça.

Wodan

Brauerei Ganter
www.ganter.com

País de origem Alemanha
Lançada em 1898
Teor alcoólico 7,5% vol.
Temperatura ideal 10°- 12°C

Freiburg in Breisgau é uma das mais belas cidades do sudoeste da Alemanha, uma descontraída comunidade estudantil que gosta de andar de bicicleta, apreciar a boa comida da Suábia e que dispõe de uma boa cena cervejeira. Quem for visitá-la deve se dirigir ao Dom, a catedral na cidade velha, e procurar por uma casa de fachada azul: a Brauereiausschank, da Ganter. Esse belo estabelecimento oferece pratos regionais consistentes e uma série de produtos Ganter servidos em excelentes condições, a preços razoáveis. Merecem atenção especial a Urtrunk, uma lager clara sem filtragem, revigorante, muito sutil e surpreendentemente complexa, e a Wodan.

Com o nome do equivalente saxão de Odin, principal deus nórdico, a Wodan é, oficialmente, uma Doppelbock sazonal, disponível em garrafas de novembro a fevereiro, mas é possível prová-la na maior parte do ano, servida na torneira da cervejaria em Freiburg. É uma bebida calorosa e perigosamente fácil de beber. **LM**

Notas de degustação

O nariz e o paladar são dominados por frutas escuras com sugestões de groselha-preta, ameixa e passas. Pouca doçura residual, uma sólida estrutura de malte com características de nozes e amargor final para dar equilíbrio.

Woodforde's Wherry

Woodforde's | www.woodfordes.co.uk

País de origem Inglaterra
Lançada em 1981
Teor alcoólico 3,8% vol.
Temperatura ideal 11°C

Em 1981, a Wherry foi a primeira cerveja comercial feita pelos produtores caseiros Ray Ashworth e doutor David Crease. O empreendimento fazia parte de uma nova leva de aspirantes a cervejeiros do Reino Unido, muitos deles inspirados pelas ações da Campanha em Prol da Real Ale (CAMRA). Esses pioneiros quiseram se rebelar contra o que consideravam uma "insipidez incansável" dos produtos dos grandes fabricantes. Na época em que Ashworth e Crease começaram a trabalhar, a região de Norfolk onde viviam era descrita como "deserto cervejeiro". Todas as cervejarias haviam fechado as portas e não havia opções em barrica nos pubs da área. Entusiasmados produtores caseiros, os dois homens perceberam que seu hobby poderia se transformar em um negócio viável.

Ashworth e Crease deram a sua cervejaria o nome do padre Woodforde, um religioso de Norfolk, do século 18, que apreciava boa comida e cerveja, que ele próprio preparava. A primeira foi a Wherry, que ganhou o nome de um tipo de veleiro usado no passado para transportar pessoas e bens por Norfolk Broads. A Wherry leva malte claro Maris Otter, de pale ale, além de uma generosa variedade de maltes de cor e lúpulo Golding, que fornece sabores maravilhosos e picantes. Entre outros prêmios, a Wherry foi escolhida como Campeã da Grã-Bretanha em 1996.

Em 2009, Neil Bain juntou-se à equipe como mestre cervejeiro. É muito comum que, ao chegar, um profissional queira mudar as coisas, mas Bain disse que seu papel na Woodforde's não seria o de alterar uma já notável variedade de cervejas, mas o de garantir a consistência e promover as melhores práticas de produção. **TH**

Notas de degustação

A Woodforde's Wherry é uma bitter límpida, picante, revigorante. Ao olhar, apresenta cor de âmbar dourado e tem um aroma vibrante e floral, proveniente do lúpulo, com sugestões de limão, toranja e outras frutas cítricas. Sublinhando tudo, encontram-se sabores de malte doce que estimulam as papilas gustativas.

Worthington's White Shield

White Shield Brewery | www.worthingtons-whiteshield.com

País de origem Inglaterra
Lançada em *ca.* década de 1820
Teor alcoólico 5,6% vol.
Temperatura ideal 10°- 12°C

Embora seja, indiscutivelmente, a mais autêntica IPA do mundo, a White Shield deixou de se apresentar como "Worthington India Pale Ale" há cerca de um século. William Worthington apareceu em Burton-on-Trent no século 18, procurando um naco do lucrativo comércio com o Báltico, e encontrava-se em posição privilegiada quando os produtores de cerveja de Burton entraram no mercado indiano, nas décadas de 1820 e 1830.

A IPA de Worthington nunca rivalizou com os lendários nomes de Bass e Allsopp, mas foi popular na Índia e ganhou um número cada vez maior de adeptos em casa, no século 19. Quando o aparecimento da lager, a cobrança de tarifas maiores sobre cervejas mais fortes e o surgimento de uma atmosfera antiálcool conspiraram para o fim das IPAs fortes e lupuladas, a Worthington mudou o nome da sua bebida para White Shield – um apelido que já existia havia anos, graças ao rótulo.

A Worthington fundiu-se com a Bass em 1926. Disponível, em geral, apenas engarrafada, a White Shield passou os 75 anos seguintes como uma bebida amada por conhecedores que debatiam se o sedimento deveria ser deixado na garrafa ou dar corpo com um toque a mais de levedura ao copo. Na década de 1970, a White Shield se tornou um raro baluarte que mantinha viva a chama das cervejas acondicionadas em garrafa. Mas a Bass terceirizou a produção e cada um dos sucessivos responsáveis parecia amar a bebida um pouco menos do que o anterior, até parecer que ela estava destinada ao esquecimento. O cervejeiro Steve Wellington, do museu da cervejaria em Burton, entrou em cena e pediu ao conselho da Bass (que agora é Molson Coors) para levar a White Shield de volta para casa. Ele vem cuidando dela há dez anos e restaurou sua antiga glória – uma cerveja notável que leva o autêntico sabor de uma India Pale Ale do século 19 para as novas gerações. **PB**

Notas de degustação

Cerveja impressionante, cheia de frutas, carregada de especiarias, um toque de pão fresco, algum melado, caramelo e toffee, *tudo suspenso em delicado equilíbrio, sem que qualquer sabor se sobreponha a outro. Maravilhosa especialmente na companhia de queijo Stilton ou de um Cheddar maduro.*

LEŽÁK
Oldgott
BARIQUE
NEFILTROVANÉ
POLOTMAVÉ
PIVO
KVAŠENÍ A DOKVÁŠENÍ V DUBOVÝCH SUDECH
BIER
BEER
BIRRA
ПИВО
MINIPIVOVAR U MEDVÍDKŮ
BREWERY U MEDVÍDKŮ

X-Beer 33

U Medvídků | www.umedvidku.cz

País de origem República Tcheca
Lançada em 2005
Teor alcoólico 12,6% vol.
Temperatura ideal 15°C

O pub U Medvídků, de Praga, passou por várias encarnações desde que abriu as portas em 1466. Primeiro, como lendária choperia e, depois, um famoso cabaré, ele se tornou recentemente uma das fontes favoritas na cidade para a Budweiser Budvar, servida no salão cavernoso com clássicos da cozinha da Boêmia.

Porém, em 2005, o U Medvídků começou a produzir sua própria cerveja em minúsculas instalações no local, sob o comando do mestre cervejeiro Ladislav Veselý. Todas as bebidas são preparadas e fermentadas em barris de carvalho, prática interrompida até pelas mais tradicionais cervejarias tchecas, em parte por conta da demorada natureza da manutenção das barricas: pelo menos uma vez por ano, todos os barris de carvalho da U Medvídků precisam ser revestidos internamente com piche.

Existe um toque de carvalho e piche nas bebidas da U Medvídků, em especial na notável X-Beer 33. Produzida inicialmente a 30 graus Plato e chamada de X-Beer 30, a cerveja foi reforçada para 33 graus Plato e seu nome, devidamente modificado. Reivindica o posto de lager mais poderosa do mundo, pelo menos em termos de gravidade original, pois é feita sem adição de álcool, açúcar ou mosto. Em vez disso, sofre uma lenta fermentação a partir dessa gravidade extremamente elevada com a ajuda de dois tipos de levedura e é acondicionada por, no mínimo, sete meses. A X-Beer 33 é a tcheca que mais se parece com um barleywine inglês e se harmoniza bem com sobremesas e pratos de queijo. **ER**

Notas de degustação

Um nariz pronunciado de morangos silvestres e compota de ameixa. Notas tânicas de couro apoiam um corpo doce e viscoso de malte, com casca de laranja e mel, e final levemente apimentado.

XS: Imperial India Pale Ale

Rogue Ales | www.rogue.com

País de origem Estados Unidos
Lançada em 1996
Teor alcoólico 9,2% vol.
Temperatura ideal 7°- 10°C

A Imperial India Pale Ale da Rogue é polêmica. Parte da série XS, de cervejas extraordinariamente fortes, acredita-se que a I2PA (como às vezes é chamada) seja uma das primeiras IPAs imperiais produzidas. E talvez seja até mesmo a original, alega o mestre cervejeiro John Maier. "Certamente pensamos que seria a primeira IPA imperial", diz Maier. "Mas recebemos um telefonema de Vinnie (Cilruzo, da Russian River Brewing), que disse ter preparado uma antes da I2PA." Maier afirma que seria difícil determinar qual das duas veio primeiro, pois os produtores tiveram a inspiração de fazer uma IPA imperial com poucos meses de diferença – e sem que um tivesse conhecimento da cerveja do outro. De qualquer maneira, a I2PA interpretou um papel no lançamento do estilo, que explodiu na cena da produção artesanal.

A I2PA é fruto da imaginação de Nate Lindquist, que trabalhou como cervejeiro nos primeiros anos da Rogue. Sua primeira IPA imperial era ligeiramente diferente da atual versão comercial. "Provei e disse a ele que faltavam lúpulos. Ela precisava de mais 'bossa'", diz Maier. "Dobramos os lúpulos e substituímos alguns deles por variedades americanas, para obter aquele aroma Cascade." E o resto é uma história polêmica. Mesmo o nome é tema de debate, pois alguns fãs a chamam de "I-Dois-PA, como se fosse um novo androide do filme *Guerra nas Estrelas*, enquanto outros se orientam mais pela matemática e dizem "I-ao quadrado- PA". **LMo**

Notas de degustação

A I2PA é envelhecida durante nove meses. Desfrute os aromas de pinho e frutas cítricas dos lúpulos, das notas de caramelo e até de fava de baunilha que parecem saltar da garrafa ao se servir.

← Um anúncio da cervejaria U Medvídků em uma parede de Praga, na República Tcheca.

TEA GARDENS

Yorkshire Stingo

Samuel Smith | www.samuelsmithsbrewery.co.uk

País de origem Inglaterra
Lançada em 2008
Teor alcoólico 8% vol.
Temperatura ideal 11°C

"O moleiro comprou-lhe um barril de ale e chamou-a de boa Stingo", declara o verso de uma tradicional canção folclórica inglesa. Dependendo do lugar onde é cantada, talvez se diga "stingo" (em Yorkshire) ou "spingo" (no West Country), mas o significado é o mesmo – uma ale forte.

Seria tentador considerar a Yorkshire Stingo da Samuel Smith como uma bebida comemorativa, pois, por coincidência, ela apareceu exatamente 250 anos após a fundação de The Old Brewery. Smith insiste que não era o plano. De qualquer maneira, ela apresenta todos os elementos que se costuma esperar de uma bebida para celebrações: é forte, tem potencial de guarda e um interessante processo de produção.

Embora seja, nitidamente, uma cerveja com potencial de se aprimorar com a passagem do tempo, a Smith afirma que não é esta a intenção. De forma incomum, esta cerveja engarrafada descansa durante um ano na cervejaria e seu produtor afirma que, ao sair, ela está pronta para o consumo. A bebida passa também por um período de envelhecimento em barricas de madeira, além de acondicionamento em garrafa. Depois de um ano desse envelhecimento combinado, ela está pronta para o consumo. Só o tempo dirá se a Yorkshire Stingo se aprimora com a idade: é uma delícia frutada ao sair da garrafa.

Se houvesse vindo de qualquer outra cervejaria, teria sido lançada com fanfarras e holofotes da publicidade. De uma forma discreta, que lhe é característica, a Smith apresentou a Yorkshire Stingo pela porta dos fundos, com uma toalha cobrindo a cabeça, longe de olhares curiosos. Quase contra sua vontade, os produtores parecem ter criado um verdadeiro clássico. **ZA**

Notas de degustação

De cor intensa, em tom de cobre amarronzado e polido. Muita fruta seca no aroma conduzido pelo malte, com algumas interessantes notas de couro. A doçura na língua se transforma em madeira, com uma secura quase vinosa e textura cremosa, seguida por um final maltado, de frutas secas.

← A aquarela mostra a Yorkshire Stingo Inn, em Marylebone Road, Londres, no ano de 1770.

BM

LOURA

3 Monts

La Brasserie de St.-Sylvestre | www.brasserie-st-sylvestre.com

País de origem França
Lançada em 1984
Teor alcoólico 8,5% vol.
Temperatura ideal 10°C

A família Ricour controla La Brasserie de Saint-Sylvestre desde 1920, quando Rémy Ricour, avô dos atuais donos, François e Serge, assumiu uma antiga cervejaria neste vilarejo no centro produtor de lúpulo da região de Flandres, na França. Reza a lenda que, quando o avô dos irmãos foi feito prisioneiro durante a Segunda Guerra Mundial, o pai deles, com apenas 16 anos, teve de tomar conta da empresa. Depois da guerra, a escassez de malte e lúpulo os obrigou a fabricar uma cerveja com teor alcoólico de 5% vol. Acrescente mais 3,5% vol. de teor alcoólico e você terá a famosa 3 Monts, uma bela cerveja batizada (com um toque de ironia, já que a região é plana) em homenagem às colinas das redondezas.

A 3 Monts foi lançada em 1984, no auge da troca dos principais produtos da cervejaria, antes lagers, para cervejas de alta fermentação, como a Bière de Mars (hoje Bière Nouvelle) e uma cerveja natalina. Para a 3 Monts são usados na mistura lúpulo da região e cevada de uma área ao norte de Paris. A fermentação acontece ao longo de vários dias e a cerveja é então "maturada" por três ou quatro semanas. Apesar de a cerveja passar um tempo considerável envelhecendo, quando vista no copo ela desperta perguntas sobre o que constitui uma verdadeira bière de garde. A 3 Monts é dourada e aparentemente tem sabor e aroma mais parecidos com os das tripels belgas do que com os das clássicas cervejas claras maltosas que caracterizam uma bière de garde. Ricour diz que vê a 3 Monts mais como uma cerveja flamenga do que francesa, o que talvez implique uma ligação mais próxima com as produzidas ao norte, do outro lado da fronteira. **ATJ**

Notas de degustação

Corpo dourado com um toque frutado no aroma, assegurado e equilibrado por notas de cereal. O paladar é reforçado pelo sabor exuberante de fruta madura, quase como um bom vinho branco, enquanto o final exibe calor alcoólico e sinais de amargor.

IV Saison

Brasserie de Jandrain-Jandrenouille | www.ivsaison.be

País de origem Bélgica
Lançada em 2007
Teor alcoólico 6% vol.
Temperatura ideal 7°C

Como muitos dos mais interessantes cervejeiros artesanais belgas, Stephane Meulemans e Alexandre Dumont têm outros trabalhos. Eles são, respectivamente, vice-presidente sênior de vendas e gerente de desenvolvimento econômico da Yakima Chief, a produtora de lúpulo de Washington que responde por mais de 20% de todo o lúpulo plantado nos Estados Unidos. Eles sabem alguma coisa sobre lúpulo.

O lúpulo americano ganhou aceitação na Bélgica nos últimos anos, com alguns cervejeiros elogiando os aromas frutados e florais de variedades como o Amarillo e o Cascade. Da sala que ocupam na sede da empresa em Louvain-la-Neuve, Meulemans e Dumont observavam atentamente esses desenvolvimentos e, no verão de 2007, decidiram abrir uma nova cervejaria.

A IV Saison (*Quatrième Saison* ou Quarta Estação) é assim chamada por vários motivos. Primeiro, seus inventores têm, ambos, três filhos, portanto a cerveja seria o quarto filho de cada um. A cerveja tem ainda quatro ingredientes básicos: água, malte, lúpulo e levedura. As características principais da cerveja são o notável aroma cítrico e certo amargor; os cervejeiros parecem querer promover o paladar sem recobrir a língua com resina. Ela também tem o sabor límpido de uma ale belga, evitando resíduos de fermentação para acentuar os ingredientes naturais da cerveja.

Cervejas novas raramente chamam tanta atenção entre os aficionados locais quanto a IV Saison chamou em 2008, depois do que a cervejaria Jandrain-Jandrenouille aos poucos a distribuiu por toda a Bélgica. Ainda é difícil encontrá-la e a produção permanece reduzida, mas os cervejeiros pretendem expandir a produção nos próximos anos. A fama está crescendo e a exportação é uma questão de tempo. **JS**

Notas de degustação

Uma cerveja amarela-dourada e brilhante, com colarinho branco e corpo denso. Aromas de lúpulo cítrico (limão e capim-limão), toronja e cereais. O amargor é moderado, mas duradouro, entremeado por um fundo cítrico. Cerveja leve, de final seco.

#9

Magic Hat Brewing Company | www.magichat.net

País de origem Estados Unidos
Lançada em 1995
Teor alcoólico 4,6% vol.
Temperatura ideal 7°C

A cervejaria Magic Hat, de Vermont, é divertida e não convencional. Imagine que Willy Wonka tenha optado por se tornar um cervejeiro em vez de um doceiro e você terá uma ideia da agradável confusão por trás da Magic Hat. Entre cervejas batizadas com nomes como Chaotic Chemistry, Circus Boy, Hocus Pocus, Jinx, Odd Notion e Wacko, uma cerveja chamada #9 parece até normal. O nome talvez seja ainda mais misterioso do que a própria cerveja. Sempre que perguntam ao cofundador da empresa, Alan Newman, o porquê do nome, ele responde a mesma coisa: "É mesmo, por quê?!"

A Magic Hat tem usado a mesma abordagem enigmática para vender aquela que se tornou sua cerveja mais popular, preferindo aumentar a confusão com slogans como "É a ale oculta em segredos. Um mistério de maltes e lúpulos que giram na boca para fazer mais perguntas e responder menos". A #9 era, originalmente, uma cerveja de verão, mas sua inesperada popularidade a transformou magicamente no carro-chefe da empresa. Na verdade, ela se mostrou tão popular que, três anos depois de lançada, a cervejaria foi obrigada a se mudar para suas instalações atuais, muito maiores, perto da baía Bartlet, no lago Champlain.

A #9 é, em resumo, uma pale ale com acréscimo de essência de damasco, embora a Magic Hat a descreva como "não exatamente uma pale ale". Ela é feita com maltes claros e cristal, lúpulos Cascade e Columbus. A essência de damasco lhe confere odor e gosto incomuns, diferentes de praticamente tudo. Seu malte adocidado e frutado faz dela um acompanhamento ideal para vários pratos picantes, como os da culinária indiana, tailandesa e de Sichuan, na China. **JB**

Notas de degustação

A #9 da Magic Hat tem cor dourada e turva, com um aroma doce de damasco e outras frutas. O sabor também é bem adocicado, com predominância do malte e das frutas. O final é seco, com um marcante sabor de damasco que se prolonga por algum tempo.

12 Gauge

Leigh Sawmill Brewing | www.sawmillbrewery.co.nz

País de origem Nova Zelândia
Lançada em 2008
Teor alcoólico 6,5% vol.
Temperatura ideal 4°- 7°C

Com muita lenha nativa e um porto de águas profundas, a cidade de Leigh já teve uma próspera indústria madeireira. Hoje a pitoresca vila de pescadores e o litoral próximo são mais um parque de diversões para visitantes ocasionais e ecoturistas.

Invenção dos imigrantes ingleses Peter e Decima Freckleton, a cervejaria Leigh Sawmill foi criada em 2004 para complementar o café e hospedaria adjacente com uma variedade de cervejas artesanais especiais. A cervejaria usa uma tradicional caldeira de cobre, barris de fermentação de madeira e tanques de acondicionamento de aço inoxidável. E também oferece visitas guiadas, degustações e liquidações – as cervejas são comercializadas no café e num punhado de revendas locais. Quando perguntado se pretende exportar a cerveja, Peter responde: "Olhe só este lugar."

A cervejaria dos Freckleton é incomum por ser a única microcervejaria neozelandesa com sua própria instalação de envase. Ela produz quatro cervejas, uma de trigo, uma pale ale, uma dark ale e uma pilsen (todas com 4,5% vol. de teor alcoólico), vendidas em latas prateadas estilizadas; outras duas, uma dark ale e uma pilsen mais encorpada, ambas com 6,5% vol. de teor alcoólico, são vendidas em atraentes garrafas de rosca.

Originalmente chamada de "El Grande" – numa referência ao grande prêmio da loteria espanhola – e hoje batizada em homenagem a uma arma, a 12 Gauge é um raro exemplo de uma lager encorpada estilo pilsen. Feita com uma mistura de maltes claros e Pilsen, lúpulos neozelandeses Green Bullet e Motueka e água fresca filtrada, esta cerveja refrescante, ainda que forte, é fermentada a frio e passa por um longo processo de maturação. **GG**

Notas de degustação

Com um tom amarelo-dourado intenso sob uma coroa branca densa, a cerveja tem um aroma adocicado, com notas cítricas e um toque de álcool. O sabor é incrivelmente exuberante e intenso, com tons doces, amanteigados e mentolados, e toques cítricos que se prolongam até o final herbáceo.

Dogfish Head 75 Minute IPA

90 Minute Imperial IPA

Dogfish Head
www.dogfish.com

País de origem Estados Unidos
Lançada em 2001
Teor alcoólico 9% vol.
Temperatura ideal 10°C

Depois de séculos seguindo receitas, os cervejeiros haviam praticamente se acomodado a uma rotina no que diz respeito ao lúpulo: ferva-o no iníco do processo para extrair o amargor e o acrescente no fim para dar aroma. Mas o que aconteceria, imaginou o fundador da Dogfish Head, Sam Calagione, se você acrescentasse o lúpulo ao longo de todo o processo de fermentação? Bem, antes de mais nada você teria de lidar com uma rebelião de cervejeiros. Tente convencer um assistente de fermentação a se colocar sobre uma caldeira e, nela, acrescentar um punhado de lúpulo à mistura, fervendo por mais ou menos uma hora. A solução de Calagione foi um jogo vibratório elétrico de futebol. Sem precisão mecânica, o jogo foi usado para adicionar cuidadosamente o lúpulo à caldeira, antes que um jato de mosto provocasse um curto-circuito.

Bastou uma prova do produto final, contudo, para que Calagione percebesse que havia se deparado com algo novo. A cerveja era amarga, sim, mas extremamente complexa, com um incrível equilíbrio de maltes que criavam sabores frutados incomuns. A cerveja evoluiu até se transformar na 90 Minute Imperial IPA; seu nome deriva do tempo durante o qual o lúpulo é infundido na mistura fervente. Hoje a cervejaria usa um gigantesco canhão pneumático controlado por computador. A máquina lança automaticamente o lúpulo para dentro da caldeira, de modo que não é necessário incomodar ninguém. **DR**

Notas de degustação
O aroma que emerge da coroa cremosa é de frutas secas com um toque de frutas cítricas. Um líquido encorpado domina o paladar com um sabor equilibrado de lúpulos trepidantes e maltes leves e caramelados.

Abbaye D'Aulne Triple Blonde

Brasserie du Val de Sambre
www.valdesambre.be

País de origem Bélgica
Lançada em 2000
Teor alcoólico 9% vol.
Temperatura ideal 8°C

A Val de Sambre fica num belo vale perto de Charleroi, na província de Hainaut. A cervejaria fica dentro da Abadia D'Aulne, que remonta à Idade Média. A abadia foi fundada no século 7. Depois, monges cistercienses assumiram o controle no século 12, antes que as forças revolucionárias francesas a queimassem em 1794.

O lugar produz cerveja há centenas de anos, apesar de a fábrica atual só ter entrado em operação no início deste século. Antes disso, as marcas da Abadia D'Aulne eram fabricadas pela cervejaria Affligem. Antigos anúncios da cerveja mostrando monges alegres decoram a sala de degustação.

O cervejeiro Frederick Collinet supervisiona a produção de uma dúzia de marcas diferentes, dentre as quais está a Triple Blonde, um excelente exemplo de seu talento. Esta cerveja já era produzida pela Affligem antes que a cervejaria Val de Sambre acendesse suas caldeiras. Ela é vendida em garrafas ou barris. É interessante comparar as cervejas em garrafas e barris, sendo que a última parece mais rústica e maltosa. Os turistas são levados a experimentá-las na sala de degustação. Patê, pão artesanal e queijo, além da especialidade local, *escaveche*, podem ser saboreados com as cervejas. **CC**

Notas de degustação
Clara, levemente turva e dourada, com uma coroa abundante. O aroma apresenta toques de frutas cítricas, pera e especiarias. O sabor é frutado, picante e ligeiramente adocicado, com um leve toque de álcool.

← Uma ale especialmente acondicionada em barris que é uma mistura das variedades 60 e 90 Minute.

Achel Blond 8°

Brouwerij der Trappistenabdij De Achelse Kluis | www.achelsekluis.org

País de origem Bélgica
Lançada em 2001
Teor alcoólico 8% vol.
Temperatura ideal 10°- 14°C

Levando em conta as origens da severa ordem trapista dos monges de La Trappe, na Normandia, não é de surpreender que eles já tenham produzido sidra como parte de seus votos de fé. Quando os trapistas se estabeleceram na Bélgica, em meados do século 19, para ajudar a restabelecer o monasticismo no país católico recém-independente, eles adaptaram as tradições e ingredientes locais e passaram a produzir cervejas trapistas complexas e frutadas.

O mosteiro de São Benedito, em Hamont-Achel, inaugurou sua primeira cervejaria em 1850, produzindo cerveja quase que inteiramente para o consumo próprio. A produção foi interrompida depois que o exército alemão confiscou as instalações de cobre durante a Primeira Guerra Mundial e não recomeçou depois da guerra porque o mosteiro era registrado no nome de dois holandeses, o que não lhes dava direito a indenização. Na verdade, a produção só recomeçou em 1998, e a princípio o mosteiro fabricou cerveja apenas para seu próprio café, o primeiro bar trapista. Cervejas engarrafadas surgiram cinco anos mais tarde.

A grande fraternidade trapista trabalhou em conjunto no projeto e o lendário frei Tomás de Westmalle foi tirado da aposentadoria para ajudar a desenvolver receitas. O amor de Tomás por lúpulos, que influenciou a famosa Westmalle Tripel, é altamente evidente nesta cerveja tipo blonde, que é mais forte do que a blonde artesanal com teor de 5% vol. criada para o café, tendo 27 IBU de lúpulos Saaz e Tradition acrescentados a uma mistura de malte Pilsen e açúcar de fermentação. Mas esta não é cópia de uma cerveja trapista consagrada – de alta qualidade e feita com atenção aos detalhes –, e sim uma cerveja única e de sabor muito moderno. **DdM**

Notas de degustação

Intensa e dourada, com aromas frutados de banana, pera e ervas, e um paladar macio e suave, com lúpulos terrosos e ligeiramente folhosos e de ameixa. No final, há um sabor picante duradouro por sobre o malte adocicado, com um toque alcoólico.

Advents-Bier

Brauhaus Schweinfurt | www.brauhaus-schweinfurt.de

País de origem Alemanha
Lançada em 1998
Teor alcoólico 5,4% vol.
Temperatura ideal 6°-8°C

Pernil de porco assado, filé com creme de rábano ou bife marinado e cozido? O Brauhaus am Markt é o centro da saborosa culinária francônia de Schweinfurt. Prepare-se para refeições fortes, com acompanhamentos de batata e muito molho – o comum na cozinha local. A cerveja também é tipicamente francônia. Ela proporciona um sabor marcante de malte, ressaltado por toques de bons lúpulos. Uma destas cervejas é sazonal: a Brauhaus Advents-Bier só é vendida de novembro a janeiro, como o próprio "advento" no nome sugere.

A Brauhaus Schweinfurt foi fundada como uma sociedade limitada em 1903, mas antes disso era uma cervejaria familiar, com instalações situadas no centro da cidade, no lugar exato onde hoje existe um bar.

Desde 1998, a golden lager da cervejaria tem amenizado os dias tristes do inverno. O mestre cervejeiro Johann Weichert a fabrica com malte Pilsen, além de uma variedade de mosto de difícil preparo, com decocção em duas etapas, na qual parte do mosto é bombeado para a caldeira, fervido e depois devolvido ao mosto original. Este processo intensifica a cor e o sabor da cerveja. Além disso, Weichert usa lúpulo aromático alemão. Reminiscente da Märzenbier francônia, a Brauhaus Advents-Bier exala um aroma predominantemente maltoso. Cervejeiro apaixonado e ambicioso, Weichert aperfeiçoou sua receita da Advents-Bier ao perceber que os consumidores a consideravam forte demais; por fim, ele diminuiu ligeiramente o amargor e, principalmente, buscou arredondar a cerveja. **SK**

Notas de degustação

Dourada, com tom ameno e um exubernte colarinho branco. Esta cerveja apresenta um aroma adocicado e maltoso. O sabor é, a princípio, adocicado, com tons de cereais e caramelo e amargor equilibrado, com toques florais e herbáceos. Fim seco e ameno.

Allagash Tripel Reserve

Allagash Brewing | www.allagash.com

País de origem Estados Unidos
Lançada em 1998
Teor alcoólico 9% vol.
Temperatura ideal 10° - 16°C

A cervejaria Allagash ostenta muitas das mais inovadoras variedades de cervejas dos Estados Unidos. Levedura *Brettanomyces* selvagem, vários lúpulos, misturas pós-fermentação e ingredientes incomuns, entre eles, uvas, milefólio, framboesa e gengibre, todos têm vez nas garrafas exóticas (e às vezes caras) do fundador da cervejaria, Rob Tod.

Esta clássica tripel ao estilo belga – uma das principais marcas da Allagash feitas sem ingredientes exóticos – é muito elogiada pelos admiradores de cerveja. Não há nenhum processo de fermentação alternativo nem ingredientes secretos – a não ser a levedura. Tod não divulga qualquer detalhe sobre a fabricação, posssivelmente porque os detalhes sejam essenciais às complexas camadas de sabor da pale ale. A caldeira de fermentação leva apenas dois maltes, açúcar e lúpulos leves e modestos – a mesma base que qualquer cerveja fabricada em Flandres usaria. Claro que esta mistura sozinha não é a responsável pelos sabores adocicados, melados e frutados que marcam o paladar.

A cerveja fermenta em tanques por duas a três semanas, depois é filtrada e engarrafada com uma segunda aplicação de levedura para um importante segundo estágio de descanso. O envelhecimento em garrafas é caro: ele exige mais tempo e pode ser instável. A Allagash tentou a carbonatação forçada da tripel, mas com resultados insatisfatórios. "A segunda fermentação na garrafa leva a cerveja a outro patamar em termos de complexidade, sabores sutis e aromas", afirma Tod.

Levedura, simplesmente levedura. Comparada à variedade exótica e envolvente de cervejas "radicais", esta tripel é básica... e ainda assim completamente misteriosa. **DR**

Notas de degustação

Dourada, com uma coroa crescente que exala aromas suaves de mel, pera e maçã, e um toque de lúpulos herbáceos. O sabor áspero e formigante, mas sem levedura demais, realça o paladar adocicado de frutas frescas. O final é doce e ameno, mas não muito alcoólico. Uma verdadeira tripel.

Alpha Pale Ale

Matilda Bay Brewing Company | www.matildabay.com.au

País de origem Austrália
Lançada em 1999
Teor alcoólico 5,2% vol.
Temperatura ideal 4°C

A Austrália não tem um histórico de cervejas muito lupuladas. Só há pouco tempo, depois de mais de um século, é que cervejas India Pale Ale passaram a ser fabricadas comercialmente. Pale ales americanas eram raramente importadas. Foi quando a Little Creatures, da Austrália Ocidental, buscou inspiração nos Estados Unidos antes de lançar uma fantástica pale ale. Algum tempo mais tarde, o ramo artesanal da maior cervejaria do país, a Matilda Bay, relançou a Alpha Pale Ale depois de comprá-la da cervejaria Masthead, onde foi desenvolvida por Brad Rogers.

A Alpha Pale Ale depende, claro, completamente dos lúpulos. Sabe-se que ao menos cinco variedades de lúpulo são responsáveis pela complexidade da cerveja. O nome "Alpha" é uma referência ao ácido alfa dos lúpulos amargos; eles são acrescentados no início da fervura e contribuem para o amargor e o sabor da cerveja como um todo. É isto o que dá à Alpha Pale Ale um tremendo tom lupulado depois do primeiro gole. Lúpulos aromáticos também são acrescentados mais tarde no processo para dar à cerveja seu aroma sedutor. Só para ter certeza de que a bebida está aromatizada o bastante, mais lúpulo é acrescentado depois de a cerveja ficar fermentando durante um mês.

O resultado é uma cerveja equilibrada e forte, mais diferente das lagers fortes da Austrália do que se pode imaginar. Para algumas pessoas, é uma cerveja difícil e confusa; para outras, é uma dádiva que usa sua intensa complexidade de lúpulos para atrair e recompensar. Faz sentido que esta cerveja seja vendida pela primeira cervejaria artesanal australiana. Seu fundador, Phil Sexton, esteve envolvido na criação da Bridgeport IPA e da Little Creatures Pale Ale. Pode-se imaginar que ele aprovaria o acréscimo desta cerveja ao portfólio da Matilda Bay. **DD**

Notas de degustação

A Alpha Pale Ale exibe um tom alaranjado e uma coroa abundante e branca. A cerveja exala aromas cítricos e fica ligeiramente mais amena antes de apresentar sabores frutados doces e melados, finalizados com um toque de amargor.

Amnesiac Double IPA

Phillips Brewing Company | www.phillipsbeer.com

País de origem Canadá
Lançada em 2004
Teor alcoólico 8,5% vol.
Temperatura ideal 10°C

Quando inaugurou sua cervejaria em 2001, Matt Phillips trabalhou muito para se destacar como uma espécie de renegado, transportando cerveja pela ilha de Vancouver em seu Subaru velho, expandindo a distribuição para o continente com vários caminhões alugados e entregas nas noites insones, e consagrando seu empreendimento no que ainda é um mercado bastante conservador ao produzir uma cerveja de framboesa, uma inequívoca IPA e uma stout condimentada com café. Assim, faz todo o sentido que ele tenha ainda acrescentado ao seu portfólio uma das melhores cervejas produzidas até então no Canadá, fabricada no estilo que os norte-americanos já estavam chamando de IPA dupla e, às vezes, pale ale imperial.

Phillips teve sorte. No que diz respeito à distribuição, as autoridades regionais foram bastante generosas, fazendo licitações para as cervejarias locais, e assim Phillip se inscreveu e recebeu três contratos. Além disso, a cervejaria se mudou das instalações originais, limitadas, para um espaço maior, o que permitiu que a empresa duplicasse e, depois, quadruplicasse sua capacidade de produção.

Assim, com contratos novos para marcas e espaço para criá-las, Phillips e sua equipe se puseram a criar uma nova linha de cervejas, voltando-se, a princípio, para as fortes e lupuladas, um estilo que estava rapidamente ganhando terreno ao sul da fronteira. "Eu sou um pouco viciado em lúpulo", afirma Phillips, "assim, tudo o que estávamos fazendo na época tinha a ver com lúpulo". Phillips também queria criar uma cerveja que fosse estruturada em torno do malte, e não do lúpulo – "mais do que apenas uma bomba de lúpulo", em suas palavras. **SB**

Notas de degustação

Para uma cerveja tão intensa, a Amnesiac é incrivelmente acessível, com um aroma marcante acentuado por tons cítricos, de pinheiros e caramelo, e um corpo amargo, mas não excessivamente, arredondado e com malte frutado misturado a lúpulos cítricos. Uma bela ale para beber antes de dormir.

Arabier

De Dolle Brouwers | www.dedollebrouwers.be

País de origem Bélgica
Lançada em *ca.* 1985
Teor alcoólico 8% vol.
Temperatura ideal 10°C

Quando os irmãos Herteleer começaram a produzir cerveja em Esen, eles praticamente deram início sozinhos, à revolução das microcervejarias belgas. Pouco depois, a Achouffe e a Abbaye des Rocs seguiriam o exemplo. Desde o início, a Oerbier liderou o movimento, mas a curiosidade dos irmãos e o conhecimento maior levaram a novas criações em seu portfólio. Um lugar especial logo foi reservado para esta forte golden ale que substituiu uma pale ale comum chamada Oeral. De acordo com Els Herteleer, a Arabier era um pouco convencional demais para a De Dolle Brouwers (Cervejeiros Loucos).

Quanto ao nome, Arabier não significa apenas "árabe", mas também "cerveja de papagaio", como a ave de desenho animado no rótulo ressalta. Antigamente, a Arabier de barril era conhecida como Arafat, mas isto soaria um pouco amargo demais hoje em dia... Por falar em amargor, ele é importante para a Arabier. Usa-se abundantemente o lúpulo aromático floral Nugget (cultivado na região de Poperinge), um efeito intensificado pelo processo de *dry hopping* à cerveja acondicionada em tanques durante um mês. Este sabor marcante de lúpulo também explica por que a cervejaria, num contraste marcante em relação à Oerbier, recomenda o consumo da Arabier um pouco antes da data de validade, a fim de que se possa apreciar o efeito deste envelhecimento.

A Arabier é vendida esporadicamente em barris, e um bom lugar para saboreá-la é na própria cervejaria, no verão. Não hesite em bebê-la no terraço, com vista para a tranquila paisagem rural: o silêncio é quebrado apenas pelas galinhas e pelo mugido das vacas por perto e, claro, pelos sons de alegria de uma casa cheia dedicada a bebedores de cerveja. **JPa**

Notas de degustação

Uma cerveja amarelo-clara sob uma robusta coroa branca. Jovem, ela exala aromas de mel e lúpulo; mais tarde se torna amendoada, alcoólica e com notas de cogumelos. O sabor é marcado por lúpulos secos acompanhados por outros sabores cítricos e frutados. Um ligeiro toque leitoso pode surgir com o tempo.

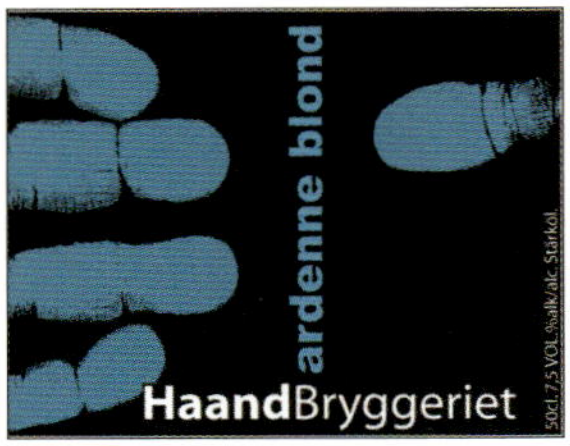

Ardenne Blond

HaandBryggeriet | www.haandbryggeriet.net

País de origem Noruega
Lançada em 2005
Teor alcoólico 7,5% vol.
Temperatura ideal 6°- 8°C

Haandbryggeriet: "cervejaria artesanal". O nome diz tudo. Esta microcervejaria com sede em Drammen, ao sul de Oslo, é um exemplo do que significam a fabricação artesanal de cerveja e a paixão que a acompanha.

A Ardenne Blond é uma talentosa interpretação de uma saison da região de idioma francês da Valônia, na Bélgica. Maltes lager, caramelo e de trigo servem como base para a cerveja, com açúcar adicionado à fermentação, o que aumenta a intensidade sem acrescentar muito corpo. Os lúpulos na caldeira são os aromáticos Styrian Golding, mas também se adiciona coentro para ressaltar o caráter cítrico-picante da cerveja. O que realmente a define, contudo, é a levedura. A princípio, usava-se o tipo comum na fermentação, mas em 2008 decidiu-se experimentar uma variedade chamada *Brettanomyces clausenii*, que produz o que os cervejeiros descrevem como "um belo aroma de toranja". **JE**

Notas de degustação

O aroma perfumado, mais o amargor cítrico, ressalta o malte adocicado no corpo desta cerveja clara, contrabalançado por notas de laranja, um amargor ameno e um toque ligeiramente picante.

Augustiner Lagerbier Hell

Augustiner-Bräu München | www.augustiner-braeu.de

País de origem Alemanha
Lançada em *ca.* século 19
Teor alcoólico 5,2% vol.
Temperatura ideal 8°C

Inaugurada em 1328, sendo a mais antiga cervejaria de Munique, a Augustiner-Bräu se tornou uma instituição na cultura bávara. Uma piada entre os cervejeiros de Munique diz tudo: o mestre cervejeiro da Augustiner-Bräu e dois colegas de outras cervejarias de Munique vão a um bar. Seus colegas bebem cada qual um copo de suas próprias cervejas. O mestre cervejeiro da Augustiner bebe um refresco. "Por que você não bebe uma cerveja?", perguntam os outros. O mestre cervejeiro da Augustiner responde: "Achei que, como vocês não estão bebendo cerveja, eu também não teria de beber."

A Lagerbier Hell é um belo exemplo do estilo Munique Helles, uma lager de paladar maltoso, acentuado com um ligeiro amargor lupulado. Graças à sua prolongada segunda fermentação, a Augustiner Lagerbier Hell é bastante complexa e redonda. É a mais famosa marca da Augustiner e foi carinhosamente apelidada de "Grüner August" (Augusto Verde), numa referência ao monge verde do rótulo. **SK**

Notas de degustação

Lager de coloração amena e brilhante, com uma coroa branca exuberante e úmida. A cerveja exala um aroma maltoso com notas de lúpulo. O primeiro gole é doce. A intensa carbonatação ressalta o sabor.

Avatar Jasmine IPA

Elysian Brewing | www.elysianbrewing.com

País de origem Estados Unidos
Lançada em 2005
Teor alcoólico 6,3% vol.
Temperatura ideal 6°- 9°C

A ideia da Jasmine IPA foi inspirada num comentário feito num concurso de IPAs pelo especialista inglês Mark Dorber, que notou que uma cerveja tinha um aroma de "chá de jasmim". A ideia deixou Dick Cantwell (que fundou a cervejaria com David Buhler e Joe Bisacca) intrigado. Ele deixou a ideia amadurecendo por alguns anos antes de produzir a cerveja como uma bebida sazonal. "Nós a levamos para o Festival de Cervejarias de Washington, onde ela criou uma fila com cerca de cinquenta pessoas, muitas das quais mulheres, uma população nem sempre admiradora de cervejas amargas como a IPA. Mas os homens também a adoraram." Desde então, a Avatar ganhou vários prêmios e é hoje produzida regularmente.

A cerveja usa lúpulo Amarillo no fim do processo, além de uma variedade nova de lúpulo chamada Glacier, que Cantwell descreve como "um lúpulo de sabor menos acentuado, o que permite que o jasmim se destaque". Sete quilos de flores são acrescentados ao fim da fervura para cada lote de vinte barris. **RM**

Notas de degustação

Cheia dos aromas complexos e almiscarados de jasmim e lúpulo, com um pouco de caramelo adocicado. Sabor semisseco, alcançando um amargor maior no meio. O final é amargo, com toques florais exóticos.

Baffo d'Oro

Birra Moretti | www.birramoretti.it

País de origem Itália
Lançada em *ca.* 2006
Teor alcoólico 4,8% vol.
Temperatura ideal 3°- 5°C

A Moretti foi fundada em 1859 por Luis Moretti, em Udine, que fica na região nordeste da Itália. A primeira cerveja surgiu em 1860 e a Moretti se tornou uma das melhores cervejarias do país, simbolizada pelo famoso homem de bigode que apareceu nos rótulos a partir dos anos 1940. Lao Menazzi Moretti, na época dono da cervejaria, aparentemente viu alguém sentado do lado de fora de um restaurante e achou que aquela pessoa representava perfeitamente tudo o que a cerveja era: genuína, autêntica e tradicional. Ele tirou uma fotografia e, a partir daquele momento, a imagem se tornou inseparável da cerveja.

A Baffo d'Oro é uma lager maltosa cujo nome deriva da imagem simbólica (*baffo* significa "bigode" em italiano). Uma cerveja de luxo, ela é ótima para acompanhar refeições. Em 2008, o chef Claudio Sadler criou um cardápio que reunia várias das cervejas Moretti, entre elas a Baffo d'Oro. **ES**

Notas de degustação

Dourada sob um colarinho branco. No que diz respeito ao sabor, é fresca, com maltes adocicados seguidos por um final ligeiramente lupulado. Se não houver ouriço-do-mar por perto, experimente-a com pizza.

Beerlao

Lao Brewery | www.beerlao.la

País de origem Laos
Lançada em 1973
Teor alcoólico 5% vol.
Temperatura ideal 4°C

Dizem que se sentar às margens do rio Mekong, em Vientiane, a capital do Laos, é o lugar perfeito para saborear um copo de Beerlao. A cerveja é tradicionalmente servida em garrafas verdes; na verdade, é raro encontrar a Beerlao servida do barril – neste caso, ela é chamada de "fresca". Ela é mais bem apreciada gelada, mas é geralmente servida à temperatura ambiente, com cubos de gelo no copo.

O arroz é cultivado no Laos desde a Antiguidade, e não é de surpreender que o arroz jasmim esteja presente no mosto da cerveja – o restante, cevada maltada, vem da França. Lúpulos alemães Hallertau acrescentam características amenas, florais e amanteigadas; a levedura também é alemã. A água da cerveja vem das montanhas do Himalaia. O ligeiro amargor da Beerlao, com toques adocicados, torna-a um acompanhamento ideal para os pratos locais e sua força alcoólica permite que ela combine com o tempero picante da culinária asiática. **TH**

Notas de degustação

De cor amarelo-escura e com um sabor adocicado agradável, não enjoativo e semelhante ao mel, equilibrado por um amargor leve e refrescante. O alto teor alcoólico contribui para um final prolongado e satisfatório.

Beersel Lager

Proefbrouwerij | www.proefbrouwerij.com

País de origem Bélgica
Lançada em 2005
Teor alcoólico 5,2% vol.
Temperatura ideal 8°C

A Beersel Lager é feita com cevada orgânica, muito lúpulo Saaz e um toque de açúcar de beterraba. Ela não é filtrada nem pasteurizada e, diferentemente da maioria das lagers, passa por uma segunda fermentação na garrafa. É uma cerveja de sabor marcante e refrescantemente amarga, com um quê de cereais. Mas o mais importante é que ela tem um caráter sério, seco e floral que tem início com os aromas e se prolonga depois de degustada. Se ao menos as outras lagers tivessem a mesma classe...

Desconhecida da maioria dos admiradores de cerveja que conhecem a Bélgica por suas ales, esta lager é, sem dúvida, a bebida mais popular do país. Ela geralmente aparece sob o pseudônimo "pils" e se assemelha a outras lagers do mundo: produzida em vastas quantidades, amarelada e sem complexidade. O belga típico vê as ales condimentadas como cervejas "especiais", para ocasiões festivas – sextas-feiras, por exemplo –, enquanto as pilsens são a cerveja cotidiana. **JS**

Notas de degustação

Corpo dourado, ligeiramente turvo, com alguns dedos de colarinho branco. O aroma exala principalmente lúpulos florais e herbáceos. O amargor moderado domina o sabor, com um leve toque de cereal ao fundo.

Bel Pils

Duvel Moortgat | www.duvel.be

País de origem Bélgica
Lançada em 1930
Teor alcoólico 5% vol.
Temperatura ideal 5°- 6°C

A Bel Pils está presente na lista de produtos da cervejaria Duvel Moortgat desde que foi lançada, em 1930, quando era chamada de "Extra Loura" (de 1976 a 1993, ela foi chamada de "Extra Pilsner", antes que Bel Pils se tornasse seu nome comum). O mestre cervejeiro Hedwig Neve lamenta que sejam poucos os lugares que tenham movimento bastante para que esta cerveja seja servida da melhor maneira. "Uma bomba de pilsen não deve parar nunca, e sim jorrar continuamente!", afirma. Ainda assim, sua qualidade verdadeira não fica oculta, e encontrar esta cerveja em garrafa ou barril é como se deparar com um tesouro escondido.

O uso abundante de Saaz, um lúpulo usado em outras cervejas Moortgat, explica muito do apelo da cerveja. Esta pilsen é mais amarga do que a maioria dos líquidos amarelados comuns que jorram das bombas belgas. Isto talvez explique por que, infelizmente, a cervejaria fez mais sucesso, nos últimos anos, entre os jovens bebedores que consomem a irmã caçula da Bel, a Vedett, ligeiramente mais forte e muito mais doce. **JPa**

Notas de degustação

Cor de palha e transparente sob um colarinho abundante. Aroma ligeiramente amargo de flores e cereais. No sabor, leve e com uma base de malte e açúcar na medida certa.

Dado Bier Belgian Ale

Dado Bier | www.dadobier.com.br

País de origem Brasil
Lançada em 2007
Teor alcoólico 8,5% vol.
Temperatura ideal 8°- 12°C

A Dado Bier é a microcervejaria pioneira no Brasil. Baseada em Porto Alegre, no sul do país, ela foi inaugurada em 1994; é a primeira do tipo.

A levedura é importada da Bélgica. Cinco maltes diferentes e uma seleção de lúpulos importados compõem a mistura, que passa por um processo de fermentação dupla. Depois de um período inicial de fermentação, a cerveja é transferida para um recipiente separado para continuar sua transição; assim, sedimentos e outros resíduos indesejáveis são deixados para trás no primeiro recipiente. Para seu tempo na garrafa, a cerveja é deixada sem filtragem, o que significa que a levedura continua ativa, permitindo que a bebida mude e se suavize com o tempo. Apesar do nome, não se trata da cópia de uma cerveja ao estilo belga. A equipe da cervejaria Dado faz muitas pesquisas a fim de incorporar um sabor original e interessante a uma versão do Novo Mundo para uma das cervejas preferidas do Velho Mundo. **AH**

Notas de degustação

O corpo dourado-turvo reluz sob uma coroa branca cremosa. Um aroma cítrico marcante se prolonga no paladar, onde se junta ao caramelo e muito malte. Bem equilibrada e com um final alcoólico.

Benedictus

Durham Brewery | www.durham-brewery.co.uk

País de origem Inglaterra
Lançada em 2000
Teor alcoólico 8,4% vol.
Temperatura ideal 14°C

Steve Gibbs era um dedicado cervejeiro caseiro quando abriu a cervejaria Durham em 1994, depois que ele e sua esposa ficaram desempregados.

Ele tem criado interpretações modernas para estilos clássicos de cervejas, incorporando métodos tradicionais de produção, com uma atenção quase fanática à higiene e ao controle de qualidade. O alto padrão sempre foi a prioridade da cervejaria, que fica a poucos quilômetros da cidade de Durham e de sua catedral, patrimônio da Humanidade. A maioria das mais de vinte ales do portfólio é batizada em homenagem à herança religiosa de Durham: Magus, White Friar, Bishop's Gold e Sanctuary. Em contraste com a tendência da Durham de fazer referência à Idade Média, os sistemas de envase, formulação, controle de estoque, rastreamento e contabilidade da cervejaria são tão modernos quanto os de qualquer empreendimento de alta tecnologia.

O portfólio se divide entre as variedades Branca, Dourada e Colorida, sendo que muitas das cervejas são compostos complexos de lúpulos ingleses, norte-americanos, tchecos e eslovenos. A Benedictus pertence à variedade Dourada; sua estrutura suave de cevada e sua força aromática fazem dela uma cerveja extremamente fácil de se beber. "A ideia é criar uma série de estilos clássicos", afirma Steve, "e, como o barleywine era um dos estilos que conhecíamos, tivemos de fazer uma cerveja assim. Historicamente, cervejas fortes são, em geral, adocicadas, e a levedura não é capaz de processar todos os açúcares no mosto. Assim, usamos uma levedura extremamente ativa, que produz uma cerveja mais áspera do que o esperado. Mesmo assim, ainda há açúcares o bastante no malte não fermentado para compor o corpo e o paladar". **AG**

Notas de degustação

A Benedictus é dourada e tem um incrível corpo maduro e frutado. A mistura complexa de lúpulos prolonga os sabores, enquanto seus aromas ajudam a criar um amargor equilibrado antes de o final agradável alcançar um fervor exuberante.

A cervejaria Durham usa imagens da famosa catedral da cidade. →

By Faith Moses refused to be called the Son of Pharaoh's
daughter Choosing rather to suffer affliction with the
people of GOD than to enjoy the pleasures of sin for a season
To the Glory of GOD and in loving memory of
the HONOURABLE SIR HENRY MANISTY
JUSTICE who died 31st JANUARY 1890

Big Daddy

Speakeasy Ales & Lagers | www.goodbeer.com

País de origem Estados Unidos
Lançada em 1998
Teor alcoólico 6,5% vol.
Temperatura ideal 10°C

Na época da proibição de bebidas alcoólicas nos Estados Unidos, um bar ilegal se tornou muito conhecido de todos. Antes e durante esse período, o país era dividido entre áreas urbanas e rurais. Na época, os Estados Unidos eram predominantemente agrários. Assim, a maioria rural era capaz de burlar a proibição. Nas grandes cidades, contudo, onde quase todo mundo se opunha à proibição – incluindo a polícia, juízes e funcionários do governo –, bares ilegais eram permitidos. Estima-se que, somente em Nova York, havia cem mil estabelecimentos desse tipo.

São Francisco tinha fama por seus bares ilegais, que serviram de inspiração para a abertura da Speakeasy Ales & Lagers, uma das únicas duas cervejarias da cidade – e, como afirmam, a segunda maior também (a principal, claro, é a Anchor). A cervejaria a vapor fica no bairro de Bayview. Todas as cervejas da Speakeasy são batizadas com nomes irônicos, uma indireta ao ambiente dos bares proibidos: Prohibition Ale, Untouchable Pale Ale, Old Godfather e Rum-Runner Rye.

Mas a cerveja mais popular é a Big Daddy, uma India Pale Ale cheia de variedades de lúpulos da Costa Oeste. A Big Daddy foi batizada em homenagem a Dave Keene, proprietário do melhor bar de São Francisco, o Toronado. Seu apelido era "Big Daddy" e ele era o "padrinho" não oficial da comunidade cervejeira daquela cidade. Com esse espírito, a Speakeasy se referia a seus admiradores como "a máfia".

A Big Daddy é produzida com três lúpulos da região noroeste dos Estados Unidos, além da adição generosa de outros lúpulos. Ela é equilibrada com maltes pale ale e Munique. **JB**

Notas de degustação

Cerveja dourada e translúcida com uma coroa branca firme. Lúpulos cítricos dominam o aroma, juntamente com odores de toranja, flores e gramíneas. A cerveja tem um sabor cremoso e exuberante, com predominância dos lúpulos.

Bikini Blonde Lager

Maui Brewing Co. | www.mauibrewingco.com

País de origem Estados Unidos
Lançada em 2006
Teor alcoólico 4,5% vol.
Temperatura ideal 7°C

Quando Garrett Marrero e Melanie Oxley inauguraram a cervejaria Maui, em 2005, ela era apenas um bar. No ano seguinte, porém, eles a transformaram na primeira microcervejaria da ilha, uma distinção que perdurou até quatro anos mais tarde, em 2009. A Maui é, também, um dos empreendimentos de crescimento mais rápido do Havaí. A cervejaria fica perto de uma das maiores atrações turísticas de Maui, a estação do Trem da Cana, Lahaina Kaanapali, e da ferrovia do Pacífico.

Em 2007, eles vendiam três de suas cervejas em lata, e menos de dois anos mais tarde dobraram a produção. Eles optaram pelas latas por conta de suas preocupações com o meio ambiente, por estarem numa ilha pequena, e num esforço para manter os 50 quilômetros de praias de Maui livres de cacos de vidro. Maui é a segunda maior ilha do arquipélago do Havaí. Desde os polinésios, há muitos séculos, navegadores visitam frequentemente a ilha. De acordo com a mais recente lenda de Maui, criada pela própria cervejaria, o verdadeiro motivo que levava os marinheiros à ilha era a vontade de beber a Bikini Blonde Lager.

A Bikini Blonde Lager é uma Helles ao estilo de Munique, filtrada e enlatada. É a cerveja mais leve fabricada pela empresa e usa puro malte de cevada. Ela tem apenas 18 IBU, e leva um pouco de lúpulo Tettnanger, um lúpulo nobre, e também lúpulos Liberty e Sterling, ambos variedades norte-americanas. O Sterling é parecido com o popular lúpulo Saaz, outro dos quatro lúpulos nobres. A Bikini Blonde é ideal para o clima tropical do Havaí e fica perfeita ao acompanhar o churrasco havaiano de ovos e carne enlatada, muito popular na ilha. **JB**

Notas de degustação

A Bikini Blonde exibe uma coloração dourada ligeiramente turva e um colarinho branco espesso. O aroma sutil é adocicado, com toques de gramíneas e feno. Com uma carbonatação refrescante, o sabor é levemente adocicado e bem equilibrado, características de lúpulos nobres e um final seco.

BIR PILSENE
TRADE MARK
BINTAN
BALI
PILSENER BE
BIR PIL
TRADE
BINT
BA
PILSEN

Bintang

Multi Bintang | www.multibintang.co.id

País de origem Indonésia
Lançada em 1930
Teor alcoólico 4,8% vol.
Temperatura ideal 4°C

A Multi Bintang é a mais famosa cervejaria da Indonésia, mas nenhum de seus ingredientes é local, exceto pela água. O malte e o lúpulo são importados da Austrália e da Europa, enquanto a levedura vem da Holanda. Apesar de a Indonésia ser um país islâmico, a cerveja é comercializada na maioria das cidades, vilas e regiões turísticas, embora menos de 3% dos indonésios consumam álcool.

A Bintang é uma cerveja despretensiosa que acompanha bem comidas simples, principalmente os alimentos frescos de um churrasco. Não existe uma culinária exclusivamente indonésia: a cozinha das ilhas é uma mistura eclética inspirada em várias culturas do mundo. O sucesso da Bintang se deve ao fato de ela acompanhar bem vários alimentos, ainda que não seja uma bebida inspiradora. Muitos turistas que visitam o país gostam de bebê-la com *rijsttafel* – uma refeição tradicional e complexa de quarenta pratos picantes diferentes servidos com pequenas porções de arroz. **TH**

Notas de degustação

Dourado-clara, a cerveja tem um aroma maltoso fresco que dá lugar a um bom amargor. Uma espuma leve se forma e depois desaparece. O sabor termina com um final seco.

Biolégère

Brasserie Dupont | www.brasserie-dupont.com

País de origem Bélgica
Lançada em 1992
Teor alcoólico 3,5% vol.
Temperatura ideal 10°C

A Biolégère é uma excelente cerveja leve num país conhecido por suas cervejas fortes e encorpadas. Esta é, possivelmente, a melhor cerveja "de mesa" da Bélgica, e recebe ainda mais aplausos por ser orgânica. É apenas uma das várias cervejas orgânicas produzidas pela Dupont, incluindo uma feita com mel – a Bière de Miel Biologique. A Brasserie Dupont é um lugar muito agradável de se visitar, embora só abra suas portas ao público no último fim de semana de setembro, quando o vilarejo de Tourpes, onde fica a sede da empresa, promove uma visitação pública.

A qualidade da Dupont reside no seu caráter artesanal e se estende para sua padaria, inaugurada em 1994. No ano seguinte a empresa começou a produzir queijos. Ela fabrica vários queijos especiais, sendo que três deles levam cerveja Moinette e um a Saison Dupont. Todas as cervejas da empresa podem ser degustadas nas Caves Dupont, bar à beira da estrada que vende a única cerveja de baixa fermentação da empresa, a pilsen Redor, que, além da Saison Dupont, é tirada diretamente do barril. **CC**

Notas de degustação

Cerveja amarela turva e carbonatada. Há toques cítricos e de levedura herbácea no aroma; no que diz respeito ao paladar, limão, malte adocicado e notas terrosas.

← Anúncio da cerveja Bintang em Kuta, um dos resorts mais famosos de Bali.

Birra Dolomiti Doppio Malto

Birreria Pedavena | www.birrapedavena.it

País de origem Itália
Lançada em 2008
Teor alcoólico 6,7% vol.
Temperatura ideal 8°- 10°C

A Birreria Pedavena tem uma longa história. Ela foi fundada em 1897 na cidade de Pedavena, perto das Dolomitas. Ao longo dos anos, transformou-se numa empresa de tamanho considerável no mercado cervejeiro italiano, permanecendo independente até 1974, quando a Heineken Itália a adquiriu. A Heineken controlou a empresa por trinta anos, até que, em 2004, anunciou que tinha planos de fechar esta cervejaria histórica. Mas a Birreria Pedavena sobreviveu depois de ser comprada por uma cervejaria italiana independente, o Gruppo Castello. Atualmente, a empresa se especializa em produzir pilsens e uma lager não filtrada nem pasteurizada chamada Centenario. Esta cerveja só pode ser degustada na bomba da renomada cervejaria.

Nos últimos anos, a Pedavena tem sido fiel aos ingredientes locais e começou a trabalhar em colaboração com os plantadores de cevada das proximidades, num projeto que foi em parte financiado pelo governo regional. O primeiro produto desta parceria é a Dolomiti Doppio Malto, uma lager forte encorpada e muito saborosa. A cerveja utiliza uma alta porcentagem de cevada local, além de um pouco de malte claro da Alemanha e da França (embora tenha planos de, no futuro, aumentar a quantidade de cevada local). Um pouco de malte caramelo, novamente da Alemanha, confere um corpo ainda mais notável à cerveja. Os lúpulos são o Hallertau, o Magnum e o Perle, acrescentados para conferir amargor durante a fervura, enquanto uma dose generosa de Saaz lhe dá aroma. São necessários dois meses para concluir esta cerveja de fermentação dupla em tanques e pelo menos mais um mês de maturação. Toda esta atenção aos detalhes faz com que a Dolomiti Doppio Malto tenha um sabor e um aroma muito mais intensos do que as demais lagers da empresa. **MM**

Notas de degustação

De coloração dourada brilhante sob uma coroa firme e branca. Aroma leve, ressaltado por notas doces do malte. Corpo redondo e bem equilibrado, com toques frutados (maçã). No final, um bom e duradouro caráter lupulado.

Bitburger Premium Beer

Bitburger Braugruppe | www.bitburger.com

País de origem Alemanha
Lançada em 1909
Teor alcoólico 4,8% vol.
Temperatura ideal 5°C

Bitte, ein Bit – "Uma Bit, por favor" – é um dos slogans mais conhecidos da indústria cervejeira alemã e tem ajudado a promover a pilsen de uma cervejaria familiar na fronteira com Luxemburgo para o topo da lista das melhores cervejas do país.

A cidade de Bitburg fica ao norte de Trier, na região de Eiffel, na Alemanha. Sua famosa cervejaria foi fundada em 1817 por Johann Peter Wallenbronn e cresceu nas mãos de seus descendentes, a família Simon. Em 1980, uma nova cervejaria moderna e energeticamente eficiente foi inaugurada; estas novas instalações se conectam à linha de produção principal por uma tubulação subterrânea.

Nas últimas décadas, a Bitburger tem investido pesado: patrocínios em esportes e anúncios inteligentes transformaram a marca, antes regional, numa referência nacional e, agora, internacional. A marca foi incentivada pelo sucesso da Bitburger Drive, de baixo teor alcoólico, mas na verdade há apenas uma cerveja que as pessoas associam à empresa: a pilsen Bitburger. Para uma marca internacional, ela é incrivelmente saborosa, feita com cevada maltada alemã e francesa e, claro, água fresca. Ela é temperada com lúpulos que vêm dos famosos campos de Hallertau, no sul da Alemanha, e também das fazendas locais. O amargor penetrante e herbáceo que estes lúpulos conferem à cerveja se prolonga bastante no final macio. O prêmio extra da Bitburger está no fato de que – apesar de enlatada – a cerveja não é pasteurizada. Até mesmo a cerveja engarrafada para exportação escapa ao tratamento de calor que macula o sabor, passando por uma rigorosa filtragem que explica a boa durabilidade da bebida. **JE**

Notas de degustação

Uma cerveja dourada ao estilo pilsen, com lúpulos aromáticos e malte claro e adocicado. O sabor macio e maltoso é ressaltado por um mentolado leve e toques herbáceos, arredondado por um final satisfatório, seco e amargo, depois do que os lúpulos herbáceos realmente se apresentam.

Bitter & Twisted

Harviestoun Brewery | www.harviestoun.com

País de origem Escócia
Lançada em 1998
Teor alcoólico 4,2% vol.
Temperatura ideal 12°C

Fundada em 1984 por Ken Brooker numa fazenda nos limites de Dollar, na Escócia central, a Harviestoun é uma verdadeira história escocesa de sucesso. Em 2004, por conta da demanda crescente pelas cervejas da empresa, a cervejaria se mudou para uma instalação própria de cinquenta tanques, a alguns quilômetros de Alva, o que permitiu que a cervejaria continuasse a usar a excelente água dos montes Ochil. Depois de vinte e dois anos, Brooker decidiu se afastar da empresa, mas não sem antes ganhar vários prêmios por suas criações, entre eles o Campeonato Britânico de Cervejas, vencido pela Bitter & Twisted em 2003.

A Bitter & Twisted é a pedra fundamental do sucesso da Harviestoun. Ela começou a ser produzida em 1998 como uma cerveja especial mensal e foi tão bem recebida que os bares e consumidores fizeram dela um produto permanente. Originalmente chamada "Buchanan's IPA", o nome logo mudou para "Brooker's Bitter & Twisted" (mais tarde o "Brooker's" foi excluído). O nome surgiu numa reação à reclamação de Ken a respeito da multa pesada por excesso de velocidade que recebeu, em comparação com outras multas. A esposa de Brooker, Ingrid, disse que "deveríamos chamá-la de Bitter & Twisted (amarga e irritada) porque é assim que você está ficando", ao que toda a equipe da cervejaria imediatamente concordou.

Como várias pequenas cervejarias, a Harviestoun caiu nas graças de uma empresa maior e se tornou uma subsidiária da Caledonian Brewing Company em 2006. Em 2008, contudo, voltou a se declarar independente. Atualmente a cerveja é produzida pela cervejaria Stuart Cail, enquanto a Harviestoun continua a inovar com sua cerveja da série Highland Park, envelhecida em barris de uísque, a Ola Dubh. **MC**

Notas de degustação

Esta cerveja se resume aos lúpulos e à carbonatação que se misturam para criar uma bebida verdadeiramente refrescante. Ela exala um aroma de toranja com um toque de ervas e especiarias. No sabor, é latejante e sacia a sede, terminando com um agradável toque cítrico.

Blonde Doppelbock

Capital Brewery | www.capital-brewery.com

País de origem Estados Unidos
Lançada em 1994
Teor alcoólico 7,8% vol.
Temperatura ideal 9°- 11°C

Esta cerveja começou como "um fracasso total", de acordo com o presidente e mestre cervejeiro da Capital, Kirby Nelson. "Estive na Alemanha experimentando vários tipos de cervejas frescas, o que foi uma revelação incrível." Ao voltar para sua casa, em Wisconsin, ele quis criar uma lager forte com uma personalidade única. Além disso, e como a cervejaria tinha a capacidade de acrescentar "uma etapa a mais de decocção", Nelson estava ansioso para ver se este processo alcançaria o tom maltoso exuberante pelo qual os maltes alemães eram famosos. Isto não aconteceu, e eis por que a cerveja foi um "fracasso". Mas a decocção, na qual uma porção do mosto é fervida, caramelizando parte dos sabores maltosos, ainda produziu "uma cerveja muito boa".

As decocções eram, em geral, a única maneira de produzir a maioria dos estilos de lagers, mas, por conta do alto custo em tempo e energia e por causa dos maltes modernos que raramente requerem um tratamento tão extremo, poucas cervejarias fazem a decocção hoje em dia. Quando feita corretamente, acrescenta uma camada de sabor caramelizado que é quase impossível de se obter de outro modo. Como muitas lagers, a receita é bem simples: apenas malte claro e caramelo. O amargor e um pouco do aroma vêm dos lúpulos Liberty, uma das novas variedades norte-americanas que foram cultivadas para terem aromas semelhantes aos elogiados lúpulos alemães, principalmente o Hallertau.

Historicamente, as bocks são douradas, sendo que as Doppelbocks mais encorpadas tendem a um tom mais escuro. Bocks claras são comuns e, em geral, não são do tipo doppel, mais forte. Doppelbocks claras são raras, mas, como este exemplo demonstra, vale a pena buscar por esse estilo. Este tipo de cerveja é um acompanhamento especialmente bom de ser bebido sob o sol ainda frio da primavera. **RM**

Notas de degustação

Aroma com notas de pão, caramelo, mel e um toque de especiarias. O sabor é doce, de caráter maltoso levemente caramelizado, com lúpulos suficientes apenas para equilibrá-la. O final é bastante macio, límpido e cremoso.

Bluetongue Traditional Pilsener

Bluetongue Brewery | www.bluetongue.com.au

País de origem Austrália
Lançada em 2006
Teor alcoólico 5,8% vol.
Temperatura ideal 3°- 4°C

Há mesmo um lagarto de língua azul que habita os vinhedos do espetacular vale Hunter, na Nova Gales do Sul, onde fica a cervejaria Bluetongue ("Língua Azul"). Quando ameaçado, ele mostra sua língua azul na esperança de afugentar os predadores. Australianos renegados com certeza não eram o público-alvo dos quatro empresários locais que abriram a cervejaria em 2003. Ao contrário, o objetivo deles era criar uma variedade de cervejas especiais que interessasse ao gosto australiano e que fizesse sucesso tanto local quanto internacionalmente.

As primeiras cervejas criadas pela Bluetongue eram versões de alta qualidade da clássica lager australiana e também da sua ancestral pilsen. Ela também produz uma cerveja leve semelhante às que tradicionalmente eram bebidas em Newcastle e na região do vale Hunter. A estratégia deu certo e a cervejaria cresceu rapidamente, em parte por conta do trabalho da lenda da publicidade australiana e renomado bebedor de cerveja John Singleton. Ele comprou parte da cervejaria em 2006 e ficou famoso ao dizer: "Se você tirar o rúgbi e a cerveja da sua vida, não lhe resta mais nada." A cervejaria anunciou imediatamente um patrocínio multimilionário de cinco anos para a equipe de rúgbi local.

No que talvez tenha sido um momento decisivo para uma das mais exóticas microcervejarias da Austrália, a Bluetongue foi comprada pela Coca-Cola Amatil no final de 2007 e agora planeja expandir a produção com uma nova fábrica e com atrações turísticas para complementarem os vinhedos da região do vale Hunter. **DD**

Notas de degustação

Esta cerveja dourada brilha como uma joia sob o sol do vale Hunter. Aromas picantes e florais acompanham a doçura amarga e o final áspero e também amargo. A pilsen tradicional Bluetongue é perfeita para assistir a um jogo de rúgbi com os amigos.

Bohemia Regent Prezident

Pivovar Regent | www.pivovar-regent.cz

País de origem República Tcheca
Lançada em 2000
Teor alcoólico 6% vol.
Temperatura ideal 7°C

Embora esta pale lager superpremium seja fabricada apenas desde 2000, acredita-se que ela se baseie em receitas mais antigas, encontradas nos arquivos da cervejaria Bohemia Regent. O passado da cervejaria Třeboň é longo o bastante para conter dezenas, se não centenas, de receitas originais, e os registros começaram em 1379. Em 1482, a indústria foi ampliada pelo aristocrata local a fim de incluir silos de fermentação perto do castelo de Třeboň. A cervejaria está no mesmo lugar, com vista para os famosos tanques de carpas da cidade e não muito distante do mausoléu da família Schwarzenberg, os últimos proprietários aristocráticos da indústria.

Construídas na segunda metade do século 19, as instalações atuais estão entre as mais curiosas da Boêmia, decoradas com crenelas e fortificações. Sobre um arco no pátio da cervejaria, lê-se: *Chmelovina naše ta božskou má sílu, všechny nás rozehřívá k radostnému dílu*, que se pode traduzir como "Nosso lúpulo tem poderes divinos, ele nos aquece nos momentos mais alegres".

É esta característica alegre das pale lagers encorpadas que faz delas as cervejas tradicionais do Natal e do Ano Novo na Boêmia. A Prezident tem muito em comum com outras cervejas natalinas da região e é fácil imaginar que uma versão mais antiga desta cerveja já esteve na mesa de Natal de um senhor feudal. Fermentada a 14 graus Plato, a Prezident é dois graus mais forte do que a maioria das cervejas premium da Europa Central, o que resulta num corpo exuberante e maltado. O mestre cervejeiro Ivan Dufek considera que o resultado é produto da utilização de ingredientes de qualidade: lúpulos Saaz, bom malte tcheco e, principalmente, a ótima água da cervejaria. **ER**

Notas de degustação

Uma clássica lager continental encorpada, esta cerveja maltosa é translúcida e dourada, com uma coroa leve e branca como giz. Como muitas pale ales tradicionais da Boêmia, ela tem um sabor amanteigado, com traços de baunilha e caramelo, seguido por um final duradouro e intenso.

1. SALLE de BRASSAGE

Bons Voeux

Brasserie Dupont
www.brasserie-dupont.com

País de origem Bélgica
Lançada em 1970
Teor alcoólico 9,5% vol.
Temperatura ideal 12°C

Em 1970, a Brasserie Dupont inventou uma ale comemorativa encorpada, de sabor complexo e maturação longa, criada como um presente para seus consumidores. Esta cerveja foi convenientemente chamada de "Com os melhores desejos da Cervejaria Dupont" (*Avec les Bons Voeux de la Brasserie Dupont*). O que o cervejeiro Marc Rosier não esperava era que a Bons Voeux tivesse tanta demanda que ele teria de produzi-la o ano todo e até mesmo comercializá-la no barril.

Hoje, a Bons Voeux é uma das principais cervejas da Dupont e o mestre cervejeiro Olivier Dedeycker tenta se concentrar nestas cervejas regulares. "É melhor produzir umas poucas cervejas excelentes", disse ele certa vez, "do que ter toda uma variedade de produtos medíocres". A qualidade não só é a prioridade da empresa como também a cervejaria se voltou para suas raízes agrárias e abriu uma loja que vende seus próprios queijos, alguns dos quais consumidos com cerveja, e pães feitos com os grãos usados no processo de fermentação. **JPa**

Notas de degustação

Cor de pêssego e turva. Aromas terrosos, com couro, casca de frutas cítricas e especiarias. Sabores folhosos e uma ligeira doçura. Refrescante, apesar do corpo abundante e pesado.

Brackie

Bracki Browar Zamkowy
www.brackibrowar.neostrada.pl

País de origem Polônia
Lançada em *ca.* década de 1850
Teor alcoólico 5,5% vol.
Temperatura ideal 8°C

Cieszyn é uma cidade polonesa perto da fronteira com a República Tcheca. Ela abriga uma cervejaria no mesmo lugar desde os anos 1840, quando a indústria foi construída por Albrecht Frederick Habsburg, um príncipe do Império austro-húngaro, o que faz dela uma das mais antigas cervejarias da região. A produção original, por ordem real, era de cerveja de trigo. Mas foi difícil resistir à influência de Praga e principalmente de Pilsen; a cerveja Brackie é dessa época.

A Brackie continua muito popular entre os poloneses. O malte Pilsen usado vem da República Tcheca e o caramelo, da Polônia; lúpulos poloneses são usados sempre que possível. A cerveja é fermentada em velhos tanques construídos ao pé de uma colina perto da cidade, o que ajuda a produzir uma pilsen incrivelmente leve para seu estilo. O lado ruim é que você terá de viajar à Polônia para saboreá-la. **ATJ**

Notas de degustação

No que diz respeito ao aroma, há toques de grãos tostados com menta e lúpulos cítricos ocultos. No sabor, mais grãos tostados, sorvete de limão e um amargor que se prolonga no final.

← A sala de fermentação da Brasserie Dupont.

Brockton IPA

Granville Island Brewing | www.gib.ca

País de origem Canadá
Lançada em 2009
Teor alcoólico 6% vol.
Temperatura ideal 8°C

A inauguração da Granville Island, a primeira cervejaria artesanal moderna do Canadá, em 1984, sinalizou um próspero início para o renascimento da cerveja artesanal canadense. No princípio, contudo, o fundador Mitchell Taylor, como todos os pioneiros, precisou convencer os deputados estaduais a modificarem os regulamentos existentes de modo a permitir a operação em pequena escala.

A cervejaria artesanal pioneira e revolucionária do Canadá – as três fábricas que existiam antes eram, na verdade, bares cervejeiros – enfrentou vários problemas. Para começar, apenas um ano depois de inaugurada a empresa decidiu lançar ações na Bolsa de Vancouver, dando início, assim, a um prolongado período de confusão. Várias mudanças foram feitas, entre elas a mudança da linha de produção principal de Granville Island para a cidade de Kelowna e a transferência da indústria original para uma linha de produção de cervejas especiais agregada a um bar. Mesmo assim, a cervejaria perseverou e, em 2009, comemorou seu 25º aniversário com a renovação completa de seus rótulos e imagem e a adição ao cardápio de uma nova bebida: a Brockton IPA.

Embora a cervejaria afirme que a Brockton é produzida ao estilo de uma Pacific Northwest IPA, esta afirmação surpreende os admiradores das IPAs resinosas e intensas de Washington e do Oregon. Diferentemente delas, a ale de aniversário propicia uma interpretação mais sutil e acessível, com uma influência óbvia dos lúpulos norte-americanos, mas pouco agressiva: menos uma "bomba de lúpulos" e mais "fogos de artifício". **SB**

Notas de degustação

Cor de mel, esta saborosa IPA combina aromas de pêssego em calda e nozes com toques cítricos leves e frescos. No corpo, oferece um belo equilíbrio entre o malte caramelado e frutado e o amargor do lúpulo, culminando num final seco e apetitoso.

Brooklyn Local 1

Brooklyn Brewery | www.brooklynbrewery.com

País de origem Estados Unidos
Lançada em 2007
Teor alcoólico 9% vol.
Temperatura ideal 10°C

Se você abrir uma garrafa da Local 1, vai se perceber numa incrível encruzilhada, onde o Brooklyn encontra a França e a cerveja se depara com o vinho. É quase impossível classificar esta ale de estilo único; ela é refrescante e forte como uma saison, mas seu corpo e amargor o farão se lembrar de uma tripel belga. Seu produtor a chama de "Brooklyn Original", embora reconheça que as características da cerveja se devem, em grande parte, a um antigo processo de fermentação popularizado por certos vinicultores franceses.

A começar pelos ingredientes: o malte alemão lhe dá doçura. Lúpulos Perle austríacos lhe conferem o amargor, enquanto o açúcar mascavo das ilhas Maurício fornece um corpo cremoso e arredondado. Os sabores se misturam num formigamento macio e numa carbonatação frutada e delicadamente condimentada, que só pode ser descrita como semelhante à dos melhores champanhes. Esta cerveja fina é totalmente refermentada na garrafa, como um belo Möet. Depois da fermentação inicial, a levedura é filtrada e a cerveja é engarrafada sem fermento. Mais levedura é acrescentada, com outra dose de açúcar, e a cerveja fermenta novamente durante várias semanas a 25°C. As garrafas são, então, armazenadas por mais algumas semanas, para descansar.

A cervejaria afirma que o processo Champenoise foi inventado por antigos cervejeiros franceses e belgas como um meio de se conseguir mais gaseificação. Seja qual for a verdade, o complexo regime de fermentação produz um redemoinho de aromas que atinge o nariz assim que a rolha é retirada. Pêssego, frutas cítricas e rum – são os aromas que o champanhe teria se fabricado por monges belgas. **DR**

Notas de degustação

No copo, uma coroa branca e firme se forma sobre um corpo dourado efervescente. Um aroma doce e herbáceo exibe notas de lúpulo, ressaltando sabores sutis de frutas, especiarias e rum. Um ligeiro sabor picante dá lugar a um final agradavelmente seco.

Brugse Zot

Huisbrouwerij De Halve Maan | www.halvemaan.be

País de origem Bélgica
Lançada em 2005
Teor alcoólico 6% vol.
Temperatura ideal 8°C

A história da cervejaria Halve Maan é ao mesmo tempo antiga e nova, longa e curta e, previsivelmente, complicada. Para começar, a fabricação de cerveja no prédio ocupado pela Halve Maan remonta à época em que Bruges era um importante porto europeu, em meados do século 16. Ela caiu nas mãos da família Maes em 1856, depois do que, como muitas cervejarias da época, alternou a produção de ales tradicionais e pilsens modernas, acabando por, na década de 1980, produzir uma pale ale forte chamada "Straffe Hendrick", ou "Henrique, o Forte".

A Straffe Hendrick fez tanto sucesso que a cervejaria Riva adquiriu a marca e a produção acabou sendo transferida para outra cidade, deixando a antiga cervejaria às escuras durante três anos. Os descendentes da família Maes, os Vanneste, mantiveram o controle do prédio e, em 2005, surpreenderam a todos com a reabertura das instalações como uma cervejaria. Inteligentemente, a empresa começou produzindo uma série de cervejas chamadas "Dilemma", perguntando aos consumidores das amostras quais eles preferiam. A Brugse Zot se saiu vitoriosa.

O nome se refere a um episódio acontecido durante o governo austríaco de Bruges, quando o imperador estava visitando a cidade. Quando o monarca perguntou o que os habitantes gostariam de ganhar como presente, os mais velhos responderam que precisavam de um novo hospício. O imperador, então, respondeu simplesmente que, se os muros da cidade fossem fechados, o lugar todo serviria como um hospício. Assim nasceu a Brugse Zot, ou "Tolo de Bruges". Também produzida com este nome existe uma dubbel adocicada e com sabor achocolatado. **SB**

Notas de degustação

Há vários condimentos picantes no aroma atraente desta cerveja, um indício das mesmas especiarias encontradas no corpo azedo e cítrico e no final ligeiramente amargo. Apesar de forte, esta agradável ale talvez seja o melhor exemplo de uma cerveja belga cotidiana.

Cartaz da Cervejaria Henri Maes em Bruges, na Bélgica. →

BROUWERIJ
HENRI MAES

Brunehaut St. Martin Blonde

Brasserie Brunehaut | www.brunehaut.com

País de origem Bélgica
Lançada em 1999
Teor alcoólico 7% vol.
Temperatura ideal 7°C

Esta cervejaria inovadora sobreviveu a duas guerras mundiais e a uma falência, mas seu novo dono, Marc-Antoine de Mees, tem os pés firmemente plantados no século 21, ao mesmo tempo que consegue preservar as tradições do passado. A Brasserie Brunehaut foi inaugurada em 1890. Por sorte, ela estava tão longe de tudo que o exército alemão não descobriu seus belos equipamentos de cobre durante a Primeira Guerra Mundial, e são estas caldeiras frágeis que ocupam o centro da cervejaria atual. Em 1990, a Brunehaut foi comprada por dois cervejeiros, mas, quinze anos depois, assolada pela falência, De Mees assumiu novamente seu controle.

As pale ales fortes são apenas um dos principais tipos de cerveja belga e quase toda cervejaria tem uma bebida destas no seu portfólio. A St. Martin Blonde é, reconhecidamente, uma cerveja trapista, batizada em homenagem à abadia de St. Martin, em Tournai. Ter uma cerveja com um selo reconhecido de proveniência é importante para os apreciadores belgas e no resto do mundo, o que explica o desejo da Brunehaut de ter uma cerveja assim.

A cervejaria exporta cerca de 60% de sua produção anual para aproximadamente dez países, entre eles o Japão e os Estados Unidos. Desde que De Mees assumiu a empresa, em 2006, a produção cresceu mais de 30%, e a Brunehaut é, com certeza, uma empresa em recuperação. Preocupações com o meio ambiente também são importantes: barris especiais e recicláveis (que deixam uma pegada de carbono trinta vezes menor do que os barris de aço inoxidável) são usados na empresa desde 2008. Há outras notáveis características ecológicas em voga na cervejaria: a esposa de De Mees é fazendeira e cultivou dez hectares de cevada orgânica em sua propriedade em 2008. Há planos de se cultivar também lúpulo. **CC**

Notas de degustação

Cerveja turva e alaranjada, com colarinho abundante. O aroma é marcado pela levedura e por especiarias e frutas lupuladas. O sabor é ligeiramente cítrico – com frutas, mel e um ligeiro amargor. Uma boa cerveja para acompanhar queijos fortes, como o Brie e o Camembert.

Bud Super Strong

Budweiser Budvar | www.budweiser-budvar.cz

País de origem República Tcheca
Lançada em 1997
Teor alcoólico 7,6% vol.
Temperatura ideal 8°C

Ainda que sua fundação, em 1895, a coloque na história recente da fabricação de cerveja na República Tcheca, a cervejaria Budvar continua sendo uma das mais tradicionais do país. Uma das poucas concessões da empresa à modernização foi a mudança dos antigos tonéis abertos de fermentação para tanques cilíndricos, em 1996. O restante permanece como era há mais de um século. A Budvar ainda usa talos inteiros de lúpulo Saaz, e não pastilhas ou extratos, e acondiciona a cerveja por muito mais tempo do que a maioria dos concorrentes.

Apesar disso, esta cervejaria tradicional não é nada conservadora. Em 1997, o mestre cervejeiro Josef Tolar criou um produto incomum: a Bud Super Strong, uma versão mais forte de uma pale lager, fermentada a 16 graus Plato e contendo, a princípio, um teor alcoólico de 7,2%. Ela contém apenas lúpulo Saaz e descansa por, pelo menos, 200 dias, saindo dos porões com um corpo espesso e ligeiramente viscoso, com notas de baunilha e caramelo. Quando foi lançada, a reação entre os admiradores foi de desconfiança, principalmente por conta do nome. Assim, a cerveja foi considerada uma bebida para pessoas que queriam se embriagar rapidamente, e não uma lager de qualidade para especialistas. Com o tempo, contudo, ela passou a ser reconhecida como uma ótima lager de sabores distintos: não tão complexa quanto áspera, refinada e concentrada.

Hoje produzida com um teor alcoólico pouco maior, de 7,6% vol., a Bud Super Strong é uma cerveja de sobremesa e uma excelente bebida de inverno. Na Boêmia e na Morávia, tradicionalmente se serve pale lagers fortes no Natal e no Ano Novo, e é fácil ver a Bud Super Strong como uma descendente moderna desta linhagem. **ER**

Notas de degustação

O sabor altamente concentrado se atém à exuberância do malte morávio, com menos presença do lúpulo Saaz do que a tradicional pale lager forte da Budweiser Budvar. Corpo com notas ligeiramente carameladas, de casca de laranja e mel, com um ligeiro toque adstringente no final.

Budels Pilsener

Budelse Brouwerij | www.budels.nl

País de origem Holanda
Lançada em 1884
Teor alcoólico 5% vol.
Temperatura ideal 7°C

A Budelse Brouwerij foi fundada em 1870 por Gerardus Arts e originalmente se chamava "de Hoop" ("a Esperança"). O nome atual é uma referência à cidade de Budel, na província de Brabante do Norte, no sul da Holanda. Apesar de sua consolidação na indústria cervejeira holandesa do pós-guerra, enquanto a Heineken e a Bavaria adquiriam cervejarias menores e independentes, a Budelse permaneceu pequena (com menos de dez empregados) e ainda é uma empresa familiar.

No início, e como várias outras cervejarias holandesas do período, a Budelse combinava a produção da bebida com atividades agrárias. Quando, em 1879, uma estação de trem foi aberta na cidadezinha, Gerardus Arts abriu o hotel-bar-restaurante Het Brouwershuis. Mas este ramo do negócio foi encerrado nos anos 1920, enquanto a cervejaria deu continuidade à sua política de diversificação de produtos fabricando limonadas e outros refrescos. Até a Primeira Guerra Mundial, a Budelse abrigava outras duas cervejarias, mas a escassez de matéria-prima fez com que ela saísse do conflito como a única sobrevivente.

Entre as cervejas atualmente produzidas, a Pilsener é a mais antiga, com mais de cinquenta anos de história. Ela recebeu vários prêmios na Bélgica e na Holanda e é acondicionada por algo entre seis a oito semanas a uma temperatura pouco maior do que zero, o que resulta numa cerveja macia e simples. Além da Pilsener, a Budelse produz várias cervejas orgânicas, além de muitas cervejas ao estilo alemão, como uma Alt e uma Kölsch. A empresa também fabrica uma lager orgânica para a cervejaria britânica Bath Ales, vendida com o nome de Natural Blonde. A âncora na logomarca atual da empresa remonta ao tempo em que a cervejaria se chamava "de Hoop". **RP**

Notas de degustação

Cerveja límpida e dourada, com um colarinho branco e transitório. O aroma é leve, agradável e adocicado, com um toque de limão e gramíneas. O sabor é ameno, com um ligeiro tom maltoso equilibrado por notas frutadas igualmente leves. Uma cerveja simples e refrescante.

Budvar Světlý Ležák

Budweiser Budvar | www.budweiser-budvar.cz

País de origem República Tcheca
Lançada em 1895
Teor alcoólico 5% vol.
Temperatura ideal 7°C

Produzida na cidade de Česke Budějovice – conhecida como "Budweis" em alemão –, a famosa Budvar da República Tcheca há muito tempo luta para usar a marca Budweiser no lugar da famosa marca norte-americana da cervejaria Anheuser-Busch. A localização da Budvar dá um peso e tanto a este argumento.

Na história da fundação da Budvar é de suma importância o fato de ela ser uma cervejaria de propriedade tcheca numa cidade onde a produção de cerveja era controlada por uma minoria étnica alemã. Na época do chamado Nacionalismo Tcheco, no final do século 19, esta divisão começou a ganhar importância. Assim como o Teatro Nacional Tcheco foi fundado em Praga para apresentar óperas na língua do povo, e não na língua da aristocracia alemã, a maioria dos cidadãos tchecos de Česke Budějovice fundou a cervejaria Budvar como uma empresa de capital aberto. Em poucos anos o fervor nacionalista dos admiradores tchecos de cerveja fez com que a produção da Budvar superasse a das cervejarias mais antigas.

Talvez houvesse mais na popularidade da cerveja do que mero patriotismo. Fermentada a 12 graus Plato, a Světlý Ležák, ou pale lager, carro-chefe da empresa, é uma bebida notável. Assim como no passado, ela ainda é produzida com lúpulos inteiros da variedade Saaz e acondicionada por pelo menos noventa dias. O resultado é uma cerveja dourada atenuada, com um peso menor do malte do que muitas das pilsens da Boêmia, e um aroma floral Saaz de incrível complexidade. A cervejaria ainda é uma das mais tradicionais do país, usando água de poços artesianos. Apesar de há muito tempo ser considerada uma séria candidata à privatização, a empresa continua sendo orgulhosamente propriedade do povo tcheco. **ER**

Notas de degustação

Uma pilsen de primeira: corpo dourado e límpido com uma coroa cremosa, espessa e duradoura. O aroma do lúpulo Saaz é picante, apimentado e marcado por toques de flores cítricas; no paladar, é arredondada sem ser pesada, terminando com um duradouro amargor do lúpulo Saaz.

Because it fits so gracefully and so gaily into the scheme of good living, BUDWEISER is recognized as the King of Bottled Beer. Millions who welcomed beer back, are finding there is only one BUDWEISER— brewed and fully aged in the world's largest brewery.

Budweiser

KING OF BOTTLED BEER

A N H E U S E R - B U S C H - S T . L O U I

Budweiser

Anheuser-Busch | www.budweiser.com

País de origem Estados Unidos
Lançada em 1876
Teor alcoólico 5% vol.
Temperatura ideal 4°- 5°C

Você tem que estar morando numa caverna para nunca ter ouvido falar da Budweiser. Patrocínios nos Jogos Olímpicos, na Copa do Mundo e anúncios na transmissão do Super Bowl, que ainda é o evento esportivo mais assistido dos Estados Unidos, tornaram a Bud uma marca mundialmente conhecida.

Mas os aficionados não amam esta que, até recentemente, era a marca de cerveja mais vendida do mundo (juntamente com a Bud Light). Para alguns, ela é considerada uma bebida pouco desafiadora e recompensadora, a versão engarrafada de uma fatia de pão branco. Mas isto talvez seja um equívoco. A Budweiser é, para ser educado, uma cerveja delicada, e seu corpo leve revela prontamente quaisquer problemas no processo de fabricação. Mas, se você quiser ver a dedicação incansável para se produzir uma cerveja de qualidade, acompanhe um mestre cervejeiro da Anheuser-Busch.

Este compromisso com a qualidade começa nas matérias-primas: enquanto outras cervejarias operam instalações de produção de malte, a Anheuser-Busch é uma das poucas empresas donas de fazendas de cevada e lúpulo. Até há pouco tempo, ela era a única cervejaria multinacional a continuar usando lúpulos inteiros, finalmente abrindo uma concessão para as pastilhas de lúpulo comuns na indústria, que economizam espaço e têm um frescor mais duradouro. A cada dia os cervejeiros fazem chás dos ingredientes e os experimentam para garantir a consistência do sabor. A Bud ainda insiste no frescor, com o idiossincrático "nascido em" inscrito nas cervejas.

Os defeitos, contudo, permanecem. Claro que há cervejas mais desafiadoras e recompensadoras. Mas a Bud nunca quis ser algo que não é: uma cerveja comprometida com o frescor e a leveza, não para ser degustada numa xícara de porcelana com o dedo mínimo estendido. **LN**

Notas de degustação

Aroma leve, com malte seco e amanteigado e uma fragância amena de lúpulo cítrico. Cor de palha, clara e translúcida, com boa carbonatação que resulta numa espuma macia e delicada. A principal característica da Bud é sua leveza – um sabor simples e áspero que oculta seu teor alcoólico.

← Budweiser: leve e refrescante – um sucesso de vendas no mundo inteiro.

Butcombe Gold

Butcombe Brewery | www.butcombe.com

País de origem Inglaterra
Lançada em 1998
Teor alcoólico 4,7% vol.
Temperatura ideal 10°- 15°C

O que você faz se tem um longo histórico ajudando outros a fabricarem cerveja, mas deseja começar seu próprio empreendimento? Fácil. Use o dinheiro em excesso do seu antigo emprego para transformar algumas velhas construções agrícolas na propriedade da sua família em sua própria cervejaria. Ao menos foi isso o que Simon Whitmore fez quando abriu a Butcombe Brewery em 1978.

Começando com um aparato para apenas dez barris, ele produzia uma única ale – a Butcombe Bitter –, que foi bem recebida pelos apreciadores de cerveja da região, Bristol. Na época, a moda das microcervejarias era produzir várias cervejas novas, mas Whitmore resolveu concentrar seus esforços produzindo uma das melhores bebidas de que era capaz. Esta decisão se provou acertada quando, nos anos 1990, a Butcombe se tornou uma das cervejarias artesanais de crescimento mais rápido no sudoeste da Inglaterra. Foram necessários quase vinte anos para que Whitmore se convencesse a diversificar a produção, mas a espera valeu a pena: a Butcombe Gold foi lançada com grande sucesso em 1998. Feita com malte claro inglês e lúpulos Fuggle também ingleses, a cerveja se juntou à Bitter como uma das preferidas da empresa.

A cervejaria mantém seu crescimento e também é proprietária de quinze pubs na região; hoje existem diversas cervejas com a marca Butcombe. **JM**

Notas de degustação
A Butcombe Gold é seca, azeda e ligeiramente adocicada, com a notável marca do lúpulo Fuggle. O sabor é ressaltado no paladar, com um final encorpado e agridoce.

Castle Lager

SABMiller | www.castlelager.co.za

País de origem África do Sul
Lançada em 1895
Teor alcoólico 5% vol.
Temperatura ideal 4°- 8°C

Na década de 1890, muitos imigrantes que viviam na África do Sul acreditavam que encontrariam o Eldorado. Mas um homem, o nobre inglês Charles Glass, passava seu tempo aperfeiçoando seu processo de fabricação de cerveja em vez de procurar ouro. Ele conhecia o mundo todo; suspeita-se que talvez tenha visto em primeira mão as cervejas claras da Boêmia. Suas primeiras cervejas eram escuras, mas os mineradores sedentos acabaram gostando da sua cerveja dourada e clara, e foi assim que nasceu a Castle Lager.

A princípio, a vida foi difícil: a cervejaria era desorganizada e os ingredientes vinham de longe, da Inglaterra. Charles era visto rolando um barril de cerveja pelos garimpos, vendendo sua produção. Muitos garimpeiros estavam acostumados a beber "biscoito" – uma bebida de batata misturada a extrato de tabaco e pimenta que era muito barata. Com o tempo, eles começaram a apreciar a cerveja clara com "um quê de amargor; seca, e nunca adocicada", e a Castle Lager se tornou muito popular. Nesta época, a South African Breweries foi fundada, com sede na cervejaria Castle.

A Castle Lager é uma cerveja leve, com poucas arestas – ela combina com quase tudo: queijos macios como o Brie ou o Camembert são acompanhamentos ideais. Graças à paixão dos sul-africanos por churrasco, ou *braai*, a cerveja é um acompanhamento perfeito para a comida preparada sobre o carvão. **TH**

Notas de degustação
O aroma é fresco, com predominância de lúpulos florais e um toque cítrico. O sabor é, a princípio, refrescante – com um belo malte adocicado e um ligeiro amargor.

A South African Breweries é hoje uma das maiores cervejarias do mundo.

CASTLE LAGER
330 ml CANS
CASTLE LAGER
CASTLE LAGER
CASTLE LAGER

Chang

Thai Beverage Plc | www.changbeer.com

País de origem Tailândia
Lançada em 1995
Teor alcoólico 6,4% vol.
Temperatura ideal 3°- 5°C

Você paga e arrisca com o patrocínio esportivo. Quando o time de futebol inglês Everton F.C. inesperadamente chegou às finais da Copa da Uefa, em 2009, a ThaiBev ganhou exposição mundial por sua lager, carro-chefe da empresa, a Chang, cujo nome aparecia nas camisas dos jogadores. É de se pensar: em tailandês, Chang significa, como seu rótulo deixa claro, "elefante", uma imagem evocativa para o público. A cerveja nasceu em meados dos anos 1990, quando o conglomerado de bebidas e hospitalidade que a fabrica entrou no mercado cervejeiro, acabando com o suposto monopólio da indústria rival, a cervejaria Boon Rawd.

Em três anos, a barata Chang afirmou ter impressionantes 60% do mercado tailandês. A Boon Rawd, claro, reagiu à altura, lançando a Leo, uma marca econômica que é hoje a líder do mercado, relegando a Chang a um segundo lugar. A Chang é, na verdade, duas cervejas diferentes. A cerveja vendida no mercado internacional, com teor alcoólico de 5% vol., é uma lager especial feita com malte exclusivo. Na Tailândia, a Chang é mais conhecida como uma cerveja barata, com teor alcoólico de 6,4% vol., e com a adição de arroz ao mosto.

Assim como a sua rival Boon Rawd, a cervejaria ThaiBev está construindo um nome mundialmente conhecido (as duas indústrias ainda são relativamente desconhecidas no mercado cervejeiro mundial, embora a ação conjunta da ThaiBev com a Carlsberg tenha posto um fim a este isolamento). A ThaiBev fez sua primeira aquisição na China e já é dona de uma destilaria na Escócia. Você provavelmente verá mais da Chang em pouco tempo, já que a cerveja está abrindo caminho em outros eventos além dos estádios de futebol. **LN**

Notas de degustação

Cor de palha dourada, com carbonatação agradável. O colarinho se dissipa rapidamente, com pouca ou nenhuma transição. O aroma exala um tom maltoso adocicado com uma pitada de lúpulos florais. O sabor é doce maltoso com um quê de amargor. O final é breve.

Chimay Triple/Chimay Cinq Cents

Bières de Chimay | www.chimay.com

País de origem Bélgica
Lançada em 1968
Teor alcoólico 8% vol.
Temperatura ideal 8°C

Inesperadamente, os monges da abadia de Notre-Dame de Scourmont, mais conhecida como Chimay, se viram em meio a uma controvérsia. Mais previsível é o fato de, como uma das sete cervejarias trapistas, boa parte desta controvérsia girar em torno de uma cerveja.

Tudo começou com a "revelação" de que a cervejaria estava usando ingredientes incomuns, principalmente maltes e extratos de lúpulo e amido de trigo. Se você acreditar nos monges que supervisionam a operação e em Paul Arnott, que durante vários anos cuidou da fabricação de cerveja em Chimay, nada no processo de produção mudou, exceto pela utilização de fermentadores cônicos em vez dos tanques abertos tradicionais. Foi a descrição dos ingredientes nos rótulos, além de um erro de tradução, o que gerou a polêmica, dizem. No que diz respeito aos extratos de lúpulo – e nota-se uma forte presença do lúpulo na White, portanto este não é um assunto desprezível –, Arnott diz que o concentrado de lúpulo é usado há décadas e que ele é tão puro quanto o produto natural. Quanto ao extrato de malte, a gerência da empresa disse ao escritor britânico Roger Protz que a quantidade usada gira em torno de 0,1%, para a correção da cor, e que o amido de trigo é um erro de tradução. O certo seria "farinha de trigo", usada para a retenção da espuma.

Depois houve o controverso lançamento da Chimay White – também chamada de Cinq Cents – como produto artesanal. A recolocação da cerveja no mercado como uma tripel não ajudou em nada, fazendo com que uma ale única, com décadas de história, parecesse, nas palavras do escritor Michael Jackson, "uma cerveja comum". Ainda assim a bebida continua vendendo bem; o notável cálice Chimay ainda é uma das taças de cerveja mais conhecidas do mundo. **SB**

Notas de degustação

De coloração entre o dourado e o âmbar, a Cinq Cents é, sem dúvida, a mais seca e amarga das cervejas Chimay, com um malte firme e austero, juntamente com lúpulos amargos e condimentados e um toque de frutas secas, terminando numa interessante mistura de ligeira acidez, amargor e calor alcoólico.

Chodovar Zámecký Ležák Speciál

Pivovar Chodovar | www.chodovar.cz

País de origem República Tcheca
Lançada em 1973
Teor alcoólico 5,1% vol.
Temperatura ideal 7°C

Quando a cervejaria na cidade de Chodova Plana, no oeste da Boêmia, celebrou seu 400º aniversário, em 1973, ela decidiu criar uma lager comemorativa especial, produzida com uma densidade um pouco maior do que os originais 10 graus Plato, para se destacar entre os 10 graus comuns às lagers claras e os incomuns 12 graus das cervejas especiais da época.

Mas infelizmente a cerveja deixou de ser produzida durante vários anos. Em 1992, contudo, assim que a empresa estatal foi privatizada, a cerveja especial ganhou uma segunda oportunidade. Agora, com o nome de Chodovar, a cervejaria lançou a cerveja de 13 graus Plato sob o nome de Zámecký Ležák Speciál, ou "Lager Especial do Castelo", em 1995.

A Chodovar tem seus maltes próprios, processando 1.700 toneladas de cevada de fazendas da Boêmia e da Baviera anualmente. A cerveja é feita com seu próprio malte claro, responsável pela ênfase dada ao sabor intenso de grãos e por seu toque adocicado, em vez do amargor e dos lúpulos aromáticos. Ela passa por um processo excepcionalmente longo de descanso, quase noventa dias, nos armazéns de pedra da cervejaria, escavados na rocha sob a fábrica.

Apesar de a Zámecký Ležák Speciál ser exportada em garrafas e barris para vários países, não há nada como visitar a cervejaria. Além de degustar a bebida dentro dos armazéns de pedra, os visitantes podem se hospedar num hotel dentro das instalações. A grande atração, contudo, é a oportunidade de se banhar em cerveja no spa Chodovar, que combina a tradição cervejeira da Boêmia com sua própria história de águas termais terapêuticas. **ER**

Notas de degustação

A Zámecký Ležák Speciál é uma vitrine para o malte próprio da cervejaria. Esta bebida dourada exala aromas de grãos, biscoito amanteigado e lúpulos florais Saaz. No sabor, há toques de mel, damasco e caramelo, seguidos por um ameno final amargo.

Christoffel Blond

St. Christoffel | www.christoffelbier.com

País de origem Holanda
Lançada em 1986
Teor alcoólico 6% vol.
Temperatura ideal 7°C

Apesar de ser chamada de "Christoffel Blond", o rótulo na garrafa ostenta apenas "Christoffel Bier", que foi o nome usado para esta cerveja até que sua irmã ruiva – a Christoffel Robertus – nascesse sete anos mais tarde. Na sua estreia num país onde as lagers reinam soberanamente, a Blond afirmou seu caráter diferente por receber duas adições de lúpulo e ter 43 IBU. O fato de o primeiro e principal produto desta cervejaria ser uma bebida clara forte não é surpresa, já que o fundador da empresa, Leo Brand, estudou o processo de fabricação na faculdade Weihenstephan, perto de Munique. Depois de concluir os estudos, ele passou dez anos trabalhando em cervejarias alemãs e em fábricas de malte. Ao voltar para a Holanda e abrir sua própria cervejaria, sua primeira bebida foi a Christoffel Blond.

Apesar do tom sagrado do nome, a Bierbrouwerij Sint Christoffel não é uma cervejaria antiga nem tampouco ligada a alguma abadia. O nome é uma homenagem ao santo padroeiro da cidade na qual ela se baseia. Mas se pode dizer que há algo de "real" nela, uma vez que seu fundador é membro da família holandesa Brand, que atua no ramo cervejeiro desde 1871. Desde 1989, contudo, a empresa faz parte da família Heineken.

A Christoffel permanece independente. Fundada em 1986 por Brand na cidade de Roermond, ela leva a sério a Lei da Pureza da Cerveja (Reinheitsgebot) de 1516 e ainda usa apenas os ingredientes prescritos na lei original. Em 2001, a empresa passou a ser controlada pela Hillenaar Outdoor Advertising e Brand se afastou. A seleção continua a mesma e, muitos afirmam, também a qualidade. **RP**

Notas de degustação

Cerveja clara com um colarinho branco estável. O aroma é marcado pelo lúpulo. A cerveja, apesar de uma herdeira das pilsens boêmias, é simples e com um amargor marcante, principalmente no sabor residual. Não é, contudo, um amargor duradouro, e sim parte integrada do sabor como um todo.

Ch'ti Blonde

Brasserie Castelain | www.chti.com

País de origem França
Lançada em 1978
Teor alcoólico 6,4% vol.
Temperatura ideal 7°C

Os irmãos Yves e Annick Castelain assumiram a cervejaria dos pais em 1978, com a intenção de manter a independência e os métodos tradicionais de produção, ao mesmo tempo assegurando sua viabilidade econômica. A cervejaria ainda é a campeã entre as bières de garde locais, mas Yves Castelain percebeu que havia oportunidades para outros estilos; a ale orgânica Jade foi uma estratégia ousada num território inexplorado e hoje é a cerveja orgânica de maior sucesso na França.

Em 2008, a cerveja Ch'ti recebeu o incentivo do sucesso do filme *A Riviera não é aqui*. (Ch'ti é o apelido do povo desta região, supostamente por causa do som de "ch" no dialeto). A Blonde aparece muito no filme, que conta a história de um carteiro do sul da França que se encanta pelo charme de uma Ch'ti. **AG**

Notas de degustação

Quatro variedades diferentes de lúpulo dão a esta cerveja dourada e cor de mel um aroma apimentado e de frutas tropicais. O sabor é, no começo, doce, mas adquire um tom maltoso e um amargor significativos.

Cisk Lager

Simonds Farsons Cisk | www.farsons.com

País de origem Malta
Lançada em 1928
Teor alcoólico 4,2% vol.
Temperatura ideal 5°- 8°C

Giuseppe Scicluna abriu o primeiro banco de Malta em 1840. Alguns dos habitantes da ilha tinham dificuldade para pronunciar a palavra "cheque" e a mudaram para *cisk*. Em pouco tempo o banco Scicluna ficou conhecido como *ic cisk* – "o cheque". Em 1928, o banco assumiu as operações de um de seus clientes, a cervejaria Malta Export, que mantinha laços comerciais com a cervejaria Augustiner de Munique, na Alemanha.

A Malta Export estava envolvida numa disputa com a empresa rival, a cervejaria Farsons, que tinha conexões inglesas, a fim de produzir a primeira cerveja da ilha. O apelido do fundador do banco era apropriado, e foi assim que nasceu a Cisk Munchener. Previsivelmente, com a eclosão da Segunda Guerra Mundial, a referência à Baviera no nome da cerveja foi excluída. Em 1948, as companhias se fundiram para dar origem a uma empresa que unia os estilos de produção inglês e continental. É uma fórmula que funcionou bem. **TH**

Notas de degustação

Carbonatada, dourada e alaranjada. Seu exuberante aroma lupulado e o amargor agradável, além de uma ligeira adstringência e tons cítricos, fazem dela uma ótima bebida para matar a sede.

Commerzienrat Riegele Privat

Brauhaus Sebastian Riegele | www.riegele.de

País de origem Alemanha
Lançada em 1911
Teor alcoólico 5,2% vol.
Temperatura ideal 8°- 9°C

A Commerzienrat Riegele Privat se aproxima de você discretamente, mas com uma notável personalidade. A primeira impressão é de leveza, mas o paladar também aprecia sabores complexos e elegantes.

O caráter sofisticado desta blond lager se baseia na água do poço da cervejaria, nos lúpulos nobres e nos refinados maltes. A cevada é separada do talo no processo de moagem. Com apenas os grãos acrescentados ao mosto, a cerveja fica livre dos taninos do caule, que geralmente provocam uma impressão de maior aspereza. Além disso, a variedade Hersbrucker do lúpulo Hallertauer propicia um amargor harmonioso. Tudo isto, mais a fermentação longa a baixa temperatura, tornam a Commerzienrat uma cerveja complexa e equilibrada. **SK**

Notas de degustação

O aroma exala um tom maltoso áspero e uma acidez frutada, com momentos florais e cítricos. Uma maciez cremosa marca o sabor; o tom levemente adocicado combina com a acidez delicada. Final suave.

Coopers Sparkling Ale

Coopers Brewery | www.coopers.com.au

País de origem Austrália
Lançada em 1862
Teor alcoólico 5,8% vol.
Temperatura ideal 4°C

O aristocrata de Yorkshire Thomas Cooper produziu sua Sparkling Ale pela primeira vez em 1862, na Austrália meridional. Apesar da competição entre cervejas e da concorrência das importadas da Inglaterra, as ales e stouts da Coopers se mostraram muito populares. Notável para uma época em que centenas de pequenas cervejarias abriam e fechavam, a Coopers sobreviveu por toda a vida de Thomas e para além dela. Na verdade, um de seus tataranetos, o dr. Tim Cooper, é o atual diretor-gerente e mestre cervejeiro da empresa.

Ao contrário da maioria das cervejas australianas, a Coopers Sparkling Ale é fermentada na garrafa, o que significa que há sempre uma boa dose de sedimento de levedura no fundo dela. Por consequência, alguns bebedores giram e chacoalham a garrafa para distribuir a levedura uniformemente antes de servi-la. **DD**

Notas de degustação

Corpo levemente claro, turvado pela levedura e complementado por uma coroa sólida e um aroma floral ameno. Os tons frutados e o final levemente amargo fazem desta cerveja a bebida perfeita para acompanhar carnes.

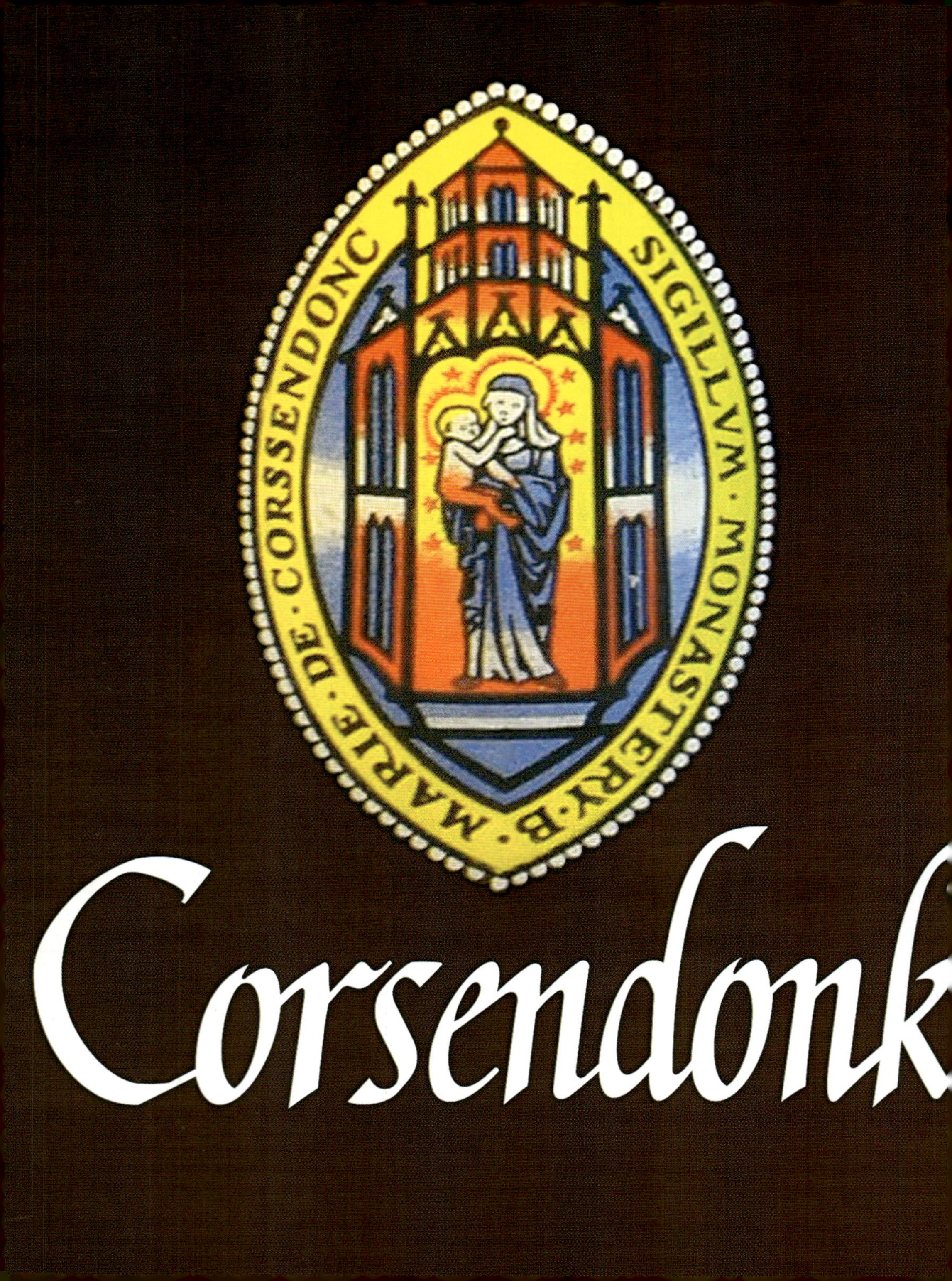
SIGILLVM · MONASTERY · B · MARIE · DE · CORSSENDONC
Corsendonk

Corsendonk Agnus Tripel

Brouwerij Corsendonk | www.corsendonk.com

País de origem Bélgica
Lançada em 1982
Teor alcoólico 7,5% vol.
Temperatura ideal 10°- 14°C

As cervejas da abadia de Corsendonk são, às vezes, ignoradas pelos entusiastas. Elas são produzidas sob contrato e não estão ligadas a qualquer instituição religiosa, por isso talvez sejam vistas como cervejas sem autenticidade. Por outro lado, são sempre benfeitas, cheias de sabor e muito bem divulgadas, o que talvez tenha sido responsável por abrir o mundo às cervejas ao estilo monástico belga para legiões de admiradores.

Corsendonk era um mosteiro agostiniano fundado em 1395 pela filha do duque de Brabante em Oud Turnhout, hoje na província de Antuérpia. Ele foi fechado em 1785 pelo imperador do Sacro Império Romano--Germânico José II e permaneceu abandonado até 1968, quando um novo proprietário começou a reformá-lo como um restaurante, hotel e centro de convenções, instalações ainda em funcionamento. A cerveja Corsendonk surgiu em 1982, quando o departamento de turismo local contatou o distribuidor de bebidas De Keersmaekers. Antes uma cervejaria que produzia sua própria cerveja monástica na década de 1960, a empresa já não possui instalações produtoras de cerveja, e por isso a produção foi terceirizada com a Du Bocq.

A cerveja Agnus ao estilo tripel, uma abreviação de "Agnus Dei" (a oração do "Cordeiro de Deus" das missas anglicanas e católicas), também chamada de "Abbey Pale Ale" nos Estados Unidos, faz parte de uma dupla de cervejas acondicionadas em garrafas lançadas pela marca Corsendonk. A princípio, ela era produzida pela cervejaria Du Bocq de Purnode, na província de Namur. É uma cerveja ousada e saborosa, que acompanha perfeitamente o aspargo flamengo. Ou então tente experimentá-la com o cremoso queijo Corsendonk, comprado em um laticínio perto de Gierle. **DdM**

Notas de degustação

Cerveja clara turva com uma bela coroa branca, ela exala aromas de coentro e creme metálico, com um sabor marcadamente cítrico e um toque de cravo. Nota-se a presença de baunilha e álcool na adstringência cremosa e no final lupulado.

← O desenho da logomarca da Corsendonk relembra os primórdios da Idade Média.

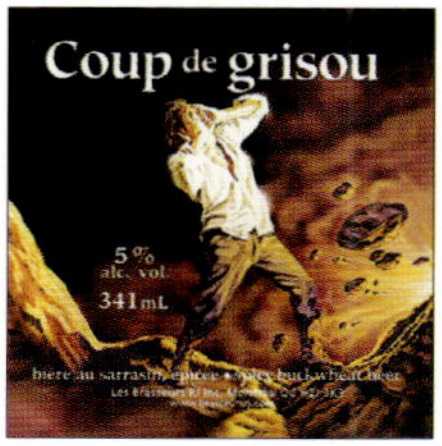

Coup de Grisou

Les Brasseurs RJ | www.brasseursrj.com

País de origem Canadá
Lançada em 1989
Teor alcoólico 5% vol.
Temperatura ideal 8°C

Em 1998, a fusão de três empresas resultou no nascimento da Les Brasseurs RJ. Duas das empresas, a Les Brasseurs GMT e a Cheval Blanc, estavam entre as pioneiras na indústria de cervejas artesanais de Québec. A primeira foi a pioneira no ramo; a segunda nasceu do famoso bar Montreal, o primeiro a ser aberto na cidade. A terceira empresa, aquela que deu início à fusão, foi a Les Brasseurs de l'Anse, uma pequena cervejaria da região de Saguenay fundada em 1995.

A Cheval Blanc foi uma taverna familiar e tradicional por três gerações, até que Jerome Denys deu início à fabricação de cerveja. Ele separou os dois empreendimentos e abriu uma indústria dedicada apenas à produção da bebida. Entre as criações originais que Denys trouxe do bar para a cervejaria estava a Coup de Grisou, uma cerveja de trigo-mouro. Um "coup de grisou" é uma explosão mortal de gás numa mina, o que explica o rótulo trágico. **SB**

Notas de degustação

Coentro e trigo-mouro se combinam para criar um aroma picante, enquanto os grãos acrescentam um sabor terroso e ligeiramente tostado. Sabor complexo, mas sutil, com um final seco.

Cucapá Clásica

Cerveceria de Baja California | www.cucapa.com

País de origem México
Lançada em 2002
Teor alcoólico 4,5% vol.
Temperatura ideal 8°C

Em 2002, a família Garcia abriu uma das primeiras microcervejarias do México na cidade de Mexicali, especializando-se em ales frescas e de qualidade. Produzir uma cerveja que se recusasse a corresponder às pale lagers que estavam saturando o mercado mexicano era uma grande aposta. Mas a Cucapá criou uma ligação forte com a comunidade local. A empresa deu início à sua produção atual de sete variedades de cerveja fazendo experiências contínuas com receitas, mas a Clásica permaneceu uma presença constante. Uma pale ale ao estilo pilsen, de corpo médio, com uma notável presença de malte e feita com ingredientes regionais, a Cucapá Clásica é uma bela introdução ao sabor Cucapá. Em 2007, a demanda era tão grande que foi construída uma nova fábrica e a cerveja engarrafada passou a ser vendida em todo o México e no sul dos Estados Unidos, superando as cervejas artesanais locais em seus próprios territórios. **SG**

Notas de degustação

Levemente dourada, com uma camada fina de espuma exalando um aroma adocicado de frutas e flores, enquanto o sabor é marcado pelo malte e tons adocicados e cítricos, criando um sabor residual agradável.

← A Coup de Grisou foi batizada em referência a um desastre de mineração, como o mostrado nesta ilustração de 1906.

Curieux

Allagash Brewing | www.allagash.com

País de origem Estados Unidos
Lançada em 2004
Teor alcoólico 10,5% vol.
Temperatura ideal 13°C

"Eu não chamaria isto de um erro", afirma Rob Tod, fundador da Allagash Brewing, referindo-se à sua tripel Curieux, vendida em barris. "Mas foi um acidente." Por motivos que apenas um produtor pode apreciar, Tod insiste em envasar sua tripel especial em garrafas de rolha importadas da Bélgica. Depois que um carregamento deste tipo de garrafa foi entregue com atraso, em 2004, a cervejaria se viu com um estoque de golden ale que teria de ser transportado ou jogado fora. Ele procurou pela empresa e seus olhos pousaram sobre alguns barris de madeira usados de bourbon Jim Beam, barris que ele planejava usar para um lote da sua dubbel escura e maltosa. "Não achávamos que uma tripel combinaria", diz Tod. "Por algum motivo, você acha que uma cerveja escura combina mais com um barril."

Na verdade, as red ales belgas, as stouts imperiais americanas e os barleywines ingleses parecem combinar mais com a influência do carvalho dos barris destinados ao vinho e ao uísque. Mas uma tripel? Delicada e complexa demais, leve demais... Mas foi então que Tod e seus colegas beberam um gole. "Uau", disse ele. "O barril transformou completamente a tripel numa nova cerveja. Coco, baunilha, ervas e, claro, carvão e bourbon."

Quando a Allagash deu continuidade à produção, Tod entendeu que ela era única. A produção era cara e difícil, por isso ele decidiu produzir apenas 200 barris. O lote foi vendido em duas semanas. Cinco anos mais tarde, a cervejaria ainda não consegue produzir o suficiente. A Curieux inspirou Tod a continuar experimentando com outras cervejas na madeira: uma pale ale forte, uma stout, uma cerveja de trigo chamada "Odyssey" e uma cerveja pesada chamada "Musette". **DR**

Notas de degustação

Alaranjada e dourada turva, com um colarinho sólido; o aroma exala mel, frutas e amêndoas. O primeiro gole é o de uma tripel típica, com um toque adocicado, mas não enjoativo, de mel, e um quê metálico de levedura, seguidos por correntes de sabores complexos de carvalho, baunilha e bourbon.

Cusqueña

Backus and Johnston | www.cusquena.com.pe

País de origem Peru
Lançada em 1908
Teor alcoólico 5% vol.
Temperatura ideal -2°- 2°C

A Cusqueña (pronuncia-se "cusquenha") é produzida no alto dos Andes peruanos, na cidade de Cuzco, e é conhecida entre os habitantes locais como "o ouro dos Incas". Esta imprevisível e incrível localização montanhosa permite que a cervejaria use a água glacial puríssima que jorra do alto das montanhas. Quando combinada aos lúpulos Saaz e ao puro malte de cevada (incluindo as variedades Metcalfe e Scarlett), os elementos essenciais de uma lager especial clássica ao estilo pilsen estão corretos e presentes. Os mestres cervejeiros da Cusqueña são treinados na Alemanha e toda a cerveja produzida é engarrafada e produzida no local. No Peru, a cerveja também é comercializada em barris.

Cuzco era a antiga capital do Império inca Próximo fica Machu Picchu, patrimônio da Humanidade. Do século 13 ao 16, os incas controlaram um império gigantesco, e a cerveja Chicha, feita com milho ou aroeira-brava, estava na ordem do dia. A indústria de Cuzco celebrou seu centenário em 2008; portanto, não é nenhuma novata no mundo cervejeiro. A Cusqueña é popular não apenas no Peru, mas também no Chile e em outros países da América do Sul. Hoje ela se espalhou para muito além das antigas fronteiras do Império inca, obtendo prestígio mundial.

A Cusqueña foi servida no show Live 8 de 2005, na Escócia. George Clooney e Bono Vox, do U2, ficaram tão impressionados com a cerveja que encomendaram caixas dela para que fossem entregues em seus quartos de hotel. A Cusqueña foi também servida na festa de Natal da Casa dos Comuns em Londres, na Inglaterra, depois de um pedido feito pelo Comitê Multipartidário do Parlamento. **AH**

Notas de degustação

A Cusqueña é dourada e servida com uma coroa branca média que se mistura ao copo. De estilo pilsen clássico, a cerveja tem aroma de malte e mel. Simples e áspero,o malte também está presente no sabor. Experimente-a com um bom filé de peixe-espada ou atum grelhado.

Cuvée des Jonquilles

Brasserie Bailleux
www.sheltonbrothers.com

País de origem França
Lançada em 1990
Teor alcoólico 7% vol.
Temperatura ideal 10°C

A Brasserie Bailleux é um dos segredos mais bem guardados da região produtora de bière de garde, no norte da França. Localizada na idílica aldeia de Gussignies, é uma microcervejaria anexa ao restaurante Au Baron, que Roger Bailleux inaugurou na década de 1970.

A comida excelente e a ótima cerveja chamaram a atenção de admiradores do mundo todo, muitos deles atraídos pela principal cerveja da empresa, a Cuvée des Jonquilles. "Nós a inventamos como uma cerveja de primavera", afirma Bailleux, que é mesmo belga, "e a batizamos numa referência aos narcisos (*jonquilles*) que cobrem a região na estação. Ela se tornou tão popular que as pessoas a queriam o ano todo".

A Bailleux é uma produtora pequena, localizada nos fundos do restaurante, onde churrascos dominicais são cozidos dentro de uma velha panela de cobre. Como é próprio de uma região mergulhada na cultura cervejeira, coelho cozido e coq à la bière constam no cardápio. No dia de produção da cerveja, um bafo quente de malte paira no ar. A Cuvée des Jonquilles usa um mosto de malte com lúpulos, como o Brewers Gold, o Hallertau e o Stisselspalt; a levedura age na parte de cima. Depois de uma semna de fermentação, a cerveja passa duas semanas esfriando e amadurecendo, e é engarrafada; é na garrafa que uma segunda fermentação acontece. A cerveja é, então, acondicionada por mais um mês antes de ser comercializada. **ATJ**

Notas de degustação
Uma luxuriante cerveja dourada com várias características das bebidas sazonais da Valônia. No sabor, refrescante e azeda, com muitas frutas tropicais, antes de atingir um marcante final amargo.

Delirium Tremens

Brouwerij Huyghe
www.delirium.be

País de origem Bélgica
Lançada em 1989
Teor alcoólico 8,5% vol.
Temperatura ideal 8°C

A Brouwerij Huyghe tem uma reputação estranha na indústria cervejeira belga – e nenhum respeito. Uma razão para isso é sua busca por cervejas incomuns, como a Mongozo Coconut Beer, servida numa garrafa na forma de um coco, claro, e a linha Floris de cervejas frutadas, que inclui uma com sabor de cacto e outra com sabor de chocolate. Há ainda a Rubbel Sexy Lager, cujo rótulo mostra modelos femininas usando biquínis minúsculos, sobre os quais quanto menos se falar melhor. Mas, por trás dos truques publicitários, existe uma cervejaria séria, com algumas bebidas realmente agradáveis, como o carro-chefe da empresa, a Delirium Tremens.

Já que esta também é uma cerveja incomum, com seu nome provocativo e desenhos de elefantes cor-de-rosa e crocodilos dançando no rótulo, muitos degustadores se sentem tentados a desprezar esta pale ale, mais uma da linha de produtos estranhos da cervejaria. Mas o que existe dentro da garrafa cor de ardósia não é piada.

Apesar de ter sua entrada vetada nos Estados Unidos por causa do nome e de ter sido retirada das prateleiras em Ontário, no Canadá, pelo mesmo motivo, a Delirium Tremens prosperou, estabelecendo-se nos mercados internacionais e dando origem a duas marcas irmãs: a Delirium Nocturnum e a Delirium Noël. **SB**

Notas de degustação
Dourada, é uma cerveja muito frutada, com um aroma doce e um sabor acentuado por notas de especiarias e com o teor alcoólico aparente e até mesmo insistente. Bela cerveja para o dia a dia.

Dernière Volonté

Brasserie Artisanale Dieu du Ciel!
www.dieuduciel.com

País de origem Canadá
Lançada em 2004
Teor alcoólico 6,5% vol.
Temperatura ideal 5°C

Nas redondezas do planalto de Montreal, que a Brasserie Artisanale Dieu du Ciel! chama de lar, é muito comum testemunhar a mistura de culturas, sejam elas québecois e haitiana, judaica e católica ou moderna e punk. Assim, é bastante lógico que uma das coisas que a equipe da cervejaria faz tão bem é misturar culturas cervejeiras.

Na verdade, a cena cervejeira de Québec é uma mistura de influências. Em meados dos anos 1980, a cerveja belga e influências no processo de produção encontraram seguidores entusiasmados na *belle province*; mas estilos de cerveja britânicos também influenciam muitas tradições cervejeiras, como se pode ver na degustação pré-artesanal de ales moderadamente lupuladas, enquanto todas as outras empresas se voltaram para as lagers. Os estilos norte-americanos também foram bem recebidos em Québec, seja como IPAs artesanais ou como as lamentáveis bebidas maltosas adolescentes. Até mesmo o norte da França invadiu Québec por mais de um ano. Tudo isso talvez explique o cruzamento de estilos que resultou na Dernière Volonté (Último Desejo), uma das primeiras quatro cervejas da Dieu du Ciel! engarrafadas como uma série anual especial depois que a empresa abriu sua indústria ao norte da cidade. **SB**

Notas de degustação

No aroma, tons florais e de frutas frescas, sobretudo melão maduro e pêssego, contrastando com um lúpulo herbáceo. No sabor, ela começa doce antes de adquirir um tom mais amargo.

Deuchars IPA

Caledonian Brewing Company
www.caledonian-brewery.co.uk

País de origem Escócia
Lançada em 1987
Teor alcoólico 4,4% vol.
Temperatura ideal 9°C

A Deuchars IPA é a ale de barril mais vendida da Escócia e é produzida por uma cervejaria tradicional. A sede vitoriana da Caledonian Brewing Company, localizada na capital da Escócia, Edimburgo, é carinhosamente conhecida como The Caley. É uma indústria imponente, onde caldeiras abertas a gás fervem o mosto com lúpulo, o que, dizem, ajuda a fazer da cerveja um produto único. (O uso de lúpulos inteiros, e não de extratos ou pastilhas, também ajuda a criar um sabor distinto.)

Edimburgo já foi conhecida como a cidade da cerveja, dos livros e das Bíblias. Ela até mesmo ganhou o apelido insalubre de *auld reekie* (Velho fedorento), graças às várias cervejarias que empestavam o ar com o cheiro das fervuras. Apesar do mau cheiro, todas elas eram atraídas pelo suprimento puro de água. Hoje, a única cervejaria sobrevivente de Edimburgo é a Caledonian.

A cerveja "pesada" escocesa tradicional é mais conhecida por seu caráter adocicado e maltado. A Deuchars IPA se aproxima mais de uma golden ale frutada do que de qualquer "pesada". A cerveja é feita com malte Pipkin e trigo maltado, além de lúpulos Fuggle e Super Styrian. Em 2002, ela se tornou a primeira cerveja escocesa a ganhar o título de Champion Beer of Britain. **JM**

Notas de degustação

Cerveja leve, saborosa e áspera, de cor dourado-escura. Seu sabor seco é equilibrado por um malte macio e sedoso e um tom cítrico que sacia a sede. Final prolongado e amargo.

Deus

Brouwerij Bosteels | www.bestbelgianspecialbeers.be

País de origem Bélgica
Lançada em 2000
Teor alcoólico 11,5% vol.
Temperatura ideal 8°C

A Deus foi criada pela Brouwerij Bosteels, que fabrica cerveja no vilarejo de Buggenhout desde 1791 e ainda está nas mãos da família. A Deus tem algumas imitações (como a saborosa Lust da cervejaria brasileira Eisenbahn) e talvez tenha fortes concorrentes locais (a incrível Malheur Bière Brut), mas ainda está entre as mais complexas cervejas do cânone belga.

É uma cerveja que passa por um processo criativo e demorado para produzir seu caráter intricado, e que inclui uma viagem da Bégica à França a fim de criar a mais bela cerveja clássica. Fabricada com cevada de verão, a Deus é fermentada de um modo bem normal. Depois a cerveja passa por uma segunda fermentação em tanques antes de ser transportada para um silo perto de Epernay, na região de Champagne, na França, onde é refermentada na garrafa com leveduras de champanhe e mantida a uma temperatura constante durante nove meses.

Depois, algo bem incomum é feito: as garrafas são agitadas e giradas durante uma semana (um processo tradicionalmente chamado *rémuage*). Então a levedura que se concentra no gargalo da garrafa é congelada e retirada (*dégorgement*) antes de a garrafa ser fechada com rolha e vendida, do mesmo modo que se faria com um champanhe. Esta incrível cerveja é uma homenagem à criatividade e ao talento da indústria cervejeira moderna. Absolutamente maravilhosa como aperitivo ou uma tripel festiva, ela supera qualquer champanhe de nível baixo ou médio em complexidade, sabor e carbonatação. **MC**

Notas de degustação

Depois de abrir cuidadosamente a garrafa, você será atacado por tons florais com um quê de caramelo. No sabor, pode-se esperar um início efervescente, seguido por tons de geleia e pão de centeio, com uma pitada de cedro e um duradouro tom de ervas.

Doctor Okell's IPA

Okells | www.okells.co.uk

País de origem Ilha de Man
Lançada em 2003
Teor alcoólico 4,5% vol.
Temperatura ideal 10°- 13°C

A Doctor Okell's IPA foi a primeira a ser criada quando a cervejaria, cujas principais cervejas da época eram amargas e amenas, percebeu que havia um mercado crescente para as comemorativas e que mais garrafas da bebida estavam sendo consumidas em casa. Batizada em homenagem ao doutor William Okell, que fundou a empresa em 1850, esta IPA de teor alcoólico baixo usa lúpulos Cascade para o aroma e Target para o amargor; há ainda mais quatro lúpulos na mistura. A cerveja tem impressionantes 43 IBU e é a de maior sucesso da empresa na Grã-Bretanha. Existe ainda uma versão mais amarga e forte, a Doctor Okell's Elixir, que é produzida em ocasiões especiais.

As cervejas Okell's são há muito as preferidas nos bares da ilha; na verdade, a empresa é dona de metade dos cerca de cem bares da Ilha de Man. Sua cerveja faz parte do estilo de vida local, que é louvado nos folhetos turísticos. As cervejas Okell's ainda são produzidas de acordo com a Lei da Pureza da Cerveja da Ilha de Man. É a "Reinheitsgebot" local, que só permite que a cerveja possua malte, lúpulo, açúcar e água. Entre os ingredientes proibidos estão cereais, xarope de milho e ópio "Isto não nos atrapalha de modo algum", afirma o amável mestre cervejeiro da empresa, Mike Cowbourne, que trabalha na indústria há mais de vinte anos. "Se você quiser produzir uma cerveja contrária à Lei da Pureza, você terá de pedir permissão ao Tynwald (o parlamento da ilha). Tivemos de fazer isso para nossa cerveja de trigo, a MacLir, cuja aprovação demorou seis meses, e também tivemos de pedir permissão para produzirmos cervejas frutadas." A cervejaria atualmente se baseia em Kewaigue, nos arredores da capital da ilha, Douglas, para onde ela se mudou em 1994. **MC**

Notas de degustação

De cor leve, com aromas de frutas cítricas, mais o característico aroma do lúpulo. No sabor, um tom maltoso leve surge no início, antes de dar lugar ao sabor frutado e ao amargor dos lúpulos. Ela termina com um amargor estridente, que torna a cerveja notadamente agradável.

Dom Kölsch

Dom-Brauerei GmbH | www.dom-koelsch.de

País de origem Alemanha
Lançada em 1894
Teor alcoólico 4,8% vol.
Temperatura ideal 8°C

A Dom-Brauerei é uma entre as vinte cervejarias e bares produtores que ainda existem na cidade de Colônia e nas redondezas e que ainda produzem a cerveja característica da região. Ela detém seu próprio nome de origem controlada, o que significa que qualquer empresa que produza Kölsch fora da cidade tem de chamá-la de "cerveja ao estilo Kölsch", apesar de alguns vilarejos próprios terem recebido aprovação especial para usar o nome. A Dom, fundada no fim do século 19 e batizada em homenagem à catedral gótica Dom, no centro da cidade, não é a maior produtora deste tipo de cerveja – esta honra pertence à Kuppers. Mas a Kölsch da Dom tem fama mundial. Ela é vista como uma das mais saborosas cervejas do estilo e não é tão suave quanto suas concorrentes.

A cervejaria foi inaugurada em 1894, depois que Carl Goeters e os irmãos Steingroever adquiriram duas cervejarias em Colônia. A taxa de crescimento da empresa permaneceu muito boa durante vários anos, até a Segunda Guerra Mundial, que devastou a cidade de Colônia e interrompeu a produção de cerveja. Somente em 1956 é que os prédios foram finalmente reconstruídos e a cervejaria recomeçou a produzir suas bebidas. Desde 1974 a Dom-Brauerei produz apenas a Kölsch. Na década de 1970, a Dom operou em conjunto com a cervejaria Stern, de Essen, mas treze anos mais tarde ela se tornou uma empresa independente novamente. Em 1998, a Stern virou a Dom-Brauerei. Em 2000, a Dom transferiu sua produção para a antiga sede da Kuppers, que também se mudou. **WO**

Notas de degustação

Amarelo-dourada no copo, brilhante e reluzente sob uma bela coroa. Aroma frutado que permanece no paladar. Não é uma cerveja amarga, mas se percebe a força do lúpulo no corpo. Agradável e condimentada, com um final prolongado.

Dortmunder Gold

Great Lakes Brewing Co. | www.greatlakesbrewing.com

País de origem Estados Unidos
Lançada em 1988
Teor alcoólico 5,8% vol.
Temperatura ideal 2°C

Com uma grande colônia de imigrantes alemães, Cleveland foi a capital das lagers desde 1832, quando o canal Erie foi concluído. Leisy, Gehring, Muller, Eilert, Schlather – os nomes dos próprios cervejeiros anunciam as lagers leves, ásperas e refrescantes ao estilo alemão que os habitantes beberiam pelos próximos 150 anos, até que a última indústria, a Schmidt, fechou em 1984. Foi muito conveniente, pois, que a cervejaria Great Lakes tenha sido inaugurada em 1988, na histórica Market Tavern, como a primeira microcervejaria de Ohio especializada em lagers.

A princípio, os fundadores – os irmãos Patrick e Daniel Conway – recorreram a um profissional de Cleveland em busca de aconselhamento: Thaine Johnson, antigo mestre cervejeiro da extinta cervejaria Schmidt. Foi Johnson quem criou a receita desta golden lager incrivelmente bem equilibrada ao estilo Dortmunder, o primeiro produto da empresa. Como acontece com qualquer pale lager, conseguir o equilíbrio perfeito requer conhecimento do processo de fermentação. A cervejaria não revela muito sobre seu processo, mas sua marca registrada é um ligeiro toque de fruta no final.

A cervejaria – conhecida por marcas bem-humoradas, batizadas em homenagem a lendas locais – originalmente nomeou esta cerveja de "The Heisman", numa referência ao treinador de futebol americano universitário John Heisman, que nasceu perto da sede da empresa. Mas o Downtown Athletic Club de Nova York impediu o uso do nome. Sem saber como rebatizá-la, os Conway encontraram uma solução depois de ganhar sua primeira medalha de ouro no Grande Festival Norte-Americano da Cerveja em 1990. Uma fotografia da medalha é mostrada no rótulo da Dortmunder Gold. **DR**

Notas de degustação

Uma coroa espessa recobre o corpo dourado e translúcido da pilsen. Depois do primeiro gole, seu ligeiro aroma de mel é contrabalançado por uma aspereza de maçã. Delicado equilíbrio entre o malte adocicado e o amargor ameno, ressaltado pelo final seco, límpido e azedo.

Durban Pale Ale

Shongweni Brewery | www.shongwenibrewery.com

País de origem África do Sul
Lançada em 2007
Teor alcoólico 5,7% vol.
Temperatura ideal 8°C

A paixão é uma coisa que une os cervejeiros do mundo todo e é essencial para lançar a bebida internacionalmente. Stuart Robson, que fundou a Shongweni Brewery em KwaZulu-Natal em 2007, teve que mostrar esta paixão. "A burocracia para abrir uma cervejaria aqui pode ser enorme, principalmente por conta de um equívoco dos planejadores que acham que todas as cervejarias serão indústrias gigantescas como a SABMiller", afirma.

Apesar destes obstáculos, as cervejas de Robson estão ganhando fama tanto na África do Sul quanto no restante do mundo. A Durban Pale Ale foi uma de suas bebidas de estreia e, de acordo com Robson, foi inspirada nas IPAs originais enviadas à Índia. A ligação com Durban nasceu de um pouco de pesquisa e talvez de um pouco de lenda. As IPAs originais passavam algum tempo sendo transportadas e a rota desta viagem passava pela Cidade do Cabo. Na época, o Império Britânico tinha entrepostos distantes e um deles ficava justamente no porto de Durban. Acredita-se que nem toda cerveja destinada à Índia chegava lá, já que parte era "liberada" para os soldados sedentos lotados no porto. Uma parte de cada lote ficava na cidade e era vendida depois de um ano. A princípio, isto era feito para mostrar aos consumidores que nem todas as cervejas estragavam depois de trinta dias. Robson descobriu que as pessoas realmente gostavam do sabor maduro.

Malte local e lúpulos importados de Kent são acrescentados à mistura. A cerveja é, depois, fermentada e acondicionada por cem dias para chegar o mais perto possível do sabor das IPAs originais. Ela é engarrafada e Robson recomenda que seja servida com carne assada ou temperos picantes. **ATJ**

Notas de degustação

Dourado-escura no copo, com aromas marcados por tons de laranja e pitadas de caramelo e lúpulo. No sabor, tem presença notável, com um excelente equilíbrio entre a doçura do malte e o delicioso azedume de laranja. Final seco com pitadas de fruta.

Duvel

Duvel Moortgat | www.duvel.be

País de origem Bélgica
Lançada em 1923
Teor alcoólico 8,5% vol.
Temperatura ideal 7°C

Esta cerveja é uma golden ale belga forte que alcançou muita fama e elogios. Na verdade, o sucesso da Duvel tem sido tanto que a Moortgat, inaugurada em 1871, recentemente foi renomeada como Brouwerij Duvel Moortgat. Aliás, pode-se encontrar a Duvel ("Diabo", em flamengo) em vários cafés belgas.

O carro-chefe da empresa era originalmente uma bebida escura chamada Victory Ale. Como o próprio nome sugere, ela foi criada para celebrar a vitória sobre a Alemanha na Primeira Guerra Mundial. Em 1970, a cerveja foi reformulada como uma pale ale. Estas delicadas ales estavam ganhando popularidade na época e a Moortgat quis se aproveitar da moda. A família Moortgat sempre adaptou suas estratégias de mercado. O recém-criado Duvel Depot é um café de degustação impressionante e sugestivo onde todas as cervejas do grupo Duvel Moortgat (que também é dono da Ommegang nos Estados Unidos, bem como de outras empresas na Europa) são vendidas. As paredes do café estão cheias das melhores imagens relacionadas às cervejas Moortgat.

Apesar do tamanho, a cervejaria continua fazendo experiências. Uma cerveja seca, a Duvel Tripel Hop, foi lançada em 2007, e muito bem recebida. Como o nome sugere, ela usa três lúpulos na receita, com teor alcoólico de 9,5% vol. Espera-se que haja mais experiências como esta.

O sucesso da cervejaria deu origem a várias cervejas com nomes diabólicos, mas a Duvel ainda é um ponto de referência. Uma de suas características é que há poucas cervejas com um nível tão alto de carbonatação e a clássica taça Duvel é prática e também um recipiente simbólico para esta cerveja dourada. **CC**

Notas de degustação

Cor de palha com toques doces, de frutas, álcool, lúpulos e levedura no aroma. Corpo leve, mas com firmeza suficiente para equilibrar os lúpulos e o teor alcoólico. O sabor é seco, com agradável teor alcoólico, maltes adocicados e um final seco e meio amargo.

Echigo Pilsner

Echigo Beer | www.echigo-beer.jp

País de origem Japão
Lançada em 1999
Teor alcoólico 5% vol.
Temperatura ideal 7°C

No início de 1995, a Echigo Beer abriu o primeiro bar-cervejaria do Japão, produzindo principalmente ales e outras cervejas especiais que eram, na maioria, desconhecidas do público japonês. Somente em 1999 é que a empresa começou produzir lagers. A primeira foi uma pilsen, estilo no qual as principais cervejas japonesas se baseiam.

O fundador, Seiichiro Uehara, explica que o bar precisava de mais variedade em suas cervejas e que por isso decidiu expandir o portfólio com lagers. A princípio ele produziu uma pilsen, depois uma lager ao estilo de Munique, com bocks e outras lagers fabricadas como séries especiais. Apesar de a pilsen ser comparativamente fácil de produzir, foi a lager Munique que inicialmente se mostrou difícil. Depois de dois ou três lotes, os cervejeiros finalmente se contentaram com os resultados. Apesar de a lager Munique não ser mais fabricada regularmente, a Echigo Pilsner se tornou um sucesso e hoje responde por cerca de dois terços das vendas.

Uma cerveja tão simples e com características tão marcantes não é surpreendente, já que a empresa, sediada na cidade de Niigata, é a conhecida fabricante do saquê premium Uehara Shuzo. Na verdade, a marca de saquê Tsurukame é muito apreciada no Japão, sendo até mesmo fornecida regularmente para a casa imperial japonesa.

A Echigo oferece várias opções da cerveja pilsen, desde versões caras engarrafadas e sem filtragem, fabricadas no bar-cervejaria original, até as mais baratas e enlatadas. A Echigo produz até mesmo uma cerveja de baixo preço chamada "Reijoh", numa referência à cadeia de mercados de Tóquio que a vende por um valor muito menor do que as lagers semelhantes fabricadas pelas quatro maiores cervejarias. **BH**

Notas de degustação

Cerveja com uma notável clareza e uma cor levemente amarela brilhante. O aroma é simples e refrescante, com ligeira ênfase no lúpulo, enquanto o sabor reflete o bom equilíbrio entre o malte e os lúpulos. Muito benfeita, ela se insere claramente no estilo das lagers especiais japonesas, com sabor residual mínimo e um final seco.

Edelstoff

Augustiner-Bräu München | www.augustiner-braeu.de

País de origem Alemanha
Lançada em 1927
Teor alcoólico 5,6% vol.
Temperatura ideal 8°C

A Edelstoff é uma cerveja tipo exportação tradicionalmente produzida para este fim e, portanto, com um teor alcoólico um pouco maior para torná-la mais durável devido ao transporte. Ela também é vendida na Alemanha. A cerveja é fabricada para celebrar um evento especial ou homenagear um personagem importante ligado à cervejaria. *Edelstoff* significa "substância preciosa", e a primeira cerveja foi produzida em 1927, quando a República de Weimar estava saindo de uma catastrófica crise econômica e política.

A Edelstoff tem muitos admiradores locais na sua cidade natal, Munique, onde a Augustiner-Bräu München é o mais antigo estabelecimento do tipo (fundada em 1328). Claro que a Edelstoff tem seus vocabulário e cultura próprios – seu colarinho é tão delicado que ela é pedida como *schaumige* (que significa aproximadamente "espumosa"). Quando servida, mais de um terço do copo é formado por esta espuma cremosa, que preserva perfeitamente o frescor da bebida. Todos os garçons em todos os restaurantes ou cervejarias que pertencem à empresa conhecem este segredo.

Os monges agostinianos fundaram a cervejaria originalmente num mosteiro no centro de Munique, mas hoje a empresa fica perto de Theresienwiese, onde a Oktoberfest é realizada todos os anos. Este evento exerce um papel importante para todas as cervejarias de Munique e a Augustiner é a mais tradicional de todas. Ela é a última a ter suas cervejas em barris de madeira e não em recipientes de aço. Ao longo do ano, em todos os restaurantes e bares da cervejaria, a abertura de cada novo barril é anunciada com o toque de um sino, de modo que todos possam terminar seu copo e pedir uma Edelstoff fresca. **WO**

Notas de degustação

Límpida e dourada no copo, de aroma lupulado e sabor deliciosamente macio, ela também é efervescente e refrescante. Leves doçura e acidez buscam espaço no corpo. Final muito maltado, acompanhado por um amargor leve e agradável.

Edelweiss Gamsbock

Hofbräu Kaltenhausen | www.edelweissbier.at

País de origem Áustria
Lançada em 1997
Teor alcoólico 7,1% vol.
Temperatura ideal 9°C

A localização da Hofbräu Kaltenhausen, fundada em 1475, foi escolhida cuidadosamente: os armazéns foram construídos dentro de uma montanha com aberturas naturais que proveem um ar extremamente gelado. Este sistema de resfriamento natural ainda está em funcionamento. Em 1921, a cervejaria se tornou membro-fundador da Österreichische Brau – núcleo da BrauUnion, mais tarde incorporada à Heineken.

Em 1986 a marca Edelweiss foi criada – começando com uma Kristallweizen filtrada –, mas logo a Hefeweizen sem filtragem se tornou muito popular. Hoje ela é a cerveja de trigo de maior sucesso na Áustria. A forte Gamsbock, assim chamada por causa da cabra-montês comum nas montanhas próximas, responde por um pequeno nicho no portfólio da empresa, mas ainda assim é a mais popular Weizenbock da Áustria. O mestre cervejeiro Gunther Seeleitner recomenda a degustação da sedosa Gamsbock com bolos e sobremesas. **CS**

Notas de degustação

Esta cerveja turva e cor de palha tem um colarinho espesso. O aroma é frutado, com pitadas de casca de banana e raspas de laranja. Corpo intenso e até mesmo adocicado, com sabor de banana e chiclete.

Efes Pilsen

Efes Beverage Group | www.efesbev.com

País de origem Turquia
Lançada em 1969
Teor alcoólico 5% vol.
Temperatura ideal 7° - 10°C

Apesar de não ser necessariamente famosa no mundo cervejeiro por suas pilsens, a Turquia se orgulha de ser associada a uma região cervejeira graças à sua proximidade com a Mesopotâmia, onde a cerveja foi inventada há cerca de 9 mil anos. Esta linhagem histórica ressalta a herança cultural da Efes (batizada em referência à antiga cidade de Éfeso), e que também produz a cerveja de maior sucesso do país.

O grupo Efes é a quinta maior cervejaria da Europa. A Efes Pilsen surgiu na década de 1960, com o crescimento da classe média turca, que deu as costas para a bebida tradiconal do país, o arak, visto como uma bebida de camponeses. O arak voltou à moda, mas a Efes Pilsen ainda é a bebida preferida dos turcos (principalmente entre os nacionalistas). É uma cerveja de baixa fermentação, produzida com lúpulos Hallertau e malte Pilsen de terras turcas. **TS**

Notas de degustação

A cerveja é, à primeira vista, adocicada, mas exibe um sabor forte e interessante de malte, contrabalançado por um pouco de amargor lupulado. Final muito refrescante.

Eggenberg Pale Lager

Pivovar Eggenberg | www.eggenberg.cz

País de origem República Tcheca
Lançada em 1979
Teor alcoólico 5% vol.
Temperatura ideal 7°C

Muito antes da Revolução de Veludo, várias restrições impostas às cervejarias tchecas haviam sido retiradas. Em 1973, a cervejaria de Česky Krumlov pôde acrescentar à sua linha uma pale lager com teor alcoólico de 11% chamada "Zamecke" ("Castelo"), e a partir de 1979 a Eggenberg passou a produzir uma pale lager com 12 graus Plato, inspirada nas pilsens clássicas.

Na época, ela se chamava Pivovar Schwarzenberg, numa referência à aristocrática família da Boêmia que adquiriu a propriedade em 1719. Naquele tempo havia uma grande rivalidade entre as cervejas de cevada, feitas para o povo, e as de trigo, mais caras; a cervejaria deixou de fabricar cervejas de cevada em 1800. Em 1937, contudo, ela voltou a utilizar cevada, e começou a produzir lagers ao estilo bávaro. Hoje, a pale lager de 12 graus Plato é o carro-chefe da empresa. Feita com malte Pilsen tcheco, ela é melhor quando tirada do barril. **ER**

Notas de degustação

Esta pale lager clássica é refrescante e adocicada. O doce é equilibrado por uma pitada de lúpulo Saaz. Quando servida corretamente, pode-se apoiar uma moeda sobre sua coroa espessa.

Einhundert 100 Bitterpils

Pivatbrauerei Vitzthum | www.einhundert.be

País de origem Áustria
Lançada em 2007
Teor alcoólico 5% vol.
Temperatura ideal 5°C

A pilsen alemã é geralmente definida como uma cerveja dourada e clara de baixa fermentação, com um amargor superior a 30 IBU. Mas muitas cervejas vendidas como pils, pilsner ou pilsen nos países de idioma alemão hoje têm um amargor inferior a 25 IBU. Estas cervejas fracas são fáceis de beber e de vender.

Marcus Hertel estava estudando na faculdade cervejeira de Weihenstephan quando decidiu criar uma cerveja com o recorde de 100 IBU. Para produzi-la, ele recorreu a um amigo que administrava a cervejaria familiar Privatbrauerei Vitzthum em Uttendorf. Hertel e Vitzthum decidiram que a Einhundert Bitterpils deveria ser feita com 100 IBU, mas com pouco lúpulo aromático. Hertel acreditava que a sua utilização na quantidade necessária para se conseguir os 100 IBU talvez deixasse a cerveja perfumada demais. O resultado final foi uma cerveja bem incomum. **CS**

Notas de degustação

Uma cerveja cor de palha e com um colarinho espesso. No aroma, há um ligeiro toque de cereais com uma pitada de malte tostado. Refrescante, com corpo apenas suficiente para equilibrar seu final intenso e duradouro.

Einsiedler Lager Hell

Brauerei Rosengarten
www.einsiedlerbier.ch

País de origem Suíça
Lançada em *ca.* décadas de 1930/1940
Teor alcoólico 4,5% vol.
Temperatura ideal 8°C

A Rosengarten, em Einsiedeln, é uma das muitas cervejarias suíças abertas na década de 1860, quando a indústria vinicultora do país estava sofrendo os efeitos da praga filoxera. Muitos mestres cervejeiros do sul da Alemanha e principalmente da Baviera foram chamados para ajudar a abrir cervejarias em toda a Suíça. Como resultado, a Schweizer Lager Hell (pale lager suíça) deve mais ao estilo Helles bávaro do que à pilsen boêmia.

De 1936 a 1991, o mercado cervejeiro suíço foi dominado por uma lei que determinava quais tipos de cerveja podiam ser produzidos (pale lager, pale lager especial, dark lager e lager forte), e também estabelecia os tamanhos das garrafas, que tinham incomuns 290ml e 580 ml. A Lager Hell segue esta lei e é uma cerveja obrigatória para especialistas no mundo das cervejas suíças. **LM**

Notas de degustação
Protótipo da pale lager suíça, de cor de palha, com uma base macia, intensa e maltada, aromas de feno fresco provenientes dos lúpulos florais e uma pitadinha de aroma sulfúrico. Final nítido, com um amargor moderado.

Eisenbahn Kölsch

Cervejaria Sudbrack
www.eisenbahn.com.br

País de origem Brasil
Lançada em 2005
Teor alcoólico 4,8% vol.
Temperatura ideal 3°- 5°C

A Eisenbahn Kölsch nasceu depois que os fundadores desta cervejaria brasileira fizeram várias viagens à Alemanha a fim de pesquisar estilos de cerveja, e lá se maravilharam com a leveza e o sabor que a cerveja Kölsch oferecia.

A Sudbrack fica em Blumenau, no sul do país, e os cervejeiros são muito conservadores no que diz respeito à bebida. Eles recriam cervejas clássicas na concepção original, e a Kölsch não é exceção. Feita com uma combinação de quatro maltes diferentes, incluindo o de trigo, os ingredientes e o processo de filtragem a frio resultam numa cor notadamente clara e num sabor leve e delicado. É uma maravilhosa versão para uma cerveja clássica do Velho Mundo, e recebeu o prêmio de Melhor Pale Ale no Concurso Mundial de Cervejas de 2008. **AH**

Notas de degustação
Aroma levemente frutado com um toque de caramelo, seguido, no sabor, por um débil caráter maltado e um pouco de acidez. Combina com salmão defumado, camarão e omelete.

Emerson's Pilsner

The Emerson Brewing Company
www.emersons.co.nz

País de origem Nova Zelândia
Lançada em 1995
Teor alcoólico 5% vol.
Temperatura ideal 6°- 8°C

Quando The Emerson Brewing Company lança uma nova cerveja, a indústria cervejeira da Nova Zelândia se senta e faz anotações, tamanho é o respeito por Richard Emerson e sua cervejaria artesanal sediada em Dunedin.

O primeiro lançamento comercial da Emerson foi a London Porter, criada em 1993. Cerveja robusta e maturada, ela foi uma estratégia ousada no mercado neozelandês, que, na época, era totalmente dominado por lagers simples e adocicadas. Em 1995, a cervejaria lançou a Pilsner, uma cerveja orgânica que se tornou o carro-chefe da empresa e seu produto engarrafado mais vendido. Repleta de sabores de maracujá, especiarias e acidez, a primeira cerveja orgânica da Nova Zelândia é uma vitrine para os lúpulos Riwaka locais. Considerada uma das dez melhores cervejas por especialistas neozelandeses, ela é o equivalente dos famosos vinhos Sauvignon Blanc do país. **GG**

Notas de degustação
Aromas e sabores de biscoito de baunilha e torrada, com pitadas de maracujá, frutas cítricas, especiarias e cereais, levando a um final duradouro e seco.

Estrella Damm

S. A. Damm
www.damm.es

País de origem Espanha
Lançada em 1876
Teor alcoólico 5,4% vol.
Temperatura ideal 5°- 7°C

Você sabe que uma cerveja é bem-sucedida quando não há como fugir da marca, seja na forma de um enorme e reluzente cartaz ou como anúncios menores, mais caseiros, pendurados do lado de fora dos bares locais. A Estrella Damm é uma delas e é difícil fugir ao seu sucesso. É a principal marca de cerveja da Espanha e pode ser encontrada em toda a Europa. Claro que esta cerveja é uma Estrella no nome e na natureza.

Em 1876, quando a cervejaria foi inaugurada e a Estrella Damm começou a ser produzida, será que seu fundador e mestre cervejeiro alsaciano August Kuentzmann Damm imaginava que sua criação viajaria tão longe e testemunharia a virada de dois séculos? Provavelmente não. Em 1910, o nome da cervejaria foi alterado para "Damm", como uma homenagem ao seu fundador. **SS**

Notas de degustação
Aroma frutado, com toques de uvas e laranjas, assim como uma pitada de cereal maltado. Sabor resoluto, antes de adquirir notas de caramelo, baunilha e flores frescas. Final simples e leve.

Etoile du Nord

Brasserie Thiriez | www.brasseriethiriez.com

País de origem França
Lançada em *ca.* 2003
Teor alcoólico 4,5% vol.
Temperatura ideal 8°- 12°C

A Brasserie Thiriez foi inaugurada em 1996 por Daniel Thiriez na vila de Esquelbecq, a alguns quilômetros de Dunquerque. Ele produz cerveja numa antiga instalação ao lado da qual existe uma loja e bar onde se pode comprar as bebidas. "Trabalhei como gerente de recursos humanos de um supermercado durante dez anos", diz. "Sempre me interessei por cerveja e comecei a produzir cerveja caseira quando era estudante, com aparelhos comprados na Inglaterra. Eu queria ser independente e viver no interior."

Quando comprou a antiga cervejaria, não havia nada que lembrasse a cerveja ali produzida, mas alguns dos idosos do lugar contaram a Thiriez que se lembravam da cerveja produzida antes que a fábrica fosse fechada em 1945. "Uma das minhas maiores influências foi a Moinette", afirma. "E também o amargor dos lúpulos. Acho que eu fazia cervejas que queria beber."

Thiriez considera a Etoile du Nord uma pale ale (o que ele enfatiza usando lúpulos Kentish). Vários anos depois de abrir a cervejaria, ele estava se correspondendo com uma empresa inglesa em Kent e teve a ideia de produzir uma mistura de ale inglesa com seu próprio estilo de cerveja. Seu nome original era Les Frères de la Bière. Depois que a cervejaria inglesa fechou, contudo, a cerveja foi renomeada para Etoile du Nord. De alta fermentação e acondicionada em garrafas, ela é uma das cervejas mais vendidas da empresa (juntamente com La Blonde d'Esquelbecq) e é comercializada nos Estados Unidos sob o nome Thiriez Extra. Daniel Thiriez é um belo exemplo de como as paixões e a devoção das últimas décadas da revolução das microcervejarias influenciaram as pessoas ao redor do mundo. **ATJ**

Notas de degustação

Clara no copo sob um colarinho branco que pode ser firme. O aroma tem um quê de banana e morango, além de toques de chiclete. O amargor lupulado se apresenta no meio da degustação. O final, frutado, seco e amargo, se prolonga.

Exmoor Gold

Exmoor Ales | www.exmoorales.co.uk

País de origem Inglaterra
Lançada em 1986
Teor alcoólico 4,5% vol.
Temperatura ideal 9°C

Um mantra da indústria cervejeira diz que as pessoas bebem com os olhos, o que em parte explica o sucesso mundial das golden lagers. No Reino Unido, este reconhecimento do apelo visual de um copo de cerveja tem sido confirmado pelo sucesso avassalador das golden ales douradas: cervejas claras e agradáveis que parecem lagers, mas que são ales. A primeira das golden ales foi a Exmoor Gold, que surgiu em 1986, quando a maior parte das cervejas britânicas eram cor de âmbar.

"Ela foi criada como uma cerveja comemorativa para celebrar o milésimo lote da Exmoor Ale", relembra Peter Turner, diretor da empresa na época. "Pelo que me lembro, era para ser uma ale puro malte extremamente diferente. Deve-se lembrar que encontrei grande resistência nos primeiros anos, já que ela era muito diferente de qualquer ale tradicional (mais escura) no mercado. Aos poucos, porém, ela foi aceita, e depois todas as cervejarias perceberam que precisavam de uma ale puro malte no portfólio." Como diz Turner, esta é uma cerveja puro malte, com malte pale ale acrescentado ao mosto, enquanto os lúpulos usados são os das variedades Golding, Challenger, Styrian Golding e Fuggle.

A Exmoor Ales nasceu em 1980. A princípio, ela se chamava Golden Hill, por causa de uma colina na cidade de Somerset, em Wiveliscombe. Quase ao mesmo tempo a Golden Hill marcou o mundo cervejeiro depois que a Exmoor Ale foi eleita a cerveja de Melhor Amargor no Grande Festival Britânico da Cerveja de 1980. Desde então a cervejaria ganhou vários prêmios. **ATJ**

Notas de degustação

Sedutoramente dourada. O aroma se divide entre um buquê fresco de ervas e lúpulo floral e um tom maltoso sutil, macio e caramelado. No sabor, exibe um equilíbrio maior entre o cereal maltado e o lúpulo frutado floral e cítrico. O final é agridoce.

Fancy Lawnmower

Saint Arnold Brewing | www.saintarnold.com

País de origem Estados Unidos
Lançada em 2000
Teor alcoólico 4,7% vol.
Temperatura ideal 4°- 7°C

Não se pensa no Texas como um território propício para uma cervejaria artesanal, mas há bolsões de boas cervejas lá. Surpreendentemente, há um vasto grupo de cervejeiros caseiros e até mesmo outros que têm de usar todos os truques possíveis para vender grandes cervejas a um público acostumado a beber Lone Star e Pearl.

O nome Fancy Lawnmower "vem do antigo termo dos cervejeiros caseiros para a cerveja leve de baixa qualidade", afirma Brock Wagner, um ex-banqueiro que abriu a Saint Arnold Brewing – em homenagem ao santo padroeiro da cervejaria – em 1994. "Eu me lembro de passear pelas instalações pedindo às pessoas sugestões do adjetivo de que gostavam e que tivesse o tom que eu estava procurando (indicando que era algo de qualidade, mas claramente simples). 'Especial' ('Fancy') ganhou de 'gourmet'."

A cerveja Fancy Lawnmower é uma criação ao estilo Kölsch, sob influência do estilo alemão de alta fermentação que nasceu na cidade de Colônia. Estilisticamente, a Kölsch tem muito em comum com as pale lagers como a pilsen, mas é mais amena e cremosa e tem um aroma frutado que se deve à fermentação como a de uma ale. Ela também é maturada a baixas temperaturas, o que lhe confere maciez, atraindo apreciadores comuns. Seja o que for, este estilo de cerveja funciona para a Saint Arnold, de acordo com Wagner. "Temos crescido exponencialmente nos últimos anos e ela hoje supera nossa loura em todos os mercados, exceto Houston."

Como se faz uma Fancy Lawnmower? Muito malte Pilsen local e alemão e um pouco de trigo maltado para a textura cremosa e o colarinho espesso. O Hallertau, um dos lúpulos "nobres", é usado no processo. "É o final floral combinado com o malte amendoado que acho que a torna tão interessante e ao mesmo tempo saciante", afirma Wagner. Um belo truque. **RM**

Notas de degustação

Aroma de malte fresco e granulado com um ligeiro toque lupulado e frutado. É cremosa sem ser doce demais e com um leve amargor que a equilibra. O final é agradavelmente cheio de levedura, com um toque macio de pêssego.

Farrotta

Almond '22 | www.birraalmond.com

País de origem Itália
Lançada em 2005
Teor alcoólico 5,7% vol.
Temperatura ideal 4°- 6°C

O avô sueco de Jurij Ferri foi um personagem tirado diretamente dos romances de Joseph Conrad. Ele começou trabalhando como marinheiro e terminou como maître no mundialmente famoso Moulin Rouge, em Paris. Para sorte dos apreciadores de cerveja italianos, Ferri herdou o amor do avô pela composição dos alimentos e pela alquimia dos ingredientes, e não a paixão pelo mar. Este amor epicurista naturalmente foi muito útil quando o sueco-italiano Ferri começou a desenvolver sua filosofia pessoal no que diz respeito à arte da produção de cervejas. Ele passou vários anos fabricando cerveja em casa, concentrando-se no estilo Weizen, até que se cansou. Depois, abriu sua microcervejaria em 2003, num antigo prédio do século 19, onde as mulheres locais costumavam se reunir para descascar amêndoas para produzir as famosas amêndoas doces conhecidas como "confetti" (daí o nome da cervejaria). Era a primeira empresa do tipo na região de Abruzzo e Ferri deu início ao negócio sem saber muito o que outros cervejeiros estavam fazendo no norte do país.

Ferri é um cervejeiro autodidata hoje reconhecido como um dos mais talentosos da Itália. Sua abordagem pessoal dos maltes, lúpulos e das especiarias fez com que ele produzisse várias cervejas diferentes. Na Farrotta, um ingrediente tradicional local – trigo orgânico – exerce papel fundamental na receita. Outros maltes são o Pilsen, que compõe até 60% da mistura de grãos, e o Viena, que responde por 10%. Os lúpulos são o Styrian Golding, para o amargor, e o Cascade, para o aroma, além do "mel de acácia", acrescentado ao mosto durante o resfriamento. O resultado final é uma cerveja com um sabor elegante. Experimente-a com carnes ou massas. **MM**

Notas de degustação

De cor dourado-escura, com tons atraentes de alaranjado. Opalina, com um colarinho intenso. O aroma começa com tons predominantes de cereais, aos poucos influenciados por casca de tangerina e "mel de acácia". Sabor bem equilibrado, com um quê de rústico.

Faust Kräusen

Brauhaus Faust | www.faust.de

País de origem Alemanha
Lançada em 1996
Teor alcoólico 5,5% vol.
Temperatura ideal 8°C

Em 1885, o fundador da dinastia cervejeira Faust, Adalbert Faust, já estava fazendo experiências com métodos de fermentação. Formado na renomada faculdade agrícola e cervejeira de Weihenstephan, perto de Munique, na Alemanha, ele criou um processo que envolvia a *kräusenung* (carbonatação) da cerveja.

Inspirados nesta receita, os donos atuais da empresa, Cornelius e Johannes Faust, criaram uma nova lager sem filtragem, que resulta numa bebida incrivelmente fresca e saborosa. Os dois irmãos lançaram a Faust Kräusen em 1996, ano em que assumiram a empresa da família. Basicamente, o que eles fazem é acrescentar o mosto fresco que está fermentando aos tanques de maturação, onde a cerveja jovem envelhece por não menos do que seis a sete semanas. A *kräusenung* ressuscita as células da levedura, ressaltando o sabor, gaseificando a cerveja e a enfraquecendo. Como a cervejaria tem tanques de fermentação abertos, os cervejeiros podem observar a formação do colarinho espumoso – *kräusen* –, quando então se deve interromper a fermentação do mosto. Quando a espuma branca atinge seu auge – *kräusen* maior –, é porque a levedura está mais ativa. Toda esta atenção aos detalhes é importante porque a Faust Kräusen tem muitos fãs, até mesmo fora da região da Baviera. Alguns engradados foram exportados para países distantes como Taiwan e Cingapura.

A Brauhaus Faust tem uma história interessante. A cervejaria mudou de dono várias vezes; no século 19, pertencia a uma família chamada Krug. Os Krug acabaram fundando a cervejaria Schlitz em Milwaukee, que era a segunda maior cervejaria do mundo na primeira metade do século 20. **SK**

Notas de degustação

De alaranjada a opaca, com um colarinho intenso e branco. Esta cerveja exala um aroma frutado e levemente azedo, com toques de pera madura. No paladar, corpo abundante e macio com sabores tostados e boas notas frutadas. O amargor permanece até o fim. Final seco e ligeiramente azedo.

Flensburger Pilsener

Flensburger Brauerei | www.flens.de

País de origem Alemanha
Lançada em 1922
Teor alcoólico 4,8% vol.
Temperatura ideal 6°- 8°C

"Plop". Este som é música para os ouvidos de muitos apreciadores alemães de cerveja, principalmente no norte do país, onde ele anuncia a abertura de um prazer refrescante. Há cerca de vinte anos, sempre que você ouve um "plop", pode ter certeza de que é o som da tampa de uma Flensburger Pilsener sendo aberta. Quando as tampinhas coroadas surgiram na Alemanha, na década de 1960, aos poucos todas as cervejarias mudaram suas embalagens. Somente em Schleswig-Holstein as coisas foram diferentes: a Flensburger e a Dithmarscher Brauerei, nas proximidades, permaneceram fiéis a suas antigas garrafas. Alguns dizem que foi por marketing, outros dizem que as empresas não podiam financiar a mudança. Seja qual for a verdade, a tampa de pressão se tornou a marca registrada das cervejarias. O departamento de marketing da Flensburger até mesmo assegurou o barulho como marca registrada.

A cerveja foi lançada em 1922, quando a qualidade incrível da água local levou a Flensburger a satisfazer a demanda crescente por pilsens com uma cerveja própria. A bebida leva uma boa dose de lúpulos amargos Magnum ou Herkules e um pouco dos lúpulos aromáticos Spalter Select e Hallertauer Tradition. De 1983 a 1993, a Pilsener foi a única cerveja produzida pela Flensburger Brauerei.

A Flensburger Pilsener se transformou numa marca famosa na década de 1980, graças a um desenho sobre um motociclista desonesto chamado Werner. Os jovens consumidores queriam muito segurar uma daquelas garrafas fora de moda, e o que eles descobriram foi uma cerveja com um caráter surpreendentemente único do norte da Alemanha, uma pilsen amarga, honesta e seca. Foram estas características despretensiosas que fizeram da marca regional uma celebridade nacional. **SK**

Notas de degustação

Cor de palha, com colarinho branco intenso. Esta cerveja exala um aroma de cereais. O sabor não dá destaque a qualquer tom maltoso. O amargor é proeminente. Em meio ao sabor herbáceo e floral, ela adquire um final duradouro semelhante à toranja.

Früh Kölsch

Cölner Hofbräu Früh | www.frueh.de

País de origem Alemanha
Lançada em 1904
Teor alcoólico 4,9% vol.
Temperatura ideal 8°C

Hoje a Früh é a terceira maior cervejaria do estilo Kölsch de Colônia. Mas o início da empresa não foi tão auspicioso. Pouco tempo depois de abrir a cervejaria, Peter Josef Früh morreu. Sua esposa e as filhas assumiram a empresa, mas depois vieram a Primeira Guerra Mundial, o colapso da economia e a Segunda Guerra Mundial. Ao contrário do restante da cidade, a cervejaria sobreviveu relativamente intacta aos bombardeios. Muitas instalações foram atingidas, mas não a central de produção. Como muitas das cervejarias da cidade foram destruídas ou avariadas, a Früh passou a faturar mais produzindo para os concorrentes. Nos anos 1950, a cervejaria e o bar foram reconstruídos e, uma década depois, a terceira e a quarta gerações da família assumiram o controle da empresa.

Em 1969 surgiu a Früh Kölsch engarrafada. No princípio, a Früh tentou produzir e vender uma Kölsch "diferente". Ao usar um sistema de filtragem e uma técnica de produção diferentes, a cervejaria foi capaz de criar uma cerveja de coloração menos intensa e amarga. Na verdade, ela era (e é) uma Kölsch mais leve, talvez combinando com o gerenciamento da época, que tinha nas mulheres e nos jovens seu público-alvo. Indo um pouco além, em 1991 a Früh se tornou a primeira cervejaria Kölsch a oferecer uma versão sem álcool da bebida.

Os visitantes da taverna P. J. Früh, que fica numa pequena praça à sombra da enorme catedral de Colônia (ou "Dom"), podem se hospedar nos quartos no primeiro andar. A cervejaria ficava neste local antes de se transferir para um espaço maior. Os quartos ficam no local onde Peter Josef Früh e sua família viveram. **RP**

Notas de degustação

Cerveja límpida e dourada, com um colarinho branco pouco intenso. O aroma é maltado e frutado. Ao contrário do que acontece no bar, onde a cerveja é servida do barril, a versão engarrafada tem mais carbonatação. O sabor, contudo, é levemente maltado, com um final simples, seco e duradouro.

Gambrinus Premium

Gambrinus | www.gambrinus.cz

País de origem República Tcheca
Lançada em 1869
Teor alcoólico 5% vol.
Temperatura ideal 8°C

Há muitas versões para as origens do nome Gambrinus, mas todas elas fazem referência à cerveja, ao processo de fabricação, aos armazéns e aos lúpulos. É um dos nomes de cerveja mais usados no mundo, e cervejarias Gambrinus existem na França, Canadá e Estados Unidos. O motivo? Gambrinus é o santo padroeiro não oficial da cerveja e foi, dependendo da história na qual se acredite, um lendário rei de Flandres, um copeiro na corte de Carlos Magno ou o apelido de João, o Destemido, que se acredita ter sido o inventor da cerveja lupulada. A história preferida, contudo (e a contada pela Plzeňsky Prazdroj, a empresa que produz a cerveja), faz referência a Jan Primus, formalmente conhecido como João I, duque de Brabante (1267–1294). Dizem que ele foi o exemplo perfeito de um príncipe feudal: cavalheiro, bravo, aventureiro e equilibrado, o que o tornou um personagem popular na literatura medieval.

As duas marcas Gambrinus, a Světly e a Premium, têm juntas 25% do mercado tcheco (há outra pale lager no portfólio, a Gambrinus Excelent). São bebidas saborosas e cotidianas. Hoje em dia a Gambrinus é uma subsidiária da Plzeňsky Prazdroj (que também produz a Pilsner Urquell), por sua vez propriedade da gigante multinacional SAB-Miller. A Pilsner Urquell é a única grande cervejaria tcheca que ainda produz seus próprios maltes usando cevada morávia de produtores selecionados. A Gambrinus e a Pilsner Urquell usam o mesmo malte e também as mesmas instalações de filtragem e envase, mas suas centrais produtoras são separadas, assim como as leveduras usadas. A Gambrinus utiliza a variedade W; a Pilsner usa a variedade H. **AG**

Notas de degustação

No olfato, um aroma de limão e gramíneas frescas com pitadas de manteiga aparecendo ocasionalmente ao longo da degustação. De uma bela cor dourada, ela acompanha pratos de frango e porco e também é um excelente acompanhamento para queijos.

Geary's Pale Ale

D. L. Geary Brewing | www.gearybrewing.com

País de origem Estados Unidos
Lançada em 1986
Teor alcoólico 4,5% vol.
Temperatura ideal 9°C

Às vezes um sonho demora bastante para se tornar realidade. Apesar de a D. L. Geary Brewing Company ter sido fundada em 1983, somente três anos mais tarde é que sua primeira cerveja foi lançada. David e Karen Geary queriam produzir uma cerveja de qualidade e vendê-la na região da Nova Inglaterra. Na época, algumas microcervejarias estavam ganhando terreno, principalmente na Costa Oeste dos Estados Unidos.

Graças a intermediações feitas pelo cervejeiro escocês Peter Maxwell Stuart, famoso pela cerveja Traquair, David Geary começou a estudar nas cervejarias do Reino Unido. Ele estudou em várias pequenas cervejarias comerciais escocesas e inglesas e depois voltou para seu país para trabalhar com Karen no plano de negócios da nova indústria. A maior parte dos dois anos seguintes foi consumida encontrando um lugar para a cervejaria, escolhendo as receitas, desenhando as embalagens e conseguindo capital.

No outono de 1986 a cervejaria estava pronta e no dia 10 de dezembro as primeiras canecas da Geary's Pale Ale foram vendidas. Hoje as marcas da empresa são vendidas em dezessete estados. Além da Pale Ale, a Geary fabrica a London Porter, a Imperial IPA, a Wee Heavy Scottish Ale e a Hampshire Special Ale, que surgiu como uma cerveja de inverno. Ela ainda produz ales de outono, de inverno e de verão.

O aprendizado de Geary no Reino Unido é perceptível nas ales da empresa. A Geary's Pale Ale é feita com maltes claro, cristal e chocolate; lúpulos Cascade, Mount Hood, Tettnang e Fuggle; e levedura Hampshire. Numa degustação às cegas, seria difícil diferenciar a ale de uma cerveja de Burton-on-Trent. **RL**

Notas de degustação

Brilho clássico de uma pale ale com um colarinho intenso, cremoso e branco. Aroma ligeiramente lupulado. A cerveja se apresenta com um toque de frutas antes que o lúpulo a domine. Há um bom nível de amargor, com notas de malte tostado.

Göller Kellerbier

Brauerei Göller | www.brauerei-goeller.de

País de origem Alemanha
Lançada em *ca.* final dos anos 1980
Teor alcoólico 4,9% vol.
Temperatura ideal 8°C

A Kellerbier (também chamada de cerveja "Zwickel") é um estilo de cerveja tradicional que se tornou popular nas últimas décadas. Agora os apreciadores esperam que suas cervejarias preferidas produzam uma Kellerbier, apesar de nem todo mundo achar fácil corresponder a tais expectativas. A produção e a distribuição de uma Kellerbier são difíceis, mas é uma das cervejas mais tradicionais existentes na Alemanha. Ela não é filtrada nem pasteurizada e, portanto, no copo pode parecer turva. Mas uma boa Kellerbier passa a impressão de uma bebida com história: um estilo que rema contra a maré das pilsens douradas.

A Göller é uma tradicional cervejaria francônia sediada na bela cidade de Zeil, e produz várias cervejas, entre elas uma Rauchbier, uma das mais saborosas, principalmente quando comparada com as cervejas intensas de Bamberg. A Göller Kellerbier não é filtrada, é engarrafada jovem e tem menos gás do que uma pilsen – um exemplo perfeito do estilo. Desde 1999, a cerveja é vendida com tampas de pressão, detalhe que talvez a coloque em outro patamar, como se dissesse: "Eis aqui uma cerveja especial."

A Brauerei Göller foi fundada em 1514 (dois anos depois da Lei da Pureza). A família Göller comprou a empresa em 1908 e desde então a administra. A cevada local é comprada de um grupo de fazendeiros que fornece o produto para a cervejaria há muito tempo. Já os lúpulos vêm das tradicionais áreas produtoras alemãs. Um dos pontos altos de uma visita a Zeil é o restaurante e bar Göller, onde as várias cervejas da empresa podem ser degustadas. **WO**

Notas de degustação

De cor alaranjada e ligeiramente turva no copo. O aroma maltado é claro e tem a mesma intensidade no sabor. No paladar também há toques de pão fresco. O amargor do lúpulo não é exagerado e o final é picante.

Goose Island India Pale Ale

Goose Island Beer Company | www.gooseisland.com

País de origem Estados Unidos
Lançada em 1993
Teor alcoólico 5,9% vol.
Temperatura ideal 10°-13°C

A Goose Island personifica todas as virtudes que os moradores do Meio-Oeste norte-americano gostam de ver em si mesmos: integridade, modéstia, disposição para o trabalho duro e para fazer muito com pouco. A Goose é sólida. Ela tem um pouco das cervejas clássicas, entre elas a IPA, mas a cervejaria produz bebidas realmente deslumbrantes também, como a Matilda e a Bourbon County Stout. Ano após ano, uma cerveja após outra, ela se supera sem muito alarde.

A Goose Island começou como um bar-cervejaria em 1987, administrado por John Hall, executivo de uma indústria de embalagens que queria fazer algo de interessante na sua vida. Seu filho Greg hoje trabalha como mestre cervejeiro e como divulgador de todas as coisas Goose. A IPA reflete perfeitamente a estrutura da empresa: é um belo exemplo de uma cerveja única e complicada. Ela usa apenas puro malte, amassado com uma simples infusão, e é produzida de modo semelhante ao das cervejas inglesas na qual se inspira. É uma prova da qualidade extraordinária do malte benfeito que só uma receita simples assim pode produzir com este tipo de profundidade. O aroma é criado por quatro lúpulos: Styrian Golding, Fuggle e Cascade e depois a mistura recebe o Centennial para um aroma lupulado intenso e fresco. A levedura é de uma variedade inglesa utilizada por mais de 200 lotes antes de ser reposta. Como resultado, ela cria um caráter único, e é a força por trás da produção de ale da Goose Island.

A cerveja combina com a ideia inglesa de que uma cerveja é para ser bebida, não para ser degustada. "Queríamos mais do que uma IPA ao estilo inglês", afirma Greg Hall. "Não somos contra o lúpulo, como alguns críticos cervejeiros dizem. Queremos criar uma cerveja equilibrada e palatável." **RM**

Notas de degustação

Aroma cheio de lúpulos florais e condimentados, com um pouco de resina e algumas notas levemente maltadas. A Goose Island India Pale Ale é doce e maltada no sabor, que adquire um tom sólido e amargo com o tempo. O final é amargo e maltado, novamente com um pouco mais de especiarias.

Gouden Carolus Hopsinjoor

Brouwerij Het Anker | www.hetanker.be

País de origem Bélgica
Lançada em 2008
Teor alcoólico 8% vol.
Temperatura ideal 9°C

Os cervejeiros belgas são espertos. Não passou despercebido o fato de, nos últimos anos, as cervejas lupuladas ganharem popularidade, tanto na própria Bélgica quanto em outros países. Isto, claro, levou vários produtores (para começar, pense na Houblon da Achouffe) a lançarem cervejas nas quais os lúpulos alteram o sabor. A Gouden Carolus Hopsinjoor é uma destas criações, fabricada numa cervejaria que já possuía várias cervejas maltadas e muito complexas.

A Het Anker ocupa um dos mais antigos centros produtores de cerveja da Bélgica, com registros de atividade em Mechelen que remontam a 1369. Na verdade, boa parte da complexidade da Het Anker pode ser atribuída a um museu a céu aberto. A cidade é um patrimônio da Humanidade e vários dos seus prédios datam do século 14. A cervejaria tem belas instalações de cobre de 1947 e abriga a réplica de um bar localizado sobre a central produtora.

Quando Charles Leclef comprou a cervejaria, em 1998, as coisas não estavam indo muito bem. As vendas e a produção haviam caído nas últimas décadas e a empresa precisava de instalações mais modernas. Desde então, Leclef esteve à frente do renascimento da Het Anker, que hoje produz mais de um milhão de litros de cerveja por ano. A empresa também exporta para 25 países – aproximadamente 65% da produção belga é vendida para o mercado internacional. A qualidade e a consistência da bebida são fatores fundamentais.

O nome "Hopsinjoor" é um trocadilho. Vários lúpulos (*hop*) são usados na cerveja (Golding, Hallertau, Saaz, Spalt), mas Op Sinjoorke também é o nome de um divertido vagabundo supostamente ligado à história de Mechelen. **CC**

Notas de degustação

Cor amarelada e turva, com um sólido colarinho. O aroma é temperado, marcado pela levedura e por ervas, com uma boa presença dos lúpulos. O sabor é frutado e condimentado, com um pouco de malte doce e um bom amargor lupulado que combina bem com os demais sabores.

Grolsch

Grolsch Premium Pilsner

Koninklijke Grolsch | www.grolsch.nl

País de origem Holanda
Lançada em 1897
Teor alcoólico 5% vol.
Temperatura ideal 7°C

A Grolsch Premium Pilsner é popular entre os especialistas porque, apesar de ser uma pilsen de massa, ela não é pasteurizada e passa por um processo de fermentação que dura dez semanas, o que lhe dá mais credibilidade (e sabor) do que as concorrentes.

Ela é produzida na cidade de Enschede, embora leve o nome da cidadezinha holandesa de Grol. A cervejaria surgiu no século 17, usando o nome "de Klok" (o Relógio). Em 1897, a família fundadora a vendeu para a família Theo De Groen, e a utilização das garrafas de pressão, um ano mais tarde, sugere que os novos proprietários deram novo impulso ao negócio. A Bierbrouwerij de Klok usava gelo cortado dos canais locais durante o inverno para manter as cervejas refrigeradas em armazéns com isolamento térmico e distribuía a cerveja com cavalos e carroças. Em 1954, o sucesso da marca Grolsch fez com que a cervejaria mudasse seu nome para Grolsch Bierbrouwerij. Em 1995, em reconhecimento à sua longa história, a Grolsch recebeu permissão para incluir "Real" ao seu nome (tornando-se, assim, a Koninklijke Grolsch).

A Premium Pilsner usa uma variedade de levedura desenvolvida pela Grolsch há muito tempo e é feita com cevada europeia de primavera, um pouco de milho e lúpulos Hallertau e Saaz. A cerveja também é produzida, sob licença, no Reino Unido. **RP**

Notas de degustação

No aroma, notas delicadas de lúpulo herbáceo. Leve carbonatação no sabor, bom corpo. Cereais leves e toques de lúpulo herbáceo e especiarias até o final amargo.

Gubernijos Ekstra

AB Gubernija | www.gubernija.lt

País de origem Lituânia
Lançada em 2001
Teor alcoólico 5,5% vol.
Temperatura ideal 8°C

Eles sabem tudo sobre a história da cervejaria Gubernija na cidade de Šiauliai, no norte da Lituânia. Ela tem a reputação de ser a mais antiga cervejaria do país, em atividade desde 1665, mas foi só no final do século 18 que o nome "Gubernija" passou a ser usado. Durante a Segunda Guerra Mundial, a história atropelou a cervejaria com consequências devastadoras, destruindo-a totalmente, apesar de ela ter sido reconstruída quando se firmou a paz.

Em meados dos anos 1990, a cervejaria foi privatizada e vendida, um processo que permitiu que muito mais investimentos fossem feitos em novas instalações e equipamentos. Foi uma época de grande transformação na indústria cervejeira lituana, quando as empresas começaram a gastar mais em publicidade e também na criação de novas cervejas. A Gubernijos Ekstra é deste período, uma cerveja ao estilo pale lager, palatável e refrescante. Malte claro e lúpulos aromáticos são usados na produção, juntamente com um pouco de milho, que a cervejaria diz ser essencial para o sabor e o corpo. Para uma verdadeira experiência lituana, beba esta cerveja com um prato de *Kepta Duona*, pão preto frito com um poderoso molho de maionese e alho. *Isveikata* (Saúde), como se diz na Lituânia. **ATJ**

Notas de degustação

Cor de palha. O aroma tem ligeiras notas maltadas com toques de flores. Arredondada e leve no sabor, com cereais adocicados e um toque de frutas.

← A Grolsch Premium Pilsner é internacionalmente conhecida por suas tampas de pressão únicas.

Guldenberg

Brouwerij de Ranke | www.deranke.be

País de origem Bélgica
Lançada em 1994
Teor alcoólico 8,5% vol.
Temperatura ideal 13°C

A Guldenberg não é uma tripel belga ao estilo trapista, e sim uma golden ale forte que indica o que as tripels poderiam ser. Na Bélgica atual, existe um pequeno, mas crescente, movimento de microcervejeiros que se opõem à moda antiga das ales especiais doces e condimentadas demais. Nino Bacelle e Guido Devos, da cervejaria De Ranke, estão na linha de frente desta corrente.

A doçura do malte da Guldenberg é relativamente amena, servindo de fundo para o amargor robusto dos lúpulos Hallertau, terrosos e herbáceos. Os produtores acrescentam mais lúpulo na fermentação com o processo de *dry hopping*, a fim de aumentar o aroma e o sabor. Os sabores de ervas e condimentos se devem ao lúpulo e à levedura, e não aos ingredientes geralmente reservados ao mosto. A cerveja pode ser encontrada em barris e garrafas. Seu sabor lupulado é mais bem apreciado no barril, mas a versão engarrafada é supostamente mais complexa. **JS**

Notas de degustação

Turva, de coloração dourado-alarajada, quase opaca. O aroma é lupulado e herbáceo. No paladar, uma doçura amena cercada por um amargor intenso, seco e terroso – e ainda mais seco no final.

Harvest Pale

Castle Rock Brewery | www.castlerockbrewery.co.uk

País de origem Inglaterra
Lançada em 2003
Teor alcoólico 4,3% vol.
Temperatura ideal 8°C

Chris Holmes durante muito tempo cultivou o desejo de ter sua própria cervejaria. A oportunidade surgiu no fim da década de 1990, quando seu bar firmou uma parceria com a antiga cervejaria Bramcote. O negócio recebeu o nome de Castle Rock, em homenagem ao Castelo de Nottingham, nos arredores.

A Harvest Pale se tornou o carro-chefe da empresa e hoje responde por cerca de 30% da produção total. Ela foi idealizada como uma cerveja especial para o festival cervejeiro da cidade em 2003. Mas a cerveja foi um sucessso imediato e rapidamente caiu no gosto dos apreciadores locais. Como era de se prever, a cerveja logo ganhou um lugar permanente no portfólio da empresa. Ela é feita com malte de grãos torrados e condimentados com uma mistura habilidosa de lúpulos norte-americanos. E recebeu vários prêmios, entre eles o de Melhor Cerveja Amarga do Reino Unido, em 2007. **JW**

Notas de degustação

Cerveja cor de palha com grande personalidade no aroma, com destaque para as frutas cítricas que ecoam no paladar com um ligeiro toque de caramelo. Corpo intenso e extremamente refrescante.

Haywards 5000

SABMiller | www.sabmiller.in

País de origem Índia
Lançada em 1983
Teor alcoólico 7% vol.
Temperatura ideal 7°- 9°C

A Índia pode estar indissoluvelmente ligada à IPA, mas hoje são poucos os apreciadores no subcontinente que ouviram falar disso. Os indianos nunca beberam este tipo de cerveja no seu auge. Quando a Índia conquistou sua independência, em 1947, o paladar da sociedade indiana havia se desenvolvido, nos últimos cinquenta anos, com base nos hábitos do Raj. Hoje o mercado cervejeiro indiano é um dos mais prósperos do mundo. Ele é totalmente composto por lagers, divididas entre cervejas mais fortes e mais amenas.

A Haywards 5000 lidera o mercado de lagers fortes. Produzida desde que a SABMiller assumiu a cervejaria Shaw, em 1983, ela é a única marca nacional num mercado extremamente regionalizado. Usando maltes indianos de qualidade e extrato de lúpulo alemão, o mosto em fermentação passa por um processo de "equilíbrio com éster" para garantir sua maciez e o agradável sabor residual raramente encontrado em lagers intensas. É a única lager deste tipo exportada para a Europa, Oriente Médio e Sudeste Asiático. **PB**

Notas de degustação

Mais escura do que a maioria das lagers, o doce maltado e as frutas presentes no aroma dão lugar a um corpo intenso e caramelado, com pouco amargor. O final ameno surge com um quê de queimação alcoólica.

Hereford Pale Ale

Wye Valley Brewery | www.wyevalleybrewery.co.uk

País de origem Inglaterra
Lançada em 1987
Teor alcoólico 4% vol.
Temperatura ideal 10°- 12°C

A época não parecia muito propícia quando Peter Amor fundou a cervejaria Wye Valley em 1985, com o intuito de criar algumas ales fantásticas, mas percebendo que seu público-alvo estava migrando aos montes para as lagers. Dois anos mais tarde, a cervejaria correu atrás de uma parcela deste mercado criando uma cerveja clara própria: a Hereford Pale Ale (HPA), feita apenas com malte claro. Um pouco do amargor dos lúpulos se deve à variedade Target, mas a maioria dos lúpulos utilizados – e todo o aroma posterior – se deve à variedade eslovena Styrian Golding: lúpulos que criam uma ale refrescante e notadamente floral.

Durante quinze anos, a HPA foi uma coadjuvante no porfólio da Wye Valley. Mas depois ela e o mercado entraram em sintonia e as ales claras começaram a ganhar prêmios em festivais por todo o Reino Unido. Sem alterações na empresa, as vendas da HPA começaram a aumentar e hoje ela é o maior sucesso da Wye Valley. **PB**

Notas de degustação

Clara como uma pilsen dourada. Destaque para o aroma cítrico e floral, que sugere um sabor saciante, com toques de toranja e limão, antes do final refrescante, duradouro e seco.

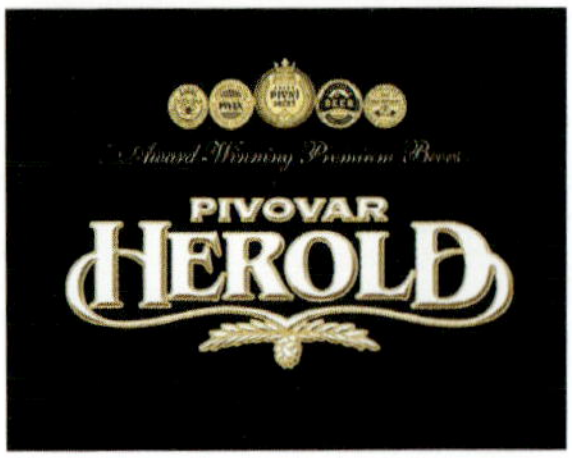

Herold Bohemian Blond

Pivovar Herold | www.pivovar-herold.cz

País de origem República Tcheca
Lançada em *ca.* 1860
Teor alcoólico 5,2% vol.
Temperatura ideal 7°C

O estilo pilsen conquistou o mundo com sua popularidade. Mas as versões produzidas na terra natal deste tipo de cerveja, a Boêmia, são bem diferentes das pilsens fabricadas em outros lugares. Um bom exemplo disso é a Herold Bohemian Blond Lager, produzida com 12 graus Plato e depois acondicionada a frio durante setenta dias. O malte é produzido pela própria cervejaria, usando cevada comprada nas fazendas próximas, o que talvez explique sua presença marcante no sabor da bebida. A água vem do próprio poço artesiano da empresa. A cerveja é filtrada com diatomácias e depois pasteurizada antes do envase.

O mestre cervejeiro František Pinkava diz que seu sucesso se deve a métodos tradicionais de decocção e aos tanques de fermentação abertos. Esta cerveja remonta a 1780, apesar de seu estilo indicar uma bebida mais jovem, da segunda metade do século 19. **ER**

Notas de degustação

Corpo maravilhosamente dourado, com aromas de lúpulos frescos, mel e frutas. Ênfase no malte terroso, equilibrado por um final refrescantemente lupulado. Sabor residual agradavelmente seco.

Hoegaarden Grand Cru

Brouwerij van Hoegaarden | www.hoegaarden.com

País de origem Bélgica
Lançada em *ca.* 1969
Teor alcoólico 8,5% vol.
Temperatura ideal 6°- 8°C

A Hoegaarden Grand Cru pertence à tradição das tripels, com influência das cervejas trapistas, que são fortes, claras e bastante lupuladas, mas também presta homenagem à sua companheira mais conhecida, feita com a mesma mistura de coentro e casca de laranja. Há, porém, uma importante diferença: a Hoegaarden Grand Cru não é uma cerveja de trigo. Não há trigo no mosto, apenas cevada maltada. Os lúpulos, reduzidos a condimentos no que diz respeito ao sabor, propiciam principalmente um equilíbrio amargo e características preservativas, deixando a outra influência marcante no sabor para a fermentação, que cria toques de frutas tropicais e características semelhantes à do uísque.

A Anheuser-Busch InBev divide sua parcela do mercado em três setores: marcas mundiais, marcas transnacionais e marcas nacionais. Infelizmente a Grand Cru não se encontra em nenhuma destas listas, por isso ela parece destinada a permanecer oculta – injustamente – por mais algum tempo. **JE**

Notas de degustação

De cor dourada, com um aroma condimentado e frutado e um sabor agridoce que mistura especiarias, melão, manga, pêssego e laranja, todos ressaltados por um ardor de uísque.

Hommelpap

Brasserie Ferme-Beck | www.fermebeck.com

País de origem França
Lançada em 1994
Teor alcoólico 7% vol.
Temperatura ideal 10°- 12°C

A Brasserie Ferme-Beck fica perto da cidade franco-flamenga de Ballieul. É uma cervejaria agrícola familiar na região das bières de garde. Ao se aproximar da fazenda, os lúpulos são um indício óbvio do que a propriedade cultiva. Eles se concentram nas variedades Challenger, Magnum, Nugget e Brewers Gold; a propriedade também cultiva cevada, usada para a produção de cerveja, ração animal e como cobertura para algumas construções. Até mesmo a água da cervejaria vem de um poço no terreno.

Ali, a produção de cerveja começou em 1994; a principal bebida fabricada é a lupulada Hommelpap (ou "suco de lúpulo"). Ela é engarrafada à mão e a cervejaria recomenda que seja degustada jovem para se apreciar seu caráter lupulado por completo. Visitar esse lugar é uma boa maneira de se mergulhar na essência da tradição das bières de garde. Há um bar sobre a cervejaria onde se pode degustar cervejas artesanais únicas. **ATJ**

Notas de degustação

Intensamente lupulada e com muita resina de lúpulo no aroma, além de um toque de toranja. É seca e espumante no sabor, com notas cítricas. O final é duradouro e amargo.

Hop-Head

Bend Brewing Company | www.bendbrewingco.com

País de origem Estados Unidos
Lançada em 2004
Teor alcoólico 8,7% vol.
Temperatura ideal 10°C

A Hop-Head surgiu depois que a cervejeira Tonya Cornett finalmente cedeu à vontade de um consumidor leal e produziu uma India Pale Ale imperial. "As IPAs imperiais estavam apenas começando a se propagar e o consumidor continuava me pedindo para fabricar uma", conta. Ela foi a um simpósio sobre a produção de IPAs e voltou para casa sentindo-se munida de conhecimento suficiente para finalmente produzir uma cerveja assim. "Eu tinha a técnica, mas não sabia quais lúpulos usar", afirma Cornett. "Por fim, acabou sendo um processo de eliminação – que lúpulos eu tinha para fazer esta cerveja?"

Os lúpulos Cascade e Nugget acabaram prevalecendo. A Hop-Head foi criada como uma cerveja especial, mas fez muito sucesso, recebeu vários prêmios e fez a felicidade de mais de um consumidor. Mas Cornett hesita quanto a tornar a Hop-Head uma cerveja de produção contínua, porque teme que isto a torne uma bebida menos especial. **LMo**

Notas de degustação

Lúpulos cítricos assumem a frente com um ligeiro equilíbrio maltado. Para uma IPA intensa, a Hop-Head é leve, com seu incomum final áspero e teor alcoólico modesto.

Hop Monkey IPA

Laurelwood Brewing Company | www.laurelwoodbrewpub.com

País de origem Estados Unidos
Lançada em 2008
Teor alcoólico 6% vol.
Temperatura ideal 9°C

A Hop Monkey IPA receberia o nome de "Cellarman", em homenagem às pessoas que trabalham nos cargos mais baixos das cervejarias. Mas o nome tinha de ser explicado demais para os leigos e ficou estranho no rótulo da garrafa. A Laurelwood, uma cervejaria orgânica originária de Portland, no Oregon, tem várias cervejas com nomes de animais, por isso os cervejeiros recorreram novamente à fauna para batizar esta IPA. "Na indústria cervejeira, os empregados nos cargos mais baixos geralmente são chamados de 'macacos de cerveja' ou 'macacos de barril'", afirma o mestre cervejeiro Chad Kennedy. "Recorremos a uma variação sobre este tema, com um aceno em direção à nossa afinidade com os lúpulos na produção de cerveja."

A Hop Monkey IPA foi criada numa reação ao gosto em alteração dos consumidores. Ela substituiu uma IPA mais antiga e uma pale ale e foi criada para atrair tanto os admiradores da IPA quanto os da pale ale. Sem querer produzir uma IPA de menor qualidade – principalmente nesta região produtora de lúpulo no Noroeste dos Estados Unidos –, os cervejeiros da Laurelwood criaram a Hop Monkey IPA como um complemento mais equilibrado à premiada Workhorse IPA, mais lupulada e que não é vendida em garrafas.

A cerveja é produzida com maltes claro e cristal e quatro variedades diferentes de lúpulos: Cascade, Centennial, Columbus e Ahtanum. A Hop Monkey também se utiliza do *hopback* da cervejaria para capturar todos os aromas e sabores dos lúpulos que geralmente se perdem durante a fervura. Se você estiver em Portland, pode comprar uma garrafa num dos dois bares que a cervejaria possui no aeroporto internacional da cidade. **LMo**

Notas de degustação

Notas cítricas e de pinho se destacam em meio a um equilíbrio pastoso na Hop Monkey IPA. O corpo é mais intenso do que o normal, com uma carbonatação exuberante e arredondada, criando uma cerveja equilibrada com um sabor lupulado intenso, mas não exagerado.

Hop Rocker

Mac's Brewery | www.macs.co.nz

País de origem Nova Zelândia
Lançada em 2006
Teor alcoólico 5% vol.
Temperatura ideal 2°- 4°C

Desde a sua garrafa riscada com tampa de anel até a fonte carregada e quase infantil usada nos rótulos, a Mac's Brewery sempre tentou fazer as coisas diferentes. Quando o ex-jogador de rúgbi Terry McCashin e sua esposa Bev abriram a cervejaria Nelson, em 1981, eles romperam o domínio das duas principais cervejarias neozelandesas, criando um portfólio de cervejas feitas de acordo com a Reinheitsgebot, a famosa Lei da Pureza alemã de 1516.

Na época, as principais cervejas do país eram cheias de corantes e adoçantes (algumas ainda são), mas as primeiras cervejas McCashin, a Mac's Gold (uma golden lager), a Black Mac (uma dark lager) e a Mac's Real Ale (uma mistura das duas), eram feitas com apenas quatro ingredientes: cevada maltada, lúpulos, levedura e água. Os neozelandeses abraçaram a ideia das chamadas cervejas "naturais", que logo atraíram seguidores. Elas ainda são consideradas bebidas extraordinárias – e por um bom motivo.

Apesar de a Mac's oferecer várias lagers mais palatáveis, bebidas como a Sassy Red, que acena em direção às melhores cervejas amargas inglesas; a Black Mac, uma cerveja tostada e preta; e a Great White, uma bebida refrescante de trigo ao estilo Hoegaarden, são apreciadas em todos os cantos por aqueles que buscam mais sabor e algo interessante no copo. O mestre cervejeiro da Mac's certa vez descreveu a Hop Rocker como "A pilsen do Novo Mundo" e ele tem um bom argumento. Duas variedades de lúpulos neozelandeses de sabor forte e aromático, o Nelson Sauvin e o Cascade, são responsáveis por um caráter de uva e frutas cítricas nesta interpretação local de um estilo clássico europeu de lager. **GG**

Notas de degustação

Corpo exuberante e dourado sob um colarinho branco brilhante. O aroma e o sabor exibem uma combinação da doçura do cereal maltado com notas de lúpulos cítricos e herbáceos. A intensa carbonatação, a aspereza e o final purificador fazem desta cerveja o acompanhamento ideal para patês ou peixe com batatas.

Houblon Chouffe

Brasserie d'Achouffe | www.achouffe.be

País de origem Bélgica
Lançada em 2006
Teor alcoólico 9% vol.
Temperatura ideal 6°- 10°C

Hoje em dia a Brasserie d'Achouffe, escondida no vilarejo da região das Ardenas com o mesmo nome, é uma subsidiária da cervejaria Duvel Moortgat e também um lugar histórico. Os fundadores e cunhados Pierre Gobron e Fleming Chris Bauweraerts começaram a produzir cerveja em 1982, quando a revolução das microcervejarias estava apenas começando. Apesar de Pierre ser um cervejeiro e técnico experiente, sempre disposto a procurar por algo melhor, Chris era um empresário nato – e bem-sucedido. Atualmente, ninguém na Bélgica ousaria dizer que a Brasserie d'Achouffe é uma microcervejaria. Tudo é uma herança do que antes se chamava Brasserie de la Vallée des Fées (Cervejaria do Vale das Fadas), um nome de inteira responsabilidade do importador norte-americano... aparentemente.

A Achouffe não só exporta muito para outros países como também a curiosidade dos fundadores nunca se restringiu às limitadas fronteiras belgas. Visitas aos Estados Unidos resultaram em colaborações não apenas com a subsidiária Ommegang da Duvel Moortgat, mas também com o carismático Garrett Oliver, da cervejaria Brooklyn. Não é de admirar que a IPA americana tenha atraído a imaginação (e o paladar) dos cervejeiros da Achouffe, e este foi o resultado.

Três lúpulos diferentes são usados na produção, que alcança 59 IBU (unidade internacional de amargor da cerveja). Levando em conta que algumas IPAs americanas têm 90 ou até 120 IBU, esta cerveja não chega nem perto das montanhas de lúpulo, mas ainda assim é bastante marcante. **JPa**

Notas de degustação

Coloração turva amarelada com um colarinho branco como claras em neve. Os lúpulos exalam aromas mais parecidos com os de uma bebida europeia do que os de uma norte-americana, e ainda há notas de tangerina seca. No sabor, um pouco de frutas cítricas, lúpulos secos e até mesmo pinho. Corpo oleoso e sabor residual seco, de médio a intenso.

Hue Beer

Hue Brewery | www.huda.com.vn

País de origem Vietnã
Lançada em 1994
Teor alcoólico 5% vol.
Temperatura ideal 8°- 12°C

Esta refrescante lager logo ganhou popularidade entre os fãs asiáticos e apreciadores que buscavam uma tripel seca e leve com a qual amenizar o calor de uma noite quente. A Hue foi um dos primeiros produtos exportados para os Estados Unidos depois do fim do embargo norte-americano de trinta anos aos produtos vietnamitas, imposto depois da Guerra do Vietnã. Ela foi muito bem recebida e hoje reúne fãs ao redor do mundo, atraídos pela leveza e pela doçura.

A cervejaria Hue foi fundada em 1990 para produzir cerveja local de alta qualidade. Ela foi criada por empresários locais, pelo Estado e por uma empresa subsidiária da cervejaria dinamarquesa Carlsberg. Um de seus primeiros produtos foi a Huda – o nome é uma contração de "Hue" e "Danish" ("dinamarquês"), em referência à sociedade na cervejaria. Hoje ela é a cerveja de maior sucesso na região central do Vietnã. A Hue foi lançada para exportação em 1994, coincidindo com o fim das restrições comerciais norte-americanas. O nome Hue foi escolhido porque a cervejaria sentiu que seria reconhecido como algo de origem vietnamita em mercados estrangeiros.

A Hue é feita com cevada, arroz, lúpulos e levedura. Os maltes e lúpulos são trazidos de fornecedores selecionados ao redor do mundo e passam por um rigoroso sistema de controle de qualidade. A água usada na produção vem do rio Perfume, alimentado por duas fontes naturais e assim chamado numa referência às plantas aromáticas medicinais e flores que crescem às suas margens. Se você gosta de comida vietnamita, a Hue é o acompanhamento perfeito. Ela é igualmente boa sozinha e uma ótima cerveja para se beber numa agradável tarde de sol. **JM**

Notas de degustação

De cor amarela translúcida e ostentando um fino colarinho branco, a Hue tem um ligeiro aroma lupulado, com toques de farinha de arroz e milho. É leve e ligeiramente adocicada, com corpo médio, toques de palha e maltes leves e um final lupulado macio.

Irie

Almond '22 | www.birraalmond.com

País de origem Itália
Lançada em 2004
Teor alcoólico 5% vol.
Temperatura ideal 8°C

Para Jurij Ferri, a melhor parte do processo de fabricação de cerveja é a criação de uma nova ideia. Sentado a sua mesa, ele adora pensar em ingredientes diferentes e imaginar como eles se combinarão e serão usados. Como um aprendiz de feiticeiro, Ferri primeiro imagina a cerveja e depois começa a produzi-la, sem lotes reduzidos e sem testes quantitativos. Isto significa que há toda uma variedade de cervejas (nove neste momento), e todas compartilham do mesmo estilo da Almond '22.

O malte e os lúpulos obviamente servem como espinha dorsal para as cervejas Almond '22, mas, ao que parece, Ferri também gosta de brincar com ervas, especiarias e mel. Muitas de suas cervejas levam ingredientes incomuns. A Blanche de Valerie, por exemplo, recebe pimenta-do-reino Sarawak, cultivada em Bornéu. A Irie é uma espécie de paradigma neste tipo de cerveja. Ela usa apenas malte Pilsen, com lúpulos Saaz e Fuggle no primeiro estágio; o lúpulo Saaz é novamente acrescentado para dar mais aroma. Tudo isto é muito simples, mas é então que a imaginação do cervejeiro realmente se mostra: coentro, casca de laranja doce e amarga, flores de laranja e botões de rosa são acrescentados à mistura.

A cerveja descansa por sessenta dias (cinquenta para a segunda fermentação e a maturação na garrafa), o que resulta numa ale elegante e encantadora, sem pasteurização nem filtragem, uma típica cerveja da Almond '22. Ela é ideal para um piquenique com focaccia e presunto de Parma ou talvez com massa e aspargos, um corte de carne tipicamente milanês ou ainda legumes fritos na manteiga. **MM**

Notas de degustação

Dourado-clara e opaca com um colarinho firme e espesso. Aroma muito elegante, marcado por notas cítricas, coentro e pétalas de rosa. Seca e agradável no paladar, de belo final duradouro, com referências ao aroma floral do início. Uma cerveja verdadeiramente refrescante.

Jacobsen Saaz Blonde

Husbryggeriet Jacobsen | www.jacobsenbryg.dk

País de origem Dinamarca
Lançada em 2005
Teor alcoólico 7,1% vol.
Temperatura ideal 5°-7°C

Há algo de empolgante na Husbryggeriet Jacobsen, e não apenas sua interessante variedade de cervejas especiais, entre elas uma cerveja de trigo com sabor de maçã, a Bramley Wit (não mais produzida), assim como a Jacobsen Saaz Blonde. É, na verdade, o fato de uma gigante global como a Carlsberg – atualmente uma das quatro maiores cervejarias do mundo – ainda dedicar um pouco de sua energia às experiências.

Tais experimentos são supervisionados pelo mestre cervejeiro Jens Eiken na central produtora de cervejas-piloto em Valby, Copenhague. Assim como a Bramley Wit, esta cerveja também é uma criação do ex-mestre cervejeiro Morten Ibsen. É uma blonde ale ao estilo belga cujo nome é uma referência ao incrível lúpulo tcheco Saaz. Este lúpulo exala um conhecido aroma de ervas e pinheiros. Extratos de angélica, também conhecida como "ginseng nórdico", acrescentam um notável amargor herbáceo que complementa o sabor frutado da levedura. A cor exuberante é típica das cervejas claras belgas e vem do uso do malte Pilsen e de um pouco de caramelo maltado como adoçante. O resultado é uma deliciosa cerveja clara frutada que funciona como uma bela alternativa ao vinho branco como aperitivo.

Como todos os escandinavos, os dinamarqueses adoram beber cerveja com comida, um hábito que deveria se espalhar para outras partes do mundo. Todas as cervejas Jacobsen vêm em garrafas grandes que podem ser divididas no almoço e no jantar. O formato da garrafa foi inspirado no antigo farol de Carlsberg, perto da velha entrada da cervejaria, construído para celebrar a instalação da iluminação elétrica na região, em 1883. **ST**

Notas de degustação

Aroma de fruta tropical com um toque de pinheiro, seguido por um sabor seco e intenso e um pouco de amargor semelhante ao do cravo. Corpo intenso e suave, muito palatável por sua força. Experimente-a com vieiras ou pratos à base de peixe.

James Boag's Premium Lager

James Boag & Son | www.boags.com.au

País de origem Austrália
Lançada em 1994
Teor alcoólico 5% vol.
Temperatura ideal 4°C

Em 1999, as manchetes nos jornais australianos expressavam a fúria de um país diante dos comentários do mais famoso escritor sobre cervejas do mundo, Michael Jackson. Não para atrair mais ira, mais tarde o sr. Jackson acrescentou, numa degustação de cervejas, que os australianos tinham um apreço especial por "cerveja bem gelada e sem gosto, talvez mais gelada e mais sem gosto do que as mais geladas e sem gosto das cervejas norte-americanas".

Apesar de os comentários terem um quê de verdade, Philip Adkins, na época o principal acionista e executivo-chefe da James Boag & Son (uma empresa norte-americana), saiu em defesa do país e acusou publicamente o sr. Jackson de não ter o olfato e o paladar apurados para compreender o que estava bebendo. Jackson reagiu afirmando que havia recentemente elogiado a Premium Lager da empresa numa degustação e que o próprio Adkins estava se levando a sério demais e que, de qualquer modo, a crítica era correta.

Adkins ficou revoltado porque sentiu que o carro-chefe da sua cervejaria estava sendo estigmatizado. Ele era um banqueiro internacional muito bem-sucedido que comprou 10% da James Boag & Son em 1992; em 1994, ele se pôs a criar uma lager de alta qualidade. Para isso, reuniu uma equipe de juízes especializados e lhes perguntou que características consideravam mais importantes numa degustação. Ele trabalhou com as informações que obteve a fim de criar uma cerveja que se adequasse aos critérios. O resultado foi a James Boag's Premium Lager. Ela continua sendo vendida mundialmente e é um exemplo da alta qualidade das cervejas consumidas pelos australianos. **DD**

Notas de degustação

Esta golden lager exala um aroma adocicado dos lúpulos que reluzem sob um vibrante colarinho branco. Ao aroma se segue um sabor puro e simples e um final seco. Esta cerveja refrescante é perfeita como acompanhamento do churrasco com alguns amigos.

James Squire Pilsener

Malt Shovel Brewery | www.malt-shovel.com.au

País de origem Austrália
Lançada em 2000
Teor alcoólico 5% vol.
Temperatura ideal 4°- 7°C

Devido ao seu clima, é natural que os australianos prefiram uma lager bem gelada. A lager foi produzida e promovida na Austrália pela primeira vez, e em grande escala, pelos irmãos norte-americanos Foster em 1888, cem anos depois do surgimento de uma colônia em Nova Gales do Sul. Apesar de haver muito debate entre os cervejeiros quanto à preferência por este novo estilo de cerveja, depois de quarenta anos o operariado australiano havia adotado a bebida como seu novo amor e, exceto pela stout, porter ou ale, a transformação foi completa.

Seria justo afirmar, contudo, que as cervejas que se estabeleceram neste período ficaram mais conhecidas por serem refrescantes do que pelos aromas clássicos e pelo corpo delicado associado às pilsens nas quais se baseiam. Apesar do surgimento de uma importante cultura cervejeira, durante muito tempo a variedade e a qualidade das cervejas australianas eram horríveis. Tudo começou a mudar na década de 1980, depois que as microcervejarias desafiaram o público a pensar mais no sabor e menos no volume e na temperatura. O austro-americano Chuck Hahn esteve na vanguarda deste movimento, encantando o público australiano com sua primeira lager premium em 1988.

Hahn provavelmente fez mais para educar os australianos sobre a cerveja do que qualquer outra pessoa na história do país. Pode-se dizer que a maioria das primeiras experiências dos australianos com cervejas especiais se deva a uma de suas criações. A James Squire Pilsener é um bom começo, por ser simples e ao mesmo tempo um ótimo exemplo do estilo de cerveja mais competitivo do mundo. **DD**

Notas de degustação

De corpo exuberantemente dourado, esta cerveja exala aromas condimentados e florais antes do recompensador sabor áspero e do final seco e amargo. A James Squire Pilsener pode ser degustada com ostras, mas também é excelente como acompanhamento do tradicional churrasco australiano.

Jenlain Blonde

Brasserie Duyck | www.duyck.com

País de origem França
Lançada em 2005
Teor alcoólico 7,5% vol.
Temperatura ideal 6°-8°C

A ideia comumente aceita sobre as bières de garde do norte da França é a de que são maltosas e de cor âmbar, mas uma viagem de degustação pela região revelará vários tons diferentes, incluindo os mais claros. Isto talvez seja influência das tripels belgas ou das golden ales do norte, ou até mesmo o efeito do que é geralmente visto como a preferência do consumidor por uma bebida de cor mais amena no copo (daí o sucesso das lagers).

Talvez fosse isto o que a Brasserie Duyck tivesse em mente em 2005, ao criar a Jenlain Blonde Bière de Garde (apesar de ter lançado a hoje extinta golden ale Sebourg em 1993, batizada em referência a uma vila próxima que tinha tradição na produção de bières de garde claras). Ou então ela tenha percebido o sucesso das concorrentes mais ao norte, como a 3 Monts e a Cuvée des Jonquilles, e achado que era hora de lançar uma cerveja clara (a Sebourg tinha apenas 6% vol., em comparação com os 7,5% vol. comuns a muitas cervejas da região). Seja qual tenha sido o motivo, esta nova bebida no portfólio da Duyck foi um sucesso imediato, recebendo vários prêmios depois de lançada.

Assim como sua irmã mais escura, a cerveja clara também é "guardada" deitada por quarenta dias em enormes tanques de maturação que são uma das características da cervejaria. A temperatura é mantida baixa durante este tempo e parte da cerveja é embalada em garrafas de champanhe, com rolha e arame. Para saborear uma verdadeira bière de garde, experimente-a no bar em Jenlain, na estrada próxima à cervejaria, ou talvez num café na cidade de Lille. **ATJ**

Notas de degustação

Dourada no copo. Aroma fresco e frutado, com toques de limão. O sabor reverbera com um toque ligeiramente adocicado e notas cítricas, seguidas por toques de caramelo. O final é marcado pelo sabor de limão, além de cereais e um quê de lúpulo condimentado duradouro.

Jennas

Birra Ichnusa | www.birraichnusa.it

País de origem Itália
Lançada em 2006
Teor alcoólico 4,9% vol.
Temperatura ideal 3°C

No dialeto da Sardenha, uma língua bem diferente do italiano, Jennas significa "porta". De certo modo, você poderia dizer que as cervejas da Birra Ichnusa são portas para uma bela ilha, uma espécie de entrada para o modo de vida local, cujo costume é dividir a cerveja entre amigos, como se faz na maior parte da Itália.

Amsicora Capra fundou a Birra Ichnusa em 1912, perto de Cagliari. Ele era um respeitado empresário do ramo de entretenimento e também estava envolvido com a produção de vinho. Graças a seus talento e experiência, em pouco tempo a cervejaria fez sucesso no mercado regional. Este sucesso permaneceu constante e as cervejas da Ichnusa são populares entre os sardos e os milhares de turistas que visitam a ilha todos os anos. Mesmo depois de 1986, quando a Heineken Italia comprou a empresa, a Ichnusa continuou um selo regional que ainda conta com grande apelo na região.

A cervejaria hoje produz três bebidas, todas lagers de baixa fermentação: a Ichnusa clássica, a Ichnusa Speciale, mais forte, e a Jennas. No momento, a Jennas é a única cerveja não pasteurizada produzida por uma grande indústria cervejeira. Fora da Sardenha, você pode encontrá-la apenas em uns poucos bares.

A Jennas é feita com malte claro e lúpulos Saaz. A microfiltragem é uma técnica especial que confere caráter à cerveja e resulta numa lager fresca e honesta, com um belo e delicado aroma lupulado, e verdadeiramente refrescante. Ela é definitivamente uma cerveja para ser degustada sozinha, uma bebida cotidiana, mas na Sardenha também é um bom acompanhamento para a culinária local ou pizza. **MM**

Notas de degustação

De cor dourada brilhante, com um colarinho espesso e branco. Aroma delicado de lúpulos frescos e, depois de algum tempo, um quê de frutas, mel e malte. Com um corpo leve e refrescante, a Jennas cria um belo final não muito duradouro. Muito agradável para ser bebida numa tarde ensolarada.

Jever Pilsener

Friesisches Brauhaus zu Jever | www.jever.de

País de origem Alemanha
Lançada em 1934
Teor alcoólico 4,9% vol.
Temperatura ideal 7°C

Para os apreciadores acostumados às pilsens mais leves e simples do restante da Alemanha, esta cerveja popular da região da Frísia, no norte do país, geralmente surge como uma surpresa: ela é seca e amarga de um modo como poucas lagers alemãs o são. Por isso a Jever gerou um culto de seguidores e uma enorme base de fãs incomuns nas cervejarias que fazem parte do grande mundo cervejeiro.

A cervejaria tem uma história registrada desde 1848, na cidade de Jever. Em 1867, o fundador morreu e seu filho vendeu a empresa. O segundo proprietário foi sucedido por seu filho, que acabou morto na Primeira Guerra Mundial. Pouco depois da guerra, a cervejaria foi novamente vendida, desta vez para a Hamburger Bavaria-St. Pauli-Brauerei. Em 1934, a empresa entrou num período de relativa tranquilidade e seus produtos se tornaram conhecidos para além da região onde fica a sede da indústria. Desde 1994, ela foi vendida mais duas vezes e hoje pertence ao Radeberger Gruppe.

Em 1887, uma fonte natural foi encontrada perto da cervejaria; esta água passou a ser a origem de todas as cervejas Jever. Nos anos seguintes à Segunda Guerra Mundial, a cerveja mais popular da empresa foi a Jever Export. A partir da década de 1960, contudo, a Jever Pilsener começou a ganhar popularidade e a vender mais, acabando por superar a Export e a relegando ao limbo da história da cerveja.

A Jever Pilsener é feita com malte claro e lúpulos Hallertau e Tettnang. Ela fica acondicionada por três meses e é o carro-chefe da cervejaria, que tem como outras cervejas uma pilsen não alcoólica, uma cerveja pré-misturada com limão e uma dunkel. **RP**

Notas de degustação

De coloração dourada, esta cerveja se assenta sob um colarinho esbranquiçado. O aroma é lupulado e de cereais maltados. O amargor acentuado é imediatamente notável no sabor, mas é também bem equilibrado contra o malte áspero e seco. Apesar do sabor residual seco e amargo, os apreciadores devem saborear mais um gole.

JHB

Oakham Ales | www.oakhamales.com

País de origem Inglaterra
Lançada em 1993
Teor alcoólico 4,2% vol.
Temperatura ideal 11°C

A moda mais importante a afetar a indústria cervejeira britânica recentemente talvez tenha sido o surgimento da golden ale. Num país onde as cervejas escuras são há séculos as melhores, a chegada das cervejas claras possibilitou uma mudança bem-vinda, e hoje é raro encontrar uma cervejaria na ilha que não tenha uma opção mais leve no cardápio.

Um dos rótulos de maior sucesso desta nova geração de cervejas refrescantes e claras vem de Cambridgeshire. A principal cerveja da Oakham, de Peterborough, é uma golden ale premiada geralmente conhecida por suas iniciais, JHB. Seu nome completo é Jeffrey Hudson Bitter. O sr. Hudson era um cortesão do século 17 e um dos preferidos do rei Charles I e da rainha Henrietta Maria. O que os monarcas gostavam em Hudson era o fato de ele ser um anão (as primeiras impressões são muito importantes e Hudson surgiu com um estrondo, saltando de dentro de uma torta). Ele se tornou companheiro real e lutou ao lado dos monarquistas durante a Guerra Civil inglesa.

A cerveja batizada em homenagem a Hudson é produzida com malte Maris Otter, além de trigo maltado no tonel de fervura. O tempero é responsabilidade do lúpulo Mount Hood, dos Estados Unidos, e do lúpulo inglês Challenger, que contribuem, cada qual a seu modo, para o caráter condimentado e azedo da cerveja. O fato de a JHB ter ganhado o primeiro prêmio no Campeonato Britânico das Real Ales, em 2001, é uma prova de sua qualidade e da crescente popularidade das golden ales no Reino Unido. **JE**

Notas de degustação

Pale ale cor de palha, lupulada e amarga, com abundância de especiarias, pimentas, toranjas e tangerinas tanto no aroma agradável quando no sabor espumante. Os lúpulos frutados continuam a trabalhar no final seco, amargo e duradouro.

Jihlavský Grand

Pivovar Jihlava | www.pivovar-jihlava.cz

País de origem República Tcheca
Lançada em 2001
Teor alcoólico 8% vol.
Temperatura ideal 7°C

Localizada nas colinas arborizadas da fronteira entre a Boêmia e a Morávia, bem no centro da República Tcheca, a cidade de Jihlava tem uma história de produção de cerveja que remonta ao ano de 1348. Ela era famosa como o centro cervejeiro da Idade Média.

A produção de cerveja atual data de 1860. Inspirada nas cervejas fortes do auge da exploração de prata na cidade, na Idade Média, a Jihlavský Grand foi criada pelo mestre cervejeiro e ex-proprietário da cervejaria Jan Kylberger em 2001. Ela é fermentada em modernos tanques cilindrocônicos, alcançando 18 graus Plato, densidade comum nas dark lagers tchecas, apesar de sua coloração alaranjada ser mais próxima da de uma Maibock alemã. Ela é acondicionada a frio por pelo menos sessenta dias, às vezes mais.

A K. Brewery Trade comprou a cervejaria Jihlava em 2008. Ela continua notável por suas pale e dark lagers, que, sob a marca Ježek, são vendidas para o mundo todo. **ER**

Notas de degustação

Um belo acompanhamento para refeições picantes e com curry, esta lager incomum tem boa carbonatação. Procure por condimentos no aroma, com um corpo adocicado e intenso, seguido por um final seco.

Jubiler

Pivovar Vyškov | www.pivovyskov.cz

País de origem República Tcheca
Lançada em 2004
Teor alcoólico 7,5% vol.
Temperatura ideal 8°C

Uma das últimas cervejarias estatais da República Tcheca, a Pivovar Vyškov fica na região vinicultora do sul da Morávia, não muito longe da fronteira com a Áustria e a Eslováquia. Esta cerveja única tem pouca visibilidade fora da sua região; ela quase nunca é encontrada em barris em Praga e as exportações são mínimas.

Criada pelo mestre cervejeiro Dušan Táborský para celebrar o 325º aniversário de fundação da empresa, a densidade original da Jubiler é de 16,8 graus Plato, o que a situa entre uma Maibock alemã e uma Doppelbock. Ao contrário da maioria das cervejas bock, contudo, esta lager morávia tem uma notável presença do lúpulo Saaz que equilibra seu corpo adocicado de malte Haná, o que se deve, acredita-se, a uma mistura com a pale lager da empresa, a Generál. A Jubiler é acondicionada por mais de três meses e envelhece bem na garrafa, o que ameniza a intensidade do lúpulo. **ER**

Notas de degustação

Mal se percebe o álcool, o que a torna uma cerveja muito palatável, apesar do corpo mais intenso do que era de se esperar de uma cerveja dourado-escura. Espere um forte amargor lupulado no final, com um aroma picante.

Juniper Pale Ale

Rogue Ales | www.rogue.com

País de origem Estados Unidos
Lançada em 2001
Teor alcoólico 5,3% vol.
Temperatura ideal 10°C

A Juniper Pale Ale foi lançada para comemorar os Jogos Olímpicos de Inverno de 2002 realizados em Salt Lake City, Utah. Esta pale ale é feita com junípero, mesmo fruto usado na fabricação de gim. A Rogue Ales na verdade também opera uma destilaria de gim na fábrica de Newport, no Oregon. O mestre cervejeiro John Maier gostou da ideia de acrescentar os frutos produzidos no estado de origem da empresa.

Esta cerveja de inverno é considerada a bebida perfeita para o jantar de Ação de Graças. "Os juníperos criam um final seco e condimentado que é um belo acompanhamento para o sabor relativamente neutro da maior parte dos pratos à base de peru", afirma Brett Joyce, presidente da Rogue.

A Rogue chama suas cervejarias, destilarias, bares, admiradores e funcionários de "Nação Rogue". Em 2007, o peru foi escolhido como a ave oficial da Nação Rogue. Para expressar isto, a ale é dedicada, em todos os rótulos, ao "peru que existe dentro de cada um de nós". **LMo**

Notas de degustação

De cor amarelo-dourada. No aroma, fresca, herbácea e frutada, com toques de caramelo. Corpo maltoso intenso, equilibrado por notas de pimenta e frutas cítricas. Final seco e agridoce.

Karlovačko Svijetlo Pivo

Karlovačka Pivovara | www.karlovacko.hr

País de origem Croácia
Lançada em 1854
Teor alcoólico 5,4% vol.
Temperatura ideal 4°- 6°C

A Croácia já foi terra do vinho, mas hoje é mais provável que você encontre pessoas admirando uma caneca de cerveja do que estudando uma carta de vinhos. Não se pode deixar de pensar que tenham sido as cervejas croatas, como a Karlovačko, que ajudaram a pôr um fim no reinado da uva. Localizada na cidade de Karlovač, que fica entre quatro rios, a cervejaria se aproveita da abundância de fontes minerais da região para obter a água de alta qualidade usada nas suas cervejas.

A princípio, a bebida produzida na cervejaria Karlovačka era feita apenas para os altos escalões do exército, mas na virada do século 20 a empresa foi modernizada e a produção aumentou. O homem por trás desta estabilização na qualidade da cerveja, que possibilitou um aumento na produção, foi o austríaco Vilim Wambrechtshamer. Suas técnicas foram muito bem-sucedidas. Hoje, a Karlovačka é a segunda maior cervejaria croata e foi comprada pela Heineken em 2003. **JM**

Notas de degustação

Pilsen simples e marcante, com um aroma maltado doce e notas de lúpulos florais. No sabor, cereais maltados e lúpulos picantes que equilibram os sabores adocicados e amanteigados. Sabor residual amargo e lupulado.

Kasteel Cru

Brasserie de Licorne | www.kasteelcru.co.uk

País de origem França
Lançada em 2001
Teor alcoólico 5,2% vol.
Temperatura ideal 7°C

A Kasteel Cru é produzida pela Brasserie de Licorne (Cervejaria Unicórnio) na cidade de Saverne, na Alsácia, França, uma região onde o modo de produção alemão e a inspiração francesa se combinam muito bem. O malte leve e adocicado da cerveja vem da cevada de primavera local misturada à água dos montes Vosges. Lúpulos alemães Hallertau criam um amargor sutil, mas sem dúvida a *pièce-de-résistance* é a utilização da levedura de champanhe, que cria a acidez natural equilibrada e sem adstringência, com notáveis bolhas e uma espuma bem definida no copo. É a única cerveja deste estilo feita inteiramente na França e até mesmo sua garrafa é fabricada nas indústrias de Reims, no centro da região de Champagne. A cerveja foi lançada em 2001, depois que a empresa notou uma brecha no mercado para lagers especiais que atraíssem tanto mulheres quanto homens.

A Brasserie de Licorne foi fundada em 1845 e adquirida em 1989 pela Karlsbräu, da Alemanha, que modernizou completamente a indústria e os métodos de produção. Hoje, a cervejaria Coors é dona da empresa e, sob sua administração, a produção anual alcançou 100 milhões de litros, com um faturamento superior a 200 milhões de dólares.

A exuberante, alegre e fresca Kasteel Cru é perfeita como aperitivo – aquelas bolhas semelhantes à do champanhe abrem o apetite – e desce bem no verão, depois de um dia de trabalho. Ela acompanha refeições leves à base de carne – frango e porco –, ainda que uma lager exuberante assim também seja perfeita como acompanhamento para a maior parte dos peixes. **AG**

Notas de degustação

Delicada ao olhar, com uma aparência de palha e bolhas que sobem e formam um colarinho branco. O aroma é leve, com ligeiras notas de frutas. Seu corpo também é leve, com um equilíbrio entre o doce e o azedo, e um final seco e simples.

King Cobra

Cobra Beer | www.cobrabeer.com

País de origem Bélgica
Lançada em 2005
Teor alcoólico 8% vol.
Temperatura ideal 8°C

Uma lager indiana produzida na Polônia, engarrafada na Bélgica e vendida ao redor do mundo por uma empresa inglesa é uma mistura bem intrigante de fatores no lançamento de uma nova cerveja. A King Cobra é essencialmente uma versão mais forte e elegante da versão comum, a lager Cobra com teor aloólico de 5% vol., uma cerveja criada por Karan Bilimoria, filho de um general do exército indiano educado em Oxbridge, que percebeu a demanda que havia no mercado por uma cerveja "menos estufada", que servisse como acompanhamento para molhos picantes. A Cobra foi criada juntamente com um mestre cervejeiro tcheco e produzida pela primeira vez na Índia para ser exportada para o Reino Unido. Mais tarde a produção foi transferida para Charles Wells, em Bedford, na Inglaterra, mas a cerveja voltou a ser produzida na Índia e hoje também é fabricada em todo o mundo.

A princípio, a King Cobra era produzida na Brouwar Belgia, um braço da cervejaria polonesa Palm. Depois da primeira fermentação, ela era enviada de caminhão para Rodenbach, na Bélgica, para ser envasada em garrafas de champanhe. Hoje, tanto a produção quanto o envase são realizados em Rodenbach, criando uma cerveja que combina o cereal adocicado de uma lager asiática (arroz e milho, além de cevada) com frutas tropicais provenientes do processo de fermentação. Lúpulos alemães Hallertau acrescentam o amargor que a equilibra. A cerveja é engarrafada e, graças à adição de levedura belga da variedade usada pelos monges trapistas e às duas semanas de acondicionamento em temperaturas amenas na cervejaria antes da comercialização, ela passa por um segundo processo de fermentação na garrafa que lhe dá um toque a mais de carbonatação. A leveza deste processo ajuda a manter a cerveja viçosa e refrescante, apesar do teor alcoólico de 8% vol. **JE**

Notas de degustação

Cereais doces e melão no aroma, seguidos pelo sabor fresco e agridoce desta cerveja dourada que também oferece toques de pera. O lúpulo e o amargor ressaltam o final seco e quente, com frutas que se prolongam. Fácil de beber e bem carbonatada.

King Pilsner

King Brewery | www.kingbrewery.ca

País de origem Canadá
Lançada em 2002
Teor alcoólico 4,8% vol.
Temperatura ideal 5°C

Ao norte de Toronto, na região sul da província de Ontário, fica a pequena vila de Nobleton, parte do distrito de King. É num trecho desapercebido da estrada nos arredores do centro simples da cidade que você encontrará a cervejaria King, pertencente à terceira onda de cervejarias artesanais que surgiram na região na virada do século.

Prova de amor do ex-cervejeiro caseiro Phil DiFonzo, a King é um deleite para os tradicionalistas, produzindo apenas duas marcas, ambas lagers fabricadas de acordo com ingredientes selecionados e estilos controlados. Conhecido por seu perfeccionismo, DiFonzo cuida pessoalmente de praticamente todos os aspectos da operação: cronograma, manutenção e processo de produção, às vezes até mesmo distribuindo a cerveja.

Para sua primeira cerveja, DiFonzo queria uma bebida de um estilo que a província ainda não tivesse visto sendo produzida no país – a pilsen boêmia ao estilo tcheco. Para tanto, ele importou os ingredientes, conseguindo até mesmo um malte Pilsen especial, e fazendo experiências com a receita até que sentisse que tudo estava perfeito. No que é algo incomum neste mercado doméstico, ele até mesmo destila a água e depois a remineraliza para que se pareça com a água da cidade de Pilsen, onde o estilo desta cerveja nasceu no século 19.

Lançada como uma marca disponível apenas em barris, a King Pilsner passou a ser engarrafada pouco mais de um ano depois, acabando por se estabelecer no mercado da região da Grande Toronto. Ela é a preferida dos melhores restaurantes da região, geralmente como uma entre as poucas marcas por eles oferecidas. **SB**

Notas de degustação

Depois de um aroma inicial perfumado e quase floral, esta lager oferece uma saciante mistura bem equilibrada de malte ligeiramente amanteigado e lúpulos secos e firmes. Apesar do corpo semisseco, ela termina com um saboroso toque de amargor quase terroso.

Kirin Ichiban

Kirin Brewery | www.kirin.com

País de origem Japão
Lançada em 1990
Teor alcoólico 5% vol.
Temperatura ideal 3°- 5°C

A Kirin Ichiban Shibori ostenta uma fama única, uma fama contestada pela maioria das cervejarias mundo afora. Ela é, dizem os cervejeiros, a cerveja de produção mais cara do mundo. Ao contrário de outras cervejas que recebem água no mosto para extrair açúcares fermentáveis, a Kirin Ichiban deixa esta prática de lado. Ao contrário, faz-se apenas uma drenagem do mosto na mistura. Este mosto deveria conter taninos menos amargos, supostamente resultando numa cerveja amena e macia no sabor.

Este processo de produção é fundamental para a publicidade da marca no Japão. A tradução literal de Ichiban Shibori é "primeira prensagem". Este processo resulta numa perda considerável de extrato fermentável, cerca de 15 ou 20% a menos do que o obtido com a técnica comum de borrifagem. Como a Kirin Ichiban não alcança um preço muito mais alto em comparação com suas concorrentes superpremium borrifadas, é necessário um comprometimento muito grande da cervejaria Kirin para manter o processo.

A mistura da Ichiban é feita principalmente com cevada maltada. Para ser considerada uma cerveja no Japão, graças ao absurdo sistema de taxação do país, baseado na composição da matéria-prima, a cevada maltada deve compor mais de dois terços do mosto. Ainda se acrescentam arroz e milho. Entre os lúpulos usados estão o Saaz da República Tcheca e três variedades da região alemã de Hallertau. Se o processo mais caro resulta numa cerveja mais saborosa? Só há um modo de ter certeza. **LN**

Notas de degustação

Cor de palha e ligeiramente turva. O aroma contém notas de lúpulos cítricos e maçã verde. A vigorosa carbonatação cria um colarinho branco firme e espumante. A Ichiban ostenta um corpo cremoso e é uma cerveja para ser saboreada sem pressa.

Kiwanda Cream Ale

Pelican Pub & Brewery | www.pelicanbrewery.com

País de origem Estados Unidos
Lançada em 1996
Teor alcoólico 5,2% vol.
Temperatura ideal 7°C

A Pelican Pub & Brewery ainda estava na fase de planejamento e o mestre cervejeiro Darron Welch tentava decidir o que deveria produzir como a cerveja mais leve vendida no estabelecimento. Ele se lembrou das ales cremosas do século 19, que, em essência, eram uma resposta dos fabricantes americanos de ales ao novo influxo de lagers que estavam sendo fabricadas por inúmeros cervejeiros germano-americanos que se estabeleceram nos Estados Unidos. De acordo com suas estimativas, elas eram como "ales pilsen americanas pré-Lei Seca, com um período de baixa fermentação acrescentado ao tempo de maturação pós-fermentação, o que lhes dava características de uma pilsen". Welch adorou a ideia de produzir uma cerveja híbrida e também um dos poucos "estilos de cerveja historicamente norte-americanos".

A Kiwanda Cream Ale foi batizada em homenagem à Reserva Estadual do Cabo Kiwanda, que fica na mesma cidade do bar-cervejaria, Pacific City, no Oregon. A cerveja ganhou vários prêmios, inclusive três medalhas de ouro no Grande Festival Americano da Cerveja, além de uma medalha de ouro e de prata da Copa do Mundo da Cerveja. Tanto sucesso ajudou a jogar um holofote sobre a Pelican; ela foi considerada o Bar-Cervejaria do Ano no festival três vezes seguidas – a única a conseguir tal feito.

A Kiwanda Cream Ale é, na verdade, uma cerveja de lúpulo único, usando apenas o Mount Hood na mistura, mas isto é feito apenas para dar um caráter distinto ao aroma, sabor e amargor que a bebida pede. Três maltes são usados: o claro, o Carapils e o de cevada em flocos. O resultado é uma cerveja rara: leve na cor e no corpo, mas de sabor, textura e caráter intensos. **JB**

Notas de degustação

A Kiwanda Cream Ale exibe um tom dourado brilhante e um colarinho branco espumoso. O aroma é marcado pelas frutas e flores. No paladar, cremosa no começo e muito refrescante, com sabores claramente maltados, equilibrados por lúpulos frutados. É efervescente, com um final doce.

Knappstein Reserve Lager

Knappstein Enterprise Brewery | www.knappstein.com.au

País de origem Austrália
Lançada em 2006
Teor alcoólico 5,6% vol.
Temperatura ideal 8°C

Apesar de os legisladores australianos jamais terem proibido a venda de cerveja, a Primeira Guerra Mundial e a agitação dos movimentos moralistas instituíram o fechamento dos bares locais às seis horas da tarde na maioria dos estados australianos. As justificativas iam desde o apoio ao esforço de guerra até a melhoria da moral pública. Apesar de ser duvidoso que tais objetivos tenham sido alcançados, as leis resultaram no crescimento da infame cultura conhecida como "bebedeira das seis horas", na qual os homens se acotovelavam em bares cheios, pedindo e bebendo o máximo de cervejas que era possível consumir desde que saíam do trabalho até as seis da tarde.

Outra consequência menos importante desta lei foi o efeito nas pequenas cervejarias do país. Uma das baixas foi a da cervejaria Enterprise, em Clare, na Austrália do Sul, que produzia cerveja para os mineiros de cobre locais desde 1878. Ela fechou um ano depois de o horário de comercialização ser reduzido. Para surpresa de muitos turistas estrangeiros, a Austrália do Sul manteve a restrição de funcionamento dos bares da Primeira Guerra Mundial até 1967. A Enterprise Winery foi criada no lugar da cervejaria por Tim Knappstein em 1969 e, em 2006, a cervejaria Enterprise ressurgiu depois de uma ausência de quase um século. Desta vez, Clare e os arredores haviam se tornado famosos principalmente por sua uva Riesling; a Knappstein Reserve Lager foi criada por produtores de vinho como uma alternativa sofisticada. Com uma bela apresentação, a cerveja só é vendida em garrafas e é claramente destinada àqueles que preferem beber suas lagers com a mesma elegância com que degustam seu vinho. **DD**

Notas de degustação

Você será recebido por um espetacular aroma frutado de lichia e maracujá, seguido por toques cítricos e de pinheiro no sabor, reminiscentes de um Sauvignon Blanc. Final amargo para acompanhar vieiras grelhadas ou uma salada.

Koutská Desítka

Pivovar Kout na Šumavě | www.pivovarkout.cz

País de origem República Tcheca
Lançada em 2006
Teor alcoólico 4% vol.
Temperatura ideal 7°C

As cervejas de teor alcoólico médio e baixo conhecidas como *vyčepni pivo* em tcheco, e Schankbier, na Alemanha, raramente são consideradas cervejas importantes. Ao contrário, estas lagers são tradicionalmente cervejas comemorativas ou de mesa na Europa Central – um degrau abaixo em prestígio, intensidade e peso do que as lagers mais fortes e encorpadas. Mas este não é o caso da Koutská Desítka. Esta cerveja exibe muitas das características de uma pilsen clássica, incluindo o aroma destacado do lúpulo Saaz, um corpo maltado que camufla o teor alcoólico alto de uma cerveja comemorativa e o amargor intenso no final.

Apesar de a Pivovar Kout na Šumavě ser relativamente nova, ela está entre as mais tradicionais da região. A cervejaria não pasteuriza sua cerveja e despreza aditivos e extratos de lúpulos, usando cevada maltada 100% tcheca e o ótimo lúpulo semiprecoce Saaz da região de Žatec, na Boêmia. A água vem de dois lagos subterrâneos na floresta de Šumava, anteriormente conhecida por seu nome alemão, Böhmerwald. Todas as cervejas maturam por pelo menos dois meses, sob a vigilância do mestre cervejeiro Bohuslav Hlavsa, que entrou para a Pivovar Kout na Šumavě depois de trinta anos na hoje extinta cervejaria Domažlic. **ER**

Notas de degustação

Corpo límpido e dourado com uma espessa coroa branca. Destaque para o aroma do lúpulo Saaz com final também lupulado, cercado por uma bela intensidade maltosa.

Koutská Nefiltrovaná Dvanáctka

Pivovar Kout na Šumavě | www.pivovarkout.cz

País de origem República Tcheca
Lançada em 2006
Teor alcoólico 5% vol.
Temperatura ideal 7°C

O ressurgimento da Koutská Nefiltrovaná Dvanáctka marca um pequeno milagre na história da indústria cervejeira tcheca. Acredita-se que a cervejaria, localizada na pequena cidade de Kout na Šumavě, seja da época do fim da Guerra dos Trinta Anos, apesar de a referência mais antiga do prédio datar de 1736. Como todas as demais cervejarias tchecas, ela foi estatizada depois da Segunda Guerra Mundial. Durante vinte e cinco anos, a cervejaria fez parte de vários conglomerados comunistas até que o planejamento centralizado entrasse em colapso em 1971. Ela era quase uma ruína quando foi comprada em 2001 por Jan Skala. Mas a chaminé original ainda estava intacta e descobriu-se que uma das duas caldeiras de 1908 ainda estava em condições de operar.

Os primeiros anos foram gastos com a limpeza do entulho e do lixo. Durante a reconstrução da sala de fervura da cervejaria, descobriu-se uma receita original. Escrita à mão no antigo estilo Schwabach de caligrafia em nanquim, ela era quase ininteligível, mas, depois de várias tentativas, a velha receita foi decifrada. Hoje, produzem-se versões claras e turvas da cerveja, mas é a semiopaca Nefiltrovaná Dvanáctka ("duodecimal sem filtragem") que parece transcender os limites do gênero. **ER**

Notas de degustação

Esta tradicional cerveja sem filtragem tem coloração dourada turva com mais malte e um pouco menos de aroma lupulado do que a Koutská Desítka. Carbonatação moderada e final quase efervescente.

La Chouffe

Brasserie d'Achouffe | www.achouffe.be

País de origem Bélgica
Lançada em 1982
Teor alcoólico 8% vol.
Temperatura ideal 8°C

Quando os cunhados Christian Bauweraerts e Pierre Gobron abriram sua pequena "cervejaria-passatempo" na região da Ardenas, na Bélgica, no início da década de 1980, decidiram usar o nome da sua terra natal, o vilarejo de Achouffe, e inventaram uma espécie de mascote para suas cervejas na forma de um elfo de barba branca, conhecido na região como "chouffe". Em francês, a palavra cerveja também é feminina, por isso a primeira marca da empresa foi batizada de "La Chouffe".

O mais notável no sucesso da La Chouffe é o fato de sua marca principal não ser apenas forte e condimentada, mas também vendida apenas em garrafas de 750ml. Mais uma vez, tais características talvez expliquem por que a La Chouffe e sua marca irmã, a Mc Chouffe, se destaquem nas prateleiras. Depois de administrarem a empresa por quase vinte e cinco anos, Bauweraerts e Gobron decidiram, no verão de 2006, vendê-la para uma cervejaria muito maior, o grupo Duvel Moortgat. Apesar de esta estratégia ter deixado alguns apreciadores das Chouffe compreensivelmente nervosos, os anos seguintes provaram que a Duvel Moortgat era capaz de proteger os elfos, até mesmo melhorando a qualidade e o caráter geral das estranhas ales. **SB**

Notas de degustação

Refrescante apesar de ser forte, o tempero de algum modo marcante de coentro desta ale parece combinar mais com o malte melado desde que a Duvel comprou a cervejaria.

La Choulette Des Sans Culottes

Brasserie La Choulette | www.lachoulette.com

País de origem França
Lançada em 1983
Teor alcoólico 7% vol.
Temperatura ideal 8°C

Alphonse Dhaussy produziu a primeira cerveja La Choulette em 1981, quatro anos depois de assumir a Brasserie Bourgeois-Lecerf em Hordain. O conhecimento lhe foi passado por seu avô Jules, que produzia cervejas caseiras desde 1895. O nome mudou para La Choulette graças ao filho de Alphonse, Alain, numa homenagem ao quase esquecido esporte local semelhante ao golfe. O Sans Culottes no nome se refere aos revolucionários franceses de 1789 e às suas vestimentas (culotes), que os distinguiam da classe dominante. A Guarda Republicana mais tarde também passou a usar culotes e suas calças listradas são retratadas no rótulo da cerveja.

Todos os produtos da La Choulette são de alta fermentação, não pasteurizados nem filtrados. As cervejas também são fermentadas com uma levedura especialmente criada que funciona bem a temperaturas entre 16° e 18°C. A fermentação dura de cinco a oito dias e as cervejas ficam acondicionadas por até seis semanas.

Os aficionados aconselham que se deguste as cervejas La Choulette ainda jovens, enquanto elas adquirem um tom estranhamente maltoso durante o primeiro ano; os fãs de cervejas fortes maltosas talvez discordem. A La Choulette Des Sans Culottes ganhou a medalha de ouro no Campeonato Mundial de Cerveja de 1995. **AG**

Notas de degustação

Um tom dourado que exala aromas intensos de fruta que se prolongam na boca antes de desaparecerem sob uma camada de malte adocicado. Isto prevalece em meio a camadas amargas, doces, meladas e vinosas.

La Gauloise Blonde

Brasserie du Bocq | www.bocq.be

País de origem Bélgica
Lançada em 1994
Teor alcoólico 6,3% vol.
Temperatura ideal 5°- 12°C

O fazendeiro Martin Belot construiu uma cervejaria em sua propriedade pela primeira vez em Purnode, no interior da região de Condroz, na província de Namur, em 1858, principalmente para manter certa atividade durante o inverno. Belot a batizou em homenagem ao rio Bocq, um afluente do rio Meuse que corre nas proximidades. A primeira cerveja Gauloise, uma dark ale forte, surgiu em 1920, e o nome se refere ao passado celta e pré-cristão da região. Durante algum tempo, os rótulos exibiam Ceres, a deusa romana da agricultura.

Durante décadas a cervejaria foi mantida à margem, apesar da sua boa reputação na região. Em 1960, contudo, os descendentes de Belot fecharam a fazenda e se concentraram na produção cervejeira. Em 1967, eles adquiriram a marca Saison Régal e começaram a se ater às ales tradicionais e engarrafadas em vez de competir no crescente mercado das lagers ao estilo pilsen. Esta decisão os preparou para o florescimento do mercado internacional em busca das ales belgas. Hoje, a familiar du Bocq é uma das maiores produtoras de cervejas especiais, exportando suas marcas para toda a Europa e o Japão, e cuidando de uma longa lista de contratos e cervejas customizadas.

Parte do seu recente sucesso se deve a uma marca engarrafada que é uma herança da sua cerveja mais antiga, a venerada dark ale La Gauloise. Lançada em 1994, a La Gauloise Blonde foi uma reação à popularidade crescente das cervejas claras. Como suas semelhantes, ela é maturada a frio em tanques, filtrada, recondicionada a uma temperatura maior e depois engarrafada com uma nova dose de levedura e açúcar. O resultado é uma ale relativamente leve e bem feita, inspirada no estilo trapista. É recomendada como acompanhamento para peixes, carnes brancas e aves. **DdM**

Notas de degustação

Amarela e turva, um colarinho disperso e um aroma caramelado de baunilha com um pouco de lúpulo e éster da levedura, esta cerveja tem um corpo simples, mas cítrico, com toques de banana e algum lúpulo herbáceo levando a mais notas cítricas e um ligeiro amargor no final agradavelmente arredondado.

La Goudale

Les Brasseurs de Gayant | www.brasseurs-gayant.com

País de origem França
Lançada em 1994
Teor alcoólico 7,2% vol.
Temperatura ideal 10°- 13°C

A Gayant é uma das maiores cervejarias da região das bières de garde no norte da França. Sua história remonta a 1919, quando vários dos cervejeiros locais se reuniram para criar uma cervejaria depois que a cidade de Douai foi severamente destruída na Primeira Guerra Mundial. "Gayant", em francês, significa "gigante", e o nome celebra o desfile anual de bonecos gigantes, uma velha tradição flamenga que tem origem na época em que a região era parte do Império Espanhol.

Gigante no nome e na natureza, a Gayant produz cerveja em escala industrial; quase 18 milhões de litros de várias cervejas, entre elas a superforte La Bière du Démon; uma mistura de cerveja e tequila chamada Tequieros; e uma cerveja de Natal condimentada, a Saint Landelin. Em escala, ela é o oposto, por exemplo, da também produtora de bière de garde Brasserie Thiriez. A indústria possui ainda uma microcervejaria-piloto onde o mestre cervejeiro Alain Dessy experimenta novas receitas.

A cerveja de maior sucesso da Gayant é a La Goudale, que a cervejaria afirma ser produzida de acordo com uma antiga receita medieval encontrada numa também antiga biblioteca, apesar de só ter sido lançada em 1994. Cerveja clara e aromática, com um quê de cerveja trapista, ela usa cevada (e também um pouco de trigo maltado) e lúpulos franceses. A cerveja passa por uma semana de alta fermentação e depois é acondicionada por algo entre duas a três semanas. Ela é embalada na tradicional garrafa com rolha das bières de garde, mas também é vendida em latas menos românticas. **ATJ**

Notas de degustação

Dourado-escura, amarela cor de damasco. O aroma tem um malte pronunciado e notas de frutas tropicais. No sabor, malte, pão, caramelo e pimenta, além de um toque de malte doce. Sua intensidade indica que também há certo ardor alcoólico. O final é seco, com frutas cítricas como pano de fundo.

La Rulles Blonde

Brasserie Artisanale de Rulles | www.larulles.be

País de origem Bélgica
Lançada em 2000
Teor alcoólico 7% vol.
Temperatura ideal 8°- 10°C

A La Rulles orgulhosamente chama seus produtos de "Bière de Gaume", criando uma procedência instantânea para cervejas que são surpreendentemente novas. Gaume faz parte da província belga de Luxemburgo, no sudeste do país, uma região rochosa de colinas que surge ao sul do maciço das Ardenas. Este lugar já teve uma exuberante tradição cervejeira. No final do século 19 havia cerca de cinquenta cervejarias na região, a maioria agrícolas, matando a sede de uma população predominantemente camponesa. Em 1990, apenas duas – a pequena Gigi e a monástica Orval – sobreviviam.

É gratificante, pois, notar que o recente interesse pela cerveja belga também chegou a esta região remota, com três microcervejarias recém-instaladas recriando a cultura cervejeira local. Entre elas, a Rulles está possivelmente à frente. Seu fundador, o ex-químico Grégory Verhelst, não nasceu em Gaume, mas sua esposa sim, e foi numa antiga fazenda no vilarejo de Rulles que eles começaram a criar suas receitas. Seu primeiro plano foi trabalhar com apenas uma cerveja – esta blonde – até que chegasse à perfeição: rejeitando condimentos e optando pelo acondicionamento em garrafas de 750ml.

Com um olho nas tendências internacionais contemporâneas, a Blonde é muito mais aromática e lupulada do que o comum na Bélgica, com o malte âmbar lhe dando um corpo mais intenso do que o normal para o estilo. Há ainda uma notável dose de sabores azedos e envelhecidos. Ela ainda é uma das mais notáveis cervejas que surgiram no país na última década, dando ao seu criador uma merecida reputação quase da noite para o dia. **DdM**

Notas de degustação

A La Rulles Blonde é uma cerveja dourado-escura com um colarinho branco cremoso, aromas de mel e pêssego e um sabor fresco, perfumado e cheio de sementes, com frutas doces que ficam mais secas e cremosas. Uma dose notável de lúpulos marca o amargor que domina o malte amanteigado no final.

La Rulles Estivale

Brasserie Artisanale de Rulles | www.larulles.be

País de origem Bélgica
Lançada em 2004
Teor alcoólico 5,2% vol.
Temperatura ideal 6°- 8°C

Ser um cervejeiro na Valônia é divertido? Pode-se pensar que sim, levando em conta o número de microcervejarias que surgiram na região nos últimos vinte anos. Mas também há um lado ruim. Obviamente, existe o poder das grandes cervejarias e distribuidoras, mas, além disso, para ser um microcervejeiro parece ser necessário possuir alguns pré-requisitos, como uma variedade completa de cervejas: blonde, blanche, ambrée e brune. Há certo grau de flexibilidade quanto até que ponto se pode trocar uma destas cervejas por uma tripel, mas estas regras não ditas podem provocar alguma imprevisibilidade na variedade das cervejas.

Esta era a rota que o fundador da La Rulles, Grégory Verhelst, parecia estar tomando, mas o destino, por sorte, o guiou por um caminho mais inspirado. Uma das primeiras mudanças na variedade normal de cervejas foi a criação de uma Cuvée de l'Anniversaire em 2000. Quarta cerveja do tipo em 2004, feita como uma ale leve e refrescante para os meses de verão, era para ser uma cerveja anual comemorativa, mas ela se provou tão bem-sucedida que voltou a ser fabricada no ano seguinte. Ela foi batizada de Estivale – "ale de verão" – e, desde então, se tornou uma cerveja de produção contínua.

A ale ganhou popularidade aparentemente da noite para o dia. Pode-se dizer o mesmo de quase todas as cervejas criadas por Verhelst, mas a Estivale teve um apoio extra depois que o famoso Delirium Café (cujo cardápio ostenta mais de 2 mil cervejas), em Bruxelas, a disponibilizou em barril e as pessoas se entusiasmaram. A cervejaria usa maltes claros e lúpulos norte-americanos e descreve a Estivale como "bem amarga", recomendando que seja bebida gelada. **JPa**

Notas de degustação

Cerveja veladamente alaranjada com um colarinho instável. Bom aroma lupulado, mel e néctar, num convite à degustação. O sabor exala mais mel, com um final bem amargo e cítrico. O equilíbrio é perfeito e você se sentirá mais do que saciado.

La Rulles Triple

Brasserie Artisanale de Rulles | www.larulles.be

País de origem Bélgica
Lançada em 2003
Teor alcoólico 8,4% vol.
Temperatura ideal 8°- 10°C

Grégory Verhelst, fundador da Brasserie Artisanale de Rulles, começou a fazer sérios experimentos com a produção de cervejas em 1998. Seu primeiro produto comercial foi lançado em 2000 e, três anos mais tarde, ele teve de construir um armazém maior atrás da sua casa (que esteve em uso até 2006). Parte de suas cervejas é vendida em todo o mundo. Tudo isso conseguido com a ajuda de dois amigos e do seu sogro.

Apesar de sua dedicação para criar sua própria cerveja agridoce, ele também sentiu necessidade de fabricar alguns clássicos. Uma tripel nunca é de mais no portfólio de uma cervejaria; há sempre lugar para uma boa cerveja deste tipo. Verhelst queria algo um pouco mais encorpado, mas sem abandonar suas próprias ideias quanto ao amargor; não se sabe se existe uma tripel mais amarga na Bélgica.

A La Rulles Triple tem um corpo mais intenso do que a maioria das tripels, o que não é de surpreender, já que não há adição dos açúcares que, usados em outras tripels, aumentam a fermentação e amenizam o corpo. A fermentação demora doze dias, com maturação de uma semana. Ao contrário de muitas cervejas belgas, a Rulles usa lúpulos norte-americanos – Warrior, Cascade e Amarillo – em pastilhas. A cerveja não é pasteurizada e passa por outra fermentação na garrafa, o que ajuda a aumentar sua qualidade.

O notável rótulo da La Rulles Triple exibe a imagem do mascote da empresa – Marcel de Rullot, com sua boina e seu olhar travesso. Nesta imagem, ele admira um copo da Triple como se fosse o Santo Graal. **JPa**

Notas de degustação

Cerveja cor de pêssego. Aroma herbáceo, com toques de gengibre e ervas folhosas se juntando ao buquê. Paladar fresco e exuberante com menta e até mesmo cânfora no sabor, tornando-se lupulado e terminando mais frutado e cítrico. Bom corpo para uma tripel.

La Trappe Blond

Bierbrouwerij de Koningshoeven | www.latrappe.nl

País de origem Holanda
Lançada em 1928
Teor alcoólico 6,5% vol.
Temperatura ideal 12°- 16°C

Uma cerveja chamada La Trappe Blond foi lançada em 1928, quando outros países europeus, como a Holanda, testemunharam o crescimento de um feroz movimento proibicionista. Os monges haviam se estabelecido perto de Tilburg, na fronteira entre a Holanda e a Bélgica, no século 19, depois de saírem da Normandia. Mas ninguém deve subestimar o mercantilismo agressivo na essência da Koningshoeven (ou "De Schaapskooi", como era chamada). Afinal, era uma cervejaria que produzia várias outras bebidas, entre elas limonada, além da cerveja, claro.

Na época em que a Blond surgiu – considerada uma cerveja "leve", com um teor alcoólico de 4% vol. –, a cervejaria estava produzindo principalmente cervejas de baixa fermentação, o que fez com que, depois da Segunda Guerra Mundial, as pilsens dominassem a produção da indústria. A cerveja foi chamada de Trappist Pils. O renascimento das cervejas trapistas no sul da Bélgica levou a uma mudança de mentalidade na década de 1980 e os monges criaram a variedade La Trappe.

Em 1999, a La Trappe Blond foi relançada ao estilo monástico, com levedura de alta fermentação, lúpulos ingleses e malte claro. Ela substituiu uma cerveja chamada Enkel, que era vista como a cerveja cotidiana dos monges (eles bebiam uma garrafa diariamente). Mais uma vez, não era a época mais favorável para se lançar uma cerveja, já que naquele ano a Bierbrouwerij de Koningshoeven perdeu a denominação de cervejaria trapista graças ao seu envolvimento com a Bavaria, empresa holandesa ligada às cervejas de produção em massa. Em 2005, o acordo entre os monges e a Bavaria foi alterado, de modo que a cervejaria pudesse novamente ser reconhecida oficialmente como trapista. **RP**

Notas de degustação

Como o próprio nome sugere, uma ale de cor amena com aroma levemente frutado. No sabor, ligeiramente doce com notas críticas e florais. O sabor residual é um pouco amargo. O paladar ameno faz desta cerveja um acompanhamento ideal para refeições mais pesadas.

Lagunitas Pils

Lagunitas Brewing Company | www.lagunitas.com

País de origem Estados Unidos
Lançada em 1996
Teor alcoólico 5,3% vol.
Temperatura ideal 4°- 7°C

"Acho que esta é a nossa melhor cerveja", afirma o fundador da Lagunitas, Tony Magee. Pode parecer uma afirmação surpreendente para uma cervejaria que construiu sua reputação com base em ales cremosas e contraculturais, com nomes que fazem referência a Frank Zappa. Mas, como ele mesmo diz: "Grandes IPAs são comparativamente fáceis de se produzir, como chili ou jambalaya. Já fazer uma cerveja leve é perigoso... Uma lager benfeita é praticamente a coisa mais difícil de fabricar." Isto não significa que esta seja uma cerveja contida e tímida. "Eu queria inventar uma lager equivalente à nossa IPA. Comparando o tom maltoso e o amargor do lúpulo, as duas cervejas são muito parecidas na estrutura, mas são bem diferentes", diz Magee.

O estilo pilsen nasceu na Boêmia em 1842, motivado pelo entusiasmo por cervejas claras criado pelas IPAs. Assim, não é loucura comparar as duas. "Eu queria usar os ingredientes essenciais da Pilsner Urquell (levedura e lúpulos Saaz), mas queria também usar malte e água norte-americanos, para lhe dar características nativas e fabricá-la ao nosso modo."

Quando jovem, a pilsen é uma ótima cerveja, o que explica por que a República Tcheca tem o consumo per capita mais alto do mundo. A produção bem-sucedida da pilsen se deve principalmente ao uso dos melhores ingredientes, além de uma incansável atenção aos detalhes. É um prazer fugaz. Depois de fabricada, ela fica vulnerável à ação do tempo. As semanas necessárias para se cruzar o oceano sugam o vigor das cervejas mais leves como as pilsens, por isso é melhor degustar bebidas produzidas no seu próprio continente. E, por isso também, os californianos são gratos à Lagunitas. **RM**

Notas de degustação

Muito brilhante e condimentada, com aroma marcado pelos lúpulos Saaz, toques de cereais e malte claro. No sabor, corpo moderado, não muito doce, e um robusto amargor crescente. Termina com um amargor herbáceo elegante e duradouro.

L'Angelus

Brasserie d'Annœullin | www.top-biere.com

País de origem França
Lançada em 1988
Teor alcoólico 7% vol.
Temperatura ideal 9°C

O fazendeiro Auguste Maille há muito fabricava cerveja na vila de Annœullin, a meio caminho entre Lille e Lens, no norte da França, antes de decidir transformar a produção num negócio em 1905. Apesar de a região de Nord-Pas-de-Calais ficar próxima à linha de frente nas duas grandes guerras e não obstante as enormes mudanças causadas pelos conflitos, a cervejaria ainda pertence aos descendentes diretos de Monsieur Maille. Quem dá continuidade à produção artesanal apaixonada são Bertrand e Yolande Lepers e seu filho Charles, que representam a quinta e a sexta gerações da família. Previsivelmente, a empresa é mais conhecida na cidadezinha por seu nome oficial, Brasserie Lepers.

Todas as cervejas da empresa passam por uma semana de fermentação em tanques horizontais e cinco semanas de "garde" antes do envase. O rótulo e a garrafa de formas voluptuosas da L'Angelus retratam um casal de camponeses trabalhando na lavoura e agradecendo a Deus. A imagem é inspirada na famosa trilogia do pintor do século 19 Jean-François Millet: *A Fiandeira*, *Os Catadores* e *O Angelus* (originalmente intitulada *Oração pela Colheita da Batata*). Esta cerveja de alta fermentação, acondicionada numa notável garrafa com rolha, recebeu a medalha de ouro no Concours Général Agricole de Paris em 2007 e 2009.

Entre os demais produtos da cervejaria está uma cerveja de primavera, a L'Angelus de Mars (5,5% vol.), aromática e de cor âmbar, com um surpreendente caráter do malte escuro e um toque levemente cítrico. Outra cerveja sazonal é a L'Angelus de Noël (7,5% vol.), uma cerveja natalina intensa, doce e maltosa, com notas duradouras de caramelo. **AG**

Notas de degustação

A L'Angelus é dourado-clara e tem um colarinho cremoso. A cerveja tem aroma cítrico e floral, o que permite que os lúpulos florais temporariamente assumam o controle do paladar antes de terminar num final complexo, maltoso e com toques de laranja.

Le Freak

Green Flash Brewing
www.greenflashbrew.com

País de origem Estados Unidos
Lançada em 2006
Teor alcoólico 9,2% vol.
Temperatura ideal 13°C

O "verde" ("green") em Green Flash não se refere ao uso abundante de lúpulos que ocorre na maioria das cervejas produzidas por esta indústria de San Diego. A "luz verde" se refere a um fenômeno natural que ocorre no nascer e no pôr-do-sol nas regiões costeiras, quando o sol exibe uma coloração incomum, geralmente esverdeada.

O mestre cervejeiro da Green Flash, Chuck Silva, não apenas acrescenta lúpulos às cervejas, como é de se esperar, como também os adiciona em cervejas que podem surpreender a muitos, como a Le Freak. Ela pertence a um grupo de cervejas híbridas cada vez maior. A Le Freak começa com a mesma base de malte da Green Flash Imperial IPA, e não da Tripel, e depois recebe lúpulos do noroeste norte-americano, até alcançar 101 IBU. Para a fermentação, a levedura própria de Silva, uma variedade norte-americana, combina-se com uma variedade belga para levar a Le Freak adiante, criando um caráter frutado e picante, comum às tripels belgas. **SH**

Notas de degustação

Corpo alaranjado e turvo. Aroma de ervas com notas cítricas, ressaltando a doçura à medida que esquenta. Mais lúpulos no sabor, geleia de laranja e ardor sutil. Final amargo.

Liberty Ale

Anchor Brewing Company
www.anchorbrewing.com

País de origem Estados Unidos
Lançada em 1975
Teor alcoólico 6% vol.
Temperatura ideal 8°C

Em 1975, a Anchor deu início à sua tradição anual de produzir uma ale natalina. Cada lote era diferente, o que deu ao presidente da empresa, Fritz Maytag, e seus cervejeiros a oportunidade de fazerem experimentos com coisas novas. Em 1983, a Anchor fabricou uma ale natalina com maltes claros e lúpulos Cascade; ela também recebeu *dry hopping* de lúpulos Cascade. A cerveja foi um sucesso imediato e Maytag decidiu produzi-la continuamente sob o nome de Liberty Ale.

Foi uma cerveja revolucionária para os Estados Unidos. A Liberty foi uma das primeiras cervejas a usar lúpulos Cascade, na época praticamente desconhecidos de muitos produtores. Hoje eles são considerados o lúpulo norte-americano por excelência, valorizado por suas qualidades exuberantemente cítricas, resinosas e de pinheiros, e abriram as portas para outras variedades. A Liberty Ale foi a primeira de uma nova geração de cervejas que dariam destaque a lúpulos norte-americanos únicos e ajudariam a impulsionar a revolução das cervejas artesanais. **MO**

Notas de degustação

O aroma áspero é marcado pelo lúpulo cítrico e resinoso, com notas de mel e pão. No sabor, uma ligeira doçura que dá lugar ao amargor lupulado.

Lindeboom Pilsener

Lindeboom Bierbrouwerij
www.lindeboom.nl

País de origem Holanda
Lançada em 1912
Teor alcoólico 5% vol.
Temperatura ideal 4°- 6°C

Em 1867, no vilarejo holandês de Neer, na província de Limburg, um jovem fazendeiro decidiu produzir cerveja. Ele viajou para a Alemanha a fim de estudar a técnica e, ao voltar para seu país, em 1870, começou a fabricar a Geenen's Bier (seu nome era Willem Geenen). Ele rebatizou a cervejaria que construiu perto de casa em homenagem a uma tília de oitenta anos que ficava nas proximidades (*boom*, em holandês, significa "árvore").

Em 1912, a popularidade das pilsens estava em ascensão. A Lindeboom abriu uma nova indústria equipada com máquinas a vapor e refrigeração e pegou carona na onda das pilsens. O sabor lupulado da nova e refrescante cerveja da empresa fez sucesso e quase acabou com as cervejas de alta fermentação da região.

Em 1996, em homenagem a seu 125º aniversário, a Lindeboom foi nomeada fornecedora oficial da família real holandesa. Entre as demais cervejas produzidas pela empresa estão a Oud Bruin, a Herfstbok e a Venloosch Wit. **RP**

Notas de degustação

Límpida e dourada, com aroma contido. No sabor, simples e refrescante, com maltes e lúpulos em perfeito equilíbrio. Final seco e ligeiramente amargo.

Lipan Světlý Ležák

Pivovarský dvůr Dražič
www.pivovarlipan.cz

País de origem República Tcheca
Lançada em 1998
Teor alcoólico 5% vol.
Temperatura ideal 7°C

A Europa Central abriga vários estilos desconhecidos de cerveja que foram deixados de lado com o surgimento da produção em larga escala de lager. Um dos estilos mais desconhecidos é o *kvasnicove pivo*, ou "cerveja de levedura", da República Tcheca de hoje.

Depois da maturação, levedura fresca é acrescentada ao produto final, criando uma opacidade notável e também aromas de fermento e massa e um ânimo raramente encontrado nas lagers produzidas em escala industrial. Este estilo se apresenta quase sempre em cervejas claras, apesar de as lagers escuras serem produzidas de modo semelhante. Duas das melhores cervejas deste tipo são fabricadas na Pivovarský dvůr Dražič. O cervejeiro Jan Papula fabrica uma *kvasnicove pivo* clara e uma escura, ambas comercializadas apenas em barris. Como as "cervejas de levedura" estão "vivas", a medição do teor alcoólico não é precisa, apesar de a Lipan Světlý Ležák manter um notável equilíbrio alcoólico, com sua força quase imperceptível por sob os sabores do malte e dos lúpulos. **ER**

Notas de degustação

Uma das mais notáveis "cervejas de levedura" restantes, esta pale lager muito turva tem um intenso sabor de frutas doces no aroma, com um sabor também intenso e maltado.

Łomża Export

Browar Łomża | www.browarlomza.pl

País de origem Polônia
Lançada em 1968
Teor alcoólico 5,7% vol.
Temperatura ideal 8°C

A Łomża Export é uma das cervejas mais populares no nordeste da Polônia. Ela vem de uma bela região com mais de mil lagos e várias florestas, cheias de bisões, linces, lobos e pôneis selvagens. Assim, não é de surpreender que a cerveja seja vendida numa garrafa verde com um rótulo também verde. O casal – ou os bonecos, como são conhecidos – que aparece no rótulo usa trajes folclóricos da etnia Kurpie, um grupo local que sobrevive até hoje. A Łomża Export quer compartilhar sua atmosfera ecológica com o restante do mundo – e parece que está dando certo. A cerveja costuma receber reconhecimento internacional: ela ganhou um prêmio do Instituto Internacional do Sabor e da Qualidade em 2008; em 2009, recebeu uma medalha de bronze no Campeonato Internacional de Cervejas da Austrália e uma medalha de ouro no Monde Selection, na Bélgica.

A Browar Łomża é única entre as cervejarias polonesas. Ao contrário da maioria das empresas deste tamanho, ela não tem uma longa história que remonte à Revolução Industrial ou ao tempo em que os monges protegiam suas receitas. Sem romantismo, a Łomża foi fundada em 1968 como uma empresa estatal por causa da excelente água subterrânea descoberta na região. Foi a primeira cervejaria construída na Polônia depois da Segunda Guerra Mundial. A empresa foi privatizada depois da queda do comunismo e, em 2007, se tornou uma subsidiária da Royal Unibrew Polska. A cervejaria apoia festivais locais, principalmente o Festival da Cerveja Łomża, no qual se apresentam vários astros do rock polonês do passado. **RZ**

Notas de degustação

A Łomża Export exibe uma bela cor amarelada, com aroma de cereais e sabor adocicado, seguidos por toques de lúpulo e um final deliciosamente macio. Refrescante como o ar da floresta, é uma cerveja para se beber ao ar livre, numa bela tarde de sol.

Löwen Bräu Bartholomäus Festbier

Löwen Bräu Buttenheim | www.loewenbraeu-buttenheim.de

País de origem Alemanha
Lançada em 2006
Teor alcoólico 5% vol.
Temperatura ideal 8°C

Johann Modschiedler, proprietário da Löwen Bräu Buttenheim, é um homem muito sério. De dia, ele está envolvido em questões políticas comunitárias e ocupa um gabinete como juiz; à noite, serve cerveja para os clientes do seu bar. E, quando produz cerveja, o faz do jeito certo. Ele, por exemplo, criou sozinho novas espécies da bebida no próprio bar, sem usar os serviços de um instituto de pesquisa, como é comum entre seus pares. Trilhando este caminho, Modschiedler criou uma nova lager leve que contém menos álcool e, recentemente, uma nova Festbier.

Com duas cervejas comemorativas no portfólio, ele decidiu criar uma terceira de produção contínua. A Löwen Bräu Bartholomäus Festbier é um deleite dourado que seduz com seus aromas de frutas doces e flores, um corpo cremoso com toques de baunilha e um amargor elegante. Ela é feita com maltes Munique e Pilsen que funcionam em harmonia com os aromas dos lúpulos das variedades alemães Hallertauer Perle e Tettnanger – sendo que o último é adicionado no momento certo para manter um delicado buquê. A Bartholomäus se tornou imediatamente a segunda cerveja mais popular entre as produzidas pela Löwen Bräu, ocupando a primeira posição a clássica Kellerbier.

A cervejaria-bar Löwen Bräu data de 1880, e Modschiedler é da quarta geração da família a cuidar da empresa. Quando ele assumiu o controle do negócio, modernizou as instalações, substituindo uma antiga sala de refrigeração aberta por um equipamento fechado. Por sorte, a refrigeradora aberta ainda pode ser vista em visitas à cervejaria. Ela é tão grande que é fácil imaginar como as crianças a usavam para patinar no gelo no inverno, como conta Modschiedler. **SK**

Notas de degustação

De coloração dourada e brilhante e com um belo colarinho úmido. Aroma adocicado de flores e frutas, semelhantes a frutas tropicais. Corpo leve e cremoso, com toques de baunilha e um amargor elegante, com encantadoras notas florais. Final seco.

+Lupulus

Companyia Cervesera del Montseny | www.ccm.cat

País de origem Espanha
Lançada em 2007
Teor alcoólico 5,4% vol.
Temperatura ideal 8°- 12°C

Ao sair da faculdade, depois de estudar engenharia química, Pablo Vijande viajou para o leste da Inglaterra e trabalhou por quase quatro anos na cervejaria Wolf, em Norfolk, uma região que já foi descrita como um deserto cervejeiro, mas que nas últimas duas décadas testemunhou a prosperidade de várias indústrias como a própria Wolf. Vijande aprendeu os segredos da produção de cerveja, como, por exemplo, selecionar os melhores ingredientes; ele também conseguiu praticar seus conhecimentos sobre química. Ao voltar para a Catalunha, abriu uma microcervejaria numa cidade ao norte de Barcelona com máquinas usadas compradas da Wolf.

Empregando métodos de produção ingleses, como a infusão ao mosto, ele e seu sócio Jordi Llebaria produziram cervejas tradicionais feitas à mão. É uma produção essencialmente artesanal e a cerveja é mesmo feita usando processos manuais. Os cervejeiros a chamam de Iber Ale. O nome é uma referência histórica à época em que os ibérios habitavam a península. Ruínas encontradas na Catalunha provam que esse povo já fabricava cerveja. Assim, como uma homenagem a esta herança cultural, Vijande decidiu chamar o estilo de Iber Ale.

Ela é produzida como uma ale de alta fermentação, mas com ingredientes que talvez combinassem mais com uma lager: malte Pilsen, caramalte e trigo maltado no mosto, apesar de os lúpulos serem mais ecléticos, com variedades Cascade, Fuggle, Nugget, Target e Styrian Golding na fervura. Tudo isto confere à cerveja um amargor muito fresco e perfeitamente equilibrado. Servida na garrafa, ela não é pasteurizada nem filtrada, por isso é de se esperar um pouco de sedimento ou turvação. **SS**

Notas de degustação

Alaranjada no copo sob um colarinho espumante e branco; exibe um agradável aroma de lúpulo com toques florais. No sabor, qualquer tendência ao amargor exagerado é perfeitamente equilibrada pelo malte intenso e marcante. Corpo intenso e agradável que leva a um final duradouro.

Maingold Landbier

Kulmbacher Brauerei | www.kulmbacher.de

País de origem Alemanha
Lançada em 1846
Teor alcoólico 5,4% vol.
Temperatura ideal 8°C

Traduzida literalmente, "Landbier" significa "cerveja do interior" ou "cerveja rústica". Já que a empresa que produz esta cerveja fica na cidade bávara de Kulmbach, seria um exagero chamá-la de "cerveja rural"; por outro lado, é uma das marcas mais antigas em produção. Ela surgiu na cervejaria Mönchshof, que também ficava na cidade antes de ser comprada pela Kulmbacher, nos anos 1990.

Não exatamente um estilo de cerveja como o Weissbier ou o Märzen, você poderia dizer que Landbier é o nome dado a uma marca em particular. Em geral, as cervejas Landbier têm pouca carbonatação e são vistas como bebidas cotidianas, ainda que o teor alcoólico de 5,4% vol. da Maingold Landbier seja um pouco alto para uma cerveja comum. Às vezes estas cervejas são filtradas, outras não.

A Maingold Landbier da Mönchshof é popular e deliciosamente antiquada, graças à utilização de uma rara garrafa com tampa de pressão – mais um sinal da idade e uma agradável conexão com o passado que agem como um escudo contra a velocidade e o frenesi da vida moderna. Quanto aos ingredientes, cevada de verão, uma levedura especial e água das fontes límpidas perto de Fichtelgebirge ajudam a compor esta Landbier. Lúpulos nobres, sim, mas esta não é uma cerveja especialmente lupulada. Um bom modo de bebê-la, um jeito que faz dela um manifesto, é pedi-la num restaurante ou bar e recebê-la recém-tirada do porão para a caneca – assim como a Landbier era bebida quando a Mönchshof a lançou. **WO**

Notas de degustação

A Maingold Landbier exibe uma coloração amarelada no copo. Aroma ameno e contido, com toques de cereais adocicados e um quê pronunciado de caramelo como pano de fundo. Sabor simples e marcante, com notas de grãos secos seguidas por um belo final seco e agridoce.

Malheur 10

Brouwerij Malheur | www.malheur.be

País de origem Bélgica
Lançada em 1999
Teor alcoólico 10% vol.
Temperatura ideal 10°C

Emmanuel (Manu) De Landtsheer abriu a Brouwerij De Landtsheer, hoje chamada Malheur, em 1997, perto da antiga cervejaria do avô, na vila flamenga de Buggenhout. A original foi fechada na década de 1960, vítima da popularidade crescente das lagers na Bélgica. O prédio do século 18 que a abrigou ainda existe e pode ser visto do telhado da indústria atual.

De Landtsheer aprecia muito as cervejas lupuladas. A Malheur 10 foi criada como uma ale forte cujo amargor compensa a doçura de uma cerveja maltosa. O resultado é uma ale complexa com um belo caráter lupulado, graças ao fato de se usar as flores inteiras de lúpulo para lhe dar aroma e sabor. O nome Malheur significa "azar" em francês, mas com certeza é uma sorte que as cervejas Malheur existam para serem degustadas pelos entusiastas! **CC**

Notas de degustação
Aroma marcante, cheio de levedura, frutas cítricas e um pouco de pimenta. Há toques de mel e um amargor agradável. Cerveja muito palatável, com um corpo médio.

Malheur Bière Brut

Brouwerij Malheur | www.malheur.be

País de origem Bélgica
Lançada em 2000
Teor alcoólico 11% vol.
Temperatura ideal 7°C

Emmanuel De Landtsheer, da Malheur, queria criar um novo estilo de cerveja, um estilo que deixaria os consumidores boquiabertos por causa do sabor e da apresentação. A Bière Brut também foi criada para melhorar a reputação da Malheur no mundo cervejeiro. A cerveja foi, com certeza, bem-sucedida em ambas as frentes. Pouco depois, outra cervejaria em Buggenhout teve a mesma ideia.

A Bière Brut começa do mesmo modo que a Malheur 10. Depois de quatro anos de fermentação a frio, as coisas mudam bastante. A cerveja é acondicionada numa garrafa de champanhe com uma trava chamada *bidule* colocada no gargalo da garrafa. Quando a cerveja está pronta para o envase, o gargalo da garrafa é congelado por cinco minutos. A tampa de rosca é retirada e o *bidule* e a levedura congelada transbordam. As garrafas são, então, limpas, secas e fechadas com rolha. A Malheur Bière Brut é uma cerveja muito complexa, com uma apresentação impressionante. **CC**

Notas de degustação
Notas de damasco, limão e laranja no aroma. No sabor, caráter incrivelmente intenso, com um toque de malte adocicado que ofusca a beleza alcoólica. Sabor residual seco e final amargo.

Mata Artesian

Aotearoa Breweries | www.mata.net.nz

País de origem Nova Zelândia
Lançada em 2005
Teor alcoólico 5% vol.
Temperatura ideal 4°- 6°C

Quando Tammy Viitakangas e Jaysen Magan voltaram à Nova Zelândia, no final de 2003, eles queriam montar uma empresa juntos e criar algo que fosse uma homenagem ao país, mas não tinham ideia do que fazer. Tammy começou a produzir cervejas na cozinha e o casal em pouco tempo descobriu que seus amigos preferiam suas cervejas às marcas comerciais. Estimulados por este apoio, eles tomaram a decisão, por impulso, de comprar uma cervejaria.

Fermentada a temperaturas altas, como uma ale, mas com uma maturação prolongada a frio, como uma lager, a Mata Artesian é livremente inspirada na Kölsch alemã. Entre os produtos da cervejaria estão uma cerveja doce, feita com mel Manuka, e outra muito mais seca, feita com goiaba. As cervejas Mata não levam preservativos, aditivos, purificadores, produtos animais ou açúcares e são as únicas cervejas hoje certificadas pela Sociedade Vegetariana da Nova Zelândia. **GG**

Notas de degustação

Cerveja brilhante e dourada, com um malte delicado, doce e amanteigado, boa carbonatação e um amargor sutil. Extremamente agradável ao paladar, mas também robusta o suficiente para acompanhar pratos defumados e picantes.

Matilda

Goose Island Beer Company | www.gooseisland.com

País de origem Estados Unidos
Lançada em 2005
Teor alcoólico 7% vol.
Temperatura ideal 5°C

"Esta cerveja começou a surgir na minha mente em 1993", afirma o mestre cervejeiro Greg Hall, da Goose Island. Ela foi inspirada por uma visita a Orval, o mosteiro belga que produz uma cerveja clara e rústica semelhante. "Não queríamos copiar a Orval", diz. "Estávamos à procura de uma cerveja diferente, um pouco mais intensa, com mais malte caramelado, uma cerveja que fosse realmente boa para se degustar com comida."

Em 2004, a equipe começou a levar as cervejas belgas a sério. "Demoramos algum tempo para entender o processo de produção. Usamos duas fermentações com levedura belga, uma começando algumas semanas antes da outra, inoculada com *Brettanomyces*, um fermento selvagem de ação lenta que dá à cerveja seu característico aroma de um 'armazém cheio de abacaxis'." A cerveja é centrifugada para eliminar os detritos, mas este método delicado permite que um pouco da levedura permaneça ativa, de modo que a bebida amadureça com a idade. Ela se mantém boa para o consumo por dois ou mais anos. **RM**

Notas de degustação

No aroma, tons almiscarados e melados de abacaxi e frutas tropicais maduras com notas terrosas. Sabor bem doce e de textura espessa. Final picante.

Meta Beer

Meta Abo Brewery

País de origem Etiópia
Lançada em 1963
Teor alcoólico 5% vol.
Temperatura ideal 7°- 10°C

Esta lager apela para as águas sagradas de St. Abo, que fluem pelas colinas cinematográficas de Sebata, uma cidade a cerca de 25km da capital etíope, Adis-Abeba. Geralmente consumida em garrafas "Steinie", a melhor maneira de se degustar a Meta é na própria cervejaria ou no principal distribuidor de Adis-Abeba. Somente nestes dois lugares é que os bebedores podem encontrar a cobiçada versão sem filtragem da cerveja.

Na cervejaria, escondida nas escarpas Managesha do monte Wuchacha, pode-se degustar um barril sem filtragem na varanda ou passear pela propriedade da Meta Abo a fim de se admirar as espetaculares paisagens das montanhas e das cachoeiras – a cervejaria promove passeios para educar os turistas sobre a importância da preservação do habitat do qual se extrai a água pura das montanhas usada na produção. Também é possível encontrar a lager tipo exportação engarrafada da Meta em restaurantes etíopes na Europa e nos Estados Unidos. **CO**

Notas de degustação
Cor de palha, com um colarinho branco breve e intenso. No aroma, um buquê de lúpulos nobres que leva a um sabor de malte doce, marcado por algum amargor lupulado.

Meteor Pils

Brasserie Meteor | www.brasserie-meteor.fr

País de origem França
Lançada em 1927
Teor alcoólico 5% vol.
Temperatura ideal 6°C

A Meteor tem uma cerveja trapista, uma de trigo e várias outras comemorativas, mas é mais conhecida por sua Pils. A Meteor é uma cerveja puro malte com lúpulos Strisselpalt, da Alsácia, e Saaz, da República Tcheca. Ela é filtrada, mas não pasteurizada; antes de ser exportada para o mundo todo, engarrafada. Por isso tem uma vida útil reduzida em comparação com muitas das concorrentes, embora seja uma cerveja mais fresca.

A empresa produz cervejas na vila de Hochfelden desde a década de 1640. A cervejaria recebeu o nome de Meteor em 1925. Dois anos mais tarde, o então presidente Louis Haag ajudou a promover a Meteor Pils (a família Haag ainda controla a empresa). Esta cerveja foi influenciada pelas pilsens boêmias e também usa lúpulos tchecos para lhe dar o caráter aromático que falta em muitas das suas concorrentes. Desde então ela sempre esteve presente no portfólio da empresa. **ATJ**

Notas de degustação
Dourado-clara, com um colarinho fino e branco. O aroma exibe tons de ervas, malte adocicado e lúpulos condimentados, enquanto o sabor é leve e delicadamente carbonatado.

Os lúpulos tchecos que tornam a Meteor uma pilsen tão notável. →

Mexicali

Cerveceria Mexicana | www.mexicalibeer.com

País de origem México
Lançada em 1923
Teor alcoólico 5% vol.
Temperatura ideal 0°- 4°C

A receita original da Mexicali foi criada por Adolfo Bindher, um químico-cervejeiro alemão que trabalhou sob as ordens de Don Miguel Gonzalez e Don Heracio Ochoa a fim de fabricar uma cerveja que colocasse a cidade de Mexicali, na fronteira do México, no mapa. Satisfeitos com os produtos, os dois aristocratas abriram as portas de La Cerveceria de Mexicali no dia 4 de julho de 1923 – a primeira cervejaria industrial no estado da Baja Califórnia.

O público consumidor mexicano aceitou a cerveja ao estilo pilsen instantaneamente e durante cinco décadas a Mexicali foi a cerveja de maior sucesso da Baja Califórnia. A produção cresceu de 600 barris por mês no primeiro ano para 6 mil por mês em 1960. Mas a tristeza que se seguiu à morte de Don Miguel, em 1973, se juntou mais tarde à decisão da família de fechar a indústria.

Parecia que a Mexicali tinha se tornado pouco mais de uma nota de rodapé na história cervejeira mexicana, ofuscada pelo surgimento de bebidas locais menos inspiradoras que são orgulhosamente exportadas para o mundo todo. Por sorte este foi apenas o fim de um capítulo e a Mexicali voltou a ganhar destaque em 1996. A produção foi retomada sob a supervisão da cervejaria Tecate, na cidade de mesmo nome, e a cerveja dourado-amarelada ainda é uma bebida ao estilo pilsen com um equilíbrio perfeito de cevada maltada e lúpulos Chinook, Mount Hood e Peerless. Apesar de ser improvável que ela volte a chegar ao topo do mercado, levando em conta a concorrência dentro do país, a Mexicali encontrou muitos novos seguidores nos Estados Unidos entre os admiradores de pale lagers. **SG**

Notas de degustação

Cor brilhante e dourado-amarelada, com um aroma sutil de maltes adocicados e lúpulos herbáceos. Sabor marcante, com lúpulos levemente picantes e cereais maltados doces, criando um final semisseco. A Mexicali é um acompanhamento perfeito para ceviche.

Moa Original

Moa Brewing Company | www.moabeer.co.nz

País de origem Nova Zelândia
Lançada em 2003
Teor alcoólico 5,5% vol.
Temperatura ideal 6°C

Batizada com o nome de uma gigantesca ave incapaz de voar que habitava a Nova Zelândia, a Moa foi uma criação de Josh Scott. Filho de um pioneiro na produção de vinho, Scott queria fabricar cervejas superespeciais que atraíssem tanto os fãs de cerveja quanto os enófilos. Seu plano era criar uma variedade de cervejas refermentadas na garrafa, empregando técnicas de produção de vinho usadas principalmente em espumantes semelhantes ao champanhe.

A primeira cerveja da empresa, a Moa Original, uma lager seca, lupulada e dourada ao estilo pilsen, foi lançada em dezembro de 2003. A ela se seguiram a Moa Noir, uma dark lager; a Moa Blanc, de trigo; a Moa Harvest, uma cerveja de cereja; e a 5 Hop Winter Ale, uma pale ale forte e extraordinariamente lupulada. Recentemente, a cervejaria lançou uma tripel ao estilo belga, a St. Joseph's. Há planos ainda para uma nova cerveja escura e forte, envelhecida em barris de madeira.

Os produtos Moa são envasados em garrafas de champanhe de 750ml e 375ml. Apesar de as garrafas menores serem enchidas diretamente de um tanque de fermentação secundário e de a cerveja ser elaborada para o envase em garrafas, as variantes da lager passam pelas tradicionais técnicas de revolvimento, limpeza e apresentação usadas no *méthode traditionelle* da produção de champanhe.

O contato prolongado com a levedura confere às cervejas Moa um sabor distintamente tostado, assim como uma carbonatação natural extraordinariamente suave, com belas bolhas. As bolhas persistentes também criam um colarinho branco duradouro e espumante e uma transição excelente. As duas cervejas mais claras (Moa Original e Moa Blanc) têm uma brusquidão estimulante semelhante à do vinho, o que as torna acompanhamentos ótimos para pratos gordurosos ou à base de frutos do mar, ou para aperitivos. **GG**

Notas de degustação

Amarelo-dourada brilhante sob um colarinho branco firme. O aroma combina a doçura do malte amanteigado com ervas e limão dos lúpulos neozelandeses. O sabor é espumante, ácido e refrescante, geralmente exibindo toques de baunilha e pimenta branca. Uma mistura de uma pilsen lupulada e uma saison picante!

Moinette Blonde

Brasserie Dupont | www.brasserie-dupont.com

País de origem Bélgica
Lançada em 1955
Teor alcoólico 8,5% vol.
Temperatura ideal 10°C

Em 1950, a Dupont começou a se especializar na produção de ales fortes e engarrafadas. A Moinette foi uma destas cervejas. Ao chegar ao fim da sua meia-idade, a Moinette é hoje vista como a golden ale forte por excelência da Valônia. Outra prova da sua maturidade é sua posição como referência na avaliação de outras cervejas do gênero. Cerca de meia dúzia de leveduras contribuem para seu caráter complexo, enquanto lúpulos finos são responsáveis por boa parte das características da bebida. A Moinette foi criada como uma reação à popularidade das ales fortes na Bélgica na década de 1950 e desde então se tornou o produto de maior sucesso da Dupont na sua terra natal.

A Dupont é uma das cervejarias mais tradicionais da Bélgica. Ela é proprietária da fábrica mais antiga do país, de 1844. As caldeiras de cobre sobreviveram à Primeira Guerra Mundial, durante a qual o exército alemão confiscou a maioria destas caldeiras para a indústria bélica. O tonel do mosto é outro sobrevivente – ele remonta ao ano de 1890. A família Rimaux-Deridder abriu a primeira cervejaria original, mas em 1920 Alfred Dupont a comprou. Não era apenas um empreendimento comercial: ele a usou para convencer seu filho a permanecer na Bélgica e não migrar para o Canadá. Desde então a família permanece no controle da empresa.

Esta cervejaria agrícola expressa um senso de herança cultural, mas sem desprezar as novas tecnologias. Os tanques de fermentação de aço inoxidável, assim como as caldeiras e instalações de envase, são modernos. Visitas regulares podem ser feitas e é possível degustar a maior parte das cervejas Dupont no La Forge, um belo café local na praça da cidade de Tourpes. **CC**

Notas de degustação

Cerveja dourado-clara com um colarinho firme. Aroma levemente frutado, picante e de coentro. O sabor é semelhante: pimenta, algo de coentro e outros condimentos, com um agradável amargor no final seco. Experimente esta cerveja de corpo intenso com aspargos, frutos do mar e carnes leves.

Montestella

Birrificio Lambrate | www.birrificiolambrate.com

País de origem Itália
Lançada em 1996
Teor alcoólico 4,9% vol.
Temperatura ideal 8°C

Apesar de suas reputação e produção crescentes, o Birrificio Lambrate foi fundado como um projeto comunitário e continua assim. Se existe uma coisa que o bar ou taverna local precisa, é de uma cerveja cotidiana confiável e saborosa, sempre disponível. A Montestella é esta cerveja.

Em 1996, Gianpaolo e Davide Sangiorgi, com o amigo Fabio Brocca, pensavam em abrir um bar que atendesse os jovens de Lambrate. A decisão veio depois que seu pai, Franco, sugeriu que eles produzissem sua própria cerveja. Mais de uma década depois, a empresa mantém laços estreitos com a comunidade – mas os viajantes sedentos que chegam a este lugar distante também são bem-vindos. No Birrificio Lambrate, a happy hour não é apenas uma desculpa para se embebedar com cerveja barata no balcão do bar. Na verdade, a cerveja é ligeiramente mais barata hoje em dia, mas há também um bufê gratuito de antepastos e outros petiscos leves para assegurar que ninguém beba de estômago vazio.

Uma comunidade precisa de uma cerveja cotidiana apropriada, agradável e saborosa, que funcione como um lubrificante social para as pessoas que se encontram depois de um dia de trabalho. A Montestella é justamente esta cerveja, uma bebida tão antiga quanto a própria cervejaria. Batizada numa referência ao Monte Stella, a colina que surgiu de um monte de entulho em San Siro, um subúrbio a oeste de Milão, a Montestella é uma abordagem ligeiramente heterodoxa de uma Kölsch que, na verdade, não tenta ser assim. Mas tome cuidado: você pode começar com um copo de Montestella, pretendendo beber outras cervejas depois, mas logo se perceberá bebendo apenas Montestella, porque ela combina muito bem com o espírito do lugar. **LM**

Notas de degustação

Cor de palha com uma ligeira turvação e um duradouro colarinho branco. Lúpulos de flores frescas dominam o aroma e o sabor, com uma boa estrutura de malte claro e notas frutadas que aos poucos dão lugar a um final seco e amargo. Agradável, saborosa, mas muito complexa.

Moo Brew Pilsner

Moo Brew | www.moobrew.com.au

País de origem Austrália
Lançada em 2005
Teor alcoólico 5% vol.
Temperatura ideal 4°C

A cervejaria Moo Brew parece ser influenciada mais pela arte do que pela cerveja. Acredita-se que David Walsh, proprietário da cervejaria, tenha feito fortuna com jogo quando jovem – ele então comprou uma vinícola em 1990 e criou a Moo Brew em 2005. Em 2006, pagou US$ 3,2 milhões por um quadro de 1954 retratando uma garçonete humilde parando durante o serviço na infame "bebedeira das seis horas".

Cada uma das cervejas Moo Brew é apresentada com sua própria obra de arte especialmente encomendada ao artista australiano John Kelly, que, apropriadamente, é famoso por suas obras de vacas. No caso da pilsen, a pintura pretende homenagear o artista australiano Sidney Nolan. Há uma pintura de John Kelly em cada uma das cervejas da Moo Brew, e o significado delas continuará velado a todos, exceto aos bebedores mais sofisticados.

O interessante é que os rótulos de cerveja mais caros que o mundo jamais viu não significam nada sem as cervejas para suportá-los. O mestre cervejeiro Owen Johnston tem assegurado que isto aconteça. Usando suas qualificações formais do Centro Internacional de Produção de Cerveja e Destilação da Escócia, ele recebeu elogios por todas as suas cervejas, o mais recente deles por sua Imperial Stout, que é acondicionada em barris de carvalho e garrafas por mais de um ano antes de ser vendida.

A cervejaria Moo Brew fica às margens do rio Derwent, não muito longe de Hobart. As cervejas da Moo Brew podem ser encontradas em barris em vários estabelecimentos espalhados pela Tasmânia. **DD**

Notas de degustação

O corpo translúcido dourado da Moo Brew Pilsner é sua verdadeira obra de arte, juntamente com os aromas de maracujá que só se revelam depois que você a consome com reverência. Malte áspero e notas de mel se infiltrarão na sua língua antes do final seco e refrescante.

John Kelly na Avenue des Champs-Elysées, onde sua escultura foi exibida na Cow Parade de 1999. →

Morrissey Fox Blonde

Morrissey Fox Brewery | www.morrisseyfox.co.uk

País de origem Inglaterra
Lançada em 2008
Teor alcoólico 4,2% vol.
Temperatura ideal 7°- 9°C

São poucas as cervejas lançadas com sua própria série de televisão. Se bem que também são poucas as cervejas cujos donos são estrelas da televisão. O ator britânico Neil Morrissey sempre foi um apaixonado por bons bares e grandes cervejas. Em 2008, ele se uniu ao mestre cervejeiro e celebridade Richard Fox para comprar um pub, o Ye Olde Punch Bowl Inn, no vilarejo de Marton-cum-Grafton, na região de Yorkshire, onde abriu uma cervejaria. Suas tentativas de lançar uma cerveja e ressuscitar o pub foram tema de uma série de televisão em três partes, Neil Morrissey's Risky Business [O negócio arriscado de Neil Morrissey].

Os dois sentiram que a ale em barril tinha uma imagem injusta, como uma bebida desleixada, velha e ligeiramente "quadrada". Por isso, puseram-se a atacar esta imagem. A ideia foi criar uma ale que os bebedores de lager considerassem interessante. A solução foi criar uma pale ale, um estilo que já estava atraindo os bebedores de ale, e foi assim que nasceu a Morrissey Fox Blonde. Feita com maltes pale ale e lager e lúpulos Hercules, Riwaka e Challenger, a Morrissey Fox Blonde tem um sabor refrescante, cítrico e espumante, como é de se esperar do estilo. Mas ela é também uma marca irreverente, nova e inteligente, que usa nos rótulos fotos dos cervejeiros feitas pelo renomado fotógrafo de moda Rankin. A reação foi imediata. Mais de quatro mil bares encomendaram a em barril e a engarrafada rapidamente passou a ser distribuída nacionalmente.

Alguns concorrentes reclamam que a coisa toda é um truque. Mas Morrissey anunciou seu desejo de se aposentar dos palcos e cuidar da cervejaria em tempo integral. E com a Brunette e a Best Bitter, além de várias outras cervejas, compondo um portfólio em expansão, é claro que o ator leva muito a sério o negócio. **PB**

Notas de degustação

A Morrissey Fox Blonde é dourado-clara com um aroma ligeiramente frutado e um sabor leve de malte adocicado, terminando com um toque delicadamente lupulado. De acordo com a ideia original, o frescor de uma lager combina bem com os lúpulos frutados e mais complexos de uma ale.

Naturperle

Brauerei Locher | www.appenzellerbier.ch

País de origem Suíça
Lançada em 1996
Teor alcoólico 5,2% vol.
Temperatura ideal 8° - 10°C

Como é possível que uma cervejaria consagrada, cujas vendas se mantiveram constantes por mais de um século, cresça cinco vezes em apenas quinze anos, enquanto o volume total de cerveja vendida no país caía 25%? Os primos Karl e Raphael Locher podem esclarecer este mistério porque foi o que eles conseguiram. Da quinta geração da dinastia que começou em 1886, depois que Johann Christoph Locher comprou uma cervejaria em Appenzell, os primos Locher assumiram o controle da empresa em 1996.

Eles voltaram suas cervejas para nichos de mercado, desenvolvendo, assim, uma das mais estranhas variedades de cervejas da Suíça. O mais bem-sucedido destes mercados foi uma cerveja orgânica, ou "Bio-Bier", como ela é chamada em alemão. Quando a empresa lançou a Naturperle em 1996, para complementar a já bem-sucedida lager não filtrada Quollfrisch, a Locher foi a primeira cervejaria suíça a criar uma cerveja orgânica certificada.

A Naturperle é feita com uma base de malte orgânico alemão e uma quantidade variável (de 5% a 20%) de malte orgânico suíço de cevada cultivada nos montes Engadine, o que influencia o sabor intenso de cereais presente na cerveja. Os lúpulos também são orgânicos e 100% suíços, de uma fazenda da família Ackermann em Wolfwil, entre Solothurn e Olten, no coração do país. A cerveja não é filtrada nem pasteurizada para se obter um frescor maior, apesar de ter vida útil limitada.

Depois do sucesso da Naturperle, a Locher começou a produzir pale lagers para a marca própria da cadeia de supermercados suíça Coop. Estas lagers têm um teor alcoólico ligeiramente baixo (4,8% vol.). **LM**

Notas de degustação

A Naturperle é uma lager maltosa e cor de palha, ligeiramente turva, delicada, com um toque de levedura e um quê de lúpulo picante. O final é duradouro, maltoso e picante, com um amargor lupulado moderado no fim para alcançar um belo equilíbrio. Ótima lager cotidiana.

Neumarkter Lammsbräu Urstoff

Neumarkter Lammsbräu | www.lammsbraeu.de

País de origem Alemanha
Lançada em 1963
Teor alcoólico 4,7% vol.
Temperatura ideal 8°C

Numa época em que a maioria das pessoas sequer conhecia a palavra "ecologia", muito menos a complexidade do seu significado, Franz Ehrensperger, da sexta geração de proprietários da Neumarkter Lammsbräu, se voltou para a produção de cervejas orgânicas. Ele tinha vinte e poucos anos quando assumiu a cervejaria da família, em 1971. Lutando contra um mercado hostil, que via as cervejarias como empresas muito parecidas, ele estava confiante de que sobreviveria se fabricasse a melhor cerveja possível. Ele queria chefiar uma empresa sustentável, uma atitude inspirada sobretudo pela primeira reportagem sobre o recém-criado Clube de Roma – *Os Limites do Crescimento*. Ehrensperger se pôs a converter a cervejaria aos poucos. Ele definia a proteção do meio ambiente como objetivo empresarial, ao mesmo tempo se voltando para ingredientes orgânicos que tinha certeza que resultariam numa cerveja melhor. Mas havia um problema: não existiam ingredientes orgânicos disponíveis. Assim, ele teve de convencer os fazendeiros, mas no começo não conseguiu nada além de rejeição.

Por fim, uns poucos fazendeiros aceitaram a ideia e, depois de muitos testes, os primeiros dois estilos totalmente orgânicos foram lançados em 1987. A Urstoff, produzida de modo convencional desde 1963, tornou-se "Bio", como o termo "orgânico" é conhecido na Alemanha, em 1994; um ano mais tarde, a conversão de todas as cervejas da Neumarkter Lammsbräu foi concluída. A Urstoff tem um corpo médio e maltado, caracterizado por uma agradável harmonia. Distribuída em todo o país, principalmente em mercados de produtos naturais, ela adquiriu uma boa reputação. O antes ridicularizado Ehrensperger hoje recebe elogios e prêmios. A Neumarkter Lammsbräu também tem uma cerveja sem glúten entre seus produtos. **SK**

Notas de degustação

Alaranjada e brilhante, bom colarinho branco e úmido.
O aroma exala sabores maltosos com toques de lúpulos cítricos.
Ao primeiro gole, a cerveja é muito macia. Um corpo médio de sabores levemente maltosos se desenvolve, inspirado pelas notas florais. O amargor se prolonga até o final.

Nils Oscar God Lager

Nils Oscar Company AB | www.nilsoscar.se

País de origem Suécia
Lançada em 1997
Teor alcoólico 5,3% vol.
Temperatura ideal 8°- 10°C

Quando a cervejaria Nils Oscar começou a produzir cerveja, em 1996, a maior parte das cervejas suecas eram as onipresentes e condimentadas imitações de pilsens. A crescente indústria de cervejas artesanais da Suécia reagiu a isso adotando a preferência norte-americana pelo lúpulo, criando cervejas intensas e aromáticas que eram desenvolvidas para mostrar ao bebedor sueco o que a cerveja podia fazer.

Quando o mestre cervejeiro Patrick Blomqvist chegou à Nils Oscar, ele tinha um currículo cheio de cervejas deste tipo, incluindo uma lager muito amarga que era um "concerto de lúpulos". Os cervejeiros sentiram que havia também espaço para uma cerveja mais arredondada, maltada e equilibrada, e assim nasceu a God Lager. Apesar de a cervejaria se orgulhar da sua produção, não fazia isso afirmando influência divina: "God" ["Deus", em inglês] significa simplesmente "bom" em sueco. Feita com maltes Pilsen e Viena e lúpulos alemães, como o Hallertau e o Tettnang, a God Lager é uma versão artesanal da tradicional pilsen vienense, com maltes e lúpulos em perfeito equilíbrio numa cerveja que brilha com um tom dourado. A Nils Oscar é quase única em sua aborgadem "grão no copo", cultivando sua própria cevada e administrando toda a cadeia de produção, dos cereais até o produto final. Somente os lúpulos são importados, porque a Suécia é fria demais para seu cultivo.

A Nils Oscar somente produz cervejas pensando nas comidas, e a God Lager acompanha vários pratos. Ela combina principalmente com alimentos fritos ou assados que complementem seu tom arredondado e maltoso. A God Lager responde por metade da produção da Nils Oscar e é a décima segunda cerveja mais vendida na Suécia. Ela também é comercializada no Reino Unido. **PB**

Notas de degustação

A Nils Oscar God Lager exibe uma cor clara e ensolarada, com um aroma maltoso e simples e um toque de lúpulos florais. O sabor é fresco e límpido, proveniente do malte, com toques adocicados e um final simples e seco. Uma lager de corpo intenso que não fica a dever em termos de frescor.

Nora

Birrificio Le Baladin
www.birreria.com

País de origem Itália
Lançada em 2001
Teor alcoólico 6,8% vol.
Temperatura ideal 10°- 12° C

Tudo começou na cidade montanhesa de Piozzo, na região do Piemonte, na Itália, quando Teo Musso transferiu seu bar para uma cervejaria em 1996 e lançou suas novas ales sob o nome de Le Baladin. Sem dúvida a Le Baladin é uma pioneira no movimento das cervejarias artesanais italianas, que estava apenas nascendo quando as bebidas de alta fermentação começaram a surgir.

Uma das cervejas mais famosas e intrigantes da Le Baladin é a Nora. Ela é dedicada à cultura egípcia, uma das mais antigas tradições cervejeiras do mundo. Kamut, um antigo cereal supostamente redescoberto numa tumba egípcia, compõe até 22% do cereal usado na receita. Um pouco de lúpulo é usado apenas como uma formalidade, de modo que a Nora possa ainda ser chamada de cerveja de acordo com a lei. Musso substitui o lúpulo por uma resina etíope especial que vem de uma planta da mesma família da mirra. A resina dá à cerveja um aroma semelhante ao incenso e um amargor estranho, além de um sabor residual balsâmico. Na verdade, as pessoas notam o amargor de uma forma diferente porque não é um sabor que estamos acostumados a sentir. Acrescenta-se gengibre à cerveja para lhe conferir notas cítricas. No desenvolvimento da receita, era muito difícil trabalhar com a mirra, mas a Le Baladin com certeza encontrou o equilíbrio certo, e o resultado é uma ale interessante, com um quê de Oriente Médio. **MO**

Notas de degustação

Colarinho espesso por sobre uma ale dourada e alaranjada. O aroma é intenso, com notas de pimenta, frutas cítricas, incenso e um pouco de gengibre. Delicadas bolhas criam um corpo muito elegante. Final tânico.

Nottingham Extra Pale Ale

Nottingham Brewery
www.nottinghambrewery.com

País de origem Inglaterra
Lançada em 1999
Teor alcoólico 4,2% vol.
Temperatura ideal 10°C

Philip Derby e Niven Balfour começaram a produzir cerveja comercialmente em 1995, quando abriram a cervejaria Bramcote na cidade inglesa de Nottingham. Formando uma sociedade com uma pequena e progressista empresa proprietária de um bar local, eles se transferiram para um lugar no centro da cidade e, ao mesmo tempo, rebatizaram a cervejaria como "Castle Rock", numa referência à colina onde fica o castelo de Nottingham. Infelizmente as coisas não deram certo, por isso Derby e Balfour decidiram começar do zero.

Os dois sócios descobriram que o nome da extinta cervejaria Nottingham não fora registrado e, por isso, a cervejaria renasceu na sua terra natal. Derby e Balfour criaram um portfólio de cervejas com base nas "Rock Ales" originais produzidas pela empresa do mesmo nome porque elas amadureciam em cavernas de calcário sob a velha indústria.

A Extra Pale Ale é feita usando malte escuro Maris Otter, com adição, em vários estágios, de lúpulos Challenger, Fuggle e Golding e, mais tarde, lúpulo Bobek Styrian Golding para lhe dar aroma. Ela é distribuída localmente, mas não é exportada. A Nottingham Extra Pale Ale, contudo, é uma tripel comum no Polo Sul, graças ao navio de pesquisas RSS Ernest Shackleton, que entrega um carregamento todas as vezes que faz o percurso. **JW**

Notas de degustação

Dourado-clara com um agradável aroma frutado. O sabor é áspero, cítrico e intenso, com tons maltosos para o equilíbrio, culminando num final duradouro, seco e refrescante.

← Escultura de um cervejeiro (*ca.* 2465 - 2323 a.C.) no Museu Egípcio do Cairo.

Odell IPA

Odell Brewing Company | www.odellbrewing.com

País de origem Estados Unidos
Lançada em 2007
Teor alcoólico 7% vol.
Temperatura ideal 13°C

Três anos após a Odell Brewing construir uma cervejaria nova e maior de cinquenta barris em 1994, a empresa investiu numa instalação menor, de cinco barris, onde os cervejeiros podiam criar e aperfeiçoar novas receitas. Os experimentos mais bem-sucedidos terminavam numa bomba na sala de degustação e os melhores podiam ser produzidos regularmente. Não é de surpreender que tenha sido ali onde a 5 Barrel Pale Ale e, mais tarde, a India Pale Ale nasceram. A Pale Ale recebe oito diferentes adições de lúpulos de seis variedades, enquanto a IPA recebe sete adições de seis variedades. Ambas as cervejas usam lúpulos Northwest American e os cervejeiros da Odell enchem uma câmara de lúpulo especial com flores inteiras no processo de fabricação.

Apesar de as cervejarias do Colorado não terem a mesma reputação por suas cervejas extremamente lupuladas das cervejarias da Costa Oeste, muitas empresas têm financiado pesquisas de cultivo de lúpulos orgânicos no estado. "Cultivar lúpulos no Colorado não seria apenas benéfico para as microcervejarias locais, mas também para o agronegócio", diz o fundador Doug Odell. Sua cervejaria usou os primeiros lúpulos locais na cerveja Hand Picked Ale.

A Odell modernizou sua indústria de cinco barris em 2008, transformando-a não apenas num sistema-piloto para testes, mas numa pequena cervejaria para fabricar cervejas para sua sala de degustação e de distribuição limitada. A primeira cerveja feita na nova instalação foi batizada de Pre-Nup Pilsner, uma cerveja matrimonial feita para dois funcionários que se conheceram na empresa e se tornaram o quinto casal da cervejaria. Os empregados de todos os departamentos podem produzir cerveja na instalação de cinco barris. **SH**

Notas de degustação

Colarinho branco espumoso, em contraste com o corpo alaranjado, exalando aromas de manga e tangerina. Os lúpulos agem bem, acrescentando sabores cítricos e amargor equilibrado. Final prolongado, misturado à impressão final de ervas e sabores lupulados.

Old Empire

Marston's | www.marstonsbeercompany.co.uk

País de origem Inglaterra
Lançada em 2003
Teor alcoólico 5,7% vol.
Temperatura ideal 8°- 12°C

A Marston's tem uma história interessante: é a única cervejaria na lendária cidade de Burton-on-Trent que sobrevive hoje em dia com uma linhagem ininterrupta que remonta ao auge da produção de cerveja na região, em meados do século 19. Em mais de 130 anos de história, porém, a Marston's nunca fabricou a cerveja que tornou Burton mundialmente famosa: a India Pale Ale. Burton se tornou a capital da IPA porque a composição única dos sais minerais presentes na água acrescentava uma nova dimensão a uma pale ale de Londres, criando uma cerveja mais clara, seca, saborosa e sobretudo durável, que geralmente chegava a Calcutá em perfeitas condições. A principal marca da empresa, a Pedigree, tem algumas das características destas fabulosas cervejas, mas nunca foi enviada para a Índia e não é exatamente uma IPA.

A Old Empire é feita com malte Optic e os tradicionais lúpulos ingleses Fuggle e Golding. A adição de lúpulos norte-americanos Cascade para conferir aroma pode levantar suspeitas quanto à autenticidade. Mas, no auge do sucesso da cidade, os cervejeiros de Burton estavam usando mais lúpulo do que os agricultores britânicos eram capazes de produzir, e a importância dos lúpulos norte-americanos para a IPA de Burton é justificada.

A Old Empire é servida em barris nos bares de todo o interior da Inglaterra. Graças à insistência do homem inglês em geral em só beber cerveja em canecas, o teor alcoólico é mantido a 6,5% vol., um pouco menor do que o comum. Mas esta ainda é uma cerveja encorpada, que combina densidade e profundidade com sabor agradável. Falta-lhe o amargor marcante de suas congêneres norte-americanas, mas, por outro lado, ela representa mais o tipo de cerveja servida nas varandas indianas há séculos. **PB**

Notas de degustação

O aroma inicial sulfúrico do famoso Burton Snatch rapidamente dá lugar a um aroma condimentado e rústico, com um toque de limão. O sabor da Old Empire é intenso e cítrico, equilibrado por um malte cremoso que leva a um final incrivelmente seco.

Opat Bitter

Pivovar Broumov | www.pivovarbroumov.cz

País de origem República Tcheca
Lançada em 2007
Teor alcoólico 4,2% vol.
Temperatura ideal 7°C

Coentro, castanha, pimenta-do-reino, louro – a cervejaria no vilarejo de Olivětin tem certa predileção por lagers criativas com sabores incomuns. Mas talvez a nova e mais impressionante mistura do mestre cervejeiro Jaroslav Nosek seja condimentada com um velho ingrediente: muitos *žatecký poloraný červeňák* (cones de lúpulo Saaz vermelho semiprecoces) são adicionados na pale lager *extra-chmelené*, ou extralupulada, da cervejaria. Ela é considerada uma cerveja amarga, mas o efeito do lúpulo é mais aromático do que palatável, criando uma vitrine de aromas para o Saaz e compensando com um teor alcoólico tão moderado que ela é considerada uma cerveja para consumo diário.

Fundada por monges beneditinos com poderes outorgados pelo Sacro Imperador Romano Carlos IV, de Praga, a cervejaria funciona desde 1438. As instalações atuais, uma incrível torre de alvenaria cercada por tílias, datam de 1866, e são consideradas das mais belas da República Tcheca. Até ser estatizada, em 1948, a Pivovar Broumov era uma cervejaria monástica, dando origem ao nome da cerveja de "Opat", ou "abade". Depois da Revolução de Veludo, ela foi privatizada e está sob a mesma administração desde 1997.

Ao contrário de várias cervejarias tchecas, a Pivovar Broumov mantém seus próprios maltes, usando cevada e produzindo o malte de acordo com suas próprias especificações. Ela também é conhecida pelas cervejas Rampuš, Novic e Převor, que são fabricadas para uma grande rede internacional de supermercados. **ER**

Notas de degustação

Notável aroma de ervas dos cones frescos de lúpulos Saaz com toques de resina e pimenta. No sabor, equilibra a doçura do malte com um final lupulado extremamente aromático.

Oppale

32 Via dei Birrai | www.32viadeibirrai.com

País de origem Itália
Lançada em 2006
Teor alcoólico 5,5% vol.
Temperatura ideal 8°- 10°C

Seus estudos sobre tecnologia dos alimentos deram ao mestre cervejeiro da 32 Via dei Birrai, Fabiano Toffoli, uma abordagem muito precisa e científica quanto aos ingredientes e temperaturas ideais, e a alta qualidade das cervejas produzidas pela empresa reflete perfeitamente sua personalidade. Ele abriu uma microcervejaria com dois amigos em 2006, em Veneza, perto das montanhas Dolomitas, e o sucesso no mercado italiano foi rápido.

A água pura vem de duas fontes diferentes nas montanhas; os lúpulos são selecionados e comprados na cidade belga de Poperinge; os maltes são geralmente alemães. A Oppale é uma das primeiras cervejas produzidas por Toffoli e ele a descreve como uma mistura e um encontro de diferentes culturas cervejeiras: belga, alemã e britânica. O malte camarelo é a base da cerveja: uma variedade mais clara – escolhida porque o cervejeiro queria uma cerveja clara com um corpo intenso. Um pouco de malte Pilsen também é usado. Os lúpulos são britânicos: Challenger para o amargor e Brewer's Gold para o aroma. Depois de quarenta dias, a cerveja é engarrafada com levedura fresca e açúcar para recomeçar a fermentação. Depois de dez dias de descanso, esta ale de alta fermentação está pronta.

A Oppale é muito agradável e tem o menor teor alcoólico entre as cervejas da 32 Via dei Birrai. Toffoli queria fazer uma cerveja intensa e rica no corpo e no aroma, mas ainda assim fácil de beber. **MM**

Notas de degustação

Uma golden pale ale levemente turvada. Aroma intenso, com uma lufada de frutas cítricas e camomila. No sabor, começa com uma intensa doçura, mas os lúpulos retornam para um final duradouro e agradável.

Os rótulos marcantes caracterizam as cervejas da 32 Via dei Birrai. →

32

Via del birrai

32 ADMIRAL

32 ATRA

32 OPPALE

32 AUDACE

32 NEBRA

32 CURMI

Original Alt

Brauerei Pinkus Müller | www.pinkus-mueller.de

País de origem Alemanha
Lançada em 1830
Teor alcoólico 5% vol.
Temperatura ideal 8°C

Apesar de Düsseldorf ser vista como a capital da Altbier, há vários núcleos produtores deste estilo de cerveja no interior da Alemanha (e até mesmo nos Estados Unidos, onde a cerveja foi uma alternativa popular na época pré-Lei Seca). A Pinkus Müller, na cidade de Münster, foi fundada em 1816 por Johannes Müller, também dono de uma padaria. Seu nome coloquial "Pinkus" vem da época em que o bisneto de Müller, Carl, envolveu-se numa bebedeira que culminou com o consumo de uma caneca *Bullenkopp* (cabeça de touro) de seis litros. Claro que, depois de beber tanto, Müller teve de atender ao chamado da natureza. Ele estava caminhando com dois amigos que haviam bebido da mesma caneca de Altbier quando veio a vontade – e assim aconteceu o "Pinkus", gíria em alemão para tal ato.

Hoje em dia a Pinkus Müller é mais conhecida por suas cervejas orgânicas e principalmente por sua encorpada Original Alt. Com uma mistura de cevada maltada (trigo maltado geralmente era também adicionado no tanque), esta cerveja era mais leve do que as Altbiers de Düsseldorf, mas com o característico tom âmbar.

Assim como várias outras indústrias da região, a Pinkus Müller possui uma cervejaria-restaurante. É uma taverna confortável, com quatro áreas de degustação separadas decoradas com a clássica mobília da Vestfália. Além de saborear esta popular Altbier, os clientes podem experimentar uma maravilhosa variedade de pratos à base de carne que combinam com este estilo de cerveja. E, por conta dos corredores apertados deste prédio antigo, os visitantes ficam maravilhados com os modernos equipamentos da Müller, entre eles os brilhantes tanques de aço inoxidável nos quais a cerveja amadurece. **WO**

Notas de degustação

No copo, a Original Alt exibe uma atraente cor de âmbar. O aroma é tão fresco quanto o sabor, no qual um pouco de doçura se combina perfeitamente com o leve amargor lupulado. Corpo intenso de uma Altbier agradável com um belo final duradouro.

Oro de Calabaza

Jolly Pumpkin Artisan Ales | www.jollypumpkin.com

País de origem Estados Unidos
Lançada em 2004
Teor alcoólico 8% vol.
Temperatura ideal 10°C

A Jolly Pumpkin é uma das várias cervejarias norte-americanas que usam fermentação aberta para todas as suas bebidas – um processo tradicional no qual a cerveja fermenta sem o ambiente hermético dos tanques completamente fechados. Esta prática já foi o padrão na indústria, mas acabou abandonada por várias décadas entre os cervejeiros norte-americanos, que optaram por tanques fechados de aço inoxidável que provocam poucas alterações, impedindo que organismos como a levedura selvagem se infiltrem na cerveja durante a fermentação.

Desde que foram lançadas, em 2004, as ales da Jolly Pumpkin constam em várias listas de degustação dos entusiastas. Entre estas cervejas está a Oro de Calabaza ("Ouro de Abóbora"), duas vezes ganhadora do Festival Americano da Cerveja, e uma golden ale de inspiração franco-belga e de produção contínua. Assim como as outras cervejas da Jolly Pumpkin, a Oro de Calabaza envelhece em barris de carvalho com levedura selvagem antes de ser refermentadas na garrafa.

Com o acondicionamento prolongado, a cerveja pode adquirir uma boa carbonatação. Por isso, o proprietário e mestre cervejeiro Ron Jeffries recomenda servi-la bem gelada, tratando-a como se fosse champanhe – abrindo-a com cuidado e com sua taça preferida à mão. Ele também sugere que se deixe a cerveja esquentar um pouco no copo antes de prová-la, mas afirma que a temperatura ideal cabe ao bebedor. E, no que diz respeito à música, Jeffries cita vários estilos, desde a música latino-americana até o punk da década de 1980, e cantoras, como Billie Holiday, como fontes de inspiração para a bebida. **LM**

Notas de degustação

Como o próprio nome sugere, a Oro tem corpo dourado-claro. Parecida com champanhe, uma efervescência marcante dança na boca, dando ênfase a um paladar agradável e ligeiramente azedo de maçã e pera que ganha destaque em meio aos aromas e sabores condimentados e apimentados.

Ostravar Premium

Pivovar Ostravar | www.ostravar.cz

País de origem República Tcheca
Lançada em 1898
Teor alcoólico 5,1% vol.
Temperatura ideal 7°C

Muitas cervejas na cidade industrial de Ostrava foram lançadas por concorrentes tchecos cujas empresas eram propriedade das minorias alemãs da região. Ostrava já tinha uma bem-sucedida pale lager da Dampfbrauerei, ou "Cervejaria a Vapor", propriedade de Markus Strassmann, mas os tchecos da cidade queriam ter sua própria cervejaria. Em 1897, assim como os cidadãos de Budweis haviam feito dois anos antes, um grupo de tchecos de Ostrava arrecadou dinheiro para fundar a *Český akciový pivovar v Moravské Ostravě*, ou "Cervejaria Comunitária Morávia de Ostrava". Os primeiros lotes de pale lager saíram da linha de produção na primavera seguinte.

As duas cervejarias funcionaram até 1950, quando os engenheiros comunistas fecharam a de Strassmann. A outra empresa foi nacionalizada e rebatizada como Cervejaria da Cidade Morávia de Ostrava. Suas cervejas se chamaram Ondraš até pouco depois da Revolução de Veludo, em 1990, quando foram renomeadas de Ostravar.

A Ostravar produz algumas das mais interessantes cervejas da República Tcheca, entre elas a Kelt (descontinuada em 2009), uma bela stout, e a Velvet, uma cerveja curiosamente cor de âmbar, com um efeito em cascata semelhante ao da Guinness. Mas a Premium, uma pale lager original, é o carro-chefe da Ostravar: dourada, com carbonatação moderada e lúpulos marcadamente cítricos por sobre o malte pronunciado. Ela é feita com 12 graus Plato e, como a maior parte das pilsens ao estilo boêmio, contém bastante açúcar residual, o que lhe dá um peso maior no corpo do que a maioria das pale lagers alemãs. Ela é feita com cevada de primavera e fermentada em tanques tradicionais abertos. **ER**

Notas de degustação

Esta cerveja maltada e com aroma de flor de laranjeira equilibra o peso do malte com o aroma do lúpulo Saaz e um final amargo. Apesar de ser tradicionalmente servida gelada, os aromas lupulados aumentam a temperaturas ligeiramente mais altas.

Otley O1

Otley Brewing Company | www.otleybrewing.co.uk

País de origem País de Gales
Lançada em 2005
Teor alcoólico 4% vol.
Temperatura ideal 8°- 10°C

Quando a família Otley abriu sua cervejaria, em 2005, ela queria que a primeira cerveja fosse uma bebida da qual as pessoas pudessem beber alguns copos sem se preocupar com seus efeitos. E elas queriam que fosse uma cerveja clara. A golden ale estava dominando o país, ganhando prêmios em festivais, mas ainda não havia se espalhado pelo sul do País de Gales.

Os Otley perceberam que a golden ale fazia sucesso porque desafiava os estereótipos da ale de barril e engarrafada. Ela promete um frescor semelhante ao da lager, mas num corpo de ale, e é atraente no copo para pessoas que talvez tivessem receio de experimentar uma ale verdadeira. No que diz respeito à embalagem e ao nome, os Otley sentiram que havia cervejas demais cujos nomes e projetos gráficos evocavam capas de bandas de rock alternativo. Os nomes simples criam um contraste com os óbvios valores artesanais inerentes à cerveja, sugerindo que esta é uma cervejaria com um conjunto novo de ideias.

A O1 é feita com lúpulo eslovaco Celeia, o que lhe dá um aroma marcante e que não se encaixa bem nos estilos de cervejas norte-americanas, mas sugere que a família está atenta ao que acontece do outro lado do Atlântico, buscando equilibrar a intensidade do sabor com a capacidade de se beber alguns copos. O resultado? A O1 foi premiada com a medalha de outro na categoria Golden Ale no Grande Festival Britânico da Cerveja de 2008 e hoje é vendida em garrafas numa área cada vez maior, para além do sul do País de Gales. **PB**

Notas de degustação

Cor de palha com um aroma floral marcante, temperado por notas cítricas. Este aroma frutado se prolonga para o sabor, que é mantido em agradável equilíbrio pelo malte caramelado antes do final seco e agradável. Amarga, refrescante e macia.

Otley O8

Otley Brewing Company | www.otleybrewing.co.uk

País de origem País de Gales
Lançada em 2005
Teor alcoólico 8% vol.
Temperatura ideal 8°- 10°C

Assim que produziram a primeira cerveja, a O1, os cervejeiros da Otley queriam ver até que ponto um estilo de cerveja poderia chegar. O resultado foi a O8. A O1 é uma golden ale que recebeu vários prêmios logo depois de ser lançada, dando à Otley uma reputação de especialista em golden ales. Como o nome sugere, a O8 tem um teor alcoólico de 8% vol., mas os produtores insistem que se trata de uma golden ale.

Cervejas pesadas assim precisam de um corpo firme para equilibrar o que de outro modo seria um xarope alcoólico. A O8 é feita com doses generosas de lúpulos Whitbread Golding Variant (WGV), uma variedade pouco conhecida do clássico lúpulo Golding, que tem um sabor mais adocicado do que o Kent – um lúpulo inglês de inspiração norte-americana, por assim dizer. Estes lúpulos são complementados pelo Willamette, que cria uma mistura de aromas cítricos e de cassis. Não é fácil criar uma cerveja clara e equilibrada com tamanho teor alcoólico, mas a O8 é perceptivelmente macia e palatável, com o teor alcoólico se fazendo notar aos poucos.

Mas, então, quando uma golden ale deixa de ser uma golden ale? A Campanha em Prol da Real Ale classifica esta cerveja como um barleywine, apesar do protesto dos produtores. Mas isto não atrapalhou o sucesso e a O8 ganhou medalhas todos os anos desde que foi lançada. Apesar de ser o que alguns equivocadamente descrevem como uma cerveja "extrema", a O8 tem conquistado novos apreciadores, principalmente mulheres, em quantidade significativa. Muitas são atraídas pelo fato de ela combinar muito bem com comida. Golden e pale ales sempre combinam com peixe e comida asiática, enquanto cervejas mais fortes combinam com sabores mais intensos. A O8 faz as duas coisas, e mais. **PB**

Notas de degustação

Definitivamente uma pale ale, mas com um tom queimado. Aromas concentrados de lúpulos cítricos e florais. A cerveja leva o paladar a notar a presença de frutas cítricas azedas. Mas depois o teor alcoólico se faz presente, criando um final duradouro e quente.

Ozeno Yukidoke IPA

Ozeno Yukidoke Beer | www.ryujin.jp

País de origem Japão
Lançada em 2005
Teor alcoólico 5% vol.
Temperatura ideal 12°C

Esta IPA era originalmente produzida pela cervejaria Ozeno Yukidoke como uma cerveja comemorativa, feita para apreciadores de cervejas pesadas que queriam um caráter mais lupulado e sabores mais fortes. Apesar de nos anos recentes terem surgido várias marcas de IPAs duplas ao estilo norte-americano, esta cerveja parece semelhante somente no que diz respeito ao nível de lúpulo, com uma densidade relativamente normal e teor alcoólico de 5% vol., o que a torna única entre as versões mais fortes.

Em concordância com a abordagem ao estilo norte--americano, os lúpulos usados para amargor e aroma são os Cascade, com um pouco de lúpulo American, escolhido por seu sabor com notas cítricas. Como esta cerveja leva muito lúpulo, toma-se um cuidado especial para que o mosto seja mais brilhante e mais filtrado. Isto garante uma clareza maior nos sabores lupulados e também dá ênfase na cor alaranjada, o que a torna mais atraente.

A matriz da cervejaria, Ryujin Shuzo, é uma produtora regional de saquê que também fabrica shochu. As primeiras cervejas produzidas com a fundação da cervejaria, em 1997, tinham um sabor mais convencional, mas em 2006 eles já estavam produzindo várias cervejas especiais e por isso decidiram criar uma linha de cervejas premium.

A Ozeno Yukidoke IPA pertence a esta linha de cervejas premium, que conta também com a Heavy Barleywine e uma dark ale chamada 10th, criada para o décimo aniversário da empresa. Enquanto as outras cervejas são mais caras, a IPA é vendida ao mesmo preço de diversas cervejas convencionais, como a Brown Weizen, a White Weizen e a Stout, já que tem o mesmo teor alcoólico de 5% vol. **BH**

Notas de degustação

A Ozeno Yukidoke IPA tem cor alaranjada turva com colarinho esbranquiçado. Ela apresenta um marcante aroma lupulado cítrico que se prolonga para o sabor. O corpo exibe um forte caráter maltado, que é rapidamente ofuscado pelo amargor do lúpulo.

Pabst Blue Ribbon

Pabst Brewing | www.pabst.com

País de origem Estados Unidos
Lançada em 1844
Teor alcoólico 4,7% vol.
Temperatura ideal 2°C

Em 1986, no filme *Veludo Azul*, o personagem sinistro de Dennis Hopper, depois de fazer piada contra a cerveja mais vendida do mundo (Heineken), elogia as qualidades da Pabst Blue Ribbon. Foi assim que nasceu a típica cerveja "retrô" norte-americana – uma lager desinteressante, industrializada e com base de milho, hoje consumida por impulso pela contracultura moderna. Não se leva em conta que a Pabst exista há mais de 150 anos; a maldição de Hopper estabeleceu o tom para esta criação moderna do mercado subterrâneo, odiada e amada como nenhuma outra bebida jamais produzida.

A cerveja "retrô" é a cerveja do seu pai e, provavelmente, do seu avô, servida como uma alternativa *déclassé* à moda das cervejas artesanais. A cerveja "retrô" é moda, sim, mas é também antimoda. É uma refutação da publicidade predominante e uma afirmação da nostalgia.

A cervejaria Pabst, originalmente chamada de Empire e mais tarde Best & Co., foi fundada em 1844 em Milwaukee e cresceu sob o comando do capitão de navios a vapor Frederick Pabst, até se transformar na maior produtora de cerveja dos Estados Unidos. Por mais de um século ela combateu gigantes – Miller, Anheuser-Busch e Schlitz – pelo controle do mercado.

Hoje a cervejaria é apenas um nome. A empresa pertence a uma fundação de caridade sem fins lucrativos. Seus produtos são feitos sob contrato para outras empresas, entre elas a MillerCoors. O carro-chefe, conhecido genericamente como PBR, deve seu nome às várias medalhas azuis que recebeu nas exposições de cervejas do final do século 19. Hoje a PBR não é necessariamente uma cerveja premiada, mas um gole desta lager amarela lhe propicia uma degustação visceral de um importante segmento da cultura cervejeira atual. **DR**

Notas de degustação

Extremamente carbonatada e com um aroma exuberante de malte e milho. Áspera e refrescante, com o sabor dominado pela doçura do malte, com um ligeiro toque de amargor lupulado para abrir caminho ao gole seguinte direto da lata.

A antimoda na moda: a PBR é nostalgia no copo.

SO MUCH MORE ENJOYMENT
WHEN YOU SAY-PABST
TapaCan
12 FL. OZ.
SAME AS BOTTLE
Pabst
PABST BREWERIES
EXPORT
BEER
PABST
PABST
PABST
PABST
PABST
PABST
PABST BLUE RIBBON BEER
Millions find beer enjoyment greater when their beer is Pabst. Pabst is one of the better things in life within the reach of all. The art of brewing—brought to its height by ninety-three years of experience—has produced its masterpiece in the delicious wholesomeness of Pabst. Enjoy Pabst in the famous TapaCan or the new style bottle—brimming with the goodness that has won nationwide preference. Always refreshing and satisfying—ask for Pabst.
© 1937, Premier-Pabst Sales Co., Chicago

Pale Rider

Kelham Island | www.kelhambrewery.co.uk

País de origem Inglaterra
Lançada em 1992
Teor alcoólico 5,2% vol.
Temperatura ideal 12°C

Quando Dave Wickett inaugurou a cervejaria Kelham Island em Sheffield, em 1990, ele abriu as portas ao público. Durante as visitações, ele percebeu que os homens gostavam do aroma dos lúpulos sendo esmagados, mas as mulheres não. A mesma coisa acontecia nas degustações – as mulheres não gostavam do amargor e muitas delas só bebiam lagers. Assim, ele decidiu fazer uma ale cheia de sabor, mas não muito amarga. Usando cevada maltada Maris Otter como base, com lúpulos aromáticos North American, sua equipe desenvolveu uma cerveja única, a Pale Rider batizada em homenagem ao filme de mesmo nome [*O cavaleiro solitário*, no Brasil], e passou a vendê-a nos bares.

Logo vieram relatórios dizendo que a cerveja era um sucesso, apreciada por homens e mulheres, e em três meses ela se tornou a mais popular da empresa. A Pale Rider já estava ganhando prêmios no seu primeiro mês de vida, entre eles o Champion Beer of Britain de 2004. **MC**

Notas de degustação

Visualmente interessante com sua intensa cor alaranjada, a cerveja tem um delicioso aroma de pêssego assado e brioche que leva a um sabor marcante de framboesas e nectarinas. Extremamente agradável.

Paulaner Nockherberger

Paulaner Brauerei | www.nockherberg.com

País de origem Alemanha
Lançada em 2003
Teor alcoólico 5,2% vol.
Temperatura ideal 8°C

Esta cerveja da Paulaner Brauerei se chama Nockherberger ("não muito alta"), numa referência à colina de Munique onde se localiza o grande salão da cervejaria Paulaner, local em que todos os anos é realizado o mais famoso festival de cerveja forte do mundo, o Starkbierfest. O restaurante e o salão ficam na mais importante montanha cervejeira (conhecida pelos moradores como Salvator) da Baviera, e só ali a Nockherberger é produzida e servida.

A cerveja é uma das mais jovens e, talvez, mais incomuns entre as cervejas tradicionais da cidade. A Nockherberger é uma Kellerbier leve e aromática, que não passa por filtragem, de acordo com a velha tradição, o que lhe confere uma aparência naturalmente turva. Esta Kellerbier é vendida o ano todo, mas os visitantes a apreciam sobretudo no verão, quando um dos mais belos jardins cervejeiros da cidade, o Biergarten am Nockherberg, fica aberto. **WO**

Notas de degustação

A Nockherberger é amarela e geralmente turva. É uma Kellerbier típica, sem filtragem e de sabor muito aromático. Um final ligeiramente amargo expõe os lúpulos, com um toque maltado de cevada.

Perła Chmielowa

Perła Browary Lubelskie | www.perla.com.pl

País de origem Polônia
Lançada em 1846
Teor alcoólico 6% vol.
Temperatura ideal 8°C

Karl Vetter fundou a cervejaria Lublin em 1846 e começou a produzir o que na época era uma moderna cerveja de baixa fermentação – em outras palavras, uma lager. Em 1912, a cervejaria de Vetter se uniu à judaica Browar Parowy Jeleń ("Cervo de Vapor"), que havia se especializado em cervejas kosher. Estatizada pelo governo comunista em 1948, a cervejaria voltou a ser privatizada depois da queda do regime e hoje uma parte dela pertence à Royal Unibrew e a um fundo de investimentos americano-canadense.

A Lublin Perła Chmielowa Pils é a principal cerveja da empresa, firmemente apegada às suas origens. Uma pilsen dourada de baixa fermentação, ela dá continuidade à tradição das lagers iniciada por Karl Vetter há tanto tempo e ainda é a cerveja mais popular da região. Perła significa "pérola", sem dúvida uma referência às encantadoras bolhas brancas no copo recém-servido. **RZ**

Notas de degustação
De coloração dourada clara, com um convidativo aroma lupulado. O sabor forte leva a um final agradável, dominado por delicados lúpulos ligeiramente picantes.

Petrus Aged Pale

Brouwerij Bavik | www.bavik.be

País de origem Bélgica
Lançada em *ca.* final dos anos 1990
Teor alcoólico 7,3% vol.
Temperatura ideal 8°- 12°C

A Bavik não é uma cervejaria pequena. Na verdade, ela deveria se chamar De Brabandere, que é o nome da família que a controla. A origem da Petrus Aged Pale remonta à época em que o especialista Michael Jackson apareceu na empresa e pediu para experimentar a cerveja mais antiga da Bavik, diretamente do barril. A cerveja que Jackson pediu era uma pale. Mais tarde, ele entrou em contato com os donos e pediu que a bebida fosse engarrafada do mesmo modo que ele a havia bebido – ele queria oferecê-la no seu Clube de Cervejas Raras nos Estados Unidos. A cervejaria fez o que ele pediu. Assim, a bebida foi engarrafada pela primeira vez em 2001, depois de 24 a 30 meses de maturação – e então o mundo caiu.

As pessoas que a beberam nos Estados Unidos adoraram. Depois, os especialistas na Bélgica reclamaram e a quiseram também. Entre todas as cervejas Petrus, esta é de fato a joia da coroa. **JPa**

Notas de degustação
Aroma vinoso e amadeirado, com notas de limão e maçã verde. Há um notável caráter de madeira no sabor. Prolongadas notas amadeiradas e álcool no final.

Phillips Original IPA

Phillips Brewing Company | www.phillipsbeer.com

País de origem Canadá
Lançada em 2001
Teor alcoólico 6,5% vol.
Temperatura ideal 8°C

É seguro dizer que umas poucas centenas de microcervejarias na América do Norte nasceram com dívidas com o cartão de crédito. E também algumas são o produto da determinação, da ousadia e do autossacrifício de um único indivíduo. Mas, mesmo dentro deste contexto, a história da cervejaria Phillips é extraordinária.

Um artista da indústria cervejeira artesanal da Colúmbia Britânica, Matt Phillips, decidiu, no fim do século, que o mundo como um todo, e principalmente a ilha de Vancouver, precisava de mais uma microcervejaria – a sua. E assim ele começou suas visitas aos bancos, recebendo rejeição após rejeição e, por fim, chegando à conclusão de que os cartões de crédito disponíveis nas agências provavelmente financiariam seu sonho antes dos bancos.

Ele estava certo. O problema era que comprar o equipamento com cartão de crédito deixava pouco dinheiro para o aluguel, e foi assim que Phillips decidiu morar na cervejaria, instalando lâmpadas halógenas para simular a luz do sol nos meses mais escuros de inverno e tomando banho diariamente na academia local.

Das primeiras três marcas que Phillips produziu em 2001, somente a IPA passou no teste do tempo. Feita de acordo com um estilo mais próximo da cerveja produzida no nordeste dos Estados Unidos, ao contrário do que as cervejarias da Colúmbia Britânica estavam oferecendo na época, ela era uma ousada afirmação de individualidade. A IPA foi uma peça fundamental na evolução da cultura cervejeira no oeste do Canadá, para além das blonde ales, pallid pale ales e cervejas de cânhamo. **SB**

Notas de degustação

Extremamente frutada no aroma, com notas crescentes de pêssego e uva-passa, esta impressionante IPA começa levemente adocicada e melada antes de adquirir um notável amargor lupulado que às vezes fica mais ameno no final, mais cítrico. Perfeita com hambúrgueres e carnes grelhadas.

Pickla Pils

Nynäshamns Ångbryggeri | www.nyab.se

País de origem Suécia
Lançada em 2000
Teor alcoólico 4,8% vol.
Temperatura ideal 8°- 10°C

A história da Nynäshamns Angbryggeri, que fica na costa rochosa da Suécia, não muito distante da capital, Estocolmo, é um clássico das microcervejarias. Três amigos interessados em cervejas formaram um clube para se encontrarem e beberem cerveja. O interesse deles passou da degustação à produção. Eles se reuniam uma vez por semana na cozinha para retomarem a produção de cerveja que praticaram na juventude (algo não tão incomum num país com leis que restringem o consumo do álcool) e descobriram que tinham talento. Após um curso sobre fabricação caseira de cerveja e quase dez anos depois de se reunirem para beber pela primeira vez, abriram uma cervejaria.

Tony Magnusson, Christer Johansson e Lasse Ericsson começaram como entusiastas e continuaram produzindo com o mesmo espírito. A cervejaria cresceu rapidamente, apesar de não gastar quase nada com publicidade e contar apenas com a propaganda boca a boca para divulgar seus produtos. Eles ainda atendem donos de restaurantes que querem fazer encomendas e também vendem para o "systembolaget" – as lojas de bebidas alcoólicas controladas pelo governo. O sucesso gerou um aumento constante na produção e uma mudança do envase à mão para a produção mecanizada numa antiga subestação de eletricidade.

A Pickla Pils foi criada para apresentar aos suecos uma pilsen tradicional com um caráter mais próximo do original tcheco, de sabor mais lupulado e um final mais seco. A Pickla Pils usa maltes Pilsen e caramelo, com lúpulos Saaz da República Tcheca. Ela é fermentada com levedura pilsen natural por uma semana antes de ficar maturando por três a quatro semanas em temperaturas perto de zero. **AA**

Notas de degustação

Esta cerveja é uma clássica pilsen clara com um colarinho branco, que combina com o também notável aroma de palha e gramíneas. A Pickla tem um sabor cítrico e maltado, amargor equilibrado e um ligeiro azedume antes do final refrescante de toranja.

Pike IPA

The Pike Brewing Company | www.pikebrewing.com

País de origem Estados Unidos
Lançada em 1990
Teor alcoólico 6,3% vol.
Temperatura ideal 6°- 9°C

"Começamos com água do mar do século 18, trazida diretamente da Inglaterra", brinca o fundador da Pike Brewing Company, Charles Finkel. "Fomos um dos primeiros a produzir uma IPA na Costa Oeste. Queríamos, tanto quanto possível, recriar uma India Pale Ale do século 18, mas com sabores locais." Em 1990, o amargor de 65 IBU era "incrivelmente alto", mas para os padrões de hoje ela é bastante suave. "Com nosso cervejeiro da época, Fal Allen, nosso objetivo era o equilíbrio, e não bater na cabeça das pessoas com lúpulo", diz Finkel. "Conseguimos uma cerveja que é muito boa com comida."

Previsível. Finkel foi um dos primeiros praticantes da arte de harmonizar cerveja e comida. A Merchant du Vin, empresa importadora norte-americana que ele e sua esposa Rose Ann abriram, foi uma das primeiras a focarem em cervejas especiais e a fazerem isso no contexto mais amplo da gastronomia. Como alguns outros, entre eles o famoso escritor Michael Jackson, os Finkel perceberam algo extraordinário para o fim da década de 1970: a cerveja merecia uma análise séria – e merecia um lugar à mesa de jantar.

Eles incorporam ao máximo os ingredientes locais, usando maltes pale ale, cristal e Munique de Gambrinus, ao norte da Colúmbia Britânica, e lúpulos Columbus, Willamette, Chinook e Golding de Yakima. Tudo isso dá à cerveja uma sólida base maltada para equilibrar o sabor intenso dos lúpulos Northwest. Se você está à procura de uma cerveja à moda antiga, a Pike IPA tem um sabor que capta a exuberância da época e ainda consegue manter a saborosa prova líquida de como uma cerveja clássica pode ser boa. **RM**

Notas de degustação

No aroma, notas terrosas e de pinheiro exalam um pouco do malte caramelado e toques de damasco. O paladar é marcado por sabores bem-equilibrados do vigoroso e ligeiramente amendoado malte claro. Amargor moderado no meio da degustação, com um final prolongado, simples, amargo e frutado.

Pike Monk's Uncle Tripel Ale

The Pike Brewing Company | www.pikebrewing.com

País de origem Estados Unidos
Lançada em 2006
Teor alcoólico 9% vol.
Temperatura ideal 9°C

O mercado público Pike, de Seattle, é mais conhecido por suas peixarias, onde os funcionários passam o dia jogando peixes de um lado para outro, e foi lá que a Starbucks serviu sua primeira xícara de café. Foi lá também que Charles e Rose Ann Finkel decidiram abrir uma cervejaria em 1989. Finkel estivera no ramo de vinhos e depois entrou na indústria cervejeira com a Merchant du Vin, uma empresa que importava marcas como Orval, Ayinger, Lindemans e Samuel Smith's na época em que o movimento das cervejarias artesanais norte-americanas estava começando.

A Monk's Uncle Tripel Ale foi produzida pela primeira vez em 2006 para celebrar o fato de que os Finkel haviam readquirido a cervejaria Pike depois de um hiato de oito anos. Um total de 500 garrafas de uma edição limitada foi dado a clientes selecionados e amigos da cervejaria, como agradecimento pelo apoio. A cervejaria decidiu reproduzir o estilo das tripels belgas porque elas eram diferentes das ales inglesas pela qual a Pike se tornou conhecida, como a Pike IPA, a Pike Extra Stout e a Pike Old Bawdy Barley Wine Style Ale. Um pouco da Monk's Uncle foi servida no barril no bar da cervejaria e depois foi lançada como uma cerveja sazonal em 2007 e 2008. Após ganhar o Prêmio do Leitor da Northwest Brewing News como melhor ale ao estilo belga, a Pike decidiu lançar a Monk's Uncle como uma cerveja de produção contínua em 2009.

A cerveja é feita com maltes pale e pilsen orgânicos, 7% de açúcar também orgânico e lúpulos Nugget e Saaz. A adição da elogiada levedura Westmalle Trappist lhe confere uma linhagem belga e dá à ale um sabor fresco, seco e frutado. **RL**

Notas de degustação

Esta ale ao estilo belga tem a tradicional cor de palha de uma tripel, com uma coroa firme e duradoura. Há um sabor frutado inerente a esta cerveja, com apenas um toque de mel e especiarias.

Pikeland Pils

Sly Fox Brewing | www.slyfoxbeer.com

País de origem Estados Unidos
Lançada em 2002
Teor alcoólico 4,9% vol.
Temperatura ideal 4°C

Todos os anos, no verão, os cervejeiros dos Estados Unidos procuram suas melhores ales e lagers artesanais no estoque, degustando-as em busca de falhas e selecionando as melhores a fim de enviá-las para Denver, para que sejam julgadas no Grande Festival Americano da Cerveja. Os prêmios são almejados por todos, desde os menores bares-cervejarias até as maiores indústrias.

Em 2007, o cervejeiro Brian O'Reilly, da Sly Fox, tentava cumprir o prazo de envio para o concurso quando percebeu que era tarde demais para inscrever a principal cerveja da sua empresa, a Pikeland Pils. "Assim eu simplesmente peguei seis latas de uma estante e as enviei", conta. Os representantes da cervejaria acreditam que a medalha de ouro que a Pikeland Pils ganhou naquele ano foi a primeira jamais dada a uma cerveja artesanal enlatada. Os apreciadores locais desta cervejaria no subúrbio da Filadélfia deram de ombros; para eles, as latas de cores vivas eram simplesmente a maneira perfeita de estocar a Pils em caixas térmicas para os jogos de softball e piqueniques.

Desde então, a pilsen de O'Reilly ganhou várias medalhas. Sua inspiração foi a Jever, a pilsen clássica do norte da Alemanha. "Quando estudei na Áustria", diz ele, "me lembro de caminhar no meio da noite depois de encontros com a Jever e sentir que minha boca estava tão seca que eu tinha de correr em busca de um pouco de água".

A escolha dos lúpulos é essencial para as pilsens. Lúpulos nobres – Hallertau da Baviera, Saaz da Boêmia – lhe dão a aspereza; o lúpulo Tettnanger lhe confere um ligeiro sabor residual metálico. Uma pessoa pode se sentir tentada a beber esta golden lager no copo apropriado para apreciar sua beleza e seu aroma. Vá em frente, mas esta cerveja parece muito mais especial depois de um longo e quente dia de trabalho ou de um jogo, saboreada diretamente da garrafa. **DR**

Notas de degustação

Cor de palha; um aroma de pinheiro ou flores exala do colarinho fino e instável. Corpo leve, de algum modo granulado e terroso, com marcante amargor do lúpulo alemão. Refrescante, com um final seco que estimula um gole após o outro.

← A logomarca da Pikeland Pils é inspirada na flor fêmea do lúpulo.

P.I.L.S.

Pausa Café | www.pausacafe.org

País de origem Itália
Lançada em 2007
Teor alcoólico 4,2% vol.
Temperatura ideal 6°C

A Pausa Café é um trabalho conjunto envolvendo duas prisões – a Lorusso e Cotugno, em Turim, e a Rodolfo Morandi, em Saluzzo. Ela também envolve três comunidades produtoras de café e cacau na Guatemala, no México e na Costa Rica. Em Turim, o café é torrado e embalado; em Saluzzo, desde 2009, produz-se a cerveja.

O dono da Pausa Café é Andrea Bertola, um ex-empregado da cervejaria Troll que decidiu fabricar sua própria bebida. Ele começou numa fábrica em Veneza antes de transferir sua nova cervejaria para a prisão, onde a bebida exerce um importante papel social – principalmente no ensino profissionalizante dos prisioneiros, que podem trabalhar na produção de cerveja depois de libertados. A conexão com os fazendeiros da América Latina faz com que várias cervejas sejam também produzidas com ingredientes provenientes dessas comunidades. O café e o cacau são os mais importantes, mas também se usa quinoa e amaranto.

A P.I.L.S. é produzida ao estilo de uma pilsen tcheca, do modo mais tradicional possível. Ela é feita com levedura de baixa fermentação e maturada; sua cor também é dourada e flores inteiras de lúpulo Saaz são adicionadas para lhe dar um aroma de ervas. Os lúpulos inteiros também ajudam a lhe conferir um agradável caráter amargo no sabor. O processo de produção segue as veneráveis tradições tchecas: a cerveja amadurece em barris de madeira, enquanto mais lúpulos são adicionados numa infusão tripla, dando-lhe características diferentes nos vários estágios. **ES**

Notas de degustação

Amarela com toques dourados e um colarinho firme. No aroma, notas intensas do lúpulo Saaz, que são terrosas e com um pouco de doçura do mel. No sabor, amarga.

Pilsner Urquell

Pilsner Urquell | www.pilsner-urquell.com

País de origem República Tcheca
Lançada em 1842
Teor alcoólico 4,4% vol.
Temperatura ideal 7°C

Na década de 1830, a cerveja da cidade boêmia de Pilsen era considerada insuportável, e muitos dos moradores da região preferiam as novas lagers da Baviera. Infelizmente, a principal cervejaria em Pilsen não tinha lugar para mudar o estilo da produção e por isso a qualidade da sua própria cerveja de alta fermentação caiu. Certo dia, em 1838, os moradores da região reclamaram derramando 36 barris de cerveja estragada em frente à prefeitura. Os cidadãos com licença para produzir cerveja concordaram em fundar uma nova cervejaria.

Contratar Josef Groll como mestre cervejeiro talvez tenha sido o golpe de sorte. Conhecido na cidade bávara de Vilshofen, Groll tinha experiência com cervejas de baixa fermentação, além do conhecimento que herdara do pai. A primeira produção, feita em 1842, foi surpreendente. Com a combinação de baixa fermentação, malte claro de cevada triplamente decocto e água extremamente pura da cidade, Groll criou a primeira cerveja clara de baixa fermentação. Ela também tinha um sabor diferente, em parte por conta do delicado aroma floral e do leve amargor da generosa dose dos preciosos lúpulos Saaz da Boêmia.

A cerveja já era vendida em Viena em 1856; em Paris, em 1869; e nos Estados Unidos, em 1873. Significando "fonte original", o nome Urquell foi registrado em 1898. Hoje parte do grupo SABMiller, a Pilsner Urquell é considerada uma das melhores cervejas produzidas em grande escala. **ER**

Notas de degustação

Belo equilíbrio entre o doce próprio do malte Pilsen e o amargor delicado dos lúpulos aromáticos Saaz. Esta pale lager tem uma notável intensidade no corpo.

Um anúncio antigo da Pilsner Urquell. →

Pilsner Urquell

Pinkus Special

Brauerei Pinkus Müller | www.pinkus-mueller.de

País de origem Alemanha
Lançada em 1979
Teor alcoólico 5,1% vol.
Temperatura ideal 8°C

A Pinkus Special é uma pioneira mundial. Foi a primeira cerveja produzida com maltes totalmente orgânicos, o que marcou o início de uma mudança decisiva na produção da cervejaria familiar Pinkus Müller, em Münster, na Vestfália. Tudo começou em 1979, quando Hans Müller recebeu um lote de maltes orgânicos; infeliz com a má qualidade dos maltes, ele estava ansioso por experimentar o novo ingrediente. O resultado foi maravilhoso. Em 1982, com a ajuda dos colegas do mercado pioneiro de produtos orgânicos Neumarkter Lammsbräu, a Pinkus Müller se apropriou dos lúpulos orgânicos e toda a produção da cervejaria se tornou orgânica em 1991.

A cervejaria, que remonta ao ano de 1816, é uma das mais de 150 cervejarias de Altbier em Münster, enquanto seu bar, o Altbierküche (Cozinha Altbier), é uma atração turística da cidade. Hoje, com a filha de Hans, Barbara, e seu marido, Friedhelm Langfeld, ambos no ramo da cervejaria, a nova geração se juntou à gerência da empresa.

A Pinkus Special não é filtrada. Depois de aproximadamente três meses de acondicionamento a uma temperatura perto de zero, ela desenvolve uma clareza natural. É uma blonde lager arredondada e amena, com amargor moderado e boas notas florais. Como Langfeld afirma, o sabor da cerveja talvez se altere dependendo do estado dos lúpulos. A composição aromática muda com o armazenamento. Mas isto não afasta os admiradores de todo o mundo. A cerveja fez sucesso desde o início e ainda é a mais popular entre as Pinkus Müller. Ela é vendida na região, no país inteiro, em lojas de alimentos orgânicos e é também exportada para o mundo todo. **SK**

Notas de degustação

Uma lager dourada e ligeiramente opaca, com um belo colarinho branco. O aroma é adocicado, de flores e frutas cítricas. No paladar, o corpo é arredondado, com sabores amenos de flores e notas de baunilha, além de um amargor moderado no final semisseco.

Poperings Hommel Bier

Brouwerij Van Eecke | www.brouwerijvaneecke.be

País de origem Bélgica
Lançada em 1981
Teor alcoólico 7,5% vol.
Temperatura ideal 8°C

Não é preciso experimentar muitas ales belgas para perceber que, classificando-as genericamente, elas geralmente são mais maltosas do que lupuladas. Uma notável e antiga exceção a esta regra imperfeita é a Poperings Hommel Bier. A cerveja recebe o nome da cidade de Poperinge, que fica perto do famoso lugar onde se travou a batalha de Ypres na Primeira Guerra Mundial. Hoje a região é também conhecida como a capital da produção de lúpulo no país. A palavra para "lúpulo" no dialeto local é *hommel*.

No coração do país do lúpulo e lar de um festival trienal do lúpulo, era natural que Poperinge tivesse uma cerveja própria e que fosse, na época, a mais lupulada da Bélgica. Talvez mais conhecida pela série Kapittel de ales trapistas, a cervejaria familiar Van Eecke produz cerveja desde 1862, quando adquiriu a fábrica adjacente a um castelo que foi reconstruído depois da Revolução Francesa (o castelo permanece em ruínas). Rebatizando-a de Gouden Leeuw – ou Leão Dourado –, a família a controlou com uma visão quase totalmente regional até a era da reconstrução pós-Segunda Guerra Mundial, durante a qual a linha de cervejas Kapittel surgiu.

Apesar de as cervejas Kapittel não terem ligação direta com um mosteiro – o nome se refere à hierarquia dos monges dentro do mosteiro –, ao longo dos anos a Hommel Bier formou um elo muito forte e não oficial com a região como um todo e a cidade em especial. Na verdade, apesar de ela não ser mais a cerveja mais lupulada da Bélgica, sem dúvida continua sendo uma das mais famosas de suas criações. **SB**

Notas de degustação

Quem espera o amargor típico de uma IPA ficará desapontado, já que ele não é tão marcante, mas está integrado no tom maltoso de caramelo, laranja e mel. Semisseca, a Hommel Bier tem uma incrível qualidade saciante para uma ale com este teor alcoólico.

Potsdamer Stange

Braumanufaktur Forsthaus Templin | www.braumanufaktur.de

País de origem Alemanha
Lançada em 2005
Teor alcoólico 4,8% vol.
Temperatura ideal 7°- 10°C

Potsdam é a versão prussiana de Versalhes: uma cidade nos arredores da capital, com um espaçoso castelo para o rei controlar tranquilamente a grande cidade. O rei que fez de Potsdam sua residência em Berlim foi Frederico II ("o Grande"). Ele talvez tenha sido o único rei da história que também era um habilidoso cervejeiro: seu pai, que considerava o jovem príncipe um leitor afeminado demais, enviou-o como aprendiz para uma cervejaria. É provável que Fritz produzisse algo parecido com a Potsdamer Stange, um estilo batizado em referência às taças na qual a cerveja é servida. Os *stangen* (cabos) são altos, finos e retos – assim como os soldados prussianos. O bom é que o conteúdo das taças não é rígido demais.

A Potsdamer Stange é uma cerverja frisante e muito efervescente. O estilo era produzido esporadicamente na antiga Alemanha Oriental e em Berlim Oriental na década de 1970. Desde 2005, seu renascimento tem sido celebrado com esta cerveja orgânica feita na Braumanufaktur Forsthaus Templin, uma cervejaria, taverna e jardim às margens do lago Templin, em Potsdam.

Thomas Köhler e Jörg Kirchhoff – dois cervejeiros que aprenderam o ofício na empresa estatal VEBGetränkekombinat Potsdam – compraram o complexo em 2002, reformaram o bar, instalaram uma central produtora e a reinauguraram em 2003. A Potsdamer Stange é uma cerveja de baixa fermentação, feita com maltes Pilsen, Munique e de trigo e lúpulo Hallertau. Na segunda fermentação, eles acrescentam *kräusen* (mosto em fermentação) para reavivar a levedura. O resultado é uma cerveja refrescante e harmoniosa, digna de um rei. **SK**

Notas de degustação

De cor alaranjada, com um tom de mel e um colarinho fino. O aroma tem um quê de mel. A primeira impressão no paladar é de intensa efervescência. Depois vêm os sabores doces apoiados no amargor e equilibrados por um toque de azedume refrescante. Final seco e ameno.

Prime Max

Hite | www.hite.com

País de origem Coreia do Sul
Lançada em 2002
Teor alcoólico 4,5% vol.
Temperatura ideal 4°C

Foram os europeus que levaram a cerveja para a Coreia. Não havia tradição de fabricação de cerveja na região; os coreanos preferiam usar o arroz para produzir soju, uma bebida semelhante ao saquê japonês. Com o clima subtropical quente e úmido da Coreia, contudo, a refrescância das lagers leves aos estilos norte-americano e alemão foi rapidamente percebida. As técnicas modernas de produção de cerveja também permitiram que a bebida fosse fabricada em qualquer lugar do mundo – não era preciso que a chaminé da cervejaria Hite fosse vista de um campo de cevada.

A Prime Max é uma cerveja de puro malte, o que significa que, ao contrário das demais cervejas da mesma empresa, ela não é feita com o acréscimo de aditivos como milho ou arroz. Ela tem a cor amarela tropical deste tipo de lager, com uma enérgica efervescência, o que ajuda a criar um colarinho branco. Seu sabor tem certa intensidade e, à medida que esquenta no copo, exala sabores maltosos, com toques doces de chiclete. Usa-se lúpulos Cascade norte-americanos, o que lhe confere um aroma levemente floral e cítrico.

Como a maioria das cervejas vendidas na Coreia é parecida, a harmonização com alimentos não é uma arte muito sofisticada. A maior parte das cervejas servidas em bares, contudo, acompanha as comidas locais, como o *samgyeopsal-gui* (tiras assadas de barriga de porco). O sabor discreto da Prime Max faz dela a cerveja ideal para se beber com salgadinhos. A falta de desafio ao paladar e seu caráter refrescante permitem que ela também sirva como acompanhamento para alimentos picantes. A Prime Max busca a fatia de mercado das cervejas premium – uma cerveja para turistas e empresários de sucesso. **TH**

Notas de degustação

De cor alaranjado-clara. As notas levemente florais do aroma são uma cortesia do lúpulo. O sabor é leve e dominado por uma doçura cremosa e ao mesmo tempo refrescante, de final seco.

Prinz

Bayern Meister Bier | www.bmbier.com

País de origem Japão
Lançada em 2007
Teor alcoólico 5,5% vol.
Temperatura ideal 8°- 10°C

Stephan Rager se mudou da Alemanha para o Japão em 1996 para abrir uma pequena cervejaria. Ele trabalhou nela até o fim de 2001 e continuou no país dando consultoria para cervejarias em sociedade com empresas alemãs e holandesas. No verão de 2004, ele inaugurou sua própria empresa na encosta leste do monte Fuji. Hoje ele produz várias cervejas ao estilo alemão, concentrando-se em dois tipos populares. A Prinz é uma tradicional pilsen alemã, enquanto a Edelweiss é uma cerveja de trigo. Apesar de esta ser bastante popular entre os jovens japoneses, a Prinz é a preferida entre a comunidade alemã no Japão, com uma demanda constante para a embaixada alemã, restaurantes e expatriados.

Rager explica que a Prinz foi criada tendo em mente o Japão. Ele diz que precisava de uma cerveja de corpo relativamente leve para acompanhar a maioria dos pratos à base de peixe da culinária japonesa. A cerveja não apenas abriria o apetite, mas também precisava combinar com o sabor. Ele explica que o aspecto mais difícil no processo de fabricação da Prinz e de outras cervejas é manter o oxigênio fora da garrafa para que ela permaneça fresca por mais tempo.

Todos os ingredientes desta cerveja são alemães, exceto pela água, que vem do monte Fuji e é de ótima qualidade. A Prinz é fermentada à temperatura normal das lagers (de 5° a 8°C), depois acondicionada a -1°C. O resultado é uma cerveja benfeita, que combina perfeitamente com a comida japonesa e também agrada a muitos consumidores alemães que querem algo que lhes traga recordações de casa. **BH**

Notas de degustação

Cerveja clara, com um colarinho esbranquiçado. No aroma, equilíbrio perfeito entre o malte e os lúpulos, enquanto no paladar o sabor maltoso é mais definido, com um corpo macio levando a um final seco e saciante.

Proper Job

St. Austell Brewery | www.staustellbrewery.co.uk

País de origem Inglaterra
Lançada em 2004
Teor alcoólico 5,5% vol.
Temperatura ideal 11°- 13°C

Quando Roger Ryman saiu de Maclays, na Escócia, para trabalhar na cervejaria St. Austell, ele entrou numa empresa com a reputação em decadência. "São Horrível" era um dos seus muitos apelidos. Desde a sua chegada como mestre cervejeiro, em 1999, a reputação da St. Austell só melhorou. Novas cervejas surgiram, todas elas testadas antes numa microcervejaria montada por Ryman e depois lançadas no festival de cerveja anual da empresa, em dezembro. A Proper Job foi um dos mais bem-sucedidos destes lançamentos, a versão britânica de uma IPA norte-americana.

A cerveja surgiu em 2004, quando Ryman voltou para casa depois de um mês sabático na cervejaria BridgePort, nos Estados Unidos. Ele era um admirador da BridgePort IPA e esta cerveja serviu de inspiração quando criou a Proper Job. A princípio, ela tinha um teor alcoólico de 5,5% vol., mas, depois de um pedido do departamento de marketing, este índice foi reduzido para 4,5% vol., para que a cerveja fosse mais fácil de manipular nas bombas e bares (a versão engarrafada, contudo, ainda tem um teor alcoólico de 5,5% vol.).

A cerveja é feita com malte pale Maris Otter, cevada cultivada na Cornualha e maltada pela Tuckers Maltings em Newton Abbot (uma das últimas indústrias do tipo no Reino Unido). Os lúpulos são todos norte-americanos: Willamette e Chinook para o amargor e uma mistura de Willamette, Chinook e Cascade para o aroma. A cerveja é dedicada a um regimento da Cornualha que lutou na Revolta Indiana de 1857 e que a rainha Vitória promoveu à Infantaria Leve em reconhecimento ao "trabalho justo" ("proper job") que realizaram. **ATJ**

Notas de degustação

Cor clara. No aroma, lúpulo resinoso e uma mistura abundante de abacaxi, melão e goiaba. As mesmas frutas tropicais se revelam no paladar, mas o malte pronunciado se contrapõe a qualquer tendência ao exagero frutado antes do final amargo. Boa com queijo Gorgonzola forte e cremoso.

Punk IPA

BrewDog | www.brewdog.com

País de origem Escócia
Lançada em 2007
Teor alcoólico 6% vol.
Temperatura ideal 7°- 15°C

Inspirando boa parte do marketing na revolução das microcervejarias norte-americanas, a BrewDog atacou a indústria cervejeira britânica e estimulou o novo público a experimentar as cervejas artesanais. Inaugurada em 2007, a BrewDog tem uma indústria de dez barris em sua sede em Fraserburgh, no litoral nordeste da Escócia, e desde o começo eles usaram esta localização, além da publicidade, para enviar uma mensagem firme e pós-moderna aos apreciadores de cerveja.

O objetivo da BrewDog era desafiar o paladar dos britânicos e testar os limites da ale, depois de se cansarem do domínio destas no mercado das cervejas artesanais. "James (Watt) e eu estávamos em harmonia com nossa decepção quanto ao cenário cervejeiro britânico e sabíamos que já era hora de algo entusiasmante, misterioso e legal voltar à indústria britânica", diz o cofundador da cervejaria, Martin Dickie.

A Punk IPA é o carro-chefe da empresa e tem feito um sucesso fenomenal, principalmente por causa dos lúpulos. Três variedades são misturadas na bebida – Chinook, Crystal e Motoeka. Combinadas, elas são devastadoras. Mas os cervejeiros são rápidos ao afirmarem que a cerveja é reconhecida por seu equilíbrio, e o malte extraclaro Maris Otter é muito evidente. Por conta da sua complexidade, não se surpreenda ao encontrar uma vasta variedade de frutas tropicais no sabor. Com 65 IBU na sua boca, contudo, você ainda perceberá que está diante de uma aventura, e a cerveja presta uma bela homenagem à interpretação norte-americana deste estilo britânico. **TS**

Notas de degustação

De coloração dourada leve, a primeira coisa a atingi-lo nesta cerveja serão as notas de pinheiro no aroma. Como se espera do sabor, ela é amarga no fundo, mas, antes que você o alcance, há um agradável equilíbrio com o malte doce. É uma combinação perfeita para alimentos picantes e um belo queijo gorgonzola.

Racer 5

Bear Republic Brewing | www.bearrepublic.com

País de origem Estados Unidos
Lançada em 1996
Teor alcoólico 7% vol.
Temperatura ideal 10°C

Já famosa entre os turistas enófilos, a cidade de Healdsburg, na Califórnia, tornou-se um importante destino cervejeiro em 1996, depois que a família Norgrove abriu a cervejaria Bear Republic. Suas cervejas se provaram tão populares que, desde então, a família teve de construir uma nova indústria na cidade de Cloverdale. No seu décimo aniversário, a Bear Republic ganhou o prêmio de Microcervejaria do Ano no Grande Festival Americano da Cerveja.

Apesar de ter por perto famosas atrações relacionadas ao vinho e a vinícolas, o condado de Sonoma já foi uma região produtora de lúpulo. Na verdade, existe uma vinícola localizada numa antiga estufa de lúpulo. Os membros da família Norgrove vivem no condado de Sonoma há quatro gerações e fazem parte de uma comunidade que os turistas geralmente ignoram. O bar-cervejaria é, de fato, um negócio familiar, com o pai, Richard R. Norgrove, administrando a empresa, e o filho, Richard G. Norgrove (conhecido como Ricardo), cuidando da produção. As esposas de ambos também participam.

A Racer 5 rapidamente se tornou a cerveja de maior sucesso da cervejaria, mas a Rocket Red Ale já foi o carro-chefe. A primeira é uma IPA com incríveis 84 IBU, notável por sua mistura aromática de lúpulos da costa noroeste dos Estados Unidos: Cascade, Columbus e Chinook. Apesar de a Bear Republic ser famosa por suas ales lupuladas, a cervejaria oferece várias alternativas. No Grande Festival Americano da Cerveja de 2008, por exemplo, a Double Aught, criada como um regresso ao século 19, quando as cervejarias norte-americanas produziam pilsens sem aditivos, e outra lager, a El Oso ("o urso", em espanhol), ganharam medalhas. **SH**

Notas de degustação

Alaranjada, com muitas frutas cítricas (laranja) e uma bela mistura de aromas florais e de pinheiro. Sabores de algodão-doce e notas cítricas no paladar, equilibrados por toques amanteigados e um amargor persistente. Uma cerveja que o deixa arrotando lúpulos.

SERVE COLD
DG
Red Stripe
STRONG LAGER
Red Stripe Strong Lage
Separates you from the herd.

Red Stripe

Desnoes & Geddes | www.redstripebeer.com

País de origem Jamaica
Lançada em 1928
Teor alcoólico 4,7% vol.
Temperatura ideal 7°C

A Red Stripe é uma cerveja para sempre associada à preguiça e à tranquilidade da Jamaica. A marca multinacional com sua inesquecível logomarca de uma faixa horizontal vermelha passou sua infância como uma ale inglesa, uma cerveja de sabor pesado que encontrou poucos apreciadores na região. Em 1938, Paul H. Geddes, filho do fundador, e seu colega Bill Martindale transformaram a cerveja na hoje conhecida golden lager clara. A textura leve e áspera e seu caráter refrescante combinaram perfeitamente com o clima quente do Caribe.

Na Segunda Guerra Mundial, a Jamaica recebeu tropas norte-americanas e canadenses, houve um aumento dramático nas vendas e a Red Stripe foi levada para o exterior pela primeira vez. Na década de 1970, ela entrou no mercado britânico e em partes da Europa. A popularidade duradoura da cerveja no mundo moderno foi garantida pela juventude e vibração da marca Red Stripe. **SG**

Notas de degustação

De cor clara e dourada, com um colarinho branco que desaparece rapidamente. Leve aroma de cereais e lúpulos e, no paladar, traços doces e caramelados com um final amargo lupulado.

Reissdorf Kölsch

Privat-Brauerei Heinrich Reissdorf | www.reissdorf.de

País de origem Alemanha
Lançada em 1894
Teor alcoólico 4,8% vol.
Temperatura ideal 10°C

A cervejaria foi fundada em 1894 por um alfaiate, produzindo apenas cervejas de alta fermentação. O interesse pelas cervejas de baixa fermentação começou em 1923. Pouco mais de uma década depois, ela se tornou a primeira cervejaria de Colônia a engarrafar sua Kölsch. Depois da Segunda Guerra Mundial, como um protesto contra a proibição de cervejas densas, os cervejeiros de Colônia começaram uma campanha com o slogan "Echt Kölsch" (Kölsch Verdadeira). A campanha foi um sucesso e a cidade pôde voltar a ser considerada a capital da cerveja Kölsch.

Em 1986, a Reissdorf e 23 outras cervejarias de Colônia criaram a Kölsch Konvention. Ela define o que é uma Kölsch: uma Vollbier (com densidade entre 11% e 15,9%), de alta fermentação, clara, filtrada, seca (isto é, não maltada), lupulada e produzida em Colônia (com algumas exceções). Hoje, a Reissdorf só produz Kölsch e também uma bebida alcoólica engarrafada, a Bierbrand, feita a partir da destilação da cerveja. **RP**

Notas de degustação

Servida no bar, ela é dourado-clara com um fino colarinho branco. O aroma é lupulado e ligeiramente maltado. Na garrafa, é muito carbonatada e um pouco maltada, com um final bem seco.

← Red Stripe – a marcante tranquilidade caribenha.

Reserva 1925

Cervezas Alhambra | www.cervezasalhambra.es

País de origem Espanha
Lançada em 1998
Teor alcoólico 6,4% vol.
Temperatura ideal 6°- 8°C

Em 1925, a Cervezas Alhambra foi fundada em Granada por Carlos Bouvard, então proprietário da cervejaria La Moravia, e Antonia Knorr, descendente de uma família de cervejeiros. Na época, a empresa ficava nos limites da cidade, aos pés da Sierra Nevada – cujos picos cobertos de neve são a fonte da melhor água espanhola. Hoje a cervejaria faz parte do centro da cidade.

Ao longo dos anos, a empresa teve vários proprietários – a SA Damm assumiu o controle em 1954. Hoje ela pertence a um conglomerado cervejeiro, o grupo San Miguel-Mahou, mas ainda consegue operar com bastante independência.

A Reserva 1925 foi feita para celebrar a fundação da cervejaria. Ela tem uma fermentação controlada de trinta e cinco dias, o que é raro para uma lager fabricada por uma grande indústria. Esta bela cerveja artesanal é vendida numa garrafa verde elegante sutilmente incrustada. **MC**

Notas de degustação

Dourado-escura no copo. No aroma, notas de laranja caramelizada com um toque de flores frescas. No sabor, é granulada e um pouco forte.

Ripper

Green Jack Brewery | www.green-jack.com

País de origem Inglaterra
Lançada em 1994
Teor alcoólico 8,5% vol.
Temperatura ideal 8°- 12°C

A Ripper é feita com maltes pale, caramalte e de trigo, milho e açúcar, temperada com lúpulos Challenger e Celia. Se fosse produzida na Bélgica, seria considerada uma tripel, mas, como é fabricada no Reino Unido, é um barleywine.

As diferenças culturais ficaram evidentes quando do lançamento da Ripper. Uma tripel belga seria degustada demoradamente de uma taça num café ao ar livre. Já um barleywine inglês é bebido num bar, servido em canecas ou meias canecas – em meio à crença cultural de que um homem de verdade só bebe em canecas.

A Ripper é muito bem aceita em festivais, onde geralmente se esgota e ganha prêmios. Em 2007, foi escolhida como a Melhor Cerveja de Inverno da Grã-Bretanha; desde então, tem atraído a atenção de um público maior, o que levou à construção de uma nova indústria e ao lançamento de uma versão engarrafada. **PB**

Notas de degustação

Ale cor de palha com belos aromas de lúpulo e toques de açúcar no olfato. Incrivelmente macia para um barleywine, e perigosamente palatável.

Rychtář Premium 12°

Pivovar Hlinsko | www.rychtar.cz

País de origem República Tcheca
Lançada em 1913
Teor alcoólico 5% vol.
Temperatura ideal 7°C

Muitas das cervejas da Vysočina, ou Terras Altas, tcheca dão ênfase ao malte e ao corpo intenso, e não ao lúpulo e ao amargor. Este é o caso da cervejaria Hlinsko, na cidade de mesmo nome da Boêmia com uma estação de esqui que fica a meio caminho entre os jardins de lúpulo e os campos de cevada no vale Haná, na Morávia. Nota-se uma pronunciada presença de açúcar na pale lager de 12 graus da cervejaria, a Premium.

A moderna cervejaria em Hlinsko originalmente fabricava pale lagers entre 10 e 12 graus Plato. Durante a ocupação nazista da Tchecoslováquia, contudo, a empresa só pôde fabricar cervejas com 7 graus Plato, e em pouca quantidade, até o fim da guerra. Ela foi estatizada em 1948, depois do que reiniciou a produção de uma lager de 12 graus Plato chamada Blesk. No final dos anos 1970, a Blesk saiu de linha; uma cerveja de 12 graus Plato só voltou a ser produzida no início da década de 1980. Hoje a cervejaria é uma empresa privada. **ER**

Notas de degustação

Dourada límpida e metálica, com um colarinho branco instável. Aroma maltado e granulado e toques de açúcar no paladar. Os lúpulos são menos evidentes no aroma e mais no duradouro final amargo.

Saint Arnold Summer Pils

Saint Arnold Brewing | www.saintarnold.com

País de origem Estados Unidos
Lançada em 1997
Teor alcoólico 4,9% vol.
Temperatura ideal 9°C

Há uma boa explicação para o fato de as grandes indústrias cervejeiras norte-americanas gastarem cada vez mais em publicidade para suas lagers amarelas no Texas do que em outras regiões do país. "No Texas, é moda ser um caubói com uma garrafa na mão", afirma Brock Wagner, cofundador da cervejaria Saint Arnold. A empresa produz uma linha completa de estilos clássicos. Depois de anos lidando com o que parecia uma receita simples – um malte, dois lúpulos –, a Saint Arnold Summer Pils (originalmente chamada de Summerfest) ganhou três medalhas em cinco anos no Grande Festival Americano da Cerveja, ainda que como uma Helles ao estilo de Munique.

Fundada em 1994, a Saint Arnold é a mais antiga e maior cervejaria artesanal do Texas, usando o nome do santo padroeiro da cerveja. Ela se saiu bem desde o princípio com cervejas comemorativas, entre elas a Summer Pils, cujo rótulo mostra o próprio santo usando óculos de sol. **SH**

Notas de degustação

Amarela, com uma espuma branca crescente. Aromas de flores frescas e cereais, seguidos por um sabor levemente amanteigado, enquanto os lúpulos deixam uma impressão de ervas e especiarias. Final seco.

Saison Athene

Saint Somewhere Brewing
www.saintsomewherebrewing.com

País de origem Estados Unidos
Lançada em 2007
Teor alcoólico 7,5% vol.
Temperatura ideal 8°C

A cerveja é um interesse recente para Bob Sylvester. Ele começou a produzir a bebida apenas em 2001, depois de ganhar de presente um kit de cervejaria caseira. Cinco anos e um punhado de medalhas mais tarde, abriu a Saint Somewhere no litoral do golfo da Flórida. A microcervejaria produz apenas 250 barris por ano, mas Sylvester tem atraído um grupo constante de seguidores de suas cervejas ao estilo belga.

Esta cerveja sazonal batizada numa referência a Atena, a deusa grega da sabedoria e da paz, foi a primeira bebida que ele produziu profissionalmente. Tudo começa com maltes comuns belgas e Pilsen com um pouco de trigo e lúpulos aromáticos East Kent Golding. No que se revelou um acaso feliz, Sylvester acrescentou um pouco de alecrim do seu quintal. Na cerveja, esta planta tende a produzir um sabor resinado de pinheiro, não muito diferente do lúpulo Centennial; a camomila suporta um pouco desta influência. O resultado é uma cerveja sazonal maravilhosamente complexa com um final delicioso. **DR**

Notas de degustação

Um colarinho espumoso flutua sobre o corpo dourado com aroma de um jardim de madressilvas na primavera e casca de limão. Um quê picante e de maçãs lhe confere a complexidade maltosa.

Saison de Pipaix

La Brasserie à Vapeur
www.vapeur.com

País de origem Bélgica
Lançada em 1785
Teor alcoólico 6% vol.
Temperatura ideal 8°- 10°C

No início do século 19, esta era uma típica microcervejaria da época, mas que finalmente foi vítima das mudanças na indústria, marcadas pela ascensão dos grandes grupos cervejeiros com a moda da efervescente lager, ignorando mercados menores. Em 1983, ela foi abandonada.

Eis que surge o professor e fanático por cerveja Jean-Louis Dits, que tinha o sonho de fabricar cerveja desde que visitara a cervejaria Dupont. Ele comprou a cervejaria e se pôs a reformá-la, rebatizando-a de La Brasserie à Vapeur, numa referência à antiga máquina a vapor que lhe fornecia energia. Dits vasculhou os arquivos à procura de receitas herdadas, interpretando-as com sua própria imaginação e reempregando temperos e sabores há muito esquecidos. A Saison de Pipaix, sua marca registrada, é uma cerveja tradicional, rejeitando o modelo contemporâneo das sazonais lupuladas em nome de uma mistura complexa e exótica com pimenta, gengibre, cascas de laranjas doce e amarga e anis. **DdM**

Notas de degustação

Colarinho branco espumoso e cremoso e um aroma caramelizado dosado com notas herbáceas e um convidativo tempero semelhante ao anis. No final, um pouco de laranja amarga e açúcar mascavo.

Saison d'Erpe-Mere

Brouwerij De Glazen Toren
www.glazentoren.be

País de origem Bélgica
Lançada em 2004
Teor alcoólico 6,9% vol.
Temperatura ideal 7°C

Quando a Brouwerij De Glazen Toren foi inaugurada em 2004, o trio por trás do empreendimento – Jef Van den Steen, Dirk De Pauw e Mark De Neef – decidiu que produzir a primeira saison flamenga seria uma bela maneira de inserir a empresa no mapa. Foi uma aposta que deu certo.

Maltes Pilsen e de trigo vão no mosto, enquanto os lúpulos são o Hallertauer cultivado na região, além do Target inglês e do Saaz tcheco. A apresentação é feita embalando a cerveja em papel multicolorido.

A cervejaria fez tanto sucesso que foi ampliada em 2009, no seu quinto aniversário. Ao longo destes cinco anos, várias cervejas foram acrescentadas à linha de produção, mas a Saison d'Erpe-Mere ainda é a joia da coroa. A De Glazen Toren exporta para França, Itália, Holanda, Reino Unido, Canadá, Estados Unidos e Japão. **CC**

Notas de degustação
Alaranjada turva com um colarinho espesso. Aroma de levedura, frutas cítricas e gramíneas, com um quê de pimenta. O sabor é terroso e floral, com notas frutadas. Agradável amargor no final.

Saison Dupont

Brasserie Dupont
www.brasserie-dupont.com

País de origem Bélgica
Lançada em *ca.* 1930
Teor alcoólico 6,5% vol.
Temperatura ideal 8°- 12°C

Na Bélgica, a cerveja mais cobiçada da Dupont é a Moinette Blonde, mas em alguns mercados internacionais a Saison é mais procurada, sendo talvez a cerveja mais importante da empresa. Afinal, a Dupont é, historicamente, uma cervejaria de bebidas sazonais, e a Saison do grupo provavelmente é a única a se manter fiel à tradição das cervejas de Hainaut.

Não que a Saison Dupont não tenha mudado ao longo dos anos. O teor alcoólico de 6,5% vol. talvez seja o mesmo desde os anos 1950, mas antes disso ela era mesmo uma bebida para o trabalho agrícola no verão, até mesmo de fermentação interrompida e com um teor alcoólico que nunca excedia os 4,5% vol. O mais curioso é que a Saison Dupont era vista como uma estranha entre as outras cervejas sazonais vendidas há trinta ou quarenta anos. O motivo é o profundo poço que fornece a água muito pura da cervejaria e lhe confere um sabor ligeiramente azedo-metálico. **JPa**

Notas de degustação
Alaranjada-amarelada e turva. Aroma vibrante e cítrico, e depois aromas de queijos macios, como o brie, além de casca de laranja. No paladar, especiarias e leveduras. Seca e ao mesmo tempo refrescante.

Saison-Brett

Boulevard Brewing | www.blvdbeer.com

País de origem Estados Unidos
Lançada em 2008
Teor alcoólico 8,5% vol.
Temperatura ideal 13°C

A cervejaria Boulevard, em Kansas City, no Missouri, passou uma década sem lançar uma cerveja de produção permanente – não porque os cervejeiros não tivessem criatividade, e sim porque estavam ocupados fabricando uma já consagrada linha de cervejas vinte e quatro horas por dia, sete dias por semana. Só depois que a cervejaria passou a vender on-line, em 2007, é que ela teve novas instalações para produzir uma série especial Smokestack, entre as quais havia quatro cervejas permanentes e quatro sazonais comercializadas em garrafas de 750ml. Entre os novos lançamentos estavam a Saison-Brett, com o fermento selvagem Brettanomyces adicionado na garrafa.

"A inspiração veio de algumas belas cervejas sazonais belgas e também da minha infância, da época em que cresci numa fazenda na Bélgica", disse o mestre cervejeiro Steven Pauwels. "Ajudávamos os camponeses durante a colheita. O cheiro seco do feno quando o estávamos empilhando no campo e o cheiro do celeiro quando estávamos retirando o feno eram completamente diferentes, mas muito marcantes. (...) Tentei captar o cheiro de feno fresco usando o processo de *dry hopping* e o cheiro do celeiro com o Brett."

Pauwels começou a trabalhar na cerveja em 2004, percebendo rapidamente que o fermento Brettanomyces seria necessário para a versão sazonal. "Nossa linha principal é de cervejas que não usam Brettanomyces, e não queríamos perder isso. Assim, instalamos uma linha de envase num armazém longe da cervejaria para manter o Brettanomyces distante", disse ele. Em 2006, Pauwels enviou um lote para um festival em Cooperstown, Nova York, sede do Hall da Fama do Beisebol, batizando a cerveja de "George Brett", uma brincadeira com os nomes do jogador mais famoso de Kansas City e da variedade única de fermento. **SH**

Notas de degustação

Alaranjada e turva depois de sair com um estrondo da garrafa fechada com rolha. Terrosa e complexa, uma mistura de especiarias e aromas herbáceos. Rústica e cremosa no paladar, muito vibrante na língua e depois seca, deixando uma impressão semelhante ao champanhe.

Sakara Gold

Al Ahram Beverages Company | www.alahrambeverages.com

País de origem Egito
Lançada em 1999
Teor alcoólico 4% vol.
Temperatura ideal 3°- 6°C

O Egito é um dos menores consumidores de cerveja do mundo, apesar dos cinco mil anos de história na produção da bebida, quase tão antiga quanto a dos sumérios da Mesopotâmia, supostamente seus inventores. Textos indicam que os operários das pirâmides bebiam cerveja três vezes ao dia. Os textos descrevem cinco estilos diferentes, e o deus Osíris é considerado a entidade que ensinou o homem a fabricar esta bebida.

Na era moderna, a Al Ahram Beverages Company (conhecida como cervejaria Pyramids Co. até 1953) fabrica a famosa Stella (sem parentesco com a Stella Artois) desde 1897. Durante décadas, houve vários bares e casas noturnas prósperos no centro do Cairo, e na Segunda Guerra Mundial milhares de soldados aliados saciaram a sede com a cerveja local. Mas o crescente conservadorismo muçulmano, desde a década de 1970, gerou um declínio nos bares e um foco crescente no mercado exportador. Hoje, os turistas consomem 40% da produção anual da Al Ahram, enquanto as exportações são enviadas para dez países, entre eles Senegal, Madagascar e Indonésia.

Em 1997, especialistas em vinho das bebidas El Gouna decidiram desafiar o monopólio da Al Ahram no mercado cervejeiro. Sediada na cidade turística de Hurghada, no mar Vermelho, a El Gouna lançou a Sakara Gold, uma rival cara e de alta qualidade da Stella da Al Ahram, em 1999. A Sakara Gold tinha a seu lado a reputação da Stella como uma cerveja inferior e de pouca consistência e rapidamente tomou uma parte do mercado dominado pela Al Ahram. Mas em fevereiro de 2001 a El Gouna foi adquirida pela Al Ahram. O rótulo retrata uma pirâmide localizada em Saqqara, em homenagem à qual a cerveja foi batizada. **JP**

Notas de degustação

Cerveja refrescante cor de palha com um aroma sutil de malte doce. Sabor equilibrado: amargor médio, um toque adocicado e cítrico do malte e um bom caráter lupulado no fundo. Boa efervescência, sem ser exagerada.

Since 1795

Samson®

Budweiser Bier

Samson Budweiser Bier Premium

Budějovický Měšt'anský Pivovar
www.budweiser1795.com

País de origem República Tcheca
Lançada em *ca*. década de 1950
Teor alcoólico 4,7% vol.
Temperatura ideal 8°C

A Samson Budweiser Bier Premium foi originalmente produzida na cidade de České Budějovice, no sul da Boêmia, em 1265, quando os cidadãos que viviam dentro das muralhas da cidade detinham o direito de fabricar cerveja. Criada em 1795, a Budějovický Měšt'anský é a cervejaria mais antiga de České Budějovice, antecedendo a vizinha Budweiser Budvar por 110 anos. A cerveja ainda é produzida de acordo com a Reinheitsgebot de 1516, com boa parte da sua reputação se devendo à extrema pureza da água, extraída dos poços artesianos da cidade. Apenas os elogiados lúpulos Saaz são usados com a cevada maltada da Morávia, enquanto a variedade atual de levedura é cultivada há 150 anos. Tanques abertos de fermentação ainda são usados e as condições de armazenagem são estritamente observadas.

A BB Budweiser Bier é a marca mais conhecida, mas boa parte da produção é vendida sob o rótulo Samson, de acordo com a ideia consagrada – a qual a Samson Budweiser Bier Premium ilustra perfeitamente – de que o leve amargor e o aroma dos lúpulos são equilibrados por um corpo maltoso e ligeiramente adocicado.

A empresa começou a exportar para os Estados Unidos em 1871, apesar de a Anheuser-Busch ter registrado a marca Budweiser sete anos antes, o que deu início a uma série de disputas judiciais ainda em andamento. **AG**

Notas de degustação

Dourada, com aroma de baunilha e frutas cítricas, seguido por um malte adocicado e melado. O corpo macio é uma das suas características mais marcantes por conta da famosa água.

Sankt Gallen Yokohama XPA

Sankt Gallen Brewery
www.sanktgallenbrewery.com

País de origem Japão
Lançada em 2008
Teor alcoólico 6% vol.
Temperatura ideal 10°- 12°C

A Sankt Gallen foi a primeira microcervejaria não oficial do Japão. Antes que as regulamentações fossem alteradas para permitir o funcionamento das microcervejarias, a matriz operava um pequeno bar no distrito de Roppongi, em Tóquio, onde uma pequena instalação cervejeira foi instalada para produzir cerveja com um teor alcoólico menor do que 1% vol., eliminando, assim, a necessidade de uma licença especial.

A cervejaria Sankt Gallen foi inaugurada em 1997, num pequeno subúrbio perto de Yokohama. Inicialmente a empresa produziu a Golden Ale, a Pale Ale, a Amber Ale e a Black Porter. Mais recentemente eles lançaram várias cervejas incomuns, mais adocicadas, como a Imperial Chocolate Stout, voltada para as mulheres. Esta XPA é outro exemplo do espírito pioneiro da empresa, apesar de o sabor ser mais convencional. Como o malte e o amargor lupulado são bastante pronunciados, no começo foi difícil para o público bebê-la, por isso a aceitação foi lenta. Mas, depois que este obstáculo foi superado, a Yokohama XPA atraiu seguidores dedicados entre os bebedores do Japão.

Ainda mais notável é a pureza da água usada na sua produção: a fonte na Estação de Águas da Cidade de Yokohama tem uma pureza certificada de 0,0000%. **BH**

Notas de degustação

De coloração dourada brilhante, com um colarinho esbranquiçado. O amargor brusco no aroma é suportado pelo malte claro. O exuberante sabor maltado é compensado pelos lúpulos herbáceos. Final seco e lupulado.

← Samson: outra ótima cerveja da famosa cidade cervejeira de Budweis.

Sarajevsko Pivo

Sarajevska Pivara | www.pivara.ba

País de origem Bósnia e Herzegovina
Lançada em 1864
Teor alcoólico 4,9% vol.
Temperatura ideal 8°C

Durante a Guerra da Bósnia, entre 1992 e 1995, a cidade de Sarajevo enfrentou o maior cerco militar na história contemporânea da Europa. O mais incrível é que a Sarajevska Pivara nunca interrompeu a produção – as matérias-primas (juntamente com outros produtos necessários para os habitantes da cidade) chegavam por um túnel escavado à mão que começava no aeroporto. Claro que a qualidade caiu e a produção foi muito reduzida, mas a presença contínua da cerveja local foi um símbolo importante para o espírito combativo da resistência e a determinação dos moradores para suportar a situação do melhor modo possível. E o mais importante é que os profundos poços artesianos da cervejaria serviram como fonte de água para toda a cidade durante a maior parte do cerco. Portanto não é difícil entender por que a Sarajevska Pivara e suas cervejas ainda são respeitadas entre os bósnios de hoje.

Em 2004, o impressionante salão cervejeiro abobadado Pivnica HS foi aberto ao lado da cervejaria, criando um ótimo ambiente de degustação da fresca, ainda que ligeiramente turva e não filtrada nem pasteurizada, Sarajevsko Pivo, tirada diretamente dos tanques de maturação. Hoje a cervejaria tem mais de quinhentos funcionários. Apesar de tentar entrar no mercado internacional, principalmente nos Estados Unidos e no Reino Unido, a distribuição ainda está concentrada na Bósnia e Herzegovina, principalmente na região de Sarajevo. Espera-se que isto mude, já que não há dúvidas de que esta cerveja merece um público muito maior. **JW**

Notas de degustação

Dourado-clara com um espesso colarinho branco. Aroma de resina, enquanto sabores fortes e cítricos lupulados dominam o paladar. Desenvolve um tom maltoso amanteigado que se combina para criar um corpo intenso e um final refrescante, duradouro, seco e extremamente lupulado.

Desde 1996, a Sarajevska Pivara fez importantes investimentos em suas instalações.

filtec

Schell Pilsner

August Schell Brewing Company | www.schellsbrewery.com

País de origem Estados Unidos
Lançada em 1985
Teor alcoólico 5,6% vol.
Temperatura ideal 4°-6°C

August Schell emigrou para os Estados Unidos, junto com muitos empreendedores alemães e outros europeus, em busca de uma vida melhor. No sul de Minnesota, Schell descobriu que a água da região era boa para a produção de cerveja e que a demanda por esta bebida ao estilo alemão era grande, e foi lá que ele abriu a que é hoje a segunda mais antiga cervejaria familiar dos Estados Unidos. Ao longo das décadas, a cervejaria se adaptou a obstáculos como a Lei Seca e perseverou por boa parte do século 20 com suas clássicas lagers com base em aditivos.

Em meados da década de 1980, a cervejaria tinha um novo controlador: o atual presidente Ted Marti. Para ele ficou claro que a indústria cervejeira era cada vez mais dominada por grandes empresas e, a fim de sobreviver, a cervejaria teria de mudar de rumo. Estimulado por Charles Finkel, da Merchant Du Vin, que vendia cervejas por todo o país, Schell lançou esta pilsen puro malte e uma Weissbier. Elas fizeram sucesso e alavancaram a notável reputação da microcervejaria.

A empresa ainda produz cervejas tradicionais, mas é mais conhecida hoje por sua produção artesanal de alta qualidade. É uma homenagem a uma autêntica pilsen sobre a qual não há muito mais o que dizer: puro malte Pilsen e lúpulos Hallertau para aquele clássico aroma herbáceo alemão, cuidadosamente produzida para evitar a interferência nos sabores e aromas delicados. Analisando hoje o lento domínio das cervejas produzidas em massa que se dizem pilsens, é difícil entender como um estilo tão nobre foi tão subvertido. Basta um gole desta cerveja para que você fique feliz ao saber que ainda existem algumas cervejas tradicionais por aí. **RM**

Notas de degustação

No aroma, toques de ervas, suportados por ligeiras notas de levedura. No paladar, maltosa, com só um pouco de doçura, desenvolvendo um bom e marcante equilíbrio para os lúpulos nobres. O final da Schell Pilsner é marcado por um pouco de malte e um claro amargor.

Schiehallion

Harviestoun Brewery | www.harviestoun.com

País de origem Escócia
Lançada em 1994
Teor alcoólico 4,8% vol.
Temperatura ideal 8°C

Os nomes das cervejas surgem de todos os cantos. A Schiehallion (pronuncia-se chi-ha-li-on) é uma adorada montanha em Perthshire, que só está atrás da Ben Nevis no coração dos escoceses. Foi esta montanha que veio à mente quando a cervejaria Harviestoun produziu a Schiehallion – uma lager acondicionada em barris – pela primeira vez em 1994, numa época em que a maioria das cervejas eram ales escocesas mais "tradicionais". Elas se baseavam nos antigos estilos 70/, 80/ e 85/, ostentando nomes como Original, Waverley, Montrose, Old Manor e Ptarmigan (somente a Ptarmigan ainda é produzida).

De acordo com o mestre cervejeiro Stuart Cail, que veio da cervejaria Vaux de Sunderland, "em meados da década de 1990 o mercado começou a mudar das cervejas maltosas escuras para as mais claras e lupuladas. Assim, as vendas das cervejas escuras diminuíram e as das claras aumentaram. Desde o primeiro lote, a Schiehallion cresceu em popularidade e em pouco tempo se tornou nossa cerveja mais vendida".

A Schiehallion já recebeu vários prêmios, tendo ganhado várias vezes a medalha de ouro no Grande Festival Britânico da Cerveja. Se bem que, como Cail afirma, "sempre na categoria de cervejas especiais, o que é interessante, já que ela é feita com água, malte, lúpulos e levedura!".

Malte lager e de trigo e uma mistura de lúpulos Challenger, Hersbrucker e Styrian são usados na cerveja. Ela é fermentada a baixas temperaturas com levedura lager. A utilização do lúpulo alemão Hersbrucker é uma divertida brincadeira com o nome do fundador da Harviestoun, Ken Brooker (que seria Herr Brooker na Alemanha). Ele abriu a cervejaria num antigo estábulo de 200 anos em Dollar, Clackmannanshire. **AG**

Notas de degustação

Uma bela lager cor de palha com aroma de toranja e um sabor incrivelmente fresco. Ela também exibe uma doçura floral, mas é dominada por um paladar maltoso intenso e amanteigado. A influência do lúpulo reaparece no agradável final amargo.

Schimmele

Ruppaner Brauerei | www.ruppaner.de

País de origem Alemanha
Lançada em 1992
Teor alcoólico 5% vol.
Temperatura ideal 8°C

Na margem sul (a "margem suíça") do rio Reno, a cidade de Konstanz, no sul da Alemanha, foi isolada do interior depois que a região foi invadida por tropas suíças em 1460. Konstanz tentou se juntar à Confederação Helvética, mas o pedido foi rejeitado e a cidade continuou sendo um território alemão do lado "errado" do Reno.

No que diz respeito à cerveja, o fato de Konstanz continuar uma cidade alemã teve um efeito positivo, já que os produtores locais têm acesso fácil ao lúpulo cultivado nas proximidades de Tettnang e também na margem norte do lago Constança. Eles tiraram vantagem disso, enquanto as cervejarias locais na vizinha Suíça geralmente têm pouco lúpulo, apesar de este também ser cultivado na margem sul. A região também é famosa por suas maçãs, peras e cidra, então talvez os moradores da região simplesmente gostem mais de maçãs do que de lúpulos.

A Ruppaner foi fundada em 1795 e é controlada pela família Ruppaner há sete gerações desde 1872. A Schimmele (numa tradução literal, "mofada", no sentido de "turva") é uma pale ale típica produzida na região: áspera e seca, com bastante lúpulo Tettnanger. A principal diferença é que é uma versão sem filtragem, o que lhe assegura a aspereza e a sutil complexidade. **LM**

Notas de degustação

De cor de palha e turva, com um belo colarinho branco. A base de malte claro está presente para lhe dar equilíbrio, enquanto os lúpulos florais e condimentados são bem pronunciados.

Schlappeseppel Export

Eder & Heylands Brauerei | www.schlappeseppel.de

País de origem Alemanha
Lançada em *ca.* 1631
Teor alcoólico 5,5% vol.
Temperatura ideal 8°C

Como um estilo, a cerveja tipo exportação é comum na linha de produção de uma cervejaria, e elas são geralmente batizadas em referência a um evento de sorte na história da empresa – e a Schlappeseppel Export não é diferente. A história desta cerveja remonta ao ano de 1631, quando a Alemanha estava envolvida na destrutiva Guerra dos Trinta Anos. O exército sueco entrou na cidade de Aschaffenburg, gerando uma grande demanda por cerveja. Mas a cervejaria local estava seca, por isso os suecos procuraram um soldado que fosse capaz de produzir a bebida. Eles encontraram Joseph Logler, que era manco e chamado "o manco Seppel" ("Seppel" é o apelido de Joseph). Daí o nome "schlappe Seppel". Este é oficialmente reconhecido como o ano do lançamento da cerveja, apesar de ela ter mudado muito ao longo dos séculos (por exemplo, ela seria mais escura em sua primeira versão).

Durante a guerra, a Schlappeseppel era produzida numa pequena instalação próxima ao salão da cervejaria. Hoje em dia a marca Schlappeseppel (que também inclui uma pilsen, uma dunkel e uma Kellerbier) pertence à sociedade Eder & Heylands, uma operação conjunta das famílias que se uniram em 2001 e que produz todas as cervejas em Grossostheim. O salão de mesmo nome ainda existe na antiga cidade de Aschaffenburg e é popular entre os moradores da cidade e os turistas. **WO**

Notas de degustação

Dourada e límpida, com um leve aroma de lúpulo que ressurge no final. Aroma muito fresco, com toques de levedura e um marcante sabor maltoso.

O rei Gustavo Adolfo da Suécia lidera seu exército contra Aschaffenburg em 1631. →

Schwechater Zwickl

Brauerei Schwechat | www.schwechater.at

País de origem Áustria
Lançada em 1995
Teor alcoólico 5,4% vol.
Temperatura ideal 7°C

As cervejas Zwickl sem filtragem se tornaram populares na Áustria no final dos anos 1980 e início dos anos 1990. O mestre cervejeiro da Schwechat, Johann Bruck, pegou carona na moda e criou sua própria interpretação do estilo. Apesar de a maioria das cervejas Zwickl da época serem apenas um pouco turvas por causa da levedura, Bruck decidiu aumentar a turvação. Ele pôs mais de 60% de trigo maltado na mistura de cereais, o que não apenas tornou a cerveja mais turva como também lhe deu um corpo intenso, incomparável com o de outras cervejas Zwickl.

A embalagem em nostálgicas garrafas verdes faz parte da história de sucesso da Schwechat e se inspira no fato de a cervejaria ser a maior e mais antiga da região metropolitana de Viena. Peter Descrolier a fundou em 1632 e ela foi adquirida por Franz Anton Dreher em 1796. Seu filho Anton desenvolveu métodos modernos de produção – o resultado foi a lager avermelhada ao estilo vienense, lançada em 1841. Cervejeiros austríacos afirmam que isto marcou a invenção da cerveja lager – apesar de haver lagers antes na Baviera. A motivação verdadeira de Dreher foi o controle da temperatura nos armazéns e um grande esforço de resfriamento. Sua lager vienense foi um sucesso imediato.

Com uma capacidade de produção de 100 milhões de litros, a Schwechat ainda é a maior cervejaria da região. Ela se tornou parte do grupo Brau A. G. nos anos 1970 e hoje faz parte do conglomerado cervejeiro Heineken. **CS**

Notas de degustação

Possivelmente a Zwickl mais turva imaginável. O aroma é dominado por um caráter lupulado herbáceo. Corpo macio e cremoso e um final intensamente lupulado. Refrescante.

Session Lager

Full Sail Brewing | www.fullsailbrewing.com

País de origem Estados Unidos
Lançada em 2005
Teor alcoólico 5,1% vol.
Temperatura ideal 4°C

Os Estados Unidos há muito tempo abrigam várias cervejarias que produzem cerveja principalmente para o consumo local. Mas logo veio a Lei Seca, que tornou ilegais a fabricação e a comercialização de álcool. Depois que a Lei Seca foi revogada, a lager saborosa que muitas cervejarias produziam antes dela caiu no esquecimento, dando lugar a cervejas de sabor cada vez mais leve, feitas com aditivos como milho e arroz.

A cervejaria Full Sail se propôs reviver a lager pré-Lei Seca quando lançou a Session Lager. É uma lager puro malte vendida apenas em garrafas de 330ml conhecidas como *stubby*. "Muitos de nós na cervejaria sempre falávamos que gostávamos da aparência das *stubbies*, que já não conseguíamos encontrar", conta o mestre cervejeiro John Harris. "Vivíamos discutindo como seria divertido e diferente fabricar uma cerveja e vendê-la neste tipo de garrafa." Harris diz que não houve dúvida quanto a que tipo de cerveja seria vendido em garrafas de aparência retrô. "Tinha de ser uma lager pré-Proibição", diz. "Você não podia colocar uma ale numa garrafa destas. Simplesmente não seria certo."

No passado, as garrafas *stubby* geralmente exibiam uma frase ou imagem sob a tampa. Na parte de baixo da tampa de cada Session, a Full Sail coloca símbolos para "pedra", "papel" e "tesoura", para que você possa brincar enquanto bebe com os amigos. **LMo**

Notas de degustação

Toques de malte doce e um pouco de frutas cítricas exalam do aroma. Simples, áspera e refrescante, a Session Lager combina bem com frutos do mar, saladas e comidas picantes.

A Full Sail tenta ressucitar um tipo de cerveja que desapareceu depois da Lei Seca.

WE WANT BEER 1933
WE WANT BEER 1933
TROLLEYS-BUSES-TAXI CABS
WAITING ROOM
WE WANT BEER 1933

Shiga Kogen IPA

Shiga Kogen Beer | www.tamamura-honten.co.jp

País de origem Japão
Lançada em 2004
Teor alcoólico 6% vol.
Temperatura ideal 6°- 8°C

Fundada no outono de 2004, a Shiga Kogen Beer é uma das mais novas cervejarias do Japão, ainda que sua matriz, a fabricante de saquê Tamamura Honten, esteja operando desde 1805. A fábrica fica numa região montanhosa e agrícola na província de Nagano e, graças a seus dois séculos de funcionamento, tem uma forte presença no mercado. Shiga Kogen é uma famosa estação de esqui e suas cervejas podem ser encontradas em barris em vários bares dos hotéis próximos.

A linha de cervejas é impressionante, indo da Miyama Blonde (7% vol). e da Pale Ale (5,5% vol.) até a Porter (5,5% vol.), todas elas muito benfeitas. A Shiga Kogen leva todas as suas cervejas a sério, chegando até mesmo a plantar o próprio lúpulo. Recentemente a empresa tem usado lúpulos frescos, recém-colhidos, em algumas cervejas comemorativas. A mais notável, contudo, é a India Pale Ale, de sabor marcante, uma variação da forte House IPA (8% vol.), e produção limitada, disponível apenas no barril.

O mestre cervejeiro Eigo Sato resume esta cerveja dizendo que a empresa levou quase cinco anos para conseguir o sabor desejado. A princípio, explicou ele, por conta da alta quantidade do malte usado para produzir uma cerveja tão densa, ela não tinha o aroma e o sabor que os cervejeiros buscavam. A cada lote eram feitas experiências no uso do malte e do lúpulo. Hoje a cerveja usa principalmente lúpulos norte-americanos, entre eles o Warrior e o Chinook, para o amargor, e os Centennial, Cascade e Amarillo, para o aroma. Sato admite que eles continuarão a mexer na cerveja para aperfeiçoá-la. **BH**

Notas de degustação

A cerveja tem uma coloração turva e alaranjada, com um colarinho cor de marfim. Há um aroma lupulado cítrico, seguido por um sabor inicial amargo. Os sabores maltosos cítricos se revelam com as características bem definidas dos lúpulos norte-americanos, levando a um final refrescante e seco.

Sierra Nevada Pale Ale

Sierra Nevada Brewing Company | www.sierranevada.com

País de origem Estados Unidos
Lançada em 1980
Teor alcoólico 5,6% vol.
Temperatura ideal 7°- 9°C

Dobre o canto desta página. Esta é uma das cervejas mais importantes deste livro. Claro que hoje em dia existem cervejas mais encorpadas e exageradas, mas foi necessário um bocado de coragem e ousadia para colocar a Sierra Nevada Pale Ale no mercado naquela época.

O fundador da Sierra Nevada, Ken Grossman, queria produzir uma cerveja que não fizesse referência às pale ales inglesas e que tivesse um pronunciado aroma lupulado – não havia muitas cervejas assim naquele tempo. Ele procurou o que queria entre as novas variedades de lúpulo disponíveis. Naquele tempo, o mais utilizado era o Cluster, um bom lúpulo com um aroma áspero, que servia de base para o amargor de quase todas as cervejas norte-americanas da época.

Depois de várias cervejas caseiras e algumas dezenas de lotes feitos num sistema caseiro de dez barris, a Sierra Nevada Pale Ale nasceu. A cervejaria sempre usou lúpulos inteiros. Depois de muitos testes, Grossman se convenceu de que estes propiciavam "sabores mais simpes (...) e são menos vegetativos" do que os cones que servem de base para as pastilhas de lúpulos. Eles optaram pelo Cascade, uma nova variedade na época, aromaticamente o melhor entre as novas variedades que surgiram nos anos 1970.

Assim, com um teor alcoólico de 5,6% vol., ela não é muito forte. Não usa os lúpulos da moda nem levedura selvagem. E, na sua embalagem original, ela é tão comum que é fácil ignorá-la. Mas sabe de uma coisa? Esta cerveja simples é saborosa e propicia aquele tipo de prazer que as cervejas artesanais conseguem oferecer quando benfeitas. Se não fosse pela visão, persistência e habilidade tecnológica de Ken Grossman e da sua equipe em Chico, a cervejaria artesanal talvez fosse muito diferente hoje em dia. **RM**

Notas de degustação

Aroma de ervas frescas e resina, com notas de laranja; também um pouco de fruta e só um toque de pêssego. No sabor, é áspera e seca no começo, com um ligeiro malte tostado que se mistura a um amargor lupulado pronunciado e simples e um final prolongado e aromático.

Singha

Boon Rawd Brewery | www.singhabeer.com

País de origem Tailândia
Lançada em 1933
Teor alcoólico 5% vol.
Temperatura ideal 4°- 6°C

No contexto das cervejas do Sudeste Asiático, a Singha é cheia de história. Foi a primeira cerveja produzida na Tailândia, por ordem real. Fundada por Boonrawd Srethabutra, hoje ela permanece nas mãos da família.

Uma marca especial internacional, a Singha tem uma base de puro malte. Originalmente com um teor alcoólico de 6% vol., ela mudou para se distinguir entre as concorrentes mais fortes, como a Chang. A cerveja que você bebe em casa tem o mesmo sabor da cerveja tailandesa – a Singha não é produzida fora do país. Mas, ao se manter em seu próprio território, a Singha fica atrás da Chang no mercado internacional. Porém isto está sendo resolvido: a Boon Rawd assinou um contrato de distribuição para o Reino Unido com a Molson Coors, uma empresa bem-sucedida no desenvolvimento de nichos de mercado para cervejas exóticas. O melhor lugar para apreciar a Singha é uma praia com vista para as convidativas águas límpidas da Tailândia. **LN**

Notas de degustação

Cor de mel líquido. O aroma é de cereais doces e frutas cítricas com um toque de erva picante. O corpo exibe um malte amanteigado com amargor lupulado floral.

Small Craft Warning

Clipper City Brewery | www.ccbeer.com

País de origem Estados Unidos
Lançada em 2004
Teor alcoólico 7,25% vol.
Temperatura ideal 8°C

A forte identidade regional da cervejaria Clipper City era um dos pontos altos da empresa de Baltimore em meados dos anos 1990. À medida que a Clipper City crescia, porém, ela precisava estabelecer uma identidade fora de Baltimore. Assim nasceu a linha Heavy Seas.

Com rótulos que exigem desenhos de piratas enfrentando várias calamidades, as cervejas Heavy Seas parecem mais uma brincadeira no verso de uma caixa de cereais. Mas a degustação de cada uma delas revela uma versão séria, benfeita e robusta de um estilo clássico que, nas palavras da própria cervejaria, é "extrAARGHdinário". Todas as cervejas são engarrafadas e fortes, com um teor alcoólico que varia de 7% a 10% vol. A Small Craft Warning se autodescreve como uma *uber pils*. No início, o estilo parecia uma contradição em termos; afinal, uma pilsen clássica é decidida – o contrário de *uber*. Mas esta cerveja híbrida única é ao mesmo tempo leve e forte, com uma considerável complexidade. **DR**

Notas de degustação

A clássica pilsen dourada exala um aroma adocicado de malte e lúpulos picantes. O malte, semelhante ao pão no primeiro gole, adquire um sabor mais adocicado que é surpreendentemente equilibrado.

Snowdonia Ale

Purple Moose Brewery | www.purplemoose.co.uk

País de origem País de Gales
Lançada em 2006
Teor alcoólico 3,6% vol.
Temperatura ideal 12°C

A Purple Moose é uma próspera microcervejaria em Porthmadog, no norte do País de Gales. Seu fundador, Lawrence Washington, um hábil cervejeiro caseiro, juntou-se a Arthur Frampton, ex-funcionário da Moor Beer em Somerset, usando os equipamentos de Frampton para produzir testes com receitas. Quando estas cervejas se provaram um sucesso, Lawrence soube que poderia se tornar um profissional.

Todas as cervejas Purple Moose são vendidas com nomes galeses e ingleses. Em 2009, a cervejaria recebeu um importante apoio depois que sua pale ale, apropriadamente chamada Cwrw Eryri, ou Snowdonia Ale, ganhou o Campeonato de Cerveja do País de Gales. Ela é feita com malte claro, um pouco de malte Crystal e de trigo torrado acrescentados para lhe dar corpo, e decorada com lúpulos Pioneer, Savinjski Golding e Lubelski. Os últimos acrescentam um toque da Europa Central ao processo, vindos da Eslovênia e da Polônia, respectivamente, e um tom fresco, cítrico e de pinheiro à cerveja. **JE**

Notas de degustação

Uma ale dourada brilhante com um aroma límpido de pinheiro e frutas cítricas, juntamente com toques de chá. O sabor é forte e agridoce, com um frescor cítrico e lúpulos coníferos antes do final seco.

St.-Ambroise Pale Ale

Brasserie McAuslan Brewing | www.mcauslan.com

País de origem Canadá
Lançada em 1989
Teor alcoólico 5% vol.
Temperatura ideal 5°C

Depois de dois anos de planejamento e desenvolvimento, com a ajuda do consultor cervejeiro Alan Pugsley, Peter McAuslan abriu a Brasserie McAuslan em fevereiro de 1989. A primeira cerveja lançada foi uma pale ale batizada em homenagem à rua onde fica a cervejaria.

Ao desenvolver a St.-Ambroise Pale Ale com a cervejeira e sócia Ellen Bounsall, juntamente com Pugsley, McAuslan queria criar uma cerveja que simulasse as da sua juventude: que fosse inequivocamente quebequense no caráter, com uma firme estrutura de malte frutado e muito lúpulo. Sua teoria era a de que um sabor do passado atrairia os quebequenses, por conta das notórias referências tangenciais da memória coletiva – e os anos desde o lançamento da cerveja provaram que ele estava correto. A St.-Ambroise ainda é um ícone da produção quebequense de cerveja e uma atração em lojas e bares na província e para além dela. **SB**

Notas de degustação

Dourado-escura, esta pale ale combina o robusto aroma frutado (damasco, pêssego) com um pouco de lúpulo e maltes semissecos. Ideal com um Cheddar envelhecido.

St. Bernardus Tripel

Brouwerij St. Bernardus | www.sintbernardus.be

País de origem Bélgica
Lançada em 1994
Teor alcoólico 8% vol.
Temperatura ideal 9°C

Apesar do monge sorridente que oferece um espumoso cálice de cerveja nos rótulos de muitas das cervejas da Brouwerij St. Bernardus, é tão improvável você encontrar milho, arroz ou outros aditivos nesta bebida quanto ver um homem em trajes monásticos andando pelas cercanias seculares desta cervejaria em Watou. Nem sempre foi assim. Até 1992, a empresa produzia cervejas sob licença dos monges trapistas de St. Sixtus em Westvleteren. Este acordo terminou depois que as cervejas Westvleteren passaram a ser produzidas em instalações próprias e o que se tornou conhecido como Brouwerij St. Bernardus começou a andar com os próprios pés. Um sinal da confiança da empresa foi o lançamento, em 1994, desta tripel. Com lúpulos Target e Styrian Golding e dourada como um dia de sol, esta cerveja foi um sucesso imediato e mostrou que até mesmo uma cerveja cada vez mais comum podia se destacar (o que a Tripel fez ao ganhar prêmios no Campeonato Mudial de Cerveja de 2003).

Desde o seu lançamento, outras cervejas se juntaram à linha de produção regular da Brouwerij St. Bernardus, que hoje exporta para mais de vinte países. Um novo centro de visitação também foi construído, abrigando um bar cheio de objetos da antiga cervejaria. A Brouwerij St. Bernardus usa apenas lúpulos cultivados na região perto de Poperinge, mas planeja começar a cultivar, no futuro, seu próprios lúpulos perto da cervejaria. O malte vem do norte da França. Apesar de várias cervejarias belgas terem optado por equipamentos de aço inoxidável nos últimos vinte anos, a St. Bernardus se mantém fiel a seus equipamentos de cobre da década de 1960. Muitos apreciadores e produtores de cerveja acham que o cobre produz uma cerveja melhor. **CC**

Notas de degustação

A Tripel é escura, com um sabor de flores, frutas e um pouco de levedura. Ela tem um colarinho espesso e branco, com ligeira doçura e um toque amargo no paladar. Esta cerveja equilibrada combina com carnes, como frango e peixe.

São Bernardo num selo belga. →

25
1990 (16)
PH
St. Bernard - St. Bernardus
Belgique-België

St.-Feuillien Tripel

Brasserie St.-Feuillien | www.st-feuillien.com

País de origem Bélgica
Lançada em 1998
Teor alcoólico 8,5% vol.
Temperatura ideal 7°C

A Brasserie Friart foi aberta em 1873 e fechou em 1977. Onze anos mais tarde, ela reabriu como Brasserie St.-Feuillien, sob o controle da mesma família. Antes do fechamento da cervejaria original, a família Friart fabricava cervejas claras e escuras, e a St.-Feuillien Tripel foi criada quando da reabertura da empresa. Muitas cervejarias belgas têm uma tripel (ou "tripla", se você quiser) de coloração leve e adocicada, possivelmente buscando a inspiração na clássica Westmalle. O segredo é fazer uma cerveja que se destaque num mercado abarrotado. É o que esta cerveja consegue. Muitas das cervejas St.-Feuillien são feitas sob contrato pela Brasserie Du Bocq em Purnode, mas toda a sua tripel é fabricada na sede da empresa em Le Roeulx. Este é o segredo do seu sucesso?

Em 2008, a cervejaria concluiu um grande projeto de modernização, incluindo a construção de uma nova sede e a instalação de equipamentos de última geração. Todos os prédios antigos também foram meticulosamente restaurados. **CC**

Notas de degustação
Alaranjada e com um colarinho branco robusto. Muito aromática, com notas cítricas de malte adocicado e até pimenta. Uma tripel muito complexa.

Štěpán Klasický Ležák Světlý

Pivovarský Dům | www.gastroinfo.cz/pivodum

País de origem República Tcheca
Lançada em 1998
Teor alcoólico 4% vol.
Temperatura ideal 7°C

Líder de uma onda de novas e criativas microcervejarias tchecas, a Pivovarský Dům tem gerado espanto com suas lagers incomuns, reforçadas com doses de cereja, banana, café, limão, amêndoa e até urtigas e batatas. Mas além dos truques existe uma linha de estilos de cerveja clássicos da Boêmia, dentre os quais o carro-chefe é uma notável pale lager chamada Štěpán, ou Estêvão.

Os proprietários Vaclav Potěšil e Jan Šuraň prestam consultoria a cervejarias ao redor da República Tcheca e em países distantes, como o Vietnã e a Mongólia, enviando receitas desenvolvidas como cervejas especiais da empresa para que sejam produzidas em outros lugares. Mas existe apenas uma Štěpán Ležák Světlý (pale lager), uma agradável cerveja "levedurada" e turva, feita sob a supervisão do jovem mestre cervejeiro Martin Vavra. Ela não é vendida em garrafas e geralmente só é encontrada na Pivovarský Dům e no bar Pivovarský Klub, também em Praga. **ER**

Notas de degustação
Flor de fruta cítrica, casca de laranja e fruta melada dominam o aroma. Ao olho, é geralmente turva, por conta da adição de mosto fresco e levedura e da falta de filtragem.

Stiegl Goldbräu

Stieglbrauerei zu Salzburg | www.stiegl.at

País de origem Áustria
Lançada em 1912
Teor alcoólico 4,9% vol.
Temperatura ideal 7°C

Quando a Stiegl registrou a marca Goldbräu, em 1912, a cervejaria já estava em funcionamento há 420 anos. Ela começou em 1492, em Salzburgo, transferindo-se para sua sede atual, nos arredores da antiga cidade murada, em 1863. As instalações da cervejaria Stiegl foram preservados pela família Kiener, proprietária da maior cervejaria independente da Áustria.

A Goldbräu é a cerveja mais vendida na Áustria e poderia ser considerada um estilo próprio, definido pelo que os austríacos chamam de "Märzenbier". Enquanto "Märzen" se refere às fortes Festbiers (cervejas festivas) na Baviera e em boa parte do mundo, a Märzen austríaca tem apenas de 11,5 a 12,5 graus Plato e é um pouco mais clara na cor e leve no teor alcoólico.

A Stiegl insiste que a Goldbräu sempre será produzida com uma força de 12 graus Plato, densidade com a qual foi lançada em 1912. Somente durante a guerra – e quando juridicamente necessário – é que a cerveja diminuiu sua força. **CS**

Notas de degustação

Notas de ervas e lúpulos no aroma combinam com o malte adocicado que domina o aroma e o paladar. Seu final apresenta um amargor amendoado.

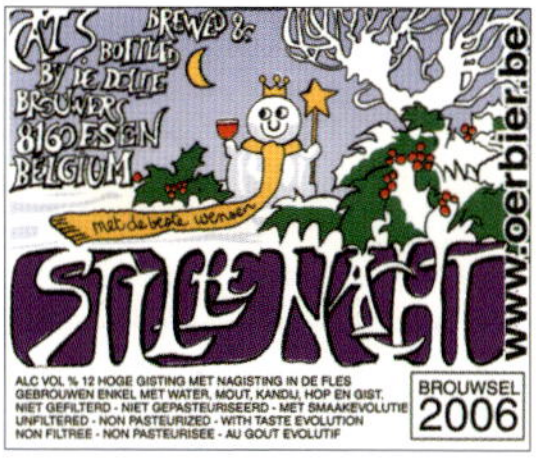

Stille Nacht

De Dolle Brouwers | www.dedollebrouwers.be

País de origem Bélgica
Lançada em 1980
Teor alcoólico 12% vol.
Temperatura ideal 10°C

A Stille Nacht ("Noite Silenciosa") é a cerveja de inverno da De Dolle. Originalmente era uma cerveja escura, mas, depois que as pessoas começaram a chamá-la de "a boa Oerbier", o cervejeiro Kris Herteleer ficou frustrado e decidiu mudá-la totalmente. Desde 1982, ela é dourada.

Na década de 1990, a De Dolle fermentava a Stille Nacht com uma variedade de levedura da cervejaria Rodenbach, até que esta empresa interrompeu o fornecimento, em 2000. Produzida independentemente, a levedura era fraca e complexa. Numa tentativa de manter as características da cerveja, Herteleer cultivou o que havia restado da levedura. Sua complexidade fez com que a variedade gerasse uma mutação e ficasse mais forte, perdendo boa parte do ácido lático e das suas características bacterianas. Ele mudou seu método de produção para recuperar um pouco da complexidade da cerveja; agora 20% do mosto são fermentados com bactéria rica em ácido lático e depois misturados ao restante da cerveja, acrescentando certo azedume e aumentando sua palatabilidade. **MO**

Notas de degustação

O aroma espesso sugere frutas com caroços, açúcar e um toque terroso. O corpo começa doce com uma textura aveludada, uma estrutura azeda e notas de especiarias e álcoois das leveduras. Final seco.

Stone & Wood Pale Lager

Stone & Wood | www.stoneandwood.com.au

País de origem Austrália
Lançada em 2009
Teor alcoólico 4,7% vol.
Temperatura ideal 4°C

A cervejaria Matilda Bay foi inaugurada por Phil Sexton em 1984 e foi comprada pela Carlton & United Breweries em 1990. Apesar de a compra ter aumentado a variedade das cervejas produzidas pela Matilda Bay Brewery, para muitos foi o começo do fim no que dizia respeito às características das cervejas que haviam chamado a atenção dos apreciadores em primeiro lugar. O homem considerado o responsável por dar uma nova vida a estas velhas marcas, assim como por ter criado algumas notáveis novas cervejas, é Brad Rogers.

Depois de atingir seus objetivos na cervejaria Matilda Bay, Brad decidiu abrir uma cervejaria artesanal com Ross Jurisich e Jamie Cook na cidade litorânea de Byron Bay, no norte da Nova Gales do Sul. Byron Bay é lar de uma grande e convidativa comunidade de surfistas, turistas, hippies e outros grupos ecléticos. Além das belas praias, do sol e dos habitantes bronzeados, é com certeza um dos mais cobiçados lugares do mundo para se abrir uma cervejaria.

Foi com o ambiente local em mente que Brad Rogers criou as primeiras cervejas da Stone & Wood: a Draught Ale e a Pale Lager. Desprezando os guias de estilos, ele decidiu simplesmente produzir uma cerveja que as pessoas que moravam em Byron Bay quereriam beber quando entrassem por um jardim depois de uma manhã nas ondas. Isto significa que o frescor e o sabor agradável eram essenciais, e, apesar de estas características serem de pouca importância para muitos especialistas, é de se suspeitar que esta opinião possa mudar depois de um dia de sol, areia e brincadeiras em Byron Bay! **DD**

Notas de degustação

Esta cerveja agradabilíssima usa cinco diferentes tipos de malte a fim de criar um corpo arredondado, enquanto os lúpulos exercem um papel secundário. Inventada para refrescar, a Pale Lager é mais apreciada com amigos sob o sol quente da Austrália depois de uma manhã na praia.

Stone IPA

Stone Brewing | www.stonebrew.com

País de origem Estados Unidos
Lançada em 1997
Teor alcoólico 6,9% vol.
Temperatura ideal 13°C

O bistrô Stone Brewing World, ao norte de San Diego, na Califórnia, combina com destreza elementos industriais com um exuberante jardim cervejeiro e é tão ousado quanto a cerveja que financiou sua construção, ilustrando explicitamente a rapidez com que os apreciadores norte-americanos dessa bebida adotaram o tipo de cerveja que a Stone produz. Apenas dez anos depois de abrirem as portas do bistrô, em 2006 os cofundadores Greg Koch e Steve Wagner inauguraram a cervejaria Stone num armazém não muito distante.

Eles lançaram a Stone IPA como a cerveja comemorativa do primeiro aniversário da empresa, sabendo que ela assumiria um lugar permanente na linha de produção – e também consagrando o fato de que cada lançamento de aniversário seria um evento por si próprio. Como outras cervejas Stone, a IPA se destaca porque a receita não contém nenhum dos lúpulos Cascade comuns na maioria das cervejas lupuladas da Costa Oeste – no lugar deles, os lúpulos Chinook, Columbus e Centennial lhe conferem o tempero e o amargor.

Tal como várias outras microcervejarias dos Estados Unidos, a Stone é ecologicamente correta. Em 2009, ela recebeu o prêmio local de sustentabilidade depois de dar início a dois grandes projetos ecológicos. Um sistema de captação solar fornece cerca de 40% da energia consumida pela indústria. Com este sistema de energia limpa, as instalações deixam de emitir mais 2,2 milhões de litros de carbono durante sua vida útil, o mesmo que plantar 80 hectares de floresta. Uma estação própria de tratamento de resíduos líquidos evita que se despeje mais de 150 mil litros de esgoto por mês no sistema de San Diego, um bom exemplo para potenciais empreendimentos ecologicamente corretos do futuro. **SH**

Notas de degustação

Dourado-clara no copo, com um colarinho branco que se transforma numa espuma espessa que o acompanha durante toda a degustação. Marcante desde o início, com aroma dominado por tons cítricos e de pinheiro, equilibrados por uma boa dose do malte doce no paladar. Final seco, prolongado e amargo.

Stone Ruination IPA

Stone Brewing | www.stonebrew.com

País de origem Estados Unidos
Lançada em 2002
Teor alcoólico 7,7% vol.
Temperatura ideal 13°C

A cervejaria Stone celebrou seu primeiro aniversário em 1997 lançando sua primeira India Pale Ale e o segundo com uma Double IPA. Ela continuou, criando uma Double IPA para o terceiro, quarto e quinto aniversários, cada qual mais lupulada do que a anterior. Para o sexto aniversário, a cervejaria foi em outra direção, lançando uma versão engarrafada da sua Smoked Porter. "Decidimos que não podíamos colocar mais lúpulo naquela cerveja (a Double IPA)", diz o mestre cervejeiro Steve Wagner. Assim eles fabricaram a Stone Ruination, feita basicamente de acordo com a receita da Double IPA do quinto aniversário, parte da produção regular, e levaram as cervejas de aniversário a todas as direções nos anos seguintes.

"Conhecemos Vinnie (Cilurzo) em Blind Pig", diz Wagner, referindo-se a um interesse crescente em cervejas lupuladas nos anos 1990. Cilurzo fabricava aquela que era considerada a primeira Double IPA comercial dos Estados Unidos, feita numa cervejaria logo ao norte de San Diego, e produzia uma para cada aniversário da hoje extinta cervejaria. Cilurzo tinha uma sala de degustação na cervejaria aonde os consumidores podiam levar suas próprias canecas Blind Pig. Greg Koch, fundador da cervejaria Stone Co., encheu sua caneca com a última gota da Ale do segundo aniversário, direto do último barril da cervejaria.

Desde o começo, Wagner deu às cervejas Stone um sabor diferente e abriu mão dos lúpulos Cascade. "Quando eu trabalhava na cervejaria Pyramid (em Washington), fizemos uma Cascade Pale Ale, e eu tinha certas restrições quanto a reproduzir o que havíamos feito na Pyramid", afirma. Assim a Stone se declarou completamente livre do lúpulo Cascade e trilhou seu próprio caminho lupulado. **SH**

Notas de degustação

Alaranjada e ligeiramente turva, com lúpulos florais e cítricos saltando do copo. Camadas de frutas no paladar, tanto dos lúpulos quanto da fermentação. Pungente, com características de pinheiro e especiarias, mas o amagor nunca supera a sólida estrutura maltosa.

Stoner

Birrificio Brùton | www.bruton.it

País de origem Itália
Lançada em 2006
Teor alcoólico 7,5% vol.
Temperatura ideal 10°- 12°C

A cidade de Lucca, na Toscana, é uma das regiões vinícolas mais famosas de toda a Itália e todos estão acostumados a beber o vinho ali produzido. Mas agora as coisas estão mudando e uma geração de cervejeiros vem surgindo e convencendo os consumidores tradicionais de que a cerveja pode ser tão boa quanto o vinho. Um destes cervejeiros é o jovem Jacopo Lenci, que, em 2006, abriu a microcervejaria Brùton com a ajuda de um amigo. Sua paixão por cervejas saborosas, diferentes das lagers comuns que dominam o mercado italiano, foi sua primeira motivação, e o sucesso imediato do Birrificio Brùton é uma prova marcante de seus instintos.

Lenci começou produzindo quatro cervejas, mas hoje a cervejaria produz oito variedades, entre elas três comemorativas. Todas são cervejas de alta fermentação e entre elas estão uma ale forte e uma inspirada no estilo trapista belga. A Stoner é uma ale forte e ilusória: sua força não é aparente e ela é bastante palatável. Perigosa, mas agradável.

A cerveja é uma mistura de maltes alemães, como o Pilsen e o Carapils, com uma boa dose de trigo e centeio maltado, e só um pouco de aveia em flocos. O lúpulo Saaz é adicionado para lhe dar um aroma floral, mas Lenci também acrescenta açúcar na fervura e, no fim, um pouco de casca de laranja e coentro. É uma cerveja atraente, bem arredondada e macia, graças à presença do centeio e da aveia. Na mesa de jantar, acompanha bem carnes brancas, como frango assado com especiarias, ou um risoto com abóbora ou aspargos. **MM**

Notas de degustação

Cor dourada brilhante com um colarinho espesso e cremoso. Aroma muito frutado, com toques de damasco e frutas caramelizadas. No paladar, bem equilibrada e com um corpo arredondado com malte forte e mais sabores frutados. No final, sabor residual duradouro e agradável.

Stoudt's Pils

Stoudt's Brewing Company | www.stoudtsbeer.com

País de origem Estados Unidos
Lançada em 1988
Teor alcoólico 5,4% vol.
Temperatura ideal 7°C

Quando Carol e Ed Stoudt decidiram acrescentar uma cervejaria a seu já famoso restaurante, o Stoudt's Black Angus Steakhouse, em Adamstown, na Pensilvânia, descobriram uma curiosidade na lei estadual que exigia que eles mantivessem a cervejaria e o restaurante como empreendimentos distintos. Assim, Ed permaneceu como proprietário do restaurante, enquanto Carol se tornou uma das primeiras cervejeiras dos Estados Unidos ao abrir a primeira microcervejaria da Pensilvânia em 1988.

Descendentes de alemães, o casal viajou pela Baviera reunindo ideias para decidir como exatamente eles queriam produzir suas cervejas. A princípio, a pilsen era "uma pilsen bávara menos seca", de acordo com Carol Stoudt. Ela evoluiu com o teste de vários maltes Pilsen, técnicas de produção e experiências. A primeira pilsen do casal ganhou a medalha de prata na categoria Pilsen Europeia da primeira vez que se inscreveram no Grande Festival Americano da Cerveja. Em 1993 eles sentiram que toda a experimentação com a receita havia mesmo valido a pena e então a aperfeiçoaram até alcançarem exatamente o que queriam. A Pils, então, ganhou medalhas de ouro nas edições do Grande Festival Americano da Cerveja de 1993, 1994 e 1997, além de uma medalha de prata em 1999.

A princípio, a cerveja estava disponível apenas no barril, depois em garrafas de 750ml e, em 2002, em latas de 335ml. A cerveja é de produção contínua e as vendas crescem ano a ano. A Stoudt's Pils é uma pilsen tradicional ao estilo alemão, feita com lúpulos Saaz. Ela tem um amargor agressivo, com 42 IBU, e todas as características aromáticas do lúpulo Saaz. **JB**

Notas de degustação

A Stoudt's Pils tem coloração clara, límpida e brilhante, com uma coroa generosa e branca. O aroma exala um belo aroma de lúpulos nobres tradicionais. Os sabores são intensos, marcantes e equilibrados, com bom caráter lupulado e um final duradouro e seco.

Strzelec Jasne Pełne

Browar Jędrzejów | www.piwostrzelec.pl

País de origem Polônia
Lançada em 1995
Teor alcoólico 5,2% vol.
Temperatura ideal 8°C

Jędrzejów é uma cidadezinha na região central da Polônia, famosa por três coisas: seu mosteiro cisterciense, seu museu astronômico e sua cerveja. O mosteiro foi fundado em 1142 e com ele a rica tradição cervejeira de Jędrzejów teve início. Durante muitos séculos, os monges cistercienses com seus mantos brancos – mais tarde conhecidos como monges trapistas – tiveram o monopólio da produção e da venda de cerveja no agitado mercado local. Isto terminou em 1817, depois que o mosteiro foi dissolvido pelos austríacos que ocuparam esta parte do país após a primeira divisão da Polônia.

Em 1823, Karol e Ludwika Bilewicz fundaram uma grande cervejaria privada perto de uma nascente. A água era usada para a produção de gelo no inverno, gelo este que depois era armazenado em porões e usado no verão para resfriar a cerveja. Na primeira década do século 20, a fábrica foi restaurada e se transformou numa das maiores e mais modernas cervejarias de pilsens da região. Depois a empresa mudou de mãos várias vezes até ser estatizada ao final da Segunda Guerra Mundial. Como empresa estatal, ela se tornou uma subsidiária da cervejaria Okocim. Depois da queda do comunismo, ela se afastou da matriz em 1995 e foi vendida como um negócio independente, sendo renomeada cervejaria Strzelec. Em 2005, ela foi adquirida pela Royal Unibrew.

A Strzelec Jasne Pełne é a cerveja mais vendida da empresa. É uma pilsen feita de acordo com uma receita tradicional local. Em 2009, a Strzelec Jasne Pełne conquistou seu primeiro sucesso verdadeiro, ao receber a medalha de bronze na categoria Mundial do Instituto Internacional de Qualidade de Bruxelas. **RZ**

Notas de degustação

No copo Strzelec, a Jasne Pełne é dourado-clara com uma coroa sólida e um agradável buquê. O corpo maltoso é bem equilibrado por um sabor residual amargo. Perfeita com kabanosy, uma longa e fina salsicha defumada de porco.

P.G. WODEHOUSE

SUMMER LIGHTNING

Summer Lightning

Hop Back Brewery | www.hopback.co.uk

País de origem Inglaterra
Lançada em 1988
Teor alcoólico 5% vol.
Temperatura ideal 12°C

Perfeita ale inglesa de verão, a Summer Lightning foi uma das primeiras cervejas do estilo golden ale produzidas no Reino Unido. Numa época em que quase todas as ales eram escuras, intensas e pesadas, a Summer Lightning estava à frente de uma revolução: era uma ale leve, simples e refrescante, ideal para saciar a sede nas longas tardes de verão.

A cervejaria Hop Back, que produz a Summer Lightning, teve um início problemático no porão e no jardim de um bar em Salisbury, na Inglaterra – o Wyndham Arms. Ali, John Gilbert, que já tinha uma história como cervejeiro, começou a produzir sua própria ale caseira.

A alta qualidade destas cervejas locais foi logo reconhecida pelos especialistas, principalmente pelos membros da CAMRA (Campanha em Prol da Real Ale). Em 1992, a demanda superou o que Gilbert podia produzir em seu bar e ele abriu a cervejaria Hop Back (batizada numa referência ao recipiente que pressiona os cones de lúpulo durante o processo de produção da cerveja).

Gilbert criou a Summer Lightning quando lhe pediram que inventasse algo um pouco diferente para o festival de cerveja local. Ele usou ingredientes tradicionais ingleses, mas não tinha o malte calcinado ao ponto ideal. Isto resultava num sabor mais fresco e numa bebida mais clara. Ele também acrescentou uma dose a mais de lúpulo no final da fervura, o que lhe conferiu um sabor cítrico fresco. Ela era diferente de outras real ales da época porque, em vez de uma mistura, usava apenas uma variedade de lúpulo – o East Kent Golding. O nome da cerveja é tirado do título de um romance de P. G. Wodehouse que Gilbert estava lendo quando a criou. **JM**

Notas de degustação

No aroma, notas leves, perfumadas e frescas de lúpulos e gramíneas, enquanto no paladar esta cerveja refrescante e cor de palha é agridoce e cítrica a princípio, desenvolvendo um final duradouro, seco e amargo. Perigosamente palatável por seu teor alcoólico.

← O romance de P. G. Wodehouse em homenagem ao qual a Summer Lightning foi batizada.

Svijanský Rytíř

Pivovar Svijany | www.pivovarsvijany.cz

País de origem República Tcheca
Lançada em 2000
Teor alcoólico 5% vol.
Temperatura ideal 7°C

Apesar de a pale lager conhecida como Svijanský Rytíř (que significa "Cavalheiro Svijany") ter sido produzida pela primeira vez no ano 2000, pode-se atribuir qualquer data às cervejas da cidade boêmia de Svijany. Os registros históricos da região remontam ao ano de 1345 e a própria cervejaria afirma ter sido fundada em 1564. No século 17, com certeza a cervejaria Svijany já era conhecida, citada entre as propriedades do nobre anti-Habsburgo Jachym Ondřej Šlik em 1602.

Claro que as cervejas produzidas pela Svijany nos primórdios da empresa eram provavelmente diferentes daquela batizada em homenagem a Šlik. Em vez de serem límpidas e claras, elas provavelmente eram escuras e turvas, e, embora hoje exista alguma polêmica acadêmica sobre o fato de os boêmios produzirem lagers naquela época, é provável que suas bebidas fossem cervejas de trigo de alta fermentação ou ales rústicas e apetitosas.

Ao contrário destas, a Svijanský Rytíř é um paradigma do estilo resinado das pale lagers, um acompanhamento perfeito para a apimentada culinária asiática e também excelente com aperitivos picantes. Apesar de a cervejaria ainda ser uma das mais tradicionais da República Tcheca, o carro-chefe, a Svijanský Rytíř, é ligeiramente mais amarga e mais aromática do que a *ležák světlý* (pale lager) tcheca regular, por conta da incomum técnica de *dry hopping*. Mas ela tem a intensidade típica da pilsen boêmia, proveniente do processo tradicional de decocção do mosto. Como todas as outras cervejas da Svijany, a Rytíř não é pasteurizada, o que intensifica os aromas pronunciados e picantes dos lúpulos Saaz. **ER**

Notas de degustação

Uma típica pilsen da terra natal do estilo: dourado-escura no copo com uma espessa coroa branca. Aroma de lúpulos Saaz herbáceos sobre o malte melado do corpo, seguidos por um notável final amargo e seco.

Švyturys Ekstra

Švyturio Alaus Darykla | www.svyturys.lt

País de origem Lituânia
Lançada em 1995
Teor alcoólico 5,2% vol.
Temperatura ideal 4°- 7°C

O prédio funcional e de concreto do pós-guerra que abriga a cervejaria Švyturys em Klaipeda não é belo. Depois da fachada, contudo, você encontrará escondida uma moderna central produtora.

No comando das operações está a mestre cervejeira Dzuljeta Armoniene. A linha de cervejas mudou drasticamente nos seus vinte anos ali e hoje inclui uma cerveja de trigo, a Baltas, além de uma pilsen, uma bock e uma lager ao estilo vienense. A mais importante destas novidades é a Ekstra, uma cerveja macia e agradável, criada em 1995, que hoje se tornou a bebida de maior sucesso do país.

O conceito por trás da nova cerveja é bem simples: fabricar uma bebida bem palatável para os bares lituanos. Armoniene certamente conseguiu. É uma cerveja ao estilo Dortmunder Export – o que implica uma presença mais amena do lúpulo do que numa pilsen, com uma estrutura maltosa, intensa e doce. Mas Armoniene confessa que não tinha nenhum estilo especifico em mente quando se pôs a produzir cerveja pela primeira vez. No mercado interno, a cerveja não é pasteurizada quando vendida no barril, garantindo um sabor fresco e límpido. Para a exportação, as garrafas são pasteurizadas, o que acrescenta um toque maltoso caramelizado ao paladar, mas também é possível comprar uma versão engarrafada não pasteurizada chamada Ekstra Draught, que se aproxima da versão dos bares lituanos.

O mosto, composto principalmente de malte lager, também contém 10% de arroz – "para amenizar o sabor e aumentar a potabilidade", revela Armoniene – e dois lúpulos alemães são inseridos na caldeira, o Magnum, para o amargor, e o Spalt, para o aroma. A cerveja já ganhou a Copa do Mundo da Cerveja e continua impressionando. **JE**

Notas de degustação

Cerveja dourada, com lúpulos herbáceos e um pouco de malte claro no aroma, juntamente com um toque de limão. O limão também se apresenta no sabor amargo intenso, com mais lúpulos e um teor alcoólico médio, antes de um final seco, lupulado, cítrico e amargo.

Tannenzäpfle

Badische Staatsbrauerei Rothaus | www.rothaus.de

País de origem Alemanha
Lançada em 1956
Teor alcoólico 5,1% vol.
Temperatura ideal 8°- 10°C

O rótulo anacrônico mostra uma mulher usando o tradicional vestido da Floresta Negra sorrindo e segurando dois copos de cerveja. Dentro da garrafa, existe uma pilsen incrível, aromática e harmoniosa à espera.

A Tannenzäpfle não precisava de publicidade nem de comunicação. Ela era diferente e só estava esperando para ser descoberta, o que era o bastante para que se tornasse a preferida em ambientes urbanos de vanguarda como os encontrados em Hamburgo ou Berlim. Reza a lenda que certos revendedores levaram a cerveja aos bares e casas noturnas e, assim, deram início à moda nos anos 1990. Mas é difícil dizer como a ascensão de fato começou, já que a demanda aumentou graças à propaganda boca a boca e tornou a cerveja uma marca nacionalmente conhecida.

Fabricada desde 1956, esta pilsen foi batizada em referência aos cones do rótulo: "Tannenzäpfle" significa "cone de abeto". Graças à sua popularidade, ela foi a primeira de uma série de edições em pequenas garrafas chamadas Zäpfle; entre as outras estão a Rothaus Hefeweizen e a Rothaus Eiszäpfle. A mulher da Floresta Negra sorri nos rótulos da Rothaus desde os anos 1930. Os admiradores da cerveja a chamam de Birgit, pronunciando como "aquela que dá a cerveja" em alemão.

A cerveja deve sua maciez como um todo e sua qualidade harmoniosa à água extremamente pura de sete fontes naturais. Além disso, a seleção cuidadosa dos maltes e os lúpulos aromáticos Hallertauer e Tettnanger contribuem para sua sofisticação. Mas todo culto precisa de uma sede. Assim, a cervejaria estatal criou uma espécie de parque de diversões na propriedade, com visitas autoguiadas, eventos e uma loja. A Rothaus calcula que mais de 40 mil "peregrinos" visitem as instalações todos os anos. **SK**

Notas de degustação

A Tannenzäpfle é dourado-clara e brilhante no copo, com uma coroa volátil. No aroma, um sensível caráter lupulado com um toque cítrico. O primeiro gole é macio e cremoso, revelando um corpo médio com um amargor herbáceo. O final é cítrico e amargo.

Taras Boulba

Brasserie de la Senne | www.brasseriedelasenne.be

País de origem Bélgica
Lançada em 2006
Teor alcoólico 4,5% vol.
Temperatura ideal 7°C

O rótulo da cerveja mostra um homem se preparando para quebrar um barril de cerveja sobre a cabeça de outro homem. Ele é inspirado no romance russo *Taras Bulba*, sobre um velho cossaco que mata seu próprio filho depois que o menino se apaixona por uma polonesa. Troque "cossaco" por "flamengo" e "polonesa" por "valona" e você terá uma história perfeita para a adaptação belga.

Os cervejeiros veem as rixas linguísticas belgas como algo sem sentido, e criaram o rótulo para criticá-las. Enquanto isso, os cervejeiros da Taras Boulba fizeram uma afirmação própria. Ela começou literalmente como uma cerveja de produtores. Bernard Leboucq e Yvan De Baets produziram o primeiro lote em 2004 para saciar a sede depois de um longo dia de trabalho. Eles gostaram tanto que continuaram produzindo, fazendo ajustes, e hoje a popularidade da Taras Boulba supera a capacidade dos produtores de fabricarem a cerveja.

Ela se destaca em meio às cervejas especiais belgas por vários motivos. O primeiro é o marcante caráter lupulado, herbáceo e elegante, parecido com o das demais ales da cervejaria. O segundo é o notável teor alcoólico. Embora haja muita complexidade para aqueles que querem parar, degustar e saborear, esta é uma verdadeira cerveja cotidiana – para se beber no dia a dia – feita para ser degustada a tarde toda e depois voltar para casa sobre os próprios pés. A Taras Boulba consegue um sutil sabor picante e cítrico sem ter quaisquer especiarias na receita. Ela é apenas levedura, lúpulos e malte. Pode-se saborear os ingredientes desta cerveja que, apesar da identidade belga, poderia passar por uma tradicional saison Hainaut – ales rústicas e de baixo teor alcoólico que mantêm os camponeses felizes e saudáveis. Ela talvez faça o mesmo por você. **JS**

Notas de degustação

Cerveja dourada e brilhante, com uma coroa espumante, persistente e branca, sedutora num dia de verão. Bom aroma floral e herbáceo, com notas cítricas como a de toranjas. Bem amarga e seca, com ligeira acidez e refrescância. Saborosa e agradável.

BEER company
TAYBEH BEER
Palestinian Beer
Brewed in Ramallah, Palestine.
Imported and distributed in the UK by
www.alternativebeer.co.uk
'Drink to Peace'
Special Brew 2000
TAYBEH BEER
The Finest in the Middle East
GOLDEN
TAYBEH BEER
DARK

Taybeh Beer Golden

Taybeh Brewing Company
www.taybehbeer.com

País de origem Palestina
Lançada em 1995
Teor alcoólico 5,2% vol.
Temperatura ideal 8°C

Esta é a história de um cervejeiro artesanal de Boston que começou seu caso de amor com a cerveja como um produtor caseiro e depois se matriculou num mestrado em engenharia de produção na Universidade da Califórnia, em Davis, a fim de abrir sua própria cervejaria. O homem em questão é Nadim Khoury, que voltou para sua terra natal, a Palestina, depois do Acordo de Oslo de 1993, para fundar a cervejaria Taybeh numa cidade cristã no lado ocidental ocupado.

A Taybeh Beer Golden é uma cerveja puro malte, feita de acordo com os padrões da Lei da Pureza alemã (Reinheitsgebot). Não há aditivos ou preservativos na cerveja. Os lúpulos são da Baviera, juntamente com as variedades aromáticas Saaz da República Tcheca. Os frutos da persistência de Khoury são difíceis de ser encontrados fora dos Territórios Palestinos. As marcas são fabricadas sob contrato na Bélgica, numa tentativa de expandir o mercado da empresa, mas este acordo parece ter chegado ao fim. **LN**

Notas de degustação

Dourado-clara na aparência, com uma atraente carbonatação. O aroma exibe um malte seco com notas de lúpulos florais. O corpo é cremoso com um malte amanteigado equilibrado por um generoso amargor.

Tegernseer Spezial

Herzoglich Bayerisches Brauhaus Tegernsee
www.braustuberl.de

País de origem Alemanha
Lançada em *ca.* 1817
Teor alcoólico 5,6% vol.
Temperatura ideal 6°- 8°C

Pitorescamente situada na margem leste do Tegernsee, um lago ao sul de Munique, o bar e jardim cervejeiro da Herzoglich Bayerisches Brauhaus Tegernsee é uma das mais conhecidas tavernas da Baviera e com certeza o lugar ideal para beber a maravilhosa Spezial. O impressionante salão abobadado atrai não apenas turistas como também vários nativos. Jovens e velhos, famílias e casais e grupos e associações vão ao Braustuberl para viver a cultura cervejeira bávara da melhor maneira.

A Helles talvez seja a cerveja mais bem-sucedida da Herzoglich Bayerisches Brauhaus, mas a melhor, de acordo com o gerente-geral Christian Wagner e vários entusiastas, é a Spezial. Trata-se de um incrível exemplo de uma lager leve ao estilo bávaro. Wagner não conta os segredos da produção da empresa, mas revela que a cerveja passa por uma "leve" maturação em tanques refrigerados, o que é particularmente caro. **SK**

Notas de degustação

Clara e brilhante, com um belo colarinho branco. O aroma adocicado exibe uma leveza amanteigada. No paladar, espere um malte pronunciado. Final semisseco e ameno.

← Anúncio da cerveja que promove a paz e a bebida.

Terrapin Rye Pale Ale

Terrapin Beer Company | www.terrapinbeer.com

País de origem Estados Unidos
Lançada em 2002
Teor alcoólico 5,5% vol.
Temperatura ideal 5°C

Os cervejeiros da Terrapin Beer Company, Brian Buckowski e John Cochran, reuniram-se na cervejaria Atlanta. Os dois analisavam as pale ales, ales escuras e stouts produzidas no sudeste e sentiram que poderiam fazer algo diferente. Quando Buckowski disse a conhecidos que planejava fabricar uma pale ale lupulada, eles o advertiram de que seria uma tarefa difícil convencer os consumidores do sudeste do país a comprá-la. Buckowski não lhes deu ouvidos e criou uma receita de pale ale com um truque: a Terrapin Rye Pale Ale. Seis meses antes do lançamento, a cerveja ganhou uma medalha de ouro no Grande Festival Americano da Cerveja.

Na essência da ale está o centeio maltado misturado a maltes de mel Munique e Victory para lhe conferir complexidade e maciez. Cinco tipos diferentes de lúpulos são adicionados à ale: Magnum, Fuggle, East Kent Golding e Cascade, e depois ela passa pelo processo de *dry hopping* com Amarillo. O uso que a Terrapin Rye Pale Ale faz do centeio como matéria-prima ajudou na publicidade da cerveja. No mar das pale ales, é uma diferença que ajuda a marca a garantir espaço nas bombas e prateleiras. O recente ressurgimento do uísque de centeio entre os consumidores norte-americanos acrescentou certo charme à Terrapin.

Depois de começar a fabricar cerveja sob contrato, a Terrapin hoje tem sua própria instalação e lançou várias cervejas sazonais e de edições limitadas, entre elas a Rye Squared, a All American Imperial Pilsner, a Big Hoppy Monster e a Wake-n-Bake Coffee Oatmeal Imperial Stout. A linha fundamental da cervejaria contém a Rye Pale Ale, a Golden Ale e a India Style Brown, produzida pela primeira vez para celebrar o quinto aniversário da empresa. **RL**

Notas de degustação

Esta ale se apresenta com uma convidativa cor dourada, aromas florais e um colarinho firme e espesso que se mistura ao copo. A princípio, há um lúpulo condimentado com uma boa dose de malte no final para equilibrar a cerveja. Final muito macio.

Thornbridge Jaipur

Thornbridge Brewery | www.thornbridgebrewery.co.uk

País de origem Inglaterra
Lançada em 2005
Teor alcoólico 5,9% vol.
Temperatura ideal 10°- 12°C

Uma visita ao Thornbridge Hall é uma visita a outro mundo. As pessoas entram no salão em meio a um jardim verde arborizado. Algumas estátuas envelhecidas estão espalhadas, como se brincando de esconde-esconde. O salão se impõe majestoso e convidativo. Até setembro de 2009, a cervejaria Thornbridge também abrigou um estábulo, mas depois foi transferida para uma nova sede a alguns quilômetros dali, na pitoresca cidade de Bakewell. "Apesar de nossa cervejaria ter pouco mais de quatro anos de idade, trabalhamos na capacidade máxima quase que desde o início", disse o diretor-gerente da Thornbridge à época, Jim Harrison. "Começamos a planejar a cervejaria com a determinação de usar a melhor tecnologia disponível e também de garantir que nossa equipe mantivesse o controle total sobre o processo, de modo que tivéssemos uma cervejaria que desse lugar à criatividade."

Grande parte do sucesso da cervejaria se deve à Jaipur, uma maravilhosa versão lupulada de uma IPA que se inspira nos Estados Unidos e não em Burton-on-Trent. Ela foi batizada em homenagem à famosa cidade indiana de paredes "rosa" (daí a cor dos rótulos). Os lúpulos utilizados são os norte-americanos Ahtanum, Centennial e Chinook, variedades produzidas para conferir notas aromáticas e frutadas, enquanto o malte pale ale é adicionado na caldeira. Apesar de sua força de 5,9% vol., os cervejeiros recomendam que ela seja apreciada ainda jovem, para que as suculentas notas lupuladas sejam degustadas. Ela caiu no gosto do público britânico, visto que, enquanto este texto está sendo escrito, ela já ganhou sessenta prêmios em vários festivais, entre eles a prestigiosa guirlanda de Melhor Cerveja Forte Amarga do Reino Unido em 2008. **ATJ**

Notas de degustação

Amarela cor de palha com toques dourados. No aroma, lufadas de frutas tropicais como lichia e toranja, além de toques amenos de cevada tostada. No paladar, os sabores de frutas tropicais são equilibrados por uma ligeira doçura de mel antes do final duradouro, seco e agridoce.

STELLA
MATUTINA

Thornbridge Kipling

Thornbridge Brewery | www.thornbridgebrewery.co.uk

País de origem Inglaterra
Lançada em 2006
Teor alcoólico 5,2% vol.
Temperatura ideal 8°- 10°C

"Nunca ordinária" é apenas um dos slogans da cervejaria Thornbridge e também um dos mais adequados. Desde a sua abertura, em 2004, esta cervejaria independente adquiriu reputação como uma das mais criativas microcervejarias do Reino Unido. Sediada numa bela propriedade em Derbyshire, o Thornbridge Hall, ela está constantemente procurando por inspiração no restante do mundo.

Foi assim que, em 2005, em meio a um gelado inverno britânico, o mestre cervejeiro italiano da Thornbridge, Stefano Cossi, recebeu algumas amostras de lúpulo de uma das regiões mais ensolaradas do mundo. Uma destas amostras era uma variedade completamente nova da Nova Zelândia, chamada Nelson Sauvin. Ele e Martin Dickie (o outro cervejeiro da Thornbridge na época) fizeram algumas experiências com este novo lúpulo e ficaram encantados com os aromas intensos de maracujá, manga e toranja. Eles entenderam que tinham de usá-lo.

Primeiro tentaram adicionar a nova maravilha a uma cerveja de trigo, mas, sem um forno de cereal, descobriram que era difícil converter o grão. Então tentaram usar trigo torrado, mas também não deu certo. Por fim, tentaram acrescentar malte Munique para equilibrar os lúpulos, e assim nasceu a Kipling. Eles a chamaram de "South Pacific Pale Ale", porque os aromas tropicais são semelhantes aos encontrados no Sauvignon Blanc neozelandês. O cervejeiro neozelandês Kelly Ryan entrou para a Thornbridge em 2007 depois que Dickie saiu para abrir sua própria cervejaria, a BrewDog, e este fato, afirma Cossi, oficialmente lhes dá o direito de usar o estilo "inventado". O nome Kipling vem da época em que a cervejaria possuía um anexo contendo uma escotilha do carroção do escritor Rudyard Kipling. **ST**

Notas de degustação

Uma clássica pale ale com muitos e intensos aromas frutados. Sabores de maracujá e kiwi, com um toque cítrico de toranja e malte amanteigado por baixo. Deliciosamente refrescante e um ótimo aperitivo quando servida gelada. Tente bebê-la com peixe e batatas fritas.

Tiger Beer

Asia Pacific Breweries | www.tigerbeer.com

País de origem Cingapura
Lançada em 1932
Teor alcoólico 4,8% vol.
Temperatura ideal 4°-6°C

De certo modo, a Tiger Beer é o primeiro produto da internacionalização da indústria cervejeira. A Heineken e o conglomerado com base em Cingapura Fraser & Neave formaram uma sociedade em 1931, a Malayan Breweries. Hoje ela é conhecida como Asia Pacific Breweries. Um ano mais tarde, a Tiger Beer foi lançada em Cingapura. É a principal estratégia da Asia Pacific para criar uma marca de lager panasiática. A cerveja é produzida em onze países, o mais recente deles a Índia, e em centros cervejeiros improváveis, como Vientiane, no Laos, e Ulan Bator, na Mongólia.

A Asia Pacific se orgulha das muitas medalhas que a Tiger ganhou ao longo dos anos, mas é reticente ao falar dos ingredientes. Em 1998, a Tiger se sobressaiu entre 118 outras lagers no Prêmio Internacional da Indústria Cervejeira (BIIA, na sigla em inglês), ganhando a medalha de ouro. O pouco conhecido BIIA é muito importante na indústria porque seu corpo de jurados é composto por cervejeiros profissionais. A Tiger produzida na Mongólia ganhou a medalha de prata no Prêmio Internacional de Cervejas Australiano em 2009, numa competição que não distribuiu medalhas de ouro.

Quanto a seus ingredientes, a Asia Pacific afirma que a Tiger é feita com uma levedura especialmente cultivada na Holanda, operando sua magia alcoólica com cevada maltada australiana e europeia, suplementada por arroz para garantir o final seco. A cerveja recebe vários lúpulos para suas notas amargas, incluindo os lúpulos ácidos Zeus norte-americanos. Hoje a cervejaria está estendendo a produção com marcas como a Tiger Crystal, a Tiger Super Cold e a Ice Freeze Tiger, que mistura a cerveja Tiger com cristais de cerveja congelada. **LN**

Notas de degustação

O aroma é generoso, com maltes amanteigados complementados por notas de melão, leves frutas cítricas e – surpresa! – um toque de cravo. O corpo oferece um malte macio e doce, com um toque de lúpulos cítricos, mas sem amargor. O final é curto e doce.

Tipopils

Birrificio Italiano | www.birrificio.it

País de origem Itália
Lançada em 1996
Teor alcoólico 5,2% vol.
Temperatura ideal 8°- 10° C

Agostino Arioli é considerado o verdadeiro pioneiro do renascimento das cervejas artesanais italianas, que começou produzindo em casa quando ainda era um estudante. Ele é um apaixonado por cervejas, principalmente pelas de baixa fermentação ao estilo pilsen. Todos os anos, Arioli viaja para a Baviera para escolher pessoalmente e comprar lúpulos que usa na sua cervejaria. Em todos os aspectos da produção, ele usa uma abordagem científica e praticamente obstinada, e isto é provavelmente o que garante a alta qualidade consistente de suas cervejas. A Tipopils foi produzida pouco antes da inauguração oficial do Birrificio. Foi a primeira cerveja da empresa e, depois de mais de dez anos, a "Tipo" de Arioli ainda é a preferida dos fanáticos que visitam o bar.

A Tipopils é considerada uma espécie de pilsen ao estilo italiano: lupulada, mas não muito, bem equilibrada, palatável e com um belo corpo. Sem dúvida um verdadeiro parâmetro para todas as pilsens artesanais italianas que surgiram depois dela. A Tipopils se caracteriza por três tipos de lúpulos, todos cultivados na Alemanha: o Northern Brewer, que confere amargor à cerveja; e o Hallertauer Perle e o Hallertauer Spalter, escolhidos por suas características aromáticas. Dois maltes diferentes (Pilsen e caramelo) e levedura de Weihenstephan completam a receita. Depois de uma prolongada primeira fermentação, a cerveja precisa maturar por três semanas, mas durante este período se faz *dry hopping* com Spalter Select para acrescentar um pouco mais de aroma floral e lupulado. Entre novembro e fevereiro, Arioli também produz uma Extra Hop, servida com lúpulo Mittelfrüh por sobre o colarinho. **MM**

Notas de degustação

Dourada brilhante com um espesso colarinho branco. Aroma equilibrado reminiscente dos lúpulos frescos, mas com um fundo maltoso. No paladar, inicialmente revela toques de mel de acácia, mas termina com um agradável toque de amargor.

AK
Birrë Tirana
11°
STASH 1401-81
KOMBINATI USHQIMOR "ALI KELMENDI» TIRANE
0,5 ℓ

AK
Birrë Tirana
KOMBINATI USHQIMOR « ALI KELMENDI » TIRANE
0.5ℓ 11°
STASH 1401-87

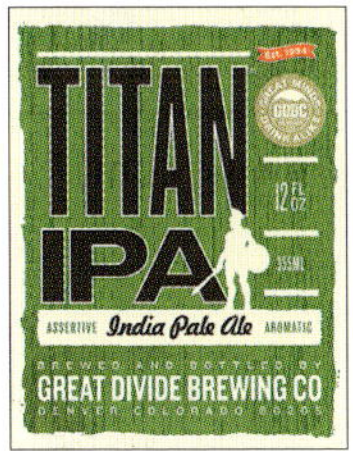

Tirana

Birra Malto | www.birratirana.com

País de origem Albânia
Lançada em 1961
Teor alcoólico 4% vol.
Temperatura ideal 3°-6°C

Durante séculos, vinho e o forte e quente conhaque *raki* eram as bebidas albanesas por excelência. Só nos anos 1930 é que a primeira cervejaria da Albânia foi inaugurada. Sob o regime comunista, em 1960, o governo de Enver Hoxha recebeu financiamento e conhecimento para montar uma cervejaria estatal. A cervejaria Birra Malto era uma subsidiária do departamento estatal de agricultura, o Kombinati Ushqimor. Usando cevada da região de Korca e lúpulos de Pogradec, ela fabricava uma pilsen e uma cerveja escura. A pilsen, batizada em homenagem à capital Tirana, se provou popular. Em 1983, a velha cervejaria russa foi ampliada e equipada com tecnologia moderna. Em 1993, investimentos e uma estratégia de marketing resultaram numa nova marca internacional. A cervejaria foi privatizada em 2001. A Tirana é hoje exportada para outros países dos Bálcãs, para os Estados Unidos e, às vezes, para o Reino Unido. **JP**

Notas de degustação
Uma pilsen dourado-clara com um colarinho instável e boa transição. Aroma de malte cremoso e doce. Corpo leve com carbonatação semelhante à do champanhe. Seca e refrescante.

Titan IPA

Great Divide Brewing | www.greatdivide.com

País de origem Estados Unidos
Lançada em 2004
Teor alcoólico 6,8% vol.
Temperatura ideal 13°C

Pouco antes de a cervejaria Great Divide, de Denver, celebrar seu décimo aniversário, em 2004, a empresa acrescentou duas fortes cervejas lupuladas que se diferenciavam das demais cervejas da indústria, ganhando uma marca própria: "Maverick". Em curto prazo, a Maverick Imperial Stout ganhou um segundo lugar no Desafio Alpha King, uma competição de cervejas lupuladas, enquanto a Maverick IPA (ostentando significativos, mas não exagerados, 65 IBU, em contraste com algumas das cervejas lupuladas californianas preferidas) encontrou um público maior. As vendas da Great Divide oscilaram nos cinco anos seguintes, dando lugar a uma expansão – a cervejaria abriu um bar em 2007 e passou por uma grande ampliação em 2008.

A Titan IPA exibe a característica equilibrada de todas as cervejas Great Divide, mas também contém muito lúpulo. Ela se tornou rapidamente a cerveja mais vendida fora da região natal da cervejaria. **SH**

Notas de degustação
Alaranjada brilhante com um colarinho branco, espesso e firme. Aroma frutado de toranja e laranja, com notas picantes de pinheiro. Estrutura maltosa no paladar, com um pouco de açúcar na língua.

← Um par de antigos rótulos da cerveja Tirana de um colecionador privado australiano.

Tricerahops Double IPA

Ninkasi Brewing | www.ninkasibrewing.com

País de origem Estados Unidos
Lançada em 2007
Teor alcoólico 8,8% vol.
Temperatura ideal 7°- 12°C

Quando o cervejeiro Jamie Floyd, de Eugene, no Oregon, deixou a cervejaria Steelhead para abrir a cervejaria Ninkasi, uma das cervejas que ele sabia que queria produzir era uma Double India Pale Ale. Ele já havia trabalhado com algumas Double IPAs antes – na verdade, a Hopasaurus Rex da Steelhead foi a primeira Double IPA a ganhar uma medalha de ouro no Grande Festival Americano da Cerveja.

De início, quando pensou em criar uma nova Double IPA para a Ninkasi, queria chamá-la Hoptimus Prime, numa referência ao herói dos Transformers, mas outra empresa já usava o nome. Floyd, então, decidiu dar sequência à moda que começara com o Hopasaurus Rex da Steelhead, e batizou a nova cerveja de Tricerahops, numa referência ao dinossauro de três chifres, o triceratopus.

"Escolhi o nome Tricerahops por vários motivos", diz Floyd. "Primeiro porque a Hopasaurus Rex ficara com a Steelhead. Era engraçado, porque eles não podiam ficar brabos comigo por causa da semelhança dos nomes de dinossauros, já que eu batizei as duas cervejas. Em segundo lugar, o homem que fabrica as bombas da Ninkasi é um dos meus melhores amigos e ele trabalhou num aparelho chamado Triceratopus – um painel de caminhão que foi transformado num gigantesco triceratopus de aço e que viajou para vários lugares com eventos de arte e festivais de música. O nome é o resultado de ambas as influências."

Floyd afirma que o outro nome não oficial da impressionante Tricerahops é Sleepytime: "Esta cerveja tem o efeito habitual de fazer com que as pessoas se tornem extremamente familiarizadas com o formato de qualquer cadeira na qual estejam sentadas enquanto a bebem", diz. "Duas canecas e é hora de dormir." **LMo**

Notas de degustação

Notas florais predominam e combinam com os sabores cítricos e de pinheiro antes que a doçura do malte surja. Apesar da alta dosagem de lúpulo e do alto teor alcoólico, é uma cerveja equilibrada, surpreendentemente macia e leve no final.

Tripel de Ripple

Brugge Brasserie | www.bruggebrasserie.com

País de origem Estados Unidos
Lançada em 1995
Teor alcoólico 9,8% vol.
Temperatura ideal 6°C

A Brugge Brasserie é um bar-restaurante que serviu de inspiração para o cervejeiro Ted Miller. Indianápolis talvez não se pareça muito com a antiga cidade belga de Bruges, mas seus companheiros de degustação lhe dirão algo bem diferente. A Brugge Brasserie combina ales ao estilo belga e lagers continentais com um sofisticado cardápio que vai muito além dos salgadinhos normais dos bares. Itens como *waterzooi*, ensopado flamengo e mexilhões fritos transportam os frequentadores pelo Atlântico.

A Brugge Brasserie surgiu depois que Ted Miller e sua esposa Shannon juntaram forças com seus amigos de infância para trazer o conceito do bar gastronômico para a região de Broad Ripple, em Indianápolis. O grupo gastronômico The Brugge LLC pertence a Abraham Benrubi, Ted e Shannon Miller, Charlie Midgley, Eli Schloss e Renee Stoltz. O ator Benrubi é mais conhecido por seus papéis em séries de televisão como *Plantão Médico* (*ER*) e *Parker Lewis Can't Lose*.

A Tripel de Ripple foi a primeira cerveja produzida pela empresa. Enquanto estavam se preparando para a inauguração, Miller e o gerente noturno do restaurante começaram o processo de produção de cerveja e a mistura, certos de que os açúcares fundamentais da receita chegariam a tempo. Sem localizar o motorista, contudo, o gerente saiu em busca do caminhão de entrega e o encontrou a apenas três quarteirões da cervejaria. Mas era o caminhão errado. Uma busca frenética encontrou um segundo caminhão de entrega, e este continha o açúcar, bem a tempo de fabricar a cerveja. Entre as outras cervejas da Brugge estão a Keller Bier, a Saison D'etre, a Imperial Wit e a Old Dog Belgian Strong Pale Ale. Mas foi a Tripel de Ripple que ganhou a medalha de prata no Grande Festival Americano da Cerveja. **RL**

Notas de degustação

A Tripel de Ripple é dourada opaca com uma coroa branca fina. Ela exala um ligeiro aroma floral e cítrico que leva a uma base ácida; notas de frutas maduras com um pouco de doçura fugaz no entorno. A ale termina com um azedume de limão.

Tripel Karmeliet

Brouwerij Bosteels | www.bestbelgianspecialbeers.be

País de origem Bélgica
Lançada em 1996
Teor alcoólico 8% vol.
Temperatura ideal 6°- 7°C

A Tripel Karmeliet, supostamente criada em 1679 num mosteiro carmelita belga, renasceu nos anos 1990. Seja um fato histórico ou um exagero publicitário, o fato é que os três tipos de cereais (cevada, trigo e aveia) usados nesta cerveja combinam bem com a imagem histórica. Uma fonte da cervejaria até afirma que todos os três cereais são usados tanto na forma maltada quanto na não maltada, enquanto o lúpulo usado é o Styrian Golding.

A cervejaria Bosteels remonta ao século 17 e ainda está nas mãos da família original, hoje na sétima geração. A elegante sala de fermentação, no coração da cervejaria, também ostenta um passado grandioso. Dando prosseguimento à tradição nobre, várias das cervejas Bosteels são concebidas como produtos especiais, geralmente com um interessante fundo histórico.

Além da bem-sucedida e renomada Tripel Karmeliet, a Pauwel Kwak também ganhou fama mundial, enquanto a Deus despertou interesse por ser supostamente fabricada com o *méthode champenoise* de produção de espumantes. Há até poucos anos, dizia-se que a Tripel Karmeliet era na verdade feita na Van Steenberge, uma grande cervejaria regional ao norte da província. Registros recentes, contudo, mostram que a Tripel é mesmo produzida em Buggenhout. Para degustadores perspicazes, também é importante que esta cerveja tenha o desconcertante hábito de se sair muito bem em degustações às cegas, geralmente melhor do que várias concorrentes famosas que talvez esperassem superá-la. **JPa**

Notas de degustação

Uma cerveja límpida, dourada e amarela sob um colarinho espumoso e branco. Aroma de cereais, trigo, um pouco defumado e se tornando picante-torrado. Sabor adocicado e maltoso, mas com um corpo áspero e quase adstringente, em parte por conta do malte torrado. Talvez seja a aveia que leve a um final picante e também tostado.

Trois Dames IPA

Brasserie Trois Dames | www.brasserietroisdames.ch

País de origem Suíça
Lançada em 2005
Teor alcoólico 6,5% vol.
Temperatura ideal 12°C

Instalada nos montes Jura, a Brasserie Trois Dames é uma das mais bem-sucedidas cervejarias suíças. A produção precisa é uma maneira de explicar seu apelo: cervejas bem definidas e simples com um caráter marcante e equilibrado, cervejas complexas que satisfarão entusiastas e que também são interessantes o bastante para os iniciantes compreenderem e apreciarem.

Raphael Mettler era um entre milhões de suíços que não gostavam de cerveja. Foi então que uma pale ale norte-americana cruzou seu caminho e mudou sua vida. A princípio um cervejeiro caseiro e depois cervejeiro em meio expediente antes de finalmente trabalhar em tempo integral na primavera de 2008, a trajetória de Raphael talvez tenha sido meteórica, mas seu primeiro amor pela cerveja permanece: os lúpulos. E o que mais você produziria para celebrar os lúpulos além de uma IPA com uma força que faça justiça ao estilo?

Feita com maltes alemães e uma base lupulada com as variedades norte-americanas Centennial, Cascade e Simcoe (lúpulos sérios que produzem impressionantes, mas não exagerados, 60 IBU), a Trois Dames IPA fica entre uma IPA britânica forte e uma IPA norte-americana moderna. Seu caráter lupulado é inequivocamente norte-americano, mas seu corpo não muito intenso claramente faz referência à tradição britânica. Os cervejeiros britânicos geralmente são hesitantes no que diz respeito às cervejas marcadamente lupuladas, e esta IPA, juntamente com a Ale/ESB, a Pacific Northwest Pale Ale e a Saison Houblon da mesma empresa, está claramente mudando o paladar dos suíços, levando-os a explorarem os deleites do amargor. A julgar pelas vendas, com a IPA hoje surpreendentemente superando a enfadonha Ale/ESB, este desafio está obviamente dando certo. **LM**

Notas de degustação

Literalmente gotejando com resinas, lúpulos cítricos e a estrutura do malte cristal, ela é rígida o bastante apenas para abrir caminho para o amargor final forte e ligeiramente terroso, de modo que um paladar complexo de frutas cítricas, pinheiro, frutas vermelhas e exóticas, com um toque de cassis, possa confortavelmente se revelar num agradável equilíbrio.

Trumer Pils

Trumer Privatbrauerei | www.trumer.at

País de origem Áustria
Lançada em 1977
Teor alcoólico 4,9% vol.
Temperatura ideal 7°C

A Trumer Pils é a marca de pilsen de maior prestígio (e também a mais cara) da Áustria. O sucesso desta cerveja não se deve apenas à sua qualidade, mas também à consistência da estratégia de marketing que situa a marca como uma joia entre as cervejas austríacas.

Quando a cervejaria lançou sua pilsen, apresentou ao mesmo tempo o copo ideal para bebê-la – uma estratégia incomum nos anos 1970, que reforçou o respeito por este produto incomum. Ao contrário de várias outras cervejas desta categoria, a Trumer Pils é marcadamente lupulada – e a cerveja se orgulha de dizer isso aos seus consumidores.

Há mais de vinte e cinco anos a "Bier Akademie" da Trumer ensina aos consumidores o processo de produção da cerveja e sua rica história. A produção teve início em 1601 em Obertrum, cerca de quinze minutos ao norte de Salzburgo. Em 1775, Josef Sigl, um comerciante de lúpulo de Perlesreuth, na Baviera, comprou a cervejaria pela soma de 12 mil florins. Desde então ela é uma empresa familiar e o proprietário atual é Josef Sigl VII.

Juntamente com a taça especial, a família Sigl também introduziu várias inovações no mercado cervejeiro austríaco. No início dos anos 1970, a empresa foi a primeira a fabricar uma cerveja filtrada de trigo chamada "Champagnerweizen". Ela foi comercializada sob o nome Weizengold e distribuída nacionalmente. A Weizengold foi mais tarde vendida para a Stiegl, enquanto a família Sigl decidiu se dedicar à produção da Trumer Pils. O foco único se provou um sucesso: a cerveja conquistou vários prêmios, entre eles o European Beer Star e a Copa do Mundo da Cerveja. **CS**

Notas de degustação

Esta pilsen cor de palha tem um colarinho firme e branco que produz muita transição na taça. Há muitos aromas resinosos e florais, enfatizados pela carbonatação intensa – assim os aromas e o amargor dos lúpulos estão bem presentes no paladar.

Tsingtao

Tsingtao Brewery | www.tsingtaobeer.com

País de origem China
Lançada em 1903
Teor alcoólico 4,8% vol.
Temperatura ideal 8°C

Esta bebida áspera e fresca afirma ser a primeira cerveja chinesa. Mas, apesar de a cervejaria ficar numa cidade portuária, ela deve sua origem mais aos colonos alemães do que à população nativa. Tsingtao (pronuncia-se "ching--dao") é uma corruptela do nome da província chinesa onde ela é produzida, Qingdao. Foi ali que, em 1903, os colonos alemães abriram aquela que é hoje a cervejaria mais antiga da China.

Os colonos usavam a água pura da região dos montes Laoshan e arroz, cevada e lúpulos cultivados ali perto, e aplicaram técnicas de produção alemãs para criar uma versão chinesa de uma cerveja alemã. Esta fusão de Oriente e Ocidente deve ter dado certo, porque a cerveja recebeu uma medalha de ouro na Exposição Internacional de Munique de 1906. Hoje, esta lager efervescente é uma das cervejas chinesas mais exportadas e a Tsingtao pode ser encontrada em cinquenta países ao redor do mundo.

A cevada, originalmente cultivada na região, atualmente é importada dentre variedades de alta qualidade cultivadas no Canadá e na Austrália. Ela se combina com a água de fontes naturais, arroz e lúpulos, e a cerveja fermenta por ao menos 28 dias usando uma variedade especial de levedura cultivada pela cervejaria. O resultado é uma cerveja bem doce que serve como um belo acompanhamento para a culinária chinesa. A cervejaria se orgulha de suas raízes alemãs, até mesmo organizando um festival cervejeiro anual parecido com a Oktoberfest. Ela também ostenta um museu onde os visitantes podem ver a história da empresa e até mesmo visitar a "sala da embriaguez", onde os efeitos da embriaguez são recriados por estranhas perspectivas. **JM**

Notas de degustação

Esta pale lager áspera e refrescante tem uma coroa fina e borbulhante. Seu aroma ameno e agradável contrasta com a doçura amena, o tom maltoso e o sabor extremamente lupulado. Com toques de amêndoas e frutas cítricas, ela se prolonga no paladar com uma duradoura doçura melada.

Tusker Lager

East African Breweries | www.eabl.com

País de origem Quênia
Lançada em 1922
Teor alcoólico 4,2% vol.
Temperatura ideal 4°C

A cervejaria do Quênia foi fundada por dois imigrantes britânicos, George e Charles Hurst. O equipamento foi importado do Reino Unido, assim como um cervejeiro do noroeste da Inglaterra. Os lúpulos vinham de Kent, fornos a lenha aqueciam a tina de mistura e a caldeira. A cervejaria começou produzindo uma stout e uma ale. Um ano mais tarde, a Tusker foi lançada, mas não se tem certeza se era uma lager, já que, de acordo com algumas fontes, a cervejaria não começou a produzir cervejas de baixa fermentação antes de 1930.

Com a imagem de um elefante no rótulo, a Tusker é uma das cervejas mais conhecidas da África e também é produzida sob contrato na Tanzânia e em Uganda. De baixo amargor, é uma cerveja refrescante perfeita para o clima quente da região. Ela é produzida com cevada maltada trazida da região tropical e equatorial do vale do Rift queniano, enquanto a água vem de fontes na serra Aberdare.

Ela é mais refrescante do que saborosa, por isso não é fácil combiná-la com alimentos fortes. Mas a Tusker vai bem com alimentos simples se estiver bem gelada – peixe grelhado ou assado, salada e até mesmo massa. O escritor Ernest Hemingway visitava a região para caçar e para se encontrar quando vivia uma de suas crises de meia-idade. Dizem que a Tusker era sua cerveja preferida quando ele estava na região. **TH**

Notas de degustação

Clara, quase cor de palha no copo. A cerveja tem um sabor áspero, um aroma levemente maltoso e até mesmo um toque de malte amanteigado ou milho doce que desaparece no final leve.

Tusker Malt Lager

East African Breweries | www.eabl.com

País de origem Quênia
Lançada em 1996
Teor alcoólico 5% vol.
Temperatura ideal 4°C

A Tusker domina o mercado cervejeiro queniano e é uma instituição nacional. Nos *hepis* (bares) de Nairóbi, toda a clientela fica atenta, de braços cruzados, quando os anúncios patrióticos da cerveja são exibidos na televisão.

Talvez ciente de que muitos turistas ocidentais compram camisetas Tusker como lembranças, a cervejaria East African percebeu o potencial de criar um empreendimento internacional. Apesar de a cerveja ser incomparável no calor equatorial de Masai Mara, a cervejaria percebeu que a bebida, quando degustada nas férias, talvez não tenha o mesmo sabor de quando ingerida sob céus mais escuros e frios. E assim ele criou a Tusker Malt.

A maioria das cervejas africanas é servida em garrafas recicladas idênticas, mas a Tusker Malt é embalada em garrafas verdes que significam "premium" no mundo todo. Ao contrário de outras cervejas africanas, ela é puro malte, comprado de bons produtores de cevada equatorial cultivada na base do monte Quênia, e utiliza água das fontes de Aberdare. O resultado é uma cerveja com um caráter de lager mais ousado do que muitas imitações de pilsen vendidas no mundo todo.

Os quenianos logo quiseram esta cerveja para o consumo próprio e em pouco mais de dez anos a Tusker Malt conquistou 4% do mercado doméstico. O Quênia se vê cada vez mais como um ator no cenário mundial. A Tusker Malt não é apenas uma lager – é uma afirmação desta vontade. **PB**

Notas de degustação

Dourada mais escura do que a maioria das lagers, com um espesso colarinho branco. O aroma maltoso com algo de cereais leva a uma ligeira doçura no paladar, com um pouco de amargor e final seco.

Um bar recém-pintado em Malindi, no Quênia, anuncia a marca Tusker. →

TUSKER
FINEST QUALITY LAGER
TUSKER
FINEST QUALITY LAGER

Two Hearted Ale

Bell's Brewery, Inc. | www.bellsbeer.com

País de origem Estados Unidos
Lançada em 1992
Teor alcoólico 7% vol.
Temperatura ideal 4°- 6°C

Quando Larry Bell retirou as cervejas Kalamazoo do mercado de Illinois – temporariamente –, ele gerou quase uma revolta entre os admiradores da bebida na região de Chicago, e esta cerveja explica, em parte, o motivo. A Two Hearted é uma cerveja de um verdadeiro entusiasta, gotejando toques cítricos e de pinheiro dos lúpulos Centennial.

Hoje ela é a principal cerveja fabricada pela renomada cervejaria Bell's, mas as perspectivas da cerveja nem sempre foram boas. A Two Hearted original foi um projeto que combinava malte inglês e lúpulos cultivados em Wisconsin, de acordo com Larry Bell, que gostava de beber suas próprias cervejas lupuladas enquanto pescava na península ao norte de Michigan. Por fim, uma fórmula mais bem-sucedida foi criada e a bebida se tornou um produto de fabricação regular – e o peixe permaneceu no rótulo.

Bell é, de vários modos, um pioneiro. No começo, ele ousou sem medo, seguindo suas paixões de uma maneira que poderia até mesmo ser considerada "excentricriadora". Sua cervejaria tem cinco stouts regulares e ele já fabricou cerca de uma dúzia num único ano. Ao esvaziar a caldeira depois de produzir sua Eccentric Ale, ele encontrou uma mistura de lúpulos, talos, raízes licorosas e sabe-se mais o quê. Depois de um acordo malfeito de distribuição, Bell se retirou de Illinois correndo e depois sob aplausos – e fez com que este movimento arriscado funcionasse a seu favor. Ele é uma lenda.

A Two Hearted foi uma das primeiras cervejas verdadeiramente lupuladas a fazer sucesso no Meio-Oeste. Simples, mas muito atraente, é uma IPA tão boa quanto a que você pode encontrar em outros lugares. Se tiver a sorte de degustá-la diretamente do barril, você terá algo realmente especial no seu copo. **RM**

Notas de degustação

Aroma lupulado notável com muita toranja, além de notas de damasco e mel e um toque de álcool. O sabor é de malte adocicado por algum tempo e depois você recebe um golpe de lúpulos. O malte se mantém sutilmente enquanto a cerveja se reduz a um final seco e lupulado.

Union Jack IPA

Firestone Walker Brewing | www.firestonewalker.com

País de origem Estados Unidos
Lançada em 2007
Teor alcoólico 7,5% vol.
Temperatura ideal 10°C

Um ano depois de a Firestone Walker lançar a Union Jack, a cerveja ganhou uma medalha de ouro na Copa do Mundo da Cerveja de San Diego, uma medalha de ouro no Prêmio Europeu de Cerveja na Alemanha e uma medalha de ouro no Grande Festival Americano da Cerveja em Denver. Não só os juízes gostaram da Union Jack. Quando a Firestone Walker abriu novos mercados consumidores em 2009 no noroeste dos Estados Unidos – onde há várias cervejas lupuladas disponíveis –, a IPA se tornou a mais vendida da empresa.

O mestre cervejeiro Matt Brynildson e sua equipe passaram boa parte do ano desenvolvendo a cerveja. Eles produziram lotes experimentais todos os meses, misturando-os em outras cervejas e vendendo um pouco da produção em degustações para ouvir a opinião dos consumidores. A Union Jack se tornou algo bem diferente do que Brynildson havia previsto depois de uma viagem à Grã-Bretanha para aprender sobre os maltes ingleses. Ele imaginava que os maltes britânicos fariam parte da receita e que parte da Union Jack, um nome que obviamente fazia referência ao outro lado do Atlântico, seria fermentada em barris de madeira, como outras pale ales da Firestone, a Double Barrel e a Pale Ale 31.

"Estávamos tentando integrar o carvalho, mas desistimos. Ele simplesmente não funcionava com o lúpulo", afirma Brynildson. Do mesmo modo, o escasso malte pale norte-americano também funcionava melhor com a nova cerveja. A Union Jack dá ênfase aos lúpulos do noroeste norte-americano, com doses abundantes para o sabor e o aroma. Desde então os cervejeiros da Firestone criaram uma versão imperial da bebida, basicamente usando a receita da Union Jack, mas produzindo menos cerveja, adicionando etapas para extrair todo o sabor possível de cada ingrediente. **SH**

Notas de degustação

Dourada brilhante no copo, com uma coroa esbranquiçada e seguida por uma generosa transição. Aromas de pinheiro e frutas cítricas e um toque de algodão-doce se infiltrando. Uma estrutura sólida e elegante de malte se revela em meio ao amargor e ao sabor lupulado.

Urbock 23°

Castle Brewery Eggenberg | www.schloss-eggenberg.at

País de origem Áustria
Lançada em 1976
Teor alcoólico 9,6% vol.
Temperatura ideal 10°C

A cervejaria Eggenberg, na Áustria central, é um empreendimento familiar do século 14, idilicamente cercada por montanhas e lagos. A propriedade da família e sede original da empresa é um atraente castelo interiorano amarelo-claro, mas o sucesso de suas cervejas levou à construção de um moderno complexo cervejeiro na primavera de 2000.

A Eggenberg é muito conhecida pela formidável e especial Samichlaus, uma lager natalina com teor alcoólico de 14% vol. A cervejaria comprou a marca da empresa suíça Hürlimann, depois que ela foi comprada pela empresa concorrente Feldschlössen, mas a Eggenberg já tinha uma bela reputação por produzir cervejas fortes, principalmente a excelente Urbock 23°. O nome desta cerveja, complementado por 23°, parece ameaçador, mas não se assuste. O número 23 só diz respeito à quantidade de açúcar adicionada à cerveja antes da fermentação: o teor alcoólico é de apenas 9,6% vol. Como todas as grandes cervejas, contudo, o teor alcoólico não é exatamente relevante quando você começa a degustá-la. Isto certamente significa que você deve tratar a cerveja com respeito e que todo o conjunto de malte e lúpulo é tão sedutor que o álcool parece quase secundário.

A abundância de malte Pilsen no mosto lhe confere uma base doce e cremosa. Depois, quatro variedades de lúpulos – Magnum, Muehlviertler, Spalter Select e Hallertauer Mittelfrüh – apresentam-se para o amargor equilibrado. A suavidade se deve ao fato de a Urbock ser acondicionada a frio nas adegas do castelo por nove meses, para aparar quaisquer arestas. A cerveja também envelhece bem na garrafa, com o caráter lupulado lentamente diminuindo à medida que as notas de xerez aos poucos se fazem presentes. **JE**

Notas de degustação

Uma lager dourada com um aroma impetuoso de malte cremoso, xerez, sultaninas e especiarias. Laranjas doces e frutas secas levam ao sabor suave, bem equilibrado pelo amargor e por uma boa dose de caramelo. Laranjas se prolongam no final duradouro, seco e penetrante.

Urthel Hop-It

Brouwerij de Leyerth | www.urthel.com

País de origem Holanda
Lançada em 2005
Teor alcoólico 9,5% vol.
Temperatura ideal 8°C

Fãs de música de certa idade se lembrarão de como o rock´n´roll norte-americano já atravessou o Atlântico e chegou às praias da Grã-Bretanha, onde artistas como Keith Richards e Jimmy Page sentiram a inspiração da música de Chuck Berry e Little Richard, entre outros. Pouco depois, os britânicos retribuíram com sua hoje lendária invasão. E o mesmo aconteceu com a cerveja. Depois de anos buscando inspiração estilística entre as cervejarias belgas, os norte-americanos finalmente refizeram o caminho nos primeiros anos do novo milênio, depois que cervejeiros belgas visitantes, como Hildegard van Ostaden, voltaram para seu país inspirados pelo que encontraram no exterior.

Uma das poucas mulheres cervejeiras na Bélgica, Van Ostaden se lembra de aos treze anos ficar fascinada com as "pequenas chamas de espuma" surgindo dos tanques de fermentação abertos da cervejaria Het Anker. Alguns anos mais tarde, ela estava na escola de cervejaria aprendendo a criar suas próprias "chamas".

A marca Urthel foi criada depois que Hildegard e seu marido Bas van Ostaden decidiram abrir espaço na cervejaria Van Steenberge para criar sua própria linha de ales, em vez de construir uma instalação separada. As primeiras marcas Urthel eram definitivamente de caráter belga, com alto teor alcoólico, corpo intenso e um sabor maltoso. Mas Hildegard foi inspirada pelas IPAs que descobriu nos Estados Unidos e em pouco tempo criou uma marca mais lupulada, a Hop-It. A cerveja foi tão bem recebida que o casal decidiu transferir a produção para a cervejaria Koningshoeven, na Holanda. **SB**

Notas de degustação

Dourado-clara, a Hop-It exala um aroma de pera e uvas verdes que camufla o amargor robusto do corpo, juntamente com notas de frutas em calda e um malte quase floral. Forte, lupulada e picante, mas ao mesmo tempo quase refrescante.

Utenos Alus

Švyturys-Utenos Alus | www.utenosalus.lt

País de origem Lituânia
Lançada em 1979
Teor alcoólico 5% vol.
Temperatura ideal 4°- 7°C

A ideia comum da cerveja na ex-URSS é a de que ela possuía algo de errado. Enquanto o governo inundou as destilarias de vodca com dinheiro para modernizar os equipamentos, as cervejarias foram em grande parte ignoradas. A Utenos alus se estabeleceu na cidadezinha lituana de Utena em 1977 e sua principal marca, a Utenos Alus, foi lançada alguns anos mais tarde.

Uma equipe de especialistas de algumas das melhores cervejarias da Tchecoslováquia foi trazida para dar consultoria sobre a operação da cervejaria. Eles começaram com a instalação de equipamento de produção de cerveja tcheco e com a insistência em usar malte, levedura e lúpulos de alta qualidade, o que não era uma prática normal dentro da URSS. Esta fórmula pôs a Utenos alus num nível superior ao da concorrência, mas foram necessários a privatização e investimentos estrangeiros para melhorar a qualidade até chegar ao padrão estabelecido no restante da Europa. **SG**

Notas de degustação

Clara, dourada-amarela, com um instável colarinho branco. O aroma exala notas de malte adocicado, milho e limão, enquanto o paladar exibe lúpulos picantes com um amargor de casca de limão.

Vapeur en Folie

La Brasserie à Vapeur | www.vapeur.com

País de origem Bélgica
Lançada em 1986
Teor alcoólico 8% vol.
Temperatura ideal 13°- 15°C

A Brasserie à Vapeur pode ser encontrada no velho centro de Pipaix, perto da cidade de Leuze, na província de Hainaut, que ostenta não menos do que três cervejarias em atividade. Até 1983, ela era conhecida como Brasserie Biset-Cuvelier, mas o velho cervejeiro Gaston Biset a vendeu para um jovem professor, Jean-Louis Dits, que deu à cervejaria seu nome atual.

A Vapeur é uma cervejaria sazonal e a Saison de Pipaix é um exemplo do seu estilo. Em 1986, Jean-Louis se assustou ao descobrir que os bebedores contemporâneos de cerveja estavam começando a preferi-las mais fortes, e a Vapeur en Folie foi sua primeira aceitação desta moda (o que culminou numa terceira cerveja batizada "Cochonne" ou "Chiqueiro"). Os rótulos, feitos por um desenhista amigo, exibem claramente seus sentimentos; eles também são itens de colecionador e variam ano após ano. A En Folie é menos azeda e também menos picante do que a cerveja sazonal da empresa, embora contenha cascas de laranja e cominho, entre outras especiarias. **JPa**

Notas de degustação

Belo jardim de ervas no aroma, com capim-limão, maçãs e notas terrosas. Paladar maltoso e granulado. Picante, com um álcool doce, resultando num final pesado.

← Esta escultura provocativa convida os bebedores em potencial ao salão cervejeiro da Lituânia.

Velkopopovický Kozel

Plzeňský Prazdroj | www.beer-kozel.cz

País de origem República Tcheca
Lançada em 1874
Teor alcoólico 4,8% vol.
Temperatura ideal 8°C

A cervejaria Velké Popovice, localizada na cidade de mesmo nome perto de Praga, tem uma história que remonta ao século 15. A propriedade passou para as eclesiásticas mãos do mosteiro beneditino de São Nicolau no século 17, mas o verdadeiro progresso só foi sentido depois que a empresa caiu nas mãos dos Ringhoffer, uma família de industriais que construiu uma nova fábrica no lugar original em 1874. Em 1934, a Kozel era a terceira maior produtora de cerveja do país e a Velkopopovický Kozel Premium é atualmente a cerveja tcheca mais vendida no exterior.

O famoso emblema da Kozel (o nome significa "bode") foi criado por um artista francês como retribuição à hospitalidade que recebeu. É um símbolo de poder e força. A empresa tem como mascotes dois bodes, que vivem no terreno da cervejaria. A tradição insiste que ambos se chamem Olda. **AG**

Notas de degustação

Esta pilsener boêmia cor de palha tem muitos lúpulos florais e um malte igualmente áspero no paladar, com amargor marcante. O final é terroso, seco e amargo.

Veltins

Brauerei C. & A. Veltins | www.veltins.com

País de origem Alemanha
Lançada em 1926
Teor alcoólico 4,8% vol.
Temperatura ideal 8°C

A Alemanha abriga mais de mil cervejarias. Muitas são pequenas e familiares e reservam seus produtos apenas para uns poucos consumidores de sorte da região. Poucas cervejarias alemãs têm presença nacional e menos ainda são as que têm presença internacional.

A cervejaria Veltins fica numa região montanhosa e tranquila chamada Sauerland. Boa parte desta região é um parque natural e a Veltins – graças ao investimento em equipamentos modernos – se orgulha em fazer sua parte pelo meio ambiente. A marca verde e branca da empresa é uma ilustração desta preocupação. A ênfase é apenas no estilo pilsen e, apesar de haver versões mais leves e não alcoólicas, a maior parte do esforço da empresa se volta para a cerveja chamada Veltins. Feita com água pura de fontes locais, malte de cevada de primavera e com uma boa dose de lúpulos da região de Hallertau, a Veltins é forte, límpida e muito agradável. **JE**

Notas de degustação

Lager dourada ao estilo pilsen com um belo aroma lupulado herbáceo e simples. Notas fortes de lúpulo enchem o paladar com uma doçura maltada delicada e macia que o equilibra.

Vendelín Světlý Ležák

Rodinný Pivovar Vendelín

País de origem República Tcheca
Lançada em 1999
Teor alcoólico 4,8% vol.
Temperatura ideal 7°C

A pequenina cervejaria e bar Vendelín é uma microempresa sem sequer um website, e chamá-la de cervejaria parece quase um exagero: a logomarca no caminhão de entrega da empresa diz "Rodinný Pivovar", que significa "cervejaria familiar", e as instalações parecem ficar na casa da família Krkoška.

Produzida numa estufa no jardim, a cerveja é feita em lotes pequenos, diariamente. As caldeiras são aquecidas com lenha, uma prática há muito desaparecida na maior parte das cervejarias da Boêmia, o que talvez seja responsável por um pouco dos exuberantes sabores caramelados na cerveja. Ela não é filtrada nem pasteurizada e recebe uma dose a mais de levedura fresca, o que resulta numa bebida ligeiramente turva e muito saborosa. Os Krkoška usam ingredientes de alguns dos mais famosos fornecedores do país: lúpulos de Žatec, malte de Sladovna Jablonec e levedura de Budweiser Budvar, assim como água de um poço no jardim da casa. **ER**

Notas de degustação

Aroma ligeiramente panificado graças à adição da levedura fresca. No sabor, uma doçura intensa e carbonatação moderada, seguidas por um final prolongado e áspero dos lúpulos Saaz.

Via Emilia

Birrificio del Ducato | www.birrificiodelducato.it

País de origem Itália
Lançada em 2006
Teor alcoólico 5% vol.
Temperatura ideal 6°- 8°C

Para esta pilsen, Giovanni Campari se inspirou na Alemanha, e não no lar tradicional da pilsen, a Boêmia. Seu objetivo era fabricar uma pilsen muito agradável, rica em aromas florais e lupulados, refrescante e saciante. O caráter maltoso é bastante simples: malte Pilsen com uma ou duas dozes de carapils para ajudar com o corpo. Todos os lúpulos vêm da Alemanha: Magnum e Perle são adicionados primeiro na caldeira para o amargor. Tettnang é, depois, usado para um processo de *dry hopping* de três semanas. A variedade Tettnang é escolhida pelo tom terroso que lhe dá um aroma floral especial, o que caracteriza a interpretação pessoal de Campari para o estilo pilsen. Depois de dez dias de fermentação primária e ao menos um mês de maturação, a cerveja está pronta.

O resultado raramente, se é que alguma vez, decepciona os fãs da cerveja. Ela pode ser bebida sozinha ou como acompanhamento de queijo fresco de cabra ou de um bom presunto de Parma. **MM**

Notas de degustação

Inicialmente lupulada, com notas balsâmicas, e depois com flores elegantes no aroma. No sabor, um corpo levemente lupulado, enquanto o final tem delicadas notas de mel e amêndoas.

Victory Golden Monkey

Victory Brewing | www.victorybeer.com

País de origem Estados Unidos
Lançada em 1998
Teor alcoólico 9,5% vol.
Temperatura ideal 3°C

A cervejaria Victory bem que poderia ter sido concebida num ônibus escolar. Na quinta série, em 1973, Bill Covaleski e Ron Barchet se conheceram a caminho de uma nova escola, a apenas 32 quilômetros de onde a Victory hoje se localiza. Depois da faculdade, os dois descobriram a fabricação caseira de cerveja e viajaram para descobrir a cerveja europeia em 1987. No ano seguinte, viajaram para o Grande Festival Americano da Cerveja e ficaram impressionados com o que estava acontecendo entre os pioneiros da cervejaria artesanal.

Barchet passou um ano como aprendiz na cervejaria Baltimore e depois se transferiu para a Universidade Técnica de Munique em Weihenstephan em 1990. Covaleski aproveitou seu tempo na cervejaria Baltimore para aprender o básico da produção de cerveja, depois foi para a Academia Doemens de Munique. Em 1994, os dois concordaram que já era hora de começar a trabalhar numa cervejaria própria. Eles transformaram uma panificadora abandonada em Downington, na Pensilvânia, numa cervejaria-restaurante e serviram a primeira cerveja em fevereiro de 1996. A Victory é uma importante parte da cena cervejeira da Costa Leste desde então.

A Golden Monkey foi originalmente criada para ser uma edição limitada. Mas a reação à tripel ao estilo belga foi tão positiva que a Victory decidiu continuar produzindo a ale, acrescentando-a à linha de produção anual da empresa. Malte importado, lúpulos europeus e semente triturada de coentro são os ingredientes da cerveja. A levedura que dá início à fermentação da ale foi obtida pela Victory de uma microcervejaria da Valônia, na Bélgica. A cerveja é vendida em barris, latas e, como as clássicas tripels belgas, em garrafas de 750ml. **RL**

Notas de degustação

A Golden Monkey é uma ale cor de palha com uma coroa espumosa branca de boa transição no copo. Há um aroma picante que leva a um sabor refrescante com toques de frutas azedas, gramíneas e especiarias exóticas. Esta cerveja é incrivelmente macia e agradável.

Victory Prima Pils

Victory Brewing | www.victorybeer.com

País de origem Estados Unidos
Lançada em 1997
Teor alcoólico 5,3% vol.
Temperatura ideal 4°C

"Não outra pilsen!" Esta era a última coisa que os distribuidores queriam da cervejaria Victory quando os sócios Bill Covaleski e Ron Barchet começaram a ampliar seu portfólio no final da década de 1990. Os dois amigos planejavam criar uma pilsen lupulada e forte desde que começaram a trabalhar juntos na hoje extinta cervejaria Baltimore.

"A DeGroen's Pils era importante para a cervejaria e sabíamos que era apenas uma questão de tempo até que lançássemos uma na Victory", diz Covaleski. "Mas, quando fomos aos nossos distribuidores, eles disseram 'não, obrigado.'" Na época, a maioria das microcervejarias estava se especializando em ales e outras variedades mais fortes e escuras; a IPA lupulada também estava prestes a surgir. A pilsen – ao menos a variedade disponível nos Estados Unidos – era geralmente vista como sem personalidade, como um líquido amarelo espumante com muito dinheiro para a publicidade e pouco sabor. A Miller, por exemplo, anunciava sua Lite como "uma verdadeira pilsen", e os vendedores imaginavam que os bebedores de cervejas artesanais – até mesmo os inteligentes o bastante para apreciarem os sabores delicados produzidos por lotes menores – dariam as costas para outra pilsen.

"Com teimosia", afirma Covaleski, "nós perseveramos". Com a sua formação na Alemanha, a Prima Pils dos sócios não seria nada semelhante à Lite. Lúpulo – muito lúpulo – é a marca registrada da cerveja. Hallertau inteiros, Tettnanger e Saaz lhe conferem um sólido amargor e um aroma que estão completamente ausentes das pilsens mais famosas. Para muitos norte-americanos mal-acostumados às cervejas leves e insípidas industrializadas, a pilsen da Victory foi uma revelação. Ali, pela primeira vez, estava uma pilsen norte-americana que exibia um sólido caráter lupulado. **DR**

Notas de degustação

A Prima Pils é uma cerveja clara e dourada com aromas doces, de gramíneas e flores de lúpulo. Seu amargor é perfeitamente equilibrado por uma mistura de maltes macios e amanteigados alemães. Toques de álcool são evidentes, enquanto o final é seco e extremamente saciante.

Vollmond Bier

Brauerei Locher | www.appenzellerbier.ch

País de origem Suíça
Lançada em 1991
Teor alcoólico 5,2% vol.
Temperatura ideal 8°- 10°C

Apesar de a Suíça geralmente ser associada a chocolates e relógios cuco, ela se orgulho de sua herança cervejeira: em 1885, havia 530 cervejarias no país. Este número diminuiu para trinta e a maior parte das cervejas produzidas são lagers fortes e límpidas, mas nos últimos anos houve um lampejo de renovação.

Uma das cervejarias mais criativas é a Brauerei Locher, uma empresa familiar no ramo desde 1886. Ela adquiriu reputação por suas cervejas inovadoras e de alta qualidade e é uma das poucas cervejarias suíças a produzir uma lager que fica maturando por todo um ano em barris de madeira, com tanques de fermentação abertos e tanques de armazenamento horizontais também em uso.

A família Locher acredita que influências lunares dão à Vollmond (lua cheia) suas características especiais, por isso ela só é produzida em noite de lua cheia. Esta tradição renasceu em 1991, quando dois estalajadeiros, cansados da cerveja industrializada estrangeira, pediram aos Locher que inventassem uma cerveja que refletisse a herança cervejeira suíça. Eles pesquisaram os clientes dos seus bares e descobriram que, sempre que era noite de lua cheia, as pessoas agiam diferentemente, com os tímidos ficando mais agitados e as mulheres mais recatadas se tornando mais generosas. Assim, precisamente às nove horas de uma noite de lua cheia, o mestre cervejeiro da Brauerei Locher abriu uma válvula para permitir que a água limpa entrasse na caldeira. Malte e lúpulos foram acrescentados à fervura e, às seis horas da manhã, a levedura foi acrescentada. No rótulo da garrafa se lê: "Abençoada pelos poderes místicos do corpo celeste em toda a sua glória, dentro da Vollmond está a força mágica da natureza". **AG**

Notas de degustação

Totalmente orgânico com um soberbo aroma de malte que permanece na boca até o final seco. Sua coloração dourada disfarça uma cerveja bastante forte.

Wadadli

Antigua Brewery | www.antiguabrewery.com

País de origem Antígua e Barbuda
Lançada em 1993
Teor alcoólico 4,8% vol.
Temperatura ideal 6°C

Quando Cristóvão Colombo avistou pela primeira vez esta porção de terra em 1493, ele a chamou de Santa Maria la Antígua, em homenagem à santa padroeira da Espanha. Mas ele nunca pôs os pés na ilha e, em 1632, estabeleceu-se a primeira colônia em Parham. Depois de mais de três séculos de domínio britânico, Antígua declarou independência em 1981, mas foram necessários outros doze anos para que os ilhéus pudessem se dizer proprietários de uma cervejaria. Apesar de a estrutura principal da cervejaria de projeto alemão ter sido erguida em 1993, suas duas impressionantes caldeiras de cobre são muito mais antigas. Elas foram fabricadas na Alemanha em meados da década de 1950.

Para o potencial cervejeiro, Antígua apresenta um grave problema: há pouca água fresca na ilha. Assim, a cervejaria Antigua opera com sua própria usina de dessalinização a fim de suprir suas necessidades com água do mar tornada potável, o que é uma boa explicação para sua localização litorânea.

A Wadadli Lager lembra o nome originalmente dado à ilha pelos aruaques, que viviam ali há cerca de dois mil anos. A cerveja é feita com malte Pilsen importado da Grã-Bretanha, enquantos os lúpulos Cascade, Millennium e Columbus dos Estados Unidos lhe dão um distinto caráter agridoce com a ajuda de um pouco de açúcares de fermentação para satisfazer a preferência nativa por um paladar ligeiramente adocicado. Diz-se que Antígua tem 365 praias, uma para cada dia do ano, e com certeza não há lugar melhor para relaxar e apreciar uma bela cerveja local. **JW**

Notas de degustação

Dourado-clara no copo, com um belo aroma cítrico e floral, a Wadadli Lager é forte, refrescante e tem corpo intenso, com lúpulos ácidos e toques de toranja no paladar, equilibrados por um toque de malte e concluindo com um final satisfatoriamente duradouro e agridoce.

Waldhaus Diplom Pils

Privatbrauerei Waldhaus Johannes Schmid | www.waldhaus-bier.de

País de origem Alemanha
Lançada em 1956
Teor alcoólico 4,9% vol.
Temperatura ideal 7°- 9°C

Esta cerveja ganhou tantos prêmios que os proprietários, os Schmid, mudaram seu nome para Diplom Pils em 1978, referindo-se, assim, aos vários diplomas pendurados nas paredes da cervejaria. Na verdade, os cervejeiros da Waldhaus, na Floresta Negra, não só se orgulham de décadas de prêmios dados aos alemães como também de terem recebido prêmios internacionais como os da Copa do Mundo da Cerveja e o European Beer Star por seus produtos principais.

Apesar de seu estilo ser comum na sua terra natal – 60% das cervejas consumidas na Alemanha são pilsens, algumas até mesmo descritas como "douradas e amargas" –, a Diplom Pils da Waldhaus não é nada comum. Ela se tornou uma das preferidas dos especialistas graças a seu corpo bem tonificado, caráter despreocupadamente maltado e lúpulos aromáticos complexos. Como afirma Dieter Schmid, da quarta geração de proprietários da cervejaria: "Os lúpulos são um segredo familiar muito bem guardado." Portanto eles adicionam apenas lúpulos cultivados em três regiões da Alemanha: Spalt, Hallertau e Tettnang. Outra importante característica de uma boa pilsen é a água pura. A Waldhaus extrai sua água de cinco fontes diretamente das rochas da Floresta Negra, o que ajuda a produzir uma cerveja de extrema qualidade. Além disso, a cerveja não é pasteurizada nem rapidamente aquecida e é filtrada usando um aparato de membrana fina.

A Diplom Pils da Waldhaus é vendida principalmente no sudoeste da Alemanha, em Baden, mas é também conhecida por entusiastas da cerveja em Hamburgo, Berlim e Colônia. Ela é cada vez mais encontrada em outros países europeus e até mesmo na Rússia e na China. **SK**

Notas de degustação

Esta cerveja encanta os sentidos com um buquê aromático de lúpulos florais e picantes. Ela seduz o paladar com uma efervescência elegante e um corpo macio, maltoso e delgado e ao mesmo tempo resistente, equilibrado por um amargor complexo e notas cítricas e florais. O final é seco, amargo e abrupto.

Wartmann's Nº 2 Bitter Ale

Brauhaus Sternen | www.wartmanns.com

País de origem Suíça
Lançada em 2006
Teor alcoólico 9% vol.
Temperatura ideal 12°C

Quando a Actienbrauerei Frauenfeld vendeu sua produção para a Heineken em 1997, Martin Wartmann ficou na cervejaria e lançou a Weizentrumpf, a primeira Hefeweizen suíça, e a Ittinger Klosterbier, uma lager âmbar clara, lupulada e robusta. Ele também foi essencial no lançamento da BeerCulture, a primeira cervejaria on-line suíça, que apresentou muitas cervejas especiais aos bebedores suíços até que a Heineken se intrometeu no empreendimento. Mas a vontade de produzir sua própria cerveja era muita e Wartmann cedeu à tentação. Em 2003, ele abriu a Brauhaus Sternen, um bar-cervejaria nas instalações abandonadas da antiga cervejaria Actienbrauerei Frauenfeld.

As cervejas originais da Brauhaus Sternen são muito boas, ainda que cervejas ao estilo alemão de algum modo apáticas, o que era exatamente o que os consumidores locais esperavam. Assim que a cervejaria estava montada e operando, Martin Wartmann inventou uma linha ousada de quatro cervejas especiais de alta densidade em garrafas de 750ml chamadas "Wartmann's Bier für Freunde" (Cerveja para os amigos de Wartmann), sobriamente numeradas de um a quatro. Na série estão um barleywine ao estilo belga, uma stout de chocolate e uma *grand cru wit*. Mas a que mais desafia o paladar dos cervejeiros e consumidores suíços é a Nº 2, chamada simplesmente de "amarga", embora esteja entre uma IPA dupla norte-americana e um barleywine britânico. Feita com malte, extrato de malte e um pouco de sacarose, a Nº 2 recebe lúpulo Saaz para o amargor, seguido por uma dose generosa de lúpulo Cascade para o aroma. Ela é vendida tanto nas garrafas tradicionais quanto em garrafinhas de alumínio. E, sim, ela pode ser exportada se você pedir! **LM**

Notas de degustação

Uma cerveja bronze clara com belo colarinho, a Nº 2 exala um aroma picante, lupulado e cítrico. O sabor é bastante intenso, não doce demais, com um quê picante da levedura e muita presença do lúpulo, criando um ardor complexo e duradouro na garganta e um final lupulado que não é tão amargo quanto você pode esperar a princípio.

Weihenstephaner Pilsner

Bayerische Staatsbrauerei Weihenstephan
www.brauerei-weihenstephan.de

País de origem Alemanha
Lançada em 1908
Teor alcoólico 5,1% vol.
Temperatura ideal 6°- 8°C

A Bayerische Staatsbrauerei Weihenstephan se declara como uma das mais antigas do mundo. Originalmente, a cervejaria fazia parte do mosteiro Weihenstephan, fundado em 725; três séculos mais tarde, os monges montaram a cervejaria, em 1040. Entre 1085 e 1463, o mosteiro foi incendiado não menos do que quatro vezes. Doenças, fome e um terremoto também deixaram suas marcas. Os monges, contudo, não desistiram facilmente. Depois de cada desastre, eles reconstruíram e às vezes até expandiram a indústria. Em 1921, a cervejaria recebeu o nome que usa hoje e, dois anos mais tarde, o símbolo do estado da Baviera se tornou a logomarca oficial da cervejaria.

O equipamento de produção foi modernizado, mas o método básico continua virtualmente inalterado desde 1040. Com o tempo de maturação atual de trinta dias para uma pilsen, contudo, é provável que esta parte do processo fosse mais demorada na Idade Média. Lançada em 1908, quando a cervejaria era mais famosa por suas cervejas de trigo, a Pilsner é feita com malte Pilsen levemente tostado e lúpulos Hallertauer Perle, Hallertauer Taurus e Hallertauer Tradition. É uma bela cerveja para se brindar à longevidade da Weihenstephan. **RP**

Notas de degustação

Dourado-clara no copo. O sabor é uma ligeira combinação de frutas que uma pessoa talvez possa encontrar numa Hefeweizen, com o amargor que é de se esperar de uma pilsen.

Weihenstephaner Vitus

Bayerische Staatsbrauerei Weihenstephan
www.brauerei-weihenstephan.de

País de origem Alemanha
Lançada em 2007
Teor alcoólico 7,7% vol.
Temperatura ideal 8°C

A cervejaria bávara de Weihenstephan in Freising é conhecida por suas Weissbiers. A Weihenstephaner Vitus é a mais recente cerveja da empresa e é uma Weizenbock – cerveja de trigo duro feita com cuidado. É também uma cerveja que as pessoas que passam por Lent podem beber para se sustentarem. Uma pergunta: se a Schneider Aventinus sacia os bebedores há mais de meio século, por que a Weihenstephan demorou tanto?

Afinal, não que o santo em homenagem ao qual a cerveja é batizada, São Vitus, ou Vito, seja uma novidade. Martirizado no século 4, ele é um dos catorze patronos protetores da Igreja Católica e foi canonizado por volta do início do século 7. Há também uma conexão entre ele e a produção de cerveja. Existe um antigo ditado rural alemão que diz: "Quando chove no dia de São Vito, a cevada não gosta."

A Vitus é uma cerveja especial, produzida por uma cervejaria que fabrica obras de arte em vez de bebidas industrializadas, qualidade em vez de quantidade. A Vitus passa por um estágio mais longo de armazenagem a frio nos porões da cervejaria, o que ajuda a aprimorar os sabores. Para alívio de seus seguidores, a cerveja é produzida o ano todo, apesar de inicialmente ter sido lançada durante o período da Quaresma, em março. **WO**

Notas de degustação

Dourada e turva por causa da levedura que permanece na garrafa. No aroma, o doce do malte; no paladar, um quê de especiarias e notas de cravo antes do final agridoce e picante.

Parte do sugestivo mural que decora a parede da cervejaria Weihenstephan. →

Weltenburger Barock Hell

Klosterbrauerei Weltenburger
www.weltenburger.de

País de origem Alemanha
Lançada em *ca.* século 19
Teor alcoólico 5,6% vol.
Temperatura ideal 8°C

As cervejas feitas na pequena cervejaria da Abadia de Weltenburg tendem ao lado mais escuro do espectro, mas há também cervejas mais leves na linha de produção. Elas são feitas na cervejaria Bischofshof, em Regensburg, nas proximidades.

Os cervejeiros da Bischofshof também administram uma cervejaria monástica de propriedade do bispo de Regensburg. Mas, no caso de alguém duvidar da autenticidade das bebidas Regensburg, todas elas ostentam o nome "Marke Weltenburger", em vez de "Weltenburger Kloster", o que indica a cerveja do mosteiro. A qualidade também é excelente, o que faz da Barock Hell um verdadeiro tesouro. É uma blond lager maravilhosamente macia, que se beneficia de oito semanas de acondicionamento e da inclusão de malte lager de primeira e lúpulos Hallertauer locais. **JE**

Notas de degustação
O aroma é fresco e lupulado, com notas de limão dos lúpulos em abundância que se prolongam no sabor agridoce, macio e intenso. Os lúpulos, então, dominam o final agradável, intenso e seco.

West Coast India Pale Ale

Green Flash Brewing
www.greenflashbrew.com

País de origem Estados Unidos
Lançada em 2005
Teor alcoólico 7,5% vol.
Temperatura ideal 13°C

Por conta da reputação das cervejas lupuladas na região de San Diego, a cervejaria Green Flash estabeleceu um patamar ainda mais alto para si mesma ao dar à West Coast IPA seu nome.

O mestre cervejeiro Chuck Silva alcança 95 IBU com a cerveja. Isto é mais do que o dobro de muitas Double ou Imperial IPAs. As IPAs do sul da Califórnia não são diferentes apenas porque contêm mais lúpulos. Desde que Vinnie Cilurzo fabricou a Blind Pig Double IPA em 1994, o estilo de San Diego dava indícios de uma cor mais clara e um sabor menos doce, mas as cervejas ainda tinham o caráter maltoso que encarnava a abundância de lúpulos. Estes lúpulos são geralmente de variedades cultivadas no noroeste norte-americano: pungentes, com sabores de frutas cítricas e pinheiro. Muitos cervejeiros usam Simcoe, um lúpulo descrito como "traiçoeiro" pelos narizes mais sensíveis. **SH**

Notas de degustação
Alaranjada turva com toques esverdeados brilhando contra a luz. O aroma é de pinheiro, frutas tropicais e cascas cítricas, principalmente toranja. Final duradouro, seco e amargo.

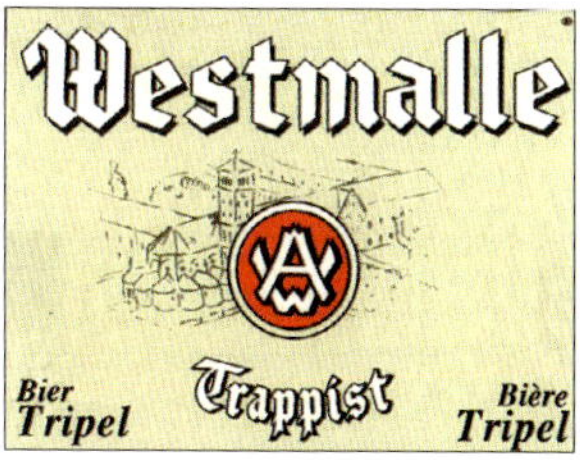

Westmalle Trappist Tripel

Brouwerij van de Abdij der Trappisten van Westmalle | www.trappistwestmalle.be

País de origem Bélgica
Lançada em 1934
Teor alcoólico 9,5% vol.
Temperatura ideal 8°- 12°C

Em 1934, os monges trapistas da Abadia de Westmalle, em Antuérpia, comemoraram uma cervejaria novinha lançando uma ale dourada efervescente extraforte; a cerveja mais forte (escura) deles era chamada "dubbel", e foi assim que o nome se impôs. Somente em 1956 é que a tripel como a conhecemos foi aperfeiçoada pelo famoso frade-cervejeiro Irmão Thomas. A nova cerveja ganhou respeito e, na década de 1980, havia poucos bares em Flandres onde se podia obter uma Westmalle Tripel.

Ambas as cervejas ganharam reconhecimento internacional e hoje o mundo compara a tripel com uma cerveja mais forte e clara. A demanda é alta. Um resultado indireto deste apetite insaciável pelas tripels da Westmalle é que a terceira cerveja da empresa (chamada Extra) é feita apenas esporadicamente – e apenas para os monges. **JPa**

Notas de degustação

Cerveja dourada com um brilho alaranjado. Cereais e açúcar se apresentam no aroma. Os lúpulos ressaltam no paladar, que permanece frutado, cheio de fermento e adocicado.

Wild Hare

Bath Ales
www.bathales.com

País de origem Inglaterra
Lançada em 2005
Teor alcoólico 5% vol.
Temperatura ideal 8°- 12°C

A Bath Ales foi fundada em 1995 pelos amigos de longa data Roger Jones e Richard Dempster. Os dois já haviam trabalhado juntos numa cervejaria de Bristol chamada Smiles, uma das empresas pioneiras da revolução das microcervejarias britânicas nos anos 1970.

Lançada em 2005 como uma ale de barril, mas agora encontrada apenas em garrafas, a Wild Hare é a resposta da Bath Ales para as ales claras como a Summer Lightning. O malte claro orgânico Maris Otter vem de uma tradicional fornecedora e a utilização de lúpulos orgânicos First Gold ajuda a dar à cerveja um exuberante aroma de toranja. De acordo com Jones, a cervejaria produz uma ale orgânica porque "poucos cervejeiros têm vontade de produzir cervejas certificadamente orgânicas – portanto este é um diferencial". **JM**

Notas de degustação

Uma pale ale robusta e intensa que seduz com o aroma lupulado e de frutas cítricas frescas. No sabor, esta cerveja de verão orgânica é maltosa e lupulada, com notas leves de frutas. Final seco e amargo.

Windhoek Lager

Namibia Breweries | www.nambrew.com

País de origem Namíbia
Lançada em 1920
Teor alcoólico 4% vol.
Temperatura ideal 4°- 7°C

As disputas entre as colônias africanas e as grandes potências europeias no final do século 19 fizeram com que a Namíbia caísse nas mãos da Alemanha. A colônia foi governada por um regime brutal e repressivo, cujas ações ainda têm o poder de deixar cicatrizes abertas. Devido a esse tempo tão inglório, pode parecer insensível descrever a introdução das técnicas de produção de cerverja como um aspecto positivo, mas hoje os namíbios têm orgulho de suas cervejas, e nenhuma desperta mais o orgulho nacional do que a Windhoek Lager.

Os colonos alemães eram atraídos pelas possibilidades econômicas na agricultura e na mineração de diamantes. Nos primeiros tempos da colonização, todas as bebidas alcoólicas eram importadas da Europa, mas esta viagem dura alterava drasticamente o sabor e, assim, surgiu a oportunidade para que mestres cervejeiros abrissem cervejarias na região. Em 1920, dois empresários, Carl List e Hermann Ohlthaver, compraram quatro cervejarias para formar as cervejarias South West – uma estratégia que alteraria radicalmente a produção de cerveja na Namíbia.

O objetivo da empresa inexperiente era produzir cerveja com base nas cervejas da terra natal, fabricando-as de acordo com a Lei da Pureza (Reinheitsgebot) de 1516. Este método foi seguido à risca e a Windhoek Lager produzida hoje não contém ingredientes geneticamente modificados, apenas a melhor cevada maltada da Alemanha, lúpulos da região de Hallertau, na Baviera, e água pura extraída da represa S. von Bach perto de Okahandja. A Windhoek ganhou medalhas de ouro durante três anos seguidos (de 2007 a 2009) no International DLG Awards, em Berlim. **SG**

Notas de degustação

Servida corretamente, a cerveja amarelo-clara é coroada por uma espuma firme que desaparece rapidamente. Aromas de cereais competem com traços de gramíneas, enquanto o sabor combina o malte granulado doce com os lúpulos picantes para levar a um final simples, abrupto e seco.

Witkap-Pater Stimulo

Brouwerij Slaghmuylder | www.witkap.be

País de origem Bélgica
Lançada em 1932 Verlinden; 1979 Slaghmuylder
Teor alcoólico 6% vol.
Temperatura ideal 7°- 11°C

A cervejaria Slaghmuylder fica em Ninove, na província de Flandres Oriental. O estranho é que as ales trapistas Witkap são bem parecidas com as cervejas da província de Antuérpia. Na verdade, elas já foram criação do famoso mestre cervejeiro de antes da guerra Hendrik Verlinden, cujo papel no desenvolvimento das famosas cervejas Westmalle é inegável.

Ele começou sua própria cervejaria em Brasschaat, no nordeste de Antuérpia, no início dos anos 1930. Mas, em meados da década de 1970, a cervejaria de Verlinden teve de ser fechada e uma nova empresa foi aberta em Ninove. O interessante é que a Brouwerij Slaghmuylder se especializou em cervejas de baixa fermentação (que ainda produz), por isso o salto para estes estilos de alta fermentação foi realmente impressionante.

Originalmente, havia três cervejas Witkap: a dourada Stimulo, a Tripel com a mesma tonalidade e a escura Dubbel Pater. Desde 2009, a Special se juntou a esta linha; é uma cerveja comemorativa originalmente chamada pelo impronunciável nome de Greut Lawauitj. As cervejas Witkap não são pasteurizadas e passam por uma refermentação na garrafa, e a Stimulo usa lúpulos tchecos e belgas.

A Slaghmuylder é principalmente uma cervejaria familiar. O mestre cervejeiro Karel Goddeau é motivado pelo desejo de aperfeiçoar a linha Slaghmuylder, o que já fez com que algumas das cervejas fossem reconhecidas como especialidades regionais. A cervejaria também tem uma máquina a vapor e o dia em que a empresa abre suas portas ao público é uma ótima oportunidade para ver uma peça de museu em funcionamento. Nos Estados Unidos, a Stimulo é vendida sob o apático nome "Abbey Single Ale" (sic). Não deixe que isto estrague a festa. **JPa**

Notas de degustação

A Witkap-Pater Stimulo é uma cerveja amarelo-clara com um espesso colarinho branco. Aroma fresco, herbáceo, terroso e com um toque de lúpulo. O sabor é picante – com toques de sementes de mostarda. Para concluir, sabores frutados: mamão e pera. Bom corpo para uma cerveja que não é tão forte.

Woodforde's Headcracker

Woodforde's | www.woodfordes.co.uk

País de origem Inglaterra
Lançada em 1985
Teor alcoólico 7% vol.
Temperatura ideal 13°C

A cervejaria Woodforde's fica no centro da bacia de Norfolk, uma rede de cursos d´água que, no verão, ficam cheios de turistas navegando tranquilamente durante dias preguiçosos antes de prolongarem a noite em um dos muitos pubs às margens dos rios. É em lugares assim que a Headcracker faz sucesso no barril. "As pessoas bebem algumas canecas e voltam para seus barcos com elas", diz o mestre cervejeiro Bruce Ash. "Elas não têm de acordar cedo pela manhã e eu acho que isto explica tudo."

A Headcracker é um tradicional barleywine de nome apropriado (quebra-cabeça) que combina a complexidade de um bom vinho tinto com uma maciez e um sabor perigosos. Ela não parece uma cerveja com 7% vol. de teor alcoólico e, como é vendida na bomba, as pessoas tomam cuidado depois de terem sucumbido a canecas demais em algum momento. A Headcracker se sai bem em festivais cervejeiros, onde as pessoas são mais aventureiras, e também se sai bem em garrafas – o próprio cervejeiro geralmente bebe uma com um prato indiano. As garrrafas tem um prazo de validade de cerca de um ano depois do envase, mas esta cerveja melhora e amadurece muito depois disso.

A Headcracker é feita apenas com malte pale Maris Otter, daí sua surpreendente cor clara para um barleywine, e usa lúpulos Golding e Slavinsky Syrian para o amargor. É incrível como ingredientes geralmente associados a cervejas mais leves e fáceis de beber foram usados para se criar uma cerveja perfeitamente harmoniosa com 7% vol. de teor alcoólico. Você com certeza sentirá o álcool, mas ele se mantém contido e complementa com beleza o restante do sabor. **PB**

Notas de degustação

Cerveja dourado-escura com aroma incrivelmente complexo: laranja, pinheiro e um toque picante de uísque. No sabor, há muita ameixa, equilibrada por um lúpulo seco e um final alcoólico.

XX Bitter

Brouwerij de Ranke | www.deranke.be

País de origem Bélgica
Lançada em 1997
Teor alcoólico 6,2% vol.
Temperatura ideal 8°- 10°C

O endereço oficial da cervejaria De Ranke é em Wevelgem, na província de Flandres Ocidental. Mas a indústria moderna fica em Dottignies, uma cidade na província vizinha de Hainaut, na Valônia. Graças ao profundo orgulho que os cervejeiros flamengos e valões possuem, esta cisão de lealdades requer certa explicação. Os fundadores da De Ranke, Nino Bacelle e Guido Devos, são ambos da região de Flandres Ocidental e, nos anos 1990, começaram a produzir cerveja usando o equipamento da cervejaria Deca, na mesma província. Cervejeiros apaixonados, porém, eles nunca abandonaram a ideia de terem sua própria cervejaria e, em 2005, finalmente abriram uma empresa em Dottignies.

Guido e Nino são grandes admiradores de sabores sutis – desde que não doces. Não é de admirar, pois, que muitas das suas cervejas sejam inspiradas em bebidas azedas, como a lambic, e lupuladas como geralmente não se encontra na Bélgica. Na verdade, XX Bitter talvez seja um nome nada original, principalmente nos países de língua inglesa, mas na Bélgica é uma afirmação da vontade: uma réplica veemente contra o bebedor belga médio que considera o amargor um sinal de má qualidade da cerveja. Esta atitude tem feito com que algumas ales belgas recorram a sabores mais acessíveis – ou seja, "adocicados" – e talvez explique por que hoje 60% das cervejas De Ranke são exportadas.

A XX Bitter nunca cedeu. Ela utiliza doses ousadas de lúpulos Brewer's Gold e Hallertau na mistura, baseando o sabor em maltes claros. Saboreie a cerveja e você notará os lúpulos lá! Hoje a XX Bitter pode ser vista como uma precursora do novo estilo das aspirantes belgas a IPAs. **JPa**

Notas de degustação

Dourada com uma coroa fina e branca. O aroma é totalmente dominado pelos lúpulos. O sabor é imediatamente atacado pelo amargor dos lúpulos, com notas de malte tostado. Corpo médio, com o amargor do lúpulo se prolongando até o final.

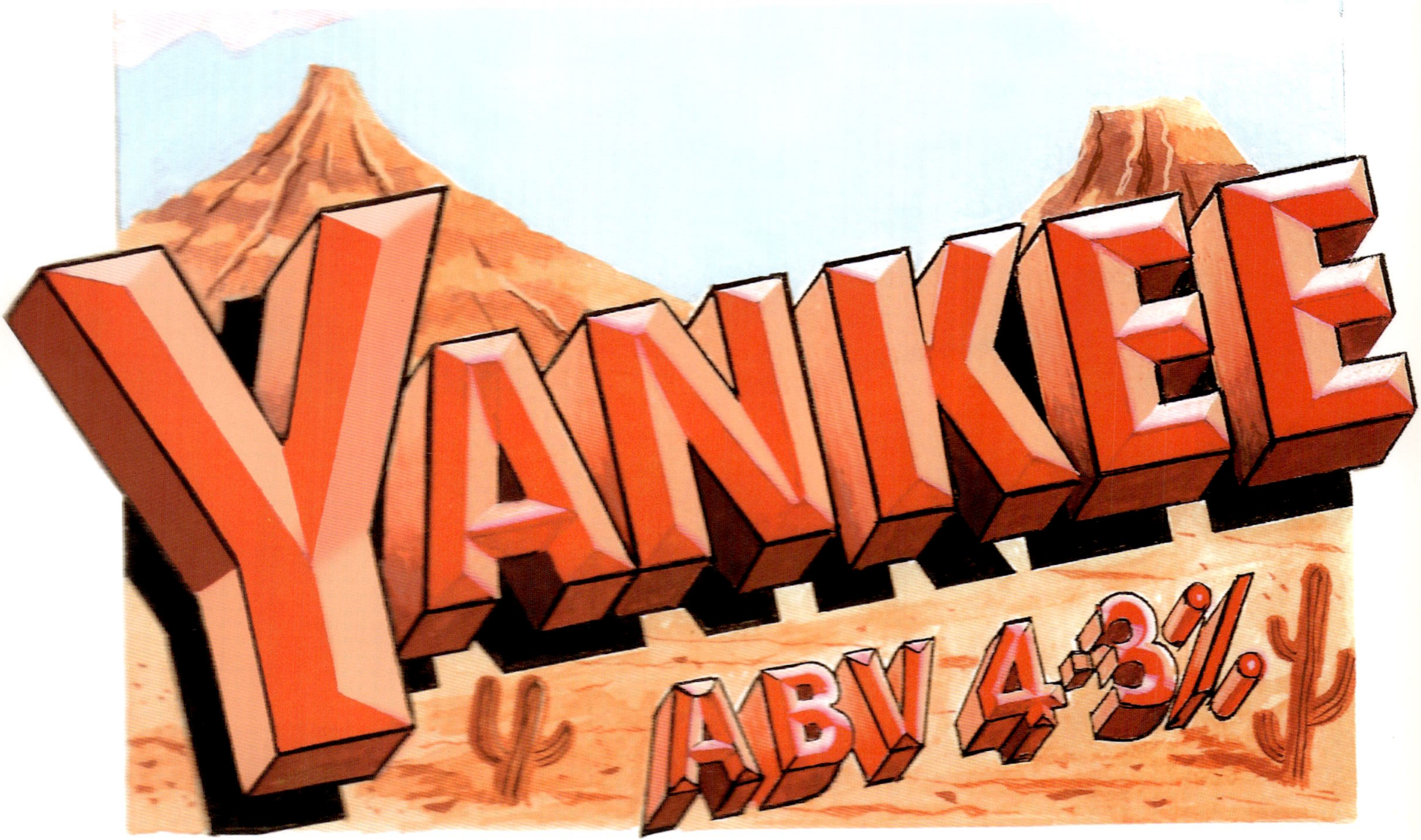
YANKEE
ABV 4·3%

Yankee

Rooster's | www.roosters.co.uk

País de origem Inglaterra
Lançada em 1994
Teor alcoólico 4,3% vol.
Temperatura ideal 12°C

Criada por Sean Franklin quando ele inaugurou a microcervejaria Rooster's em Knaresborough, Yorkshire, a Yankee surgiu depois que ele viu um artigo sobre uma pesquisa relacionada a uma nova variedade de lúpulos considerados os mais florais do mundo. Franklin decidiu começar a fazer experiências com os então raros lúpulos Cascade, optando por usar apenas uma base de malte claro para se assegurar de que estes extraordinários lúpulos se destacassem e que nem um pouco do aroma forte se perdesse.

"A variação Cascade foi uma revelação em termos de mostrar que os lúpulos podem ter o mesmo aroma que as uvas", afirma Franklin. "Se você tiver de compará-la a qualquer vinho, estará mais próxima de um Gewürztraminer, e eu trabalhava com vinhos, assim isto parecia um paralelo interessante. Desde então, raramente usamos maltes mais escuros nas nossas cervejas, preferindo que os lúpulos ajam sozinhos."

O nome Yankee foi escolhido porque, na época, Franklin estava passando por uma fase meio James Dean. Como a cerveja é feita com lúpulos norte-americanos, o nome Yankee simplesmente pareceu a combinação ideal. A Yankee foi mesmo revolucionária e pode ser considerada, ao lado de cervejas como a Summer Lightning, uma das precursoras do estilo de ale dourada que acabou se tornando muito popular no Reino Unido. O sabor agradável e o apelo transgressor da cerveja fazem com que ela ainda seja muito procurada hoje em dia. **MC**

Notas de degustação

No aroma, muitas notas de frutas tropicais; no paladar, o sabor fresco e quase de capim da cevada se combina com a água pura de Yorkshire para criar uma bebida sensualmente cremosa.

Yona Yona Ale

Yoho Brewing | www.yohobrewing.com

País de origem Japão
Lançada em 1997
Teor alcoólico 5,5% vol.
Temperatura ideal 13°C

A Yona Yona Ale é uma das cervejas artesanais mais fáceis de serem encontradas no Japão e também uma das mais conhecidas. A cerveja foi idealizada para ser como uma pale ale ao estilo norte-americano e pretendia ser única no Japão. De acordo com o presidente do grupo cervejeiro Yoho, Naoyuki Ide, a Yona Yona foi a primeira cerveja artesanal enlatada produzida no Japão.

Manter a consistência do sabor da Yona Yona tem sido um esforço contínuo. O sabor desta cerveja se baseia no lúpulo Cascade e, graças a variações nos carregamentos, tornou-se necessário analisar de antemão cada lote da cerveja. Quando distribuída no mercado, ela era radicalmente diferente das cervejas industrializadas e os consumidores criticaram muito a cervejaria. As pessoas diziam que o sabor era forte demais, o aroma muito pronunciado e que a cerveja em geral era muito amarga. Com o passar do tempo, o fato de a bebida ser incomum levou várias pessoas a quererem experimentá-la.

Apesar de as atuais dificuldades econômicas terem impactado a indústria, as vendas da cervejaria crescem a cada ano. Ela espera aumentar a venda nacionalmente e se tornar a mais popular cervejaria artesanal japonesa. Uma das maneiras de se conseguir isso é pelo website da empresa; ele foi criado usando imagens e diversões e é virtualmente sem sentido para quem não entende japonês. **BH**

Notas de degustação

Aroma inicial de lúpulos cítricos, à frente de frutas secas e malte. O sabor da Yona Yona é extremamente lupulado no começo, seguido por sabores de maltes secos que levam a um final claro, forte e abrupto.

← O nome e a arte da Yankee foram inspirados nos lúpulos usados para produzi-la.

Young's Special London Ale

Wells & Young's | www.wellsandyoungs.co.uk

País de origem Inglaterra
Lançada em 1998
Teor alcoólico 6,4% vol.
Temperatura ideal 10°- 12°C

A cervejaria Young's, em Wandsworth, Londres, infelizmente não existe mais. Ela foi fechada em 2006, depois de mais de 400 anos produzindo cervejas para os bebedores da capital. O valioso terreno foi vendido para um empreendimento imobiliário e a Young's fundiu sua produção com a da cervejaria de Charles Wells, em Bedford.

Várias cervejas Young's sobreviveram à transferência para a cervejaria de Bedford, uma delas esta excepcional strong ale. A Special London Ale entrou na onda do ressurgimento das cervejas engarrafadas no final dos anos 1990. Um projeto do cervejeiro Derek Prentice, não era exatamente uma criação nova. Uma versão era vendida sob o nome "Young's Export" e esta cerveja era feita sob licença na Bélgica. Demorou algum tempo para se conseguir relançar o produto, enquanto eles dominavam a arte e a ciência de incluir levedura viva na garrafa para uma segunda fermentação. Mas os esforços valeram a pena. A Special London Ale não só se tornou a preferida da empresa como também ganhou vários prêmios, entre eles o de campeã no Campeonato de Cervejas Engarrafadas de 1999.

O corpo intenso e macio é resultado da dose generosa na caldeira de malte claro Maris Otter e malte Crystal. Lúpulos Fuggle e Golding na caldeira lhe conferem o amargor firme e frutado que é a marca registrada da cerveja, mas o trabalho dos lúpulos não está concluído depois da fervura. Após uma primeira fermentação, e antes do envase, a cerveja passa três semanas acondicionada a temperaturas amenas sob uma camada de lúpulos Target e Golding inteiros. Isto reamente destaca o caráter lupulado, o que fica extraordinariamente evidente no sabor pelas notas fortes e amargas de geleia de laranja. **JE**

Notas de degustação

Cerveja dourada e alaranjada, com cascas de laranja e toranja no aroma. Intensa e macia, o sabor agridoce tem notas de geleia de laranja e mais frutas cítricas, mas os delicados sabores do malte também estão presentes antes do final prolongado, seco, amargo e agradavelmente lupulado.

Žatec

Žatecký Pivovar | www.zateckypivovar.cz

País de origem República Tcheca
Lançada em 1964
Teor alcoólico 4,6% vol.
Temperatura ideal 7°C

A antiga cidade boêmia de Žatec, no nordeste da República Tcheca, há muito é elogiada pela qualidade de seus lúpulos, cultivados na região desde o século 11. Mas infelizmente Žatec perdeu um pouco do crédito, uma vez que o mundo todo conhece o lúpulo pelo nome em alemão, Saaz, em vez do nome tcheco, Žatec. Eles ainda são um dos lúpulos mais caros do mundo e foram os primeiros a receber o Certificado de Origem Comprovada da União Europeia, em 2007.

A longa tradição cervejeira da cidade, que remonta ao ano de 1261, também parece ligeiramente fora do radar. Em várias épocas, houve até sete cervejarias na cidade, entre elas uma fábrica famosa de propriedade de Anton Dreher, o Jovem. Hoje, existem apenas duas cervejarias: a não comercial *pivovar* do Instituto do Lúpulo de Žatec, usada para pesquisas, e uma cervejaria comercial na principal praça da cidade, construída em 1801. Acredita-se que ela seja a cervejaria mais antiga a produzir cerveja no mesmo lugar. Assim, é talvez previsível que as técnicas modernas sejam raras. A cervejaria ainda usa os tradicionais tanques de fermentação abertos. Usa-se, ainda, somente cevada de primavera morávia, juntamente com três variedades dos ótimos lúpulos locais: o Žatecký poloraný červeňák ou Saaz semiprecoce vermelho, além de duas subvariedades de Saaz, o Sládek e o Premiant. A Žatec Bright Lager é filtrada antes de ser acondicionada a frio por quarenta e cinco dias. O resultado é uma cerveja de incrível equilíbrio, com uma compreensível – e nobre – presença do lúpulo Saaz. **ER**

Notas de degustação

Apesar de suas origens lupuladas, esta pilsen harmoniosamente composta tem muito mais do que os 100 IBU da IPA Imperial. Procure por uma essência intensa e maltosa contrabalançada por um punhado de lúpulos Saaz: ligeiramente picante e com notas aromáticas florais, com um final forte e amargo.

Zhujiang Beer

Guangzhou Zhujiang Brewery
www.zhujiangbeer.ca

País de origem China
Lançada em 1985
Teor alcoólico 5,3% vol.
Temperatura ideal 8°C

A cervejaria Zhujiang foi aberta em 1985 com a ajuda da Interbrew (antigo nome da Anheuser-Busch InBev), logo depois que a China abriu sua economia para o mundo. Ela fica na cidade de Guangzhou e é uma sociedade com a A-B InBev. Isto permitiu muito investimento e – previsivelmente – uma troca cultural em todas as coisas referentes à produção de cerveja, o que possivelmente explica por que esta pilsen leve e marcante, que leva o nome da própria cervejaria, tornou-se a cerveja mais vendida do sul da China.

Lúpulos e maltes importados, além de arroz, compõem a cerveja, que é fermentada com a ajuda de levedura alemã. Graças à excelente cozinha cantonesa, esta cerveja combina bem com vários pratos da província, como *wonton* e vieiras ao vapor com gengibre e alho. A Zhujiang também produz várias outras versões de pale lagers. **ATJ**

Notas de degustação

De cor amarelo-clara sob um ligeiro colarinho de espuma enevoada. Ligeiras notas de maltes adocicados com um quê de limão, acidez, leveza e refrescância no paladar.

Zinnebir

Brasserie de la Senne
www.brasseriedelasenne.be

País de origem Bélgica
Lançada em 2002
Teor alcoólico 6% vol.
Temperatura ideal 7°C

O cervejeiro Bernard Leboucq lançou a Zinnebir como uma cerveja que era para ser única o bastante para representar os cidadãos de Bruxelas. Blond e pale ales doces, picantes e sem graça ainda permeavam a cena cervejeira belga, apesar de um núcleo crescente de cervejas de mais personalidade ter aparecido nos últimos anos. A Zinnebir é uma destas cervejas, com lúpulos generosos e apenas um toque de doçura vindo do malte. Seu caráter sutilmente picante e o aroma azedo se devem sobretudo à levedura – a cervejaria não acrescenta temperos às cervejas.

A pequena cervejaria Sint-Pieters, de Leboucq, tornou-se a Brasserie de la Senne em 2005, depois que o cervejeiro e ativista Yvan De Baets entrou para a sociedade. A Zinnebir já não está confinada aos recantos de especialistas da capital e ganhou popularidade entre os jovens e os cafés da moda. **JS**

Notas de degustação

Aromas florais e de lúpulos herbáceos com ligeiras notas de casca de toranja. Muito amarga, com um ligeiro sabor adocicado no centro. Animada na boca e refrescantemente seca no final.

Zlatý Bažant 12%

Heineken Slovensko
www.zlatybazant.sk

País de origem Eslováquia
Lançada em 1969
Teor alcoólico 5% vol.
Temperatura ideal 8°C

Pobre Eslováquia. Quando pensamos na cerveja desta parte do mundo, nosso pensamento geralmente cruza a fronteira até as cervejas ao estilo pilsen da vizinha República Tcheca, mas a Zlatý Bažant 12%, ou "Pavão Dourado", divulga a cerveja eslovaca pelo mundo todo.

A cervejaria fica em Hurbanovo, onde, em 1967, uma nova unidade produtora de malte foi criada. Alguns anos mais tarde, a cervejaria foi aberta e junto com ela surgiu a Zlatý Bažant 12%. A cerveja, uma pilsen clara e dourada, foi um sucesso desde seu lançamento e também foi exportada – apesar de, como várias outras cervejarias do outro lado da Cortina de Ferro, a maioria dos países para onde ela era exportada eram países-satélites soviéticos como a Polônia. A cervejaria foi a primeira do país a introduzir cervejas em lata, em 1971. Além da versão com 12 graus Plato, a cervejaria também produz uma versão mais fraca, com 10 graus Plato, e uma cerveja mais escura. **ATJ**

Notas de degustação
No copo, ela tem a cor do sol. O aroma é ameno, com cereais tostados e um toque de limão. Corpo suave e refrescante com um caráter maltoso adocicado. O final tem um amargor abrupto.

Żywiec

Grupa Żywiec
www.zywiec.com.pl

País de origem Polônia
Lançada em 1856
Teor alcoólico 5,6% vol.
Temperatura ideal 6°C

Uma das marcas de cerveja de crescimento mais rápido do século 21 vem de uma cidadezinha tranquila no extremo sul da Polônia. Não é fácil pronunciar Żywiec e é ainda mais difícil pedir uma garrafa, mas, apesar destes problemas, esta lager dourada e forte em pouco tempo atraiu vários seguidores.

A coroa na logomarca da cerveja faz referência a seu passado real, por isso não é surpreendente aprender que os Habsburgo fundaram a empresa nos anos 1850. Depois da Segunda Guerra Mundial, a Żywiec foi estatizada, mas após o colapso do comunismo ela voltou à iniciativa privada em 1991. A Heineken se tornou acionista majoritária três anos mais tarde. A sala de fervura de 1913 foi desmontada em 1996 para dar lugar a uma instalação moderna de aço inoxidável. Ali a Żywiec é produzida, usando a água do rio que desce das colinas próximas. **JE**

Notas de degustação
Uma lager clara, dourada, macia e forte, com um malte claro cremoso e lúpulos herbáceos tanto no aroma quanto no sabor agridoce. O final começa agridoce, mas se torna mais amargo.

TIGUE

BRANCA

3 Ravens White

3 Ravens Brewery | www.3ravens.com.au

País de origem Austrália
Lançada em 2006
Teor alcoólico 5,2% vol.
Temperatura ideal 2°- 3°C

Os engenheiros da Austrália são conhecidos, principalmente, por resolverem problemas e beberem cerveja. Não causa surpresa, portanto, que os engenheiros do Zetkin Group, de Melbourne, na Austrália, tenham começado a produzir sua própria bebida para resolver o problema que apareceu quando o pub local parou de servir real ale. Naturalmente, por serem engenheiros, envolveram-se em um processo de aprimoramento contínuo a cada leva, até que o bar dos funcionários se tornou um dos maiores atrativos para se trabalhar na empresa. No final das contas, com níveis de produção tão elevados, eles não tiveram escolha: precisaram pensar em compartilhar a cerveja com os moradores da região.

Marcus Cox foi contratado pelo então cervejeiro Ben Pattison para fazer com que a operação atingisse outro patamar. Embora com experiência em fabricação caseira, Cox nunca se envolvera com a produção comercial e foi pressionado a aprender a satisfazer as expectativas de um grande grupo de engenheiros encarregados do controle de qualidade e um número crescente de apreciadores. A habilidade técnica da equipe aumentou mais ainda com a chegada de Matt Inchley, vindo da Red Hill Brewery. Agora produzem uma variada gama de ales tradicionais, inclusive a popular American Pale Ale.

Por ser uma cerveja de trigo ao estilo belga, o perfil de sabores da 3 Ravens White recebe a adição de – literalmente – baldes de sementes orgânicas de coentro, punhados de cascas de laranja e quantidades variadas de outras especiarias, como cardamomo e pimenta-malagueta da África Ocidental. Como não leva nenhum tipo de conservante e essas especiarias são a alma do negócio, a cervejaria prefere que a distribuição permaneça apenas regional, para garantir que sua essência não se perca com o transporte. **DD**

Notas de degustação

Cítricos e especiarias são características proeminentes nesta cerveja turva e loura. Laranja e coentro devem fazer uma provocação quando a bebida é servida e acompanhar até o final ligeiramente ácido. A 3 Ravens White é uma excelente companhia para um prato de salmão poché.

Andechser Weissbier Hefetrüb

Klosterbrauerei Andechs | www.andechs.de/brauerei

País de origem Alemanha
Lançada em 1764
Teor alcoólico 5,5% vol.
Temperatura ideal 5°- 12°C

Desde meados do século 15, produz-se um ou outro tipo de cerveja na abadia beneditina de Andechs, situada na montanha Sagrada, sobre a margem leste do lago Ammersee, na Baviera. Um século depois, a Weissbier foi preparada pela primeira vez na região, mas o direito de produção foi suspenso posteriormente pela família real e retomado apenas em 1602. A abadia foi fechada durante a era napoleônica, mas voltou a se dedicar a suas preocupações espirituais em 1850. Durante todas as agitações, os monges continuaram com a produção de cerveja da forma tradicional e pouco mudou até o século 20, quando as instalações foram reformadas e substituídas, em alguns casos mais de uma vez: a maltaria, por exemplo, foi substituída em 1906, enquanto em 1972 houve a instalação de uma nova cervejaria. Produzem-se cerca de 100.000 hectolitros de cerveja todos os anos, dos quais 5% são separados para os visitantes da Andechs e seus bares. A cervejaria inclui um porão para *lagering* (maturação a frio) e as cervejas, de forma típica, amadurecem de quatro a seis semanas antes de serem distribuídas.

O mosteiro foi fundado no século 10 e atualmente é o único (e uma das duas únicas cervejarias) da Alemanha que produz e distribui uma bock durante o ano inteiro. Com certeza, Andechs não foi fundada com o objetivo único da produção de cerveja, mas para cuidar dos peregrinos que visitam a abadia e a montanha Sagrada. Tal como nos tempos medievais, hoje as dificuldades da subida à montanha são enfrentadas com uma parada na cervejaria ao ar livre ou no salão, onde esta refrescante Weissbier é uma grande favorita e, naturalmente, encoraja uma contemplação de natureza mais secular. **RP**

Notas de degustação

No copo, a Andechser Weissbier Hefetrüb apresenta um tom laranja turvo, com coroa de espuma vibrante, firme e grande. O aroma é um tanto picante, mas, de forma geral, encontra-se bem no padrão de uma Weissbier. No paladar, apresenta um agradável sabor frutado e maltado e termina com uma nota ligeiramente amarga.

Ayinger Ur-Weisse

Brauerei Aying | www.ayinger.de

País de origem Alemanha
Lançada em 1979
Teor alcoólico 5,8% vol.
Temperatura ideal 7°- 8°C

Aying é um pequeno vilarejo a sudeste de Munique, um refúgio rural cercado por grandes faixas de floresta, de aparência pitoresca. Porém, essa bela comunidade também é o lar da Brauerei Aying. A presença dessa cervejaria tão elogiada (além do restaurante e do bar adjacentes) transforma o lugar em ponto de peregrinação dos amantes da bebida de todo o mundo. Como se pode esperar de um estabelecimento tão sólido e venerável, a cervejaria pertence a uma família, os Inselkammer, que cuida dela desde 1878. Levando tudo isso em conta, é de supor que suas bebidas estivessem presentes na Oktoberfest, que acontece em Munique, nos arredores. Mas não adianta procurar. Aquelas grandes tendas animadas por bandas de metais, onde se servem *steins* colossais, são reservadas exclusivamente aos estabelecimentos localizados dentro dos limites da cidade. Quem viaja para participar do festival e não vai além de algumas Paulaners não sabe o que está perdendo.

A Ur-Weisse é uma cerveja de trigo em âmbar escuro, sobrevivente dos anos 1950, quando bebidas desse tipo eram populares entre os cidadãos mais velhos – cervejas reconfortantes e contemplativas, feitas para se consumir enquanto a vida corria. Também tinham uma reputação relativamente revigorante, em relação ao que a geração mais jovem andava bebendo. Era uma época em que reluzentes lagers douradas refletiam a luz da revitalização e reconstrução da Alemanha Ocidental do pós-guerra. Época em que a Weissbier, tanto escura quanto clara, era vista como bebida de uma minoria. Porém, a Ayinger apresentou sua versão no final dos anos 1970, quando os consumidores estavam prontos para serem seduzidos por uma cerveja à moda antiga, especialmente em Nova York, onde a Ur-Weisse é encontrada a preços elevados em bares especializados. **WO**

Notas de degustação

A Ur-Weisse apresenta uma bem-sucedida atuação em dupla que reúne o frescor do trigo e a robustez do malte escuro. De cor âmbar, turva. As primeiras impressões no nariz são de límpidos aromas de malte. O paladar é frutado, depois seco, enquanto o amargor se apresenta de forma harmônica ao final.

Berliner Kindl Weisse

Berliner-Kindl-Schultheiss-Brauerei | www.berliner-kindl.de

País de origem Alemanha
Lançada em 1870
Teor alcoólico 3% vol.
Temperatura ideal 8°- 10°C

As raízes da famosa Berliner Weisse datam provavelmente de 1526, quando Cord Broihan, cervejeiro de Halberstadt, tentou recriar a então popular Hamburger Bier. Produziu uma bebida que veio a se chamar Halberstädter Broihan e logo se tornou conhecida por todo o norte da Alemanha. Em meados do século 17, cervejeiros de Berlim modificaram a receita e produziram uma Weissbier. Ela havia se tornado favorita dos moradores da cidade por volta de 1700 e, em uma centena de anos, havia não menos do que 700 bares em Berlim que a serviam. Quando os soldados de Napoleão a provaram, no século 19, chamaram a Weissbier de "champanhe do norte".

Nos primeiros anos, a Berliner Weisse costumava ser bebida com um licor de ervas. No início do século 19, um produtor regional tentou adicionar as ervas diretamente à cerveja, o que levou ao uso de xaropes (geralmente de framboesa ou aspérula) misturados ao copo ou à garrafa. A prática prossegue até os dias de hoje.

Ao contrário de muitas cervejas que dão fama à Alemanha, a Berliner Weisse tem alta fermentação. Também existe proteção ao uso de seu nome – só pode ser produzida em Berlim (assim como a Kölsch só pode ser produzida em Colônia). Em 1900, havia mais de setenta cervejarias de Berlim que preparavam a Berliner Weisse. Até 2006, sobravam três. Atualmente, são apenas duas: Berliner-Kindl-Schultheiss-Brauerei e Berliner Bürgerbräu. Esta última produz uma Berliner Weiss e previamente misturada. Em 2006, a Berliner-Kindl e a Schultheiss juntaram forças e a marca Schulteheiss foi abandonada, fazendo com que a produção total da cerveja voltasse a diminuir, tornando-a talvez um dos mais raros estilos de cerveja da Europa. **RP**

Notas de degustação

Talvez não seja surpresa que esta cerveja tenha aparência semelhante à Wit belga. Porém a semelhança termina no momento da degustação. A Berliner Weisse é bastante azeda, embora de uma forma agradável. De fato, não é difícil compreender como esta bebida pode ser maravilhosamente refrescante em um dia quente de verão.

Mit
Liebe
und
Herz

Bio-Dinkel Weisse

Weissbräu Unertl | www.brauerei-unertl.de

País de origem Alemanha
Lançada em 2000
Teor alcoólico 5,2% vol.
Temperatura ideal 8°- 10°C

Os telespectadores conhecem o cervejeiro Wolfgang Unertl como sendo o mais rápido abridor de garrafas de cerveja do mundo. Desde 1999, ele vem quebrando seus recordes mundiais repetidas vezes, diante das câmeras. Porém suas virtudes vão além da velocidade com que se livra das tampinhas. À noite, na cidade de Mühldorf, na Baviera, Unertl gosta de encher a sala de malte, a cervejaria, os porões de fermentação e de maturação com os sons da música de Mozart, Bach ou Mendelssohn. Como o italiano Teo Musso, de Le Baladin, ele acredita que a música cria vibrações benéficas a suas cervejas.

Em 2000, Unertl criou a premiada cerveja de trigo espelta. Ficou fascinado com a espelta por seu caráter primordial, incorruptível. Como ele indica, o trigo primitivo cresce apenas em solos simples, é muito resistente e desafia a manipulação genética. A cerveja é feita apenas com ingredientes orgânicos, sem filtragem ou pasteurização. Em vez disso, Unertl emprega água de um poço artesiano que também é agitado em um procedimento energético.

A princípio, Unertl queria trabalhar com a área de saúde. Foi seu senso de responsabilidade que o levou de volta para a cervejaria familiar. Produzir Bio-Dinkel Weisse custa caro – o malte de espelta (Spelt) é quatro ou cinco vezes mais caro do que o malte de cevada ou de trigo comum – e não se ganha dinheiro com ela. Mas Unertl se mantém fiel, sabendo que a vida nem sempre se limita a superar recordes de velocidade. **SK**

Notas de degustação
Cor de cobre com nuances alaranjadas, espuma cremosa, quase branca. Um aroma doce, que lembra banana. Notas de grãos e de laranjas enchem o paladar, equilibradas por um azedume vibrante.

Blanche de Chambly

Unibroue | www.unibroue.com

País de origem Canadá
Lançada em 1992
Teor alcoólico 5% vol.
Temperatura ideal 5°C

Para a maioria dos norte-americanos, o primeiro contato com uma cerveja de trigo ao estilo belga veio quando o lendário Pierre Celis, responsável pelo renascimento da Hoegaarden White, abandonou sua terra natal e foi para Austin, no Texas. Ali, começou a produzir uma cerveja conhecida como Celis White. Porém, enquanto se preparava para estabelecer a operação no Texas, Celis fez uma escala em Québec para ajudar um novato a desenvolver o que viria a ser a primeira branca produzida na América do Norte: a Blanche de Chambly.

André Dion, empresário aposentado de Québec, foi abordado por um consórcio de cervejeiros caseiros com a ideia de montar uma operação de distribuição em comum para todos os seus produtos. Embora o projeto nunca tenha saído do papel, Dion se interessou pela importação de cerveja e seguiu com esta ideia para a Bélgica, onde descobriu a Riva Brewery e a típica Riva Blanche, temperada com coentro e casca de laranja. Depois de trocar uma participação de 10% em seus negócios por uma cópia da receita da Riva, Dion voltou para Québec para iniciar as operações e, com a ajuda de Celis, começou a produzir a Blanche de Chambly.

O sabor era unicamente de Québec. Rótulos com arte gráfica chamativa, apoiados por uma publicidade agressiva na mídia alternativa e na cena de arte da região, ajudaram a transformar a cerveja em sucesso e, desde então, ela ganhou muitos prêmios. **SB**

Notas de degustação
Um exemplo reluzente do equilíbrio entre os sabores do coentro e da fruta cítrica, com um corpo talvez mais robusto do que a maioria de sua classe, mas mantendo uma disposição vibrante e refrescante.

← Todas as cervejas de Wolfgang Unertl são preparadas com amor e coração, como está escrito.

Jossot

Blanche de Saisis

Brasserie Ellezelloise
www.brasserie-ellezelloise.be

País de origem Bélgica
Lançada em *ca.* 1993
Teor alcoólico 6,2% vol.
Temperatura ideal 8°C

A história de como Pierre Celis trouxe de volta à vida, quase sozinho, a Witbier na cidadezinha de Hoegaarden se tornou uma parte das tradições cervejeiras da Bélgica. Desde 1960, pequenos produtores confeccionam imitações carinhosas da original – com casca de laranja, coentro e tudo mais –, com frequência sob a supervisão do próprio Celis. Ao mesmo tempo, voando fora do alcance do radar, encontra-se um punhado de notáveis cervejas belgas de trigo, sem adição de especiarias. A Blanche de Saisis talvez seja a melhor de todas.

A cervejaria fica em uma antiga fazenda encarapitada em uma colina que contempla a aldeia de Ellezelles. É a região norte de Hainaut, terra da saison, e as bebidas desse produtor apresentam certas características de fazenda. São muito saborosas, mas suficientemente simples para que se sinta a presença dos ingredientes. Para a Blanche, isso significa 60% de malte de cevada e 40% de trigo não maltado. O lúpulo entra em doses generosas, para obtenção de amargor e sabor, como acontece com todas as cervejas da Ellezelloise, enquanto a sutil impressão de especiarias vem, principalmente, da levedura.

Apesar de encorpada, a cerveja é extremamente refrescante. Pode dar vida a uma grande variedade de refeições leves, de saladas e omeletes até frutos do mar. O amargor da Blanche de Saisis permite que ela também faça frente a pratos mais consistentes e picantes. Para quem faz a peregrinação, a Ellezelloise é uma das cervejarias mais simpáticas da Bélgica, no que tange ao atendimento dos visitantes. Seu bar de degustação fica aberto praticamente todos os dias. **JS**

Notas de degustação

Cereais e notas de limão, laranja e pimenta no nariz. O sabor é praticamente destituído de doçura. Apenas um amargor pleno e bem-vindo, seco e relvado, com uma persistente nota de casca de laranja.

Blanche des Honnelles

Brasserie de l'Abbaye des Rocs
www.abbaye-des-rocs.com

País de origem Bélgica
Lançada em 1991
Teor alcoólico 6% vol.
Temperatura ideal 6°- 8°C

Ex-funcionário da área fiscal, Jean-Pierre Eloir começou a produzir cerveja em 1979, na pequena aldeia de Montignies-sur-Roc, na Valônia, na fronteira da província de Hainaut com a França. Isso fez dele um dos pioneiros da nova leva de microcervejarias da Bélgica. Assim que o processo começou, as coisas também evoluíram de forma natural, tanto em relação à produtividade quanto ao desenvolvimento de uma gama de bebidas que se expandiu com rapidez.

Em 1991, esta cerveja de trigo foi produzida junto com as criações regulares, que até então se baseavam em certa medida nos estilos de ale de abadia. Imediatamente, a Blanche des Honnelles se destacou entre o número cada vez maior de Witbiers, todas tentando aproveitar o sucesso da onipresente Hoegaarden, de Pierre Celis. Isso não apenas porque a Honnelles era um tanto mais forte e mais escura do que a maioria, mas também porque demonstrava uma notável contenção em relação ao uso de especiarias, o que costuma ser uma maldição em seu estilo.

A cerveja leva o nome dos riachos vizinhos, Grande e Petite Honelle, e é feita com três cereais maltados – trigo, cevada e aveia. Como ocorre com todas as cervejas da Abbaye des Rocs, o licor cervejeiro vem de poço próprio e os lúpulos são Hallertau e Brewer's Gold. A cerveja vai para garrafas de vários tamanhos, mas também é acondicionada, sem filtragem, em barris altos, mas pequenos. É uma cerveja bem contida e pode ser apreciada em um dia quente, sem grandes reservas. **JPa**

Notas de degustação

Cerveja laranja-dourada, sob espuma branca. Nariz cítrico, que lembra tangerina, com pano de fundo adocicado. O paladar é seco, com sugestões herbáceas e de laranjas, ao mesmo tempo que mantém uma base doce.

← H. G. Jossot satiriza os bebedores de cerveja nesta ilustração de revista de 1902.

Blue Moon

Blue Moon Brewing Company | www.bluemoonbrewingcompany.com

País de origem Estados Unidos
Lançada em 1995
Teor alcoólico 5,4% vol.
Temperatura ideal 9°C

A minúscula SandLot Brewery, no estádio de beisebol Coors Field, em Denver, Colorado, não conseguiria fornecer cerveja suficiente para satisfazer a multidão em dias de jogos. Por isso, quem pede uma Blue Moon em um dos pontos de venda tem chance de receber algo que foi produzido em outro lugar, por integrantes da família cervejeira Molson Coors. É preciso se dirigir ao bar para se encontrar um copo da Blue Moon, feita pelo pequeno sistema que funciona no estádio, onde foi desenvolvida inicialmente por Keith Villa, pouco depois de obter um Ph.D. em produção cervejeira na Universidade de Bruxelas.

A Coors Brewing, antes da fusão com a Molson e da parceria com a Miller, reconheceu que os bebedores de cerveja de meados dos anos 1990 eram atraídos pelo que chamavam de "cerveja artesanal" principalmente porque as bebidas vinham de pequenos produtores. Em vez de colocar o nome Coors na cerveja e apoiá-la com um grande orçamento publicitário, a empresa criou a Blue Moon Brewing Company, que alguns consumidores achavam que ficava na Bélgica. Em 1999, a Confédération des Brasseurs de Belgique fez queixa contra a empresa do Colorado, acusando-a de enganar o público norte-americano com seus rótulos.

As vendas da Blue Moon não dispararam antes de ela se encontrar no mercado por quase dez anos, e depois disso ela superou várias vezes as vendas da importada Hoegaarden. Cervejarias grandes e pequenas perceberam o que estava acontecendo. Os produtores artesanais voltaram-se para a tradição belga, inspirando-se em Pierre Celis e incluindo aveia e trigo não maltado em suas receitas. **RH**

Notas de degustação

No copo, a Blue Moon apresenta um tom dourado e turvo. Possui um nariz muito aromático, dominado por cítricos e coentro "verde" que sugere aipo. Leve na língua, com mais sabores de laranja e uma doçura moderada, equilibrada pela acidez do trigo.

Bohemian Wheat Lager

Pivovar Herold | www.pivovar-herold.cz

País de origem República Tcheca
Lançada em 1993
Teor alcoólico 5% vol.
Temperatura ideal 8°C

Como detalha Ludvik Fürst na monografia *Como costumávamos preparar cerveja*, de 1941, a cidade de Březnice, na Boêmia, foi conhecida no passado por suas cervejas de trigo. Os registros mostram que, já em 1580, a cervejaria do castelo de Březnice vinha fazendo *bílé pivo* (cerveja branca), nome recebido pelas cervejas de trigo na época, além das *staré pivo* (velha cerveja), termo usado para as bebidas feitas com cevada.

Infelizmente, a maioria das cervejas de trigo tchecas foi liquidada depois da disseminação da produção da lager clara, industrializada, por volta do final do século 19. O estilo recebeu o golpe de misericórdia dos comitês de planejamento dos comunistas, que deliberadamente esquematizaram a produção da bebida na década de 1950, de tal forma que ela praticamente desapareceu do território tcheco. A primeira a reaparecer, depois da Revolução de Veludo, que devolveu a liberdade de escolha tanto para os cidadãos quanto para os cervejeiros, foi a chamada Wheat Lager, da Herold de Březnice, ressurgida em sua forma atual em 1993, quando a cervejaria do castelo tinha proprietários dos Estados Unidos. Infelizmente, a produção foi interrompida em 2007.

Um ano depois, houve uma troca de donos, e ela voltou a mãos tchecas. Além da nova administração e de uma injeção de capital, a cervejaria teve mais uma chance de produzir sua cerveja de trigo, que reapareceu com alguma fanfarra no início de 2009. Embora o rótulo a chame de "lager de trigo", não se trata de uma bebida de baixa fermentação. Na verdade, o que está escrito no rótulo é uma aproximação de uma palavra do vocabulário cervejeiro tcheco: "ležák" refere-se à força relativa da bebida, cobrindo aquelas produzidas com gravidade original de 11 e 12 graus Plato. **ER**

Notas de degustação

Procure um belo dourado, um tanto nebuloso, no copo, coroado por uma espuma branca e fofa. Na Bohemian Wheat Lager, há apenas um toque de cravo no nariz, com tabaco e grãos integrais na boca, terminando com uma nota de malte Pilsen, como uma lager.

Boréale Blanche

Les Brasseurs du Nord
www.boreale.com

País de origem Canadá
Lançada em 2004
Teor alcoólico 4,2% vol.
Temperatura ideal 5°C

Uma das curiosidades do mercado de cervejas de Québec é uma preocupação com a cor que beira a obsessão – talvez porque as palavras "ale" e "lager" não tenham uma tradução direta para o francês. A referência à bebida acontece principalmente pela tonalidade. Assim, em vez de encontrar uma seleção de lagers claras, brown ales ou stouts, é mais provável esbarrar com uma lista de blondes (louras), rousses (ruivas) e noires (pretas).

A Boréale Blanche não se encaixa exatamente no estilo da cerveja branca belga. Preparada com aveia, além de trigo e cevada maltada, para criar uma textura um pouco mais cremosa, temperada com os tradicionais coentro, casca de laranja e especiarias não identificadas, ela também é fermentada para chegar a uma potência alcoólica menor do que a habitual, o que fornece à cerveja uma personalidade refrescante e um perfil de sabor fascinante. **SB**

Notas de degustação

As cervejas brancas tendem a tratar principalmente do aroma e esta daqui se destaca por isso, com nariz perfumado de cítricos que sugerem aromas florais, pimenta e gengibre. Corpo leve e refrescante. Final seco.

Brooklyner-Schneider Hopfen-Weisse

Brooklyn Brewery
www.brooklynbrewery.com

País de origem Estados Unidos
Lançada em 2007
Teor alcoólico 8,5% vol.
Temperatura ideal 8°C

Garrett Oliver, mestre cervejeiro da Brooklyn, conheceu Hans-Peter Drexler, mestre cervejeiro da Schneider, em Nova York: "Ele nunca havia tomado uma stout ou uma IPA e experimentou esses estilos pela primeira vez aqui, na Brooklyn Brewery. Descobrimos que Hans-Peter é, na verdade, um lupulomaníaco."

Dez anos depois, decidiram produzir uma bebida juntos: uma cerveja forte, lupulada, à base de trigo. Essencialmente, faziam a mesma cerveja com diferentes lúpulos. Na Alemanha, a Schneider-Brooklyner Hopfen--Weisse passa por *dry hopping* com Hallertau Saphir. Na Brooklyn, empregam-se Amarillo e Palisades. Ambas são fermentadas com a levedura da Schneider. Porém a verdadeira importância desta cerveja de trigo não se encontra apenas no paladar. Está na colaboração entre dois profissionais, dois amigos. **DR**

Notas de degustação

Tem o esperado aroma de banana e cravo de uma cerveja de trigo, com a notável adição de lúpulos frescos e terrosos. Maltes com características de pão, cítricos e amargor se misturam em um corpo leve.

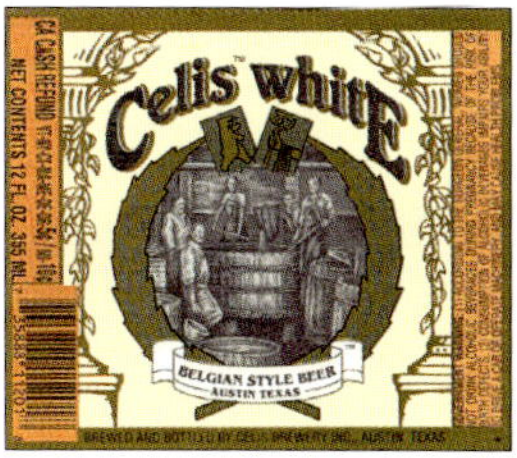

Celis White

Michigan Brewing
www.michiganbrewing.com

País de origem Estados Unidos
Lançada em 1992
Teor alcoólico 5% vol.
Temperatura ideal 8°C

Depois de reviver o estilo belga de cerveja de trigo com especiarias e se desfazer de seu negócio, Pierre Celis dirigiu-se para o Oeste para montar uma nova cervejaria em Austin, no Texas, onde voltou a concentrar suas atenções no estilo wit belga. A atração pela água filtrada em pedra calcária (rica em cálcio e ideal para a produção de bebidas à base de trigo) e o trigo de Hill County, no estado, o levaram para essa parte do mundo.

A Celis White é feita a partir de uma mistura de trigo não maltado e malte de cevada, combinada a coentro e casca de laranja de Curaçao. A cerveja foi um sucesso e, como aconteceu com a Hoegaarden, na Bélgica, deflagrou o interesse pela produção desse gênero nos Estados Unidos. Hoje, ela é produzida no país pela Michigan Brewing e, na Bélgica, em nome de Pierre, pela Browerij Van Steenberge, de Ertvelde, em Flandres Oriental. **JE**

Notas de degustação

Sugestões de chá gelado, limão e laranja aparecem no aroma. Amargor terroso das sementes de coentro persiste no final seco e consistente que termina bastante doce.

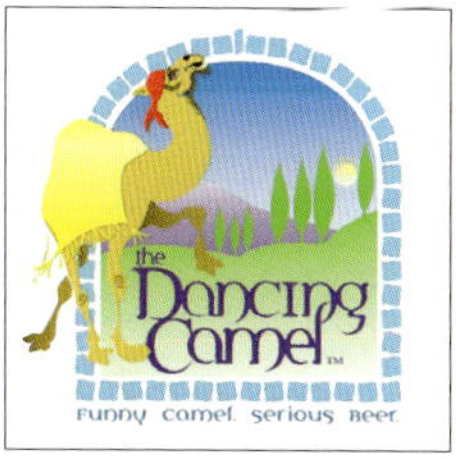

Dancing Camel Trog Wit

Dancing Camel
www.dancingcamel.com

País de origem Israel
Lançada em 2006
Teor alcoólico 6,5% vol.
Temperatura ideal 7°C

Israel não é particularmente famoso por sua cerveja, em princípio porque sua paisagem árida e o clima quente e seco não se prestam ao cultivo de cevada e lúpulo. Embora apenas uma pequena minoria da população endosse as proibições religiosas ou culturais em relação ao álcool, o israelense médio consome, por ano, apenas dois litros de cerveja, em comparação com os 81 litros consumidos nos Estados Unidos.

Nascido no Brooklyn, David Cohen mudou-se com a família em 2003, para realizar seu sonho: criar uma cervejaria em Israel. A Dancing Camel Trog Wit é, assumidamente, uma cerveja de trigo ao estilo belga, mas a casca de laranja amarga é substituída por "etrog", a cidra amarela, *Citrus medica*. Existem referências ao etrog na Bíblia e a fruta é utilizada tradicionalmente pelos judeus na festa do Sukkot. **JP**

Notas de degustação

O sabor do malte de trigo é doce, com alguns toques do azedume da fruta, coentro e pétalas de rosa. Ele evolui com toques de caramelo e levedura. Final amargo e cítrico.

Distelhäuser Kristall-Weizen

Distelhäuser Brauerei Ernst Bauer
www.distelhaeuser.de

País de origem Alemanha
Lançada em 1960
Teor alcoólico 5,4% vol.
Temperatura ideal 8°-12°C

Esta cerveja frutada, efervescente e notavelmente seca é um dos melhores exemplos do estilo alemão com trigo. Como destaca o mestre cervejeiro Peter Köhler, a Kristall-Weizen é muito fermentada, com uma atenuação final de menos de 2%. A Kristall é a versão filtrada da Hefeweizen da casa. Como toda a levedura foi removida, ela tem um temperamento mais direto e límpido do que suas irmãs sem filtragem.

A Distelhäuser produz sua cerveja de trigo em uma clássica decocção num ritmo que fornece uma alta produção de mosto rico em açúcares. De forma única, as cascas dos grãos são peneiradas durante a moagem, processo que ajuda a obter a harmonia característica da bebida. Em 2008, a Kristall-Weizen ficou em primeiro lugar na Copa do Mundo da Cerveja e no European Beer Star. **SK**

Notas de degustação

O aroma pronunciado de banana encanta o nariz com toques cítricos. Cerveja que borbulha com elegância, é frutada, com uma pitada de especiarias equilibrada por uma nota de leve azedume. Final picante, porém suave.

Duchmaus Weissbier

Rodinný Pivovar U Rybiček
www.urybicek.eu

País de origem República Tcheca
Lançada em 2007
Teor alcoólico 5,6% vol.
Temperatura ideal 8°C

Além das clássicas lagers claras e escuras e de bebidas com sabor de fruta, a choperia Rodinný pivovar U Rybiček também escolheu fazer cerveja de trigo ao estilo mais antigo da Boêmia, a chamada *bílé pivo* (cerveja branca).

A versão da U Rybiček ganhou o nome do lendário duende da cidade, o Duchmaus. Embora o Duchmaus raramente se apresente diretamente aos humanos, era conhecido pelas travessuras realizadas a partir de seu esconderijo subterrâneo. Um nome tão famoso só poderia acompanhar uma cerveja muito especial e a versão da U Rybiček se tornou uma das mais populares. É preparada com gravidade original de 14 graus Plato, bem mais forte do que a da maioria das bebidas de trigo, e o sabor consegue um equilíbrio delicado entre o frescor do trigo e um corpo de malte que lembra a lager, terminando de uma forma mais doce do que muitas Weizen da Baviera. **ER**

Notas de degustação

Cerveja em âmbar dourado, muito turva. Atenção para uma sugestão de toffee e especiarias no nariz, para uma rica qualidade maltada na boca e um final inesperadamente semidoce, mas duradouro.

Estrella Damm Inedit

S. A. Damm
www.damm.es

País de origem Espanha
Lançada em 2008
Teor alcoólico 4,8% vol.
Temperatura ideal 4°- 8°C

A Estrella Inedit foi desenvolvida em associação com um dos melhores *chefs* de cozinha do mundo – o espanhol Ferran Adrià. Adrià e a equipe de sommerliers do icônico restaurante elBulli receberam o desafio de criar uma cerveja que ficasse à vontade na mesa de jantar, em parte para oferecer uma alternativa de primeira classe ao vinho.

Foi preciso quase um ano para desenvolver a cerveja. A equipe finalmente se decidiu por uma bebida de trigo em estilo que seguia a abordagem belga, com sementes de coentro e casca de laranja. Para um toque especial, também algum alcaçuz. A empresa envasou a cerveja em uma elegante garrafa negra, no estilo champanhe, que apresenta uma única estrela de ouro à frente e um rótulo no gargalo onde se lê "Estrella Inedit". A cerveja espanhola percorreu um longo caminho desde que era considerada simplesmente *caña*. **MC**

Notas de degustação

Cítricos e especiarias no nariz, com uma sugestão de alcaçuz. No paladar, especiarias e trigo apresentados de uma forma intensa e agradável – e uma nota mais forte de alcaçuz. O cítrico volta para o final.

Flying Fish Exit 11

Flying Fish Brewing Company
www.flyingfish.com

País de origem Estados Unidos
Lançada em 2009
Teor alcoólico 6,2% vol.
Temperatura ideal 8°C

A série Exit, da Flying Fish, começou em 2009 como um projeto para criar uma cerveja diferente para cada uma das dezoito saídas da autoestrada de Nova Jérsei. A primeira, Exit 4, é uma tripel belga de lúpulo intenso, com um rótulo que mostra uma placa genérica de estrada e um mapa rodoviário local. A instituição que supervisiona a autoestrada queixou-se de violação de direitos autorais. Um funcionário afirmou que a série Exit enviava a "mensagem errada" aos consumidores: que não havia problema em beber e dirigir.

Condenada tanto pelos motoristas quanto pelos bebedores de cerveja pela intromissão burocrática, a instituição recuou. Foi uma boa coisa, porque a Flying Fish deu logo sequência à série com o lançamento da Exit 11, uma confluência de estilos: cerveja de trigo à moda americana preparada com malte claro belga, levedura de ale inglesa e lúpulos do noroeste da costa do Pacífico. **DR**

Notas de degustação

Uma acidez leve e frutada, no princípio, é seguida pela presença amarga dos lúpulos. Rico e complexo, o corpo apresenta camadas de doçura maltada, toques picantes da levedura e fruta refrescante.

Franziskaner Hefe-Weisse

Spaten-Franziskaner Bräu | www.franziskaner.com

País de origem Alemanha
Lançada em 1974
Teor alcoólico 5% vol.
Temperatura ideal 9°- 12°C

As raízes desta cervejaria datam de 1363, quando um pequeno empreendimento teve início próximo do mosteiro franciscano (Franziskaner) em Munique. O fundador, Seidel Vaterstetter, vendeu-o em 1377 e o novo proprietário tornou a passá-lo adiante em menos de um ano. Em 1381, o círculo se completou, quando o fundador alugou-o de um terceiro proprietário! De fato, por quase 500 anos, o estabelecimento teve muito sucesso, atraindo novos proprietários com a regularidade de um relógio.

Em 1815, devido à falta de espaço, uma segunda cervejaria foi aberta em Au, que ficava bem próxima, quase nos limites da cidade. Em 1841, Augustin Deiglmayr, casado com Caecilia Sedlmayr, filha mais velha do dono da Spaten Brauerei, adquiriu a cervejaria. Seu filho Augustin substituiu o pai à frente dos negócios em 1858. Naquele mesmo ano, Augustin uniu-se ao primo Josef Sedlmayr, dono de Leist Brauerei, e filho do famoso pioneiro da lager loura, Gabriel Sedlmayr, em uma *joint-venture*. Em 1861, Augustin já havia jogado a toalha e entregue sua parte para o primo Josef. Assim nasceu a Franziskaner-Leist Brauerei. Em 1922, ela juntou-se à Spaten Brauerei (propriedade de parentes) e transformou-se na Spaten-Franziskaner Bräu.

No início dos anos 1960, a Spaten-Franziskaner produziu uma Weissbier com o nome "Champagner Weissbier". Diferente das Weissbiers tradicionais, esta variação tem a clareza de uma pilsen. As vendas foram suficientemente boas para encorajar a introdução em 1974 da Franziskaner Hefe-Weisse, um exemplo fresco e frutado do estilo, que é relativamente única pelo fato de que 75% do mosto são constituídos de trigo maltado. **RP**

Notas de degustação

No copo, é de um tom louro e turvo, com uma grande e firme coroa de espuma branca. O aroma apresenta, principalmente, notas de banana e cravo. No paladar, é muito refrescante, com presença de cravo, frutas e baunilha. Final frutado e picante.

Fujizakura Heights Weizen

Fujizakura Heights Beer | www.fuji-net.co.jp/beer

País de origem Japão
Lançada em 1997
Teor alcoólico 5,5% vol.
Temperatura ideal 6°- 8°C

Weizen é um estilo que os bebedores japoneses apreciam particularmente, e aquela preparada pela Fujizakura é considerada uma das melhores do país. Recentemente, assumiu a posição de mais vendida da cervejaria, ultrapassando a pilsen, que também é uma ótima bebida.

Fiel às práticas cervejeiras alemãs, a proporção de malte Pilsen e malte de trigo é de 40/60, com o amargor fornecido por uma única adição de lúpulo Perle. A cerveja é conhecida pela textura cremosa, bem como pelo aroma Weizen um tanto intenso, que costuma ser descrito como de banana e cravo, mas que alguns apreciadores japoneses entendem ser simplesmente de chiclete. Talvez seja a personalidade frutada desta cerveja que a torne tão popular, especialmente entre as mulheres. Na região metropolitana de Tóquio existe até um bem organizado fã-clube para cervejas Weizen, que sempre participa de eventos de Oktoberfest e outras festas alemãs em torno da bebida. Esses fãs podem ser identificados por usarem várias peças de vestuário de origem alemã, como roupas e chapéus. E a Fujizakura Weizen é uma de suas cervejas favoritas.

Em comparação com a Fujizakura Rauch, a Weizen ganhou popularidade com mais rapidez e, nitidamente, é a preferida dos fregueses do Sylvan's Restaurant, na cervejaria. Ela vai bem com pratos populares, como pizza e embutidos, bem como com batata frita. O próprio restaurante apresenta uma ampla área externa, aos fundos, e oferece vista deslumbrante do monte Fuji. Nos finais de semana, recebe a visita de grandes grupos que chegam em ônibus turísticos para aproveitar as opções de bebida à vontade oferecidas pelo menu. **BH**

Notas de degustação

A cerveja apresenta um tom turvo, amarelo embranquecido, com espessa coroa de espuma branca. Tem aroma poderoso dos ésteres Weizen (de chiclete, entre eles), com uma combinação de acidez e amargor dos lúpulos que consegue matar a sede de forma consistente. A textura é bem cremosa, particularmente perto do final.

Grolsch Premium Weizen

Koninklijke Grolsch | www.grolsch.nl

País de origem Holanda
Lançada em 2005
Teor alcoólico 5,5% vol.
Temperatura ideal 7°C

A Oktoberfest pode ser ou não o maior festival de cerveja de todo o mundo, mas com toda a certeza é o mais famoso (embora não seja, na verdade, um festival de cerveja, mas um festival em que muita cerveja é servida e consumida). Não causa surpresa que sua fama tenha levado muitos países a realizarem celebrações outonais do consumo de cerveja. Em 2005, uma Oktoberfest em Varsseveld, cidadezinha holandesa perto da fronteira com a Alemanha, foi mais do que apenas uma animada festa movida pela bebida, sendo também a ocasião da apresentação da Grolsch Premium Weizen (a Grolsch, aliás, encontra-se em uma cidadezinha holandesa ao norte de Varsseveld). Uma primeira versão foi produzida em 2004, pelo mestre cervejeiro Guy Evers, para celebrar a abertura de uma nova cervejaria em Enschede, sua cidade natal – ao nomeá-la com a palavra em alemão para "trigo", em vez do equivalente em holandês (*"weit"* ou *"tarwe"*), Grolsch colocou a bebida em território alemão. Diz-se que centenas de mestres cervejeiros alemães em visita à cervejaria se surpreenderam com a aparição desta Weizen (não se sabe, porém, se foi uma surpresa agradável).

A cerveja é produzida de acordo com a Reinheitsgebot alemã e, fiel a esta lei, ela contém água, lúpulo, cevada maltada e trigo. É também produzida e vendida o ano inteiro. Embora uma cerveja precise ter uma composição de 50% de trigo para ser chamada de Weizen, a Grolsch emprega 60%.

Uma de suas características mais interessantes é ser uma companhia magistral para aspargos no vapor, devido à doçura do vegetal que ressoa com a discreta doçura da cerveja. **RP**

Notas de degustação

Ouro pálido, turva com carbonatação vivaz. Creme de banana no nariz; banana e baunilha no paladar. Há uma doçura discreta e uma simplicidade infantil nestes sabores, enquanto a textura na boca é de uma leve dança de bolhas. Final veloz.

Gulpener Korenwolf

Gulpener Bierbrouwerij | www.gulpener.nl

País de origem Holanda
Lançada em 1994
Teor alcoólico 5% vol.
Temperatura ideal 4°- 8°C

Em 1825, Laurens Smeets fundou esse estabelecimento na cidade holandesa de Gulpen, ao sul, na província de Limburg. Continua ali e se mantém com a mesma família de donos (embora a Grolsch tenha comprado uma participação minoritária em 1995). A cervejaria se preocupa em manter vínculos regionais – não apenas como empregadora, mas também como consumidora de produtos da área e como um meio de manter tradições locais, principalmente através da bebida que produz.

Os produtos oferecidos pela cervejaria são uma combinação determinada de tradicionais cervejas locais e de outras encontradas habitualmente do outro lado da fronteira holandesa – Limburg fica espremida entre duas importantes nações cervejeiras, a Alemanha e a Bélgica, o que pode explicar por que as bebidas da província apresentam estilos tão diversificados. A empresa encara a uniformidade do mercado, dominado por pilsens, como uma barreira que deve cair. Por essa razão, oferece a mais ampla variedade de cervejas encontradas em um pequeno fabricante holandês.

A Gulpener Korenwolf – o nome vem de uma espécie regional de hamster selvagem – é uma bebida de trigo multigrãos (Witbier), de alta fermentação. Além do trigo, estão entre os grãos a aveia, o centeio e a cevada. Outros ingredientes incluem ervas e flor de sabugueiro. A cervejaria se preocupa com a sustentabilidade: os lúpulos, por exemplo, são fornecidos por fazendeiros da região, enquanto que os rótulos são reciclados e as instalações de produção fazem uso de tecnologias verdes (como painéis solares) para minimizar o consumo de energia.

O verão em Limburg é considerado a melhor época (e local) para beber esta cerveja. **RP**

Notas de degustação

Com cor de ouro enfumaçado, esta cerveja apresenta uma rica espuma branca e aroma de uma Hefeweizen alemã. O sabor se situa em algum lugar entre uma Hefeweizen alemã e uma Witbier belga. Não é necessário limão, pois há uma acidez cítrica no paladar.

Gumballhead

Three Floyds | www.3Floyds.com

País de origem Estados Unidos
Lançada em 2003
Teor alcoólico 4,8% vol.
Temperatura ideal 8°C

Há anos, os produtores norte-americanos lutam para criar uma versão nacional da famosa Hefeweizen da Baviera, com resultados irregulares. Algumas tentativas chegam perto, mas muitas falham em obter a complexa personalidade de cítrico e especiarias desse estilo tão particular. Ou como diz sem meias palavras o gerente de vendas da excêntrica Three Floyds Brewing, Lincoln Anderson: "Nick Floyd (o fundador) achava que a maioria das cervejas de trigo feitas nos Estados Unidos não prestava."

Em vez de imitar o estilo alemão original, Floyd partiu do zero para criar um híbrido inteiramente novo que refletisse a crescente estima da América pelos lúpulos. Sua criação, que recebeu o estranho nome de Gumballhead, pode ser descrita como um cruzamento entre uma clássica cerveja de trigo e uma pale ale. Os ésteres de banana e cravo, tão associados à cerveja de trigo da Baviera, foram definitivamente esmaecidos. Talvez por causa do nome, alguns degustadores ficam convencidos de que ela tem o aroma sutil de chiclete. A característica dominante, porém, é de toranja, laranja e limão. O aroma é resultado não apenas da fermentação da levedura, mas também do amplo uso de lúpulos Amarillo no estágio final de *dry hopping*. Azedos e acídicos, os lúpulos imitam frutas cítricas e grama recém-aparada.

Um bom copo é capaz de matar a sede com um final vibrante, harmonioso e seco. Com teor alcoólico relativamente baixo, a Gumballhead foi pensada para uma longa e quente tarde de verão, na sombra de um quintal. Temperamental e icônico, o gato amarelo que fuma cigarros é tão popular entre os fãs da cervejaria que alguns chegaram a tatuá-lo como lembrança. Seu criador, o artista Rob Sayer, descreve o personagem como um "patife itinerante". O mesmo vale para a própria cerveja. **DR**

Notas de degustação

Uma lufada cítrica de aroma se ergue de um corpo dourado e turvo, sugerindo uma clássica cerveja alemã de trigo, mas um gole de seus lúpulos que lembram toranja revelam as raízes americanas. De corpo médio e harmonioso, ela termina com um beijo ácido e leve de limão.

Gutmann Hefeweizen

Brauerei Friedrich Gutmann | www.brauerei-gutmann.de

País de origem Alemanha
Lançada em 1913
Teor alcoólico 5,2% vol.
Temperatura ideal 5°-8°C

A Guttmann Hefeweizen reluz como uma plantação de trigo cheia de espigas maduras, como se tivesse sido colhida diretamente das encostas douradas e ensolaradas dos Alpes da Francônia, ao norte de Eichstätt. Considerando-se que a Gutmann não é apenas uma cervejaria, mas também uma fazenda, a analogia não fica distante demais da verdade. Até os anos 1970, cultivavam-se ali os lúpulos empregados. Foi apenas em 1996 que deixou de haver criação de gado. O vínculo com o solo permanece, porém, com o cultivo de cevada e trigo (embora alguns dos cereais usados nas cervejas de trigo sejam comprados de fazendeiros da região).

A família é dona da cervejaria desde 1855 e as instalações de produção, a fazenda e a maltaria estão situadas em um belo complexo medieval que, no passado, foi um castelo cercado por um fosso – um príncipe-bispo instalou uma cervejaria no local em 1707. Hoje, é comandada pelas quinta e sexta gerações da família Gutmann.

Anteriormente, havia um portfólio bem mais amplo de cervejas ao estilo da Francônia, mas, na década de 1990, houve uma especialização em bebidas à base de trigo, decisão que, obviamente, rendeu dividendos. Enquanto a produção industrial de cerveja de trigo aumenta, com um número cada vez maior de versões pasteurizadas no mercado, a Gutmann se concentra nas tradições da Baviera. Depois da primeira fermentação em recipientes abertos, há uma adição de levedura fresca para uma segunda fermentação feita exclusivamente nas garrafas. A bebida não é pasteurizada e por isso apenas a fina neblina da levedura viva reluz e produz deliciosos sabores frescos. Tal atenção ao detalhe e à qualidade tem feito sucesso: a Gutmann Hefeweizen adquiriu uma grande reputação e é encomendada por bares e restaurantes de lugares como Nuremberg, Erlange e Munique. **SK**

Notas de degustação

Em dourado-claro, com uma névoa brilhante e bela coroa de espuma branca. Esta cerveja oferece um aroma que lembra banana com alguns momentos cítricos. O primeiro sabor é suave, harmonioso e macio, antes de características frutadas evoluírem para pronunciados sabores fenólicos. O final reverbera com um amargor suave e distante.

Hacker
Märzen
ORIGINAL MÜNCHNER OKTOBERFESTBIE

Hacker-Pschorr Hefe Weisse

Hacker-Pschorr Bräu | www.hacker-pschorr.de

País de origem Alemanha
Lançada em 1972
Teor alcoólico 5,5% vol.
Temperatura ideal 5°- 12°C

A primeira menção a esta cervejaria, em 1417, a situa na Sendlinger Strasse, 14. Nos dias de hoje, este é o endereço do "Alter Hackerhaus", um bar que serve bebidas da Hacker-Pschorr. Porém, o nome composto não apareceu antes de 1793, quando Joseph Pschorr se casou com Maria Theresia Hacker, cujo pai era o dono do estabelecimento. Pschorr, filho de cervejeiro, fez o que era natural e assumiu a Hacker-Brauerei. Em 1820, voltou a crescer, comprando a Zum Bauernhansl e batizando o empreendimento de Hacker-Pschorr Brauerei. Sob a liderença de Pschorr, a nova cervejaria ficou tão popular quanto aquela que ele havia herdado do sogro.

Desde o início, o empreendimento obteve fama sob a supervisão de Joseph Pschorr. Em 1821, por exemplo, a produção geral era de quase 300.000 hectolitros por ano, o que era considerado, na época, uma quantidade inacreditável. Não foi um simples acaso: entre 1813 e 1823, o armazém de lager era tão grande que estabeleceu um recorde para a produção industrial. O tamanho também não foi um acaso: suas dimensões permitiam que a cerveja permanecesse fresca até no verão, e então, pela primeira vez, foi possível fazer cerveja lager o ano inteiro.

Foi só em 1972 que as duas cervejarias se tornaram uma só. Naquele ano, a Hacker-Pschorr Hefe Weisse nasceu, em uma época em que o estilo voltava a se tornar popular. Hoje, a Hacker-Pschorr é uma das maiores cervejarias de Munique e, por ser produzida dentro dos limites da cidade, esta Weissbier tradicional, de alta fermentação e sem filtragem, é uma daquelas que os visitantes da Oktoberfest podem consumir em imensas quantidades. **RP**

Notas de degustação

No copo, a cerveja tem cor laranja dourada, com coroa de espuma cremosa mas firme. O aroma lembra pão e também inclui notas de banana e de especiarias. O sabor é bastante pleno, porém refrescante, com uma sugestão de frutas que se soma ao cravo.

← Cartaz dos anos 1950 que anuncia outra das famosas cervejas da Hacker-Pschorr.

Hef

Burleigh Brewing | www.burleighbrewing.com.au

País de origem Austrália
Lançada em 2008
Teor alcoólico 5% vol.
Temperatura ideal 6°C

Burleigh Heads é uma deslumbrante faixa de praia na Gold Coast, em Queensland, Austrália. O sol brilha em Burleigh Heads na maior parte do tempo e a região é famosa pelo surfe, a areia e as belas mulheres. Não é preciso passar muito tempo ali para entender por que os australianos têm um profundo e quase inexpugnável amor por uma lager bem gelada. Tomar alguns copos de uma bebida local ao sol em um clube de surfe com vista para a praia está, com certeza, entre as melhores experiências com cervejas no mundo inteiro.

Em resumo, não é o lugar onde se espera encontrar uma cerveja que deve esquentar um pouco após sair da geladeira. Nem para uma cerveja que pode produzir um dos mais intensos aromas de banana encontrados em forma líquida. A Hef ou "Cerveja de Banana", como chamam alguns, é exatamente assim, criação de Brennan Fielding, cervejeiro e cofundador da Burleigh Brewing. Como Chuck Hahn, outro conhecido produtor australiano, Brennan nasceu nos Estados Unidos, mas escolheu se estabelecer na Austrália.

Em vez de distribuir suas ales por todos os lugares possíveis, Fielding e a esposa Peta praticam a velha lógica germânica que diz que a cerveja só deve ser bebida a uma distância de, no máximo, um dia de viagem de carroça puxada a cavalo a partir da cervejaria – o que equivale a quatro horas em transporte motorizado, nos dias atuais. E o grosso da produção da Burleigh Brewing não é distribuído para além dessa área. Embora, com relutância, a Hef tenha passado a contar com distribuição em toda a Austrália, os Fielding só permitiram isso por saber que a cerveja será bem mais aromática e fresca do que uma Hefeweizen transportada do outro lado do mundo, vinda da pátria tradicional do estilo. **DD**

Notas de degustação

Mesmo os céticos vão conseguir sentir o cheiro de banana que viaja através da espuma branca e brilhante desta cerveja. Um gole deve revelar toques de cravo e a doçura do malte, que complementam muito bem um prato de caranho assado com funcho.

Hell or High Watermelon Wheat

21st Amendment Brewery | www.21st-amendment.com

País de origem Estados Unidos
Lançada em 2002
Teor alcoólico 5,5% vol.
Temperatura ideal 7°C

A 21st Amendment Brewery assumiu o nome da bem-vinda emenda que deu fim à Lei Seca em 1933. Entre suas primeiras criações, muitas homenageavam a rica herança cervejeira de São Francisco, como a South Park Blonde, a Amendment Pale Ale, a Potrero ESB e a General Pippo's Porter.

Um ano depois da abertura, o mestre cervejeiro e cofundador Shaun O'Sullivan esbarrou naquela que se tornaria a bebida mais popular da casa: Hell or High Watermelon Wheat Beer. Feita originalmente para o verão, hoje ela é enlatada o ano inteiro. O'Sullivan pegou como base uma cerveja de trigo de estilo norte americano e adicionou 181 quilos de melancia fresca para cada leva de doze barris. A fruta fornece apenas um toque de acidez, ideal para fazer frente ao calor e, com teor alcoólico de 4,9%, a bebida pode ser desfrutada durante horas seguidas. Na choperia, é servida em um copo alto de cerveja de trigo com uma fatia de melancia.

Para atender à demanda, a cervejaria precisou, em um primeiro momento, comprar melancia do mundo inteiro, de onde quer que fosse estação da fruta. A princípio, foi o suficiente para que a bebida fluísse o ano todo, mas, assim que ela começou a ser envasada, a cervejaria não conseguiu manter sua consistência, pois as frutas plantadas em diferentes lugares podiam ter sabores bem variados. A cervejaria se voltou para uma empresa que compra melancia fresca e a transforma em um purê concentrado. Agora os produtores podem fazer com que a cerveja de trigo e melancia tenha o mesmo gosto o ano inteiro. É preparada com malte claro de duas fileiras e trigo, além de lúpulo Magnum. A melancia é adicionada durante uma fermentação secundária. **JB**

Notas de degustação

A cor é clara, de palha, com aromas sutis, ácidos e frutados. Os sabores de fruta são igualmente sutis, dando apenas uma sugestão de sua presença. Assim o efeito total é simplesmente refrescante e a cerveja é bem fácil de beber. O final também é límpido, com apenas uma agradável e persistente acidez.

Hitachino Nest Beer White Ale

Kiuchi Brewery | www.kodawari.cc

País de origem Japão
Lançada em 1998
Teor alcoólico 5,5% vol.
Temperatura ideal 12°- 13°C

Foi, com certeza, o sucesso da Hoegaarden White no Japão que inspirou a Kiuchi Brewery a criar esta cerveja popular. Como a White Ale também contém frutas e especiarias, não é classificada como cerveja e fica sujeita a menos impostos, desde que contenha apenas 50% de malte. Reduzir o percentual de malte desta bebida demonstrou ser um desafio e tanto.

A fabricante da Hitachino Nest é uma tradicional produtora de saquê que data de 1823. Oferece uma grande variedade de produtos, que inclui vinhos e destilados. Com grandes conhecimentos e experiências acumulados, criar uma cerveja com baixo teor de malte era algo que estava dentro das suas possibilidades. Para manter os 50%, a cervejaria usa cevada e trigo em flocos, junto com o malte Pilsen em que se baseia a bebida. O amargor é fornecido pelo lúpulo Perle, com Styrian Golding entrando para dar aroma. Também é temperada com coentro, noz-moscada e casca de laranja. Uma pequena quantidade de suco de laranja concentrado é adicionada para um refrescante perfil de sabores. Naturalmente, trata-se do ingrediente que mais difere esta cerveja da Hoegaarden White.

A White Ale é agora a mais popular das criações da Kiuchi Brewery, substituindo a Weizen há alguns anos. O sabor revigorante e o corpo leve permitem que se harmonize bem com muitos pratos japoneses, em especial os alimentos sazonais da primavera e do verão. Tornou-se muito popular nos Estados Unidos, que importa cerca de 300.000 garrafas todos os anos. De fato, quase metade da produção da Hitachino Nest é vendida atualmente para os Estados Unidos. A empresa construiu uma nova cervejaria há alguns anos, para lidar com a demanda crescente. **BH**

Notas de degustação

A cerveja apresenta um tom amarelo-pálido, turvo, com espuma branca que dura pouco. Há aromas vagos de frutas cítricas e especiarias doces. O sabor é principalmente de cerveja de trigo acompanhado por coentro e noz-moscada, com notas cítricas e ácidas. O final exibe, ao mesmo tempo, cremosidade e sabores ácidos.

Hoegaarden

Brouwerij van Hoegaarden | www.hoegaarden.com

País de origem Bélgica
Lançada em 1966
Teor alcoólico 4,9% vol.
Temperatura ideal 2°- 3°C

Dê uma olhada em uma garrafa de Hoegaarden. Há uma data impressa no gargalo: 1445. Leva a crer que esta cerveja foi produzida, pela primeira vez, naquele ano. A verdade é bem diferente, embora a bebida tenha um importante lugar na história da produção cervejeira.

A Hoegaarden é a salvadora da Witbier belga – cerveja de trigo, leve e efervescente, temperada com ervas e especiarias. É um estilo produzido na parte leste da Bélgica desde o século 15, como sugere o rótulo, quando os monges se aproveitavam da colheita de trigo para fazer uma cerveja de aparência clara e túrbida. Os produtores também incluíam algumas especiarias exóticas que os marinheiros holandeses traziam de suas viagens a terras distantes, talvez por ser uma forma de disfarçar o azedume que aparecia muito depressa naqueles tempos em que as maravilhas da fermentação ainda não haviam sido totalmente compreendidas. A história exata da marca Hoegaarden, porém, é bem diferente. Ela deve sua existência a Pierre Celis, ex-leiteiro. Na década de 1960, a Witbier havia praticamente desaparecido. Celis resolveu fazer alguma coisa a respeito, abrindo uma cervejaria na cidade de Hoegaarden. A cerveja se tornou um retumbante sucesso. Hoje, centenas de macaquinhas de imitação são vendidas pelo mundo afora.

A Hoegaarden é produzida com uma mistura de malte de cevada e trigo não maltado na proporção de 60 por 40. Os lúpulos não são identificados, e o sabor vem, em sua maior parte, da mistura de coentro e casca de laranja amarga adicionada ao cobre. Alguns críticos dizem que a cerveja já não é o mesmo clássico do passado. Seu lugar na história da bebida, porém, não pode ser contestado. **JE**

Notas de degustação

Pera, limão e mandarina, com um toque apimentado de coentro, aparecem no aroma desta cerveja em amarelo-pálido, tão fácil de beber, com um equilíbrio suave de cítricos, coentro e cravo no sabor. Espere um final seco e consistente, com mais coentro e cravo.

Huber Weisses Original

Hofbrauhaus Freising | www.hofbrauhaus-freising.de

País de origem Alemanha
Lançada em *ca.* anos 1890
Teor alcoólico 5,4% vol.
Temperatura ideal 7°- 8°C

Freising é uma bela cidadezinha ao norte de Munique. Além de ser brindada pela dúbia distinção de conviver com o aeroporto de Munique à sua porta, é famosa por ser o lar da Weihenstephan, a antiga e venerável cervejaria que reivindica o posto de mais antiga do mundo. Ali perto, porém, encontra-se também a Hofbrauhaus Freising, que tem uma história de cerveja que remonta ao século 12. Não é tão antiga quanto a Weihenstephan, talvez, mas é, com certeza, vetusta e consagrada em comparação com os criançolas que apareceram vários séculos depois.

As cervejas Huber, feitas pela Freising, empregam o que parece ser um urso-polar em seu logo. Embora seja tentador considerá-lo como um comentário a respeito do aquecimento global, é, na verdade, uma celebração do papel que teve um urso na vida do primeiro bispo da cidade, que teria domesticado um desses animais depois que ele matou seu cavalo de carga. O brasão de Freising hoje inclui um urso com uma sela.

Franz Xaver Huber produziu pela primeira vez a Huber Weisses Original no final do século 19, o que a torna a mais antiga das Weissbiers produzidas na atualidade. A choperia para a qual foi produzida originalmente há muito fechou, mas a Hofbrauhaus Freising tem orgulho em preparar suas Weissbiers da forma tradicional. A Weisses é uma cerveja que se destaca por ter carbonatação menor e ser bem mais frutada do que muitas de suas rivais.

A atual cervejaria foi construída antes da Primeira Guerra Mundial. Na época, era tida como a mais moderna da Alemanha, um exemplo para outras em todo o mundo da produção cervejeira, reputação que ela ainda mantém – depois de muitas reformas. **WO**

Notas de degustação

De cor dourada, com leve turbidez por conta da levedura. Aromas tradicionais, característicos das Weiss, de banana e cravo. É suave ao paladar por conta de sua baixa carbonatação, mas há um apetitoso amargor e refrescantes características de frutas antes do final maltado.

In-Heat Wheat

Flying Dog Brewery | www.flyingdogales.com

País de origem Estados Unidos
Lançada em 2001
Teor alcoólico 4,7% vol.
Temperatura ideal 9°C

Eric Warner, criador da In-Heat Wheat da Flying Dog, literalmente escreveu um livro sobre cervejas de trigo. *German Wheat Beer*, publicado em 1992, serviu como um verdadeiro mapa para os produtores artesanais norte-americanos que desejavam criar bebidas semelhantes à Hefe Weissbier ou Hefeweizen, estilo encontrado no sul da Alemanha. Sua venda florescia na Alemanha, mas, a não ser pelas importações, elas eram praticamente desconhecidas nos Estados Unidos.

Warner, que estudou na Universidade Técnica de Munique, em Weihenstephan, e depois estagiou no sul da Alemanha, ajudou a abrir a Tabernash Brewing, em Denver. A Tabernash Weiss ganhou rapidamente o ouro na edição de 1994 do Grande Festival Americano da Cerveja e ajudou a aumentar o interesse pelo estilo entre os pequenos produtores. A Tabernash acabou se fundindo com a Left Hand Brewing e Warner veio a se tornar o "chefe da matilha" na Flying Dog. Embora as cervejas preparadas ao estilo da alemã Hefeweizen não se tornassem tão populares quanto se previa em meados dos anos 1990, as vendas de bebidas à base de trigo continuam a crescer, abarcando uma variedade de estilos.

Os Estados Unidos tinham pouca tradição em matéria de cervejas de trigo quando a Anchor Brewing introduziu a Anchor Wheat em 1984. Além disso, a versão da Anchor não apresentava as tradicionais características de frutas e cravo associadas às cervejas da Baviera. "O trigo foi muito regionalizado", diz Warner. "Você tem o estilo Widmer, no noroeste, o trigo arrasa totalmente no Meio Oeste e, com as despesas da Blue Moon em publicidade, as pessoas estão aprendendo mais sobre a wit belga." De fato, a Woody Creek White Belgian Wit se transformou em um popular lançamento de verão para a Flying Dog. **SH**

Notas de degustação

Uma transbordante espuma branca coroa um corpo que se mostra alaranjado e adequadamente turvo no copo. A fruta domina o nariz, principalmente a banana, mas há maçã, apenas um pouquinho picante. Mais sabores de fruta na boca, mas é também aqui que emergem cravos e especiarias. Belo equilíbrio.

Jacobsen Sommer Wit

Husbryggeriet Jacobsen | www.jacobsenbryg.dk

País de origem Dinamarca
Lançada em 2008
Teor alcoólico 5,1% vol.
Temperatura ideal 3°- 7°C

A Sommer Wit é uma variação sazonal da Witbier produzida pela Jacobsen, uma das bebidas que o produtor tenta levar por um caminho ligeiramente diferente da maioria dos cervejeiros artesanais através da infusão de sabores da região nórdica em estilos bem estabelecidos. Em vez de empregar quantidades colossais de lúpulo e malte, guiada por Jens Eiken e recentemente por Morten Ibsen, a Jacobsen fez experiências com ingredientes como camomila, pinhas, aspérula e, neste caso, frutos de sabugueiro.

A ideia veio do "Manifesto Nórdico da Cerveja", preparado por Jens Eiken e pelo conhecido cervejeiro artesanal Per Kølster, da Fuglebjerggaard, após o Simpósio de Produtores Nórdicos de Cerveja de 2007. O manifesto encoraja os produtores a se inspirarem na região, em sua herança e matérias-primas e complementa o "Manifesto Nórdico da Comida", que catapultou alguns restaurantes escandinavos para a primeira divisão da gastronomia.

Como muitas das cervejas Jacobsen, a Sommer Wit tem um sabor sutil, com um equilíbrio harmonioso que falta em algumas criações artesanais. Em vez de um arriscado número de equilibrismo com malte e lúpulos, ela mantém os pés no chão ao fazer um malabarismo de alta precisão com ingredientes que não chocam, mas divertem. Isso a torna um bom acompanhamento para a comida, pois o rigoroso perfil de sabores não desvia a atenção do conjunto da experiência. A Sommer Wit usa a mesma tradicional levedura belga para wit e maçãs Belle de Boskoop, assim como na Jacobsen Bramley Wit. No lugar do Bramley, porém, entra o extrato de frutos de sabugueiro que dá um sabor ligeiramente azedo. Também são utilizados malte Pilsen, trigo cru, trigo maltado, aveia, casca de laranja fresca e sementes de coentro. **AA**

Notas de degustação

Cor ligeiramente vermelha com espuma cremosa. O aroma é de cerveja de trigo e cravo, com o acréscimo de características frutadas apoiadas por uma nota cítrica. Na boca, a cerveja tem carbonatação refrescante, com fruta e um ligeiro amargor azedo dos frutos de sabugueiro.

Jan de Lichte

Brouwerij De Glazen Toren | www.glazentoren.be

País de origem Bélgica
Lançada em 2005
Teor alcoólico 7% vol.
Temperatura ideal 7°C

Jef Van den Steen é um professor de matemática aposentado. Também é um dos mais importantes autores belgas do mundo da cerveja e agora desfruta da aposentadoria como um dos principais produtores do país. Com os sócios Dirk de Pauw e Marc de Neef, ele começou a planejar a construção de uma cervejaria em 2002, e a De Glazen Toren abriu as portas em 2004, nas imediações de Erpe-Mere, um antigo vilarejo do leste de Flandres, perto de Aalst, que por si só tem uma respeitável história de produção da bebida e cultivo de lúpulo.

Van den Steen e de Pauw se formaram na escola de produção cervejeira da Universidade Católica de Ghent. Concluíram um curso de três anos que os dotou da expertise técnica e dos conhecimentos que levaram a nova cervejaria, em muito pouco tempo, a ganhar o respeito dos aficionados. Seu nome, "Torre de Vidro", sobreviveu desde o século 19. Naqueles dias, ela era cercada por plantações, a não ser por uma estrutura muito grande, com imensas janelas de vidro, em que podiam ser vistas senhoras em variadas condições de nudez.

A ideia de unir tradição local e história também se estende às cervejas. A maioria dos nomes das criações da De Glazen Toren vem da história da região e esta sedutora Witbier "dupla" de quatro grãos não é exceção. Enquanto pesquisava um nome para a nova cerveja, Van den Steen esbarrou na história de Jan de Lichte. Era um bandoleiro infame na região, no final do século 18, mas a lei finalmente o alcançou e ele teve um fim nada glorioso em um aparelho de tortura medieval em Aalst, aos vinte e três anos. Nem é preciso dizer que ele teria uma vida mais longa se tivesse se dedicado à produção de cerveja. **CC**

Notas de degustação

De cor amarelo-palha, ao servir apresenta uma generosa coroa de espuma e deixa vestígios perceptíveis de uma deslumbrante renda nas paredes do copo. A textura na boca é de leve a média, com notas de limão e toranja no palato, acompanhada por uma leveza de toque no uso de especiarias.

Kapuziner Weissbier

Kulmbacher Brauerei | www.kulmbacher.de

País de origem Alemanha
Lançada em 1987
Teor alcoólico 5,4% vol.
Temperatura ideal 8°C

Produzida na cidade de Kulmbach, na Baviera, famosa por seu know-how em cervejas, a Kapuziner Weissbier recebeu seu nome em homenagem à antiga ordem dos monges Kapuziner (capuchinhos). É possível argumentar que a marca é uma fatia bem maliciosa e secular de estratégias modernas, pois só foi lançada no final dos anos 1980, quando a ressurreição da Weissbier estava a toda. Desde então, esta cerveja de alta fermentação, com composição de 70% de trigo e 30% de cevada, envasada em garrafas com tampas tradicionais, tornou-se uma das dez mais vendidas do estilo na Alemanha, um sucesso notável para uma história tão curta. Também ganhou muitos prêmios: recebeu medalha de ouro nas competições da Sociedade de Agricultura da Alemanha em 2004 e 2005 – prêmio bem-vindo, pois o evento é famoso por ser "o mais difícil teste de cervejas do mundo".

A cerveja exerce um papel central na vida de Kulmbach, apesar de sua principal cervejaria – a Kulmbacher AG – ser um empreendimento colossal. Começando no último sábado de julho, acontece um festival com nove dias de duração que atrai, anualmente, 120.000 visitantes. Durante esse período, a cerveja jorra e porções generosas de comida da região são vendidas, enquanto música tradicional toca nos jardins e nos salões. Uma cerveja especial para o festival costuma ser produzida para a semana, e todas as marcas da Kulmbacher Brauerei apresentam suas criações. A Kapuziner é uma marca independente no grupo, junto com a EKU e a Mönchshof. Suas cervejas estão disponíveis em seis apresentações: esta Weissbier sem filtragem, a límpida Kristal, uma versão escura chamada de Schwarz e não Dunkel, uma Winter-Weissbier (sazonal de inverno), além de variações "light" e sem álcool. **WO**

Notas de degustação

Cor amarelo-alaranjada, com suave aroma de baunilha e cravos, e sugestões de açúcar de cevada ao fundo. Paladar de laranja que sacia a sede, com cravo, malte granulado e características de frutas quase efervescentes seguindo até um final leve e picante. Muito refrescante.

König Ludwig Weissbier Hell

König Ludwig Schlossbrauerei Kaltenberg | www.koenig-ludwig-brauerei.com

País de origem Alemanha
Lançada em 1979
Teor alcoólico 5,5% vol.
Temperatura ideal 6°- 8°C

A cerveja de trigo foi oficialmente, no passado, a bebida da realeza. No final do século 15, os duques da Baviera introduziram uma lei que proibia que as pessoas comuns produzissem cerveja que contivesse trigo. Alguns historiadores avaliam que isso se devia ao caráter mais refinado das cervejas claras de trigo, consideradas pela realeza como sendo "superiores" ao gosto do populacho, acostumado a bebidas mais escuras, enfumaçadas. Outros insistem que a manobra foi pensada para ganhar dinheiro, pois os governantes puderam vender licenças para que terceiros produzissem cervejas de trigo. Independentemente dos motivos, esse estranho monopólio se manteve por cerca de duzentos anos.

Com a história em mente, não parece haver cervejaria mais adequada à produção atual de cervejas de trigo do que a König Ludwig Schlossbrauerei Kaltenberg. Esta cervejaria, que já foi real, ainda é comandada pelo bisneto do último governante da Baviera, e tira partido de suas ligações batizando suas bebidas com nomes dos integrantes da família destronada.

A cervejaria produz uma variedade de cervejas de trigo, claras e escuras, e nenhuma delas vem do castelo de Kaltenberg, que parece ter saído de um conto de fadas, bem próximo de Munique, mas de uma cervejaria moderna a 19 quilômetros, em Fürstenfeldbruck, montada para a produção de Weissbier. Entre elas, a mais fácil de ser encontrada é a clara König Ludwig Weissbier Hell. É uma genuína Weissbier viva, sem pasteurização, criada a partir de cevada e trigo maltados, água e levedura. Na autêntica tradição das Weissbiers, é a levedura que faz a mágica, criando complexas notas de frutas e especiarias sobrepostas à doçura revigorante e consistente da mistura de cereais. **JE**

Notas de degustação

Banana fresca, maçã e cravo suave comandam o aroma desta cerveja amarela e turva, antes de uma combinação agradável e cremosa de banana, limão e especiarias sutis se apresentar no paladar. O final é seco, consistente e suavemente amargo, com mais bananas e suaves especiarias.

La Grande Blanche

De Proefbrouwerij | www.proefbrouwerij.com

País de origem Bélgica
Lançada em 2007
Teor alcoólico 7,5% vol.
Temperatura ideal 7°C

É bem possível que a De Proefbrouwerij seja a mais limpa cervejaria da Bélgica e é, com certeza, uma das mais versáteis e *high-tech*. Não há muito espaço para se errar quando se produz cervejas com levedura *Brettanomyces*, além de pilsens ao estilo tcheco, Dunkelweizens à moda alemã e stouts imperiais. Dirk Naudts fundou a cervejaria e, levando-se em conta seus antecedentes como engenheiro, não chega a ser uma surpresa descobrir que a precisão técnica da De Proefbrouwerij seja impressionante. O laboratório é digno de ser visto. Naudts guarda uma enorme variedade de diferentes cepas de levedura em armazenamento criogênico. Não é incomum que os visitantes sejam apresentados a uma prateleira com essas cepas, todas guardadas em tubos de ensaio.

La Grand Blanche poderia ser chamada de uma Witbier dupla. Faz parte da Coleção do Mestre Cervejeiro, uma seleção de cinco cervejas produzidas para serem exportadas para os Estados Unidos. Foi criada a pedido do importador SBS, que, ao perceber o sucesso das bebidas "imperiais" nos Estados Unidos, quis verificar se uma autêntica branca dupla belga seria recebida com o mesmo entusiasmo. Não é preciso dizer que a recepção foi muito positiva.

A De Proefbrouwerij produz cervejas por encomenda, para clientes particulares. Também colaborou em algumas ocasiões com diversas cervejarias norte-americanas na criação de algumas bebidas bem ecléticas, conhecidas como a série Colaboração do Cervejeiro. **CC**

Notas de degustação

Aromas florais e sabores de frutas cítricas são seguidos por um suave gosto de trigo. Termina com um toque de lúpulo e coentro. Mais corpo e mais álcool do que a maioria das Witbiers belgas.

Maisel's Weisse

Brauerei Gebrüder Maisel | www.maisel.com

País de origem Alemanha
Lançada em 1955
Teor alcoólico 5,2% vol.
Temperatura ideal 7°C

Os irmãos Hans e Eberhardt Maisel fundaram esta cervejaria sediada em Bayreuth em 1887, bem no momento em que a cidade se tornava um ímã para os amantes do ciclo de óperas *O Anel do Nibelungo*, de Richard Wagner. A Maisel's Weisse, introduzida em 1955, ficou conhecida a princípio como "Champagner-Weizen". Essa jogada de marketing aparentemente deu muito certo: nas décadas seguintes, a empresa se tornou uma das maiores produtoras de Weissbier da Alemanha. Jeff Maisel, da quarta geração da família, agora comanda os negócios. A Maisel's Weisse, produzida de acordo com a Lei de Pureza da Baviera, de 1516, é um exemplo do estilo tido em alta conta.

Considera-se que a Maisel's Weisse contribuiu de forma significativa para a atual abertura de mercado para a Weissbier. Embora esse tipo de cerveja tenha se restringido em grande parte à Baviera, a Maisel deflagrou uma campanha publicitária nacional para a marca e, de repente, suas bebidas podiam ser encontradas em todos os lugares, de Münster a Munique. Além do sucesso da campanha para tornar toda a Alemanha uma clientela em potencial, a cervejaria demonstra criatividade em outros campos da produção. A Maisel's Dampfbier é uma steam beer difícil de encontrar nos dias de hoje. Ela também desenvolveu a Edelhopfen Diät-Pilsen, uma cerveja de baixa caloria, bem como a Kritzenthaler Alkoholfreies Pilsen (sem álcool), que surpreendeu alguns críticos por ter realmente gosto de cerveja. **RP**

Notas de degustação

Cor de cobre alaranjado, turva, com coroa de espuma branca muito grande e firme. O aroma é maltado, com cravos e algumas notas de frutas. O sabor é maravilhosamente refrescante, bem encorpado e equilibrado.

Um letreiro tradicional convida a clientela a apreciar uma Weissbier em um *biergarten* ao ar livre.

Maisel Bräu Bayreuth
Maisel's Weisse
Aus Bayreuth
Biergarten
Zum Albrecht D

Mothership Wit

New Belgium Brewing | www.newbelgium.com

País de origem Estados Unidos
Lançada em 2007
Teor alcoólico 4,8% vol.
Temperatura ideal 13°C

Não foi surpresa para os observadores do setor cervejeiro, em 2007, que a New Belgium produzisse a Mothership Wit como bebida orgânica. Mais surpreendente era o fato de a cervejaria não ter lançado uma cerveja orgânica antes. É um produtor que analisou a pegada de carbono de suas cervejas e que elabora anualmente um relatório de sustentabilidade. A New Belgium tornou-se a primeira cervejaria movida a energia eólica depois de uma votação unânime dos funcionários em favor do programa, apesar da redução em seu bônus de participação nos lucros.

De forma alentadora, a New Belgium não está sozinha entre as cervejarias norte-americanas: muitas delas são figuras de proa na promoção de boas práticas ambientais. Em 2008, a revista *Outside* também avaliou a New Belgium como o melhor lugar para se trabalhar nos Estados Unidos. Por exemplo, a empresa dá aos empregados uma bicicleta com pneus largos depois de completarem um ano de trabalho. Com cinco anos de casa, eles recebem uma viagem para a Bélgica que inclui visitas a cervejarias.

Em 1991, a New Belgium – com um pequeno sistema para cinco hectolitros instalado no porão da casa dos fundadores Jeff Lebesch e Kim Jordan – não foi a primeira cervejaria inspirada pela Bélgica a chamar a atenção dos americanos. Naquele ano, Pierre Celis, o homem que recebeu o crédito por ressuscitar o estilo de cerveja branca belga, fundou a Celis Brewery no Texas. Embora aquela empresa não tenha sobrevivido, a Michigan Brewery agora é dona da marca de Celis. Enquanto isso, a pequena cervejaria do Colorado, obcecada com práticas ambientais, prosperou. Com um belo senso de simetria histórica, a Mothership Wit ganhou uma medalha de ouro no Grande Festival Americano da Cerveja em 2008, dezesseis anos depois da Celis White conquistar a mesma honraria. **SH**

Notas de degustação

No copo, tem cor mais amarela do que branca, com uma fofa coroa de espuma e renda persistente. No nariz, aromas que são ao mesmo tempo cítricos e suculentos, mas também ligeiramente pungentes e picantes, com toques de pimenta. Notas doces de laranja são mais aparentes na língua, vibrantes e levemente ácidas. Cerveja refrescante.

Napa Smith Wheat Beer

Napa Smith Brewery | www.napasmithbrewery.com

País de origem Estados Unidos
Lançada em 2008
Teor alcoólico 4,8% vol.
Temperatura ideal 9°C

Embora a Napa Smith Brewery seja um empreendimento relativamente novo, seu pedigree data do início do movimento da produção artesanal. O mestre cervejeiro é Don Barkley, que foi assistente na New Albion Brewery, primeira microcervejaria moderna dos Estados Unidos, aberta em 1977. Depois que a Albion fechou as portas em 1983, Barkley comprou os equipamentos e foi cofundador da Mendocino Brewing Company, em Hopland, nas imediações, onde o cultivo de lúpulo começou na Califórnia um século atrás.

Em 2008, Barkley foi convencido de que o relâmpago poderia cair duas vezes no mesmo lugar e se uniu à Smith Family para criar a Napa Smith Brewery no coração do Napa Valley, conhecido pela produção de vinho. Ele apreciou a filosofia de Smith, que desejava fazer cervejas que se harmonizassem bem com todo tipo de comida. A primeira versão da cerveja de trigo foi formulada originalmente como uma pale ale, por volta de 1985, mas Barkley a reviveu com seu toque pessoal. Ao contrário da maioria das bebidas de trigo, ele emprega levedura de lager a uma baixa temperatura, mas sem recorrer ao *lagering* (maturação). Também mantém alta a temperatura do mosto, para dar doçura, um toque de diacetila e um final seco. O malte é metade trigo, metade cevada de duas fileiras, com apenas um pequeno toque de malte âmbar Franco-Belges de fornalha, que dá um sabor tostado, como uma tortilha.

Com baixo amargor, empregando lúpulos Cluster e Perle, duas ervas adicionais dão à Napa Smith Wheat sua personalidade única. A primeira é raiz de gengibre crua e a segunda – o ingrediente secreto – é uma erva tradicional que antecede o uso de lúpulos e cresce na região. Ela dá à bebida intensas características florais e herbáceas. **JB**

Notas de degustação

A bebida da Napa Smith tem cor de palha com espuma branca bem densa. Exibe nariz herbáceo com aromas frutados, de pinho e abeto. A textura na boca é muito cremosa, com sabores de limão e uma personalidade herbácea e silvestre. O equilíbrio é perfeito nos menores detalhes.

Okell's Mac Lir

Okells | www.okells.co.uk

País de origem Ilha de Man
Lançada em 2002
Teor alcoólico 4,4% vol.
Temperatura ideal 9°- 12°C

O mestre cervejeiro Mike Cowbourne, de fala mansa, nasceu em Yorkshire e aprendeu seu trabalho na Watney Mann, no East End de Londres, antes de se transferir para a Wilson's de Manchester. No final dos anos 1980, chegou à Okell's, onde herdou receitas e recebeu instruções para mantê-las idênticas. Quando a cervejaria se mudou para a sede atual em Kewaigue, nos arredores de Douglas, capital da ilha, em 1994, Cowbourne sentiu-se suficientemente seguro para começar a trazer lúpulos americanos e tchecos. Outras mudanças se seguiram: embora suas duas principais ales fossem uma mild e uma bitter, o crescimento do mercado de cervejas especiais e o fato de que as pessoas consumiam mais garrafas em casa deram o que pensar a Cowbourne e sua cervejaria.

Além de especiais mensais que já faziam parte do calendário, outras entraram em produção, como esta cerveja de trigo engarrafada. Porém, a Lei da Pureza de Man – a Reinheitsgebot da Ilha de Man – permite que se empregue apenas malte, lúpulo, açúcar e água. Não são permitidos ingredientes como cereais crus, xarope de milho e ópio, por isso a cervejaria precisou procurar o Tynwald, parlamento da ilha, para obter uma licença especial. Levou seis meses para a aprovação, mas a Mac Lir (com o nome do mitológico Manannán Mac Lir que, de acordo com as lendas locais, foi o primeiro governante da ilha) estava pronta para fazer sua aparição.

O trigo maltado compõe 50% do mosto. Empregam-se os lúpulos Target e First Gold para dar amargor e Hallertau e Saaz para o aroma. De acordo com Cowbourne: "Não é uma típica cerveja de trigo alemã, nem era essa a intenção." **MC**

Notas de degustação

Depois que você admirar o belo rótulo, vai encontrar uma leve presença herbácea e de limão no nariz, que conduz a um sabor agradável de resina e cítricos no paladar, terminando com o que muitas cervejas de trigo não oferecem: um final amargo e persistente, mas refrescante.

Olivaria Beloe Zoloto

Olivaria Brewery | www.olivaria.by

País de origem Bielorrússia
Lançada em *ca.* 2008
Teor alcoólico 5% vol.
Temperatura ideal 8°- 10°C

Apesar de parecer um estilo moribundo nos anos 1960, a Weissbier da Baviera renovou-se desde então. Um dos indícios mais reveladores de seu ressurgimento, como Lázaro, é o fato de ter se espalhado para o Leste, até a Polônia, os países do Báltico e ainda mais longe. Muitas cervejarias do Leste agora produzem uma Weissbier (por exemplo, a Svyturys Baltas White e a Etalon, da Ucrânia) e a Olivaria, da Bielorrússia, não é diferente, como demonstra sua Beloe Zoloto ("Ouro Branco"), sem filtragem. Com uma boa proporção de trigo maltado na mostura e uso de tradicional levedura da Baviera, ela tem todas as características típicas de uma Weissbier – banana, baunilha e notas picantes de cravo. Para uma cervejaria como esta, produzir tal bebida sugere um grau de confiança no crescimento do mercado do país e altas expectativas em seu potencial de marketing.

Localizada na cidade de Minsk, a cervejaria tem uma história e uma linhagem que datam de 1864, quando foi montada. Devido às turbulências e tragédias que afligiram Minsk desde então, é espantoso que ela continue no mesmo local, em uma parte antiga da cidade que conseguiu escapar a grandes danos causados pela guerra. De fato, obras recentes na parte externa do prédio revelaram uma antiga placa – Brauerei Minsk –, lembrete da ocupação nazista durante a Segunda Guerra Mundial. É apenas um de seus diversos nomes até se tornar conhecida por Olivaria em 1994. Em dado momento dos anos 1970, a cervejaria se fundiu com a recém-construída Krinitsa (hoje uma de suas concorrentes) e, por sua idade, esperava-se que fosse perder terreno. Não aconteceu. Atualmente, ela lidera o mercado doméstico com uma variedade de rótulos, incluindo uma forte porter do Báltico. **ATJ**

Notas de degustação

Laranja dourado e turvo, sob uma coroa de espuma que lembra claras em neve. O nariz é de especiarias, passas e sugestões de creme de limão. O paladar é adocicado, picante, de limão, creme de banana, baunilha e um toque de pimenta branca. Final seco e rápido. Aproximação refrescante e bem feita de uma Weiss.

Orchard White

The Bruery | www.thebruery.com

País de origem Estados Unidos
Lançada em 2008
Teor alcoólico 5,7% vol.
Temperatura ideal 9°C

"The Bruery", de Patrick Rue, começou como um hobby, como tantos empreendimentos cervejeiros. Quando Rue era um estudante do primeiro ano do curso de Direito, na Chapman Law School, em Orange, na Califórnia, ele começou a produção caseira como forma de relaxar e fazer um trabalho físico depois de horas lendo textos jurídicos. Gradualmente, sua habilidade como cervejeiro se desenvolveu e a paixão se acendeu. Ao terminar os estudos, ele havia decidido seguir um caminho diferente.

Rue e a esposa Rachel abriram a Bruery em 2008. Fica em Orange County, não muito distante da Disneylândia. No começo, o casal contava apenas com a companhia do cervejeiro Tyler King. O trio planejou e construiu a cervejaria e Rue escreveu sobre a experiência em um blog, o que ajudou a divulgar seu nome e receber apoios mesmo antes de servir o primeiro barril.

Em apenas um ano, a cervejaria, que começou apenas com o trio, chegou a uma dúzia de empregados, com bebida Bruery sendo vendida em dez estados, uma proeza inédita para um produtor artesanal recém-chegado ao mercado. É especializada em ales no inimitável estilo belga e inspiradas pelas belgas. O objetivo declarado é "criar cervejas com personalidade e profundidade empregando os meios mais simples e puros". Não filtram nem pasteurizam as cervejas e todas as engarrafadas passam por fermentação na garrafa.

A Orchard White é uma Witbier ao estilo belga, tradicionalmente temperada com coentro e casca de laranja. Menos tradicional é a adição de lavanda à fervura e ao redemoinho. Uma cepa de levedura picante e frutada é empregada para dar complexidade, e aveia em flocos entra na mistura, o que Rue acredita dar à cerveja uma textura sedosa. No começo de 2009, a revista *DRAFT* escolheu a Orchard White como uma das 25 Melhores Cervejas de 2008. **JB**

Notas de degustação

A Orchard White é de um âmbar ligeiramente turvo com uma revolta espuma branca. O nariz é rico e complexo, com aromas florais, cítricos e apimentados. Os sabores são igualmente complexos, com características refrescantes de trigo, uma textura fresca e efervescente e notas picantes de lavanda e de cítricos.

Primátor Weizenbier

Pivovar Náchod | www.primator.cz

País de origem República Tcheca
Lançada em 2003
Teor alcoólico 5% vol.
Temperatura ideal 7°C

A Pivovar Náchod, em Náchod, no leste da Boêmia, desenvolveu tantas cervejas incomuns que agora é divulgada como "uma especialista em especiais", complementando os estilos-padrão de pilsen e lager escura de sua terra natal com uma stout seca, uma baltic porter, várias lagers fortes e até uma pale ale ao estilo britânico, feita com lúpulos importados. Porém, sua linha de criações incomuns realmente decolou com esta cerveja de trigo à moda da Baviera que, em deferência ao vizinho do oeste, ganhou um nome em alemão – Weizenbier.

Na verdade, cervejas de trigo são produzidas em terras tchecas há centenas de anos, e existe alguma especulação sobre terem chegado à Baviera via Boêmia, e não feito o caminho inverso. Ao escrever o influente *A arte da produção de cerveja*, em 1794, o cientista tcheco František Ondřej Poupě disse que, pelo menos vinte anos antes, o trigo era o principal grão usado em muitas cervejas da Morávia, a metade oriental do que é hoje conhecido como República Tcheca. Estava claro que não era seu grão favorito. "Trigo é para bolos; aveia, para cavalos; e apenas a cevada vai para a cerveja", escreveu Poupě, uma perspectiva que talvez possa explicar o desaparecimento generalizado da produção com trigo nas regiões da Boêmia e Morávia após a publicação do livro.

Assim, a chegada de uma cerveja engarrafada de trigo com a marca de um produtor regional tão respeitado quanto a Pivovar Náchod foi examinada de acordo com parâmetros da Baviera. E esta bebida popular tem um nariz com notas de cravo típicas de uma cerveja da Baviera. Como uma autêntica Hefeweizen, é engarrafada sem filtragem, com um substancioso sedimento de levedura. Porém é delicadamente lupulada com a variedade tcheca Saaz. **ER**

Notas de degustação

Ouro pálida, muito turva no copo. Esta cerveja é coroada por uma espuma branca como giz. Procure muito cravo no nariz, bem como algumas notas de banana, com um corpo semimaltado seguido por um final revigorante e ligeiramente amargo. Excelente na companhia de peixes, frutos do mar e pratos leves de verão.

Riegele's Weisse

Brauhaus Sebastian Riegele | www.riegele.de

País de origem Alemanha
Lançada em *ca.* 1911
Teor alcoólico 5% vol.
Temperatura ideal 7°- 8°C

Uma cervejaria só consegue se destacar na Baviera se for boa. Essa região no sul da Alemanha é o lar de cerca de 600 produtores e por isso não é fácil se fazer notar. A Riegele, porém, tem popularidade regional há mais de um século e agora conquista reconhecimento internacional. Tem sua sede na cidade de Augsburg e suas origens datam de 1386, quando a cervejaria Zum Goldenen Roß (Ao Cavalo Dourado) se estabeleceu. O negócio foi adquirido por Sebastian Riegele em 1884 e, sob sua supervisão, expandiu-se com rapidez. O filho de Riegele, que também se chamava Sebastian, levou a cervejaria a outro nível ao construir novas instalações nos arredores, em 1911. Atualmente é a maior da cidade, ainda administrada pela quinta geração da família.

A seleção de cervejas é ampla, incluindo estilos pilsen, exportação e dunkel, bem como bebidas sazonais e a Riegele's Weisse, sempre popular. Esta Weissbier homenageia o segundo Sebastian, que não apenas ergueu a nova cervejaria como também presenteou Augsburb com um de seus mais notáveis marcos, o Riegelaus, construção art nouveau. Três tipos de malte – Pilsen, de trigo e Munique – são usados para criar esta cerveja refrescante. Os lúpulos não interpretam um papel destacado no sabor de uma Weissbier, mas são importantes pelo equilíbrio que fornecem à doçura dos cereais e por suas características de conservante natural. Os lúpulos usados são Opal e Hersbrucker, que adicionam um amargor relevante. O que mais atrai os conhecedores é o fato de que a Riegele's Weisse não é uma versão excessivamente comercial ou doce da Weissbier. A acidez frutada e o maior amargor a deixam mais desafiadora e, por isso mesmo, mais gratificante. **JE**

Notas de degustação

Cerveja em tom amarelo-pálido com um maravilhoso aroma de banana, maçã e chiclete, colorido por um toque de azedume. O sabor um tanto amargo é seco, sem ser forte demais, e também traz maçã azeda, banana e baunilha, que permanecem no final seco.

Rothaus Hefe Weizen

Badische Staatsbrauerei Rothaus | www.rothaus.de

País de origem Alemanha
Lançada em 1995
Teor alcoólico 5,4% vol.
Temperatura ideal 8°- 10°C

A Rothaus é uma das três cervejarias estatais da Alemanha, junto com a Staatsbrauerei Weihenstephan, em Freising, e a Hofbräu, em Munique, ambas na Baviera. Foi fundada em 1791 em Rothaus-Grafenhausen, nas instalações do mosteiro de St. Blasius. Desde 1922, ela opera como uma corporação com ações e hoje o estado de Baden-Württemberg é o acionista único. O estado sabe como fazer as coisas: enquanto o mercado cervejeiro alemão perde volume, o negócio da Rothaus floresce.

Situada em meio à Floresta Negra, a Rothaus produz com água de sete fontes em uma área de proteção no meio do bosque. Essa água límpida e suave, mais os maltes cultivados na região e cuidadosamente selecionados, bem como os lúpulos de aroma de áreas de cultivo da Alemanha, em Tettnang e Hallertau, dão uma notável harmonia às cervejas. Além do mais, a Rothaus é conhecida por acrescentar mais malte e tornar suas bebidas um pouquinho mais fortes. A Hefe Weizen tem teor alcoólico de 5,4%, enquanto a média das Weissbiers alemãs está em torno de 4,9%. Dessa forma, a Rothaus Hefe Weizen deixa uma impressão bem saborosa.

Devido à mania das "Zäpfle" – a popularidade de edições menores de cervejas Rothaus chamadas de "Tannenzäpfle" (Cone de abeto) e "Eiszäpfle" (Ponta de gelo) –, os produtores da Floresta Negra foram os primeiros da Alemanha a lançar Hefeweizens não apenas nas habituais garrafas de meio litro, como também em embalagens de 300 mililitros chamadas de "Hefeweizen Zäpfle". Curiosamente, as pequenas garrafas fazem especial sucesso entre as mulheres. **SK**

Notas de degustação

Coloração em laranja dourado, turvo. O nariz tem um aroma frutado que lembra bananas verdes com toques de cravo e caramelo. No paladar, espere encontrar um sabor suave e banana, com um toque verde efervescente. Final seco e suave.

Schneider Weisse

Weisses Bräuhaus G. Schneider & Sohn | www.schneider-weisse.de

País de origem Alemanha
Lançada em 1872
Teor alcoólico 5,4% vol.
Temperatura ideal 8°C

Foi em Munique, em 1850, que Georg Schneider I – o primeiro integrante da família a comandar esta ilustre cervejaria da Baviera – recebeu permissão do rei Ludwig I (cuja estátua encontra-se orgulhosamente na parte exterior da atual sede) para produzir cerveja de trigo. A receita para a Schneider Weisse, picante e frutada de forma suntuosa, data de 1872 e permanece um segredo bem guardado.

Até 1850, a produção de cervejas de trigo era um privilégio permitido apenas à família real, enquanto o resto da sociedade precisava se virar com ales amarronzadas e nebulosas. A capital da Baviera foi o lar da Schneider em meio a revoluções, golpes e duas guerras mundiais – na segunda delas, a cervejaria foi destruída durante um bombardeio. No final dos anos 1940, a família Schneider mudou-se para a cidade medieval de Kelheim, ao norte de Munique e à beira do Danúbio, e no centro da área de cultivo de Hallertau. Com uma mistura de sorte e perspicácia, Georg Schneider IV havia reativado a cervejaria nos anos 1920. Foi construída em 1607, o que a torna uma das mais antigas do mundo. Hoje em dia, a tradição e a moderna abordagem de marketing destacam a Schneider como uma das maiores produtoras mundiais de Weissbier.

Georg VI é um incansável promotor dos produtos da cervejaria. Mais recentemente, o mestre cervejeiro Hans-Peter Drexler embarcou em uma parceria criativa com a Brooklyn Brewery. Quem visita Kelheim é encaminhado para a Weissen Brauhaus, a alguns minutos da cervejaria, onde a Schneider Weisse (bem como outras cervejas Schneider) pode ser degustada e celebrada perto de sua fonte original. **WO**

Notas de degustação

Cor de âmbar dourado, a Schneider Weisse tem um aroma de cravo, banana e um toque de baunilha. No paladar, mais banana, cravo e uma doçura de creme de ovos, com uma sugestão de chiclete, antes de atingir um final vibrante e frutado.

Sierra Nevada Kellerweis Hefeweizen

Sierra Nevada Brewing Company | www.sierranevada.com

País de origem Estados Unidos
Lançada em 2009
Teor alcoólico 4,8% vol.
Temperatura ideal 8°- 11°C

Embora seja relativamente uma novata, a Kellerweis é uma cerveja que levou anos para aparecer. A ideia começou quando a Sierra Nevada quis fazer uma bebida mais leve e fácil de consumir, em contraste com suas ales mais robustas. "Houve um intenso debate sobre que tipo de cerveja ou mesmo que estilo fazer", diz Bill Manley, coordenador de comunicações da Sierra Nevada, acrescentando que, no final das contas, decidiram produzir uma Hefeweizen, que saiu em primeira versão por volta de 2006. "A cerveja era boa, até popular, mas faltava alguma coisa, infelizmente", diz Manley.

Por sorte, quando os cervejeiros voltavam a estudar a Hefeweizen, um amigo alemão visitou a Sierra Nevada, trazendo como presente uma rara amostra da autêntica levedura Hefeweizen da Baviera. Essa levedura era lendária pelas profundas notas de banana e cravo e o final límpido, ácido, com características de limão. Manley diz que a nova levedura foi testada leva após leva, mas alguma coisa ainda não estava perfeita. Depois de seis meses de experiências e de milhares de litros da bebida, o mestre cervejeiro Ken Grossman e alguns de seus assistentes seguiram para a Alemanha para uma visita relâmpago às lendárias cervejarias da Baviera. Lá, perceberam que as menores faziam a Hefeweizen mais tradicional, com fermentação em recipientes abertos.

Na volta, começaram a trabalhar e a Kellerweis nasceu. "Em geral, as cervejarias estão interessadas em investir nos mais novos equipamentos, na tecnologia mais recente, para tornar mais eficiente a ciência da produção – por vezes sacrificando a arte", afirma Manley. Ele faz uma pausa: "O velho é o novo 'novo'." **LMo**

Notas de degustação

Lufadas de banana madura, cravo, chiclete e especiarias se erguem do copo, com um leve final cítrico e floral que mantém a vibração. Como um grande conjunto de jazz, todos os elementos estão intimamente ligados. Chega a parecer que a combinação de sabores se resume a apenas um.

Southampton Double White

Southampton Ales & Lagers | www.southamptonbrewery.com

País de origem Estados Unidos
Lançada em 1998
Teor alcoólico 6,7% vol.
Temperatura ideal 5°C

Em algum momento no início da década de 1990, antes que todo mundo, inclusive a Coors, fizesse cervejas brancas, um produtor caseiro norte-americano chamado Phil Markowski partiu em sua peregrinação obrigatória até Meca, ou melhor, Bélgica, para provar a bebida turva, quase mítica, chamada de Hoegaarden. O ex-entregador de laticínios Pierre Celis tinha reconhecidamente revivido o estilo Witbier, ácido e aromático, uns trinta anos antes. Era uma história de sucesso que poderia inspirar qualquer cervejeiro dos dois lados do Atlântico.

"Era difícil de ser encontrada nos Estados Unidos", lembra-se Markowski. "Eu simplesmente adorei e decidi fazer a minha versão... Acho que corri atrás disso como um americano típico." O que, em outras palavras, quer dizer de uma forma superlativa. Markowski adicionou à receita mais trigo não maltado, mais malte de cevada extra clara e mais aveia em flocos. Em vez de criar uma bebida relativamente leve, com apenas 5% de álcool, ele chegou perto dos 7%. Mais corpo, mais aroma, mais agitação. Enquanto a Hoegaarden é feita para ser engolida, a Double White tem sabor pleno, feito para ser bebericado, especialmente quando harmonizada com grelhados.

Embora seja verdade que uma "branca dupla" é uma espécie de contradição, a aparição da bebida nas prateleiras, no final dos anos 1990, foi uma espécie de divisor de águas na história das cervejas dos Estados Unidos. Ela não apenas antecipou a tendência do século 21 de estilos "imperiais", como eliminou fronteiras: depois da Southampton Double White, qualquer estilo, por mais leve que seja – pilsen, Helles, Kölsch –, pode ser duplicado e transformado em cerveja mais forte. Markowski reluta em aceitar o crédito por essa tendência. "É um tributo ao gosto dos americanos. Percorremos um longo caminho." **DR**

Notas de degustação

Enevoada e amarelada como o céu de Nova York em agosto, esta Witbier aromática (cítricos e especiarias) tem a aparência de uma bebida refrescante para o verão. Basta um gole em seu corpo amplo e maltado para diminuir o ritmo. Começa ácida, como suco de laranja não adoçado, termina doce e efervescente com uma calorosa pancada de álcool.

Sprecher Hefe Weiss

Sprecher | www.sprecherbrewery.com

País de origem Estados Unidos
Lançada em 1986
Teor alcoólico 4,2% vol.
Temperatura ideal 7°C

A Hefeweizen da Baviera é trabalhosa de se fazer. O trigo não tem casca, e por isso a drenagem do mosto pode ser lenta. Além disso, por razões complicadas, uma única infusão no mosto, em temperatura única, não funciona. A levedura – uma espécie diferente da usada habitualmente em ales – é especialmente sensível em relação à temperatura. Mais alguns graus para cima ou para baixo e o resultado é um verdadeiro festival de banana ou então uma bebida que traz apenas cravo ou chiclete. A ideia é que todos esses sabores malucos se equilibrem. "Descobri assim que comecei a fazer experiências com Weissbier que aquela banana toda não é o meu negócio", diz Randy Sprecher, fundador da cervejaria que fica na região de Milwaukee.

"Estávamos empregando culturas de levedura de Weihenstephan, só para tentar entender esta cerveja", diz Sprecher, "aí, acidentalmente, esbarramos no fato de que a Weiss em um dos tanques de fermentação pareceu sair melhor." Aquilo levou a uma busca de como aprender a fazer com que a levedura produza a melhor cerveja possível. Tinha relação com a boa reprodução e a maior "viabilidade" das células da levedura, que transformam os açúcares do malte em álcool e carbonatação, mas também respondem pelos sabores de salada de frutas.

Essa abordagem é típica de Sprecher: mergulhar no assunto e lidar com as coisas de uma forma prática. Antes de se mudar para instalações mais novas em Glendale, na região suburbana, a cervejaria, localizada originalmente em Milwaukee, foi montada com antigos tanques de laticínios, que se amontoavam no terreno da cervejaria. Mesmo com equipamentos mais atualizados, o espírito de improviso permanece vivo em Sprecher. Como diz ele: "A gente se diverte aperfeiçoando nossas cervejas." **RM**

Notas de degustação

Nariz picante e frutado sem que uma determinada característica se destaque mais do que outra. Um pouquinho doce, com peso cremoso do trigo. O amargor suave do lúpulo fornece amplo equilíbrio. O final é praticamente seco e frutado, saciando a sede o suficiente para dar vontade de tomar um novo gole.

St. Bernardus Wit

Brouwerij St. Bernardus | www.sintbernardus.be

País de origem Bélgica
Lançada em 2001
Teor alcoólico 5,5% vol.
Temperatura ideal 6°C

Quando se pergunta a alguém – de nacionalidade belga ou de outra qualquer – sobre qual seria a Witbier definitiva, a resposta será, provavelmente, a Hoegaarden. Porém, a cerveja de trigo é moeda corrente em quase todos os férteis rincões agrícolas da Bélgica, mesmo antes de as cervejas de Hoegaarden se tornarem conhecidas fora da região de origem. Porém, na década de 1960, a última cervejaria de Hoegaarden havia fechado e mais nenhuma autêntica Hoegaardse era preparada. Então Pierre Celis, que na infância havia ajudado no trabalho no último estabelecimento em atividade, apareceu em cena e ressuscitou o estilo em 1966, protagonizando uma história de enorme sucesso.

Nos dias de hoje, o mundo inteiro imita as Hoegaardse e, na cidade de Hoegaarden, ela é ainda produzida por um grande fabricante de bebidas como uma marca global e sem alma. Está certo dizer que ela não é mais o fruto da criação de Celis. Porém ele não deixou definitivamente o negócio e suas atividades o puseram em contato com a cervejaria St. Bernardus, na cidade flamenga de Watou. A cervejaria atravessava uma revolução – durante anos, vinha produzindo a linha St. Sixtus, uma marca de cervejas semitrapistas, para a Westvleteren. Com o final desse acordo, novos produtos estavam sendo criados sob o nome St. Bernardus. Sentia-se intensamente a falta de uma cerveja – uma Witbier.

O que poderia ser mais natural do que pedir conselhos a Pierre Celis, padrinho do estilo? Ele os deu, de boa vontade. Os cervejeiros Hans Depypere e Tom Vanoverbeke foram responsáveis pelo resultado final, mas, se você está em busca do verdadeiro sabor de uma Oud Hoegaarden, então deve experimentar esta bebida engarrafada. **JPa**

Notas de degustação

A bebida cor de laranja, turva, aparece sob colarinho branco e fino. O nariz começa com cítricos, casca de laranja, pimenta e coentro. A laranja de Curaçao se repete no paladar, que também é picante, sobre uma base ligeiramente agridoce. Uma textura de trigo, persistente, só um pouquinho seca, completa o quadro.

Švyturys Baltas

Švyturio Alaus Darykla | www.svyturys.lt

País de origem Lituânia
Lançada em 2004
Teor alcoólico 5% vol.
Temperatura ideal 4°- 7°C

Muitas coisas mudaram no Leste Europeu desde o colapso da União Soviética. Felizmente, para o amante das cervejas, muitas dessas mudanças aconteceram nas cervejarias. Com o fim da Cortina de Ferro e a expansão da União Europeia, aumentaram dramaticamente a migração de pessoas e as operações comerciais, o que quer dizer que cidadãos de países como a Polônia e a Lituânia passaram a residir no Ocidente, onde se abastecem com produtos que antes havia em seus antigos lares, produtos que eles conhecem e amam. A cerveja, com certeza, está no topo da lista.

A bebida exportada de países da antiga União Soviética é um produto muito aprimorado em relação ao que era vendido no passado. Investimentos internacionais injetaram grandes quantias que foram despendidas na reforma de cervejarias antiquadas. Foi certamente o caso da cidade portuária de Klaipeda, na Lituânia, onde se situa a maior cervejaria do país, a Švyturys, parte da Baltic Beverages Holding, que pertence à Carlsberg. Hoje em dia, bebedores de outros países apreciam a grande variedade de cervejas que ela produz, como a refrescante Baltas, feita com trigo.

O nome Baltas pode ser traduzido como "branco", o que tem relação com o estilo em que se inspira – a Weissbier da Baviera. A Baltas é feita com 60% de trigo maltado, 40% de cevada maltada e com lúpulo alemão Magnum. O caráter da Weissbier depende em boa parte da ação da levedura, com notas complexas de frutas e especiarias criadas durante a fermentação. A Baltas é fiel ao estilo, repleta de baunilha, cravo, banana, que se sobrepõem à leveza refrescante que o trigo traz para a tina de maceração. **JE**

Notas de degustação

Cerveja amarela, turva. Clássico nariz de Weissbier com chiclete, cravo e banana. É seguido na boca por maçã ácida, limão, baunilha, cravo e chiclete cor-de-rosa, antes de um final seco, com características de pão e mais amargor de cravo. Refrescante.

Three Boys Wheat

Three Boys Brewery | www.threeboysbrewery.co.nz

País de origem Nova Zelândia
Lançada em 2005
Teor alcoólico 5% vol.
Temperatura ideal 6°- 8°C

Com uma especialização em ciência do vinho e dez anos de experiência como bioquímico e fisiologista, o doutor Ralph Bungard sempre esperou entrar, algum dia, para o ramo da produção vinícola ou cervejeira. Depois de cinco anos trabalhando em Sheffield, no Reino Unido, e se familiarizando com as real ales acondicionadas em barricas da Inglaterra, Bungard estava pronto para o passo seguinte.

Depois de voltar para a Nova Zelândia como professor da Canterbury University, Bungard decidiu abrir uma cervejaria em 2005. Em quatro anos, depois de aumentar velozmente a produção de 600 para 2.000 litros, o bioquímico transformado em cervejeiro criara uma série de premiadas bebidas artesanais no subúrbio de Woolston, em Christchurch.

Autêntico negócio de família, a Three Boys Brewery (Cervejaria dos Três Garotos) tem um nome que se refere a Bungard e seus dois jovens filhos, Marek e Quinn. Mas há também uma "garota" envolvida: Brigid, sua esposa, é responsável por boa parte do trabalho que não é ligado à produção das bebidas. Suas tarefas incluem a aplicação manual dos selos no gargalo, com o número da leva e a data de validade de cada garrafa. Bungard explica: "Isso permite que nossos consumidores apreciem e celebrem as sutis diferenças que ocorrem de leva a leva em uma microcervejaria – como acontece com as safras de vinho, que são festejadas por suas características específicas."

Sempre que possível, a Three Boys emprega ingredientes de produção local. Os lúpulos vêm da região de Nelson, enquanto a maior parte dos maltes vem de uma maltaria da área, a Gladfield, de Dunsandel, logo ao sul de Christchurch. Bungard está determinado a manter a integridade estilística com suas cervejas, mas destaca que seu objetivo é fazer modernas bebidas do Novo Mundo e não apenas imitar os clássicos. **GG**

Notas de degustação

Ao servir, apresenta cor de ouro amarelado, turva, sob uma fofa espuma branca. O aroma e o paladar sugerem casca de limão, com toques de gengibre e coentro. Efervescência suave, parecida com a do champanhe, precede um final ácido e picante com sugestão de lúpulos relvados. Fica ótima na companhia de comida tailandesa e mariscos.

Trade Winds

Cairngorm Brewery | www.cairngormbrewery.com

País de origem Escócia
Lançada em 2003
Teor alcoólico 4,3% vol.
Temperatura ideal 8°C

A Cairngorm Brewery estabeleceu-se em 2001 em Aviemore, principal estação de esqui da Escócia. O vilarejo das Highlands se encontra no interior do Parque Nacional Cairngorms, junto de algumas das paisagens mais deslumbrantes do país, que variam de charnecas selvagens e elevados picos montanhosos a rios espetaculares e lagos serenos. Os cursos d'água estão entre os mais límpidos da Escócia, característica que a cervejaria afirma ser fundamental para a produção de bebida de qualidade.

A missão desde o início foi preparar ales tradicionais com um toque novo e, depois de conquistar múltiplos prêmios do setor, o sonho parece ter sido realizado. Assim que estabeleceu uma base de produtos, como a Wildcat e a Stag, a cervejaria introduziu as sazonais Trade Winds e White Lady. A Trade Winds, em especial, fez sucesso imediato e logo ganhou lugar permanente no portfólio. "Fizemos a Trade Winds para complementar nossa linha de produtos", diz Robbie Walder, que então ocupava o posto de diretor de administração da Cairngorm. "A cerveja originalmente era produzida para a Tall Ships Race (Regata de Grandes Veleiros), até 2003, por isso nosso mestre cervejeiro, Sean Tomlinson, produziu uma bebida completamente diferente, mas manteve o nome. Pertence realmente à categoria especial, sendo um cruzamento entre uma ale tradicional e uma cerveja de trigo do continente." A adição de flores de sabugueiro secas funciona bem com os lúpulos integrais para acentuar os aromas e sabores florais.

A Trade Winds ganhou o título de Campeã entre as Cervejas Especiais da Grã-Bretanha em três ocasiões. Também foi escolhida Campeã da Escócia e Melhor Bitter da Grã-Bretanha em 2006. **AG**

Notas de degustação

Cerveja de um tom dourado-claro, com nariz de damasco e toranja. Uma grande proporção de trigo na mostura dá completo frescor ao sabor, antes que a presença maciça de lúpulos florais e frutas cítricas seja sobrepujada pela doçura da flor de sabugueiro.

Two Jokers Double Wit

Boulevard Brewing | www.blvdbeer.com

País de origem Estados Unidos
Lançada em 2009
Teor alcoólico 8% vol.
Temperatura ideal 13°C

Faz todo o sentido que a Boulevard Brewing, localizada no coração do Meio Oeste dos Estados Unidos, inclua o trigo como ingrediente principal em 70% de suas bebidas. A Boulevard Unfiltered Wheat é perfeita para noites úmidas na cidade natal da cervejaria, Kansas City, e responde pela maior parte do consumo do cereal. Porém, a Boulevard Brewing também tem um espectro completo de cervejas à base de trigo, incluindo a Two Jokers Double Wit. "A cerveja e seu nome se baseiam na dualidade", diz o mestre cervejeiro Steven Pauwels. "Por um lado, existe a forma da velha guarda de preparar uma cerveja branca ácida e, por outro, o movimento de produção artesanal dos Estados Unidos esforçando-se em fazer tudo maior e mais complexo. Esta cerveja busca superar as diferenças." Ele emprega o que os cervejeiros chamam de "mosto azedo" para criar boa parte da acidez da bebida, método empregado na Bélgica no começo do século 20, em vez da levedura "selvagem" tão amada pelos produtores de lambic. "Gosto da ideia da acidez em cervejas brancas", diz Pauwels, que nasceu na Bélgica, onde teve sua formação. "Nos dias de hoje, tendemos a usar um excesso de especiarias nelas para alcançar esse objetivo, embora fossem bem simples no começo do século 20."

A receita da Two Jokers inclui trigo maltado e não maltado e um pouco de aveia. É temperada com coentro, casca de laranja, cardamomo e pimenta-malagueta, mas não em quantidades que permitam que esses ingredientes sejam identificados com facilidade. "Acho que os apreciadores da bebida no Meio Oeste estão no mesmo nível dos belgas", diz Pauwels. "Existe muita tradição na Bélgica. Enquanto isso, há muito mais experiências acontecendo aqui nos Estados Unidos." **SH**

Notas de degustação

Apresenta um tom laranja enevoado no copo, com um colarinho quase branco. Aromas cítricos e de especiarias saltam do copo, seguidos por doces notas de algodão-doce. Ácida na língua, agradavelmente granulada, com sabores refrescantes de laranja e limão. Complexa e vibrante.

Unertl Weissbier

Unertl Weissbier | www.unertl.de

País de origem Alemanha
Lançada em 1895
Teor alcoólico 4,8% vol.
Temperatura ideal 7°- 9°C

Não existe uma escura, não existe uma clara. Existe apenas a Unertl Weissbier, que apresenta um tom de cobre, uma névoa de levedura e exibe uma coroa de espuma bem elevada. A cerveja de alta fermentação apresenta-se dessa forma desde a fundação da Unertl em 1895, no vilarejo de Haag, no sul da Baviera (que não deve ser confundida com a Weissbräu Unertl, em Mülhdorf). Quando outros produtores de Weissbier começaram a oferecer variações em torno do estilo, a cervejaria de propriedade familiar permaneceu fiel à singular Ur-Weiss. A cerveja é agora um ícone, oferecendo uma rara presença de malte complementada por ultrajantes características de fruta. De modo geral, porém, seu corpo é bem tonificado e com personalidade harmoniosa.

O proprietário Alois Unertl, da terceira geração da família, destaca que sua cervejaria busca a qualidade. Ele a produz com 70% de malte de trigo, em vez dos costumeiros 50% usados por outros produtores. Esse percentual mais elevado ajuda a dar frescor à cerveja. Outra característica do controle de qualidade é uma decocção que demanda muito trabalho: uma parte do mosto é separada, fervida em outro recipiente e depois reintroduzida na tina de maceração, para aquecer o restante. A fervura intensifica a cor e fornece notas de caramelo. Além disso, recipientes abertos de fermentação permitem que os produtores retirem desagradáveis subprodutos e "colham" levedura fresca para futuras fermentações. Uma delicada fermentação na garrafa garante o sabor equilibrado.

Alois Unertl destaca que a cervejaria não faz publicidade nem contrata representantes de venda para empurrar a bebida para o mercado. "Nossa Weissbier é feita para gente que pode tomar suas próprias decisões e que confia em suas papilas gustativas", afirma. **SK**

Notas de degustação

De âmbar a cobre, com uma bela espuma firme e cor de creme. O nariz oferece aromas de caramelo e frutas. No paladar, espere sabores maltados singulares, com sugestões de café e maltes tostados equilibrados por características de frutas cítricas e certa acidez. Final suave.

Weihenstephaner Hefe Weissbier

Bayerische Staatsbrauerei Weihenstephan
www.brauerei-weihenstephan.de

País de origem Alemanha
Lançada em 1933
Teor alcoólico 5,4% vol.
Temperatura ideal 6°- 8°C

Como tantas cervejarias no sul da Alemanha, a Weihenstephan continua a prestar obediência à Reinheitsgebot de 1516, listando três ingredientes em sua bebida: água, lúpulo e cevada.

A Weihenstephan obtém os cereais de agricultores regionais, que os enviam para uma maltaria onde são transformados em malte. A Hefe Weissbier é produzida com lúpulos Hallertauer Perle e Magnum, junto com malte de cevada claro e escuro, bem como malte de trigo. Depois que os ingredientes são misturados e uma "cerveja jovem" é criada, o líquido é levado para o armazenamento. Sob o jardim da abadia, a cerveja descansa em grandes tanques durante trinta dias. Ao final desse período, já está madura e pronta para o consumo. É filtrada e despejada em garrafas ou barris. **RP**

Notas de degustação

No paladar, é um tanto frutada, com um pouco de sabor de chiclete. A cerveja é bem equilibrada entre o amargo e o maltado, mas possui um forte fundo de amargor.

Weissbier Etalon

Ridna Marka Corporation
www.ridnamarka.com.ua

País de origem Ucrânia
Lançada em 2003
Teor alcoólico 5% vol.
Temperatura ideal 4°- 7°C

A Ucrânia conquistou reconhecimento internacional com a Weissbier Etalon, que ganhou incontáveis prêmios desde que a primeira leva foi preparada em 2003.

Esta cerveja de trigo, sem filtragem, é produzida pela Ridna Marka Corporation. Baseada em antigas receitas levadas para o Oriente por um mestre cervejeiro da Baviera e tendo como modelo, aparentemente, uma cerveja de trigo feita pela extinta Hopf, é a primeira investida ucraniana no estilo. De fato, a empresa alega que é a primeira do país feita a partir de uma levedura de alta fermentação. O processo de produção é rígido, leva uma combinação de trigo e cevada maltada, com temperatura em torno de 20°C para dar a tonalidade cálida e característica de bronze. **TS**

Notas de degustação

Há um toque de azedo que não é avassalador, complementado pelo amargor do lúpulo. A tonalidade cálida é tão atraente quanto baunilha, banana, cravo e maçã no nariz.

Widmer Hefeweizen

Widmer Brothers Brewing
www.widmer.com

País de origem Estados Unidos
Lançada em 1986
Teor alcoólico 4,9% vol.
Temperatura ideal 9°C

Em 1984, os irmãos Kurt e Rob Widmer abriram a primeira ou segunda microcervejaria do estado do Oregon (há controvérsias). A Widmer Hefeweizen apareceu depois que o dono de um bar da região pediu-lhes uma cerveja exclusiva. A brassagem leva Cascade, Alchemy e Willamettte, variedades de lúpulo norte-americanas, e quatro tipos de malte de cevada e de trigo. Com uma Hefeweizen de sabores límpidos e revigorantes, mas sem as características típicas de suas primas alemãs, os Widmer criaram um novo estilo de Hefeweizen norte-americano. Ganhou duas vezes medalha de ouro no Grande Festival Americano da Cerveja, em 1998 e 2006, e recebeu medalha de ouro na Copa do Mundo da Cerveja em 2004 e 2008.

A Widmer Hefeweizen é a mais vendida Hefeweizen dos Estados Unidos e mantém sua popularidade o ano inteiro. **JB**

Notas de degustação
Sabores leves e efervescentes dançam na língua e refrescam corpo e alma. O final límpido deixa uma vibrante sensação de fruta. É ótima harmonizada com saladas, frutos do mar e pratos condimentados.

Zvíkovský Rarášek

Pivovarský dvůr Zvíkov
www.pivovar-zvikov.cz

País de origem República Tcheca
Lançada em 2007
Teor alcoólico 4,5% vol.
Temperatura ideal 7°C

Por bons motivos, a Europa Central geralmente não é considerada uma terra de especiarias. O gengibre, porém, faz parte da paisagem culinária há séculos e, ocasionalmente, foi utilizado para dar sabor a cervejas. Uma das mais notáveis cervejas de gengibre a voltar para terras tchecas é a Rarášek, de alta fermentação, da Pivovarský dvůr Zvíkov, na cidade de Zvíkovské Podhradí, no sul da Boêmia. Fica logo abaixo do castelo Zvikov, um importante ponto turístico. A Zvíkovský Rarášek (ou Diabrete Zvikov) tem o nome inspirado por uma comédia teatral do século 19. É excelente para matar a sede em dias quentes de verão. Junto com os lúpulos tchecos, o gengibre cria deliciosas nuances cítricas, que não diferem muito das qualidades frutadas e vibrantes de uma Hefeweizen da Baviera. **ER**

Notas de degustação
Nariz complexo de gengibre e notas de fazenda, semelhante às lambic. Na boca, mais especiarias, grãos integrais doces e frutas cítricas, com um final de toranja cor-de-rosa fresca e limões Meyer.

ESCURA

10 Commandments

The Lost Abbey | www.lostabbey.com

País de origem Estados Unidos
Lançada em 2007
Teor alcoólico 9% vol.
Temperatura ideal 13°C

Quando Tomme Arthur, diretor de operações da Port Brewing e da The Lost Abbey começou a fazer cerveja em casa em 1995, durante seu último ano na Northern Arizona University, ele e o parceiro "deixaram tudo para trás" e começaram a pensar na terceira leva que fariam. Queria produzir uma cerveja de melancia, por isso compraram um monte de balas Jolly Rancher e as puseram na fervura para dar o sabor desejado à bebida. Até os dias de hoje, Arthur continua a cogitar recursos pouco tradicionais quando quer agregar um determinado sabor.

A 10 Commandments descende de uma cerveja que Arthur produziu pela primeira vez em 2001, em Pizza Port-Solana Beach. Chamou-a de SPF 8. O nome era uma brincadeira com a forma de classificação dos filtros solares. Aqueles com números mais baixos oferecem menos proteção e permitem um bronzeado mais intenso, e a SPF 8 era uma cerveja escura. Já mergulhado no preparo de bebidas inspiradas pelas ales de fazenda da Bélgica, Arthur ficou confuso ao beber Fantome's Black Gold com amigos. Sabia que queria produzir uma cerveja escura ao estilo saison, mas sem os componentes de sabor das tradicionais cervejas escuras, como as notas torradas e de chocolate encontradas em stouts e porters.

Teve a ideia de escurecer passas e acrescentá-las no final da fervura. Passas caramelizadas continuam a ser um ingrediente fundamental na 10 Commandments, junto com mel e alecrim (recém-colhido, no primeiro dia em que preparou a SPF 8). Desde então, Arthur decidiu adicionar a levedura selvagem *Brettanomyces* no engarrafamento, incrementando a complexidade e tornando a cerveja ainda mais refrescante. **SH**

Notas de degustação

Marrom-escura com nuances em mogno, coroada por uma espessa espuma cor de canela. Frutas escuras intensas, chocolate amargo e bala caramelizada estão no nariz e no paladar, iluminados por um toque de especiarias terrosas e uma dose sólida de odores de fazenda, mantendo-se leve na língua.

A. Le Coq Porter

A. Le Coq | www.alecoq.ee

País de origem Estônia
Lançada em 1999
Teor alcoólico 6,5% vol.
Temperatura ideal 8°C

A porter é uma cerveja escura, ousada e um gole de história no copo. Foi descrita pelo historiador Peter Mathias como "a primeira cerveja tecnicamente adequada à produção em massa pelos padrões contemporâneos de controle". O consumo de bebidas escuras na região do Báltico também tem uma longa história. Desde 1780, durante o reinado do britânico George III, as cervejas desse estilo faziam a longa e, com frequência, perigosa viagem marítima até a Rússia. Uma das mais bem-sucedidas companhias exportadoras foi fundada por um belga chamado A. Le Coq, em 1807. Por mais de um século, as cervejas produzidas para a A. Le Coq viajavam por mar, a partir de Londres. Em 1912, a empresa adquiriu a cervejaria Tivoli, em Tartu, e começou a produzir sua stout no Império Russo. A produção de cerveja acabou no início dos anos 1920, pois os elos imperiais foram demais para o novo regime comunista.

A cervejaria sobreviveu, porém, e os soviéticos mudaram seu nome para Tartu Õlletehas, que começou a produzir lagers desinteressantes. Continuou a produção de uma porter até 1969. Em 1997, voltou a se chamar A. Le Coq, depois de ser privatizada pela cervejaria finlandesa Olvi, após a queda da União Soviética e a independência da Estônia.

A porter foi produzida pela primeira vez dois anos depois, mas seu teor alcoólico atual, de 6,5%, é relativamente baixo, se comparado ao original, que seria em torno de 9 a 10%. Porém, para aqueles que procuram precisão histórica, a Harvey's Brewery, na Inglaterra, produziu uma versão da renomada russian imperial stout da A. Le Coq. **TH**

Notas de degustação

Cerveja escura e forte, a A. Le Coq Porter tem um grande equilíbrio. O nariz é um caloroso buquê de maltes chocolate tostado e melado de dar água na boca, com camadas de lúpulos picantes e frutas escuras e macias, de sabores intensos. Maltes caramelo extraescuros dão cor à cerveja.

ABC Extra Stout

Asia Pacific Breweries
www.apb.com.sg

País de origem Cingapura
Lançada em 1931
Teor alcoólico 8% vol.
Temperatura ideal 8°C

A ABC Extra Stout é uma grande favorita entre os consumidores de Cingapura. A Asia Pacific Breweries foi a primeira cervejaria comercial da ilha, estabelecida em 1931, com proprietários alemães. O lançamento da Tiger ocorreu um ano depois, e ela se tornou a principal marca da Asia Pacific Breweries.

O portfólio também inclui a Anchor, uma típica pilsen, fácil de beber, introduzida por mestres cervejeiros alemães; a encorpada Baron's Strong Brew; e a saborosa ABC Extra Stout (que, além de ser favorita entre os operários de Cingapura, também é muito popular entre jovens profissionais do Camboja). A cervejaria também fez uma versão diferente, temperada com ginseng. "Sentimos que a adição de ginseng, raiz chinesa tradicional conhecida por suas propriedades medicinais, dava um toque refrescante à versão original da stout", afirma um porta-voz. **ATJ**

Notas de degustação
Escura como a meia-noite, apresenta-se sob um colarinho cor de café expresso. Notas suaves e leitosas de café e chocolate aparecem no nariz. No paladar, cevada tostada e chocolate. Final doce e maltado.

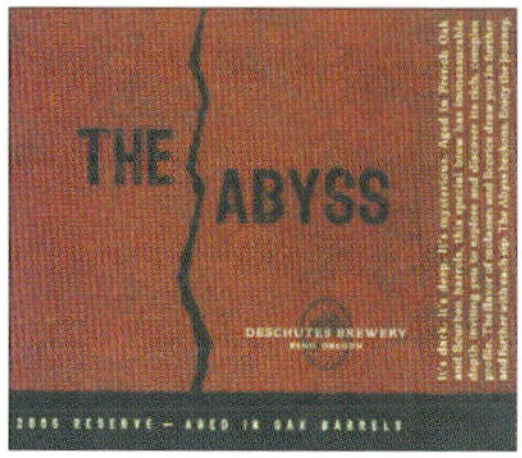

The Abyss

Deschutes Brewery
www.deschutesbrewery.com

País de origem Estados Unidos
Lançada em 2006
Teor alcoólico 11% vol.
Temperatura ideal 13°C

The Abyss apareceu pela primeira vez em 2006, com pouca fanfarra, mas despertou interesse quase imediato quando os fãs de cerveja começaram fazer comentários sobre a intensidade e a complexidade desta imperial stout. Quando a leva seguinte ficou pronta, um ano depois, The Abyss tinha angariado tantos seguidores que a demanda entusiasmada pela bebida excedia, de longe, sua disponibilidade.

The Abyss é resultado de uma competição de brassagem entre produtores de Deschutes, no Oregon. Foram feitas, de início, duas imperial stouts: uma com fortes sabores de melaço e outra que se beneficiava de uma dose de alcaçuz de cervejeiro. Os produtores levaram barris individuais contendo cada uma dessas cervejas e fizeram experiências com uma variedade de especiarias, procedimentos e combinações. The Abyss é feita com melaço, raiz de alcaçuz e casca de cerejeira, envelhecida em barris de carvalho usados para vinho e uísque e combinada ao final do processo de fermentação. **LMo**

Notas de degustação
Deve ser servida em uma tulipa e esquentar durante o consumo, para levar você a uma viagem fantástica, à medida que solta camadas de chocolate, café, alcaçuz, frutas, nozes e melaço.

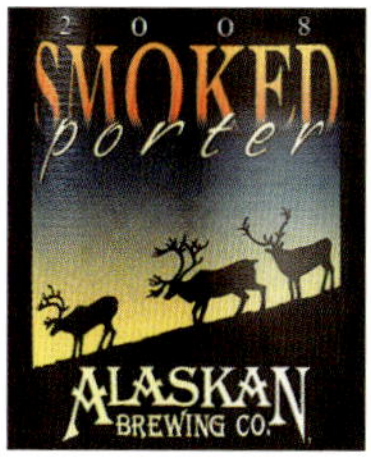

Adam

Hair of the Dog Brewing
www.hairofthedog.com

País de origem Estados Unidos
Lançada em 1994
Teor alcoólico 10% vol.
Temperatura ideal 13°C

Quando Alan Sprints montou a Hair of the Dog Brewing, a primeira cerveja que ele lançou não foi uma pale ale popular ou uma porter. Foi um estilo apreciado 200 anos antes, mas que tinha se extinguido. "Adambier era o nome original de nossa bebida e também o nome do estilo que produzimos", diz Sprints.

O estilo se baseia em uma Dortmunder preparada nos anos 1700 e 1800, documentada por autores e historiadores da cerveja, como Michael Jackson e Fred Eckhardt. Graças a seus trabalhos, Sprints sabia a potência que ela deveria ter. Presumiu quais eram os ingredientes, com base no conhecimento sobre o que estava disponível na região, na época. "Determinei que a Adambier provavelmente era produzida com o malte defumado usado em tantas cervejas da região de Bamberg. Era o jeito com que acontecia a secagem do malte na região, naquele tempo", diz ele. **LMo**

Notas de degustação

Aromas de chocolate e fumaça predominam. Fruta secas, especiarias e sabores de madeira vêm depois do cacau e da fumaça iniciais. Cremosa e rica em sabor. Ótima para acompanhar sobremesas.

Alaskan Smoked Porter

Alaskan Brewing
www.alaskanbeer.com

País de origem Estados Unidos
Lançada em 1988
Teor alcoólico 6,5% vol.
Temperatura ideal 13°C

Quando os cervejeiros norte-americanos começaram a fazer experiências com cervejas defumadas na década de 1980, não procuraram inspiração nas Rauchbiers da Alemanha. Voltaram seus olhares para o passado americano. O resultado mais famoso é a Alaskan Smoked Porter. Os fundadores da cervejaria, Geoff e Marcy Larson, descobriram que os produtores do Alasca, no final do século 19, faziam porter com maltes coloridos que eles próprios tostavam em fogueiras. A madeira, com toda a certeza, era de amieiro, único tipo de lenha do sudeste do Alasca, usada por séculos pelos indígenas para defumar o peixe. A Alaskan decidiu defumar seu próprio malte também, para o lançamento anual, com safras datadas, e a cerveja se tornou um clássico instantâneo.

Em 1993, a Alaskan fez a Smoked Porter um pouco mais forte e parou de filtrá-la. Geoff Larson disse aos clientes para guardarem algumas garrafas e experimentarem os diferentes sabores. **SH**

Notas de degustação

Fumaça pungente chega no primeiro sopro e permanece no sabor e no final. Textura oleosa adiciona a riqueza do chocolate à boca, brincando com os sabores queimados de frutas escuras.

Aldaris Porteris

Aldaris | www.aldaris.lv

País de origem Letônia
Lançada em 1937
Teor alcoólico 6,8% vol.
Temperatura ideal 10° - 13°C

O estilo de porter do Báltico parece estar em dificuldades. Em países como Lituânia e Letônia, a bebida respondia a, pelo menos, um terço do mercado, e nenhuma cervejaria do Leste Europeu ou da região do Báltico podia se dar ao luxo de não produzir sua versão. Os tempos mudaram e a cerveja que tanto fascinou Catarina II da Rússia se torna cada vez mais difícil de encontrar: quem pede uma cerveja escura em um bar em um dos países do Báltico provavelmente vai receber uma Guinness. Ninguém sabe a razão para tal decadência.

A Aldaris, que fica nos arredores de Riga, é uma das duas últimas cervejarias da Letônia que ainda fazem uma porter. Seus portões se abriram pela primeira vez em 1865, com Joachim Dauder, da Baviera, que lhe deu o nome de Waldschlosschen (Castelinho da Floresta) e partiu para criar uma das mais modernas cervejarias da época. Apesar da popularidade da bebida, a Waldschlosschen interrompeu sua produção no início da Primeira Guerra Mundial, e as caldeiras de cobre permaneceram vazias até que a Aldaris tomasse conta do prédio em 1937.

O nome pode ter mudado, mas a adesão a receitas tradicionais do passado permanece constante. Pequenas concessões foram feitas ao uso de pelotas de lúpulo, no lugar dos cones, e em relação a um processo mais curto de maturação. Porém, como é típico das porters do Báltico, a versão da Aldaris é preparada com leveduras de baixa fermentação, em vez de alta, criando uma suave harmonia na cerveja. Aparentemente uma cerveja fora de seu tempo – responde por apenas 2 a 3% da produção total da Aldaris –, a Porteris ainda é perfeita para aquecer o inverno e continua a encontrar novos adeptos, especialmente entre a população feminina da Letônia. **SG**

Notas de degustação

Cor escura de rubi coroada com colarinho convidativo, cremoso e consistente, com uma admirável retenção e formação de renda. O nariz fica muito ocupado com um aroma que varia entre o malte, passas, baunilha e melaço, enquanto alcaçuz, frutos silvestres escuros e malte defumado desfilam pelo paladar na ponta dos pés, até um final xaroposo.

Alhambra Negra

Cervezas Alhambra | www.cervezasalhambra.es

País de origem Espanha
Lançada em 1925
Teor alcoólico 5,4% vol.
Temperatura ideal 8°- 10°C

Como a Itália, sua vizinha do outro lado do Mediterrâneo, a Espanha é um país onde o vinho sempre teve vantagens em relação à cerveja, mas onde sempre foi possível encontrar boas surpresas. Existe um punhado de choperias em cidades como Barcelona, Madri e Sevilha, mas é a Alhambra que se encontra na liderança.

Carlos Bouvard e Antonio Knorr fundaram a cervejaria em 1925, na cidade de Granada, no sul da Espanha. O nome do estabelecimento é um tributo ao palácio mouro medieval de Alhambra, que domina o centro da cidade, um tributo irônico, considerando-se a proibição do Islã em relação ao consumo de álcool. Os dois homens já tinham experiência no setor cervejeiro, mas, para garantir que o empreendimento estivesse completamente correto, também empregaram os conhecimentos técnicos e administrativos de La Moravia, uma cervejaria mais antiga e muito famosa, com quem mantinham laços. Em 1954, a S.A. Damm adquiriu a companhia, mas, 25 anos depois, ela passou para as mãos de investidores particulares que começaram a expandir a produção, aumentando a capacidade e modernizando as instalações. Esse investimento também acompanhou o começo das exportações da Alhambra para outros países europeus, bem como para os Estados Unidos, Austrália e Japão. Em 2007, o carrossel de proprietários continuou a girar quando o Grupo Mahou-San Miguel adquiriu a cervejaria.

A Alhambra Negra é a cerveja escura da empresa, mas esqueça qualquer ideia pré-concebida sobre stouts espanholas: na Espanha, as cervejas escuras são vistas como alternativa para as lagers douradas que dominam o mercado. São mais parecidas com as dunkel de Munique, com malte torrado entrando na mistura. **SS**

Notas de degustação

Lager de tom escuro avermelhado. No nariz, presença de caramelo e notas de malte torrado, fortemente confirmada no paladar, onde a suavidade do malte torrado é intensificada por uma delicada carbonatação e acompanhada por um toque de anis. Perfeita com carnes.

Altenburger Schwarze

Brauerei Altenburg
www.brauerei-altenburg.de

País de origem Alemanha
Lançada em 1873
Teor alcoólico 4,9% vol.
Temperatura ideal 8°C

Originária do leste da Alemanha, esta é uma cerveja escura e intensa cuja popularidade aumentou desde a reunificação do país em 1990, o que efetivamente salvou da extinção um estilo singular. A versão da Altenburger, produzida na cidade de Altenburg, é uma das mais populares.

Em uma era de modas fugazes, especialmente no mundo da cerveja, é encorajador informar que a Altenburger Schwarze é uma bebida bem antiquada, que remete a uma época anterior à onda de lagers louras que varreu a Alemanha no final do século 19. Antes desse tempo, a cerveja marrom era o carro-chefe de muitos produtores do país – e foi daí que surgiu a Schwarzbier, sendo que as duas têm em comum o uso de malte escuro tostado. Embora seja escura, a Schwarzbier não é muito forte, variando em geral entre 4 e 5% de teor alcoólico.

A cervejaria foi fundada em 1871 e, um quarto de século depois, produzia quantidades significativas de todos os tipos de cervejas. Antes da queda do Muro de Berlim, quando a Schwarzbier era ainda uma novidade para os consumidores do Ocidente, a cidade de Altenburg era mais conhecida pela fabricação de baralhos. Atualmente, também é famosa pela bebida, e a Altenburger Schwarze, vendida em uma garrafa com flip-top, é uma grande favorita. **WO**

Notas de degustação

Cor negra e intenso aroma de malte, coroado por uma bela nota de lúpulo. A doçura no paladar combina-se com leves aromas amargos no final.

Anchor Porter

Anchor Brewing Company
www.anchorbrewing.com

País de origem Estados Unidos
Lançada em 1972
Teor alcoólico 5,6% vol.
Temperatura ideal 8°- 14°C

Fritz Maytag, dono da Anchor Brewing, se tornou o padrinho da cena microcervejeira norte-americana durante o renascimento ocorrido nos últimos trinta anos. Em meados dos anos 1960, quando Maytag adquiriu a decadente Steam Brewery, ele deu início a uma revolução da cerveja nos Estados Unidos. O respeito e a aclamação globais que a Anchor conquistou poderiam ter assegurado a Maytag sucesso no grande mercado, mas ele estava determinado a manter a operação fiel a suas raízes artesanais.

Desde aquele tempo, a cervejaria de São Francisco usa tradicionais métodos de produção, que banem o açúcar das panelas de brassagem e incorporam lúpulos integrais à cevada de duas fileiras importada. Sem aditivos e com altos padrões de limpeza, não surpreende que a primeira criação – a Anchor Steam – tenha sido bem recebida. A Anchor Porter seguiu o mesmo padrão de expandir as fronteiras da cerveja dos Estados Unidos e foi além, com repercussão mundial. De fato, a bebida escura reviveu um estilo com frequência negligenciado.

A cerveja gera comentários graças ao intenso emprego de lúpulo durante a produção. A adição de lúpulos frescos e integrais a cevada 100% maltada lhe fornece um sabor notável. Uma levedura de alta fermentação e malte de duas fileiras garantem que esta porter naturalmente carbonatada tenha uma espuma cremosa e sedutora e sabor intenso. **TS**

Notas de degustação

De aparência negra, com um toque amargo que vem do cereal queimado e do lúpulo intenso. Também há doçura e muito chocolate e toffee, o que a torna excelente companhia para um bolo de chocolate.

Andechser Doppelbock Dunkel

Klosterbrauerei Andechs
www.andechs.de

País de origem Alemanha
Lançada em *ca.* anos 1800
Teor alcoólico 7,5% vol.
Temperatura ideal 8°C

O progresso tem uma longa tradição na abadia beneditina de Andechs, no sul de Munique. A tradição cervejeira remonta a 1455 e as instalações foram renovadas com regularidade nos últimos 150 anos. Investimentos em 2006 garantiram a modernização da cervejaria e a expansão dos tanques de fermentação e *lagering*. Sua bebida mais famosa é a Andechser Doppelbock Dunkel. Esta beleza escura, com tom ardente, aroma voluptuoso e sabor aveludado, deliciou muitos monges e peregrinos, bem como amantes da cerveja de todo o mundo. É facilmente encontrada na maior parte da Europa, na Rússia e no Japão. Por mais longe que ela viaje, apesar da modernidade de suas instalações, os métodos de produção permanecem tradicionais.

A Doppelbock é produzida com um método de decocção em três passos, no qual em três ocasiões diferentes parte do mosto é retirada, fervida e devolvida para aquecer o restante. Apesar de o processo exigir mais tempo e energia do que técnicas de mostura mais modernas, o mosteiro o mantém para garantir a qualidade e o sabor. Como resultado, a Doppelbock apresenta o corpo pleno de malte tão apreciado pelos conhecedores de cerveja. Fermentação a frio e uma longa temporada de maturação a frio permitem que a cerveja amadureça e alcance toda sua complexidade. **SK**

Notas de degustação
Aroma granulado com notas de fruta seca e cacau. No paladar, espere um corpo rico e maltado com sabores de café, cacau e notas frutadas de xerez. Final alcoólico e caloroso.

Antares Stout Imperial

Cerveza Artesanal Antares
www.cervezaantares.com

País de origem Argentina
Lançada em *ca.* 1998
Teor alcoólico 8,5% vol.
Temperatura ideal 10°C

A cerveja mais popular da Argentina é a Quilmes, que pertence à Anheuser-Busch InBev e controla 80% do mercado. É uma lager loura de uma cervejaria que abriu as portas em 1888 e não tem nada de espetacular, uma bebida honesta para matar a sede e lavar a poeira de um dia de trabalho ou para apreciar na companhia de bife grelhado ou costelas assadas.

Não há muita coisa de errado em uma cerveja desse tipo, mas bem lá embaixo da cadeia alimentar na Argentina encontra-se a Antares, uma cervejaria jovem e vibrante, que encontrou inspiração na produção artesanal norte-americana. Integrada à New Patagonia Brewery, no balneário de Mar del Plata, ela tem raízes em uma pequena cervejaria montada por Leo Ferrari e Mariana Rodriguez. Em 1998, a eles se juntou Pablo Rodriguez e a Antares começou sua produção em Mar del Plata. Agora, possui também uma choperia em Buenos Aires, que é popular entre os jovens e turistas de passagem.

Como seus primos norte-americanos, a Antares produz uma gama de cervejas que inclui uma scotch ale, uma Kölsch, um barleywine claro e viscoso e esta Stout Imperial, forte e harmoniosa. Na brassagem, entram maltes Pilsen e chocolate, além de caramalte, e os lúpulos Fuggle e Cascade também garantem a diversão. **ATJ**

Notas de degustação
De cor castanho-escura. Desfrute o chocolate intenso e frutado e as notas defumadas no nariz. No paladar, grãos de café torrados, chocolate amargo, frutas escuras e uma secura atraente.

Arctic Global Warmer

North Cotswold Brewery | www.northcotswoldbrewery.co.uk

País de origem Inglaterra
Lançada em 2007
Teor alcoólico 15% vol.
Temperatura ideal 12°C

Arctic ale é um estilo há muito tempo esquecido de ale forte, que fez sua primeira aparição em 1852, quando a cervejaria Allsopp, de Burton-on-Trent, foi contratada para fornecer uma cerveja especial para uma expedição ao Ártico em busca do explorador Sir John Franklin. A ale fez tanto sucesso que foi levada por outras expedições a regiões polares. Um século depois, a arctic ale de Ind Cooper viajou com a expedição britânica ao norte da Groenlândia, evento que fez parte de uma campanha publicitária. O estilo arctic ale foi descrito como menos doce do que um barleywine e "tão suave quanto um velho Borgonha e tão nutritivo quanto um bife". A cerveja desapareceu nos anos 1960, mas voltou à vida por um breve período por intermédio da cervejaria Teignworthy, do West Country, no final dos anos 1990.

Era a cerveja ideal para ser remodelada por Jon Pilling, que cuida da North Cotswold Brewery, perto de Moreton-in-Marsh, em Gloucestershire. "Viajei pelo mundo em busca de cerveja", diz ele. "Sou apaixonado pelos sabores e estilos. Cresci perto de Henley e o aroma da Brakspear me pegou ainda jovem." Além desta cerveja extraforte, Pilling produz a Monarch IPA, com 10% de teor alcoólico, e a sedutora Smoked Maple Porter, entre suas criações especiais. Conseguir que uma cerveja apresente um teor alcoólico superior a 12% sempre exige cuidado e atenção na fase de fermentação, pois a levedura de ale tende a morrer. Pilling não revela o tipo de levedura que emprega para dar continuidade à fermentação, mas diz que, para mantê-la trabalhando, precisa agitá-la algumas vezes. Ele é, com certeza, um cervejeiro dedicado. Faz a mostura da Monarch IPA no dia de Natal e a cerveja não é lançada antes do verão. **ATJ**

Notas de degustação

Nariz tímido de frutas escuras e vinosas, chocolate e café moca. A textura na boca é suave, com camadas de melado, toffee e açúcar demerara, tudo temperado com o assertivo amargor do lúpulo. Bela, elegante, fuliginosa, defumada – uma cerveja para curtir, saborear devagar e contemplar.

Asahi Black

Asahi Breweries | www.asahibeer.com

País de origem Japão
Lançada em 1995
Teor alcoólico 5% vol.
Temperatura ideal 3°- 6°C

As cervejas escuras desfrutaram de um saudável ressurgimento em anos recentes, com milds, stouts e porters voltando a se tornar populares. Todas elas são de alta fermentação, tipo ale, mas também houve um renascimento da produção de lagers de baixa fermentação – especialmente na Alemanha, na República Tcheca e, surpreendentemente, no Japão.

A Osaka Brewing Company começou a produção em 1889 e, três anos depois, lançou uma cerveja chamada Asahi (Sol Nascente, em português), que hoje dá nome a todo o negócio. Sua bebida mais disseminada é a dourada Asahi Super Dry, mas em 1995, a empresa tomou a iniciativa de investir em uma nova lager escura. A Asahi Kuronama, mais conhecida como Asahi Black, é um acontecimento interessante, pois vem de uma cervejaria com muitos adeptos entre a população mais jovem. Também tem um forte marketing e foi capaz de entrar em lugares em que muitas cervejas escuras temiam ingressar – os bares da moda.

A cerveja é produzida apenas em Osaka, a partir de uma mistura de cevada, milho e arroz, mas com três maltes escuros – Crystal, negro e Munique. Os lúpulos são tchecos e americanos, mas discretos, como seria de se esperar em uma cerveja que se apoia principalmente nos grãos para obter seu sabor. A outra grande influência vem do processo de *lagering*. Como a Asahi Black desfruta de um mês de acondicionamento a frio depois da fermentação primária, ela apresenta uma textura revigorante e harmoniosa para contrabalançar os maltes tostados. Em essência, é uma cerveja com a personalidade torrada de uma stout, mas com a leveza de toque de uma pilsen límpida. A cerveja traz ecos da Schwarzbier alemã em sabor e aparência, mas é genuinamente japonesa. **JE**

Notas de degustação

Cerveja escura com café, chocolate e alcaçuz no aroma. Há presença delicada de caramelo e alcaçuz no sabor agridoce e vibrante, junto com notas secas, de malte escuro, que prosseguem até o final, trazendo sugestões de grãos de café torrados.

Aventinus

Weisses Bräuhaus G. Schneider & Sohn | www.schneider-weisse.de

País de origem Alemanha
Lançada em 1907
Teor alcoólico 8,2% vol.
Temperatura ideal 8°- 12°C

A Aventinus é a Doppelbock de trigo com maior pedigree na Baviera e, o que surpreende quando se leva em consideração o ambiente masculino do setor cervejeiro da região no século 20, foi criada por uma mulher. Em 1905, Georg Schneider III, dono da cervejaria, que na época se situava em Munique, morreu jovem, aos 35 anos. Seu sucessor tinha apenas seis anos de idade e, no lugar do menino, a viúva Mathilde Schneider assumiu o negócio da família. Não apenas ajudou a criar esta fabulosa cerveja (que tem o nome de um cronista da Baviera da Idade Média), mas, sob sua direção, a empresa se expandiu e se tornou a maior produtora de cervejas de trigo do sul da Alemanha, nos anos que antecederam à Primeira Guerra Mundial.

Com base na receita da Schneider Weisse Original, a Aventinus é feita com maltes de trigo e cevada, com uma adição de maltes tostados que criam sua cor de rubi. O processo tradicional, junto com os recipientes de fermentação abertos e uma cara fermentação em garrafa, tornam esta cerveja uma joia: intensa e sutil ao mesmo tempo, complexa mas bem equilibrada. Hoje a Aventinus é um clássico mundial e o orgulho da cervejaria familiar, agora comandada por Georg Schneider VI.

Todos os anos, a cerveja é celebrada no começo da primavera com um festival no Weisses Bräuhaus, em Kelheim, que pertence à empresa. Schneider também produz uma edição *vintage*, deixando as garrafas amadurecendo durante três anos em uma caverna, e depois empacotando cada uma separadamente para vendê-las no exterior. Enquanto os alemães não desenvolvem o gosto por esta iguaria, os fãs internacionais têm sorte. Tudo o que está na caverna pertence a eles. **SK**

Notas de degustação

Cor de rubi escura, com coroa de espuma compacta e persistente. O nariz é frutado, ácido, com toques de chocolate. Um paladar ligeiramente azedo combina-se com uma textura plena e fofa, equilibrada por sabores de banana, pera, caramelo, chocolate amargo, antes de deslizar para um final seco e picante de cravo.

Aventinus Weizen-Eisbock

Weisses Bräuhaus G. Schneider & Sohn | www.schneider-weisse.de

País de origem Alemanha
Lançada em 2002
Teor alcoólico 12% vol.
Temperatura ideal 10°- 13°C

Se você pensa que a Aventinus, a primeira Doppelbock de trigo da Baviera, é a mais intensa das cervejas de trigo, experimente a Aventinus Weizen-Eisbock. É literalmente um concentrado daquele clássico mundial, mas, quando se examina o perfil de sabores, ela tem uma personalidade própria. O nariz oferece aromas frutados e alcoólicos que lembram o conhaque de ameixa slivovitz. O sabor progride de um frutado intenso de ameixas e figos secos a uma plenitude maltada de aromas de chocolate amargo. Pode ser surpreendente, mas é um bom digestivo.

Conta a lenda que o atual mestre cervejeiro Hans-Peter Drexler ouviu histórias sobre uma Aventinus extra-especial que resultou de um congelamento parcial ocorrido durante um inverno frio no final dos anos 1930. O que aconteceu foi que, graças ao congelamento, a água foi extraída da cerveja sob forma de gelo, deixando um líquido com sabor e teor alcoólicos acentuados. A lembrança dessa história foi provocada pelo pedido de um importador americano que queria uma cerveja extraforte.

Drexler decidiu recriar esse "erro" clássico e a G. Schneider criou uma instalação moderna e controlada, cuja patente agora lhe pertence. Dessa destilação gelada, sobra apenas metade da quantidade original de cerveja que costuma ser chamada de "Eisbock". Curiosamente, junto com a água, a levedura é extraída, tornando o acondicionamento em garrafas impossível – uma característica tradicional da Schneider Weisse.

A Eisbock tem mutos fãs, mas não em número suficiente para tornar compensadora a distribuição nacional. Por isso, na época em que este artigo foi escrito, ela só podia ser adquirida nas choperias Weisses Bräuhaus (que pertencem à Schneider) ou na internet. **SK**

Notas de degustação

Intensa cor de mogno. O nariz oferece ameixas maduras e bananas, junto com pronunciadas notas alcoólicas. No paladar, o bebedor vai experimentar uma doçura cremosa, o gosto de ameixas secas e de café vienense, antes do final brut*, com características de ruibarbo – muito complexo e caloroso.*

Baden Baden Stout

Cervejaria Baden Baden | www.cervejariabadenbaden.com.br

País de origem Brasil
Lançada em 2001
Teor alcoólico 7,5% vol.
Temperatura ideal 8°- 12°C

Quando se fala em Brasil, as primeiras imagens que vêm à mente de muitas pessoas são as praias deslumbrantes, a floresta tropical, festas de carnaval e coquetéis exóticos. Uma stout premiada, consagrada internacionalmente, seria a última coisa a se pensar. Quando a Baden Baden Stout foi premiada com a medalha de ouro na categoria dry stout na edição de 2008 do prêmio European Beer Star, na Alemanha, ela se tornou a primeira cerveja sul--americana de todos os tempos a conquistar tal honra. E venceu com estilo, superando forte competição de países que costumam ser mais associados a esse estilo de cerveja. A Baden Baden Stout permanece fiel às receitas tradicionais e consegue sua gloriosa cor negra a partir da cuidadosa seleção de maltes tostados, em vez da caramelização de açúcar, como acontece com muitos imitadores do continente.

A cervejaria está localizada em Campos do Jordão, numa região montanhosa do estado de São Paulo onde o clima e a topografia lembram o norte da Europa. Muitos imigrantes da Alemanha e da Suíça foram atraídos a essa região em séculos passados justamente por esse motivo. O lugar oferece uma excelente fonte de água para a cervejaria, o que é essencial para a produção. Os ingredientes que não podem ser encontrados na área são importados. O resultado é uma bebida realmente notável, ideal para os invernos gelados da região.

A Baden Baden pertence agora à Schincariol, a maior cervejaria do país controlada por brasileiros, o que despertou o temor de que a qualidade pudesse ser comprometida pelo aumento na produção. Felizmente, isso ainda não aconteceu e a cerveja continua a ganhar popularidade. **AH**

Notas de degustação

Um agradável aroma amadeirado está presente no paladar, no qual também se encontram malte torrado e algumas notas de chocolate e café. Harmoniosa, com um agradável final amargo. Acompanhamento ideal para ostras ou para sobremesas de chocolate, como uma musse.

Baltika 6

Baltika Brewery | www.baltika.ru

País de origem Rússia
Lançada em 1994
Teor alcoólico 7% vol.
Temperatura ideal 8°- 10°C

A Baltika percorreu um longo caminho desde a abertura, em 1990, da Baltika Breweries como parte da Associação de Produção de Cerveja e Bebidas Não Alcoólicas de Leningrado. Hoje, ela faz parte do império Carlsberg e é a maior produtora da Rússia, controlando mais de 40% do mercado doméstico. Em 1990, as marcas Baltika não existiam. Na época, as principais cervejas eram Zhigulevskoye, Rizhskoye, Admiralteiskoye, e Prazdnichnoye. Porém, o colapso do comunismo e a privatização da empresa em 1992 testemunharam a adoção de métodos de marketing à europeia e o desenvolvimento das cervejas Baltika. Existem nove cervejas numeradas nessa linha, que engloba diversos estilos, desde uma com baixo teor alcoólico à bebida de trigo.

A Baltika 6 é uma porter que se inspira na tradição da região de São Petersburgo. De acordo com a mestre cervejeira Irina Tlekhuray, ela é produzida a partir de uma antiga receita inglesa. Irina explica que a capacidade de fazer uma boa porter indica a habilidade do produtor. Como na maioria das porters, maltes escuros e queimados são adicionados à moagem. Os grãos escurecidos e crocantes fornecem pouco em termos de açúcares fermentáveis, mas dão muito sabor e cor à bebida.

A porter Baltika 6 foi lançada em 1994 como parte de uma estratégia de marketing da empresa para melhorar a imagem da cerveja na Rússia. Por tradição, a maior parte desse tipo de bebida é vendida a um preço relativamente baixo no país e é embalada em garrafas PET. A Baltika Nº 6 é vendida em uma garrafa pequena, de vidro, e consolidou a reputação da empresa como uma cervejaria de qualidade. Foi escolhida como melhor porter nos Prêmios Mundiais de Cerveja em 2009. **TH**

Notas de degustação

Cerveja harmoniosa e bem equilibrada, com uma suavidade que mascara sua força de uma forma dramática. Malte de chocolate, escuro, torrado, com sabor escuro quase queimado de açúcar na boca, sobrepostos por um sutil final de lúpulo. Há sugestão de frutas e um álcool complexo no nariz.

Bamberg Rauchbier

Cervejaria Bamberg
www.cervejariabamberg.com.br

País de origem Brasil
Lançada em 2008
Teor alcoólico 5% vol.
Temperatura ideal 8°C

Alexandre Bazzo, fundador da Cervejaria Bamberg, é um jovem muito sério que prepara cervejas no tradicional estilo alemão. Pode parecer estranho em um país como o Brasil, mas existe uma forte influência alemã na cena cervejeira local, que remonta há mais de um século. As bebidas de Bazzo são cheias de personalidade, saborosas e fiéis às origens.

Bamberg é o centro de produção cervejeira mais vibrante da Alemanha, uma cidade que talvez seja mais famosa por sua cerveja defumada, ou melhor, rauch. Há algumas centenas de anos, era comum que a bebida apresentasse sabores defumados, pois o malte era, com frequência, secado sobre a lenha. Com o desenvolvimento tecnológico, os produtores abandonaram rapidamente aquilo que consideravam como um sabor inferior e rústico e, por volta de 1800, a cerveja defumada era apenas uma especialidade antiquada. A Bamberg Rauchbier emprega 50% de malte defumado da Weyermann de Bamberg, além de Pilsen, Munique e malte aromático caramelo, para criar uma clássica Märzen defumada, segundo a tradição de Bamberg. **RM**

Notas de degustação

Nariz enfumaçado de fogueira, com toques de rico malte. No paladar, corpo modesto, com apenas uma sugestão de doçura de caramelo que se combina bem com a cerveja seca e defumada, levando a uma firme presença de lúpulo.

Bärni Dunkel

Brauerei Felsenau
www.felsenau.ch

País de origem Suíça
Lançada em 1998
Teor alcoólico 5,2% vol.
Temperatura ideal 8°C

A Brauerei Felsenau foi inaugurada em 1881 por Johann Gustav Hemmann, que trocou seu restaurante pelo terreno da cervejaria. Ela continua independente, com fregueses que estão, em sua maioria, a um raio de 48 quilômetros de Berna.

A Felsenau foi uma das primeiras a introduzir lagers sem filtragem – Zwickelbier – e é praticamente a única cervejaria da Suíça a produzir uma Zwickelbier escura, chamada de Bärni. Basicamente, é uma versão sem firulas da tradicional lager escura suíça. Sem filtragem e sem pasteurização, a Bärni está disponível em garrafões enchidos diretamente nos tanques de maturação na entrada da cervejaria, todas as sextas-feiras à tarde. As garrafas são filtradas, mas não são pasteurizadas, o que lhes dá um belo sabor, fresco e vibrante, mas limita seu prazo de estocagem a cinco meses. O rótulo na garrafa apresenta o emblemático urso castanho de Berna. **LM**

Notas de degustação

Lager harmoniosa, revigorante, maltada, mas, ao mesmo tempo, de cor marrom-avermelhada com um toque levemente amanteigado, amargor delicado e carbonatação moderada. É uma ótima cerveja para se tomar depois do trabalho.

BB10

Birrificio Barley
www.barley.it

País de origem Itália
Lançada em 2006
Teor alcoólico 10% vol.
Temperatura ideal 15°- 16°C

BB10 quer dizer simplesmente Birrificio Barley 10, sendo que o número se refere ao teor alcoólico. Não satisfeito com o fato de produzir uma cerveja forte, Nicola Perra quis personalizá-la, o que ele fez com adição de "sapa" (mosto de uva concentrado) de uvas Cannonau. Cinco diferentes tipos de malte, tanto britânicos quanto belgas, e duas variedades de lúpulo, Cascade e WGV, também são usados. A BB10 é produzida apenas uma vez por ano, depois da colheita de Cannonau, em quantidades muito limitadas. O processo de produção é muito longo, com a maturação final na garrafa durando cerca de seis meses. Porém, com toda certeza, é uma cerveja digna de ser procurada e guardada.

O resultado do complexo processo de produção é extraordinário: a BB10 não pode ser rotulada em qualquer estilo (embora Perra sugira se tratar de uma imperial stout). Rica e complexa, é ideal para o fim de noite, mas também é uma boa escolha com carne de caça ou sobremesas de chocolate. **MM**

Notas de degustação

Escura, com nuances de cor de avelã. Aroma rico e complicado. Notas tostadas se apresentam, seguidas por frutas vermelhas, alcaçuz e molho de soja. Textura encorpada na boca. Sabor residual persistente.

Beerlao Dark Lager

Lao Brewery
www.beerlao.la

País de origem Laos
Lançada em 2005
Teor alcoólico 6,5% vol.
Temperatura ideal 7°- 10°C

Quando Sivilay Lasachack foi designada mestre cervejeira da Lao Brewery, ela começou uma revisão no portfólio de bebidas e, entre outras medidas, aumentou a proporção de arroz produzido no país empregado na mostura. Isso garantiu uma personalidade mais harmoniosa e suave à cerveja, que sintonizava melhor com o gosto local.

Em 1993, investimentos estrangeiros levaram várias empresas da Tailândia a terem interesses na cervejaria, mas elas venderam suas partes no negócio de volta para o governo em 2002. Logo a Carlsberg Asia e suas parceiras regionais assumiram e passaram a promover a marca para um público internacional mais amplo.

A Beerlao Dark é uma lager singular, produzida em estilo pilsen, que ganhou rapidamente um leal grupo de seguidores na região, além de cair no gosto do número crescente de turistas que agora visitam esse país do Sudeste Asiático sem saída para o mar, mas com paisagens deslumbrantes. **JW**

Notas de degustação

De cor castanha, com um levíssimo toque de toffee *e café recém-moído no nariz. O paladar é harmonioso, com mais* toffee, *frutas secas e notas de caramelo. Final agridoce e lupulado.*

Bercloux Bière Stout

Brasserie de Bercloux | www.bercloise.com

País de origem França
Lançada em 2000
Teor alcoólico 5% vol.
Temperatura ideal 10°- 14°C

O mestre cervejeiro Philippe Laclie começou seu aprendizado na Irish Brewing Company, em Kildare, na Irlanda, em 1999. As stouts tostadas, com características de nozes e de pão torrado que experimentou inspiraram-no a criar alguma coisa parecida – com ainda mais sabores. Laclie pega emprestado equipamento de destilação de conhaque para ferver o mosto e a água é retirada diretamente de um dos dois poços da fazenda.

A cevada da cervejaria é cultivada no norte da França e maltada na Bélgica, o que Laclie afirma ser essencial para o aroma, a cor e a consistência. Todas as cervejas Bercloise são de alta fermentação e acondicionadas em um período que varia entre 15 e 21 dias. Lúpulos picantes vindos da Alsácia dão uma explosão aromática. A levedura de ale de Nottingham foi selecionada por sua tolerância a baixas temperaturas de fermentação e por sua capacidade de permitir que todo o sabor natural do malte se desenvolva. **AG**

Notas de degustação

Negra como as irlandesas, com uma espuma efervescente. O chocolate se une a um malte com características de alcaçuz para fornecer ricos sabores de bolo de frutas a um final seco que se torna enfumaçado.

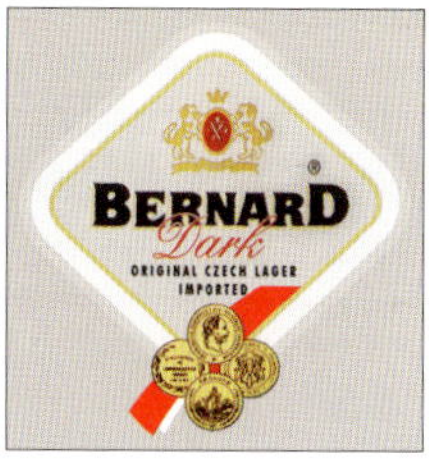

Bernard Dark

Rodinný Pivovar Bernard | www.bernard.cz

País de origem República Tcheca
Lançada em 1995
Teor alcoólico 5,1% vol.
Temperatura ideal 8°C

O maior preito de Stanislav Bernard à fama é a Rodinný Pivovar Bernard. Seu sócio Josef Vávra é o mestre cervejeiro e criou lagers que deram a esse pequeno produtor regional uma participação relativamente alta no mercado de cerveja premium do país.

Na República Tcheca, a cervejaria tem chamado muita atenção pelo fato de que suas bebidas não são pasteurizadas. Mesmo uma pasteurização moderada pode diminuir a dinâmica de aromas e sabores em lagers, e as cervejas de Bernard parecem se beneficiar particularmente da ausência do aquecimento relâmpago. Com certeza a Bernard Dark tem poucas concorrentes que chegam perto de seu nível de intensidade, profundidade e complexidade. Produzida a partir de cinco maltes diferentes com extrato original de 13 graus, a cerveja se encaixa na categoria premium tcheca de cerveja "speciál". Ela amadurece sob baixas temperaturas durante um mínimo de quarenta dias, o que resulta em um corpo rico e maltado. **ER**

Notas de degustação

No copo, apresenta uma cor de âmbar límpida e muito escura. O aroma é de pão de centeio saído do forno e malte granuloso. Na boca, sabores de melaço e café dão lugar a um final amargo, persistente e seco.

← A cevada da Brasserie de Bercloux vem do norte da França.

Big Swede

Viking Brewing Company | www.vikingbrewing.com

País de origem Estados Unidos
Lançada em 1997
Teor alcoólico 8% vol.
Temperatura ideal 15°C

A pequena cidade de Dallas, em Wisconsin, lar da Viking Brewing, fica escondida no cantinho noroeste do estado. Quando a Viking abriu as portas, em 1994, era a primeira microcervejaria da região e retomou a tradição consagrada dos estabelecimentos locais, de administração familiar. O que falta à Viking em tamanho mais do que sobra em variedade de cervejas. Ela produz com regularidade 22 estilos diferentes, funcionando no antigo prédio da Dallas Creamery, que fica ao lado de um pitoresco moinho d'água. Os produtos vão de cervejas básicas, como uma bock, uma de trigo e uma IPA, a outras mais esotéricas, como a Hot Chocolate, que leva cacau e pimenta caiena, e a Whole Stein, porter com café, aveia e leite. Se você se encontrar em Dallas em um sábado, a visita guiada à cervejaria inclui amostras de, no mínimo, meia dúzia de bebidas.

A Viking leva a pureza a sério. Não emprega agentes de depuração, produtos químicos ou conservantes em nenhuma de suas cervejas. São naturais, sem pasteurização, sem filtragem estéril e contêm leveduras ativas, o que significa que continuam a envelhecer e a se desenvolver com o tempo. Com certeza, a Big Swede Swedish Style Imperial Stout poderia ficar guardada em um canto tranquilo da geladeira por alguns anos e chegar a resultados maravilhosos.

O nome "Viking" reflete a herança escandinava dos donos Randy e Ann Lee. Ele é norueguês; ela, sueca. Randy ganhou fama em 2002 quando lançou uma campanha de baixo orçamento – que fracassou – para se tornar governador de Wisconsin pelo partido BEER (Balance Education Environment Reform – Equilíbrio Educação Meio Ambiente Reforma). **RL**

Notas de degustação

A bebida apresenta um tom negro e denso, produzindo uma espuma cor de canela. Há um aroma de grão tostado e de carvalho. No paladar, intensas notas de chocolate amargo com sugestões de frutas silvestres escuras, melaço, café e até um pouco de creme irlandês. Uma grande cerveja que evolui enquanto se toma um copo.

Black

Brasserie de Bellevaux | www.brasseriedebellevaux.be

País de origem Bélgica
Lançada em 2007
Teor alcoólico 6,3% vol.
Temperatura ideal 8°- 10°C

Esta cerveja pode ser uma scotch, produzida na província de Liège, na Valônia, mas o cervejeiro Wil Schuwer é um autêntico... holandês. Ex-farmacêutico, em 2004 ele levou a mulher e os filhos para morar na pequena cidade turística de Malmedy, não muito distante da fronteira holandesa. Ele prepara cervejas em uma antiga e bela fazenda (embora a cervejaria em si tenha equipamentos japoneses de alta tecnologia) e a região campestre que a cerca é popular entre praticantes de caminhadas e esquiadores.

Todas as cervejas de Wil têm algumas características em comum – levam 100% de malte com adição de aveia. Também incluem combinações bem pensadas de maltes especiais de diversas fontes. Não são filtradas, mas evitam uma refermentação secundária forçada. A água é da região, de um poço comunitário da aldeia. Sinais externos sugerem a origem comum e todas as quatro bebidas começam com a letra B: o francês permite que se use Blonde, Brune e Blanche; mas, para a scotch, Wil pegou emprestada uma palavra do idioma de Shakespeare. Além dessa distinção linguística, a Black também apresenta a adição de lúpulos Fuggle. Enquanto isso, o logo marcante no rótulo romboidal sugere uma nobreza local – Bellevaux é o sobrenome familiar.

Todas as cervejas Bellevaux são cuidadosamente planejadas, testadas e executadas, porém muitos conhecedores concordam que a Black é aquela que realmente se destaca. A cerveja está disponível em garrafas pela Bélgica afora, mas a versão de torneira é tão rara quanto dente de galinha e é reservada para os moradores da região. Se estiver de passagem pelas Ardenas belgas, vale a pena procurar por esta bebida tão escondida. **JPa**

Notas de degustação

Uma pequena coroa de espuma bege e amarelada ergue-se sobre a cerveja negro-avermelhada. Se o nariz se excede em frutas como groselha-negra e mirtilos, bem como em uma pitada de noz-moscada e pimenta, o sabor lembra mais frutas silvestres secas, chegando a ser até gredoso. De forma geral, é muito seca.

Black Adder

Mauldons | www.mauldons.co.uk

País de origem Inglaterra
Lançada em 1987
Teor alcoólico 5,3% vol.
Temperatura ideal 12°- 14°C

Pode-se julgar que o cervejeiro Peter Mauldon agiu de forma imprudente ou visionária ao lançar uma stout escura e amarga em 1987. Na época, as cervejas escuras andavam fora de moda e as douradas representavam o futuro.

Mauldon fazia parte de uma nova leva de produtores que estavam convencidos de que havia um mercado para cervejas novas, interessantes e saborosas – e, por isso, ele criou a Black Adder. Esta stout potente, agridoce, perigosamente fácil de beber, logo demonstrou ser uma grande favorita e, em 1991, foi coroada Campeã da Grã-Bretanha. Em 2000, Mauldon se aposentou e Steve e Alison Sims compraram a cervejaria e se transferiram para um prédio envidraçado situado no alto de uma colina contemplando Sudbury. Por trás do vidro, encontra-se uma reluzente coleção de equipamentos para produção. O investimento nesse novo conjunto é um indício óbvio do compromisso dos Sims em uma região cuja história está tão vinculada ao preparo de cervejas. **TH**

Notas de degustação

Stout forte e agridoce, com melado, alcaçuz e malte tostado no nariz, além de um frutado queimado, com ésteres. O paladar é rico e enfumaçado, ligeiramente doce, com café expresso e um toque de baunilha.

Black Albert

De Struise Brouwers | www.struisebrouwers.be

País de origem Bélgica
Lançada em 2007
Teor alcoólico 13% vol.
Temperatura ideal 10°- 14°C

Três amigos que produziam cerveja sob o patrocínio do mestre cervejeiro Urbain Coutteau decidiram alugar a cervejaria Deca, que tinha muita capacidade ociosa, para fazer seus produtos. Aardmonnik (a flamenga Oud Bruin) e Struiselensis (ale azeda a patir do *Brettanomyces*) figuraram entre as primeiras, mas, em 2007, seus contatos estrangeiros os incitaram a produzir uma imperial stout. Como a Bélgica é uma monarquia, chamaram-na de "Stout Real" e pegaram emprestado o nome do monarca da época. Com força alcoólica que beira os 13%, a Black Albert é, com certeza, bastante potente, apesar de ser menos exagerada do que algumas das experiências norte-americanas ou escandinavas com o estilo.

A Black Albert já deu origem a um número impressionante de filhotes, como a Cuvée Delphine (que amadurece em barris de bourbon). As garrafas mostram uma arte que lembra as divisórias de vidro dos bares belgas de um século atrás. **JPa**

Notas de degustação

Espuma em bege-escuro, densa e cremosa sobre a cerveja negra. Nariz concentrado de lúpulo sugere o emprego de lúpulos norte-americanos e uvas secas sobre a palha. Aveludada, viscosa, quase consistente na boca.

O interior da tina de maceração da De Struise Brouwers, na Deca. →

DE VELDE

Black Bavarian

Sprecher | www.sprecherbrewery.com

País de origem Estados Unidos
Lançada em 1985
Teor alcoólico 5,9% vol.
Temperatura ideal 16°C

"Eu fiquei em Augsburg, na Alemanha, de 1968 a 1969", recorda-se Randy Sprecher, fundador da cervejaria que leva seu nome, "e adorava a Paulaner Salvator. Naturalmente, era menor de idade, mas a hospedaria em que fiquei tinha uma salinha para mim, onde eu podia desfrutar de um schnitzel e daquelas ótimas cervejas escuras. Às vezes, mal conseguia me arrastar para cima." Como tantos outros, Sprecher foi perseguido pela lembrança daquelas grandes experiências cervejeiras na Europa. Recriou as bebidas saborosas primeiro em produções caseiras, no início dos anos 1970, e, finalmente, como Sprecher Black Bavarian.

A Baviera tem uma longa história com as schwarze ou negras, especialmente em Kulmbach, Köstritz e Augsburg. Do ponto de vista estilístico, a Sprecher se encaixa no estilo, que pode ter sido influenciado pela popularidade da porter no final do século 18. Como todas as Schwarzbier, a Black Bavarian equilibra um corpo de doçura moderada com o leve toque de amargor de malte negro, que resulta em um exuberante sabor de chocolate. A verdadeira mágica é que tudo acontece em uma cerveja com 5,9% de álcool, ideal para consumo em sessões prolongadas. A Black Bavarian é gratificante e fácil de beber, uma grande combinação.

A receita permaneceu a mesma durante todos esses anos, mas ajustes recentes na fermentação fizeram que ela ficasse "mais esguia no meio", de acordo com Sprecher, "embora mantendo uma textura plena na boca." Costuma ficar no alto – ou bem próximo ao alto – da lista das melhores cervejas para consumo em sessões prolongadas em sites de avaliação da bebida e, nos últimos tempos, ganhou adeptos em lugares como a Califórnia, terra de lupulomaníacos. Como carro-chefe de uma cervejaria artesanal norte-americana, ela é absolutamente singular. A Black Bavarian é a prova de que existem tesouros inesperados a se descobrir. Basta buscar com um pouco mais de atenção. **RM**

Notas de degustação

Nariz bem tostado, com algum malte com características de bolo, além de algo que cheira um pouco a nozes-pecã assadas. A princípio, adocicada ao paladar, mas equilibrando-se bem quando o malte negro entra em cena. Textura cremosa e final harmonioso e torrado, com características quase defumadas.

Black Butte Porter

Deschutes Brewery | www.deschutesbrewery.com

País de origem Estados Unidos
Lançada em 1988
Teor alcoólico 5,2% vol.
Temperatura ideal 4°- 13°C

As cervejas Deschutes são vendidas apenas nos quatorze estados do oeste dos Estados Unidos, incluindo Alasca, Havaí, a leste até Wyoming e, ao sul, em algumas partes do Texas. Mas, apesar da distribuição limitada, a Black Butte Porter continua a ser a porter mais vendida dos Estados Unidos.

A Black Butte Porter tem o nome de um acidente geográfico que fica no alto da pitoresca cidade de Bend, no Oregon, onde a Deschutes produz suas bebidas há mais de 21 anos. Aos pés do elevado monte, corre o rio Metolius, a partir de uma fonte misteriosa, escondida nas profundezas de antiqos derramamentos de lava, da cor do ébano, que formam a base do Black Butte. A cerveja que leva seu nome é igualmente escura.

A receita original foi criada por Frank Appleton, cervejeiro canadense nascido na Grã-Bretanha, que projetou o sistema de produção do bar da Deschutes. A porter foi uma das três primeiras cervejas originais da casa, junto com a Cascade Golden Ale e a Bachellor Bitter, ambas ainda apreciadas nos dias de hoje, mas nem de longe tão populares quando a Porter.

Gary Fish, fundador e presidente da Deschutes, atribui o sucesso da Black Butte Porter, em parte, a Jim Kennedy, um dos primeiros distribuidores de cerveja artesanal no Oregon e nos Estados Unidos. Kennedy aconselhou Fish a se concentrar na promoção desta cerveja negra quando a Deschutes abriu as portas em 1988, época em que todas as cervejas do país eram em amarelo-claro e efervescentes. Produzida com maltes chocolate e Crystal, a Black Butte Porter permanece o carro-chefe até os dias de hoje, desfrutando de adeptos leais e entusiasmados. **LMo**

Notas de degustação

Apresenta uma cor intensa de mogno com uma coroa de espuma cáqui. Aromas de chocolate ao leite e café torrado dançam no copo. Espere sabores de chocolate e de café expresso, com um final cremoso que se harmoniza bem com muitos alimentos – de queijos a carnes grelhadas e sobremesas.

Black Chocolate Stout

Brooklyn Brewery | www.brooklynbrewery.com

País de origem Estados Unidos
Lançada em 1994
Teor alcoólico 10% vol.
Temperatura ideal 13°C

No início dos anos 1990, quando Garret Oliver labutava em uma pequena choperia no centro de Manhattan, ele assumiu o desafio de inventar uma cerveja de inverno para a florescente Brooklyn Brewery, do outro lado do East River. Precisava ser forte, escura, calorosa, com sabor de chocolate. Oliver projetou, provavelmente, a cerveja com mais sabor de chocolate dos Estados Unidos, mas, de forma surpreendente, ela não contém um grama de chocolate.

Produzida ao estilo de uma clássica russian imperial stout, são necessárias três mosturas separadas para produzir mosto suficiente para este monstro. A seleção de grãos inclui cevada tostada, cevada negra, malte negro e malte chocolate, mas nada que seja remotamente relacionado a cacau. Uma quantidade substanciosa de Willamette e de lúpulo Fuggle cultivado nos Estados Unidos fornece o equilíbrio necessário.

"Cada um exerce um papel específico para criar o perfil de sabor", diz Oliver. "O interessante é que a cerveja fica ainda mais achocolatada durante o primeiro ano na garrafa." Embora a stout possa se garantir sozinha como bebida para o frio, é uma parceira flexível para o jantar. Complementa queijos fortes e interage bem com *fudge*.

De forma significativa, a bebida não é realmente produzida nas instalações da Brooklyn. É feita por uma cervejaria de maior porte, no norte do estado de Nova York, onde existe muito espaço nos tanques para que ela possa ser adequadamente acondicionada durante dois meses, antes de ir para a garrafa. O soberbo sabor da stout e sua excelente reputação de consistência ajudaram a terminar um debate crescente nos Estados Unidos sobre as produções terceirizadas, que alguns acreditavam gerar sempre produtos de qualidade inferior. Não é preciso dizer que Oliver também conquistou um emprego do outro lado do rio. **DR**

Notas de degustação

Negra como tinta, com uma estreita coroa de espuma marrom. Chocolate doce e malte escuro tostado no nariz. Embora o cacau não domine, é possível reconhecer outras características achocolatadas de amargor, café expresso, frutos escuros e torrada queimada. Muito gratificante, com um golpe alcoólico forte e desafiador.

Black Forest

Matt Brewing Company | www.saranac.com

País de origem Estados Unidos
Lançada em 1997
Teor alcoólico 5,3% vol.
Temperatura ideal 8°C

Com esta Schwarzbier escura e maltada, a Matt Brewing Company, estabelecida em 1888, voltou às raízes e a seu pioneiro fundador. Francis Xavier Matt já trilhava o caminho do sucesso como aprendiz na famosa cervejaria do duque de Baden, na região da Floresta Negra, na Alemanha, quando, em 1885, resolveu se mudar para os Estados Unidos. Como tantos outros imigrantes do Velho Mundo, seu sonho era abrir seu próprio negócio. O novo começo veio com a Bierbaur Brewery, em Utica, Nova York. Essa cidadezinha curiosa mas florescente, escondida no sopé verdejante das montanhas Adirondack, com certeza lembrava seu lar. A Bierbaur quase desmoronou diante da competição de não menos do que outras onze cervejarias locais. Então, acumulando a função de principal vendedor e mestre cervejeiro, Matt reorganizou-a e a tornou uma das maiores e mais bem-sucedidas da cidade.

Com o passar dos anos, a cervejaria – que depois passou a ter o nome de Matt – cresceu, sofreu sob a Lei Seca e voltou a se expandir sob a liderança dos filhos Walter e Frank. Ela criou a Utica Club, uma das primeiras lagers do nordeste dos Estados Unidos, voltada à distribuição regional. À medida que outros produtores locais sucumbiam ao domínio das megamarcas voltadas ao consumo de massa, a Matt continuou a crescer graças, principalmente, à tenacidade de seus donos. Parte de seu sucesso é devida a singulares arranjos de "terceirização" desenvolvidos com outras marcas. Há quem diga que a Matt produz a melhor bebida para si mesma, sob o rótulo próprio Saranac. Entre mais de trinta ales e lagers, encontra-se esta cerveja preta, com soberba presença maltada, refrescante de uma forma encantadora, que recebeu o nome da terra natal do fundador da empresa. **DR**

Notas de degustação

Aroma de malte tostado com um leve toque de lúpulos se eleva de um convidativo corpo em marrom-escuro. Corpo mediano com boa carbonatação, enchendo a boca com um agradável equilíbrio de malte com características de pão e lúpulos terrosos, terminando com melaço doce e chocolate.

Black Gold Bourbon Imperial Stout

Full Sail Brewing | www.fullsailbrewing.com

País de origem Estados Unidos
Lançada em 2006
Teor alcoólico 10,5% vol.
Temperatura ideal 9°C

A Black Gold Imperial Stout é lançada a cada ano, mas esta versão envelhecida em barris só está disponível em anos alternados, depois de passar cerca de dez meses em barris de bourbon. Os cervejeiros da Full Sail começaram a fazer experiências com o envelhecimento de cervejas em barris quando puseram duas delas em barris de bourbon ainda em 1997. "Foi quando começamos a brincadeira. Os primeiros eram de Jim Beam, de Kentucky", diz John Harris, mestre cervejeiro da Full Sail. "Pusemos a porter imperial e o barleywine neles. Passaram um ano ali dentro."

Harris diz que ele e sua equipe aprenderam um bocado a partir dessa primeira experiência com barris de bourbon e cerveja. "A princípio, a cerveja capta apenas o bourbon e fica bem quente", afirma. "Não se chega à madeira imediatamente. Tudo o que se consegue é um bocado de fogo e álcool. Um monte de gente surta, porque o teor alcoólico fica tão forte que acaba tirando a cerveja deles. Mas aprendemos com essas experiências que as influências da madeira aparecem mais tarde." Ao prosseguir as pesquisas em 2005, os cervejeiros escolheram envelhecer uma parte da imperial stout nos barris de bourbon. No ano seguinte, foram lançadas duas versões da imperial stout, sendo que metade tinha envelhecido nos barris de bourbon e a outra metade, em aço inoxidável. A ideia era que os consumidores experimentassem as diferenças de cada uma.

A Full Sail lança as versões da Top Sail Imperial Porter e da Black Gold Imperial Stout, envelhecidas em barris de bourbon, em anos alternados, de forma que uma delas esteja disponível a cada ano. Quando não aparecem na versão de barril, são produzidas apenas como Top Sail e Black Gold, a porter imperial e a stout imperial da cervejaria. **LMo**

Notas de degustação

Bourbon e baunilha atingem o nariz com um toque de coco queimado e amêndoas. A cerveja não esconde o fato de que passou um tempo em barris de bourbon, mas a influência tem uma bela harmonia. Bebida vigorosa, para ser bebericada lentamente.

Black Hawk Stout

Mendocino Brewing Company | www.mendobrew.com

País de origem Estados Unidos
Lançada em 1983
Teor alcoólico 5,2% vol.
Temperatura ideal 9°C

A Mendocino Brewing Company começou sob o nome de Hopland Brewery. A cidade californiana de Hopland, a duas horas de viagem ao norte de São Francisco, foi uma das primeiras regiões de plantio de lúpulo no oeste dos Estados Unidos. Quando a Hopland Brewery abriu as portas em 14 de agosto de 1983, foi uma das primeiras choperias do país. Em menos de um ano, a empresa precisou se expandir, pois a estrutura, com capacidade para 400 barris, não dava conta da demanda. Hoje as coisas são um pouco diferentes. A Mendocino ainda cuida da primeira choperia Hopland, mas a maior parte da cerveja da empresa vem de Ukiah, na Califórnia, e de Saratoga Springs, no estado de Nova York. A empresa agora distribui bebida em 41 estados.

A Hopland abriu seu capital em 1994, vendendo ações para os fãs por meio de folhetos que vinham junto com as embalagens de seis unidades. Mas a cervejaria passou por um período difícil em 1997 e Vijay Mallya, um bilionário indiano que é presidente do United Breweries Group, da Kingfisher Airlines e da Whyte and Mackay Distillery, na Escócia, adquiriu uma participação majoritária na Mendocino.

A Red Tail Ale é o carro-chefe da empresa, que também faz a Blue Heron Pale Ale, a Red Tail Lager, a Eye of the Hawk Select Ale e a White Hawk Select IPA. A empresa, com diligência, produz bebidas para outras marcas e faz a indiana Kingfisher Premium Lager para ser vendida nos Estados Unidos. A Black Hawk Stout é uma das criações originais da empresa e foi servida na abertura da Hopland, em 1983. Foi projetada para ser uma stout tradicional, seca, ao estilo irlandês, usando malte claro de duas fileiras e malte caramelo negro tostado na mostura, junto com lúpulos integrais Warrior e Cascade. **RL**

Notas de degustação

Espuma espessa, cremosa, cor de canela e um aroma intenso e tostado se apresentam nesta stout escura como a noite. Também há muito café e notas de chocolate amargo. Uma bebida grande, gratificante, com uma textura rica na boca e algumas notas de grão queimado no final. Revigorante e refrescante, ela combina bem com mariscos e carnes assadas.

Black Sand Porter

Kona Brewing Company
www.konabrewingco.com

País de origem Estados Unidos
Lançada em 2002
Teor alcoólico 6,8% vol.
Temperatura ideal 7°- 10°C

Em funcionamento desde 1995, esta empresa que teve início modesto foi criada por Cameron Healy e Spoon Khalsa, pai e filho, e cresceu desde então inacreditáveis 585%, produzindo 12.400 hectolitros anuais. Graças a uma aliança com a Widmer Brothers Brewing Company, em 2003, a cerveja é agora distribuída em todo o país através do departamento de vendas da Anheuser-Busch Inbev.

Além da Black Sand Porter, existem muitas outras bebidas produzidas pela Kona, numa gama fantástica em que a cor varia do louro ao negro e o sabor começa pelo ácido, passa pelo lupulado e chega ao tostado. Também são dignas de se saborear a Longboard Island, lager vibrante que não é excessivamente lupulada, e a Fire Rock Pale Ale, cerveja com corpo médio a pesado.

A Black Sand Porter se destaca, porém, como prova de que o clima não deve impedir as inovações ou as experiências, quando se trata do preparo de cerveja. Ela ganhou uma medalha de ouro no Grande Festival Americano da Cerveja em 2005. Há uma dose saudável de amargor na bebida – a combinação de lúpulos Centennial e Northern Brewer entrega uma dose de 40 IBU à mistura. Como acontece com todas as boas porters, o equilíbrio é obtido com a ajuda dos maltes. Embora não seja tão fácil de se encontrar quanto outras, está disponível no Kailua-Kona Pub, da Kona Brewing, em Big Island, no Havaí, e, com franqueza, pode ser mais apreciada quando se está sentado sob o sol havaiano. **TS**

Notas de degustação

A seleção de maltes é complexa, com chocolate, Munique, caramelo, carapils e negro, entregando um sabor intenso e doce. Os lúpulos adicionam amargor e trazem harmonia.

Bock Damm

S. A. Damm
www.bockdamm.com

País de origem Espanha
Lançada em 1888
Teor alcoólico 5,4% vol.
Temperatura ideal 6°- 8°C

Depois da fundação da cervejaria em Barcelona, em 1876, a Bock Damm foi a segunda bebida produzida pela S.A. Damm. Quase um século e meio depois, sobrevivendo à guerra civil, à ditadura fascista e ao completo domínio da cena cervejeira espanhola pelas lagers louras, a Bock Damm permanece como uma das mais populares lagers escuras da Espanha. No rótulo, encontra-se a imagem entalhada de um bode com as pernas dianteiras erguidas, inspirada naquela que aparecia na garrafa quando a bebida foi apresentada ao público. Essa imagem é um trocadilho com o nome da cerveja (em alemão, bock que dizer bode), embora ela tenha mais em comum com uma dunkel de Munique em seu perfil de sabor e em força alcoólica.

Com a presença de maltes Munique e lúpulos alemães, não se trata de uma bebida muito amarga, o que a torna uma favorita do público feminino. Quando a empresa percebeu isso, nos anos 1960, dedicou toda uma campanha publicitária voltada para as mulheres.

Porém, se você tiver vontade de provar outra cerveja escura nessa parte do mundo, tome o rumo da Cervesera Artesana, em Barcelona. É um bar confortável, escondido em uma rua transversal. Há cervejas belgas na torneira, mas também uma seleção de bebidas produzidas nos fundos do prédio. A estrela é a Iberian Stout, uma criatura deslumbrante, tostada, encorpada, que é ao mesmo tempo refrescante e complexa. **SS**

Notas de degustação

No nariz, aromas de malte doce que continuam no paladar, onde a cerveja demonstra uma variedade de notas de malte tostado. Um amargor delicado equilibra a doçura no final.

O ícone singular da Bock Damm brinca com a palavra "bock", do alemão, que quer dizer "bode". →

Bock 1888 Damm
Premium Quality Dark Beer
NEGRA MUNICH
La Negra Bock-Damm es una Cerveza singular que se carac
por su acentuado sabor tostado, final suave y discretamente a

Borefts Stout

Brouwerij De Molen | www.brouwerijdemolen.nl

País de origem Holanda
Lançada em 2006
Teor alcoólico 7,2% vol.
Temperatura ideal 10°C

Quando a De Molen começou, em 2004, a maioria de suas cervejas consistia em variações dos tipos encontrados na Holanda e na Bélgica: algumas Bockbiers, Witbiers, de abadia e assim por diante. Porém, desde 2008, a cervejaria começou a pender para bebidas mais influenciadas pelas britânicas e norte-americanas: em uma linha de produtos com cerca de 40 bebidas, 22 são descritas como exemplos das escolas inglesa ou norte-americana. Entre porters e stouts, existem nove delas.

Talvez a mudança de direção tenha ocorrido na primavera de 2008, quando foram produzidas a De Molen 1914 Triple Stout e a De Molen 1914 Porter. Eram recriações de receitas britânicas datadas de 1914. A experiência inspirou o mestre cervejeiro Menno Olivier a examinar suas bebidas de um ângulo diferente. Uma das primeiras que surgiram a partir dessa nova perspectiva em relação aos ingredientes foi a Cuvée 1, acondicionada em barris, que fez sucesso no Festival Europeu de Cerveja no outono de 2009. Ela não apenas é servida de uma barrica, mas também com a ajuda da gravidade.

A Borefts Stout é uma das primeiras tentativas da De Molen de produzir uma stout. Como surgiu antes da reconstituição histórica das receitas de 1914, Olivier concentrou-se mais em duplicar uma stout moderna a partir de ingredientes disponíveis no momento. Porém as mais novas stouts e porters da cervejaria (Rasputin Russian Imperial Stout, Tsarina Esra Imperial Porter e Hemel and Aarde), em vez de se basearem em variedades que andam na moda, parecem se voltar aos chamados anos dourados desses tipos de cerveja no Reino Unido. **RP**

Notas de degustação

Como diz o nome: uma stout. A cerveja explode ao sair da garrafa em uma espuma cor de cappuccino. A bebida é escura, a ponto de ser completamente opaca. O nariz é bastante amargo, enquanto o paladar demonstra amargor intenso – pense em café queimado – com alguma doçura para dar equilíbrio.

Bourbon County Stout

Goose Island Beer Company | www.gooseisland.com

País de origem Estados Unidos
Lançada em 1992
Teor alcoólico 13% vol.
Temperatura ideal 10°- 13°C

"Era 1992, e estávamos chegando à milésima leva no bar", diz Greg Hall, mestre cervejeiro da Goose Island. "Tinha sido convidado para trazer alguns *growlers* para uma degustação que ia contar também com a presença de Booker Noe, lenda do uísque, e passei a noite inteira ao lado dele. De alguma forma, tive a ideia durante nossa conversa de que envelhecer cerveja em barris de bourbon poderia ser uma coisa divertida." Noe enviou para Hall alguns barris recém-esvaziados da destilaria Jim Beam. A cerveja resultante apresentava quase 23 graus Plato, mosto colossal que fermentou "como um trem de carga", excedendo a capacidade do sistema de glicol para manter fresca a bebida em fermentação.

Depois de cem dias em barris, a grande stout finalmente apareceu, reforçada pelo belo perfume de baunilha que só uma barrica antiga de bourbon é capaz de fornecer. Apesar de seu apelo, continuou como uma cerveja especial no bar, produzida uma vez por ano, no inverno, mas passou a ser envasada em 2004. A Bourbon County Stout definiu a Goose Island e ajudou a dar origem a uma nova categoria de cervejas envelhecidas em barris de bourbon. "No momento, temos 950 barris de Heaven Hill cheios de stout, só à espera," diz Hall, "e reservamos cinquenta barris que abrigaram bourbon durante 23 anos para fazer alguma coisa realmente especial."

A Bourbon County Stout é uma bela cerveja de sobremesa, na companhia de alguma coisa doce e tentadora, ou mesmo sozinha, como uma espécie de pudim líquido. Um escritor teceu comentários entusiasmados sobre a experiência de comer bolinhas de chocolate maltado com a bebida e chegou a dizer que não sabia onde começava um e terminava o outro. Feito que poucas cervejas poderiam realizar. **RM**

Notas de degustação

Uma boa dose de baunilha, caramelo e chocolate, no nariz. O sabor lembra sorvete de chocolate com calda de uísque. Meio substancial, mas equilibrado, sem ser explicitamente doce. Final harmonioso, agridoce, muito longo e muito parecido com uma sobremesa. (Anotações feitas a partir de uma amostra de três anos.)

Brains Dark

SA Brain & Company | www.sabrain.com

País de origem País de Gales
Lançada em *ca*. 1920
Teor alcoólico 4,1% vol.
Temperatura ideal 11°C

A decadência da mild foi muito lamentada nos círculos cervejeiros britânicos. Esse estilo de cerveja maltada, menos amarga do que a pale ale e, em geral, com menor teor alcoólico, lubrificava as engrenagens do setor no passado. Mineiros, trabalhadores de fundições, agricultores e assemelhados faziam questão de visitar um pub no caminho de casa, não apenas para saciar a sede, mas também para recuperar as energias, o que os abundantes açúcares maltados da mild eram capazes de fornecer.

A mild permaneceu como o estilo mais vendido do Reino Unido até o final dos anos 1950, mas, à medida que a indústria pesada decaía, o mesmo acontecia com a bebida. Em certas regiões do interior, ela resistiu por mais tempo e ainda permanece popular. É, com certeza, o caso no sul do País de Gales, onde uma mild produzida em Cardiff, a capital, continuou a ser a mais popular de seu cervejeiro até os anos 1980 e continua a ser um item importante entre as bebidas oferecidas.

A Brains foi fundada em 1882 e, apesar de não ser sabido o ano em que produziu pela primeira vez, uma mild figurava, com certeza, entre suas primeiras criações. Posteriormente, passou a ser conhecida como Red Dragon, refletindo o emblema orgulhoso e flamejante de Gales, e começou a ser abreviada, em algum momento, para RD Dark e, por fim, apenas Dark. Com aparência de mogno, sombria, de textura cremosa, tornou-se um ícone de sua cidade natal.

Produzida com maltes claros e chocolate, a Dark é harmoniosa e rica, o que disfarça seu modesto teor alcoólico; ao mesmo tempo, não é excessivamente doce, graças a generosas adições de lúpulos Challenger, Fuggle e Golding. O resultado é uma bebida de apelo geral que atrai um público maior do que os tradicionais consumidores de mild. **JE**

Notas de degustação

Cerveja em tom granada intenso, com malte abiscoitado, chocolate e um toque de alcaçuz no aroma. O gosto é, principalmente, amargo e seco, mas há uma bem-vinda doçura e sabores de chocolate amargo e grãos tostados. Final seco, amargo, com características de nozes e notas de café.

Brodie's Prime

Hawkshead Brewery | www.hawksheadbrewery.co.uk

País de origem Inglaterra
Lançada em 2004
Teor alcoólico 4,9% vol.
Temperatura ideal 12°C

Hawkshead é um vilarejo no Parque Nacional do Lake District, no condado de Cumberland, no noroeste da Inglaterra. Fica logo ao norte de Esthwaite Water, que se localiza entre os lagos maiores de Windermere e Coniston Water. O emaranhado de ruelas sem carros é a lembrança viva das origens medievais do povoado. Durante três séculos, até 1909, Hawkshead tinha uma escola de ensino fundamental, e o poeta William Wordsworth foi seu mais famoso aluno. Ele descreveu o vilarejo no poema autobiográfico "O Prelúdio".

Em 2002, Hawkshead emprestou seu nome para uma nova cervejaria, construída em uma antiga fazenda em seus arredores. Alex Brodie foi jornalista, correspondente estrangeiro e locutor conhecido dos ouvintes da Radio 4 da BBC e do Serviço Mundial, que fez grandes coberturas no Paquistão, Irã e Israel. Desejoso de deixar para trás os conflitos políticos e militares, ele ansiava pela tranquilidade do Lake District – e por cerveja. Comprou ali uma casa que permitia que ele mantivesse seus compromissos com transmissões radiofônicas e ao mesmo tempo criasse uma cervejaria.

As duas primeiras cervejas que produziu, Hawkshead Bitter e Hawkshead Best, ganharam rapidamente espaço nos pubs do Lake District e novas bebidas foram desenvolvidas. Os sabores fonecidos pela combinação de lúpulos britânicos e americanos surpreenderam de uma forma agradável os consumidores da região, em geral conservadores, acostumados a ales de barricas mais prosaicas. A Brodie's Prime não é fácil de rotular: fica entre uma stout, uma porter e uma ale de inverno, ao mesmo tempo que possui uma influência americana moderna, fornecida por generosas quantidades de lúpulos Cascade. **JP**

Notas de degustação

Aroma generoso e convidativo de toffee e frutas da floresta. O paladar tem malte tostado com frutas abundantes e sabores herbáceos, como groselhas-pretas e vermelhas e salsaparrilha. A doçura do malte é disfarçada pelo amargor e a secura do lúpulo. Final frutado e herbáceo.

Brokát Dark

Pivovar Kaltenecker | www.kaltenecker.sk

País de origem Eslováquia
Lançada em 1997
Teor alcoólico 5% vol.
Temperatura ideal 6°- 8°C

Apesar do relacionamento passado com a atual República Tcheca, a cultura cervejeira da Eslováquia fica muito atrás daquela existente em sua antiga parceira. Porém, há um aumento perceptível de choperias e microcervejarias nos últimos anos, embora muitas tenham aparecido e desaparecido. Na época em que este artigo foi escrito, havia oito pequenas cervejarias e choperias tentando competir com quase uma dúzia de produtores de lager de maior porte, muitos de propriedade estrangeira.

Montada por Peter Legnár e Ladislav Kováč em 1997, a Kalternecker é uma das sobreviventes mais conhecidas, celebrada pela diversidade que dá a suas cervejas. É uma próspera empresa situada nos arredores da cidade de Rožňava e suas bebidas são populares entre os turistas da Hungria, nas proximidades, e de mais longe e entre aqueles que desejam mais do que apenas outra cerveja dourada. Há também um restaurante e a ideia de harmonizar comida e bebida é promovida com determinação. Naturalmente, a cervejaria produz variadas colorações, mas também se diversificou para criar bebidas com sabores de mel, baunilha, gengibre e pimenta vermelha (não ao mesmo tempo!), bem como uma IPA e uma Rauchbier. Um pouco menos ambiciosa, mas ainda se afastando da norma das douradas, está a Brokát Dark, lager escura, intensa, agridoce, com mais do que um simples toque de dunkel.

A cidadezinha de Rožňava recebe muitos turistas que visitam seu centro histórico e, como a maioria das cidades europeias, está irmanada com muitas outras pelo continente. Terá sido deliberado ou uma mera coincidência que sua irmã polonesa seja a Cieszyn, lar da Bracki Browar Zamkowy? Uma cidade cervejeira saúda outra cidade cervejeira. **ATJ**

Notas de degustação

De cor escura, apesar de nuances de castanho quando colocada contra a luz. Café moca e doçura do malte no nariz. O paladar é rico e tostado (embora não de uma forma exagerada), com notas de chocolate. A Brokát Dark tem um final seco.

Brother Thelonious

North Coast Brewing | www.northcoastbrewing.com

País de origem Estados Unidos
Lançada em 2006
Teor alcoólico 9,3% vol.
Temperatura ideal 13°C

A Brother Thelonius não foi a primeira cerveja de inspiração belga da North Coast Brewing em Fort Bragg, na Califórnia, mas, por conta de seu belo rótulo e da ligação com o jazz, ela conquistou fama internacional. A cervejaria fez seu lançamento junto com o Thelonious Monk Institute of Jazz e, para cada caixa vendida, faz uma contribuição para apoiar a educação musical. Como resultado, aparece na carta de bebidas de muitos clubes e festivais de jazz.

A North Coast procurava por uma referência monástica ao escolher o nome da cerveja escura e forte e tentou a sonoridade latina de nomes que poderiam servir a monges, como Brother Octavius, e então surgiu a Brother Thelonious. O jogo de palavras com o sobrenome "Monk" (monge, em inglês) era obviamente irresistível demais. O gerente de vendas Doug Moody é um grande fã do jazz, com um programa em uma rádio local, e logo estabeleceu a relação com o Monk Institute.

Quando o mestre cervejeiro da North Coast, Mark Ruedrich, encontrou a receita para uma ale dourada chamada PranQster, em meados dos anos 1990, poucos produtores artesanais dos Estados Unidos usavam levedura de origem belga. "Uma das coisas mais atraentes dos estilos belgas é a liberdade... Espera-se que sejam idiossincráticos", disse ele. Isso exigiu deixar de lado o medo, compartilhado com tantas cervejarias norte-americanas, de introduzir mais uma cepa de levedura na unidade de produção. "É preciso estar disposto a levar muito tempo para saber suas características", diz Ruedrich, falando sobre o que procurava. "Características de sabor e de fermentação. Fruta, pimenta, cravo. Personalidade. Ser independente e interessante, mas também funcionar como parte de um conjunto." **SH**

Notas de degustação

No copo, apresenta tom intenso, marrom-avermelhado, com uma coroa de espuma alta, cor de canela, que não persiste. Uma rápida lufada de álcool provoca o nariz, abrindo caminho para aromas de pão escuro e caramelado. Frutas escuras levemente alcoólicas – ameixas e passas – dominam o paladar. Estilo contemplativo, harmonizando-se bem com a música de Monk.

Broughton Scottish Oatmeal Stout

Broughton Brewery | www.broughtonales.co.uk

País de origem Escócia
Lançada em 1981
Teor alcoólico 4,2% vol.
Temperatura ideal 14°C

A Broughton é uma pequena cervejaria independente situada na bela região rural de Scottish Borders, ao sul de Edimburgo, entre as cidades de Biggar e Peebles. Foi fundada em 1980 como uma das pioneiras na revolução das microcervejarias que agitava a paisagem britânica. Três décadas depois, a empresa apresenta uma variedade de marcas, incluindo onze cervejas engarrafadas e meia dúzia de ales de barrica.

A cervejaria se inspira na história, na literatura e nas lendas da região para dar nome a suas bebidas: Greenmantle Ale, The Ghillie, Black Douglas e Exciseman's 80/- celebram a herança da Escócia e apresentam um pano de fundo cultural de uma das regiões mais históricas da nação. Porém, criar marcas atraentes é uma coisa, mas também ajuda que as cervejas da Broughton tenham uma excelente reputação em seu país e nos Estados Unidos.

O rótulo da Scottish Oatmeal Stout retrata Robert Younger, fundador da famosa Younger's Brewery, de Edimburgo, pioneiro em todos os aspectos da produção cervejeira e do licenciamento, e bisavô de David Younger, um dos dois criadores da Broughton Brewery. A farinha de aveia tem uma longa história nas tradições culinárias da Escócia. Mais adequada a uma curta e úmida estação de cultivo do que o trigo, a aveia se tornou o principal grão do país.

No preparo da Scottish Oatmeal Stout, emprega-se farelo de aveia para acentuar o sabor e criar suavidade na boca. Os outros ingredientes principais são malte de pale ale, malte negro e cevada torrada, junto com lúpulos Fuggle, First Gold e Challenger, cultivados na Inglaterra. **AG**

Notas de degustação

Malte negro e cevada torrada dão a esta cerveja tradicional sua cor intensa e escura, aroma forte, complexo e tostado, e sabor singular, através de grandes ondas de café e chocolate amargo. Esses sabores são sobrepujados por um bom nível de amargor de lúpulo e por uma textura sedosa na boca.

Budweiser Budvar Tmavý Ležák

Budweiser Budvar | www.budweiser-budvar.cz

País de origem República Tcheca
Lançada em 2004
Teor alcoólico 4,7% vol.
Temperatura ideal 8°C

Em abril de 2004, a famosa cervejaria tcheca Budweiser Budvar anunciou que acrescentaria uma lager escura a sua linha de produtos. A essa altura, as bebidas da cervejaria em České Budějovice incluíam apenas lagers claras nos estilos pilsen e Schankbier, claro, bem como a Bud Super Strong, uma bock clara. A produção acompanha os gostos muito conservadores dos consumidores tchecos, que, reconhecidamente, bebem as maiores quantidades de cerveja do mundo: cerca de 160 litros por ano para cada homem, mulher e criança. Desse total, mais de 98% são compostos por lagers claras. O consumidor tcheco médio consome menos do que cinco copos de cerveja escura no mesmo período.

Tudo isso tornou a chegada de uma nova lager escura um tanto surpreendente. Na verdade, a Budweiser Budvar fez lagers escuras em alguns momentos de sua história de cem anos, algumas chamadas de "granát" ou granada, nome comum para cervejas âmbares e escuras na Boêmia. Talvez para dar garantia a essa aposta, a *tmavý ležák*, ou lager escura, era oferecida somente na torneira até 2006, quando surgiu a versão engarrafada.

Como a clássica lager clara da cervejaria, a escura é produzida com água retirada de um profundo poço e com 100% de lúpulos tchecos Saaz, da varietal vermelha semiprecoce, adicionados em cones inteiros. Além do malte claro da Morávia, também são usados Munique, caramelo e torrado. Desde que foi reintroduzida, tornou-se uma favorita internacional, ganhando prêmios e recebendo, em 2006, uma medalha de ouro de melhor cerveja escura da Sdružení přátel piva, associação de consumidores de cerveja da República Tcheca. **ER**

Notas de degustação

No copo, procure um tom intenso e límpido de âmbar, quase negro, com uma coroa de espuma fofa, cor de caramelo. O aroma evoca café frio, cola, gengibre e especiarias, com um malte açucarado na boca, seguido por um final semidoce, ligeiramente herbáceo.

Cascade Stout

Cascade Brewery | www.cascadebrewery.com.au

País de origem Austrália
Lançada em 1832
Teor alcoólico 5,6% vol.
Temperatura ideal 5°- 10°C

Max Burslem começou a fazer cervejas para a Cascade em 1969. Hoje mestre cervejeiro, ele experimenta a Cascade Stout quase todos os dias há quarenta anos, como parte de seu teste de controle de qualidade, e jura que o perfil de sabores permaneceu o mesmo durante esse tempo. Burslem tem orgulho justificado pelo fato de a Cascade ainda maltar a cevada na própria cervejaria, usando sua própria maltaria. A única mudança no processo de produção foi a introdução de uma dupla mostura: a primeira com malte claro e a segunda, uma mistura de malte claro e cevada torrada. Ambas são combinadas e os lúpulos regionais Tasmanian Pride of Ringwood são adicionados, trazendo um final amargo ao preparo, depois de uma longa fervura extra.

O cervejeiro Tully Hadley, da Cascade, considera que o verdadeiro segredo dessa Stout é a levedura especial Cascade. Ela dá à cerveja o sabor suave e límpido, em vez das notas queimadas mais rudes que costumam aparecer em stouts inferiores. **DD**

Notas de degustação

Melhor quando consumida no meio do inverno. Apresenta uma densa coroa de espuma marrom sobre um corpo negro como a meia-noite, antes de seguir com sabores de café e chocolate, intensos e torrados.

Castle Milk Stout

SABMiller | www.sabmiller.com

País de origem África do Sul
Lançada em 1895
Teor alcoólico 6% vol.
Temperatura ideal 4°- 8°C

Fãs da Castle Milk Stout são categóricos sobre a posição que ela ocupa no mundo da cerveja: garantem que é uma das melhores. Produzida há mais de cem anos, adquiriu o status de bebida *cult* e os bebedores dizem que a marca tem raízes em tradições africanas. O uso de açúcares do leite (lactose) a coloca na condição de tradicional stout de leite, e por isso tem mais pontos em comum com as stouts adocicadas que apareceram na Inglaterra no início do século 20.

Na África do Sul, a stout é popular em regiões de baixa renda e a Castle Milk Stout tem uma sólida base de consumidores. Sua posição iconoclasta é reforçada pelo slogan: "A verdadeira grandeza vem de dentro". O marketing busca encorajar os bebedores a serem grandes homens ao defenderem valores africanos e ao se orgulharem de quem são e de onde vêm. A Castle Milk Stout é a quinta cerveja mais popular do país. **TH**

Notas de degustação

O corpo é ébano, coroado por uma espuma branca, clareada pelo sol. O forte sabor maltado é equilibrado por uma doçura gratificante e pelo final caloroso.

Celebrator

Brauerei Aying | www.ayinger.de

País de origem Alemanha
Lançada em 1982
Teor alcoólico 6,7% vol.
Temperatura ideal 8°C

Esta Doppelbock premiada foi criada, inicialmente, para o mercado norte-americano, onde se tornou uma favorita entre os apreciadores de cerveja antes de ser descoberta e aclamada em sua terra natal. A Celebrator deve sua existência a Charles Finkel, pioneiro do marketing da cerveja artesanal. Nos anos 1980, quando a revolução na produção dos Estados Unidos dava seus primeiros passos, Finkel voltou o olhar para o Velho Mundo em busca de especialidades artesanais para levar a seus sedentos compatriotas.

A Celebrator caracteriza-se pela cor escura, o sabor torrado e maltado, e a atenuação final relativamente alta, o que quer dizer que sobra pouco açúcar residual. O mestre cervejeiro Hans-Jürgen Iwan emprega maltes caramelo, escuro e café em uma decocção em três passos, que acentua a cor e a caramelização. Também adiciona lúpulos Hallertauer Perle alemães, que fornecem aroma e amargor bem-acabado. A longa maturação contribui para a harmoniosa complexidade da cerveja. **SK**

Notas de degustação

Esta cerveja encanta o nariz com aromas de chocolate amargo e café, toques de frutas secas e nozes. Notas granuladas, momentos de marzipã e sabores aveludados torrados brindam o paladar.

Černá Hora Granát

Černá Hora | www.pivovarch.cz

País de origem República Tcheca
Lançada em 1896
Teor alcoólico 4,5% vol.
Temperatura ideal 9°C

O primeiro registro escrito sobre a produção de Černá Hora data de 1530, mas acredita-se que o preparo de cervejas na cidade e bem anterior. Existem documentos que descrevem como uma cerimônia de lei religiosa foi celebrada em julho de 1298 "com cerveja Černá Hora". Teria sido produto de um entre muitos pequenos produtores, mas a Černá Hora, de qualquer maneira, usa a data como parte de seu logotipo. Os consumidores se referem à Černá Hora Granát como "cerveja preta" e, por sua natureza mais doce, também é conhecida como "cerveja de mulher". O nome deriva da misteriosa cor vermelha – que lembra os minérios associados à granada – que reluz das profundezas escuras da bebida quando ela é posta contra a luz. Nenhuma nação produz lagers escuras como a República Tcheca e a maioria das cervejarias apresenta pelo menos uma em seu portfólio. Lagers negras, na verdade, antecedem as douradas, mais familiares, que não existiam antes de meados do século 19. **AG**

Notas de degustação

De cor marrom-avermelhada, com uma vigorosa coroa de espuma e aroma de ameixas. Uma doçura de caramelo bem distinta emerge do maltado escuro, que também revela um contraste com traços de amargor.

Chimay Bleue

Bières de Chimay | www.chimay.com

País de origem Bélgica
Lançada em 1948
Teor alcoólico 9% vol.
Temperatura ideal 13°C

Sem dúvida, algumas das mais famosas cervejas da Bélgica são produtos de cervejarias das seis abadias trapistas do país. E, de forma inquestionável, a mais famosa delas é a Chimay. Conhecido oficialmente como Abbaye de Notre-Dame de Scourmont, o mosteiro situado bem nos arredores da cidade de Chimay é, como todas as cervejarias trapistas da Bélgica, uma imagem de assombro bucólico. Seguindo as regras estabelecidas para receber a qualificação de trapista, a produção ocorre em terreno da abadia e é, oficialmente, supervisionada por monges, embora haja trabalhadores leigos na cervejaria e nas instalações de engarrafamento, situadas fora dali.

Para aqueles que acham estranho que os monges produzam cerveja, é preciso uma pequena lição de história. Desde a Idade Média, e possivelmente antes disso, os mosteiros são centros de produção cervejeira, fornecendo aos cidadãos ales nutritivas que costumavam ser bem mais saudáveis do que a água de beber, pois qualquer contaminação seria removida durante a fervura. A regra trapista declara que os monges são proibidos de aceitar caridade e, portanto, precisam participar de atividades comerciais para sobreviver e levantar fundos para obras sociais.

A azul é a mais forte e mais maltada das quatro diferentes ales da Chimay, todas largamente vendidas por todo o mundo (à exceção da Dorée, com potência menor, servida na cervejaria na frente da abadia). Além de vir em uma garrafa com tampa azul, a Bleue também está disponível com rolha de cortiça, como Grande Réserve. Ela coroa a linha de produtos da Chimay. É uma cerveja que se aprimora com a idade – na verdade, há quem diga que é melhor esperar cinco anos antes de bebê-la. **SB**

Notas de degustação

Embora haja quem afirme que a cerveja perdeu corpo nos últimos anos, ela ainda oferece belos aromas picantes, amplo malte achocolatado e levemente apimentado e uma adequada intensidade de personalidade. Um final de generosidade calorosa completa o quadro. Ao envelhecer, fica mais seca e mais forte.

Chocarrubica

Birrificio Grado Plato | www.gradoplato.it

País de origem Itália
Lançada em 2007
Teor alcoólico 7% vol.
Temperatura ideal 12°- 14°C

O fundador do Birrificio Grado Plato, Sergio Ormea, só começou a produção caseira em 1994, mas tal foi seu entusiasmo e tão elevada a qualidade de suas bebidas que ele deu o passo seguinte em 2003, abrindo uma choperia na cidade de Chieri, não muito distante de Turim. Se Chieri tem boa reputação gastronômica por conta dos caracóis, as cervejas Grado Plato são famosas pela variedade, bem como pela habilidade e o espírito de descoberta de seu criador, com uma vocação para trabalhar com ingredientes locais. Entre as bebidas, Ormea faz algumas com adição de mel da região ou de castanhas.

Sua cerveja mais singular, porém, é a Chocarrubica. Ormea com frequência se sentia tentado a fazer uma stout de chocolate, mas teve seu momento de inspiração certa noite, ao assistir a um documentário sobre o desembarque dos aliados na Sicília durante a Segunda Guerra Mundial. A visão dos soldados americanos jogando barras de chocolate para as crianças sicilianas ficou na sua cabeça. Essa imagem deu origem à Chocarrubica, um encontro entre o "novo" chocolate e a "velha" alfarroba.

A cerveja também tem, na mostura, uma grande proporção de aveia (30%), que Ormea espera adquirir na região em um futuro próximo, além de cevada Maris Otter e maltes negro e chocolate. O lúpulo inglês East Kent Golding entra na panela para dar aroma, enquanto que o Premiant, esloveno, é usado para o amargor. Durante a fervura, grãos de cacau são adicionados primeiro, seguidos pela alfarroba. A cerveja tem uma fermentação secundária na garrafa durante dez dias, e mais quinze dias de maturação antes de ganhar o mundo. **MM**

Notas de degustação

Bela cor de mogno, coroada por uma espuma cremosa, abundante e persistente. No nariz, a alfarroba pode ser percebida, doce e intensa, com notas de toffee *e cacau. Surpreendentemente fresca no começo, no paladar, com ligeira adstringência, e um retorno a notas frutadas de* toffee.

Clotworthy Dobbin

Whitewater Brewery | www.whitewaterbrewery.co.uk

País de origem Irlanda do Norte
Lançada em 1996
Teor alcoólico 5% vol.
Temperatura ideal 10°C

Se você estivesse dando uma volta pela Royal Avenue, em Belfast, em 1820, seria, sem dúvida, cativado pelos aromas maltados vindos das dependências do senhor Clotworthy Dobbin, mestre cervejeiro. Depois, Dobbin transferiu sua cervejaria para a Smithfield Square e foi lá que contratou seu aprendiz mais famoso, Thomas Caffrey, que se tornaria herdeiro do empreendimento. Enquanto a lenda de Caffrey se mantém viva no nome de outra cerveja, Dobbin desapareceu nas névoas da história.

Quer dizer, até 1996, quando a Whitewater Brewery, de County Down, estava em busca de um nome de peso para sua melhor ale. Quem seria melhor do que o primeiro grande mestre de Belfast para transmitir uma sensação de algo que passou no teste do tempo? De forma irônica, quando o último sucessor de Thomas Caffrey (a InBev) fechou a cervejaria de Belfast em 2005, a Whitewater se tornou a maior produtora de cerveja da Irlanda do Norte, com a Clotworthy Dobbin mais uma vez à frente das ales nativas do Ulster.

Embora se saiba pouco sobre o que costumava ser produzido pela cervejaria, é quase certo que uma porter teria um papel importante. A Clotworthy Dobbin é uma versão em vermelho rubi desse clássico estilo do século 19. É feita com um coquetel de maltes, entre eles Crystal, para dar aquela típica doçura irlandesa; chocolate, para uma personalidade calorosa e sedutora; mais uma pitada de negro, para uma secura que faz o consumidor ter vontade de dar mais um gole. Os lúpulos, na maioria, são variedades do Reino Unido, com uma dose de Cascade norte-americano que dá um toque cítrico. Não surpreende que a Clotworthy Dobbin venha recebendo uma enxurrada de prêmios, incluindo uma classificação entre as cinquenta melhores do mundo no Desafio Internacional da Cerveja, em 2007. **JD**

Notas de degustação

A combinação única de malte e lúpulos cria características de passas cobertas de chocolate. Pesada e gratificante, sendo, ao mesmo tempo, suficientemente leve para que se peça uma segunda garrafa, a Clotworthy Dobbin funciona como bebida para sessões prolongadas, mas também se harmoniza bem com queijos fortes e tortas de frutas ácidas.

Coopers Best Extra Stout

Coopers Brewery | www.coopers.com.au

País de origem Austrália
Lançada em 1862
Teor alcoólico 6,3% vol.
Temperatura ideal 4°C

A stout é popular na Austrália desde o século 19 e, apesar da adoção precoce das lagers nas colônias, a maioria das cervejarias daquele período continuou a oferecer, no mínimo, uma stout confiável. A Coopers Best Extra Stout está entre as mais ricas e escuras daquelas que sobrevivem desde os tempos coloniais. A cerveja continuou a se aprimorar com as cinco gerações subsequentes da família Cooper e hoje é um exemplo do estilo de categoria mundial. É uma extra stout, com teor alcoólico de consideráveis 6,3%, ideal para se bebericar devagar nos frios invernos de Adelaide.

Embora a popularidade das stouts da Austrália ande em declínio desde a década de 1960, a Coopers Best Extra Stout cresceu de escopo nos últimos vinte anos, à medida que o conhecimento da marca Coopers se espalhava na Austrália e no exterior. Em um gesto equivalente ao de vender lager para os moradores de Pilsen, a Coopers começou a exportar a Best Extra Stout diretamente para Dublin em 2007, para ser distribuída na Irlanda. Em contraste, a introdução da Guinness no mercado do sul da Austrália, quarenta anos antes, resultou em um aumento das vendas da Best Extra Stout, pois os moradores locais quiseram deixar claro qual era a sua preferência.

A Coopers Best Extra Stout tem fermentação na garrafa, o que quer dizer que, de acordo com a tradição da Coopers, é preciso saber se você deseja rodar a garrafa ou virá-la, para distribuir a levedura de maneira uniforme, antes de servir. Os moradores do sul da Austrália costumam servir a cerveja com rabada ou ossobuco assado com Best Extra Stout e tomilho. **DD**

Notas de degustação

Espere uma escuridão de malte torrado nesta cerveja, que apresenta uma coroa de espuma espessa, em castanho-claro. Uma apreciação cuidadosa dos aromas pode premiá-lo com café, madeira defumada e alcaçuz. Uma textura aveludada na boca é seguida por sugestões de chocolate e um final amargo.

Cusqueña Malta

Backus and Johnston | www.cusquena.com.pe

País de origem Peru
Lançada em 1911
Teor alcoólico 5,6% vol.
Temperatura ideal 2°C

Nos Andes peruanos, existem indícios da produção de cerveja há mais de 1.000 anos. Recentemente, os arqueólogos descobriram uma antiga cervejaria do tempo do império Wari, em que grandes barris continham uma bebida fermentada de milho conhecida como "chicha". Como em boa parte da América Latina, os métodos modernos de produção cervejeira do Peru datam da chegada de imigrantes alemães, em meados do século 19. A cervejaria Cervesur abriu em 1911 uma fábrica na cidade de Cuzco, local onde teve início a produção da Cusqueña Malta.

A Cusqueña é produzida com ingredientes naturais, incluindo 100% de malte, lúpulo Saaz e água derretida das neves dos Andes. A versão escura passa pelo mesmo processo de uma lager, submetendo-se à baixa fermentação, mas, em seguida, ingredientes importados, como café e maltes doces, são adicionados para garantir sabor mais intenso e complexo do que a versão pilsen. **SG**

Notas de degustação

Espere encontrar um corpo marrom-escuro com fina espuma bege e nariz de doçura maltada. O intenso sabor de chocolate amargo e café culmina em um final doce. Excelente com ostras.

Cutthroat Porter

Odell Brewing Company | www.odellbrewing.com

País de origem Estados Unidos
Lançada em 1993
Teor alcoólico 4,8% vol.
Temperatura ideal 10°C

Em 1993, o escritor norte-americano Jim Parker, especializado em cerveja, procurou Doug Odell, da Cervejaria Fort Collins, e pediu-lhe que criasse uma bebida exclusiva para a Mountain Tap Tavern, em Fort Collins, no Colorado. Parker teve a ideia de chamá-la "Cutthroat Porter" a partir do nome do peixe oficial do estado. Parker explicou que sabor procurava, mas deixou a receita sob os cuidados da equipe da Odell.

Começaram com o básico malte claro de duas fileiras e acrescentaram, no meio do caminho, um tanto de Crystal e chocolate, além de um toque de cevada torrada. Inspirados pelas clássicas porters de Londres, foram buscar lúpulos no Reino Unido, empregando Fuggle e East Kent Golding. Apesar dos lúpulos ingleses, a cerveja tem 43 IBU, esbarrando no limite superior de amargor de uma porter ao estilo britânico. É também mais seca do que a média das porters. Quando a Odell Brewing adquiriu uma linha de engarrafamento, em 1997, a Cutthroat Porter estava entre as primeiras a serem envasadas. **JB**

Notas de degustação

Negra como tinta, com generosa coroa de espuma cor de canela. Doçura maltada no nariz, com aromas intensos de café e chocolate amargo. Textura aveludada na boca e final seco e defumado.

Cutthroat – a truta que inspirou uma porter. →

CUTTHROAT®
PORTER
ODELL BREWING CO.

D. Carnegie & Co. Porter

Carlsberg Sverige | www.carlsberg.se

País de origem Suécia
Lançada em 1836
Teor alcoólico 5,5% vol.
Temperatura ideal 10°- 13°C

Quando se fala de porters do Báltico, esta bebida é difícil de ser superada. De fato, é um perfeito exemplo de seu tipo e, com sua firme tradição, a Carnegie Porter vem sendo produzida na Escandinávia há mais de 150 anos. Devido ao complexo relacionamento do Estado sueco com as bebidas alcoólicas, ao longo desse tempo a porter sofreu uma redução em seu teor alcoólico tipicamente elevado.

O estilo porter do Báltico dita que esta cerveja deve ter sabor torrado e cor compatível, e ela não desaponta, apresentando tom próximo a um negro opaco e sabor bem lupulado, com malte intenso. O nariz também é complexo, pois o produtor praticamente obtém características de alcaçuz no perfume, sem falar de uma riqueza próxima do chocolate. A cor e o estilo vão levar, naturalmente, alguns apreciadores a compararem esta cerveja com a Guinness e *existem* vínculos celtas. O fundador David Carnegie Jr. chegou a Gotemburgo vindo de Montrose, na Escócia, e, aos 23 anos, adquiriu uma cervejaria de porter e um moinho de açúcar. Em 1836, a Carnegie Porter já estava em produção e é listada como uma das mais antigas marcas registradas da Suécia, atualmente sob a guarda da Carlsberg.

A bebida tem uma proposta muito diferente da Guinness. É verdade que o longo processo de torrefação e as ligeiras características de queimado garantem algumas semelhanças, mas a porter, como estilo, é bem mais doce e há, na Carnegie, um caramelo sutil e elementos de chocolate que acrescentam profundidade. Não se apresse. A cerveja só melhora com o tempo e a equipe de produção recomenda até dez anos de maturação. **TS**

Notas de degustação

A cor da Carnegie Porter é gloriosamente negra e a complexidade de sabores apresenta malte doce e tostado à frente, com um impressionante amargor ácido ao fundo. Este conjunto compõe uma cerveja que combina perfeitamente com carnes defumadas ou queijos fortes.

Dark Force

HaandBryggeriet | www.haandbryggeriet.net

País de origem Noruega
Lançada em 2006
Teor alcoólico 9% vol.
Temperatura ideal 10°- 15°C

O mercado norueguês é um ambiente hostil para as cervejarias artesanais, pois a venda da bebida é controlada por um órgão do governo, a taxação é punitiva e qualquer tipo de ação de marketing é visto, no mínimo, com maus olhos. Portanto, quando o negócio é produzir ale artesanal de qualidade, é melhor fazer direito e recompensar generosamente o bebedor pela dinheirama que ele precisa desembolsar.

Aparentemente, a Dark Force é uma stout: a cerveja negra, de sabor torrado, rico em malte, conhecida dos bebedores do mundo inteiro. A HaandBryggeriet pegou o modelo básico, examinou-o bem, chutou os pneus e tratou de adorná-lo. Para começar, o teor alcoólico foi elevado para 9%, acentuando os sabores e transformando a bebida em algo que merece ser apreciado com vagar. Nenhuma substância fermentável de natureza suspeita foi adicionada para dar-lhe mais força: nada de açúcar ou xaropes – apenas malte. Mas, em vez da cevada habitual, a cervejaria optou pelo trigo. Em combinação com uma levedura de cerveja de trigo especialmente escolhida, isso fornece uma suave qualidade frutada ao sabor e especiarias nítidas, como se encontram nas Weissbiers escuras da Alemanha. Uma dose maciça de grãos torrados acrescenta o sabor seco de café que torna a stout tão popular.

E há lúpulo. Quilos e quilos de lúpulos de aroma, sabor e amargor são lançados e fazem sua presença ser sentida, adicionando mais uma dimensão a uma cerveja já complexa. Um amargor verde atinge o nariz antes do trigo frutado e um golpe saboroso e cítrico permanece nos lábios muito depois de a cerveja ser engolida. Quando abrir uma Dark Force, esqueça-se de tudo que você achava que sabia sobre uma stout. **JD**

Notas de degustação

Uma verdadeira montanha-russa de sabores, a Dark Force viaja por toda uma gama de sensações, de lúpulos amargos a café suave e torrado, alcaçuz e frutos doces e escuros. Ideal para ser bebericada ao pé da lareira. Também se harmoniza bem com pudim quente de chocolate e queijo azul de sabor forte. Qualquer coisa que o Porto pode fazer, esta cerveja faz melhor.

Dark Horizon

Nøgne Ø A/S | www.nogne-o.com

País de origem Noruega
Lançada em 2007
Teor alcoólico 16% vol.
Temperatura ideal 16°- 18°C

Inspirado por uma Mephistopheles Stout da Avery Brewing, o cervejeiro Kjetil Jikiun teve a ideia de produzir uma cerveja de sobremesa que pudesse ser desfrutada como um belo Porto ou um Madeira, com gosto residual longo e persistente. Como a Nøgne Ø estava de mudança para instalações mais amplas e novas, Jikiun tinha mais espaço livre para produzir e tanques de fermentação de sobra, que não estavam comprometidos com nada em particular.

A Dark Horizon é produzida com um processo de fermentação dupla. Primeiro, é preparada uma stout escura e extraforte, com levedura de ale. Depois, várias toneladas de açúcar mascavo são acrescentadas com extrato caseiro de café e levedura de vinho para elevar o teor alcoólico. Na Noruega, a maioria das cervejas é clara, pasteurizada e filtrada, por isso a Dark Horizon com certeza não era a opção mais comercial em se tratando do mercado doméstico. Porém, como um percentual superior a 70% da produção da Nøgne Ø é voltado para a exportação, não houve tanta preocupação com o mercado norueguês, menos sofisticado. E a Dark Horizon encontrou consumidores ávidos nos Estados Unidos, pátria espiritual das cervejas fortes e de lúpulo intenso.

Pode-se dizer que a Dark Horizon é um produto global: tem inspiração no Meio Oeste norte-americano, malte da Inglaterra, garrafas da Alemanha, nome do Japão, açúcares das Ilhas Maurício, lúpulos da costa do Pacífico, levedura do Canadá, café da Colômbia e é produzida em Grimstad, na Noruega. As garrafas da Dark Horizon são envoltas individualmente com papel, no interior de um estojo de metal, exibindo o estilo contemporâneo de design que conquistou aclamação para a Nøgne Ø em seu país. **AA**

Notas de degustação

A Dark Horizon apresenta um glorioso tom negro no copo, com leve nuance púrpura. Aroma notável de café e passas se ergue sobre a coroa de espuma marrom-escura, mas, quando a bebida é provada, ela se transforma em uma aveludada sobremesa de chocolate, com café e alcaçuz persistentes e amargor equilibrado.

Dark Island

Orkney Brewery | www.orkneybrewery.co.uk

País de origem Escócia
Lançada em 1988
Teor alcoólico 4,6% vol.
Temperatura ideal 10°C

Roger White, que já havia sido proprietário de um pub, montou a Orkney Brewery em 1988, com equipamentos vindos da Inglaterra, do País de Gales e da França. Em pouco tempo, a Dark Island se consolidou como seu carro-chefe. A Orkney se fundiu à Atlas Brewery em 2004, assumindo o nome de Highland and Islands Breweries. Dois anos depois, foi assumida pela Sinclair Breweries.

A Dark Island ganhou duas vezes o título de Campeã da Escócia. De acordo com o mestre cervejeiro Andrew Fulton: "A Dark Island é uma cerveja muito complicada de se classificar. Há quem a considere uma mild escura. Porém nunca fiquei à vontade com esse rótulo. Essencialmente, é uma scottish heavy, com uma dose mais elevada de malte chocolate do que o normal para o estilo. O estilo heavy sempre foi de cor avermelhada e de personalidade maltada, usando tradicionalmente maltes Crystal e negro, o que dava um leve toque de caramelo doce às bebidas. O perfil de malte da Dark Island sempre foi determinado pelo chocolate, que dá uma profundidade e uma complexidade não encontradas em outras tradicionais cervejas da categoria. Acho que é o fato de ser, ao mesmo tempo, diferente e semelhante às tradicionais cervejas escocesas que lhe conferiu uma atração duradoura."

A cervejaria começou a funcionar na antiga escola de Quoyloo, perto da famosa Skara Brae, a aldeia de pedra incrivelmente bem preservada com seu complexo labirinto de moradias, cujos leitos, vergas e armários de rocha permanecem intactos desde o período neolítico. O rótulo da Dark Island representa o misterioso Anel de Brodgar, localizado em Orkney, que se acredita ter sido construído entre 2500 e 2000 a.C. **AG**

Notas de degustação

A Dark Island é uma cerveja muito escura com matizes em rubi e uma coroa de espuma quase branca e fina. O aroma varia entre chocolate amargo e frutas secas com toques de malte torrado, café e toffee, antes de um pot-pourri de sabores de malte torrado e mais frutas no paladar.

Dark Lord

Three Floyds | www.3Floyds.com

País de origem Estados Unidos
Lançada em 2002
Teor alcoólico 13% vol.
Temperatura ideal 13°C

A Dark Lord existe principalmente devido a sua reputação. Fala-se de seu poder, sua personalidade é elogiada de forma obsessiva, quase sectária, mas é raro encontrá-la. Quer dizer, até o Dark Lord Day (Dia do Senhor das Trevas), um ritual festivo para os devotos que se deslocam de todo o mundo até a sede da Three Floyds Brewing, em Munster, Indiana, para sua aparição anual. A data é comemorada no último sábado de abril, dia de celebrações ruidosas, com música e degustação de outras cervejas raras. Os sortudos participantes agarram bilhetes dourados que permitem que eles comprem até quatro preciosas garrafas. E, ao final do dia, a Dark Lord desaparece, respeitosamente armazenada por seus apaniguados, para ser saboreada nos meses – ou até em anos – vindouros. Ou talvez para ser negociada no eBay, onde uma única garrafa de 650 mililitros pode ser vendida por cem dólares.

A Dark Lord é produzida com uma quantidade insensata de malte e cevada, com açúcar indiano, melaço, favas de baunilha e centenas de quilos de grãos de café expresso de uma torrefação da região. Uma parte é envelhecida em barris de carvalho para acentuar sua personalidade. Ela fermenta e é acondicionada por vários meses, desenvolvendo sua potência de forma lenta. Tendo em média um teor alcoólico de 13%, é uma russian imperial stout dos tempos da Guerra Fria, quando o mundo estremecia com a ameaça de guerra nuclear.

Todas as safras anuais, codificadas com lacres em cores diferentes, são registradas e comparadas em copiosas anotações. Está entre as duas ou três cervejas que permanecem no topo do ranking da ratebeer.com, ao lado de outras menos raras, como a ale trapista da abadia de Westvleteren, na Bélgica. Porém os cervejeiros iconoclastas da Three Floyds a encaram com naturalidade. "Nós fazemos. Nós bebemos. É só." **DR**

Notas de degustação

Escura e sinistra, com o aroma adocicado e alcoólico de frutas secas. Um primeiro gole enche a boca com uma explosão de sabores de maltes torrados: café, torrada queimada, passas e chocolate. O elevado teor alcoólico é equilibrado, de certa forma, por baunilha, mel e um final surpreendentemente ácido.

Deep Water Dopplebock Lager

Thomas Creek Brewery | www.thomascreekbeer.com

País de origem Estados Unidos
Lançada em 1999
Teor alcoólico 7% vol.
Temperatura ideal 7°C

Tom Davis criou a Deep Water Dopplebock em 1984, quando era um produtor caseiro, e dedicou-se a aperfeiçoar a receita antes de produzir a lager escura comercialmente, a partir de 1999. Porém, foi só no verão de 2007, quando o estado da Carolina do Sul legalizou as cervejas mais alcoólicas – eliminando o limite de 6,25% que valia até então –, que a Thomas Creek Brewery pôde fazer ajustes na receita e preparar uma autêntica Dopplebock.

Seis diferentes maltes, como o Bonlander Munique, são usados na Deep Water Dopplebock. Nos dias em que a bebida é preparada, a cervejaria se enche com os aromas deliciosos de chocolate e de malte torrado. Ela logo foi aclamada como um dos melhores exemplos do estilo e, em 2008, ganhou medalha de prata no Grande Festival Americano da Cerveja.

A Thomas Creek Brewery faz parte de um grupo emergente de produtores artesanais do estado. Até pouco tempo, o mercado de cervejas da Carolina do Sul era dominado por lagers claras e cervejas light. Tom Davis e seu pai Bill juntaram-se ao movimento das microcervejarias quando assumiram uma choperia abandonada no centro de Greenville. Depois de usar o talento de arquiteto de Bill para acrescentar uma segunda unidade de produção, a primeira leva da cerveja Thomas Creek foi oferecida para o público em julho de 1998. Eles também operam no local uma completa loja de equipamentos e ingredientes para a produção caseira.

A Thomas Creek faz seis bebidas regularmente durante o ano: ale âmbar, IPA, pilsen, porter, red ale e a Dopplebock, além de quatro sazonais. Os Davis produzem bebidas especiais e levas experimentais em um sistema de dez barris, usando outro, com capacidade para sessenta barris, para a produção da cervejaria comercial. **RL**

Notas de degustação

A cerveja apresenta uma coroa de espuma cremosa, cor de canela, que deixa um rendilhado no copo. É uma Dopplebock tradicional, cor de mogno, que reluz nas beiradas. Um doce aroma de malte conduz a um sabor intenso e tostado, com toques de cacau e café, e um pano de fundo com malte substancial.

Devonshire 10'der'

Country Life Brewery | www. countrylifebrewery.com

País de origem Inglaterra
Lançada em 2006
Teor alcoólico 10% vol.
Temperatura ideal 8°- 12°C

Quando Simon Lacey deixou o exército em 1997, foi direto para o pub – o Pig on the Hill – de propriedade da família de sua esposa, em um pequeno vilarejo perto do porto de Bideford, no norte de Devon, na Inglaterra. Além de trabalhar no bar, ele montou a Country Life Brewery, que ficava nos fundos do pub, nos primeiros tempos. "No começo", lembra Lacey, "o pub era ideal para testar a cerveja junto ao público e era ótimo para ver as reações."

No verão de 2002, Lacey transferiu a cervejaria para o Big Sheep, parque temático nas imediações, dedicado aos ovinos. Também comprou novos equipamentos. Embora o feijão-com-arroz de Lacey inclua a Old Appledores, uma ale para sessões prolongadas, e uma ale dourada chamada de Pot Wallop (batizada com o nome de um evento anual da cidadezinha de Appledores), o espírito de experimentação que existia nos primeiros tempos ainda corre como um rio na Devonshire 10'der', um híbrido de barleywine/old ale produzido uma ou duas vezes por ano. "Fizemos porque queríamos uma cerveja 'radical', diz Lacey, que também é conhecido por seu entusiasmo pelos esportes radicais. "E queríamos que tivesse um teor alcoólico de 10%. Tínhamos tentado antes, mas só chegamos a 8,5%, por isso, depois de alguma pesquisa, pusemos tudo no lugar e chegamos aos 10%." Os lúpulos são Challenger e Willamette, cultivados nos Estados Unidos. A maior parte da cerveja é engarrafada, e aí continua a ser acondicionada. Porém algumas barricas também são abastecidas. É uma cerveja que certamente exibe a tradição de Devon com orgulho, "pois somos de Devon e temos orgulho disso, e seu nome reflete o condado e a força alcoólica." **ATJ**

Notas de degustação

De cor castanha. Nariz doce, alcoólico, de bolo de frutas. Híbrido bem-acabado e voluptuoso de barleywine e old ale, com notas ardentes de álcool e de bolo de frutas no paladar, contrabalançadas por uma suavidade maltada. O final tem calor alcoólico e uma pitada de lúpulo.

Dogbolter Dark Lager

Matilda Bay Brewing Company | www.matildabay.com.au

País de origem Austrália
Lançada em 1987
Teor alcoólico 5,2% vol.
Temperatura ideal 4°- 8°C

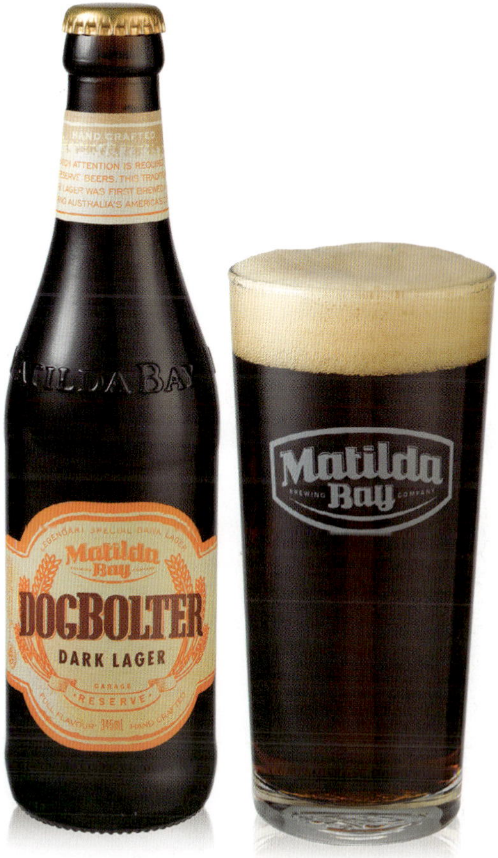

A Matilda Bay Brewing é reconhecida como a primeira microcervejaria da Austrália na era moderna. O país havia atravessado quase um século com lagers geladas e sem graça quando Phil Sexton e outros desafiaram as noções que existiam sobre cerveja com uma variedade de bebidas saborosas, em 1984. Os proprietários originais venderam suas participações para a Carlton and United Breweries em 1990 e, de forma elogiosa, a maior cervejaria da Austrália continua a tratar a Matilda Bay como produtora artesanal, com tanta independência criativa quanto poderia ser esperado sob tais circunstâncias.

Porém, toda cerveja que deixa de receber cuidados de seu criador corre o risco de ver sua natureza alterada com o passar do tempo, à medida que se altera a escala de produção, que os custos são reduzidos e ocorre uma mudança de enfoque. Para muitos dos mais antigos apreciadores da Dogbolter, foi exatamente o que aconteceu com sua querida lager escura. Deixou de ser tão intensa e gratificante como no passado. Sem dúvida, em muitos casos, queixas como essas são apenas o lamento daqueles que julgam que uma cerveja artesanal está perdida quando é incorporada por uma grande cervejaria. Mas, no caso da Dogbolter, as preocupações pareciam ter alguma justificativa.

Brad Rogers, então mestre cervejeiro da Matilda Bay, não admitiu que aquilo acontecesse. Encontrou os criadores, conversou com eles sobre o perfil de sabores inicial da Dogbolter e de sua abordagem na produção. Depois, ajustou ingredientes e processos, usando não menos do que seis tipos de malte de cevada e de trigo, na tentativa de restaurar a reputação da Dogbolter. A versão atual é uma das mais sedutoras e gratificantes lagers escuras disponíveis no mercado. É difícil imaginar que a original fosse ainda melhor. **DD**

Notas de degustação

Embora seja recomendável guardar a Dogbolter na geladeira, aqueles que entendem das coisas sugerem que se deixe a cerveja esquentar um pouco no copo enquanto se admira sua espuma espessa e os matizes em rubi escuro. Isso permite que os sabores doces do malte torrado sejam liberados, junto com toques de chocolate e um final longo e delicado.

Dogfish Head World Wide Stout

Dogfish Head | www.dogfish.com

País de origem Estados Unidos
Lançada em 1999
Teor alcoólico 18% vol.
Temperatura ideal 13°C

Um dia, vamos contar para nossos netos sobre as guerras das cervejas de alta octanagem do início do século 21, sobre o combate entre as bebidas radicais que empregavam cepas de levedura *high-tech* para converter açúcar fermentável em níveis cada vez maiores de álcool, capazes de afrouxar qualquer sinapse. Um dia vamos lhes contar – partindo do princípio de que nossa memória de longo alcance não seja uma das vítimas do confronto.

E aqui se encontra uma das armas de destruição em massa: uma cerveja com cinco vezes mais álcool do que a stout mais popular do mundo. Assim fala Sam Calagione, fundador da Dogfish Head, lembrando Edward Teller antes da primeira bomba de hidrogênio: "Nosso objetivo era produzir a cerveja mais forte do mundo. E tivemos sucesso... durante um mês." A World Wide Stout foi logo ultrapassada pela Sam Adams Millenium. Mesmo quando a Dogfish Head conseguiu, por um breve período, incrementar o álcool para 23%, em 2002, a Boston Beer contra-atacou com Utopias, que agora tem 27%.

A World Wide Stout se distingue dessas duas potências, porém, por realmente se parecer com uma cerveja, com corpo, aroma e sabor de uma imperial stout. Como se gaba a cervejaria, a base é "uma quantidade ridícula de cevada". Mas é a cepa de levedura que pertence à Dogfish Head que faz o trabalho pesado. A levedura típica de ale perde a força ao alcançar um teor alcoólico na casa dos dois dígitos, literalmente envenenada pelo álcool que cria. Como a cervejaria faz tal proeza? "Tudo que posso dizer é que temos uma equipe de controle de qualidade que faz constantes análises ao microscópio para manter o melhor ambiente possível para uma levedura resistente ao álcool", diz Calagione. Cientistas malucos em ação. Teller ficaria orgulhoso. **DR**

Notas de degustação

A World Wide Stout apresenta-se negra, com uma nuance rubi e pouca espuma. Frutas secas e uma lufada de álcool caloroso desprendem-se do copo. Malte torrado, um pouco de alcaçuz e passas ensopadas em álcool no paladar. Parecida com Porto, com um final ácido, caloroso, que lembra uma porter.

Dorothy Goodbody's Wholesome Stout

Wye Valley Brewery | www.wyevalleybrewery.co.uk

País de origem Inglaterra
Lançada em 1989
Teor alcoólico 4,6% vol.
Temperatura ideal 12°C

Quando Peter Amor, ex-cervejeiro da Guinness, montou sua própria cervejaria em 1985, havia apenas uma bebida que ele realmente queria produzir. Adorava a Guinness preparada da forma tradicional dos anos 1960, e escolheu-a como fonte de inspiração. A Dorothy Goodbody's Stout é produzida com malte claro e cevada torrada para obter o tom escuro e intenso, e leva cevada em flocos que lhe dá uma coroa de espuma plena e cremosa, finalizada com uma dose generosa de lúpulos Northdown, que dão uma secura de resina ao paladar. Foi largamente louvada como um exemplo clássico de uma stout simples.

Então por que não se chama de Amor's Stout ou Wye Valley Stout? Peter achava que tais nomes seriam um pouco sem graça, então fez o que qualquer cervejeiro de respeito faria: juntou alguns amigos, saiu para tomar umas cervejas e pensou no assunto. No final daquela noite, Dorothy Goodbody nasceu. Ninguém lembra exatamente quem deu a ideia. No rótulo das garrafas, Dorothy evoca um glamour saudável e atemporal. Parece o tipo de mulher que poderia trabalhar nos campos de Herefordshire colhendo cevada, que sairia em seguida para tomar algumas cervejas e que, depois de se banhar e trocar de roupa, se transformaria na beldade da festa.

Não se trata também de uma simples ilustração. Ela tem também uma história: é a filha do dono de uma plantação de lúpulo que se interessou pela produção de cerveja quando começou a cortejar um mestre cervejeiro. A linha de cervejas engarrafadas com seu nome deveria incluir apenas sazonais inspiradas por "ales tipicamente inglesas", produzidas pessoalmente por Dorothy. Sua Wholesome Stout foi sempre a mais famosa delas e, depois que foi apontada como Campeã da Grã-Bretanha entre as cervejas de inverno, em 2002, passou a ser produzida o ano inteiro. **PB**

Notas de degustação

A Wholesome Stout apresenta-se quase negra no copo, com uma coroa de espuma bege, exuberante e turbulenta. No nariz, moca e toffee, com sugestão de alcaçuz, seguidos por um malte achocolatado, queimado, torrado e um final surpreendente, seco e límpido que deixa um toque de vibração do lúpulo.

Dragon Stout

Desnoes & Geddes | www.jamaicadrinks.com

País de origem Jamaica
Lançada em 1961
Teor alcoólico 7,5% vol.
Temperatura ideal 13°C

Eugene Peter Desnoes e Thomas Hargreaves Geddes conheceram-se quando trabalhavam na West Indies Mineral and Table Water Company em Kingston, na Jamaica. Os amigos se tornaram sócios em 1918, montaram uma fábrica de refrigerantes e logo consolidaram o nome Desnoes and Geddes como produtor de refrescos de qualidade e distribuidor de bebidas alcoólicas importadas.

Em uma década, a dupla abriu a Surrey Brewery com o intuito de produzir uma cerveja jamaicana que deixasse sua marca no cenário mundial – proeza que cumpriram com a Red Stripe. Peter S. Desnoes, filho do cofundador da empresa, assumiu a presidência em 1952, promovendo a construção de modernas instalações em Hunts Bay e um período de intensa expansão. Foi durante esses anos de crescimento que surgiu a Dragon Stout, uma cerveja com elos com o passado colonial da ilha, no momento em que a Jamaica se libertava do domínio britânico. Produzida a partir de uma mistura de maltes negros e caramelo, xarope de milho e extrato de lúpulo, a cerveja passava por *priming* com açúcar antes do engarrafamento para satisfazer aqueles com um paladar predisposto ao doce – uma doçura que, com frequência, pode disfarçar a potência da bebida.

Em 1970, os sócios ofereceram 8% de suas ações ao público para bancar mais expansões e empreendimentos com outros cervejeiros, inclusive um contrato para produzir a stout britânica Mackeson na ilha. Em 1993, já haviam vendido 51% da participação na empresa para a Guinness (agora Diageo). Com fundos do Guinness Group – bem acostumado a colocar stouts no mercado internacional –, a Dragon Stout conquista um público cada vez maior à medida que os consumidores se deixam seduzir por seu charme escuro, cremoso e doce. **SG**

Notas de degustação

No copo, a cerveja apresenta um tom de marrom muito escuro com leve nuance avermelhada e fina coroa de espuma bege. O aroma de melaço chega ao nariz imediatamente, e o paladar é sobrepujado por sabores doces de chocolate amargo e caramelo. Funciona surpreendentemente bem com um bom sorvete de chocolate.

Dragonstooth Stout

Elysian Brewing | www.elysianbrewing.com

País de origem Estados Unidos
Lançada em 1996
Teor alcoólico 7,2% vol.
Temperatura ideal 7°- 13°C

Batizada de Elysian (Elísio), seria previsível que os produtos desta cervejaria tivessem nomes inspirados pela mitologia grega. De fato, a seleção de bebidas da empresa sediada em Seattle inclui nomes como Zephyrus Pilsenner e Perseus Porter. A Dragonstooth (Dente de Dragão) Stout também recebe um nome da mitologia grega, mas de uma forma menos óbvia. A imperial stout lembra os fundadores da cidade de Tebas. Conta a lenda que o príncipe fenício Cadmo destruiu um dragão e semeou seus dentes no chão. Eles deram origem a uma raça de homens ferozes e armados. Cinco deles auxiliaram Cadmo na construção de Tebas e assim se tornaram os fundadores da cidade.

"A Dragonstooth foi um subproduto de uma forte stout de aveia que eu costumava produzir quando trabalhava em outro lugar", diz o mestre cervejeiro da Elysian Brewing, Dick Cantwell. "Assim que acabou, as pessoas pediram mais. Por isso, quando abrimos a Elysian, a versão mais nova se tornou uma parte de nossa linha de produtos permanentes." Esta versão de Dragonstooth foi a segunda criação da Elysian, depois da Wise ESB, mas não era tão feroz quanto é hoje. "Cerca de dois anos depois do lançamento, nosso principal cervejeiro assumiu como um desafio pessoal a produção de uma versão imperial da bebida", diz Cantwell. "A única mudança real para criar a imperial stout atual foi a adição de mais malte claro e de uma quantidade proporcional de lúpulos para dar amargor, de modo a manter o equilíbrio e criar, ao mesmo tempo, uma versão mais intensa."

Aveia orgânica em flocos constitui 10% dos grãos empregados, junto com cevada torrada e malte de chocolate. A Dragonstooth leva lúpulo Magnum para dar amargor e é finalizada com Cascade e Centennial. **LMo**

Notas de degustação

O equilíbrio entre os maltes e a aveia em flocos torna a Dragonstooth uma stout forte de rara intensidade, mas a cerveja também exibe uma surpreendente personalidade de lúpulo. Quando se permite que ela se aqueça, após sair da geladeira, o dragão adquire uma personalidade ainda mais sedutora.

Drayman's Porter

Berkshire Brewing Company
www.berkshirebrewingcompany.com

País de origem Estados Unidos
Lançada em 1995
Teor alcoólico 6,2% vol.
Temperatura ideal 10°C

O rótulo da Drayman's Porter mostra uma antiga carroça puxada por cavalos que fazia entregas de cerveja e, como acontece com os rótulos de todas as bebidas da Berkshire Brewing, garante que o que está no interior da garrafa é fresco e produzido na região. Desde a fundação da cervejaria em 1994, Gary Bogoff e Chris Lall colocam essa promessa em primeiro lugar, distribuindo cerveja sem filtragem ou pasteurização para um mercado crescente, a partir de sua base no oeste do estado de Massachusetts.

Os sócios construíram sozinhos boa parte da cervejaria e começaram a produção com equipamentos de segunda mão. Faziam engarrafamento manual até chegarem a produzir 10.000 barris anuais. Ao contrário da maioria, a Berkshire cuida da distribuição de quase todas as suas bebidas, a partir de seus próprios armazéns, vendendo principalmente em um raio de 160 quilômetros da cervejaria. **SH**

Notas de degustação
Aromas, texturas e sabores intensos – chocolate doce e malte caramelo do começo ao fim, obscurecidos no início por traços torrados/tostados, que lembram café, e depois pelo amargor do lúpulo.

Dreher Bak

Dreher | www.dreher.hu

País de origem Hungria
Lançada em 1997
Teor alcoólico 7,3% vol.
Temperatura ideal 10°- 12°C

Anton Dreher ficou famoso como um dos grandes visionários da moderna produção cervejeira. Em 1840, enquanto trabalhava em Viena, ele foi pioneiro no uso de grandes tanques de maturação a frio com sua nova cerveja límpida, de cor âmbar, maltada – a lager Viena. A façanha de Dreher serviu de motivação para que o povo da cidade de Pilsen quisesse competir e contratasse seu pupilo Josef Groll, que criou um estilo que agora é bebido pelo mundo inteiro e leva o nome da cidade.

Bem mais tarde, a South African Breweries adquiriu os direitos sobre o histórico nome de Dreher e, em 1997, nasceram as Dreher Classic e Bak. *Bak* é o termo em húngaro para "bock", embora a cerveja tenha toques de uma dunkel forte. Levando-se em conta sua força, é perfeita para um dia frio em Budapeste. **TH**

Notas de degustação
Cerveja escura, intensa e encorpada, servida sob grande colarinho cremoso. No nariz, notas aromáticas adocicadas de malte e caramelo, com um delicado perfume de lúpulos ao fundo.

The Duck-Rabbit Baltic Porter

Duck-Rabbit Craft Brewery
www.duckrabbitbrewery.com

País de origem Estados Unidos
Lançada em 2006
Teor alcoólico 9% vol.
Temperatura ideal 10°C

Não há nada como uma porter escura bem alcoólica para espantar o frio de uma noite sombria e invernal. Farmville, na Carolina do Norte, é o lar desta clássica porter do Báltico.

A cervejaria, tocada por três sócios, ganhou depressa a reputação de joia sulista por nadar contra a corrente. Sem qualquer constrangimento, dedica-se exclusivamente às cervejas escuras. "Busco tudo o que é delicioso", diz Paul Philippon, um dos donos. "Não digo que sempre tenha sucesso, mas não produzo nada que eu não adore." Apesar da abordagem individualista, Philippon é um cervejeiro bastante convencional, concentrando-se em estilos tradicionais. Suave como o veludo, sem amargor acre, a Dark-Rabbit Baltic Porter é límpida, harmoniosa e complexa. É uma ale intensa e contemplativa que parece perfeita para se passar uma noite fria ao pé de uma lareira fumegante. **DR**

Notas de degustação
Tentadores sinais de frutas silvestres e cacau se misturam ao calor do álcool. Apesar do peso assustador do malte torrado, o corpo é excepcionalmente suave e agradável ao paladar.

The Duck-Rabbit Milk Stout

Duck-Rabbit Craft Brewery
www.duckrabbitbrewery.com

País de origem Estados Unidos
Lançada em 2004
Teor alcoólico 5,7% vol.
Temperatura ideal 7°C

A Duck-Rabbit Craft Brewery lançou sua primeira criação em 2004. Ela se apresenta como "especialista em cervejas escuras" e sua linha de produtos cumpre tal promessa. Quando o fundador Paul Philippon deu início à empresa, sentia que as bebidas mais escuras estavam pouco presentes no sudeste dos Estados Unidos e partiu para produzir uma gama que inclui, agora, uma brown ale, uma porter do Báltico, uma wee heavy scotch ale e outros estilos.

A Duck-Rabbit Milk Stout é produzida com lactose, o que ajuda a equilibrar o peso dos grãos torrados. Philippon não sabia o que esperar na época de seu lançamento, mas a nova cerveja encontrou, bem depressa, aceitação dos consumidores. Todos os meses, desde que foi introduzida, ela tem sido a mais vendida da Duck-Rabbit. **RL**

Notas de degustação
Marrom-escura e intensa, com colarinho cor de canela. O aroma é de malte torrado com um toque de cacau. Textura sedosa, com elementos de chocolate ao leite semidoce e uma base de café torrado.

Dunkler Weizenbock

Brauerei Michael Plank | www.brauerei-plank.de

País de origem Alemanha
Lançada em 2001
Teor alcoólico 7,8% vol.
Temperatura ideal 8°- 10°C

Quando Maria Plank, dona de uma choperia e chefe da família cervejeira Plank, celebrou seus cinquenta anos, houve uma grande festa no pequeno povoado de Laaber, perto de Regensburg. A Brauerei Plank trouxe muitos convidados à taverna e nessa ocasião, em 2001, Michael Plank, filho de Maria, criou a Dunkler Weizenbock. Ou, para ser mais preciso, ele recriou e aprimorou a receita de uma cerveja que era oferecida até os anos 1980, quando foi abandonada por falta de demanda.

A nova criação não apenas conquistou os convidados, mas é também adorada por fãs de cerveja do mundo inteiro. Recebeu uma medalha de ouro na Copa do Mundo da Cerveja de 2004. Esta bebida equilibrada é refrescante e complexa ao mesmo tempo. Para obter tal equilíbrio de sabores, Plank trabalha com recipientes de fermentação aberta e depois armazena a cerveja durante cerca de quatro dias em tanques sem pressão, antes do engarrafamento. A subsequente fermentação em garrafas, em temperaturas elevadas, dura mais uma semana, seguida por armazenagem com resfriamento por mais duas ou três semanas. Tudo isso contribui para a complexidade da cerveja.

A Dunkler Weizenbock é exportada principalmente para os Estados Unidos, mas também pode ser encontrada na Áustria, na China e na Austrália. Para o mercado doméstico, Plank prepara apenas duas levas por ano, para garantir que permaneça rara e preciosa. Por ser uma cerveja forte, a Weizenbock pode ser guardada durante anos e desenvolve uma personalidade ainda mais complexa. Segundo Michael Plank, as edições especiais encontram-se disponíveis em restaurantes de alta gastronomia dos Estados Unidos. **SK**

Notas de degustação

Marrom-clara com nuances cor de laranja e colarinho bege, ligeiramente turva. Esta cerveja oferece um aroma cítrico, notas torradas e sugestões de cravo picante. O paladar é picante e doce, com um toque azedo que evolui e se transforma em sabores torrados, semelhantes ao café. Final suave com presença alcoólica.

Echigo 90 Days Stout

Echigo Beer | www.echigo-beer.jp

País de origem Japão
Lançada em 2005
Teor alcoólico 7% vol.
Temperatura ideal 12°C

A Echigo Stout foi uma das cervejas produzidas originalmente na choperia Echigo, aberta no início de 1995. As primeiras foram exemplos clássicos da produção artesanal, em geral ao estilo norte-americano e quase sempre com elevada gravidade. Felizmente, a Echigo continua a produzir bebidas como as Amber Ale, Pale Ale, Weizen e Stout, no mesmo lugar.

O fundador Seiichiro Uehara relata que sua ideia original foi inspirada em uma cervejaria de abadia. Aninhada a uma encosta, a construção branca lembra uma catedral, mas no interior a sensação é de luminosidade e amplidão, graças a numerosas janelas, paredes brancas e uso generalizado de madeiras claras. Depois da inauguração, a choperia Echigo se tornou um destino popular para os amantes da cerveja, tanto pela sua natureza singular quanto pelo fato de não existirem outras choperias em funcionamento na ocasião. Recentemente, a Echigo se tornou um local menos agitado, abrindo as portas apenas nos fins de semana e para festas fechadas.

A popularidade da Echigo Stout cresceu de forma gradual. No início dos anos 2000, tomou-se a decisão de produzir a stout na cervejaria da Echigo, de maior porte. Como o tamanho da leva é umas vinte vezes superior à capacidade de produção da choperia, a receita foi alterada para poder funcionar com eficiência em instalações maiores. A receita original pede um pouco de malte de trigo, que a Echigo descobriu que não fermenta de uma forma particularmente estável. Por isso, foi preciso fazer ajustes nas quantidades. Esse processo demorou, mas em 2005 começou a ser vendida uma nova versão da stout, chamada de 90 Days Stout por causa do tempo de maturação. Ela ganha amargor com o emprego de lúpulo Northern Brewer e aroma com Hersbrucker. **BH**

Notas de degustação

Intenso marrom-avermelhado, com um frouxo colarinho cor de canela. Há um leve aroma de caramelo queimado, com um sabor com acidez e características de nozes e notas de caramelo que persistem até o fim. Praticamente não apresenta intensos sabores torrados, e por isso seu estilo é mais parecido com o de uma porter.

Eclipse Imperial Stout

FiftyFifty Brewing | www.fiftyfiftybrewing.com

País de origem Estados Unidos
Lançada em 2008
Teor alcoólico 9,5% vol.
Temperatura ideal 13°C

Todd Ashman não foi o primeiro produtor a colocar cerveja dentro de barris de bourbon, mas foi a força motriz a criar uma categoria separada para as cervejas envelhecidas em barris. Quando estava na Flossmoor Station Brewing, em Illinois, suas bebidas envelhecidas em barris de bourbon ganharam medalhas no Grande Festival Americano da Cerveja em 1998 e 1999 "experimentais", antes de serem consideradas um estilo à parte. A Eclipse Imperial Stout criada por ele para a FiftyFifty Brewing é descendente direta daquelas criações.

"É espantoso ver quanta gente começou a usar barris. É uma percentagem mínima do negócio, mas aqueles barris garantem muita atenção", diz ele. Ashman estava procurando um estilo capaz de resistir aos intensos sabores deixados em um barril de bourbon e começou a fazer experiências na Flossmoor, uma choperia nos subúrbios de Chicago. Tinha ouvido falar sobre a Bourbon County Stout, da Goose Island, mas ainda não havia provado. "A stout fornece um pano de fundo. É muito intensa, muito flexível. É possível acrescentar todas essas coisas, sabor e personalidade e a flexibilidade permanece", afirma. Naturalmente, ele não parou por aí. A Old Conundrum Barley Wine, também envelhecida em barris de bourbon, foi sua cerveja premiada de 1999, na categoria experimental.

A receita da Eclipse Imperial é tão complexa quanto a cerveja que vai para o copo. Ashman usou quatorze tipos de malte ao preparar a leva de 2009, bem como mel de algarobeira, açúcar de palmeira indiana e partículas de xarope de arroz integral. Uma parte da leva produzida em 2008 ficou fora dos barris – e também ganhou uma medalha no Grande Festival Americano da Cerveja. **SH**

Notas de degustação

A Eclipse Imperial Stout se mostra negra com colarinho cor de canela. Notas de bourbon e de baunilha com carvalho ficam aparentes ao nariz, equilibradas por uma onda de aromas e sabores: chocolate amargo, frutas escuras, café e toffee, melaço e alcaçuz... a lista é longa.

Um integrante da tribo Bonda colhe o tipo de seiva de açúcar de palmeira usado na Eclipse Imperial Stout. →

Eel River Organic Porter

Eel River Brewing | www.eelriverbrewing.com

País de origem Estados Unidos
Lançada em 1995
Teor alcoólico 5,8% vol.
Temperatura ideal 10°C

A Eel River Organic Porter começou sua existência como Ravensbrau Porter e não era, em um primeiro momento, uma cerveja orgânica. Mas em 1996, um ano depois de ser produzida pela primeira vez, ela ganhou a certificação depois de mudanças em seus ingredientes. Quatro anos depois, a Eel River também parou de usar a marca Ravensbrau.

Ted Vivatson, fundador da Eel River Brewing, agora produz apenas bebidas orgânicas em instalações movidas 100% a energia de biomassa, inauguradas em 2008. E é só metade da história. O novo prédio onde fica a cervejaria também é reciclado, pois no passado foi uma serraria que trabalhava com sequoias em Scotia, no norte da Califórnia. Na verdade, a Eel River foi a primeira cervejaria dos Estados Unidos a receber a certificação de orgânica. Também não se empregam produtos de origem animal, o que faz com que as bebidas não sejam apenas orgânicas, mas também *vegan*. O slogan diz tudo: "Seja natural, beba nu!"

A porter usa cinco variedades de cevada orgânica maltada, incluindo maltes caramelo e chocolate. Vivatson acredita que eles "se cumprimentam e acentuam as características um do outro, em uma mistura harmoniosa". Duas variedades de lúpulo são adicionadas à fervura. A primeira é Hallertau, de origem alemã. A outra é Pacific Gem, orgânica, desenvolvida na Nova Zelândia, na fazenda da família Oldham, que produz apenas lúpulos orgânicos.

A Eel River Organic Porter ganhou vinte prêmios na última década, entre eles dez medalhas de ouro em competições de grande e pequeno porte, desde a Feira Estadual da Califórnia ao Grande Festival Americano da Cerveja. A revista *DRAFT* também a incluiu recentemente em sua lista de "25 Melhores Cervejas do Mundo". **JB**

Notas de degustação

De cor de mogno intensa, com um colarinho firme em amarelo-claro, a Eel River Organic Porter tem nariz de chocolate ao leite com um toque de caramelo e café expresso. A textura é muito cremosa, com sabores de cacau e café torrado, sublinhados por notas de nozes. O final é suave e aveludado.

Eisenbahn Dunkel

Sudbrack Brewery | www.eisenbahn.com.br

País de origem Brasil
Lançada em 2002
Teor alcoólico 4,8% vol.
Temperatura ideal 3°- 5°C

Nuremberg, 2007. European Beer Star Awards. Na ocasião, 54 especialistas experimentaram 575 cervejas de 28 países. Cervejarias de prestígio, com longas tradições, inscreveram suas "estrelas". A competição é feroz e simplesmente não há lugar para nada que não tenha uma qualidade notável. Na categoria dunkel, a Eisenbahn Dunkel ganha a medalha de bronze, a primeira cerveja sul-americana a receber um prêmio tão importante – honra dividida com a Eisenbahn Weizenbock, que ganhou o bronze na categoria do mesmo nome. O reconhecimento colocou a Eisenbahn no mapa do mundo da cerveja e, ao se considerar que ela começou apenas em 2002, trata-se de uma proeza verdadeiramente notável.

Dunkel (que quer dizer "escuro" em alemão) é um estilo cervejeiro originário da região de Munique. A prática tradicional usava um método complexo de decocção tripla, e maltes Munique davam o tom escuro singular às dunkels. A Eisenbahn Dunkel emprega uma combinação de cinco maltes e é uma versão soberba do estilo. Como todas as cervejas da Eisenbahn, a Dunkel segue a tradicional Lei da Pureza da Baviera, de 1516, que proíbe que se empregue qualquer ingrediente além de água, cevada e lúpulo.

A cervejaria Eisenbahn fica no sul do Brasil, em Blumenau, a cidade mais alemã do país. Os numerosos imigrantes alemães que vieram para a região deixaram sua marca na arquitetura, na comida, na música e, o que é mais importante, na cerveja. Blumenau ostenta, atualmente, a maior Oktoberfest fora da Alemanha, atraindo multidões para apreciar tudo o que se espera de uma festa alemã, inclusive cervejas excelentes, como a Eisenbahn Dunkel. **AH**

Notas de degustação

Rica e complexa, a cerveja é escura e o aroma é de malte tostado. Os maltes torrados e chocolate aparecem com mais força no paladar, criando um sabor de café. Vai bem com salsichões, queijo, cogumelos e presunto, bem como com sobremesas de chocolate.

El Toro Negro Oatmeal Stout

El Toro Brewing Company | www.eltorobrewing.com

País de origem Estados Unidos
Lançada em 1996
Teor alcoólico 5,5% vol.
Temperatura ideal 13°C

Na primavera de 1994, Geno e Cindy Acevedo ergueram a El Toro Brewing Company, com um pequeno sistema para 17 barris, em suas terras na área rural de Morgan Hill, em Santa Clara County, Califórnia. A região é mais conhecida como Vale do Silício. Morgan Hill fica ao sul de San Jose, a maior cidade dali. A cervejaria leva o nome de El Toro, uma pequena montanha que lança sua sombra sobre a cidade inteira e cuja silhueta é usada no brasão da cidade. Devido à combinação única de atividades vulcânicas e sísmicas, também é o único lugar do mundo onde pode ser encontrada a pedra semipreciosa conhecida como *poppy jasper* (literalmente, jade papoula). De fato, a primeira cerveja da El Toro foi a Poppy Jasper Amber.

Em 2006, os Acevedo abriram uma choperia no centro de Morgan Hill. Fica em um antigo banco, com uma sala reservada no interior do cofre, em um prédio de dois andares onde funciona o bar Poppy Jasper. Lá também se encontram equipamentos para produção de três barris, nos quais são preparados mais de 25 tipos de cerveja. A Negro Oatmeal Stout foi a 181ª leva. A inspiração do mestre cervejeiro Geno Acevedo foi a stout de aveia feita na época por outros produtores da região, como a Anderson Valley e a Seabright. A aveia constitui um terço do mosto e fornece suavidade única e um toque de doçura.

O emprego de aveia na cerveja originou-se na era medieval, mas foi interrompido no século 18. Foi reintroduzido no final do século seguinte em cervejas revigorantes, devido à popularidade do mingau, antes de desaparecer novamente até o final dos anos 1970. Samuel Smith produziu a primeira stout moderna à base de aveia em 1979. **JB**

Notas de degustação

Negra como a noite, com um colarinho muito espesso e denso, cor de canela. O nariz é de chocolate ao leite com aromas de café expresso. Os sabores são de aveia, café forte e torrado e um toque de tabaco, com uma textura cremosa e um final bem longo e amargo. Experimente com aves assadas, carnes defumadas e sobremesas de chocolate.

Enigma

The Twisted Hop | www.thetwistedhop.co.nz

País de origem Nova Zelândia
Lançada em 2007
Teor alcoólico 10,5% vol.
Temperatura ideal 12°- 15°C

A choperia The Twisted Hop foi invenção de dois ingleses expatriados, Martin Bennett e Stephen Hardman. Ao chegarem com suas famílias em voos separados, em fevereiro de 2003, os dois ignoravam que dividiam o mesmo sonho: levar para a Nova Zelândia ales no estilo inglês. Depois de se unirem, a dupla decidiu construir uma choperia de real ale e começou a procurar um lugar adequado para a empreitada. Escolheram o momento perfeito. O conselho municipal de Christchurch estava renovando uma antiga área da cidade e transformando-a em um centro comercial e turístico. A região, conhecida como Lichfield Lane, lembrava certas áreas de Londres para Martin e Stephen, e os dois compraram um dos velhos armazéns. Partiram em seguida para instalar ali a cervejaria e o bar, preservando com cuidado as vigas, as colunas e as paredes de tijolos aparentes da estrutura original.

Apesar do histórico da construção, The Twisted Hop é a antítese de um típico pub inglês. Embora se localize em uma ruazinha tranquila, com uma agradável área para consumo nas calçadas, The Hop é iluminado, ventilado e moderno, com grandes janelas de vidro que se abrem nos fundos de bar, mostrando a cervejaria atrás. Desde que abriu as portas ao público em agosto de 2004, firmou-se como um dos principais endereços da Nova Zelândia para o consumo de cervejas.

A Enigma é um barleywine ao estilo inglês, envelhecido em barris de vinho. O carvalho contribui para dar toques de baunilha e uma secura tânica a uma cerveja profundamente complexa e gratificante, feita para ser bebericada. Chamada inicialmente de "Epiphany", a mudança aconteceu quando se descobriu que outra choperia do país, a Galbraith's, de Auckland, já tinha uma bebida com o mesmo nome. **GG**

Notas de degustação

Cobre sob colarinho cor de canela. O aroma tem notas de toffee, banana e café. Suave e caloroso, o paladar combina lúpulos com características de resina com malte consistente, carvalho, baunilha e um toque de fumaça. Termina com um amargor intenso e persistente. Perigosamente fácil de beber!

Erdinger Dunkel

Privatbrauerei Erdinger Weissbräu | www.erdinger.de

País de origem Alemanha
Lançada em *ca.* anos 1890
Teor alcoólico 5,6% vol.
Temperatura ideal 5°- 12°C

A Erdinger Weissbräu, como costuma ser chamada com menos formalidade, se estabeleceu na cidade de Erding, a nordeste de Munique, em 1886. Hoje, com produção anual de 1,5 milhão de hectolitros, é considerada a maior produtora de Weissbier do mundo. Porém, ela não começou a fazer Weissbier antes da década de 1890 e foi apenas em 1935 que passou para as mãos da família Brombach, sua atual proprietária. De fato, a cervejaria não tinha sequer este nome antes de 1949. Em 1965, quando o filho de Franz Brombach (que fez a aquisição em 1935) assumiu a operação, a cervejaria produzia 40.000 hectolitros por ano. Em apenas treze anos, ele conseguiu aumentar mais de cinco vezes a produção.

No início dos anos 1960, a Weissbier tinha apenas uma pequena participação no mercado de cervejas da Baviera. Ainda era feita do jeito tradicional, mas no final da década o "novo" estilo Kristall, parecido com champanhe, ganhava popularidade. Alguns anos depois, voltou a se modificar – dessa vez, de volta à apresentação turva que tinha sido o carro-chefe do pequeno mercado de Weissbier no início dos anos 1960. Hoje, o estilo tradicional se mantém e sua participação no mercado da Baviera cresceu para 25%.

A Erdinger Dunkel é uma das antigas sobreviventes da cervejaria: uma bebida leve, apetitosa, que passa por fermentação secundária na garrafa (como acontece com a maior parte da produção da Erdinger). Apesar de a cervejaria produzir apenas Weissbier, existem dez variações sobre o tema, incluindo uma cerveja de festival e várias sazonais. Os fãs se dirigem para o centro da cidade para desfrutar todas as variedades na torneira da choperia. **RP**

Notas de degustação

Cor escura de canela ou castanha. Nariz com notas suaves de malte escurecido, levemente torrado, além de um fundo frutado. É suave ao paladar, com leves sabores de chocolate e café dos maltes torrados agindo em conjunto com notas suaves de frutas e trigo. Refrescante.

Erdinger Pikantus

Privatbrauerei Erdinger Weissbräu | www.erdinger.de

País de origem Alemanha
Lançada em 1968
Teor alcoólico 7,3% vol.
Temperatura ideal 8°C

Quando se fala em Weissbier, a Erdinger é líder global da especialidade. Fundada em 1886, produzia apenas 40.000 litros quando os atuais proprietários, a família Brombach, a adquiriu nos anos 1930. Em 2007, a produção era 20 vezes isso. A mais vendida é a Erdinger Weissbier.

Porém, além da Weissbier, talvez sua bebida mais notável seja a Pikantus, uma Weizenbock com 7,3% vol. que fascina os fãs o ano inteiro, embora seja um estilo normalmente associado a cervejas produzidas originalmente por monges para o período da Quaresma, na primavera. Acredita-se que a primeira Weizenbock de produção comercial foi feita em 1907, em Kelheim, nas imediações de Regensburg. Passaram-se cerca de sessenta anos antes que a Erdinger decidisse que estava na hora de adicioná-la a seu portfólio. É curioso que tenha escolhido tal momento para apresentar a cerveja, pois todos os tipos de Weissbier pareciam estar em decadência. Eram associadas (de forma certa ou errada) com uma geração mais velha, e as pilsens claras eram a pedida mais descolada e na moda. Porém, a Weissbier voltou com força total (espelhando a redescoberta da Witbier belga), especialmente entre os jovens, e a Erdinger demonstrou grande visão ao produzir esta bebida (ou deu muita sorte).

A Pikantus é um prazer que pode ser desfrutado o ano inteiro, mas, para uma experiência verdadeiramente histórica, a melhor época para contemplar um copo é durante ou depois da Quaresma. Graças a seu teor alcoólico, a Pikantus amadurece bem na garrafa, tornando-se mais suave e ainda mais deliciosa. Aqueles monges sabiam das coisas! **WO**

Notas de degustação

Âmbar escuro. O uso de trigo e cevada de alta qualidade na moagem produz uma cerveja encorpada e picante. Tem um final agradável e gratificante, que deixa passar um leve amargor de lúpulo. A Erdinger Pikantus é uma Weizenbock deliciosa e harmoniosa.

Espresso

Dark Star | www.darkstarbrewing.co.uk

País de origem Inglaterra
Lançada em 2000
Teor alcoólico 4,2% vol.
Temperatura ideal 7°C

Brighton, cerca de 80 quilômetros ao sul de Londres, já foi considerado o subúrbio à beira-mar da cidade: conveniente para visitas de um dia ou para finais de semana prolongados, por não ser muito distante da metrópole. É uma cidade cheia de energia e animação para gente que aprecia as boas coisas da vida, inclusive cerveja. A população permanente de 156.000 habitantes, além dos milhares de visitantes anuais, é atendida por 400 pubs. Quem vem de trem de Londres para Brighton embarca na Victoria Station, e muitos estão prontos para tomar uma cerveja. Em Brighton, um templo da bebida está convenientemente localizado logo na esquina da Surrey Street – o Evening Star, lar espiritual das cervejas Dark Star. Existem mais dois pubs com a mesma vocação em outros cantos de Sussex: o Stand Up Inn, em Lindfield, e o Duke of Wellington, em Shoreham.

Rob Jones criou a Dark Star original (inspirada no nome de uma música do Grateful Dead) para a Pitfield Brewery e ela ganhou o título de Campeã da Grã-Bretanha em 1987. Posteriormente, Jones se juntou a Peter Halliday e Peter Skinner, donos de pubs, e em 1994 o nome da bebida se tornou o nome de uma cervejaria.

A Espresso, a princípio, era uma stout comum, impelida por nitrogênio, ocupando o papel normalmente reservado à Guinness, mas em 2000 ela se transformou em uma cerveja de café. O café é fornecido pela Red Roaster Coffee House, de Brighton, e sete quilos são adicionados ao final da brassagem. A secura da cerveja e seu abundante sabor de café permitem que ela se harmonize com qualquer comida que combine chocolate e doçura. Na verdade, a Dark Star Espresso permite que o café do final da refeição seja servido junto com o pudim, com grande resultado. **JP**

Notas de degustação

Grande aroma de café acompanha um colarinho em marrom-claro que logo desaparece, deixando rendas no copo. O sabor é seco, amargo e torrado – como mastigar grãos de café com um toque de chocolate. Há poucos indícios de lúpulo e nenhuma concessão à doçura.

Exmoor Beast

Exmoor Ales | www.exmoorales.co.uk

País de origem Inglaterra
Lançada em 1992
Teor alcoólico 6,6% vol.
Temperatura ideal 12°C

O Parque Nacional de Exmoor é um dos lugares mais gloriosos do sudoeste da Inglaterra. É uma paisagem de vales profundos, cobertos de árvores, e de charnecas varridas pelo vento, onde a urze explode em roxo no outono. É também um lugar em que, nos anos 1970, contavam-se histórias em pubs isolados sobre a fera de Exmoor, um gato selvagem que supostamente vagava pelas charnecas e banqueteava-se com as ovelhas da região. As autoridades tinham tanta certeza de que havia mesmo alguma coisa ali que enviaram um destacamento de franco-atiradores da Marinha Real para tentar pegá-la. Não encontraram nada, mas, em 1992, a Exmoor Ales, uma pequena cervejaria de Wiveliscombe, às margens do parque nacional, produziu esta porter popular, com um nome que lembra de forma maliciosa o tal felino misterioso. "A ideia de fazer uma porter forte foi de nosso gerente de marketing na época, Jim Laker", diz Peter Turner, diretor de operações na ocasião. "Fizemos piada sobre obter um teor alcoólico de 6,66% na torneira, mas, sendo tementes a Deus e curiosamente supersticiosos, resolvemos não fazer isso."

A princípio, a cerveja era produzida apenas de outubro a abril, até que a demanda fez com que ficasse disponível o ano inteiro. Feita com maltes claro, chocolate e Crystal, com lúpulos Golding, Challenger e Brewers Gold, é uma cerveja para ser bebericada devagar em uma noite de inverno, quando o clima está em seu pior momento (e a fera talvez esteja à espreita). Pode ser refrescada quando a temperatura sobe ou consumida como uma versão de um Irish Coffee para amantes de cerveja (experimente com queijo Stilton). Também entra como ingrediente no bolo de frutas Exmoor Beast, com cobertura de uísque, feito por um confeiteiro local. **ATJ**

Notas de degustação

No nariz, presença de grãos de café expresso, groselha, passas, cacau e um toque ardente de conhaque ou rum. No paladar, mais bolo de frutas, álcool, grãos de café e chocolate. Tudo fica sob controle com a ajuda de lúpulos picantes, antes de chegar a um gosto residual complexo e longo.

Farsons Lacto

Simonds Farsons Cisk | www.farsons.com

País de origem Malta
Lançada em 1946
Teor alcoólico 3,8% vol.
Temperatura ideal 13°C

Hoje em dia, é difícil imaginar uma cerveja anunciada como "perfeita para inválidos", mas as coisas eram diferentes no final dos anos 1940, quando a Lacto chegou a Malta. A Simonds Farsons inspirava-se profundamente em suas heranças inglesas e não surpreende que tenha decidido produzir um estilo tão popular na Grã-Bretanha. A cerveja costuma ser descrita como pão líquido, e milk stouts, com a adição de açúcares não fermentáveis conhecidos como lactose (o açúcar do leite), adquiriram reputação como suplemento nutricional e fonte de calorias.

O estilo era produzido na Grã-Bretanha desde o início do século 20 e muita gente acrescentava milk stouts como reforço a uma dieta miserável. As cervejas não podem mais ser vendidas como uma espécie de estimulante nutricional, mas a Farsons ainda produz a Lacto em quantidades bem pequenas. Pode ser encontrada em bares de Malta, apesar de suas virtudes para a saúde terem saído do rótulo há muito tempo. **TH**

Notas de degustação

Bebida negra, coroada por um colarinho da cor do café expresso. Harmoniosa e cheia de notas de groselha-preta e chocolate amargo. A doçura de caramelo dá lugar a uma leve acidez. O final é seco.

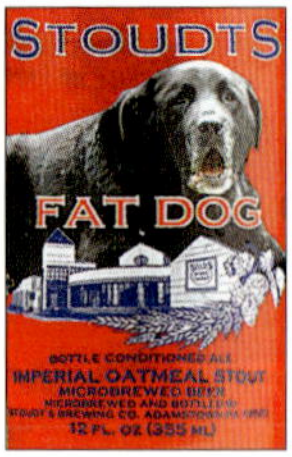

Fat Dog Stout

Stoudt's Brewing Company
www.stoudtsbeer.com

País de origem Estados Unidos
Lançada em 1998
Teor alcoólico 9% vol.
Temperatura ideal 10°C

Com um nome como Stoudt, seria de se esperar que esta cervejaria de propriedade familiar se especializasse, bem, em stouts. Engano. "Sempre quisemos fazer apenas bebidas ao estilo alemão", diz Carol Stoudt, uma das raras cervejeiras em atividade. O próspero negócio – que também inclui um restaurante, feira de antiguidades, padaria e uma inventiva "aldeia" ao estilo da Baviera – fica bem no coração do território holandês da Pensilvânia. E, quando os Stoudt recebem visitantes, é com litros de Helles lagers, bocks de cor âmbar, e Festbiers cor de cobre.

A Pensilvânia é mercado especialmente para bebidas servidas na torneira e por isso os Stoudt logo enfrentaram pressão para produzir uma ale. Acabaram cedendo e engarrafaram uma ale de abadia, à moda belga, uma extra special bitter muito inglesa e, finalmente, uma stout. Rica e sedutora, com uma ponderável adição de aveia, a Fat Dog Stout vem carregada de forte teor alcoólico. **DR**

Notas de degustação

Intenso aroma de malte com notas consistentes de chocolate. Há evidência de algum amargor levemente torrado, com toque de frutas. Termina com harmonia, escondendo bem a potência do álcool em seu corpo cremoso.

Feast Of Fools

Magic Hat Brewing Company
www.magichat.net

País de origem Estados Unidos
Lançada em 2002
Teor alcoólico 5,3% vol.
Temperatura ideal 10°C

A Magic Hat Brewery é uma excêntrica cervejaria norte-americana cujo fundador se autointitula "Maestro de Sinfonias Cósmicas". Os cervejeiros ocultam dizeres absurdos sob as tampas ("Entre em ação para melhorar a situação") e o departamento de marketing escolhe nomes psicodélicos para as bebidas.

Feast of Fools (Banquete dos Tolos) é o nome dado ao pacote de lançamentos de inverno da Magic Hat, uma forma agradável de provar da loucura. Mas os fãs experientes sabem que Feast of Fools é também o nome de sua raríssima stout, lançada anualmente para as festas de fim de ano. A ale escura e sensual é feita com aproximadamente um quilo de framboesa por galão. É embalada em garrafas de champanhe negras como a noite, ganha rolhas de cortiça e é embrulhada em papel-alumínio, edição reservada a apenas alguns amigos e familiares. Mas qualquer um de posse de um *growler* pode apreciar. Só é preciso viajar até a sala de degustação da cervejaria. **DR**

Notas de degustação

Negra e sombria como um elixir no caldeirão de uma bruxa. Corpo surpreendentemente leve; um bom gole é ácido, com uma doçura suave e persistente, seguida por um golpe amargo de chocolate.

Flekovský Tmavý Ležák 13°

Pivovar U Fleků
www.ufleku.cz

País de origem República Tcheca
Lançada em 1499
Teor alcoólico 4,6% vol.
Temperatura ideal 7°C

Grandioso, gótico, sombrio e intimista – não existe outro bar na capital tcheca que se pareça com o U Fleků. Seus registros remontam apenas à época da aquisição do prédio, em 1499, embora indícios arqueológicos sugiram que a produção de cerveja já existia desde 1360. Em 1762, a taverna foi adquirida por Jakub Flekovské e sua família, que depois passariam a chamá-la de U Fleků, ou melhor, "Sem Manchas".

A longa história tornou o bar um favorito entre os amantes da cerveja, especialmente depois que ele deixou a levedura de alta fermentação usada antes e passou a produzir lager de baixa fermentação, a partir do final do século 19. Com gravidade original de 13 graus Plato, esta cerveja encaixa-se na categoria *"speciál"*, de acordo com os parâmetros tchecos. Produzida a partir de quatro tipos de malte com uma decocção tradicional, ela é muito intensa e cremosa. Em seu auge, o bar era frequentado por Jaroslav Hašek, autor de *O bravo soldado Svejk*. **ER**

Notas de degustação

Negra como o piche, com notas reluzentes em âmbar, coroada por um colarinho denso de espuma cor de creme de chantilly. Chocolate e malte açucarado na boca, seguidos por um final de lúpulos Saaz levemente amargo.

Forst Sixtus

Forst | www.forst.it

País de origem Itália
Lançada em 1901
Teor alcoólico 6,5% vol.
Temperatura ideal 8°C

A Forst foi fundada em 1857 e permanece como uma das poucas cervejarias independentes da Itália. A família Fuchs, que a fundou, continua no comando, o que significa que um alto padrão é mantido em todo o processo de produção. A Forst está localizada na região do Alto Adige, bem próxima da fronteira com a Áustria, e o estilo de suas cervejas se mira na tradição germânica da baixa fermentação. Sete marcas regulares, inclusive uma pilsen muito atraente, além de duas sazonais, completam o portfólio da empresa.

A Sixtus foi produzida pela primeira vez há mais de um século, para celebrar o aniversário de Hans Fuchs. Era dedicada originalmente a São Sixto, de quem a mãe de Fuchs era grande devota. Depois de muitos anos, o nome foi encurtado para Sixtus, mas a receita continua a mesma. Apenas o teor alcoólico foi reduzido de 8 para 6,5%.

A Sixtus é uma cerveja ao estilo bock, feita com diferentes maltes. O principal malte na moagem é Munique e o lúpulo é Northern Brewer, cultivado na região de Hallertau. A água vem de uma nascente escondida no alto das montanhas. A fermentação dura cerca de sete dias e é seguida por duas semanas de maturação para refinar sabores e aromas. A maturação final é prolongada: três meses em baixas temperaturas. Depois, a bebida é filtrada.

A Sixtus é a cerveja mais forte da Forst e combina bem com queijos maduros, alguns pratos de massa e até com sobremesas de chocolate. Também serve para aquecer, no inverno, e é melhor quando saboreada em um dos belos bares de propriedade da cervejaria na região do Alto Adige. **MM**

Notas de degustação

De cor de mogno brilhante, com reflexos em âmbar. Espuma espessa e persistente. O aroma é rico em notas de caramelo, malte tostado, frutas vermelhas e toques de mel de castanha. No paladar, a cerveja tem um corpo bem acabado, cheio de notas maltadas, mas também há um fundo picante e tostado.

Founders Breakfast Stout

Founders Brewing Co. | www.foundersbrewing.com

País de origem Estados Unidos
Lançada em 2001
Teor alcoólico 8,3% vol.
Temperatura ideal 7°C

A maioria dos universitários sonha em comandar sua própria cervejaria. Mike Stevens e Dave Engbers puseram o sonho em prática e a Founders Brewing nasceu em 1997. Foi preciso um ano de trabalho duro para reformar as instalações desocupadas e dilapidadas da Wolverine Brass Works, em Grand Rapids, Michigan. Como acontece com qualquer projeto desse porte, ocorreram atrasos e situações inesperadas. Assim que a Founders Brewing começou a preparar cerveja, a dupla descobriu que, embora a bebida fosse boa, não era nada de notável. As vendas iam devagar. O empreendimento se aproximava da falência quando Stevens e Engbers decidiram seguir seus instintos e produzir a cerveja pela qual eram apaixonados.

Bebidas maiores, mais encorpadas começaram a derramar da Founders, e os apreciadores aos poucos descobriram a pequena cervejaria. Seguiram-se experiências com especiarias, café, chocolate, frutas, verduras, mel e outros ingredientes e a Founders Breakfast Stout nasceu dessa inquietação em 2001. A cerveja é produzida com aveia em flocos, chocolate amargo e importado, além de café Sumatra e Kona. Com teor alcoólico de 8,3%, não se trata de uma bebida para começar o dia! Na verdade, é perfeita para o final da tarde, ou mesmo para acompanhar uma boa fatia de bolo de chocolate no auge de uma refeição.

Graças a essa mudança fortuita no tipo de cerveja produzida, o futuro da Founders parece estar bem seguro. Uma nova cervejaria foi construída em 2007, a menos de dois quilômetros da sede original, para fomentar a crescente expansão da marca pelo Meio Oeste dos Estados Unidos. **RL**

Notas de degustação

Se você gosta de café, esqueça a visita ao Starbucks e vá direto para esta cerveja. De cor negra, com uma espuma bege e muitos aromas torrados. Maravilhosas notas de sabor stout cercadas por café expresso e cacau, com um final que persiste por algum tempo.

Fuller's London Porter

Fuller, Smith & Turner | www.fullers.co.uk

País de origem Inglaterra
Lançada em 1996
Teor alcoólico 5,4% vol.
Temperatura ideal 10°- 13°C

"Quando um homem se cansa de Londres, ele está cansado da vida." Nas últimas décadas, a frase do século 18, tão citada, repleta de perspicácia do doutor Johnson, aplicou-se a uma variedade de cervejarias londrinas, como Truman, Watney, Worthington e, mais recentemente, Young's, que fecharam as portas. Porém a Fuller's ainda ocupa uma posição inatacável às margens do rio Tâmisa, controlada e administrada pelas mesmas famílias há mais de 150 anos. Também há uma continuidade em sua localização. A cervejaria Griffin funciona de uma forma ou outra há bem mais de 300 anos. A London Pride é o carro-chefe, sua campeã de vendas, mas sob a supervisão do mestre cervejeiro anterior, Reg Drury, e do atual ocupante do cargo, o irrepreensível John Keeling (que assumiu a função em 1999), surgiu uma variedade de cervejas impressionantes.

A London Porter apareceu pela primeira vez na gestão de Drury, uma receita renovada que voltava seu olhar para o início do século 20, quando a cervejaria produziu uma similar. De acordo com Keeling, que trabalhou com Drury: "Lançamos a 1845 para coincidir com o aniversário de 150 anos da parceria entre Fuller, Smith e Turner, e foi um verdadeiro sucesso. Precisávamos de outra para dar sequência, então voltamos a rever nosso passado. Londres é o lar espiritual das porters e somos uma cervejaria londrina." O uso cuidadoso de malte marrom e Crystal ajuda a dar as notas de café torrado à bebida, enquanto o lúpulo Fuggle contribui para equilibrar qualquer exagero de doçura maltada. O resultado é uma cerveja elegante e sedutora, maravilhosa na garrafa ou na torneira. **ATJ**

Notas de degustação

Escura como a meia-noite, embora surjam nuances em escarlate quando examinada contra a luz. Um nariz suave e harmonioso de toffee cremoso. O paladar assiste à exuberante personalidade de toffee se juntar a notas torradas, antes de ceder passagem para um final harmonioso, seco e longo, que também apresenta um toque de baunilha.

Fuller's: uma cervejaria com mais de 150 anos de história em família. →

FULLER, SMITH & TURNER'S
NOURISHING STOUT
IN SMALL BOTTLES
4½D.
Griffin Brewery, Chiswick.

General Washington's Tavern Porter

Yards Brewing | www.yardsbrewing.com

País de origem Estados Unidos
Lançada em 2003
Teor alcoólico 7% vol.
Temperatura ideal 8°C

Uma das mais populares atrações turísticas da Filadélfia é a City Tavern, uma recriação da taverna colonial onde os Pais Fundadores dos Estados Unidos erguiam as canecas e tramavam a revolução. A uma pequena distância do Independence Hall, as paredes da taverna parecem ecoar os brindes que, com certeza, acompanharam a assinatura da Declaração de Independência.

Porém, o que aqueles cavalheiros bebiam em ocasiões tão momentosas? É bem provável que fosse a porter de Robert Hare, o primeiro cervejeiro norte-americano com formação profissional. Treinado em Burton-on-Trent, sua ale escura devia rivalizar com as porters inglesas. As tropas britânicas que ocuparam a Filadélfia e, posteriormente, a cervejaria do próprio Hare supostamente preferiam a bebida às porters londrinas. Existem relatos de cargas enviadas da cidade que chegaram a Calcutá sem estragos.

Hoje em dia, a City Tavern serve esta autêntica porter ao estilo colonial, produzida pela Yards Brewing, da Filadélfia. Localizada a alguns passos de distância do local onde funcionou o bar de Hare, desaparecido há muito, a Yards faz uma linha completa das chamadas "Ales da Revolução". A Thomas Jefferson's Tavern Ale baseia-se em uma receita antiga de Mount Vernon. A Poor Richard's Tavern Spruce Ale segue as instruções de Benjamin Franklin para se produzir uma cerveja com abeto no lugar do lúpulo. Esta porter se baseia em uma antiga receita encontrada em cartas de George Washington. Não surpreende que boa parte da matéria-prima fosse difícil de encontrar nos anos que se seguiram à independência. Por isso, como aquelas antigas porters, esta inclui melaço para adoçar. É o produto da boa e velha engenhosidade norte-americana. **DR**

Notas de degustação

Nuances em granada com aroma de malte torrado e chocolate. O corpo leve carrega doces sabores de melaço e malte, com um toque de frutas secas. Embora seja um pouco forte para uma porter, a caneca se esvazia depressa graças a um amargor suave, que limpa o paladar.

Ghisa

Birrificio Lambrate | www.birrificiolambrate.com

País de origem Itália
Lançada em 1998
Teor alcoólico 5% vol.
Temperatura ideal 10°C

O Birrificio Lambrate é um pioneiro entre as choperias e microcervejarias italianas, mas é difícil de ser classificado à primeira vista, pois, além de servir a uma comunidade, também é uma cervejaria que distribui suas bebidas por toda a Itália e para outros países. Ele mantém uma personalidade muito italiana, apesar das influências alemãs óbvias, mas um tanto superficiais.

Escondido em uma ruazinha de Lambrate, subúrbio proletário a leste do centro de Milão que foi o berço das lendárias Lambrettas, o bar é um tanto apertado, revestido com painéis de madeira escura, bem ao estilo da Baviera. Porém é dotado da quantidade perfeita de elegância italiana. O logotipo da cervejaria lembra mais o escudo de um carro esportivo do que uma marca de bebida. Não há caldeiras de cobre expostas com destaque no meio do salão. A cervejaria em si fica em outra parte do prédio, junto a um corredor que leva a um pátio. A variedade de cervejas reflete o clima do ambiente, bem como a óbvia influência alemã na maior parte dos produtos – onde encontram-se uma Weizen, uma Kölsch e uma Altbier – convive com bebidas que também apresentam influências norte-americanas.

O nome Ghisa vem do apelido dos guardas de trânsito de Milão no início do século 20. O que aparenta ser, à primeira vista, uma Rauchbier é na verdade uma stout de alta fermentação produzida com malte bávaro defumado em lenha de bétula. Quando apareceu pela primeira vez, em 1998, era um pouquinho mais forte e bem mais defumada do que nos dia de hoje, mas ainda permanece como algo inesperado de ser encontrado na Itália, e uma desculpa mais do que suficiente para deixar o elegante centro de Milão e procurar pelo Birrificio Lambrate em uma jornada de explorações cervejeiras. **LM**

Notas de degustação

Uma stout negra, suave, torrada, achocolatada, com uma coroa de espuma em bege-claro e um toque nítido de fumaça de bétula. Algumas notas carnudas, quase salgadas, parecidas com molho de soja, espreitam nas profundezas do malte e transformam a Ghisa em campeã na companhia de peixes gordurosos e de Scamorza affumicata (um queijo italiano defumado, produzido com leite de vaca).

Gonzo Imperial Porter

Flying Dog Brewery | www.flyingdogales.com

País de origem Estados Unidos
Lançada em 2005
Teor alcoólico 7,8% vol.
Temperatura ideal 13°C

Depois que o escritor Hunter S. Thompson cometeu suicídio, em 2005, a Flying Dog Brewery escolheu celebrar sua memória da melhor forma que sabia – criando uma cerveja de edição limitada. A primeira leva da Gonzo Imperial Porter, cujo nome homenageia o estilo "gonzo" (subjetivo e fictício) de jornalismo de Thompson, tinha teor alcoólico de 9%. Demonstrou popularidade suficiente para que a Flying Dog a transformasse em um produto oferecido regularmente (embora tenham diminuído a potência para 7,8%). Ralph Steadman, que ilustrou boa parte da obra de Thompson e começou a fazer arte para a Flying Dog em 1995, desenhou o rótulo com um esquelético Thompson e um balão de diálogo que diz: "Ok, let's party" (O.k., vamos festejar!).

O relacionamento da Flying Dog com Thompson remontava aos dias em que a cervejaria foi fundada em Aspen, Colorado, cidade em que Thompson vivia. O vínculo "gonzo" se consolidou ainda mais em 1995, quando Steadman desenhou o primeiro rótulo para a Road Dog Porter. A Divisão de Vigilância de Bebidas Alcoólicas do Colorado rejeitou o rótulo, pois ele incluía as palavras "Good Beer, No Shit" (Boa Cerveja, Sem Merda). A União pelas Liberdades Civis Americanas contestou a rejeição por considerá-la uma restrição inconstitucional ao direito de liberdade de expressão da Flying Dog e, depois de anos de batalhas judiciais, a cervejaria acabou recebendo permissão para usar as palavras em 2001.

A Flying Dog deixou Aspen e foi para Denver em 2004. Depois, fechou a cervejaria de Denver em 2008, ao comprar outra em Frederick, Maryland. Sua sede corporativa permanece em Denver e os elos com Thompson e Steadman continuam vigorosos. Isso não teria importância se a cerveja fosse apenas um artifício para obter publicidade, mas, em 2008, ela conquistou uma medalha de ouro na Copa do Mundo da Cerveja. **SH**

Notas de degustação

Apresenta-se negra, com espessa coroa de espuma cor de canela, deixando rendas em abundância no copo. Cheiros de grãos torrados de café, frutas escuras, lúpulos com características de pinho. Complexa na língua, com notas suaves de chocolate e caramelo acrescentadas à mistura. Café e lúpulo persistente deixam uma impressão final agridoce.

Gouden Carolus Christmas

Brouwerij Het Anker | www.hetanker.be

País de origem Bélgica
Lançada em 2002
Teor alcoólico 10,5% vol.
Temperatura ideal 10°- 14°C

Poucas entre as velhas cervejarias familiares têm uma história tão movimentada quanto a da Het Anker, mais antigo produtor que sobrou na cidade de Mechelen. Até 1990, permanecia com firmeza nas mãos da família Van Breedam, mas chegaram tempos difíceis, primeiro com o fracassado empório RIVA e depois quando houve o envolvimento com o negócio de John Martin. Felizmente, Charles Leclef, último proprietário e herdeiro da família Van Breedam, decidiu seguir novamente em voo solo e conduziu a antiga cervejaria para um futuro melhor.

A história pode ser um grande peso, mas também funcionou como uma salvação, especialmente com o nome "Gouden Carolus", que demonstrou ser muito viável do ponto de vista comercial. A empresa decidiu voltar a esta marca bem-sucedida, renomeando a Gouden Carolus essencial como uma versão clássica, e ampliando ou mudando o nome do resto do portfólio com variações sobre o tema.

Em 2002, depois de um intervalo de 38 anos, ela produziu uma especial de Natal que começou se chamando "Gouden Carolus Noël". Logo Noël foi substituído por Christmas, do inglês.

Produzida em agosto, a cerveja é amadurecida durante vários meses e fica pronta para venda perto da virada do ano. Com teor alcoólico ponderável de 10,5%, temperada com seis diferentes especiarias, esta cerveja se presta à perfeição ao envelhecimento (como as cervejas Cuvée van der Keizer da mesma cervejaria, igualmente pesadas). Mais um toque precioso vem do uso de três tipos de lúpulo cultivados na Bélgica.

Os apreciadores desta cerveja – e eles são numerosos – encontram-se em boa companhia: a Gouden Carolus Christmas conseguiu ganhar diversos prêmios, entre eles a prestigiosa Copa do Mundo da Cerveja. **JPa**

Notas de degustação

Cor intensa e escura, com um óbvio brilho vermelho. Tem nariz de Madeira, passas, maltes torrados e melaço. O sabor apresenta toques frutados, condimentados, de ésteres, terminando com um gosto residual longo em que ácidos frutados e efervescentes equilibram a pesada carga de malte e o calor alcoólico.

Gouden Carolus Classic

Brouwerij Het Anker | www.hetanker.be

País de origem Bélgica
Lançada em *ca.* anos 1930
Teor alcoólico 8,5% vol.
Temperatura ideal 7°- 10°C

A cervejaria Het Anker, da cidade belga de Mechelen, tem origens que remontam a mais de 600 anos. A família Van Breedam assumiu o comando em 1873 e continua a dar as cartas nos dias de hoje (com Charles Leclef à frente). E isso apesar dos flertes com cervejarias maiores, que passaram a se interessar pelo negócio no final do século 20. Acontecimentos recentes incluem a reforma das instalações do século 19 e o acréscimo de um hotel ao local. Um dos mais antigos destaques da cervejaria é uma bebida chamada de Gouden Carolus Classic.

Esta ale forte e gratificante começou a ser produzida a partir de uma receita mais antiga nos anos que antecederam a Segunda Guerra Mundial. Era conhecida, na época, como "Keizersbier", mas passou a ser chamada de "Gouden Carolus" em 1961. "Carolus" é uma referência ao imperador Carlos V, do século 16, que foi criado em Mechelen. Gouden Carolus era o nome de uma moeda de ouro cunhada em seu reinado.

A cervejaria sustenta que a bebida era do tipo que costumava ser tomado pelos caçadores de raposa antes da atividade, para elevar seus espíritos e animar a atmosfera. Com 8,5% de teor alcoólico, é fácil entender como isso acontecia. Tão grande é seu sucesso que ela deu origem a toda uma gama de cervejas – agora existe a Gouden Carolus Ambrio, a Gouden Carolus Tripel e a Gouden Carolus Hopsinjoor, bem como sazonais com este nome.

Maltes Pilsen, caramelo e torrado se juntam a malte de trigo na mostura, com lúpulos Challenger belgas adicionados ao cobre. O resultado, de acordo com a cervejaria, é uma bebida "que combina o calor do vinho e o frescor da cerveja". Esta belga gratificante ganhou muitos prêmios. **JE**

Notas de degustação

Cerveja encorpada, atraente, de cor rubi, que se abre com um suave aroma de malte com características de toffee. *O sabor é igualmente suave e harmonioso, com notas de* toffee *e passas equilibradas por um amargor revigorante. Um amargor leve prossegue durante o final maltado.*

Grand Baltic Porter

Garrison Brewing Company | www.garrisonbrewing.com

País de origem Canadá
Lançada em 2008
Teor alcoólico 9% vol.
Temperatura ideal 10°C

Introduzir um estilo de cerveja pouco convencional em um mercado conservador é sempre um desafio, especialmente para uma cervejaria que não tem reputação de tais travessuras. Fazer tal coisa com um estilo incompreendido até por quem professa acompanhar o mundo da cerveja pode ser o equivalente cervejeiro a subir até o monte Everest sem tanques de oxigênio! A Garrison Brewing, portanto, merece amplo crédito simplesmente por se arriscar no estilo de porter do Báltico, tantas vezes desconcertante, na província marítima da Nova Escócia, no Canadá. O fato de fazerem isso com personalidade, talento e integridade estilística torna a proeza ainda mais impressionante.

O estilo porter do Báltico é um desdobramento da imperial stout, a cerveja preta de alto teor alcoólico cuja criação, ou pelo menos o nome, é atribuída a um belga chamado Le Coq. Exportador de cerveja da Inglaterra para a Rússia, no século 19, Le Coq ergueu seu negócio apoiado na grande sede que a região tinha por stouts robustas, chegando a doar cerveja para os hospitais que tratavam as tropas russas durante a guerra da Crimeia. Isso valeu a Le Coq uma autorização imperial do czar. Nasceu um estilo.

Embora a imperial stout seja muito produzida no Ocidente, nas regiões do Báltico ela se transformou em uma cerveja doce, de fermentação lager, conhecida como porter do Báltico. Assim, para ser fiel ao estilo, a bebida deve apresentar um corpo mais esguio do que o esperado, com menos complexidade, qualidades frutadas contidas e álcool notável. Como a Grand Baltic Porter. Além de passar pela fermentação lager, estilisticamente correta, ela também recebe uma pouco tradicional dose de melaço e tâmaras na fervura. **SB**

Notas de degustação

O melaço adicionado nesta cerveja negra apresenta-se com destaque no nariz, junto com o café doce e o chocolate amargo. No corpo também há presença de melaço, apoiado por notas de café, toffee queimado e alcaçuz negro, tudo conduzindo a um final reconfortante e caloroso.

Great Lakes Edmund Fitzgerald Porter

Great Lakes Brewing Co. | www.greatlakesbrewing.com

País de origem Estados Unidos
Lançada em 1991
Teor alcoólico 5,8% vol.
Temperatura ideal 10°C

O *Edmund Fitzgerald* era um navio de carga e tanto. Precisou ser golpeado três vezes com uma garrafa de champanhe para ser devidamente lançado em 1958. Atravessou as águas dos Grandes Lagos durante os dezessete anos seguintes transportando minerais e matérias-primas das minas a fundições por toda a região – Detroit, Gary, Toledo e, naturalmente, Cleveland. E então aconteceu o desastre. O naufrágio do *Edmund Fitzgerald*, em 1975, é uma lembrança devastadora para quem mora nas margens dos lagos Huron, Ontário, Michigan, Erie e Superior, e não apenas porque a história se transformou em uma canção popular.

Soa estranho dar a uma cerveja o nome de um navio naufragado, mas a Great Lakes Brewing mantém uma forte identificação com a história dessa região. O portfólio da cervejaria homenageia um herói local (Commodore Perry IPA) e um banqueiro de Cleveland (Rockfeller Bock). Uma ale faz graça com o motivo de risada de uma cidade (Burning River Pale Ale). Outra (Elliot Ness Amber Lager) é um tributo a um homem da lei que deixou sua marca na sala do grandioso Tiger Mahogany, bar crivado de balas.

A empresa ganhou reputação por dar firme apoio aos projetos de renovação urbana da região e é líder em sustentabilidade ambiental e na adoção de práticas para o consumo eficiente de energia. Em sua cervejaria, por exemplo, há uma área externa/interna ecologicamente correta, com um teto de lona retrátil, paredes com montes de feno e chão e lareira que irradiam calor. É um lugar perfeito para se acomodar com um copo desta porter escura e soberba. Um gole de seu notável corpo de malte torrado deixa qualquer um com vontade de ouvir a história sobre aquela noite fatídica, quando, nas palavras do compositor Gordon Lightfoot, "as ventanias de novembro davam golpes cortantes". **DR**

Notas de degustação

Um colossal aroma de malte torrado ergue-se de um corpo negro. Apesar da aparência sombria, é leve e bem fácil de beber, oferecendo uma notável complexidade de ricos sabores de malte, especialmente de torrada queimada e chocolate amargo. O final é intenso, gratificante e límpido.

Green Man Stout

Green Man | www.greenmanbrewery.co.nz

País de origem Nova Zelândia
Lançada em 2007
Teor alcoólico 7% vol.
Temperatura ideal 8°- 10°C

Tom Jones começou seu envolvimento com a produção artesanal em 2004, quando trabalhava para a Emerson's, uma das principais microcervejarias da Nova Zelândia. Na época, a pioneira de Dunedin expandia-se rapidamente e vendia volumes crescentes de bebida, boa parte em garrafas de 500 mililitros importadas da Alemanha e trazidas em contêineres.

"Verde" assumido, Jones preocupava-se que as caras garrafas recicláveis de vidro não estivessem sendo lavadas e reutilizadas e decidiu verificar os consumidores e ver o que estava acontecendo. Encorajado pelos resultados, decidiu que estava na hora de encorajar um sistema de reciclagem de garrafas na região e de dar início a sua cervejaria inteiramente orgânica. A ocasião era perfeita. Em 2005, a Emerson's estava de mudança para instalações mais amplas e Jones conseguiu ficar com o espaço para sua nova microcervejaria. Em setembro de 2006, apenas seis meses depois do início da produção em instalações próprias, a Green Man recebeu um importante prêmio do setor cervejeiro pelo seu trabalho de reciclagem.

O mestre cervejeiro Enrico Gritzner produz oito cervejas na linha regular e especialidades sazonais. A gama de produtos da Green Man, que comporta principalmente estilos alemães e britânicos, inclui a mais poderosa cerveja orgânica da Nova Zelândia, e possivelmente do mundo: A Enrico's Cure (14,5% vol.). A Green Man Stout é fermentada com uma tradicional levedura inglesa de ale, mas a receita também inclui maltes alemães cara-aroma, Munique e carafa, além de lúpulos da Nova Zelândia. Considerando-se a nacionalidade e a expertise de Enrico, a cerveja pode ser considerada uma interpretação teutônico-neozelandesa do clássico estilo de exportação estrangeiro. **GG**

Notas de degustação

Apresenta uma coloração negra sob uma coroa de espuma cor de canela. Há um aroma intenso e maltado, com caramelo e café moca em destaque. De corpo médio, com um toque de acidez, o paladar apresenta uma doçura no princípio, com notas torradas, queimadas, de frutas escuras antes de um final seco e enfático.

Guinness

St. James's Gate Brewery | www.guinness.com

País de origem Irlanda
Lançada em 1779
Teor alcoólico 4,3% vol.
Temperatura ideal 5°- 8°C

Algumas cervejas não precisam de apresentação e, com 10 milhões de *pints* bebidos diariamente no mundo inteiro, a Guiness se encaixa confortavelmente nessa categoria. Deixou de ser apenas uma bebida da Irlanda. Hoje, esta famosa stout é produzida em mais de cinquenta cervejarias em todo o mundo.

Ela recebe o nome de seu criador, Arthur Guinness, que começou a produzir ale em uma cidadezinha chamada Liexlip, na Irlanda. Em 1759, ele alugou uma cervejaria desativada de Dublin, a St. James's Gate Brewery. Com certeza, pensava no futuro já naquele momento, pois fez um contrato de 9.000 anos. A princípio, Guinness produzia ales, mas a popularidade da porter o levou a interromper essa produção em 1799 e se concentrar nesta bebida, que no século 19 se transformaria na ubíqua stout (a Guinness parou de fazer a porter nos anos 1970). Depois dessa mudança fortuita, seis gerações da família Guinness se envolveram na produção – transformando-a de uma operação de pequeno porte em um fenômeno de escala mundial.

Há mais de 250 anos a Guinness é produzida com os mesmos quatro ingredientes – cevada, água, lúpulos e levedura. Embora costume ser descrita como "a coisa preta", na verdade a Guinness é uma stout cor de rubi, obtendo sua cor vermelho-escura (e seu sabor singular) da adição de uma pequena quantidade de cevada torrada não fermentável. Por muito tempo, seu slogan foi "Guinness é boa para você". Mas, nos dias de hoje, a empresa não faz afirmações desse tipo, apesar de estudos recentes sugerirem que a Guinness pode funcionar tão bem quanto a aspirina na prevenção de coágulos no coração. **JM**

Notas de degustação

De um âmbar escuro e coroa cremosa, seu aroma revela que ela contém cevada torrada e fornece notas de café e chocolate. Na boca, tem um sabor de malte queimado, com nuances de caramelo e cevada, terminando com um amargor profundo e delicioso.

O lendário tucano da Guinness apareceu pela primeira vez em 1935.

Lovely day for a
GUINNESS

Guinness Foreign Extra

St. James's Gate Brewery | www.guinness.com

País de origem Irlanda
Lançada em *ca.* anos 1900
Teor alcoólico 7,5% vol.
Temperatura ideal 11°C

Guinness deve ser um dos nomes mais conhecidos de cerveja do mundo inteiro e se tornou um verdadeiro sinônimo para Irlanda. Porém a maioria dos apreciadores britânicos e irlandeses da "coisa preta" talvez ignore que seu best-seller internacional é esta poderosa bebida com 7,5%. A Guinness Foreign Extra tem uma coloração escura de marrom-avermelhado, sabor intenso e é uma das mais fortes bebidas da família Guinness. Como todas as variedades da cervejaria, a intensidade de cor e de sabor é obtida a partir do uso de cevada torrada em um gigantesco tanque no interior da St. James's Gate Brewery.

Quando se produz a Foreign Extra em Dublin, uma parte da cerveja é armazenada em barris durante cem dias, o que produz um intenso sabor lático. Ela é misturada com a stout recém-amadurecida. A mistura tem um toque de azedume que, assumidamente, vem do uso da levedura *Brettonamyces*. A cerveja é produzida em muitos países da África, da Ásia e do Caribe. A base de todas elas é um mosto concentrado, não fermentado, produzido na cervejaria de Dublin e depois enviado para o resto do mundo, antes de ser fermentado e acondicionado regionalmente.

A reputação da empresa foi construída pela qualidade e o sucesso de sua publicidade. Ao longo dos anos, usaram-se slogans memoráveis, como "Guinness é boa para você". Em 1929, uma campanha para a Extra, dirigida aos profissionais da área de saúde, dizia que a Guinness era boa para os nervos, a digestão, para o combate à insônia e à fadiga. Algumas das mais famosas imagens publicitárias criadas pelo artista John Gilroy podem ser vistas no Storehouse (depósito) que abriga o centro de visitantes na antiga cervejaria em Dublin. **TH**

Notas de degustação

A cerveja é escura, sem ser negra, coroada por uma franzina coroa de espuma marrom. O nariz é dominado pelos lúpulos, que entregam notas de torrada queimada e ricos sabores maltados, como café, alcaçuz, groselha-preta e um toque de banana.

Guinness Foreign Extra (Nigéria)

Arthur Guinness & Son | www.guinness-nigeria.com

País de origem Nigéria
Lançada em 1962
Teor alcoólico 7,5% vol.
Temperatura ideal 1°C

Os nigerianos começaram a beber Guinness importada na década de 1940, quando o país era uma colônia britânica. A Guinness tomou a decisão de construir uma cervejaria no local, em vez de importar bebida, quando a Nigéria conquistou sua independência em 1960. Instalações modernas foram erguidas em Ikeja para atender a demanda regional, sempre crescente. Foi a primeira cervejaria da Guinness fora das Ilhas Britânicas; hoje em dia, a Nigéria é o seu segundo maior mercado em todo o mundo: os habitantes daquele país bebem mais do que os irlandeses e alguns especialistas preveem que o consumo nigeriano vai ultrapassar o do Reino Unido nos próximos anos. Talvez não seja tão surpreendente se for levado em conta o fato de que a população da Nigéria é trinta vezes maior do que a da Irlanda. Porém, apesar do sucesso da Guinness, a lager é, de longe, o tipo mais popular na Nigéria e a Star, produzida pela Nigerian Breweries, é a marca mais vendida.

Imagens irlandesas não são usadas para vender a Guinness nigeriana e bem poucos consumidores da região já ouviram falar no significado do dia de São Patrício para a cultura irlandesa. A Guinness, na Nigéria, é vendida como uma bebida africana inspiradora, com slogans como "Você é o Guerreiro?" e "Milhões de Nigerianos Escolhem a Grandeza", exibindo a harpa do logo da Guinness transformada em mapa da África. De forma típica, os anúncios mostram bem-sucedidos homens de negócios ou fazem alusões a talentos físicos.

Não é vendida na torneira e, apesar de parecer semelhante a outras Guinness engarrafadas, tem um sabor diferente. Um mosto escuro e concentrado de stout é importado de Dublin e combinado com uma cerveja clara produzida na Nigéria, feita com sorgo e milho cultivados na região, resultando em uma bebida mais doce. **TH**

Notas de degustação

A cor da Guinness nigeriana é negro-avermelhada, coroada por uma fugaz espuma marrom. A princípio, há uma intensidade de sabor doce e quase xaroposo, que vem do uso de sorgo e milho. Ao fundo, encontram-se toques de café, alcaçuz e frutas silvestres.

Gulden Draak

Brouwerij Van Steenberge
www.vansteenberge.com

País de origem Bélgica
Lançada em *ca.* 1980
Teor alcoólico 10,5% vol.
Temperatura ideal 6°- 10°C

Em 1111, o rei norueguês Sigrid Magnusson deu ao imperador de Constantinopla a escultura de um dragão dourado. Quase um século depois, Balduíno IX, conde de Flandres, começou a gostar da obra e a levou para sua casa. Por algum tempo, o dragão ficou em Bruges, mas a cidade vizinha de Ghent a reivindicou, dando início a uma pequena guerra entre as duas cidades. É o que se conta.

Do ponto de vista histórico, a Van Steenberge é um produtor de brown ales com pendor por bebidas fortes que se concentrou na Gulden Draak (Dragão Dourado) ao entrar no mercado de exportação em meados dos anos 1990. Esse empreendimento visionário foi bem recompensado quando o Instituto Americano de Culinária a considerou a melhor cerveja do mundo. Esta ale escura, forte e picante, acondicionada em singulares garrafas brancas, é difícil de classificar – a cervejaria sugere que se trata de um barleywine, enquanto outros autores a descrevem, de uma forma que pode parecer uma contradição, como uma tripel escura. **DdM**

Notas de degustação

Rubi escuro, com coroa de espuma rosada e um aroma intenso, mas maltado, com nuances de groselha. Paladar rico, ácido, com ameixa seca e frutas, e toques herbáceos e macios quando engolida. Groselha e creme de ovos no final.

Hakim Stout

Harar Brewery Factory

País de origem Etiópia
Lançada em data desconhecida
Teor alcoólico 5,5% vol.
Temperatura ideal 8°C

A antiga cidade de Harar é o quarto lugar mais sagrado do Islã. Local improvável para uma cervejaria? Talvez. Mas a Etiópia é um país cheio de diversidade, composto por parcelas mais ou menos semelhantes de cristãos e muçulmanos, e apresenta até uma pequena população de judeus. Características tão heterogêneas talvez expliquem por que a população de Harar, predominantemente muçulmana, tolera uma cervejaria – ou talvez seja por causa do sabor de seu refresco de malte, sem álcool, Harar Sofi.

Fora do Sanga Gate, portão oriental da cidade, bebericar uma Hakim Stout pode ajudar a acalmar os nervos enquanto se observa os guardas lançarem restos de alimentos para a população de hienas manchadas da cidade. Os "homens-hiena" conhecem cada animal pelo nome e conduzem esse ritual diário ao anoitecer. Nenhuma visita a Harar está completa sem uma parada estratégica no Cottage Bar, onde é possível meditar sobre as atividades do dia enquanto se beberica um copo de Hakim Stout. **CO**

Notas de degustação

Granada, com uma vaga camada de espuma, intensa doçura de caramelo e uma pitadinha torrada, razão pela qual algumas pessoas preferem desfrutar esta stout com uma gota de outra famosa bebida de Harar: o café.

Harpoon Munich Dark

Harpoon Brewery
www.harpoonbrewery.com

País de origem Estados Unidos
Lançada em 1998
Teor alcoólico 5,5% vol.
Temperatura ideal 8°C

A Harpoon Brewery foi fundada em 1987 por três colegas de Harvard no antigo galpão de um estaleiro. A cervejaria começou pequena, mas logo se tornou um dos maiores produtores de cerveja da Nova Inglaterra.

A maioria de seus rótulos consiste em ales ao estilo inglês, possivelmente não muito diferentes daquelas apreciadas pelos primeiros colonos. Mas sua mais notável produção regular é uma dunkel escura e maltada, que pareceria estar mais à vontade em um bar da Baviera. A Munich Dark é feita com uma combinação de maltes torrados que produz uma tonalidade intensa de marrom, um sabor suave, com características de pão, e um corpo mediano. Sua aparência sugere uma bebida pesada e potente como uma bock, porém ela desce com a facilidade de uma lager leve e refrescante. Curiosamente, esta lager é fermentada com levedura de ale.

Fácil de encontrar em garrafas, é ainda mais profunda e complexa quando servida na torneira. **DR**

Notas de degustação

O nariz cálido e maltado é complementado por lúpulos sutis. O corpo mediano enche o paladar com sabores equilibrados de chocolate amargo e muffins *torrados e amanteigados.*

Harvestmoon Schwarz

Harvestmoon Brewery
www.ikspiari.co.jp/harvestmoon

País de origem Japão
Lançada em 2000
Teor alcoólico 4,5% vol.
Temperatura ideal 10°- 12°C

A mestre cervejeira Tomoko Sonoda começou a pensar em produzir uma Schwarzbier em 1997 porque achava que a maioria das cervejas escuras do Japão era amarga demais ou tinha sabor muito forte. A primeira versão foi preparada com lúpulos Tettnanger, para o amargor, e Saaz, para o aroma. Depois de diversas levas, resolveu que os sabores estavam excessivamente intensos. A atual versão foi transformada, com lúpulos Northern Brewer, para o amargor, e Tettnanger, para o aroma, com uma seleção de maltes alemães (e um pouco de canadenses) Pilsen, caramelo e negro. Ela acredita que manter o teor alcoólico baixo, em torno dos 4,5%, contribui para que a bebida desça bem.

Esta benfeita Schwarzbier é apenas uma entre várias cervejas criadas por Sonoda para a Harvestmoon. Também fazem parte da linha regular uma brown ale ao estilo norte-americano, uma pilsen à europeia, uma cerveja de trigo à moda belga e uma pale ale à inglesa. **BH**

Notas de degustação

Marrom da cor do chocolate amargo, com coroa de espuma em castanho-claro, com aroma de toffee*, pão preto de centeio e café. O sabor intenso e um toque de alcaçuz conduzem a um final refrescante e vibrante.*

Harveys Imperial Extra Double Stout

Harveys Brewery | www.harveys.org.uk

País de origem Inglaterra
Lançada em 1999
Teor alcoólico 9% vol.
Temperatura ideal 14°- 16°C

Em 1998, um importador norte-americano pediu que a Harveys Brewery recriasse uma cerveja que tinha deixado de ser produzida em 1921, na província da Livônia, atual Estônia. A cerveja era a lendária Imperial Extra Double Stout, de Albert Le Coq. Desde o início do século 19, o empresário belga Albert Le Coq comprava extra stout do produtor londrino Barclay Perkins, engarrafando-a com seu rótulo e exportando-a para a região do Báltico. Um presente de cinco mil garrafas para hospitais militares russos fundados por Catarina, a Grande, foi recompensado com uma Autorização Imperial, e assim nasceu a Imperial Extra Double Stout. Posteriormente, Le Coq foi convidado pelo governo czarista a produzir a cerveja no Império Russo e, em 1912, iniciou-se a produção em Tartu.

O mestre cervejeiro da Harveys, Miles Jenner, diz que, no que tangia à receita, a Tartu Brewery ajudou o quanto pôde, mas as informações não eram muito precisas. "Baseei-me em grande parte nas lembranças da geração de cervejeiros que fizeram a Barclay Perkins Russian Stout na década de 1950", diz ele. Finalmente, uma receita foi compilada e a cerveja produzida e armazenada durante nove meses, antes de ser exportada para os Estados Unidos. Um desastre quase aconteceu quando ela passou por uma rigorosa fermentação secundária, que espocou as rolhas de algumas garrafas. "Quando refletimos, concluímos que devíamos ter prestado atenção ao fato de que os produtores da Geórgia e, de fato, da Barclay Perkins armazenavam as stouts por doze meses, e não pelos nove meses que havíamos calculado", conta Miles. Hoje, a cerveja ainda é produzida, mas uma tampa selada substitui a rolha. Além disso, ela é acondicionada durante doze meses antes do engarrafamento, para evitar explosões. **TH**

Notas de degustação

De cor negra como o piche, seu aroma é caloroso e vinoso. Notas torradas, alcoólicas e picantes combinam-se para produzir uma cerveja agridoce com toques de queijo azul. Apresenta uma enxurrada de sabores, entre eles os de café expresso, ameixa seca, alcaçuz, chocolate, açúcar queimado, laranja e figo.

Hemel & Aarde

Brouwerij De Molen | www.brouwerijdemolen.nl

País de origem Holanda
Lançada em 2008
Teor alcoólico 9,5% vol.
Temperatura ideal 16°C

A De Molen ("o Moinho", em português) foi fundada em 2004 pelo mestre cervejeiro Menno Olivier. Depois de começar a produção caseira em sua própria cozinha, Menno acabou encontrando trabalho em diversas pequenas cervejarias holandesas. Passados doze anos de experiência como empregado, ele começou a De Molen em um velho moinho na cidade de Bodengraven. Boa parte de seus equipamentos era de segunda mão, sendo que as caldeiras haviam sido empregadas anteriormente na produção de laticínios. Embora a cervejaria tenha obtido um sucesso considerável, permanece tocada, basicamente, por um homem só.

Atualmente, a De Molen produz mais de quarenta cervejas diferentes. A linha de produtos é descrita a partir do país de origem do estilo em questão: Estados Unidos, Grã-Bretanha, Alemanha e Bélgica. A maioria das bebidas é de estilo britânico, com nove porters diferentes e uma stout, além de uma ale irlandesa e outra acondicionada em barricas. Há também dez no estilo americano. Praticamente todas as cervejas da De Molen são de alta fermentação. Embora as bebidas do tipo pilsen, de baixa fermentação, dominem o mercado de seu país natal, Menno não vê problemas em nadar contra a corrente: suas bebidas encontraram um público internacional. Com a ajuda de sites de amantes de cerveja dos Estados Unidos, a De Molen é reconhecida por um número consistente de apreciadores estrangeiros como uma das melhores, ou talvez *a* melhor cervejaria da Holanda.

Em 2008, De Molen, Picobrouwerij Alvinne e De Struise (as duas últimas da Bélgica) fizeram uma combinação informal para realizar eventos em comum nas três cervejarias, com bebidas produzidas pelas três. Isso se tornou uma grande atração para os apreciadores do exterior e trouxe um considerável sucesso comercial. **RP**

Notas de degustação

É uma porter ou uma stout? Quando servida, parece negra como a mais escura das noites sem luar. O nariz tem notas de fumaça, piche e grãos de café torrados. O sabor é uma combinação complexa de frutas secas, café e um toque de defumado – sem dúvida graças ao uso de malte seco na turfa, vindo de uma destilaria escocesa.

Hercule Stout

Brasserie Ellezelloise | www.brasseriedeslegendes.be

País de origem Bélgica
Lançada em 1993
Teor alcoólico 9% vol.
Temperatura ideal 13°C

O senso de humor sardônico dos belgas está a todo vapor em "Les Bières des Collines", como são conhecidos os produtos da Ellezelloise. Embora a cervejaria se encontre em uma encosta, é praticamente uma única corcova em um terreno plano. Cria de Philippe Gérard, que labutou por mais de duas décadas em cervejarias antes de realizar seu sonho de voo solo, a Ellezelloise ganhou o nome da cidade que contempla do alto de sua colina, Ellezelles, berço do detetive Hercule Poirot, criação da escritora Agatha Christie.

Singulares em suas garrafas de vidro pesado e tampas flip-top, as cervejas Ellezelloise encontraram adeptos na região e também entre as fileiras cada vez maiores de conhecedores de cerveja da Bélgica. Depois, aconteceu o que parece ser praticamente inevitável em relação às cervejas belgas: elas passaram a ser exportadas. Além da Hercule Stout, uma "stout belga", produzida no primeiro ano da cervejaria, Gérard também recebeu aclamação pela afirmativa Quintine Blonde e a mais delicada e maltada Quintine Ambrée, ambas com o nome de uma bruxa da região, conforme é representado nos rótulos.

Em 2006, Gérard vendeu a cervejaria para a Brasserie des Géants, nas imediações, formando a Brasserie des Légendes. A venda fez com que alguns observadores manifestassem surpresa e que outros afirmassem que a qualidade das cervejas Ellezelloise sofreria com a manobra. Mas pelo menos aquela que é chamada de a mais singular stout da Bélgica parece ter sobrevivido sem grandes danos. Boas novas para todos que apreciam uma boa ale; melhores ainda para o "povo da colina" de Ellezelles. **SB**

Notas de degustação

Negra como carvão, esta stout não esconde nada da sua personalidade torrada ou de alcaçuz, oferecendo ambos os traços em um aroma que também apresenta características de café e em seu corpo picante. Cerveja formidável, feita para acompanhar chocolate amargo ou para ser bebericada tarde da noite, de forma contemplativa.

Herold Bohemian Black Lager

Pivovar Herold | www.pivovar-herold.cz

País de origem República Tcheca
Lançada em 2001
Teor alcoólico 5,3% vol.
Temperatura ideal 7°C

A cervejaria do castelo em Březnice ostenta uma história com registros escritos que data de 1506, no mínimo, quando os arquivos do Estado informam que ela foi vendida, junto com o *château* e a propriedade nos arredores, para o nobre Zdeněk Malovec z Chejnova. Acredita-se que a produção de bebida tenha começado muitos anos antes. Apesar da longa história, a notável Bohemian Black Lager é uma criação relativamente recente. Ao contrário da maior parte das escuras tchecas, esta cerveja termina de forma seca, em vez de doce, e tem menos notas açucaradas de cola do que uma típica lager escura tcheca. Como tal, pode ser vista como algo que se integra mais na linha da tradição da Schwarzbier da Saxônia e da Turíngia do que com as dunkels mais doces da Baviera.

Conhecida agora como Herold, a cervejaria de Březnice manteve muitas tradições abandonadas pelos produtores em nome da modernização. O acondicionamento ainda consome muito tempo, levando até setenta dias neste caso. A Herold é um dos poucos produtores de cerveja tchecos que prepara seu próprio malte e, além das clássicas lagers tchecas clara, âmbar e negra, também faz uma aclamada cerveja de trigo.

Depois de muitas mudanças de mão, após a Revolução de Veludo de 1989, a Herold voltou a ficar sob competente comando local e continua a fazer seu nome entre os apreciadores de cerveja, em parte por conta de sua seleção variada e pela qualidade de suas bebidas. Porém as cervejas da Herold continuam a ser relativamente difíceis de encontrar na capital do país, apesar de serem produzidas a menos de uma hora de Praga. Quando se encontra a Bohemian Black Lager na torneira, ela é considerada uma rara iguaria. **ER**

Notas de degustação

Tom de âmbar muito escuro, com uma coroa cor de areia, esta lager escura e misteriosa tem um sólido corpo de malte com complexas camadas de alcaçuz, chocolate e cacau seco. Espere um final ligeiramente adstringente, que praticamente implora por mais um gole. Companhia perfeita para um delicioso goulash tcheco.

Hertog Jan Grand Prestige

Hertog Jan Brouwerij | www.hertogjan.nl

País de origem Holanda
Lançada em 1982
Teor alcoólico 10% vol.
Temperatura ideal 10°- 12°C

Hoje em dia, Hertog Jan é uma das marcas mais familiares e mais fáceis de encontrar entre as cervejas especiais da Holanda. Portanto, é improvável que seja a primeira opção dos aficionados, especialmente porque uma das razões para tal facilidade é o apoio que ela recebe da maior megacervejaria do mundo, a AB-Inbev. Porém, se houve um momento decisivo no reaparecimento da produção artesanal na Holanda atual, foi indiscutivelmente a aquisição do controle acionário pelos atuais administradores do que era então a cervejaria De Drie Hoefijzers (As Três Ferraduras) de Arcen, em Limburg, em 1981.

Por ironia, ales especiais caíram no colo dos novos donos. Fundada em 1915, a cervejaria tinha passado pelas mãos da Allied Breweries (que agora faz parte da Carlsberg), com base no Reino Unido, desde 1968, e os donos só concordaram em vendê-la para não fechá-la com a condição pouco competitiva de que não se fizessem lagers em suas instalações. Foi reaberta com o nome de Arcense Stoombierbrouwerij (Cervejaria a Vapor de Arcen), e pouco depois revelou os produtos da linha Hertog Jan, cujo nome tinha um som belga, reconhecendo que os consumidores holandeses descobriam novos sabores graças a visitas aos vizinhos do sul.

A Grand Prestige, com nome em francês, foi o auge de uma linha que também incluiu uma dubbel e uma tripel e, em determinado momento, esse cruzamento entre barleywine e ale de abadia foi a cerveja mais forte da Holanda e o carro-chefe da produção artesanal do país. A AB-InBev, até agora, manteve a cervejaria em funcionamento, embora tenha interrompido o acondicionamento em garrafas desde 2002. Continua a ser uma ale singular, escura e forte e uma pedida confiável em lugares em que os produtores de pequeno porte têm pouca presença. **DdM**

Notas de degustação

Rubi escuro, com uma baixa coroa de espuma amarelada e aroma de ésteres de passas e cola. A Grand Prestige tem paladar de malte caramelo, com uma poderosa carga de lúpulos, além de vermute, bolo de frutas, marmelada escura e lúpulos consistentes no final.

Highgate Old Ale

Highgate Brewery | www.highgatebrewery.com

País de origem Inglaterra
Lançada em 1898
Teor alcoólico 5,3% vol.
Temperatura ideal 12°- 14°C

A história desta cerveja demonstra uma notável capacidade de sobrevivência. A Highgate Brewery permanece em Walsall, perto de Birmingham, na região inglesa das Midlands, com boa parte de seu equipamento original, como tinas de maceração em madeira e caldeiras de cobre, tudo intacto desde a época da construção em 1898. A Highgate Old Ale foi uma das primeiras bebidas produzidas por lá. Feita para aquecer o inverno, era repleta de sabores de pudim de Natal, preparada em outubro e novembro. Era popular, mas não tanto quanto a Highgate Mild, uma versão mais fraca da mesma cerveja que, durante muitos anos, foi a bebida preferida dos trabalhadores.

Tanto a cerveja quanto a cervejaria sobreviveram aos intensos bombardeios sofridos pela região durante a Segunda Guerra Mundial. Porém, dez anos depois do fim do conflito, a Highgate foi assumida por suas rivais na região, a Mitchell e a Butler's, que depois se fundiram à Bass. A produção da Old Ale foi retomada no final dos anos 1980, só para ser ameaçada de extinção pouco tempo depois, quando a Bass resolveu fechar a cervejaria. A aquisição das ações pelos administradores garantiu o futuro e, desde então, a Old Ale anda de vento em popa. Embora só seja encontrada na torneira durante o inverno, existe uma versão engarrafada que é vendida o ano inteiro.

Apesar do hiato no que poderia ser considerado como uma longevidade extraordinária, a Highgate Old Ale ainda é preparada de acordo com a receita vitoriana original, com maltes negro, Crystal e claro, xarope de melaço e lúpulos Fuggle e Progress. Seu primeiro prêmio internacional veio em 1913. Em 2008, recebeu uma medalha de prata na competição de Campeã da Grã-Bretanha. **PB**

Notas de degustação

A Highgate Old Ale apresenta um tom rubi intenso. O malte domina o nariz com aromas significativos de chocolate e de café. São acompanhados, no paladar, por grandes quantidades de frutas vermelhas escuras e por um leve viés de calor de xerez. Companhia perfeita para sobremesas suntuosas.

Highland Oatmeal Porter

Highland Brewing Company | www.highlandbrewing.com

País de origem Estados Unidos
Lançada em 1995
Teor alcoólico 5,8% vol.
Temperatura ideal 6°C

A Highland Oatmeal Porter nasceu das tentativas fracassadas da cervejaria sediada em Asheville, na Carolina do Norte, de criar uma lager para fazer companhia à Gaelic Ale, seu carro-chefe. O fundador Oscar Wong e o mestre cervejeiro John Lyda já haviam descartado três levas consecutivas de lager que não alcançaram seus padrões. A dupla concordou que a Highland Brewing, que lançou a primeira cerveja no final de 1994, produzida em instalações usadas anteriormente para laticínios, simplesmente não tinha condições de desperdiçar uma quarta leva. Em vez disso, a lager foi misturada a grãos torrados e aveia. Nasceu uma nova bebida, que logo se tornou uma favorita. Com o passar do tempo, a Highland aprimorou sua criação, eliminando o uso da lager para criar a Oatmeal Porter a partir de uma receita de ale mais tradicional, mas a cerveja mantém as notas suaves e tão agradáveis.

A espinha dorsal da Highland Brewing é uma família de ales ao estilo britânico e a própria cervejaria ganhou seu nome em homenagem aos irlandeses de origem escocesa que foram os primeiros a ocupar a região de Blue Ridge Mountains, perto de Asheville. A cervejaria faz cinco cervejas durante o ano inteiro, inclusive uma IPA, uma stout e uma pale ale, que acompanham a Oatmeal Porter e a Gaelic Ale. Entre as três produções sazonais encontra-se a popularíssima Cold Mountain Winter Ale, que apresenta uma combinação de especiarias a cada ano. A empresa também lançou um par de bebidas com certificação orgânica: Black Mountain Bitter e Cattail Peak Wheat Beer.

A popularidade da Highland cresceu com rapidez e obrigou a cervejaria a terceirizar parte de sua produção engarrafada em Maryland, durante algum tempo, antes de abrir instalações maiores a leste de Asheville, em 2006. **RL**

Notas de degustação

Esta porter entrega uma robusta coroa de espuma cor de canela com algumas pequenas bolhas que deixam um deslumbrante rendilhado no copo. O nariz traz toques de grãos torrados e o sabor se abre para um malte gratificante. Extremamente elegante, com notas de chocolate amargo e um golpe de lúpulo que garante o equilíbrio no final.

Hoepfner Porter

Privatbrauerei Hoepfner | www.hoepfner.de

País de origem Alemanha
Lançada em *ca.* 1900
Teor alcoólico 5,8% vol.
Temperatura ideal 7°- 10°C

A Hoepfner Porter é um maravilhoso exemplo da espécie rara que é a porter alemã. Dizem que a primeira foi produzida em meados do século 19, no rastro da crescente popularidade do estilo, que se espalhava a partir do Reino Unido. Durante a Guerra Fria, os produtores da Alemanha Oriental continuaram a fazer pequenas quantidades da bebida, embora na Alemanha Ocidental a Hoepfner se tornasse a última representante, depois que a Dressler, antiga produtora de Bremen, interrompeu a produção de porter nos anos 1970. Em 1980, até a Hoepfner retirou a sua do mercado, por falta de demanda. Felizmente, foi revivida em 1998, por ocasião dos 200 anos da cervejaria. Hoje, a porter é a marca registrada da Hoepfner, destacando a empresa, sediada em Karlsruhe, como produtora de bebidas especiais. Continua a ser assim ainda mais do que antes, desde que a antiga cervejaria familiar foi vendida para a BHI, joint venture da Heineken, em 2004. Felizmente, a Hoepfner ainda trabalha com independência e a porter continua a ser produzida com cuidado e atenção.

O mestre cervejeiro Peter Bucher usa maltes Munique e caramelo (da maltaria própria da Hoepfner) em uma decocção em duas etapas. Porém, quando lhe perguntam sobre as técnicas que emprega, ele toma cuidado para não revelar todos os truques. Só o seguinte: para que a cerveja adquira a baixa atenuação final, eles cuidam de forma meticulosa da mostura, de forma a extrair açúcares fermentáveis e não fermentáveis. Para contrabalançar a doçura, há adição de lúpulo. Bucher usa Tettnanger, de origem alemã, para o aroma. Comparadas com as inglesas, as porters germânicas geralmente são de baixa fermentação. Recipientes de fermentação aberta, a cepa própria de levedura e uma longa temporada de seis semanas de maturação resultam em sabores distintos e complexos. **SK**

Notas de degustação

Coroa de espuma bege e cremosa sobre mogno límpido. Esta cerveja oferece aromas de cacau escuro com notas florais e cítricas. O primeiro gole é cremoso. Chocolate amargo evolui, junto com toques de pão, equilibrado por sabores torrados e amargor. O final é amargo com notas herbáceas e cítricas de lúpulo.

Hook Norton Double Stout

Hook Norton Brewery | www.hooky.co.uk

País de origem Inglaterra
Lançada em *ca.* 1900
Teor alcoólico 4,8% vol.
Temperatura ideal 11°C

Na aldeia de Hook Norton, no norte de Oxfordshire, as ruas ainda ecoam o som dos cascos dos cavalos que puxam a carroça da cervejaria para entregar bebidas aos pubs da região. A cervejaria data de 1849, mas sua famosa torre vitoriana de seis andares foi construída no final dos anos 1890 e ainda funciona à base de energia gerada a vapor por um equipamento instalado em 1899. Acredita-se que seja o último motor a vapor de sua era ainda usado regularmente em seu objetivo inicial no Reino Unido, e o prédio estremece e vibra enquanto cintas, cabos e rodas zumbem durante o funcionamento. Não é difícil imaginar os trabalhadores suados dos anos 1900, usando o que era então tecnologia de ponta para levar pesados sacos de maltes escuros ao andar mais alto da cervejaria. Ali, eram despejados em um moinho para serem esmagados, antes de serem misturados com água do poço da cervejaria para soltarem açúcares na maceração. O moinho também foi instalado em 1899 e é outro exemplo de equipamento original ainda em uso. Talvez seja o último de sua espécie.

A Double Stout foi preparada até 1916, mas sua produção foi interrompida durante a Primeira Guerra Mundial, quando o malte mais escuro ficou difícil de encontrar. Voltou a toda em 2005, quando o cervejeiro James Clarke desejou recriar uma cerveja tão cheia de sabor e personalidade que pudesse persuadir uma geração de consumidores de lager a experimentar alguma coisa diferente – e assim a Double Stout renasceu. É vendida na torneira como cerveja sazonal, mas é encontrada em garrafa o ano inteiro – e uma versão acondicionada em garrafa pode ser adquirida no centro de visitantes da cervejaria. **TH**

Notas de degustação

A Hook Norton Double Stout tem uma secura longa e gratificante, induzida pelo emprego de malte escuro. Malte negro enriquece a cor e provoca o paladar com um inconfundível sabor de torrada fresca. A cerveja tem um gosto residual refrescante e lupulado.

Huon Dark Ale

Two Metre Tall Company | www.2mt.com.au

País de origem Austrália
Lançada em 2006
Teor alcoólico 5,5% vol.
Temperatura ideal 13°C

Ashley e Jane Huntington fizeram vinho no sul da França durante oito anos, antes de voltarem a estabelecer uma vinícola na Tasmânia, na Austrália. Infelizmente, levaria três anos para que pudessem colher a primeira safra de uvas e, por isso, eles se voltaram para a cerveja, como forma de passar o tempo. A atividade, aos poucos, se transformou em paixão, e as vinhas daquela primeira safra foram definitivamente substituídas por culturas de lúpulos e grãos.

Mas não quer dizer que o tempo que dedicaram ao vinho foi desperdiçado. Ele deu uma perspectiva à produção de cerveja que Ashley e Jane não teriam de outra forma. A principal consequência é que o casal trata a cerveja como um produto da terra, e não como algo criado a partir de matérias-primas fornecidas por terceiros (muitas vezes do outro lado do oceano). Porém, encontrar sementes adequadas para suas plantações demonstrou ser um exercício mais difícil do que o esperado, devido à falta de demanda por lúpulos e grãos variados na Austrália. As sementes mais recentes de grãos precisaram ser obtidas em um museu de cereais que as propaga desde a década de 1950. Os pés de lúpulo colhidos na fazenda anualmente não viam a luz do sol australiano há mais de cem anos.

A experiência com vinhos também fez com que Ashley estivesse mais disposto a correr riscos com a cerveja. A Huon Dark Ale, por exemplo, contém suco de maçã sem filtragem ou pasteurização. O pensamento de Ashley é que a doçura da fruta suavizaria algumas das notas queimadas e amargas nos grãos escurecidos, ao mesmo tempo que forneceria alguma acidez. De um jeito ou de outro, a combinação vem como uma surpresa para aqueles que procuram um sabor tradicional. **DD**

Notas de degustação

Verifique a data da bebida na garrafa, pois sua experiência vai mudar de acordo com a estação. A cerveja pode apresentar a escuridão do café e colarinho almofadado, seguido por sabores torrados e de chocolate, equilibrados por um pouco da acidez do suco de maçã.

Ichtegem's Oud Bruin

Brouwerij Strubbe | www.brouwerij-strubbe.be

País de origem Bélgica
Lançada em 1982
Teor alcoólico 5,5% vol.
Temperatura ideal 6°- 8°C

A Strubbe é uma cervejaria familiar à moda antiga, no oeste de Flandres. Sua força está no preparo de ales de alta fermentação, em especial o tipo regional conhecido carinhosamente como "Oud Bruin" (Velha Marrom). É a cerveja combinada, lática, agridoce, típica da área.

A Ichtegem's Oud Bruin começou com 4,9% vol. e chegou à atual potência pelas mãos do mestre cervejeiro Marc Strubbe. É feita da forma tradicional. A moagem de malte é constituída por três quartos de Pilsen levemente curado e 20% de malte âmbar, com equilíbrio fornecido por malte caramelo escuro. Lúpulos regionais entram na fervura. Depois da primeira fermentação, a leva é dividida, sendo que 80% passam por uma fermentação lenta, convencional, enquanto o resto passa por uma fermentação lática espontânea, que pode durar até dezoito meses. A cerveja azedada é misturada com a mais nova e doce antes do engarrafamento. **JPa**

Notas de degustação

Notas láticas, vinosas, de carvalho e impressões frutadas se apresentam ao nariz. A boca tem sabores semelhantes, mas mascarados por uma doçura extra, bastante explícita. O corpo é um pouco pesado.

Iwate Kura Oyster Stout

Iwate Kura Beer | www.sekinoichi.co.jp/beer

País de origem Japão
Lançada em 2004
Teor alcoólico 7% vol.
Temperatura ideal 5°- 8°C

O mestre cervejeiro japonês Wataru Satoh leu certa vez que ostras combinam muito bem com Guinness e outras cervejas escuras, e por isso ficou interessado em stout de ostras. A cervejaria encontra-se na prefeitura de Iwate, famosa pelas ostras, e assim ele decidiu fazer uma experiência, porque queria preparar uma bebida que tivesse uma forte identidade com a cidade. O melhor de tudo é que os famosos leitos de ostras da baía de Hirota, nas proximidades, facilitam que a cervejaria tenha acesso a um fornecimento muito fresco de ostras na temporada, que dura de outubro a fevereiro.

No preparo, as ostras são separadas das conchas e acrescentadas ao mosto depois da adição das conchas. A primeira descoberta foi que as conchas promovem uma forte fermentação do mosto. A segunda foi que as próprias ostras complementam os sabores da cerveja escura. A bebida em si é feita com maltes claro, chocolate, caramelo e de trigo. **BH**

Notas de degustação

Marrom-escuro e opaco com coroa de espuma em bege-escuro. O aroma revigorante e lupulado traz toques do oceano. O sabor intenso, agridoce, de chocolate tem uma forte fundação, quase carnuda.

Jämtlands Heaven

Jämtlands Bryggeri | www.jamtlandsbryggeri.se

País de origem Suécia
Lançada em 2000
Teor alcoólico 5% vol.
Temperatura ideal 5°C

Quando se produz uma cerveja chamada "Hell" (Inferno), imagina-se que um dia ela será complementada por outra, chamada "Heaven" (Paraíso). E, se a primeira é uma lager blond – o nome é uma alusão a "claro" em alemão –, então, a lógica é que a Heaven seja escura e misteriosa.

Durante uma fase de *brainstorming* entre o Oliver Twist e o Akkurat, dois bares de cerveja de categoria mundial em Estocolmo, nasceu a ideia de criar uma lager dourada, ao estilo pilsen. Desse encontro saiu a Hell, uma das lagers de lúpulo mais intenso que a Suécia jamais havia visto. Fez sucesso imediato, o que motivou seus criadores a produzirem, na sequência, a Heaven, que se aproxima muito de uma tonalidade negra. Também uma lager, a Heaven apareceu sem se aproximar do estilo de uma porter do Báltico nem de uma Schwarzbier. Em outras palavras, era uma segunda e original criação. **SB**

Notas de degustação

Um aroma semelhante a café, com notas torradas, de fumaça e de especiarias queimadas. No corpo, malte torrado apoia raiz de alcaçuz, grãos de café excessivamente torrados e uma secura terrosa e moderadamente amarga.

Kapittel Prior

Brouwerij Van Eecke | www.brouwerijvaneecke.tk

País de origem Bélgica
Lançada em *ca.* 1948/1962
Teor alcoólico 9% vol.
Temperatura ideal 12°- 13°C

Existe uma fonte que afirma que as bebidas da Kapittel foram produzidas pela primeira vez em 1948, enquanto outra indica que o ano zero teria sido 1962. Seja qual for a verdade, essa linha de produtos tão bem-sucedida teve uma história movimentada. Também não há como negar o papel do cervejeiro Jan van Gysegem. É o homem responsável por joias como Eylenbosch Druivenbier e Hoegaarden Grand Cru.

Em 1962, a escura Prior encabeçava a linha de produtos, embora, mais tarde, a blond Abt assumisse a liderança. A Prior era escura e vibrante e – devido a complicações no processo de fermentação – costumava ser um tanto explosiva ao abrir. Em alguns bares, isso levou a clientela a pedir a Prior como "champanhe cerveja". Mas os fãs não se importavam em perder um pouquinho ao servir, pois a bebida era fenomenal – agridoce, com uma profundidade inacreditável. Nos dias de hoje, a Prior, que leva caramelo e especiarias na mistura, está mais bem comportada, com uma personalidade doce e torrada previsivelmente pronunciada. **JPa**

Notas de degustação

Cerveja marrom, com reflexos em laranja-avermelhado, com espuma cremosa. Nariz de passas, Porto e um toque intenso de bolo de frutas. O paladar tem madeira defumada, amargor de lúpulos, alcaçuz e maltes torrados.

Ke To Re Porter

Birra del Borgo | www.birradelborgo.it

País de origem Itália
Lançada em 2006
Teor alcoólico 4,6% vol.
Temperatura ideal 12°- 14°C

Por que fumar tabaco quando é possível bebê-lo? Leonardo di Vincenzo, jovem e talentoso integrante do movimento de produção italiana, teve essa ideia original depois de uma degustação de charutos em 2003, em um clube chamado Maledetto Toscano. No começo, foi uma espécie de desafio. Di Vincenzo apreciava os aromas intensos e doces do tabaco e decidiu usá-los em uma cerveja.

A receita é de uma porter clássica, com um percentual mínimo de tabaco. O tabaco é levemente fermentado, depois secado e despejado na infusão por apenas alguns minutos. Maltes britânicos fornecem a espinha dorsal desta cerveja: principalmente Pilsen, Crystal e um pouco de chocolate. Os lúpulos são Northern Brewer, para o amargor, e Golding e Willamette, para o aroma. O processo de produção dura cerca de dois meses: uma longa fermentação, seguida de uma semana de repouso, de um mês na garrafa para uma fermentação secundária e maturação. **MM**

Notas de degustação

Cerveja escura, da cor do ébano, com espuma castanha, espessa e persistente. O aroma é complexo, com muitas notas diferentes: café, chocolate, avelã e um toque de tabaco doce.

Kneitinger Bock

Brauerei Kneitinger | www.kneitinger.de

País de origem Alemanha
Lançada em 1862
Teor alcoólico 6,8% vol.
Temperatura ideal 8°- 12°C

Quando o futuro papa Bento XVI residia em Regensburg, aparentemente adorava as cervejas Kneitinger. Isso pode ser verdade ou não, mas, no mundo cervejeiro alemão, as bebidas da Kneitinger são tão famosas quanto o Vaticano – em especial, a Bock. Esta cerveja forte e escura encontra-se disponível entre outubro e abril, o que quer dizer que é uma excelente opção para aquecer o inverno.

Nessa estação, uma visita ao salão da cervejaria no centro de Regensburg demonstra como a bebida é popular, pois a maioria dos frequentadores estará com esta cerveja quase negra em enormes copos. Costuma-se dizer que os fãs de bock estão acostumados a uma bebida muito doce, que com frequência oferece menos prazer depois do primeiro copo. Mas não é o caso com esta cerveja: a Kneitinger Bock não é doce demais, é até mesmo um pouquinho seca, de forma que é possível beber mais dela do que de uma Doppelbock doce (mas nem tanto assim, porque o percentual alcoólico de 6,8% ainda é um pouco pesado). **WO**

Notas de degustação

Cerveja de coloração quase negra, com leves notas florais de lúpulo no nariz. O paladar é frutado, harmonioso, de textura suave na boca. O final é uma combinação de lúpulo e de notas secas e leves do malte.

Uma história exemplar ilustrada no vitral de um restaurante em Regensburg. →

Polizeistunde

Kodiak Brown Ale

Midnight Sun Brewing Co. | www.midnightsunbrewing.com

País de origem Estados Unidos
Lançada em 1995
Teor alcoólico 5% vol.
Temperatura ideal 7°C

O sol da meia-noite, um fenômeno natural, ocorre nos meses de verão perto dos círculos polares do Ártico e da Antártica. Quando acontece, o sol ainda pode ser visto no céu à meia-noite e, se o tempo estiver bom, permanece visível por 24 horas. Quanto mais próximo se está do polo, maiores as chances de um aumento no número de dias em que pode ocorrer a aparição do sol da meia-noite.

A Midnight Sun Brewing fica em Anchorage, a maior cidade do Alasca. A empresa foi fundada por Mark Staples e Barb Miller em 1995, com "uma abordagem que busca casar arte e ciência, misturando tradição e inovação, para criar e produzir cervejas audaciosas e singulares para o Alasca... e além". Foi apontada como a principal cervejaria do Alasca e, em várias ocasiões, como uma das principais dos Estados Unidos e do mundo.

A Kodiak Brown Ale foi sua primeiríssima cerveja e, desde então, é a campeã de vendas da Midnight Sun. É produzida com os maltes tradicionais de uma brown do norte da Inglaterra: claro e caramelo. A taxa de emprego de lúpulo também segue o que é típico para o estilo, com 14 IBU, mas recorrendo a variedades mais incomuns: Perle alemão e Willamette norte-americano. Essas variedades dão para a Brown Ale um perfil de sabores decididamente não tradicional, que contribui para sua personalidade muito singular. Outra mistura curiosa está na seleção musical que o cervejeiro Gabe Fletcher costuma ouvir enquanto prepara a Kodiak: geralmente a banda norte-americana de metal thrash/punk Darkest Hour e o grupo inglês de acid jazz/funk/soul/disco Jamiroquai.

A Brown Ale recebeu o nome do urso marrom encontrado no arquipélago de Kodiak, no sul do Alasca. **JB**

Notas de degustação

Com um tom apropriado e intenso de marrom, a Kodiak Brown Ale também exibe uma espessa coroa de espuma em cor de canela. O nariz é maltado, com características de nozes e aroma de toffee. Textura suave e límpida na boca. Os sabores são complexos, com predominância de características doces e maltadas, notas de nozes e um final persistente, com lúpulo intenso.

König Ludwig Dunkel

König Ludwig Schlossbrauerei Kaltenberg | www.koenig-ludwig-brauerei.com

País de origem Alemanha
Lançada em 1976
Teor alcoólico 5,1% vol.
Temperatura ideal 6°- 8°C

Belisque-se. Você poderia estar na Disneylândia. É a sensação que se sente ao ficar diante dos portões da cervejaria Kaltenberg. Diante de seus olhos encontra-se um deslumbrante castelo de fantasia, que inclui até um terreno reservado para justas. Basta tocar nas paredes, porém, para voltar à realidade. Não há plástico. A estrutura impressionante é feita em pedra e madeira. É o lar de uma família da realeza, e, apesar de funcionar como uma cervejaria comercial, existe um príncipe de carne e osso no comando.

A Kaltenberg foi construída no século 17 e reformada segundo a moda neogótica do século 19. Os proprietários coroados perderam o trono depois da Primeira Guerra Mundial. Embora sejam apenas cidadãos comuns nos dias de hoje, ainda exibem seus títulos com orgulho. No comando da cervejaria da família (que agora é conhecida como König Ludwig International) encontra-se o Prinz Luitpold, bisneto do último rei da Baviera, Ludwig III. Ele assumiu o negócio em meados da década de 1970, quando este vivia momentos de decadência. A solução encontrada foi simples, mas ao mesmo tempo audaciosa: voltar ao passado. Luitpold lembrou como a lager escura era a bebida mais popular da região, na década de 1920, e, em vez de tentar competir com centenas de produtores de pilsen, ele resolveu que a Kaltenberg reviveria o estilo.

A estratégia foi um sucesso. A Kaltenberg tomou conta do mercado regional para cerveja escura com a sua König Ludwig Dunkel, responsável por quase metade de todas as vendas de lager escura na Baviera. A cerveja é produzida com malte local (claro e torrado) e lúpulo Hallertau, que produzem uma cerveja gratificante, cheia de sabor, com um leve e curioso azedume, cortesia da adição de uma segunda cultura de levedura durante a fermentação. **JE**

Notas de degustação

Cerveja em marrom-avermelhado, com aroma cremoso de malte escuro. Isso conduz a sabores herbáceos, doces e maltados, e o paladar também inclui um pouco de defumado e azedo com sugestões de chocolate e frutas secas. Grãos torrados e secura característica do lúpulo se apresentam no final amargo.

Köstritzer Schwarzbier

Köstritzer Schwarzbierbrauerei | www.koestritzer.de

País de origem Alemanha
Lançada em 1543
Teor alcoólico 4,8% vol.
Temperatura ideal 8°C

O controle estatal das cervejarias na Europa Oriental e Central após a Segunda Guerra Mundial demonstrou ser uma faca de dois gumes. Enquanto muitas empresas sofreram com a falta de investimentos, outras prosperaram e tiveram mercado garantido para sua produção através de um controle da distribuição regional muito rigoroso. O que queria dizer que algumas cervejas que sobreviviam com facilidade talvez tivessem perecido, caso precisassem contar apenas com seus próprios recursos em ambientes mais competitivos. Parece ser o caso da Köstritzer Schwarzbier. A cervejaria Köstritzer teve suas origens no século 15, no balneário de Bad Köstritz, perto de Weimar. Uma nova cervejaria foi acrescentada no início do século 20, mas, com a divisão da Alemanha depois da guerra, ela ficou dentro do bloco soviético. Quando a Alemanha foi reunificada, o negócio necessitou de uma imediata injeção de recursos. Eles vieram como cortesia da família Simon, dona da Bitburger, que o adquiriu em 1991. Os Simon deram uma atenção especial à Schwarzbier. Os cervejeiros da Bitburger viram o potencial desta cerveja incomum, mas sentiram que ela precisava de cuidados intensivos. Examinaram detidamente a receita e resolveram fazer algumas alterações. A mais importante delas foi elevar o teor alcoólico da bebida, de frágeis 3,5% para 4,8%. Hoje, a cerveja é produzida com maltes Pilsen, Munique e mais um, descrito pela cervejaria como "especial". Os lúpulos vêm da região de Hallertau. **JE**

Notas de degustação
Aroma ligeiramente azedo, com toques de café e de chocolate amargo. Um azedume delicado encontra o sabor agridoce, junto com malte escuro e cremoso, café e chocolate simples.

Koutský Tmavý Speciál 18°

Pivovar Kout na Šumavě | www.pivovarkout.cz

País de origem República Tcheca
Lançada em 2006
Teor alcoólico 9% vol.
Temperatura ideal 9°C

As fortes cervejas escuras conhecidas como porters do Báltico estão associadas aos países com clima frio do nordeste da Europa. Durante o final do século 19 e início do século 20, tais lagers escuras também eram produzidas na Europa Central e Oriental, com cervejas identificadas como "porters" saindo da Martinský Pivovar, da Eslováquia, bem como de cervejarias da atual República Tcheca. Depois da disseminação da produção industrial de pilsen, muitas tiveram sua produção interrompida e, em 2006, apenas a Pardubický Porter permanecia na antiga Tchecoslováquia.

Fundada em 1736, a cervejaria Kout na Šumavě adicionou uma forte lager escura a seus produtos quando recomeçou a produção. De acordo com as atuais leis tchecas que regulamentam a produção, "porter" é um termo reservado para cervejas escuras, de baixa fermentação, com no mínimo 18 graus, feitas com cevada maltada. Embora a Pivovar Kout na Šumavě não chame sua cerveja de porter, preferindo o termo "*tmavý speciál*", ou melhor, "escura especial", a bebida atende aos requisitos. Foi apresentada originalmente como uma cerveja festiva, mas atualmente é produzida de forma mais constante.

Praticamente não apresenta calor alcoólico na boca. Como bebida espessa, viscosa e semidoce, ela não lembra em nada uma cerveja para sessões prolongadas, parecendo mais indicada para o fim de noite ou para afugentar o frio do inverno. **ER**

Notas de degustação
No copo, apresenta-se com um tom marrom, quase negro, límpido, com uma frouxa coroa de espuma cor de canela com duração limitada. Procure aromas complexos de compota de ameixa e especiarias natalinas, com notas saborosas de chocolate e gengibre.

Mantendo a pressão na cervejaria Kout na Šumavě. →

EN 837-1
bar
pressy

Krušovice Černé

Pivovar Krušovice | www.krusovice.cz

País de origem República Tcheca
Lançada em *ca.* 1900
Teor alcoólico 3,8% vol.
Temperatura ideal 7°C

Novos proprietários podem provocar impacto sobre uma cervejaria, e isso ficou bem claro em Krušovice, cidadezinha a oeste de Praga. Em 1583, o imperador Rodolfo II comprou a cervejaria local por 11.500 Meissner kopa, elevando no mesmo instante essa modesta propriedade regional à condição aristocrática.

Os proprietários mais recentes foram menos benevolentes. Separada em 1945 da nobre família Fürstenberk da Boêmia, sua proprietária durante duzentos anos, a cervejaria foi nacionalizada em 1948. Tornou-se um dos burros de carga da Tchecoslováquia comunista, angariando divisas estrangeiras tão necessárias com a produção de uma lager clara suficientemente boa para se passar de vez em quando pela Pilsner Urquell no mercado de exportação. Depois da Revolução de Veludo, a cervejaria passou por várias mudanças de proprietários, com a qualidade das lagers parecendo sofrer a cada lance. Talvez a aquisição pelo grupo Heineken, em 2007, tenha sido sua salvação.

Embora as cervejas ao estilo pilsen vendam em grandes quantidades, é a escura da Krušovice que se destaca. Aparece na panela com quase a mesma frequência com que vai à mesa – promovida por diversos *chefs* de cozinha famosos, como marinada para assados e listada muitas vezes como ingrediente fundamental em um consistente goulash. É uma das poucas lagers tchecas que usa o termo *černé*, ou melhor, "negra", e parece ter um pouco mais de sabor do que a média das *tmavé* tchecas, ou "cervejas escuras". Apareceu pela primeira vez em 1900, como "Grand", uma corpulenta lager de 14 graus Plato com quase 6% de álcool, antes de ser modificada para os valores mais administráveis de 10 graus Plato e 3,8% vol. Em 2009, foi apontada como Melhor Lager Escura do Mundo, nos Prêmios Mundiais de Cerveja, em Londres. **ER**

Notas de degustação

Cerveja notável de força moderada e sabores poderosos, a Krušovice Černé apresenta-se quase negra no copo, com brilhos âmbar e uma coroa de espuma duradoura, em areia. É complexa para uma lager, com notas de cola, café e especiarias, além de um final ligeiramente herbáceo, com características de alcaçuz.

Lancaster Milk Stout

Lancaster Brewing Company | www.lancasterbrewing.com

País de origem Estados Unidos
Lançada em 1996
Teor alcoólico 5,3% vol.
Temperatura ideal 10°C

Com quase 100.000 vacas que pastam nos verdes campos dos fazendeiros amish e menonitas, Lancaster County, na Pensilvânia, é mais conhecido pelo leite do que pela cerveja. Nessa terra verdejante, há mais de 1.800 fazendas de laticínios de propriedade familiar e apenas quatro cervejarias. A Lancaster Brewing faz uma das raras milk stouts (stouts de leite) dos Estados Unidos.

Uma milk stout, naturalmente, não contém leite. Essa ale escura, excepcionalmente saborosa, é feita com a adição de lactose – o açúcar do leite –, que não pode ser fermentada pela levedura. Isso dá à cerveja um sabor levemente doce que complementa o amargor atraente do malte torrado. As autoridades do Reino Unido há muito baniram a palavra "milk" (leite) dos rótulos de cerveja, em grande parte porque o estilo costumava ser divulgado como sendo benéfico para a saúde. Dizia-se, por exemplo, que a milk stout era boa para as mulheres que amamentavam. Os legisladores norte-americanos porém, não fazem objeção ao termo "milk stout", pois é reconhecido como um estilo histórico de cerveja.

John Frantz, dono da cervejaria, diz que a Lancaster Milk Stout é uma de suas marcas mais antigas, criada a princípio como uma doce alternativa para os fãs de stout que queriam algo menos amargo do que uma stout irlandesa. Logo se tornou um dos carros-chefes da Lancaster, por ser "mais suave do que uma Guinness e, com toda a certeza, mais refrescante". Feita com cevada de duas fileiras e maltes excepcionalmente escuros, ela explode com a secura da cevada torrada, apresentando toques de chocolate e café. Os lúpulos Cascade e Styrian Golding estão presentes, mas apenas o suficiente para equilibrar a doçura. A cerveja escura é extremamente popular na região. Outra marca favorita da cervejaria é a Strawberry Wheat. **DR**

Notas de degustação

Um copo servido de forma agressiva enche-se com a cor de café expresso escuro, coroada por espuma firme. Chocolate amargo atravessa primeiro o paladar, seguido por café suave e creme doce. Uma cremosidade suave no final é contrabalançada por um amargor de malte levemente torrado.

Laurentina Preta

Cervejas de Moçambique | www.sabmiller.com

País de origem Moçambique
Lançada em 1932
Teor alcoólico 5% vol.
Temperatura ideal 7°C

Os europeus chegaram a Moçambique pela primeira vez em 1498, quando o navegador Vasco da Gama fez uma breve escala ali, a caminho da Índia. E assim começaram quase quinhentos anos de domínio português na região. A independência foi conquistada em 1974, quando uma guerra civil sanguinolenta e destrutiva aconteceu. Ao final, Moçambique foi considerado oficialmente o país mais pobre do planeta.

Nos dias de hoje, Moçambique se afasta do passado turbulento, como pode ser percebido em uma visita a Maputo, sua capital à beira-mar. Uma caminhada por avenidas enfeitadas por palmeiras revela animados cafés e restaurantes onde residentes e turistas quase sempre parecem relaxar com uma garrafa de Laurentina. A versão Preta é uma lager premium escura, produzida com uma combinação de quatro maltes, incluindo caramelo e um malte negro tostado de sabor singular. É uma grande favorita entre os apreciadores de cerveja e encontrou fama na Europa depois de ganhar, em 2008, uma medalha de ouro no Monde Selection, do Instituto Internacional de Seleções de Qualidade, na Bélgica.

A cervejaria mais querida de Moçambique começou em 1912, sob o nome de Victoria Ice and Soft Drink Plant, e ficou conhecida vinte anos depois como Cervejaria Laurentina. Pouco se sabe sobre a empresa antes da independência, mas o mercado doméstico foi dominado pela Laurentina e a 2M (da Mac Mahon Brewery) durante vários anos, até que a guerra civil impediu a produção. De forma notável, a Laurentina sobreviveu a esse período sombrio e hoje é uma das poucas cervejarias africanas que, com sucesso, exporta seus produtos para fora do continente. Quase inevitavelmente, a Laurentina acabou engolida pelo gigante sul-africano SABMiller e opera sob a subsidiária Cervejas de Moçambique. **SG**

Notas de degustação

Espere descobrir uma cerveja preta com espuma cremosa, duradoura, em cor de canela, que deixa bastante rendilhado no copo. O nariz é dominado por maltes escuros e por um traço de chocolate que chega ao paladar com notas de café e melaço até um final de malte torrado.

Left Hand Milk Stout

Left Hand Brewing | www.lefthandbrewing.com

País de origem Estados Unidos
Lançada em 2001
Teor alcoólico 5,3% vol.
Temperatura ideal 13°C

A partir da época em que a Anchor Brewing, de São Francisco, começou a apresentar os estilos de cerveja britânicos aos consumidores norte-americanos, os produtores artesanais dos Estados Unidos têm encontrado inspiração nas nações onde a bebida é uma tradição. Por vezes, tentaram reproduzir com fidelidade os originais, mas em outras ocasiões eles selecionaram estilos extintos ou praticamente extintos. A Left Hand não foi a primeira microcervejaria do país a fazer uma milk stout, mas sua versão conquistou popularidade e teve sucesso junto à crítica.

Popularizadas pela Mackeson no início do século 20, as milk stouts se tornaram cervejas doces, com baixo teor alcoólico, que as cervejarias esperavam que fossem consumidas pelas mulheres. A versão da Left Hand retoma a receita da Mackeson, de 1907 – na verdade, é um pouco mais forte –, contendo o mesmo ingrediente-chave, a lactose, ou melhor, o açúcar do leite. Quando a cervejaria introduziu a bebida, o mestre cervejeiro Dick Doore precisou explicar com cuidado que ela não incluía derivados do leite e que a adição de açúcar não fermentável "dá uma bela textura na boca e um final doce". Naquele primeiro ano, a Left Hand produziu apenas dez barris da Milk Stout, volume que dobrou para vinte no ano seguinte. Hoje, ela vende muitas vezes esse volume.

É um contraste interessante com a Left Hand Imperial Stout, criação sazonal que chegou à produção regular. "Me perguntam o ano inteiro quando a Imperial Stout vai aparecer", declarou Eric Wallace, cofundador da cervejaria, nos tempos em que só estava disponível uma vez por ano. Aí Doore deixou claro que a cerveja, agora um monstro com 10,4% de álcool, foi inspirada por seus antecedentes na produção caseira. "Basicamente, enchemos a tina de maceração com tudo o que pudemos. Colocamos cevada de duas fileiras até precisar parar." **SH**

Notas de degustação

Quase negra como o piche, no copo, com algumas nuances em rubi, sob espuma cor de canela. O chocolate e a torrada queimada do aroma e do sabor estão em equilíbrio constante com uma doçura cremosa. Torna-se seca no final, deixando uma última impressão de café e creme.

Limfjords Porter

A/S Thisted Bryghus | www.thisted-bryghus.dk

País de origem Dinarmarca
Lançada em 1989
Teor alcoólico 7,9% vol.
Temperatura ideal 12°- 15°C

A Thisted Bryghus está encarapitada na extremidade norte da Jutlândia e é uma das poucas cervejarias independentes dinamarquesas que ficaram fora das mãos de concorrentes de maior porte. Criada em 1899, começou a produção com uma lager escura, ao estilo da Baviera, no lugar das ales regionais, de alta fermentação. Faliu e renasceu em 1902. Depois, cresceu e se tornou o segundo maior empregador da região e uma instituição local.

A Thisted foi o nascedouro do movimento cooperativo na Dinamarca e isso se refletiu na história da cervejaria. O feroz orgulho pela empresa a ajudou a sobreviver e muitas cotas permanecem nas mãos da comunidade. A assembleia geral anual da empresa só perde para o Natal como acontecimento social em Thisted, com a presença normal de cerca de 1.300 dos 1.900 acionistas. Sua expansão de empresa regional com apenas duas cervejas para produtor reconhecido de bebidas para especialistas aconteceu graças ao mestre cervejeiro e diretor administrativo Peter Klemensen, que se aposentou em junho de 2009. Ele fortaleceu a reputação da empresa para além dos confins da Dinamarca com cervejas especiais, como a adorada Limfjords Porter.

A Limfjords Porter foi vendida, a princípio, pela Urban Brewery, de Ålborg, mas o nome foi comprado em 1986, quando a cervejaria fechou as portas. Klemensen continuou a fazer experiências com a receita até 1997, quando decidiu que a cerveja tinha a combinação certa de maltes de cor, caramelo e defumados, além de alcaçuz. Faz jus à herança marinha de outras porters do Báltico, com sabor alcatroado, defumado, que já foi descrito como "marítimo" por alguns e como "igual a lamber um cinzeiro" por outros. **AA**

Notas de degustação

Cerveja em marrom-escuro, com espuma como a do café moca, de onde emerge um aroma de malte tostado, ligeiramente defumado, junto com um toque de alcaçuz. Sabores mais fortes de fumaça com frutas secas e alcaçuz conduzem a um intenso paladar tostado e um final levemente amargo e antisséptico.

Lion Stout

Ceylon Brewery | www.lionbeer.com

País de origem Sri Lanka
Lançada em 1881
Teor alcoólico 8% vol.
Temperatura ideal 12°C

A antiga colônia britânica de Sri Lanka não é muito conhecida pela tradição cervejeira e, no passado, uma bebida à base de coco era a preferida entre seus moradores que consomem álcool. Entretanto, Nuwara Eliya, um antigo retiro colonial no alto das montanhas, teve um papel fundamental na história da produção de cervejas na região.

O chá era plantado na área – e ainda é –, mas os agricultores vitorianos que se instalaram no local e o apelidaram de "Pequena Inglaterra" também trouxeram outra coisa que vivia em seus corações: cerveja. Em 1881, um certo Sir Samuel Baker montou uma cervejaria na região. Quase cem anos depois, o intrépido pesquisador Michael Jackson fez a difícil viagem até ali e encontrou a Lion Stout sendo servida por bombas manuais em alguns bares da área. Além disso, a cerveja também era acondicionada em garrafas e foi uma verdadeira revelação. Desde que Jackson descobriu a Lion Stout, ela permanece uma bebida para ser apreciada e valorizada (apesar de, infelizmente, os bares que serviam o que parecia ser uma stout de barrica terem desaparecido).

Houve também mais uma importante mudança. A cervejaria desceu do alto da montanha e se estabeleceu perto da capital, Colombo. Mas a stout continua uma grande cerveja, cheia de sabores cremosos e reconfortantes. A Lion Lager é a bebida mais vendida da Ceylon Brewery. Ela também é contratada para fazer a lager e a Special Brew da Carlsberg, mas merece elogios por continuar a produzir esta cerveja escura, uma relíquia histórica que, graças aos esforços de Jackson, ganhou o mundo e encontrou novos fãs. **ATJ**

Notas de degustação

Muito escura. No nariz, chocolate amargo. Textura suave e bem-acabada na boca, com toques de grão de café e frutas que conduzem a um final de chocolate amargo. Uma stout efusiva, de paladar rico, com uma ligeira doçura que substitui os habituais sabores torrados e secos do gênero.

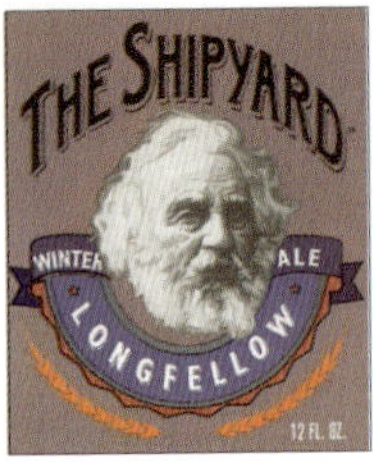

Longfellow Winter Ale

Shipyard Brewing | www.shipyard.com

País de origem Estados Unidos
Lançada em 1995
Teor alcoólico 5,8% vol.
Temperatura ideal 8°C

A Shipyard Brewing está localizada à beira-mar, no local onde nasceu o poeta Henry Wadsworth Longfellow. Em 1995, a empresa comemorou seu primeiro aniversário e os 188 anos do bardo com esta bebida escura, indicada para o inverno.

Disponível de novembro a janeiro, a ale não costuma ser vendida fora da Nova Inglaterra, mas é imensamente popular entre os fãs da literatura que se dirigem a Portland todos os anos para lembrar o aniversário de Longfellow. Os bares e restaurantes festejam a ocasião servindo na torneira os últimos barris da temporada contendo esta ale encorpada. A bebida em si é uma obra de arte do chefe da Shipyard, Alan Pugsley, com formação na Grã-Bretanha, discípulo do famoso cervejeiro Peter Austin, da Ringwood. A Longfellow Winter Ale tem claras raízes britânicas. Segundo Pugsley: "Pode ser chamada de um híbrido de porter inglesa com scottish ale." Encorpada, com complexas notas de maltes, é mais doce do que uma porter clássica, terminando bem mais seca do que uma scottish. **DR**

Notas de degustação

Em marrom-escuro, com agradável aroma de torrada e amêndoas. A princípio, apresenta ligeira doçura, suavizando-se até o amargor do malte torrado. O corpo é leve, harmonioso e refrescante.

Mackeson Stout

Anheuser-Busch | www.ab-inbev.com

País de origem Inglaterra
Lançada em 1907
Teor alcoólico 3% vol.
Temperatura ideal 13°C

Esta cerveja tem forte apelo nostálgico. A Mackeson lembra um estilo que há muito se perdeu. Pronunciar as palavras "milk stout" talvez faça alguns bebedores saírem correndo, mas esse estilo histórico merece uma chance. Da forma com que é feita, quer dizer que as dextrinas residuais e os açúcares não fermentáveis fornecem mais do que o habitual em se tratando de doçura, por isso há uma bela profundidade na cerveja.

Este exemplo em especial tem muita profundidade quando se fala de seus ingredientes. A cor revela imediatamente que, como acontece com as stouts, a cerveja tem uma característica de malte queimado, algo captado com facilidade pelo nariz, com um perfume quase amadeirado. O sabor também entrega uma riqueza de chocolate no princípio, com suficiente amargor no final para garantir equilíbrio a cada gole. O que vai surpreender, porém, é que a cerveja pode ser refrescada e que fornece uma variação revigorante para quem toma pale ale ou lager. **TS**

Notas de degustação

Faça questão de bebê-la junto com um bom pedaço de chocolate amargo. Apresenta cor marrom-escura com uma bela coroa de espuma e entrega aqueles aromas doces de chocolate antes de demonstrar um belo equilíbrio na boca.

MacKroken Flower

Le Bilboquet | www.lebilboquet.qc.ca

País de origem Canadá
Lançada em 2008
Teor alcoólico 10,8% vol.
Temperatura ideal 10°C

A Brasserie Le Bilboquet se tornou a quarta choperia da província de Québec após abrir as portas em St.-Hyacinthe, em 1990. Uma década depois, a MacKroken Flower foi produzida pela primeira vez, mas não pela Le Bilboquet.

Como acontece com uma série de outras cervejarias comerciais, a Mac, como a cerveja é conhecida por seus criadores, começou a vida como uma receita caseira – criação do ex-funcionário da Le Bilboquet Jean-Philippe Barbeau, produtor entusiasmado. Em 2004, esta cerveja escura foi a melhor de sua categoria na prestigiosa competição da Associação Canadense dos Cervejeiros Amadores. Conseguiu o mesmo em competição semelhante em Québec. Esta última, porém, tinha como prêmio a produção comercial da bebida, mas não ainda pela Le Bilboquet. A scotch ale com influências de mel encontrou residência permanente na Le Bilboquet quando a cervejaria recebeu licença para engarrafar seus produtos, em 2008. **SB**

Notas de degustação

Nariz ricamente maltado e floral, como se recendesse a mel de flores frescas e malte. No paladar, notas de ameixa confeitada, melaço e caramelo, conduzindo a um final que quase lembra vinho do Porto.

Mahou Negra

Grupo Mahou San Miguel
www.mahou-sanmiguel.com

País de origem Espanha
Lançada em 1908
Teor alcoólico 5,5% vol.
Temperatura ideal 6°-7°C

As origens do Grupo Mahou San Miguel remontam a 1890, quando os filhos de Casimiro Mahou fundaram uma empresa em Madri para produzir cerveja e gelo. Ela criou fama por se manter em dia com os mais recentes progressos do setor. Em 1922, substituiu a rolha de cortiça pela tampa de alumínio e, nos anos 1960, trocou os barris de alumínio por outros, tradicionais, de madeira.

Seu feijão com arroz é a desinteressante lager loura Mahou Clásica, ao lado da onipresente San Miguel, que pode ser encontrada por toda a Espanha. Porém a Mahou Negra tem muitas qualidades. Foi criada em 1908, junto com a Clásica, com o objetivo de apresentar algumas cervejas ao estilo alemão para o público ibérico. Como sugere o nome "Negra", é uma cerveja ao estilo Munique, escura, com uma personalidade sedutora de malte tostado. É perfeita para servir com *tapas* de mariscos, ou para ser apreciada sozinha. **SS**

Notas de degustação

Cor límpida, em um tom escuro de marrom-avermelhado, com espessa espuma cor de creme. No nariz, aroma maltado agridoce. O paladar apresenta uma mistura apetitosa de amargor e notas tostadas de café.

Mahr's Der Weisse Bock

Mahr's Bräu | www.mahrs-braeu.de

País de origem Alemanha
Lançada em 1994
Teor alcoólico 7,5% vol.
Temperatura ideal 8°- 10°C

Todos os anos, na quarta-feira de Cinzas, um grupo seleto de pessoas se reúne na choperia da Mahr's Bräu, no distrito de Wunderburg, em Bamberg. A reunião inclui cervejeiros da Holanda, alguns da Bélgica, uns poucos dinamarqueses, o prefeito de Bamberg e um punhado de oficiais de uma base dos Estados Unidos que fica nas cercanias. Ao todo, cerca de vinte pessoas celebram o lançamento da Mahr's Der Weisse Bock, uma forte ale de trigo disponível durante a Quaresma.

Desde seu lançamento em 1994, a cerveja ganhou muitos fãs leais, graças apenas ao boca a boca. Durante as seis semanas que antecedem a Páscoa, fãs da Áustria, Suíça, Escandinávia e outros países europeus acorrem até a pequena cervejaria de Bamberg para obter tantas caixas da bock de trigo quantas caibam em seus carros.

Jovem mestre cervejeiro e integrante da quarta geração de proprietários, Stephan Michel usa maltes escuros de trigo, Munique e Pilsen em uma clássica decocção em duas etapas, para dar mais sabor à cerveja. Antes de assumir a responsabilidade pela cervejaria, em 1997, ele viajou aos Estados Unidos. Não foi apenas por causa da bebida, como destaca, mas para ter uma ideia do que movimentava o mercado de cervejas daquele país. Em relação a Der Weiss Bock, Michel desenvolveu uma cerveja ligeiramente mais forte para atender as demandas transatlânticas: a versão norte-americana tem 8,5% vol. A bebida também vai para outros países, mas foi rejeitada pelos consumidores japoneses, que a consideraram forte demais. Não importa a força ou o país onde apareça, a Der Weiss Bock é estritamente sazonal, o que deve dar para as pessoas de todo o mundo um motivo para celebrarem a quarta-feira de Cinzas. **SK**

Notas de degustação

Marrom intenso, com nuances laranja, turva. Coroa de espuma gigantesca, em castanho-claro. A cerveja seduz com aromas frutados, um toque de chocolate amargo, bem como torrada. Sabores harmoniosos e frutados tomam conta do paladar, equilibrados por notas torradas e um toque de fumaça. Saborosa, mas com final seco.

Malheur 12

Brouwerij Malheur | www.malheur.be

País de origem Bélgica
Lançada em 2001
Teor alcoólico 12% vol.
Temperatura ideal 10°C

Algumas pessoas chamariam a Malheur 12 de barleywine, mas poucos empregam o termo na Bélgica. Outros a chamariam de uma ale forte, mas é afirmar o óbvio. Não seria possível chamá-la de loura, pois tem uma aparência escura e avermelhada. Então, se é escura, por que não chamá-la de stout? Lamento informar, mas não tem personalidade torrada. Como classificar a Malheur 12? Eis a questão.

Ser uma cerveja Malheur significa que a bebida é completamente benfeita: repleta de personalidade, sabor e virtude. Sim, é forte, mas para quem sabe fazer cervejas é relativamente fácil produzir bebidas bem fortes na Bélgica. O truque é trazer ao mundo aquelas que conseguem esconder bem o álcool e que, além disso, ainda têm uma profunda complexidade. A Malheur faz isso com estilo, como é evidente na 12. São empregadas apenas flores integrais de lúpulo das variedades Hallertauer e Styrian. O presidente da Malheur, o animado e caloroso Manu de Landtsheer (homem que trabalha muito, se diverte muito e também é um empresário sério), sente que é melhor usar lúpulos integrais em suas cervejas, apesar de serem mais caros e mais difíceis de trabalhar do que as pelotas ou os extratos. É uma coisa boa. Como todas as cervejas Malheur, a 12 é filtrada sem ser pasteurizada e refermentada na garrafa, podendo ser encontrada em recipientes de 330 mililitros, com tampa metálica, bem como em outros de 750 mililitros com rolhas de cortiça.

A Malheur 12 tem outra função: serve de base para a Dark Brut. As duas são ótimas de ser saboreadas ao lado de uma fogueira. Ou podem ser escolhidas para acompanhar pratos de carne, cervo ou mesmo bisão. Com quase toda a certeza, você vai apreciar esta escolha. **CC**

Notas de degustação

Cerveja em marrom-escuro, com espuma densa e cremosa. Muito malte e levedura no nariz. Notas de açúcar queimado de confeiteiro, ésteres frutados, chocolate e uma intensa complexidade maltada. O álcool apresenta-se discreto, para uma bebida tão forte. Harmonize com chocolate amargo belga!

Malheur Dark Brut

Brouwerij Malheur
www.malheur.be

País de origem Bélgica
Lançada em 2002
Teor alcoólico 12% vol.
Temperatura ideal 6°C

A criação de cervejas com o *méthode champenoise* teve origem na virada da último milênio, quando diversos produtores belgas tiveram a ideia de saudar o século 21 com uma cerveja sedutora, em vez de champanhe. As primeiras produzidas foram louras, mas a Malheur teve a ideia de fazer uma versão escura, chamada inicialmente de "Chocolat Noir".

A Brouwerij Malheur situa-se em Bouggenhout, uma cidadezinha no leste de Flandres onde se encontram em atividade duas cervejarias de propriedade familiar. Ela interrompeu a produção em 1939, mas continuou a engarrafar e vender cervejas até que Emmanuel "Manu" De Landtsheer decidiu dar início a uma microcervejaria em 1997. Ela oferece toda uma variedade de bebidas de potências diversas, de modestos 4% até superpoderosas cervejas brut, como esta daqui. A linha Brut abriu as portas para as vendas no mundo inteiro, inclusive nos Estados Unidos e na Itália.

Esta versão escura está anos-luz à frente das louras no quesito personalidade. Oferece as vantagens de uma bebida escura e maltada, perfeitamente envelhecida em barris de carvalho americano, aliadas à efervescência de um champanhe. O resultado é algo verdadeiramente impressionante. A Malheur Dark Brut, bem como sua equivalente loura, é ideal para acompanhar comida. Apesar de a personalidade de chocolate ter diminuído ligeiramente, ela é uma parceira ideal para muitas sobremesas. **JPa**

Notas de degustação
Nariz de madeira, vinoso, frutado, com um toque de nozes. O sabor tem um amargor rico em taninos, carregado de malte. Encorpada, quase xaroposa, com um gosto residual doce e persistente.

Manns Brown Ale

Marston's
www.marstonsbeercompany.co.uk

País de origem Inglaterra
Lançada em 1902
Teor alcoólico 2,8% vol.
Temperatura ideal 8°- 10°C

Embora a Manns seja uma brown ale, não espere que ela tenha um perfil de sabores semelhante ao das brown ales populares no nordeste da Inglaterra. É adocicada, ligeiramente lupulada e com teor alcoólico bem baixo. Em seu apogeu, por não ser forte, era uma cerveja que podia ser bebida apenas para refrescar e adoçar a boca. Algumas pessoas a consideravam praticamente um refrigerante.

É uma sobrevivente da época em que a maioria dos produtores ingleses tinha uma cerveja de seu estilo. De amargor reduzido, as ales compartilhavam habitualmente a coloração escura, de caramelo queimado. A Manns é considerada a marca de cerveja britânica mais antiga e vem sendo produzida ininterruptamente desde 1902, quando foi desenvolvida e engarrafada (o que por si só já era uma revolução) por Thomas Wells Thorpe, mestre cervejeiro da Mann, Crossman e Paulin, no leste de Londres.

Esta cervejaria tem tradição em misturas. Os bebedores de Londres e do sul da Inglaterra pediam uma "brown e bitter" ou uma "brown e mild". Também misturavam meio *pint* de chope com uma garrafa de brown ale. A carbonatação da cerveja engarrafada ajudava com frequência a renovar a vitalidade da bebida na torneira, que costumava ser malconservada e grosseira ao paladar. Hoje em dia, é uma cerveja de especialistas, recomendada como ingrediente para a culinária. Enriquece com sabores os pudins de fruta, dá leves sabores de caramelo a ensopados cremosos e um corpo deliciosamente suave ao pão de nozes. **TH**

Notas de degustação
Leve e refrescante, tem toques de passas e chocolate. De cor escura de rubi, a cerveja é coroada por espuma leve e tons de caramelo. Tem um aroma doce e maltado.

Manns – refrigerante ou bebida de trabalhador? →

BREWED
with
ROASTED
MALT
since 1902

Maredsous 8

Duvel Moortgat | www.duvel.be

País de origem Bélgica
Lançada em 1963
Teor alcoólico 8% vol.
Temperatura ideal 8°- 12°C

As ales de abadia belgas são um verdadeiro saco de gatos. Algumas das mais notáveis, de produtores de menor porte, não têm qualquer vínculo monástico. Enquanto isso, um punhado daquelas que apresentam o logotipo oficial de "Cerveja de Abadia Belga Certificada" (que indica que são produzidas sob licença de uma instituição religiosa, contribuindo com royalties para sua manutenção) são, na verdade, cervejas industrializadas de grandes produtores.

O trio de cervejas acondicionadas em garrafas vendido sob o nome Maredsous pelo Grupo Duvel Moortgat, da pequena cidade flamenga de Breendonk, é uma honrosa exceção. Embora sejam negligenciadas com frequência, preteridas por um célebre clássico mundial da mesma cervejaria, tais cervejas costumam ter desempenhos consistentes em degustações às cegas e são, indiscutivelmente, as melhores entre as bebidas de abadia "certificadas".

A abadia beneditina de Maredsous é uma área pitoresca que faz parte da comuna de Denée, na província de Namur, onde se fala francês. É uma estrutura neogótica que data dos anos 1870, fundada por monges da Baviera nos tempos em que a vida monástica belga se restabelecia, depois de ter sido suprimida por Napoleão. O mosteiro produziu sua própria cerveja até 1963, quando fechou um acordo com a Duvel Moortgat. Naquela época, as cervejas de abadia eram escuras; as douradas só começaram a proliferar depois que a Leffe Blonde se popularizou, nos anos 1970. Hoje, a Maredsous 8 é a única marrom em uma gama que inclui a Blond 6 e a Tripel 10, e, descontando-se o fator divino, é sem dúvida a mais próxima da inspiração original dos monges. Existem especulações de que seus sedutores sabores de caramelo e passas indicam que as ales trapistas de Rochefort foram seu modelo original. **DdM**

Notas de degustação

Em rubi muito escuro, com uma espuma branca e firme. Toques de pinheiro e alcaçuz, com aroma de caramelo e frutas. Há caramelo e passas com café preto e doce no paladar ligeiramente seco, junto com leves notas torradas, alcatrão de hulha e molho salgado no final. Recomendável como acompanhamento para pratos de carne.

Martha's Mild

Teignworthy Brewery | www.teignworthybrewery.com

País de origem Inglaterra
Lançada em 2002
Teor alcoólico 5,3% vol.
Temperatura ideal 15°C

Simbiose é o termo científico para os casos em que duas entidades vivem e trabalham juntas, trazendo vantagens para ambas. Isso resume bem o arranjo entre a Teignworthy Brewery e a Tucker's Maltings em Devon, na Inglaterra. A maltaria é uma das poucas do Reino Unido a fazer a produção no chão e, para contribuir para sua preservação, ela se abriu para o turismo.

A cada ano, a maltaria com um século de funcionamento atrai muitos visitantes. Parte da atração é a Teignworthy Brewery. É um negócio separado que aluga um canto do prédio histórico. O vapor das caldeiras de cobre adiciona um perfume de lúpulo ao ar, que já é repleto dos perfumes do grão tostado. No final da visita, um copo da cerveja Teignworthy mata a sede que aparece depois de subir muitos lances de escada.

John Lawton é o fundador da Teignworthy e seu cervejeiro. Produz uma grande variedade de ales, entre elas cervejas que celebram o crescimento gradual de sua família. A primeira delas chegou em 1997, pouco depois que Rachel, esposa de John, deu à luz Amy, sua filha. Hoje existem quatro "cervejas bebês" na coleção da Teignworthy. Além da Amy's Ale, é possível experimentar a Harvey's Special Brew, a Pippa's Pint e a Martha's Mild, particularmente interessante, que recebeu o nome de Martha, a filha nascida em 2002.

Esta cerveja cor de rubi é uma ave rara no círculo de produtores britânicos: uma mild forte, como seria comum há uma centena de anos ou mais. A personalidade rica e maltada é resultado da mistura astuta de maltes claro, Crystal, âmbar e chocolate com um pouco de trigo, para clarear. Os lúpulos Fuggle e Golding mantêm, com firmeza, tudo dentro da tradição. **JE**

Notas de degustação

Cerveja rubi com café, chocolate e nozes no aroma convidativo. Sabores similares de malte escuro também aparecem no paladar adocicado, acompanhados por toques de alcaçuz e dropes de pera, enquanto o final é seco e amargo, com mais café e nozes.

Maxlrainer Jubilator

Schlossbrauerei Maxlrain | www.maxlrain.de

País de origem Alemanha
Lançada em *ca.* 1938
Teor alcoólico 7% vol.
Temperatura ideal 8°C

Existem, no mínimo, cinco Jubilators na Alemanha: bocks do final do inverno, para brindar a proximidade da primavera, celebrar o caos do carnaval e manter um sentimento de integridade na Quaresma. Porém, a Maxlrainer Jubilator talvez seja a mais famosa. Vem da Schlossbrauerei Maxlrain, situada no terreno do castelo de mesmo nome.

A cervejaria se orgulha de ser "pequena, mas boa", como diz seu lema. A Jubilator construiu uma reputação formidável (e ganhou muitos prêmios), não apenas no vale onde nasceu, em Mangfall, na Alta Baviera, mas também em outras regiões. A cerveja apareceu pela primeira vez no final dos anos 1930, quando foi produzida para uma festa de Natal especial na cervejaria. Depois disso, sem dúvida, o mestre cervejeiro percebeu que tinha algo de muito especial em suas mãos e a bebida passou a ser oferecida anualmente.

Como acontece com muitas cervejarias que produzem bebidas desse tipo, a chegada da Jubilator é, em geral, saudada com alguma cerimônia enquanto é servida na torneira: uma banda de metais da Baviera se esfalfa, autoridades da região experimentam o primeiro *stein* e há uma sensação geral de felicidade. Apesar de a Quaresma ser, por tradição, a época em que cervejas como a Jubilator estariam ajudando a dar sustança para quem jejua, a bebida também vai bem com pratos típicos da região, como porco assado, carne de boi e, naturalmente, salsichão.

A Schlossbrauerei Maxlrain foi fundada em 1636 e é uma das cinco únicas cervejarias instaladas em castelos na Alemanha. Treze rótulos diferentes são produzidos durante o ano, inclusive uma impressionante Weissbier e uma cerveja de Natal de coloração âmbar. **WO**

Notas de degustação

A Maxlrainer Jubilator é de cor âmbar escura. No nariz, notas frescas e picantes, com malte vibrante ao fundo. O paladar é contido em sua doçura, com notas picantes que aparecem no meio. No final, bem equilibrado, pairam leves notas de lúpulo.

Mc Chouffe

Brasserie d'Achouffe | www.achouffe.be

País de origem Bélgica
Lançada em *ca.* 1986
Teor alcoólico 8% vol.
Temperatura ideal 8°- 12°C

Na maior parte dos países de tradição anglo-saxônica, subentende-se que scotch é uísque da Caledônia. Porém, até a década de 1970, na Bélgica, e em especial na Valônia, quem pedia um scotch recebia um copo de uma ale escura, quase negra, com cheiro de maltes e açúcares queimados. Por alguma razão, as pessoas estavam convencidas de que era o tipo de bebida que os *highlanders* tomavam para se aquecer em seus castelos úmidos – essa era a situação. Na realidade, os produtores belgas tinham desenvolvido um estilo de cerveja inteiramente nacional (mais um).

Nos primeiros anos da cervejaria, quando a onipresente La Chouffe encantava os apreciadores, os fundadores da Achouffe, Pierre Gobron e Chris Brauweraerts, também fizeram experiências com outras bebidas. Durante uma visita, Chris ofereceu amostras de uma cerveja muito escura e pediu opinião. "Parece muito com uma scotch da Valônia...", foi minha resposta. Era realmente o caso, e no autêntico estilo Chouffe (para quem não entendeu o trocadilho, Chouffe é uma espécie de hobbit, que mora nas colinas das Ardenas. Ao contrário dos personagens de Tolkien, ele é desleixado, malicioso ao ponto da perversidade e – invulnerável aos efeitos do álcool – faz tentativas desesperadas de voo), eles convidaram a Mc Chouffe para fazer parte de seu rebanho.

Desde então, a Mc Chouffe se tornou a outra cerveja da cervejaria e está disponível o ano inteiro. Também conquistou uma série de prêmios internacionais. Ela leva especiarias, mas a urze escocesa não está na lista dos ingredientes – afinal de contas, não é produzida na Escócia. Não se engane. Trata-se de uma interpretação Chouffe de um antigo estilo – e não é filtrada, naturalmente. **JPa**

Notas de degustação

Cerveja em âmbar escuro, sob espuma cremosa, apresentando nariz com maltes torrados e caramelo, além de especiarias. Densa base maltada, mas a doçura lembra alcaçuz. Encorpada, com um toque sutil, mas sempre presente, de álcool, com a permanência das especiarias até o fim.

THE GREENWICH UNION
THE GREENWICH UNION
ADT

Meantime London Porter

Meantime Brewing | www.meantimebrewing.com

País de origem Inglaterra
Lançada em 2005
Teor alcoólico 6,5% vol.
Temperatura ideal 11°C

Sob os auspícios de seu fundador Alastair Hook, a Meantime Brewing vem produzindo grandes cervejas desde 1999. Situada em Greenwich – daí vem seu nome –, onde Hook e o cofundador Ben Joseph foram criados, a cervejaria começou devagar e decolou quando começou a produzir seus próprios rótulos para a grande rede de supermercados britânicos Sainsbury's. Porém, é por sua dedicação à pesquisa e à recriação de estilos históricos de cerveja, como a India Pale Ale, que Hook conquistou fama merecida – e a Meantime London Porter é vista como o ponto alto de sua categoria.

Hook diz que a porter é a recriação de uma receita dos anos 1750, com sete maltes e uma enorme quantidade de lúpulos Fuggle. Embora não possa servir como uma representação direta daquela cerveja – por causa dos métodos modernos de preparação do malte e moagem, sem falar nos métodos de cultivo de levedura de uma única cepa –, sabemos que era uma bebida incrivelmente popular, como observou um visitante francês em Londres: "Outro tipo de cerveja é chamado de 'porter', que quer dizer 'carregador', por causa da grande quantidade que é consumida pelos trabalhadores. É uma bebida espessa e forte e o efeito que produz, quando bebida em excesso, é o mesmo do vinho. Esta porter custa três pence por caneca. Em Londres, há uma série de cervejarias onde não se vende nada além desta cerveja. Dizem que consomem-se mais grãos na Inglaterra no preparo da bebida do que para se fazer pão."

Não importa a popularidade do passado. Hoje em dia, não há dúvida que a porter e sua prima, a stout, estão dando a volta por cima no Reino Unido, e a versão da Meantime, com certeza, tem muita relação com esse processo. **MC**

Notas de degustação

Da majestosa garrafa de 750 mililitros, com rolha de champanhe, sai uma cerveja intensa, escura e complexa. Com groselha caramelizada, café e notas de carvalho queimado no nariz, também traz caramelo queimado ao rum e chocolate ao paladar, abrindo caminho para um final agradável, mas adstringente.

← The Greenwich Union – principal pub da Meantime Brewing.

Meantime London Stout

Meantime Brewing | www.meantimebrewing.com

País de origem Inglaterra
Lançada em 2008
Teor alcoólico 4,5% vol.
Temperatura ideal 8°- 10°C

Depois de criar versões autênticas de duas cervejas que, a seu ver, definiam a produção moderna – a porter e a India Pale Ale –, a Meantime Brewing quis levar o interesse histórico em relação aos estilos para uma direção ligeiramente diferente. Os dois estilos surgiram em Londres, em um primeiro momento, mas na verdade evoluíram em outras partes, a ponto de se transformarem em sinônimos de outras cidades. A porter abasteceu a Revolução Industrial em Londres, antes de ser imitada por uma certa cervejaria irlandesa, que desenvolveu uma extra stout porter com a adição de cevada torrada não maltada. A bebida passou a ser conhecida como "stout" e o produtor, Guinness, ficou tão famoso que as origens londrinas do estilo acabaram esquecidas.

Em Londres, a produção de porter desapareceu e só voltou com o recente renascimento das cervejarias artesanais. O cervejeiro Alastair Hook pensou em como a porter teria evoluído se tivesse permanecido popular. Como seria diferente de uma stout irlandesa? O resultado é a Meantime London Stout – cerveja que traça uma linha reta entre a porter do século 18 e uma stout atual, sem fazer escala em Dublin. Tem um teor alcoólico menor do que a porter costumava ter, acompanhando a tendência dos séculos 19 e 20 que favorecia bebidas mais leves. A principal diferença em relação à Guinness é o fato de conter 100% de malte na moagem, sem cevada torrada. Os maltes marrom e negro combinam-se com a água de Londres para garantir menos adstringência e uma textura mais suave e aveludada na boca, além de um sabor mais suave do que aquele com que os bebedores de stout talvez estejam acostumados. A Meantime London Stout descende de um estilo que tinha tudo a ver com Londres, e que poderia ser mais bem descrito como um primo da stout irlandesa. **PB**

Notas de degustação

Apresenta-se negra com um gratificante colarinho bege. Aromas de café, baunilha e de chocolate amargo são seguidos por uma bebida suave e aveludada ao paladar, com sabores de café, caramelo, melaço e baunilha. Um delicado equilíbrio entre amargo e doce. Excelente com ostras, mas também é boa na companhia de pato e frios.

Midtfyns Imperial Stout

Midtfyns Bryghus | www.midtfyns-bryghus.dk

País de origem Dinarmarca
Lançada em 2007
Teor alcoólico 9,5% vol.
Temperatura ideal 10°- 14°C

Um americano se mudou para a Dinamarca e tomou conta de uma microcervejaria em crise, que produzia scottish ales ruins. Deu a volta por cima a ponto de ganhar o prèmio de Nova Cerveja do Ano, em uma votação feita entre os consumidores dinamarqueses. A descrição da história de Eddie Szweda e da Midtfyns Bryghus soa como um conto de fadas de Hans Christian Andersen, mas, na ocasião, Szweda achava que a empresa na qual havia investido era mais parecida com o patinho feio.

A Midtfyns Bryghus foi criada em 2005 por dois negociantes da região que esperavam tirar partido da demanda crescente por cerveja de produção artesanal. Obtiveram licença para produzir scottish ales, mas não conseguiram conquistar o paladar do público regional com aquela bebida desinteressante, não pasteurizada. A cervejaria foi vendida em 2006 para Eddie e um sócio. Era hora de uma mudança e Eddie, que já havia trabalhado na Dinamarca vendendo vinho e geleias, pôs sua energia irrefreável para trabalhar. Ele ficou bem conhecido na ilha de Funen, no leste da Dinamarca, onde se encontra a cervejaria, e aproveita todas as oportunidades para falar e promover a empresa junto à população local. Sua habilidade comercial e esforços incansáveis acompanharam, a cada passo, a aparição de uma variedade de bebidas completamente nova que atraiu a atenção dos consumidores dinamarqueses de outras regiões também.

Em menos de um ano, Eddie e o mestre cervejeiro Jan Taagaard Jensen tinham duas bebidas na competição da Cerveja do Ano, da Associação dos Apreciadores de Cerveja da Dinamarca, e a Imperial Stout levou a premiação de Nova Cerveja do Ano. A Imperial Stout enfatiza o amor pelas bebidas com maltes escuros e torrados que existem no país. É produzida com diversos tipos de malte torrado e amadurecida em barricas de carvalho. **AA**

Notas de degustação

Escura, com espuma cor de café, a Imperial Stout tem um aroma inicial de malte torrado, com caramelo e chocolate ao leite que abrem caminho para uma doçura equilibrada de chocolate na boca, antes da aparição de um amargor moderado e um final de frutas secas, fumaça e carvalho.

Mikkeller Beer Geek Breakfast

Mikkeller | www.mikkeller.dk

País de origem Dinarmarca
Lançada em 2005
Teor alcoólico 7,5% vol.
Temperatura ideal 11°- 13°C

A Beer Geek Breakfast veio ao mundo quando o cofundador da cervejaria, Mikkel Borg Bjergsø, e seu antigo parceiro de brassagem, Kristian Klarup Keller, decidiram fazer uma stout de aveia com muito corpo. Desde o início, tratou-se de uma experiência em que eles se permitiram tudo, procurando incluir todos os grãos maltados que apreciavam, ao todo sete variedades: maltes Pilsen, aveia, defumado, caraMunique, marrom, chocolate claro e chocolate, além de cevada torrada e aveia em flocos.

Como diz o próprio Bjergsø: "Quisemos combinar os melhores sabores de todos esses grãos com que vínhamos fazendo experiências, até chegarmos a 25% de aveia, porque pretendíamos dar muito corpo e cremosidade." Mas, apesar de todos os esforços, a dupla ficou muito decepcionada ao experimentar a primeira versão do produto final, considerando que lhe faltava o toque especial que tanto procuravam. Então, Mikkel teve a ideia de acrescentar café e, depois de entrar em contato com a Alesmith Brewery, na Califórnia, para saber como tinham criado uma cerveja de café, eles ligaram a cafeteira, e o resto, como se costuma dizer, se transformou em história cervejeira.

Bjergsø diz: "Alguns produtores acham que somos malucos por passarmos cinco ou seis horas fazendo café, mas queremos que as cervejas fiquem sempre iguais. Afinal, provavelmente ela ainda é nossa bebida mais famosa, apesar de ter sido uma das primeiras." A cervejaria produz variações especiais para festivais de cerveja, inclusive uma que usa chocolate e pimenta vermelha no lugar do café, com levedura da De Dolle, da Bélgica, ou empregando o café Civet, assustadoramente caro. **MC**

Notas de degustação

A genialidade desta cerveja está no uso de lúpulos Centennial e Cascade, o que significa que os maltes e o café não a sobrepujam completamente. Existe um equilíbrio de passas cobertas com chocolate amargo e grãos de café junto com um frescor mais leve, efervescente, que torna a bebida suficientemente revigorante para ser tomada no brunch.

Mikkeller Black

Mikkeller | www.mikkeller.dk

País de origem Dinarmarca
Lançada em 2007
Teor alcoólico 17,5% vol.
Temperatura ideal 15°C

O cervejeiro Mikkel Borg Bjergsø descreve esta imperial stout como "uma de minhas experiências". É uma das muitas que tiveram sucesso à medida que o cervejeiro dinamarquês demonstrava sua habilidade em criar cervejas desafiadoras, desde a primeira produção em 2006. Ele começou (em um primeiro momento com o colega Kristian Klarup Keller) com o objetivo de competir não apenas com produtores dinamarqueses consagrados, mas também com o número crescente de microcervejarias. A ideia, diz ele, era testar os limites do que poderia ser feito com a cerveja – em termos de sabor e força alcoólica – em vez de simplesmente copiar as microcervejarias norte-americanas. Suas bebidas cumprem o objetivo inicial, em especial em relação à quantidade de lúpulos usados, provocando olhares de surpresa em cervejeiros de formação clássica. Os sabores grandes e ousados que Bjergsø produz ganharam muitos fãs na Dinamarca e nos Estados Unidos. A tendência para apostar na grandeza levou a acusações de eventuais exageros, mas a verdade é que, em qualquer caso, as cervejas de Bjergsø sempre são interessantes.

Diferentemente de outros microcervejeiros, Bjergsø é um nômade, produzindo em diversas cervejarias pela Europa: Dinamarca, Bélgica, Noruega, Inglaterra e Escócia. A Black não é uma exceção e foi criada na De Proef Brouwerij, situada em Lochristi-Hijfte, na Bélgica, com a ajuda de Dirk Naudts. Naudts, conhecido como "o Professor", é um especialista em cervejas com forte teor alcoólico e criou muitas receitas para cervejarias belgas. A Mikkeller Black segue o padrão de outras criações de Bjergsø, com muito lúpulo e maltes torrados. É preparada, inicialmente, com levedura de ale, antes da adição de açúcar mascavo escuro e de uma fermentação secundária iniciada por uma levedura de champanhe. **AA**

Notas de degustação

Negra, com colarinho da cor do café, ela acerta um golpe imediato no nariz com forte álcool e sugestões de frutas escuras. O sabor começa achocolatado e progride para um malte escuro e tostado, quase alcatroado, com forte doçura e um amargor intenso e persistente.

Mikkeller From To

Mikkeller | www.mikkeller.dk

País de origem Dinarmarca
Lançada em 2007
Teor alcoólico 8% vol.
Temperatura ideal 10°- 12°C

Em 2006, a cena cervejeira dinamarquesa passou por uma pequena revolução quando começaram a se abrir microcervejarias a um ritmo de uma por quinzena. Foi nesse ambiente frenético que apareceu a Mikkeller, criada por dois jovens produtores caseiros, Mikkel Borg Bjergsø e Kristian Klarup Keller (este último deixou o negócio e atualmente edita uma revista especializada em rock). Bjergsø é atualmente o único produtor, o que não o impediu de exercitar seus talentos criativos, e criou uma série de cervejas diferentes, além de fazer várias colaborações com cervejarias como a Brew Dog, da Escócia, e a De Struise, da Bélgica.

Das numerosas pequenas cervejarias da Dinamarca, talvez a Mikkeller seja a mais célebre e amada. As bebidas são exportadas para a Europa e os Estados Unidos, onde se tornaram particularmente populares entre os frequentadores de sites de avaliação na internet, como Ratebeer e Beer Advocate.

Esta é uma porter produzida anualmente para a temporada de Natal. Considerando-se que é uma época de trocar presentes, o rótulo da garrafa é impresso como se fosse um cartão, para que os consumidores possam colocar os nomes de quem presenteia e de quem recebe. Um aspecto da anarquia criativa da Mikkeller é o fato de que a cerveja não obedece a uma receita fixa, mas se altera ligeiramente todos os anos. A última safra viu diversos maltes, cevada torrada, um trio de lúpulos e todo tipo de especiaria entrarem na mistura. Com o nome da cerveja, acontece a mesma coisa. Em dinamarquês "From to" é "Fra til", mas ela também já foi chamada de "Til Fra" e de "Fra via Til". Não são apenas os americanos que reconhecem a paixão da Mikkeller pela cerveja. A empresa já ganhou duas vezes o título de Cervejaria Dinamarquesa do Ano. **RP**

Notas de degustação

Esta porter tem cor negra, com um colarinho marrom chocolate. Há um aroma muito intenso de chocolate e café, com um fundo frutado. O sabor é o que se espera de uma stout/porter – chocolate e café –, mas, neste caso, há a leveza fornecida por um leve frutado.

Moonraker

J. W. Lees | www.jwlees.co.uk

País de origem Inglaterra
Lançada em *ca.* final dos anos 1970
Teor alcoólico 7,5% vol.
Temperatura ideal 11°C

Localizada em Manchester, a cervejaria J. W. Lees começou a produção em 1828 e, como a maioria dos estabelecimentos da época, fazia uma ale forte. Porém o premiado barleywine Moonraker apareceu apenas no final da década de 1970. É uma ale potente, de alto teor alcoólico, que costuma ser embalada em pequenas garrafas chamadas de *nips*. Eram usadas para se misturar a bebida com bitter ou para se tomar no final de uma noite, do mesmo jeito que alguns bebedores saboreiam um brandy ou um uísque de um único malte. O nome "Moonraker" é uma homenagem a uma história contada sobre agricultores da região que, tarde da noite, depois de alguma cervejas, viram o reflexo da lua em um riacho. Pensaram se tratar de um queijo e tentaram tirá-lo das águas com ancinhos. Poderiam estar bebendo uma antiga versão de Moonraker?

Os barleywines ingleses são uma lembrança do tempo em que os produtores rurais tentavam dar a pelo menos uma de suas bebidas o toque de classe e a força do vinho. Porém, existe outra história sobre a origem do barleywine que conta como o termo (que significa "vinho de cevada") começou a ser usado nos séculos 18 e 19, época em que a Inglaterra vivia em guerra com a França – dizem que era dever dos patriotas, geralmente das classes mais elevadas, beberem ale em vez de clarete.

A Moonraker é feita com cevada maltada Maris Otter e lúpulo East Kent Golding e ainda é preparada na cervejaria construída em 1876 por John Willies Lees. Hoje em dia, a produção é supervisionada por um integrante da sexta geração da família, Michael Lees-Jones. Com ricos sabores de frutas, preponderância de álcool e características de um Porto tinto, a Moonraker demonstrou ser parceria perfeita para carne vermelha e queijos, especialmente os secos e farelentos como o Lancashire. **TH**

Notas de degustação

O poderoso nariz é doce, intenso e caloroso. No paladar, notas de chocolate amargo e de álcool se sobrepõem a uma base maravilhosa, tostada e torrada. Ao olhar, aparência âmbar escura e imóvel no copo. A doçura de frutas e de alcaçuz dá lugar a um final seco e persistente.

Moonshine

Grand Ridge Brewery | www.grand-ridge.com.au

País de origem Austrália
Lançada em 1989
Teor alcoólico 8,5% vol.
Temperatura ideal 6°-8°C

Microcervejarias têm aparecido por toda Austrália, desde o início dos anos 1980, por todo tipo de motivo. O primeiro deles e principal é a frustração com a variedade de lagers estupidamente geladas que dominam a cena cervejeira australiana há mais de cem anos. Raramente se trata de uma questão econômica (porque também é muito difícil ganhar dinheiro desse jeito). No caso de Eric Walters, foi em parte por frustração e parte por uma oportunidade que ele e um grupo de amigos se sentiram motivados a assumir o controle de uma cervejaria falida na zona rural de Victoria, em 1988.

Localizada a duas horas de viagem a leste de Melbourne, a cervejaria está localizada em uma antiga fábrica de manteiga, que abriu as portas em 1891 e tem um excelente fornecimento de água. Apesar de o antigo dono ter resistido a apenas doze meses no negócio, Eric garante que decidiu fazer a aquisição ao dirigir entre as deslumbrantes montanhas que dão nome à cervejaria. É um negócio bem regional, e entre os sócios de Walters estão um mecânico, um padeiro, um advogado, um contador e uma mãe em tempo integral. Apesar do começo modesto, a Grand Ridge percorreu um longo caminho para produzir ales que desafiam a percepção do que significa ser uma cerveja australiana. A Moonshine é um de seus triunfos, criada para ser um barleywine clássico, capaz de ficar lado a lado com bebidas de padrão mundial.

De uma forma apropriada, os moradores da região se referem à cervejaria Grand Ridge como "o mosteiro na montanha". Aparentemente, preferem que a antiga fábrica de manteiga garanta um fornecimento regular de Moonshine (ou de sua venerável avó, Supershine, com 11% de teor alcoólico) a fornecer a manteiga para passarem no pão. **DD**

Notas de degustação

Cores de rubi escuro no copo devem ser cobertas por uma espuma fugaz que provoca os bebedores com suaves aromas de caramelo. Bebericada cuidadosamente no calor, a Moonshine recompensa com um sabor forte de malte que o fará lembrar de seu pudim preferido.

Moorhouse's Black Cat

Moorhouse's Brewery | www.moorhouses.co.uk

País de origem Inglaterra
Lançada em 1979
Teor alcoólico 3,4% vol.
Temperatura ideal 10°C

A Black Cat foi uma cerveja que nasceu do desespero para trazer sorte a uma cervejaria que passava por dificuldades e, nesse caso, a superstição funcionou. Na época, a Moorhouse's Brewery (localizada na cidade de Burnley, no noroeste da Inglaterra) fazia apenas uma cerveja – a ale Premier, com 3,7% de teor alcoólico, ideal para ser consumida em sessões prolongadas. Sua principal preocupação eram bitters não alcoólicas com lúpulo, para exportação, e seu uso em concentrados usados por empresas de refrigerantes.

A Black Cat surgiu da necessidade de se utilizar uma parte do alcaçuz concentrado que estava no depósito. A cervejaria começou a fazer experiências com ingredientes mais tradicionais e, quando se adicionou malte chocolate para fornecer sabor, a Black Cat Mild ganhou vida. Na época do lançamento parecia um gesto um tanto maluco, pois as milds perdiam terreno em vendas para as lagers no Reino Unido. Mas o noroeste da Inglaterra sempre foi a pátria fiel das milds e fregueses entusiasmados mantiveram a marca viva nos pubs da região, porque queriam uma mild de barrica que substituísse aquelas que as grandes cervejarias pararam de produzir.

Em 2000, a palavra "mild" saiu do nome, com o objetivo de ampliar seu apelo. No mesmo ano, ela ganhou o título de Campeã da Grã-Bretanha, promovido pela Campanha em Prol da Real Ale. Foi a primeira vez que uma mild ganhou o prêmio tão importante em 27 anos. A própria Moorhouse's chegou bem perto de fechar as portas em 1985, até que o empresário Bill Parkinson, da região, interveio e salvou a empresa. Estava desfrutando um copo de Premier quando foi informado de que a cervejaria ia fechar as portas dentro de alguns dias. Como se conta, ele gostou tanto da cerveja que comprou a cervejaria e permanece seu dono até hoje. **MC**

Notas de degustação

O nariz de café com leite e café moca da Black Cat cede passagem para chocolate, café e alcaçuz, equilibrados por uma nota seca de fruta e uma ligeira cremosidade que – quando servida a uma temperatura mais baixa do que a maioria das ales – pode ser ao mesmo tempo gratificante e refrescante.

Motor Oil

Birrificio Beba | www.birrabeba.it

País de origem Itália
Lançada em 1999
Teor alcoólico 6,8% vol.
Temperatura ideal 8°- 10°C

Villar Perosa é um pequeno povoado não muito distante de Turim, onde os irmãos Enrico e Alessandro Borio produzem uma ampla gama de cervejas artesanais. Os dois irmãos não tinham experiência anterior. Não foram sequer produtores artesanais, nem autênticos adoradores da cerveja. Porém, Enrico passou alguns meses no Reino Unido, nos tempos de estudante, e desfrutou alguns bons copos de ale de barrica. A cerveja era tão superior às lagers italianas disponíveis para o grande público que ele resolveu produzir sua própria bebida.

O Beba começou com cervejas de baixa fermentação, até que os irmãos decidiram que seria melhor oferecerem uma lager. A Motor Oil faz parte da "família": uma lager escura e forte. Muito Pilsen, algum Munique e uma pitada de malte chocolate compõem a moagem, e há adição de lúpulos Hallertau Tradition durante a fervura, só para garantir um amargor límpido na bebida. Experimente a Motor Oil com um queijo bem maduro ou com uma massa bem temperada. **MM**

Notas de degustação

No nariz, o aroma é bastante complexo, rico em notas granulosas e torradas, grãos de café e alcaçuz. Bem equilibrada no paladar, com corpo médio e um agradável retorno de notas torradas.

Murphy's Irish Stout

Murphy Brewery | www.murphys.com

País de origem Irlanda
Lançada em 1856
Teor alcoólico 4% vol.
Temperatura ideal 8°- 10°C

A Murphy's é uma dry stout irlandesa, o que quer dizer que é um pouquinho mais leve do que uma stout encorpada. Sua baixa carbonatação faz com que seja uma cerveja bem fácil de beber, geralmente apreciada em tradicionais pubs da província de Munster, sua terra natal.

A família Murphy tem uma rica tradição na Irlanda, estabelecendo-se na região de Cork no início do século 18. Mas foi só a partir de 1825 que a produção de cerveja realmente ganhou ritmo, quando James J. Murphy fez grandes investimentos para ampliá-la dramaticamente. Desde então, a cerveja sofreu alterações de potência e colheu prêmios, como a medalha de ouro nos Prêmios Internacionais do Setor Cervejeiro, em 2005. A razão? Bem, ela permanece como um autêntico exemplo do estilo: torrado e amargo no sabor, mas equilibrados com doçura e baixa carbonatação, o que a ajuda a se tornar uma stout muito adequada para longas sessões de consumo. Também apresenta uma maravilhosa cremosidade e por isso pode ser igualmente apreciada no verão ou no inverno. **TS**

Notas de degustação

Negra como a turfa, com todo o sabor torrado que uma boa stout deveria ter. Há um ligeiro perfil de lúpulo, que não é tão fácil assim de se detectar, mas com certeza ela é amarga. Harmonize com carne vermelha.

Hora de tomar uma Murphy? O mostrador de um relógio da stout em Cork, na Irlanda. →

STOKES
CORK
IRISH MURPHY'S STOUT

Murray's Best Extra Porter

Murray's Craft Brewing Co. | www.murraysbrewingco.com.au

País de origem Austrália
Lançada em 2008
Teor alcoólico 8% vol.
Temperatura ideal 8°C

Bem-sucedido no mercado imobiliário, Murray Howe viajava pelos Estados Unidos em 2004 quando teve uma verdadeira epifania cervejeira ao entrar em contato com alguns produtos artesanais de caráter regional. Determinado a reproduzir a experiência ao voltar para casa, Murray comprou o histórico pub de Taylors Arm – o pub original sem cerveja – e utilizou suas instalações para montar uma cervejaria que produzisse o tipo de bebida que ele desejava consumir.

Os cinquenta habitantes dessa pequena cidade em New South, País de Gales, tiveram uma reação heterogênea às cervejas de Murray. Alguns dos consumidores mais velhos, em especial, estavam apegados demais a suas antigas paixões. Recusavam-se a provar da bebida do novato ou retornavam depressa ao conforto gelado de sua bebida favorita. Outros céticos se converteram. Viajantes sedentos espalharam a notícia e em pouco tempo as cervejas de Murray passaram a ser distribuídas por todo o país. O aumento na produção acabou fazendo com que a cervejaria se mudasse para a pitoresca Port Stephen's Winery, onde Murray agora se delicia em alterar a percepção que os aficionados do vinho têm sobre cerveja.

O renomado produtor neozelandês Graeme Mahy pensou na Murray's Best Extra Porter como uma complexa bebida para aquecer o inverno, que merece ser bebericada com cuidado como vinho do Porto ou brandy. A cerveja agora é supervisionada pelo ex-produtor caseiro Shawn Sherlock, que não surpreendeu ninguém fora da Universidade de Newcastle quando decidiu fazer uma pausa em seu doutourado em história da Austrália para se dedicar a sua paixão e se tornar assistente de Graeme. Hoje no cargo de mestre cervejeiro, Shawn faz pequenos ajustes na receita original do neozelandês a cada ano, quando as temperaturas caem, para que as coisas sempre fiquem interessantes para ele e para os apreciadores desta delícia sazonal. **DD**

Notas de degustação

O teor alcoólico excepcionalmente elevado acrescenta calor e doçura a esta cerveja em rubi escuro, enquanto a leve carbonatação permite que a complexidade do malte persista no paladar. A Murray's Best Extra Porter é mais apreciada quando bebericada lentamente junto com um pedacinho de chocolate amargo da melhor qualidade.

+Negra

Companyia Cervesera del Montseny | www.ccm.cat

País de origem Espanha
Lançada em 2007
Teor alcoólico 5,2% vol.
Temperatura ideal 9°C

Assim como aconteceu com +Malta e +Lupulos, a receita para este estilo de stout foi criada quando o mestre cervejeiro Pablo Vijande ainda era um produtor caseiro. Ele acredita que a +Negra lhe deu as maiores dificuldades para chegar a um estágio que considerasse satisfatório. Ficava doce demais. A receita final foi mais complicada e refinada. Além de maltes Crystal, caramalte, chocolate e negro, ele selecionou quatro cereais – trigo em flocos, cevada torrada, aveia em flocos e centeio em flocos –, enquanto a proporção perfeita de amargor foi obtida com lúpulos Hallertau Hersbrücker, Northern Brewer e Styrian Golding. No final de todo esse trabalho, seus esforços valeram a pena: a +Negra, da Cervesera del Montseny, foi eleita a Cerveja de 2008 na Feira de Jafre, um festival espanhol dedicado à produção artesanal.

Fundada em 2007 em Sant Miguel de Balenyà (Seva), no coração da Catalunha, a Companyia Cervesera del Montseny produz cinco cervejas diferentes, a partir de métodos e ingredientes tradicionais. Um de seus primeiros objetivos era recriar o que parecia ser uma cultura cervejeira perdida na Espanha, que é um país onde se consome muita cerveja, mas cujos bebedores não têm muito conhecimento sobre o que se encontra no copo. O maior segmento do mercado espanhol de cerveja é dominado por bebidas leves e fáceis, que os consumidores espanhóis estão acostumados a tomar a qualquer hora do dia. É difícil introduzir o conceito de cerveja artesanal, e mais difícil ainda apresentar uma stout tão diferente da popular *caña* – a bebida ibérica – a que as pessoas estão acostumadas. Porém, com entusiasmo, paixão e boa cerveja, a Cervesera del Montseny está tendo algum sucesso em cumprir seus objetivos. **SS**

Notas de degustação

Tom escuro intenso, sob um colarinho persistente e vigoroso. No nariz, notas aromáticas se combinam com a doçura dos cereais e um torrado que vem dos maltes escuros. O equilíbrio e a combinação prosseguem no paladar, acompanhados por um calculado amargor dos lúpulos.

Nightmare

Nick Stafford's Hambleton Ales | www.hambletonales.co.uk

País de origem Inglaterra
Lançada em 1994
Teor alcoólico 5% vol.
Temperatura ideal 12°C

Nas colinas Hambleton, no norte de Yorkshire, um cavalo branco foi gravado na encosta. Sua imagem singular também aparece nos rótulos da Nick Stafford's Hambleton Ales, cervejaria localizada a dezenove quilômetros de distância, perto do povoado de Melmerby.

Em 1989, Stafford deixou o cargo de diretor de uma escola preparatória. Trabalhou por pouco tempo em bancos e chegou a considerar a compra de um pub antes que seu irmão Martin, fundador da Dent Brewery, em Cumberland, lhe sugerisse a criação de sua própria cervejaria. Stafford criou a cervejaria no celeiro da sogra, usando um galpão no jardim como escritório. Começou a produzir dez barris em 1999, mas, em seis meses, já fazia trinta barris por semana.

Stafford decidiu preparar cervejas que atendessem os gostos dos moradores de Yorkshire. A abordagem "nova marca com sabores familiares" funcionou. Em 1997, a cervejaria já tinha deixado o celeiro e se transferido para outro lugar. Stafford também começou a fazer engarrafamento para si e outras pequenas cervejarias e, até hoje, a terceirização desse serviço constitui uma grande parte do negócio da Hambleton. Stafford tem influência na Sociedade de Cervejeiros Independentes, entidade que criou para que seus integrantes pudessem fazer vendas para grandes redes de pubs da Grã-Bretanha, que até então estavam fora do alcance dos pequenos produtores, do ponto de vista comercial.

Stafford descreve a Nightmare como "stout porter". A bebida ganhou o primeiro prêmio importante da cervejaria, Cerveja de Inverno Campeã da Grã-Bretanha, em 1997, e desde então é uma das favoritas da casa. Os historiadores da cerveja com frequência implicam com as definições de stout e porter, mas, seja o que for, a Nightmare é uma cerveja que merece louvor. **JP**

Notas de degustação

Espuma cremosa, quase branca, e corpo escuro, em marrom-avermelhado. Suave aroma de café frio com um fundo de caramelo de melaço e chocolate. Na boca, textura harmoniosa, sedutora. Sabores de frutas escuras como ameixa e mirtilo acompanham o malte torrado. Mais sabores torrados e amargos persistem.

Nikšićko Tamno

Trebjesa Brewery | www.ab-inbev.com

País de origem Montenegro
Lançada em *ca.* anos 1890
Teor alcoólico 6,2% vol.
Temperatura ideal 5°C

Muito antes do inspetor Morse e de seu amor pela ale inglesa houve Nero Wolfe, outro detetive da ficção que gostava de cerveja, um homem de porte digno de um Falstaff que bebia quase cinco litros por dia e guardava as tampas das garrafas na gaveta, para controlar seu consumo. Wolfe vinha de Montenegro, embora os livros nunca tenham registrado se ele teria apreciado um copo do produto da Trebjesa Brewery, que desde a independência do país, em 2006, é a única cervejaria de lá. Ela produziu sua primeira leva em 1896 e a Interbrew (como a Anheuser-Busch InBev era chamada então) a comprou em 1997.

Como é costumeiro nessa parte do mundo, onde a cerveja sempre conviveu com bebidas ardentes bem como com vinho de produção local, as lagers claras dominam o mercado e a Nikšićko Pivo é a mais vendida. É uma pilsen bem padrão, feita para ser servida gelada – refrescante, ótima para matar a sede e ideal para acompanhar um prato de *prsuta*, presunto defumado que lembra em estilo o *prosciutto* italiano.

Os montenegrinos são ferozmente orgulhosos da Nikšićko Pivo e reagem mal quando os viajantes manifestam desejo de comprar uma garrafa de cerveja de países vizinhos como a Croácia ou a Sérvia: contam-se histórias de garçons patrióticos que se recusam a servir outra bebida que não seja a Nikšićko. Além de produzir um par de outras cervejas em torno do tema pilsen e de engarrafar a Beck's, a Trebjesa também produz a Nikšićko Tamno, sua interpretação do estilo dunkel de Munique. Apesar de as cervejas escuras constituírem apenas uma pequena fatia do mercado, é encorajador verificar a sobrevivência desta cerveja, que é surpreendentemente refrescante e leve no paladar, apesar de sua força. **ATJ**

Notas de degustação

Escura com nuances castanhas, a Nikšićko Tamno apresenta-se sob um colarinho cor de café expresso. No nariz, malte caramelo adocicado com um toque de frutas ao fundo. O paladar é achocolatado, com sugestões de grãos de café e leite condensado antes de chegar a um rápido final.

Nils Oscar Imperial Stout

Nils Oscar Brewery | www.nilsoscar.se

País de origem Suécia
Lançada em 1999
Teor alcoólico 7% vol.
Temperatura ideal 12°- 15°C

Ela pode ser chamada de "russian imperial stout", mas a bebida aperfeiçoada na Inglaterra para o consumo nas cortes dos czares foi apreciada em toda a região do Báltico. A viagem para São Petersburgo talvez não fosse tão árdua quanto a jornada da India Pale Ale, mas também era longa e difícil. A principal diferença era que existiam muitos outros mercados em potencial pelo caminho. As chances de uma viagem proveitosa podiam aumentar muito com escalas para vendas na Holanda, Prússia, Dinamarca, Polônia – e Suécia.

Durante os séculos 18 e 19, a imperial stout gozou de enorme popularidade na Suécia. Porém, ela havia desaparecido quando chegou o século 20, pois aqueles que resistiam à atmosfera antialcoólica do país e continuavam a beber seguiam a tendência do resto da Escandinávia em seu amor pela lager pilsen. Como na maior parte do mundo, stout significava apenas Guinness quando Nils Oscar deu um presente de Natal à nação na virada do milênio, em 1999, reapresentando à Suécia sua paixão perdida.

A Nils Oscar Imperial Stout foi tão bem-aceita que, apesar de ter sido planejada como sazonal, ganhou produção regular desde então. Feita com generosas quantidades de cevada torrada, maltes variados, aveia maltada, além de lúpulos Magnum e East Kent Golding, é uma stout harmoniosa, bem-acabada, bem mais inglesa do que irlandesa em estilo. Logo demonstrou ser popular em casa e no estrangeiro, ganhando diversas medalhas de ouro no Festival de Cerveja e Uísque de Estocolmo e também indo bem na Copa do Mundo. Menos desafiadora do que aquelas a que os fãs do estilo estão acostumados, com teor alcoólico de 7%, a Nils Oscar Imperial Stout ainda é uma cerveja corpulenta que pode ficar armazenada por até dez anos. **PB**

Notas de degustação

Aparência quase negra, com intensas nuances avermelhadas. Aroma torrado profundo e doce, de chocolate, café e frutas escuras, seguido por sugestões adicionais de passas, melado, qualidades terrosas e alcaçuz no paladar. Um belo equilíbrio entre torrado escuro e fruta doce.

Nils Oscar Rökporter

Nils Oscar Brewery | www.nilsoscar.se

País de origem Suécia
Lançada em 2007
Teor alcoólico 6% vol.
Temperatura ideal 12°- 15°C

Assim que lhe perguntam sobre a Rökporter, o mestre cervejeiro da Nils Oscar, Patrick Holmqvist, diz, misteriosamente, que era apenas "uma cerveja que queria produzir". Depois, revela que é uma cerveja que contém 75% de malte defumado em fogo de faia, bem como maltes caramelo, chocolate e Crystal, temperada com os lúpulos Fuggle (inglês) e Amarillo (americano).

Há uma lógica brutalmente simples por trás do que parece ser – a partir da receita – uma cerveja de imensa complexidade. As vendas de álcool na Suécia são controladas por um órgão estatal, o Systembolaget. Quando um produto é submetido, pergunta-se a categoria à qual ele pertence. Se o fornecedor indica uma categoria conhecida, há uma competição de degustação para os produtos da categoria e o vencedor ganha distribuição nacional no mesmo instante. Quando se fala de cerveja, uma das categorias é "porter ou stout complexa". A Nils Oscar criou a Rökporter especificamente para ganhar a degustação daquela categoria, o que conseguiu, e agora tem uma cerveja bela e complexa que vende bem em toda a Suécia.

Rökporter pode ser traduzida simplesmente como "porter defumada", e cervejas defumadas têm reputação de criar polêmica no mundo cervejeiro. Enquanto os conhecedores as adoram, há muita gente que tem convicção que sua bebida não deve lembrar bacon ou queijo defumado. O que torna a Rökporter tão incrível é que, mesmo com 75% de malte defumado, ela mantém um maravilhoso equilíbrio. O aroma de faia está presente, mas não domina. Os maltes complexos dão um delicado equilíbrio de sabores e a complexidade serve para casar a personalidade defumada com o conjunto, fazendo com que se encaixe, em vez de deixar que se torne intimidante. **PB**

Notas de degustação

Escura com colarinho bege, de aroma complexo que mistura fumaça com café cremoso e chocolate. No paladar, esses sabores são acompanhados por alcaçuz, chocolate amargo e malte doce, antes de um final seco com toques de carvão. Combina-se bem com alimentos fritos, grelhados ou assados.

Nøgne Ø Imperial Stout

Nøgne Ø A/S | www.nogne-o.com

País de origem Noruega
Lançada em 2005
Teor alcoólico 9% vol.
Temperatura ideal 14°C

A Nøgne Ø – ou "Ilha Nua" em português – tem seu nome inspirado pelas ilhas rochosas e descobertas que pontuam a costa norueguesa. Não há nada de nu ou de descoberto nas cervejas produzidas por Kjetil Jikiun e sua empresa, mas a paisagem certamente se reflete na atitude intransigente da Nøgne Ø em relação à bebida.

Jinkiun, ex-piloto de aviação e produtor caseiro, sonhou com uma cervejaria durante muitos anos, trazendo sacas de malte e lúpulo em seus voos vindos dos Estados Unidos. Em sua bagagem, também se encontravam garrafas de cervejas norte-americanas que serviram de inpiração para uma longa linha de bebidas impressionantes que desde então ganharam grande aclamação. Além de assombrar o mundo cervejeiro em geral, Jinkiu e a Nøgne Ø também tiveram impacto na Noruega, introduzindo termos como "IPA" e "imperial stout" no mercado nórdico, altamente regulado. Não foi fácil e a empresa enfrentou diversas mudanças de acionistas antes de alinhar as porções comercial e cervejeira do negócio.

A Nøgne Ø Imperial Stout é a leitura feita por Jikiun de um estilo que deveria ser doce, escuro e amargo, mas sem perder o equilíbrio. Ele a preparou de modo a ser fácil de beber – de forma que é possível tomar uma garrafa e manter intactas as papilas gustativas. Jikiun acredita que o equilíbrio é importante e que é possível lidar com ingredientes radicais, desde que entrem em harmonia. A Imperial Stout não restringe seus ingredientes e contém maltes de cevada torrada, pale ale Maris Otter, Munique, negro e chocolate, combinados com lúpulos Columbus e Crystal, levedura inglesa de ale e água de Grimstad. **AA**

Notas de degustação

No copo, um corpo maravilhosamente escuro coroado por um colarinho escuro. O aroma tem notas de café e chocolate que se encaixam perfeitamente em um complexo sabor de malte torrado com sugestões de frutas e baunilha, seguidos por um final longo, caloroso, equilibrado e amargo.

Norwegian Wood

HaandBryggeriet | www.haandbryggeriet.net

País de origem Noruega
Lançada em 2006
Teor alcoólico 6,5% vol.
Temperatura ideal 10°- 12°C

"A maior parte das tradições de produção cervejeira na Noruega se perdeu quando a lager conquistou o país, mas estamos tentando recriar as cervejas." Essas palavras de Jens Maudal, um dos quatro amigos que comandam a cervejaria HaandBryggeriet, resumem a filosofia da empresa da mesma forma que seu nome – que poderia ser traduzido como "cervejaria manual" – transmite a atenção aos detalhes que eles dedicam às bebidas.

A cervejaria fica em uma construção de madeira com duzentos anos, ao sul de Oslo. Ali, a forma tradicional de produção volta à ativa junto com técnicas modernas para garantir cervejas de primeira linha para os consumidores contemporâneos. Um grande exemplo vem da cerveja chamada Norwegian Wood. O mosto incorpora vários maltes, inclusive defumado (de Bamberg), Crystal, âmbar e Munique. A velha Noruega entra em cena quando ramos de junípero carregados de frutinhas são colocados na tina de maceração. Não são comprados, mas colhidos em matas da região. Eles revivem a antiga produção das fazendas norueguesas, onde uma cerveja como esta seria preparada para acontecimentos especiais, como batizados, casamentos e funerais. Para equilibrar o toque picante da madeira e das frutas, além da doçura e do aroma do malte, os lúpulos americanos Cluster e Centennial são adicionados à panela de brassagem. Eles contribuem com um toque do Novo Mundo, mas aí o passado volta a clamar, com uma fermentação fornecida por uma levedura ao estilo antigo. Essa astuciosa mistura de ingredientes, que combina passado e presente, resulta em uma cerveja escura complexa e fascinante que fica bem com presuntos curados e carnes defumadas. **JE**

Notas de degustação

Um aroma abiscoitado, levemente defumado, de nozes e café, seguido por sabor de textura leve, revigorante, com características de nozes e notas de café doce. Grãos queimados persistem de forma agradável no final seco, cada vez mais amargo, que lembra café. Os sabores de fumaça e de junípero perfumado são bem contidos nesta cerveja marrom-avermelhada.

Oak Aged Yeti Imperial Stout

Great Divide Brewing | www.greatdivide.com

País de origem Estados Unidos
Lançada em 2003
Teor alcoólico 9,5% vol.
Temperatura ideal 10°C

A Oak Aged Yeti Imperial Stout é uma cerveja imponente, que deixa clara sua presença desde o início. "Quando fizemos pela primeira vez a Yeti Imperial Stout (a original), queríamos apenas uma stout grande, consistente", diz Brian Dunn, fundador da cervejaria. Fizeram experiências com carvalho e acabaram chegando a uma combinação de carvalho francês e americano. Dunn diz que apenas lascas são usadas nesta cerveja porque ele não queria que o sabor fosse afetado por características que viessem de recipientes usados de madeira, como os barris de bourbon.

O resultado é uma versão mais harmoniosa e mais seca da Yeti original. A Great Divide continua a testar os limites com versões diferentes da sua Yeti Imperial Stout original, incluindo uma Chocolate Oak Aged Yeti feita com pedacinhos de cacau e uma pitada de pimenta-malagueta. **LMo**

Notas de degustação
Corpo cremoso, suave, de carbonatação moderada acompanha sussurros doces de baunilha, leite achocolatado, café torrado, carvalho torrado e amêndoas.

Oatis Oatmeal Stout

Ninkasi Brewing | www.ninkasibrewing.com

País de origem Estados Unidos
Lançada em 2007
Teor alcoólico 7,2% vol.
Temperatura ideal 7°- 13°C

A Oatis é uma cerveja com uma dose colossal de aveia adicionada a cada leva. "Adoro stouts de aveia. Entre os estilos de stout, é o meu favorito. E não existem muitos exemplos comerciais no mercado", diz o cervejeiro Jamie Floyd. A cervejaria decidiu transformar uma stout de aveia em seu carro-chefe. Apareceu como uma bebida sazonal, mas se tornou tão popular que passou a ser produzida o ano inteiro.

A Ninkasi Brewing homenageia com seu nome a antiga deusa suméria da cerveja. Os sumérios desistiram de seu estilo de vida nômade quando começaram a cultivar cevada, tornando-se os primeiros cervejeiros de que se tem notícia. Sua cerveja está documentada em um hino para Ninkasi, que é considerado como a primeira receita. "Nosso objetivo na Ninkasi Brewing é promover o papel histórico e contínuo da cerveja no desenvolvimento da civilização", diz Floyd. **LMo**

Notas de degustação
Cerveja grande e escura que, graças a uma generosa dose de aveia, esbanja suavidade. Café preto e chocolate acariciam o amargor delicado, torrado e a sutil doçura.

Aveia madura plantada em Willamette Valley, no Oregon, perto da cervejaria Ninkasi.

O'Hanlon's Port Stout

O'Hanlon's Brewing Company | www.ohanlonsbeer.com

País de origem Inglaterra
Lançada em 1999
Teor alcoólico 4,8% vol.
Temperatura ideal 12°C

John O'Hanlon, nascido em Kerry, era um entusiasmado jogador de rúgbi na cidade de Dublin. Depois de um jogo, machucado e dolorido, como era a regra para os jogadores de rúgbi, não havia nada como alguns copos de stout para levantar o astral. Na manhã seguinte, igualmente machucados e doloridos, alguns partiam para o pub, para um brinde na hora do almoço. Conta-se que um barman muito sábio costumava misturar Porto e stout em um copo. O nome da bebida era "levanta defunto". Anos depois, residindo em Londres e cuidando de sua própria cervejaria, John O'Hanlon lembrou-se dessa bebida e ela se tornou a base para a magnífica Port Stout da O'Hanlon's.

Maltes de pale ale, caramalte, Crystal e de cevada torrada entram na mostura e o lúpulo britânico Pilot (que cresce como uma sebe) e o Styrian Golding são adicionados na fervura (o último, para dar aroma). O Porto é adicionado quando a cerveja está sendo armazenada, para lhe dar um toque levemente adocicado e vinoso que fornece um equilíbrio soberbo às notas torradas da stout. De acordo com o mestre cervejeiro da O'Hanlon's, Alex Bell, "a bebida apareceu antes da minha chegada à O'Hanlon's, mas acho que a receita original foi imaginada por John e Rob Jones, que depois ganhariam fama com a Dark Star Brewery. A receita de dry stout na qual ela se inspira tinha uma gravidade original inferior à que é utilizada agora, pois usava uma cepa de levedura com menor grau de atenuação. Mudei a levedura para permitir que a personalidade do malte aparecesse mais".

A O'Hanlon's se situa em uma antiga fazenda perto de Exeter. É propriedade de John e de sua esposa Liz, que vieram de uma antiga sede (e pub) em Londres, em 2000. Junto com a Port Stout, eles também ganharam aclamação por sua ale dourada e jovial, a Yellowhammer, e pela recriação da Thomas Hardy's Ale. **ATJ**

Notas de degustação

Em marrom-escuro, com nuances em rubi. No nariz, café moca, chocolate ao leite e sugestão de malte torrado. A boca é plena de café moca, chocolate amargo e malte torrado, com a doçura do Porto ao fundo. Final seco, granulado e maltado.

O'Hara's Irish Stout

Carlow Brewing Company | www.carlowbrewing.com

País de origem Irlanda
Lançada em 1998
Teor alcoólico 4,3% vol.
Temperatura ideal 10°C

A Carlow Brewing Company tem uma história de sucesso entre os produtores artesanais da Irlanda. Desde 1996, esta microcervejaria com seis funcionários introduz sua produção em um mercado hostil, em que há domínio supremo de marcas internacionais que investem pesado em publicidade. Não é sequer possível comprar a cerveja Carlow na cidade de Carlow: os fãs da produção artesanal devem viajar oitenta quilômetros até Dublin para tentar a sorte com um dos especialistas em cervejas da cidade. Em vez de recorrer à ênfase local, a Carlow construiu seu sucesso através das exportações, e a stout é encontrada em partes da Europa e em lugares distantes como os Estados Unidos e a Austrália. O engarrafamento foi fundamental para que isso acontecesse e, mesmo assim, existem desafios. A bebida fresca precisa atravessar o mar da Irlanda e chegar à Inglaterra para ser engarrafada e, em seguida, importada para ser vendida na Irlanda.

Trabalhar com um produto engarrafado é, na maior parte dos casos, uma bela vantagem quando se trata de stout. Desde a década de 1960, a stout irlandesa costuma sair da torneira quase sempre com gás nitrogênio, cuja química aprisiona aromas e sabores da cerveja no interior do líquido para preservar o colarinho cremoso que lhe é peculiar. Porém, com uma garrafa de carbonatação comum, como não acontece com a barrica, todos os sabores e aromas podem ser liberados sem impedimentos.

Embora faça parte, nitidamente, da família das dry stouts irlandesas, a O'Hara's é impulsionada por uma dose generosa de doce malte chocolate para complementar o amargor seco de café torrado. Como acontece com quase todas as cervejas artesanais irlandesas, é um produto simples, despretensioso, de estilo tradicional. Não vai ganhar prêmios por apresentar sabores ou ingredientes exóticos. Porém, quando a pedida é apenas um bom copo para animar uma noitada, não há nada melhor entre as stouts irlandesas. **JD**

Notas de degustação

No nariz, uma breve introdução com chocolate é seguida rapidamente por um sabor seco de uma forma impressionante, quase sulfuroso. Depois de um segundo, erguem-se notas amargas de café torrado, para suavizar, e aí o chocolate faz uma reaparição, para um final seco e harmonioso.

Okells Aile Smoked Celtic Porter

Okells | www.okells.co.uk

País de origem Ilha de Man
Lançada em 2005
Teor alcoólico 4,8% vol.
Temperatura ideal 10°- 13°C

Com uma forte presença na Escandinávia, onde se apreciam cervejas escuras e fortes, a Okells já tinha sucesso garantido nesse mercado ao produzir a Aile. A cerveja nasceu depois de uma conversa entre o mestre cervejeiro, o doutor Mike Cowborne, e um dos distribuidores da cervejaria, Steve Holt, da Vertical Drinks. Holt sugeriu que Cowborne pensasse em produzir uma "cerveja mais excêntrica".

Cowborne partiu à procura de malte turfado junto a seu fornecedor, a Simpsons. Começou a brincar um pouco com ele, procurando inspiração inicial no estilo alemão de Rauchbier. Porém, a produção da cerveja acabou sendo uma espécie de pesadelo, pois sua primeira versão a partir da bitter padrão da cervejaria, feita para ter um teor alcoólico mais elevado com a adição de malte turfado, era impossível de se beber: fedia e tinha um sabor que lembrava o de um antisséptico. Mas Cowborne insistiu e, nove meses depois, nasceu a porter defumada.

É bem provável que as tradicionais porters londrinas tenham a presença de um certo elemento de fumaça nelas, pois são produzidas em fogo direto de carvão ou madeira. Ao pensar em um nome para essa criação incomum, Cowbourne ficou, a princípio, em um beco sem saída. Depois, teve a inspiração de procurar no dicionário de Man pelas palavras "defumado", "turfa" e várias outras, até encontrar a palavra usada para "fogo" – ou "aile" – e se decidir por ela, o que é fácil de compreender. O rótulo da garrafa é, provavelmente, o mais marcante entre os dos produtos da cervejaria, com uma ninfa flamejante montada em um dragão. A cerveja Aile não é menos impressionante. **MC**

Notas de degustação

No nariz, há notas intensas defumadas, de leite maltado, café e alcaçuz. Elas conduzem a um sabor suntuoso e gratificante de fumaça e chicória, com sugestões de chocolate e alcaçuz no paladar, que cedem ante um final surpreendentemente adstringente.

Old Engine Oil

Harviestoun Brewery | www.harviestoun.com

País de origem Escócia
Lançada em 1999
Teor alcoólico 6% vol.
Temperatura ideal 13°C

A Harviestoun começou sua existência em um curral de duzentos anos, usado para vacas, em Clackmannshire, transferindo-se posteriormente para instalações construídas especialmente para abrigá-la em Alva, povoado vizinho que desfruta do cenário dramático das colinas Ochil. Ken Brooker, que fundou a cervejaria em 1985, passou boa parte do início de sua vida criando protótipos de madeira para a Ford Motor Company em Dagenham, Essex, por isso não surpreende que ele tenha batizado esta ale forte e escura com um nome que homenageia outra de suas grandes paixões: o motor de combustão interna.

Com uma harmonia maliciosa e um tom opaco misterioso, a Old Engine Oil segue o estilo de uma russian imperial stout, exibindo fortes sabores de malte e frutas escuras intensas, que lembram uma sobremesa. É feita – de forma incomum para uma cerveja escura – com malte claro, cevada torrada e aveia. Duas variedades de lúpulo norte-americano, Willamette e Galene, se combinam a dois clássicos ingleses, Fuggle e Golding, para produzirem aromas de semente de anis e terra seca com toques de chocolate, café e alcaçuz. Foi concebida a princípio para uma competição de cervejas de inverno que convidou apenas bebidas produzidas especialmente para a ocasião. Venceu de forma convincente e conquistou um público nacional, como parte do prêmio.

As primeiras experiências empregaram chocolate em pó e malte defumado para obter o efeito desejado. Mas os perfis de sabor acabaram sendo conquistados com a cuidadosa seleção de cevada maltada e a astuciosa escolha de lúpulos, que combina características agressivas com sabores mais moderados e terrosos. Foi descrita como uma "cerveja perfeita para ser consumida após as refeições", por ter características semelhantes ao Porto, encorajando a contemplação tranquila e a sensação de satisfação. **AG**

Notas de degustação

Cerveja intensamente escura para se saborear e meditar. No paladar, apresenta uma enorme complexidade, com sabores de noz, especiarias e fumaça que acentuam e se alternam com chocolate, café e alcaçuz antes de voltarem para o grão torrado e frutas vinosas.

Old Freddy Walker

Moor Beer Company | www.moorbeer.co.uk

País de origem Inglaterra
Lançada em 1997
Teor alcoólico 7,3% vol.
Temperatura ideal 12°C

A Moor Beer começou a funcionar em uma fazenda nos arredores da cidade de Glastonbury, em Somerset, ainda nos anos 1990. A cervejaria permanece em Somerset, mas em um lugar diferente, e é comandada pelo californiano Justin Hawke. "Meu pai me familiarizou com os estilos mundiais de cerveja enquanto eu crescia", diz ele, "e depois visitei a Inglaterra na adolescência e me apaixonei pela ale de barrica." Depois de se formar em West Point, em 1993, ele ganhou experiência prática com cervejas europeias ao viajar por Reino Unido, Bélgica e República Tcheca. Depois de deixar o exército, ele voltou aos Estados Unidos e aprendeu a produzir cerveja. Em 1997, voltou para a Inglaterra "com planos de abrir nossa própria cervejaria, fundindo a ale de barrica com nossa inspiração mundial e com as inovações da Califórnia".

Produzida originalmente no final dos anos 1990 e batizada com o nome de um tripulante de submarino reformado da Marinha Real que vivia na cidade onde a cervejaria funcionava na época, a Old Freddy Walker é uma dark ale de arrasar, uma das bebidas mais antigas e bem-sucedidas da Moor Beer Company. (Ganhou uma vez o prêmio de Cerveja de Inverno do Ano da Campanha em Prol da Real Ale.) Maltes de pale ale, lager, negro, Crystal e de trigo entram na moagem, enquanto os lúpulos são Liberty e Bramling Cross. Hawke não põe à venda a cerveja com menos de um mês de acondicionamento. "Já é possível bebê-la, a essa altura", diz ele, "mas prefiro dar a ela, no mínimo, três meses e ela continua a se aprimorar com o tempo." Ele também fez versões da OFW com Porto e brandy, bem como a envelheceu em barris de madeira usados anteriormente para brandy de cidra, feito por uma empresa da região. Em 2007, Hawke voltou a demonstrar seus talentos de artesão com credenciais norte-americanas criando a JJJ, uma IPA dupla com teor alcoólico de 9%. **ATJ**

Notas de degustação

Escura como uma noite sem luar. Um nariz reconfortante de alcaçuz, café moca, cacau em pó e chocolate ao leite. No paladar, apresenta um princípio harmonioso e cremoso de chocolate ao leite, equilibrado por apetitosas características de fumaça. O final é cremoso e equilibrado, lado a lado com uma granulosidade seca.

Old Nº 38 Stout

North Coast Brewing | www.northcoastbrewing.com

País de origem Estados Unidos
Lançada em 1988
Teor alcoólico 5,5% vol.
Temperatura ideal 7°- 10°C

"Foi a primeira cerveja que produzimos para nosso tanque de fermentação 'gigante' de sete barris", diz Mark Ruedrich, fundador da North Coast. Como tantos produtores artesanais, ele havia voltado de uma temporada na Inglaterra e achou que a cultura cervejeira norte-americana sofria da "falta de qualquer coisa digna de ser bebida". Cansado de ouvir as lamúrias, um amigo o presenteou com um livro sobre produção caseira e mandou que ele "calasse a boca e fizesse alguma coisa a respeito". A receita da Old Nº 38 saiu daquele livro de Dave Line, um dos poucos voltados para a produção caseira no final dos anos 1970, repleto de receitas que usavam melado e pastilhas de glucose, junto com outros itens exóticos.

A Old Nº 38 começou como produção caseira e a receita mudou apenas um pouquinho desde então. Como é tradicional nas stouts à moda irlandesa, a cevada torrada não maltada fornece um toque vibrante, agridoce e torrado à cerveja, sem deixá-la com gosto de carvão. Com 5,5% vol., é leve o suficiente para ser servida em noitadas, mas também tem grande profundidade de sabor e cremosidade, que formam um extraordinário conjunto. O amargor é elevado, com 53 IBU, mas não chega a machucar os lábios. É fácil produzir uma stout, mas é muito difícil criar uma que tenha tanta personalidade e refinamento. O falecido escritor Michael Jackson, especialista em cervejas, tinha uma predileção especial pela Old Nº 38, chamando-a de "provavelmente a melhor stout feita na América".

A North Coast fica em Fort Bragg, no norte da Califórnia. O nome da cerveja brinca com a tradição da área e vem de uma locomotiva a vapor da California Western Railroad, ferrovia que atravessava as florestas das cercanias. A cerveja começou com o nome de Old Nº 45, mas houve medo de que acontecesse uma colisão com uma bebida à base de malte de numeração semelhante, o que levou à escolha de um número menos polêmico. **RM**

Notas de degustação

Um torrado vibrante no nariz, com sugestões de lúpulos herbáceos, quase de hortelã, e um pouco de ésteres frutados. Muito suave e harmoniosa ao paladar, fácil de beber. Sabores bem integrados e uma textura verdadeiramente aveludada. O final é longo, límpido e achocolatado.

Old Peculier

Theakston | www.theakstons.co.uk

País de origem Inglaterra
Lançada em 1890
Teor alcoólico 5,6% vol.
Temperatura ideal 13°C

A Old Peculier é uma ale saborosa, encorpada e harmoniosa que deu fama à cidade de Masham, em North Yorkshire, especialmente nos anos 1970, quando a organização de consumidores Campanha em Prol da Real Ale foi criada, reavivando o interesse pelas cervejas de barrica. É uma bebida que se destaca da multidão, e não é apenas por causa de seu nome estranho, que se refere ao Peculier de Masham, o tribunal eclesiástico da cidade no século 12. Ele permitia que a Igreja cobrasse multas por uma série de crimes, entre eles, a embriaguez!

A Old Peculier é uma old ale forte, intensa, de cor de rubi, sedutora e encorpada. É uma bebida reconfortante que deve ser desfrutada devagar, o que permite que a complexidade de sua personalidade exuberante e bem-acabada dance sobre a língua. Maltes claro e Crystal, açúcar de cana e caramelo contribuem para dar doçura e cor à cerveja. O aroma e o amargor tão característicos de uma ale inglesa vêm do lúpulo Fuggle, fervido junto ao mosto doce e, depois, em infusão em cada barrica. A família Theakston produz uma old ale provavelmente desde 1827, quando compraram um pub chamado Black Bull na cidade. Mudou-se para a localização atual cinquenta anos depois, quando foram construídas a maltaria e uma pequena cervejaria em forma de torre.

Em 2003, depois de mais de duas décadas nas mãos da Matthew Bron e depois da Scottish & Newcastle, a cervejaria voltou para a família, controlada pelos quatro irmãos Theakston, cujo tataravô deu início ao negócio 176 anos antes. Com localização idílica em Paradise Fields (Campos do Paraíso), a Theakston tem um centro de acolhimento aos visitantes e oferece visitas à cervejaria. **TH**

Notas de degustação

Uma explosão harmoniosa de sabores de açúcar queimado e de frutas escuras envolve a língua. Uma doçura calorosa acaricia a boca. Há um final longo, suave, seco e gratificante. Há sugestões de alcaçuz, chocolate e uma audaciosa qualidade frutada que inclui ameixas maduras.

Old Rasputin Russian Imperial Stout

North Coast Brewing | www.northcoastbrewing.com

País de origem Estados Unidos
Lançada em 1995
Teor alcoólico 9% vol.
Temperatura ideal 13°C

O mestre cervejeiro da North Coast, Mark Ruedrich, ainda era um produtor caseiro em meados dos anos 1980 quando experimentou pela primeira vez uma imperial stout feita pelo saudoso pioneiro das cervejas artesanais, Bert Grant. Foi bem antes de Ruedrich e seus parceiros abrirem o estabelecimento em Fort Bragg, na Califórnia. "Pensei que era a melhor cerveja que eu já havia provado", recorda-se. Quase dez anos depois de prová-la, Ruedrich teve o que chama de um sonho "do paladar". "O resíduo permaneceu" no dia seguinte, quando chegou a hora de verificar o progresso de sua primeira imperial stout, que se tornou a Old Rasputin. A essa altura, ele produzia cerveja na choperia e na microcervejaria que abrira do outro lado da rua. "Estávamos experimentando do tanque", diz ele, " e era a cerveja que provei em meu sonho."

Lançada inicialmente na torneira, em 1995, e pouco depois engarrafada, a Old Rasputin logo mereceu atenção, ainda em 1996, tanto pelo que estava na garrafa quanto pelo rótulo – um retrato impressionante de Grigóri Rasputin, famoso místico russo que teria sido um amante de imperial stouts –, e começou a ganhar diversos prêmios. Para celebrar os dez anos da Old Rasputin na garrafa, Ruedrich produziu uma leva especial em 2006, envelhecendo-a em barris de bourbon até ficar pronta para ser bebida um ano depois. Chamada de "Old Rasputin X", foi seguida pela Old Rasputin XI em 2008 e pela Old Rasputin XII. O bourbon e o tempo modificam a cerveja consideravelmente, arredondando qualquer aspereza com notas de baunilha e sobrepondo sabores de chocolate ao bourbon. Embora o teor alcoólico tenha subido de 9% para 11,6%, a versão "X" deixa uma impressão de suavidade quase sedosa. **SH**

Notas de degustação

Negra no copo, com nuances em mogno nas beiradas. Doçura de grãos de café torrados e de caramelo de chocolate no nariz, com mais do mesmo na boca. Complexa e cremosa. Frutas escuras, bem como chocolate com nozes. Final seco e longo com amargor persistente.

Old Slug Porter

RCH Brewery | www.rchbrewery.com

País de origem Inglaterra
Lançada em 1992
Teor alcoólico 4,5% vol.
Temperatura ideal 13°C

A sigla "RCH" remete ao Royal Clarence Hotel. É o estabelecimento no calçadão de Burnham-on-Sea, em Somerset, onde a cervejaria teve seu início em 1982. Não era a localização ideal. À medida que a cervejaria começava a ampliar seus negócios com outros pubs e os prêmios começavam a chegar, ficou claro que era necessário uma mudança para instalações mais amplas, de preferência em algum lugar onde as demandas da produção não desviassem água dos quartos dos hóspedes. O resultado foi a mudança, em 1993, para uma antiga fazenda de cidra, perto de Weston-super-Mare. Outro motivo para a transferência foi um problema com lesmas, que simplesmente adoravam o solo arenoso de Burnham e invadiam a cervejaria com regularidade. O problema ficou no passado, mas elas não foram esquecidas graças a esta porter de primeira linha, que ganhou o nome bem-humorado de Old Slug (Velha Lesma), pois, quando é bebida, deixa um rastro parecido com o de uma lesma na lateral do copo.

Ainda no início da década de 1990, o estilo porter andava quase esquecido. Sua vizinha, a stout, ainda demonstrava energia graças ao imenso orçamento publicitário da Guinness. Mas a porter, com seu perfil ligeiramente mais doce e mais leve, havia desaparecido em grande medida. A RCH foi uma das primeiras microcervejarias a reviverem-na, e a bebida hoje desfruta de uma presença bem mais saudável nos estabelecimentos britânicos licenciados.

Os ingredientes da Old Slug são simples, mas eficientes. Maltes Crystal e negro fornecem cor e a personalidade de grão torrado para a doçura fornecida pelo malte claro. Lúpulos Fuggle e Golding contribuem com um amargor que dá equilíbrio. É uma combinação adorável que rendeu muitos prêmios à cerveja. **JE**

Notas de degustação

Porter escura, cor de granada, com corpo leve e delicado, aroma de café suave e chocolate cremoso. O sabor, que é principalmente amargo, apresenta grão torrado e café, bem como um delicado toque de lúpulo, arredondado por um final seco e amargo de café.

Old Tom Strong Ale

Frederic Robinson | www.frederic-robinson.co.uk

País de origem Inglaterra
Lançada em 1899
Teor alcoólico 8,5% vol.
Temperatura ideal 11°C

Um dos itens mais preciosos guardados com cuidado na Unicorn Brewery, na cidade de Stockport, no norte da Inglaterra, é um caderno de 1899 que pertenceu a Alfred Munton, na época mestre cervejeiro da Frederic Robinson. Em uma página com data de 1º de novembro, ele registra a primeira produção da Old Tom – detalhada com um desenho do gato da cervejaria. Mais de um século depois, esta ale forte, escura e sedutora ainda é produzida: um barleywine elegante, que proporciona um amplo conjunto de gloriosos estímulos sensoriais.

Disponível na torneira e na garrafa, é uma cerveja que se modifica com o passar do tempo. Quando acaba de ser servida, tem cheiro de melaço queimado e frutas vinosas. Indicada para aquecer o inverno, ela faz exatamente o esperado: o álcool acaricia a língua em um abraço cordial, conduzindo a matizes apimentados e intensos. É agridoce, sem ser doce demais. A levedura consome a maior parte dos açúcares fermentáveis, transformando-os em álcool.

A complexidade da cerveja vem dos maltes claros Halcyon e Pipkin, do malte Crystal, de um pouco de milho em flocos e trigo torrado, além de uma pequena quantidade de caramelo para a cor. Flores integrais de lúpulos Golding são adicionadas a um mosto doce, fervente e muito rico antes de a fermentação começar e, depois disso, mais lúpulos – Golding, de novo, e Northdown – são acrescentados à barrica.

A cervejaria foi fundada em 1859 por Frederic Robinson, e Oliver Robinson pertence à sexta geração que trabalha nela. Ele prefere que a Old Tom seja servida levemente refrescada, em vez de na temperatura ambiente. A aparência da bebida é valorizada ao máximo quando servida em um copo de brandy. **TH**

Notas de degustação

De cor quase negra, como groselha-preta, com matizes castanhos, ela tem um nariz estupendo de toffee e malte, seguido por toques de caramelo e fruta. Ale de equilíbrio soberbo, frutada, vinosa, calorosa, que enche a boca e também contém sugestões do caráter fumegante do uísque.

Olivaria Porter

Olivaria Brewery | www.olivaria.by

País de origem Bielorrússia
Lançada em 2009
Teor alcoólico 6,8% vol.
Temperatura ideal 12°C

Ao se considerar que a Bielorrússia existe como país independente apenas desde o início dos anos 1990, não chega a surpreender que o mundo cervejeiro não tenha prestado muita atenção nas bebidas produzidas na região. Porém a Bielorrússia tem uma indústria cervejeira regional e a Olivaria (ou "Alivaria", como é grafado no idioma local) é uma das mais antigas, estabelecida em Minsk em 1864 com a ajuda financeira do governo da província na época. Nos anos que antecederam a revolução de 1917, a cervejaria passou por uma série de donos, entre eles um austríaco que exportava cervejas para lugares como Vilnius – atual capital da Lituânia – e Brest, onde o tratado que encerrou a guerra entre Alemanha e Rússia foi assinado em 1918. A história não tratou essa parte do mundo com gentileza: revolução e guerras sacudiram suas terras. Mas a Olivaria é singularíssima, pois ainda produz suas bebidas no mesmo local desde 1864.

A Olivaria Porter é uma variação escura e forte do estilo porter do Báltico, produzida pela primeira vez em 2009 para celebrar os 145 anos da fundação da cervejaria. Quando a cerveja apareceu, a Olivaria realizou degustações em diversos hipermercados de Minsk, o que foi uma experiência inédita para os moradores da cidade. Foi uma ação extremamente popular. A cervejaria também recomenda que a Porter seja aquecida em uma panela, com uma colher de mel e suco de limão. De acordo com os entendidos, o resultado é parecido com o Glühwein alemão, e é suficientemente caloroso para enfrentar um dia de inverno na Bielorrússia, quando as temperaturas chegam a cair até -30°C. **ATJ**

Notas de degustação

No copo, um tom bem castanho-escuro sob espuma da cor do açúcar mascavo. Toffee amanteigado no suave nariz. Doçura de toffee amanteigado e açúcar mascavo no paladar, que praticamente sugere uma xícada de café moca adoçado. Perigosamente fácil de beber, levando-se em conta o teor alcoólico.

Ommegang Abbey Ale

Brewery Ommegang | www.ommegang.com

País de origem Estados Unidos
Lançada em 1997
Teor alcoólico 8,5% vol.
Temperatura ideal 10°C

Localizada entre as suaves colinas nos arredores do povoado de Cooperstown, no norte do estado de Nova York, a pitoresca Brewery Ommegang poderia ser confundida facilmente com uma tradicional cervejaria de fazenda na Valônia. Fundada em 1997 por Wendy Littlefield e seu marido Don Feinberg, ela foi inspirada pelas fazendas e cervejarias que o casal visitou na Bélgica, na condição de importadores de ales daquele país. Erguida em uma fazenda de lúpulo do século 19, a construção é branca e rústica, recebendo com o aroma de grão recém-moído e vapores de malte os visitantes que passam pelos portões arqueados. Basta um gole de um cálice da dubbel, que é o carro-chefe da cervejaria, para se convencer de que ele foi servido em uma daquelas adoráveis estalagens que se encontram invariavelmente nas imediações dos mosteiros trapistas belgas.

A cerveja foi criada por Bert DeWit, da belga Affligem, e depois aperfeiçoada pelo americano Randy Thiel. Phil Leinart, que hoje supervisiona a cervejaria (ela pertence à Duvel Moortgat), diz que a receita é bem típica do estilo, apoiando-se em maltes aromáticos e dextrose. O segredo talvez se encontre nas especiarias, segundo ele: coentro, casca de laranja doce, anis-estrelado, raiz de alcaçuz e cominho. O sabor é sublime e redondo.

Quando Tim Webb, especialista em cervejas belgas, conduziu uma degustação às cegas no Grande Festival Britânico da Cerveja, há alguns anos, ele e a maioria dos participantes preferiram a Ommegang quando comparada à respeitadíssima Grand Reserve da Chimay. "Não acreditei a princípio", disse Webb mais tarde. "Achei que devia haver um engano." Todo verão, a Ommegang organiza uma noite de gala ao estilo belga com o nome de "A Bélgica Vai a Cooperstown". Verdade seja dita: a Bélgica já está lá. **DR**

Notas de degustação

Cor intensa de vinho com uma camada fofa de espuma que mantém a forma o tempo todo. Rica e aromática, com toques de anis, damasco fresco e mel. Na boca, oferece sabores de caramelo, figo, groselha, com uma textura atraente. Termina com um calor agradável.

Optimator

Spaten-Franziskaner Bräu | www.spatenbraeu.de

País de origem Alemanha
Lançada em *ca.* anos 1890
Teor alcoólico 7,2% vol.
Temperatura ideal 10°C

Pode se tratar de uma Doppelbock da Baviera, cerveja forte e viril para atravessar o período virtuoso da Quaresma, mas, por alguma razão, a maior parte da produção da Optimator é exportada para os Estados Unidos. Lá, encontra-se disponível o ano inteiro, lembrete constante das tradicionais cervejas que têm raízes no período em que os monges e os mosteiros davam as cartas quando se tratava de produzir bebidas.

A Optimator começou sua existência no final do século 19, como parte de uma série de cervejas para a Quaresma que servia para que a boa gente de Munique brindasse a chegada da primavera. A maioria dessas bebidas tem nomes que terminam com o sufixo "ator", tradição iniciada pela Paulaner Brauerei em 1773: Salvator significa "salvador". Diversas cervejarias começaram a produzir bebidas com o nome genérico de "Salvator", mas, depois que a Paulaner ganhou na justiça, em 1896, os direitos sobre a marca, elas precisaram mudar de nome, porém em geral mantiveram o sufixo "ator".

A primeira menção a uma cervejaria no lugar onde funciona a Spaten-Franziskaner Bräu ocorreu em 1397, e nos trezentos anos que se seguiram houve várias mudanças de proprietários. Entre eles, a família Spatt, que deu origem ao nome da empresa. Mas o nome mais famoso na história da cervejaria é Sedlmayr: de 1807 a 1922, estiveram à frente durante um período agitado de rápidas inovações econômicas e técnicas (o nome atual, "Spaten--Franziskaner", data de 1922, quando começou a união entre a Spaten e a Franziskaner-Leist-Bräu). A adesão veloz a mudanças, como o motor a vapor e a refrigeração, ajudou a deitar as fundações para o sucesso duradouro da cervejaria. **WO**

Notas de degustação

A Optimator é de um âmbar escuro e intenso. O sabor é bem encorpado e doce, um pouco pegajoso, mas também muito maltado. Falta o final agridoce que normalmente é tão típico de uma cerveja forte deste estilo, embora seja talvez uma concessão ao paladar norte-americano.

Uma garçonete levanta um *stein* em um pôster da Spaten da década de 1930.

G S
SPATEN-BRÄU
MÜNCHEN

Palliser Porter

Bushwakker Brewing Company | www.bushwakker.com

País de origem Canadá
Lançada em 1991
Teor alcoólico 5,8% vol.
Temperatura ideal 10°C

Saskatchewan não teve muita sorte em relação à cerveja. Apesar de várias tentativas, a produção artesanal não obteve sucesso comercial na província localizada na pradaria central do Canadá. Quando o governo tomou a decisão de vincular as licenças das choperias à permissão para operar lucrativas lojas de cerveja gelada, ele praticamente garantiu que um grande número de operadores se envolvessem no negócio da produção, não pelo amor à bebida, mas pelo potencial de lucros.

Felizmente, Regina, capital de Saskatchewan, teve sorte em pelo menos um aspecto: contava com Bev Robertson dando aulas na sua universidade. Depois de voltar de um ano sabático na Alemanha, Robertson desenvolveu um gosto pelas pilsens do norte daquele país e descobriu que não conseguia mais saciar sua sede no Canadá. Decidiu começar sua própria cervejaria e, depois de um ou dois alarmes falsos a Bushwakker Brewing Company, abriu as portas em 25 de janeiro de 1991, dia de Robbie Burns. Foi, sob todos os aspectos, um sucesso praticamente desde o primeiro dia, servindo as únicas cervejas feitas com 100% de grãos – as outras choperias, inclusive aquelas autorizadass na primeira leva de licenciamentos, usavam extrato de malte para fazer seus produtos. Para completar, ele criou um menu com pratos de pub, que hoje está entre os melhores dessa categoria.

Ainda é necessário fazer uma visita à cervejaria para adquirir garrafas da Palliser Porter ou de qualquer outra de suas bebidas, mas a viagem vale a pena. Âncora de um trecho histórico no coração da capital, a Bushwakker é tão rica em atmosfera quanto suas cervejas são plenas de sabores. **SB**

Notas de degustação

Acompanhamento maravilhosamente versátil para a comida, esta porter oferece uma mistura bem equilibrada de malte torrado e notas de café no aroma, e uma personalidade quase seca que apresenta mais notas secas do que amargas de lúpulo, junto com sabores de chocolate e cacau.

Pannepot

De Struise Brouwers | www.struisebrouwers.be

País de origem Bélgica
Lançada em 2004
Teor alcoólico 10% vol.
Temperatura ideal 12°C

A Pannepot não é tão conhecida na Bélgica, mas os aficionados americanos – muitos deles tendendo a se encantar com cervejas fortes e audaciosas de firme personalidade – mantêm um caso de amor com esta ale escura, de sabor picante. Assim que começaram a fazer e a exportar o tipo de bebida intensa que preferiam, os cervejeiros Struise, de Flandres Ocidental, logo angariaram fiéis seguidores do outro lado do Atlântico.

Do ponto de vista técnico, a Struise é uma empresa de cervejas, e o arranjo que permite que ela alugue equipamentos da Deca, a apenas alguns minutos de viagem de Westvleteren e da famosa Abadia Saint-Sixtus, parece funcionar bem. Seus fãs reclamam apenas da escassez, desejando que os produtores tivessem maior capacidade de produção.

A Pannepot é doce, mas está longe de ser simples. Seu pot-pourri de especiarias – canela, coentro, tomilho e casca de laranja, entre outras – acrescenta complexidade, em vez de dominar qualquer aspecto do sabor. Existe um grande núcleo, açucarado, de malte escuro, capaz de dar trabalho para a levedura durante vários anos. De fato, a levedura talvez seja a verdadeira estrela, adicionando um aspecto definido que se acentua um tanto com o tempo. Não há equívoco: esta cerveja realmente melhora com a passagem do tempo.

O barco no rótulo é um P50 Pannepot, usado para pesca no povoado costeiro de De Panne, na Bélgica. A pintura é de um dos barcos P50, que pertenceu aos avós dos produtores. A história que se conta é que estes antepassados faziam uma bebida forte, rica em especiarias, para se manterem aquecidos em condições climáticas inclementes, e ela foi a fonte de inspiração para a Pannepot, a "ale do velho pescador". **JS**

Notas de degustação

Quando servida, apresenta-se em marrom muito escuro, quase negro, com uma coroa de espuma castanha alta e persistente. O nariz contemplativo inclui açúcar de confeiteiro queimado e notas de chocolate, figo seco e uva vermelha. Sabor muito doce, com calor alcoólico contido e especiarias que aparecem no gosto residual.

Pardubický Porter

Pivovar Pernštejn | www.pernstejn.cz

País de origem República Tcheca
Lançada em 1890
Teor alcoólico 8% vol.
Temperatura ideal 14°C

Em 1º de outubro de 1889, Antonín Šimonek começou sua gestão como mestre cervejeiro na Pivovar Pernštejn, em Pardubice, na Boêmia. Embora a cervejaria produzisse principalmente as tradicionais lagers claras e escuras da Boêmia, passados alguns meses ele começou a trabalhar em uma nova cerveja especial, para a exposição de Praga que estava prestes a acontecer. Em 1890, Šimonek preparou a primeiríssima leva da Pardubický Porter. Quando aconteceu a Exibição Global Geral em 1891, ele tinha aperfeiçoado a receita e sua cerveja – uma lager espessa, negra e maltada com nome inspirado pelo estilo porter do Báltico – ganhou uma medalha de ouro. Em 1904, ela ganhou outro ouro na Exibição Internacional de Artes Culinárias em Viena.

Hoje em dia, é uma das poucas porters do gênero que permanecem na antiga Tchecoslováquia. No momento, está ganhando adeptos entre *chefs* de cozinha graças a sua versatilidade como ingrediente culinário que cria complexidade com características de soja e sabores de café, quando cozida. Pardubice é famosa por uma espécie de bolo de especiarias chamado de *pernik*. Embora não leve gengibre, *pernik* costuma ser traduzido como "pão de gengibre", e notas semelhantes a sementes de anis e especiarias com gengibre aparecem na cerveja.

Como acontece com todas as cervejas da Pernštejn, a Pardubický Porter tem baixa fermentação e leva a tradicional levedura de lager. Seguindo a receita original de Šimonek, que data de 1890, ela é produzida com gravidade original de 19 graus Plato, usando quatro tipos de malte que vêm da maltaria própria. É muito boa quando está ligeiramente refrescada, mas se supera quando servida próximo da temperatura ambiente, o que permite que todo o corpo de malte e o buquê aromático se expandam com ricas camadas de sabor. **ER**

Notas de degustação

Apesar da espuma cor de canela, esta lager negra se parece com uma bebida do tipo cola, e há notas de cola, gengibre, semente de anis e café, entre muitos sabores. Combina excepcionalmente bem com carnes assadas e goulash ao estilo da Boêmia, e pode ser armazenada com sucesso durante vários anos.

Petrus Oud Bruin

Brouwerij Bavik | www.bavik.be

País de origem Bélgica
Lançada em 1993
Teor alcoólico 5,5% vol.
Temperatura ideal 9°C

Vinte anos antes de a região histórica de Flandres Ocidental se tornar cenário de devastadoras batalhas da Primeira Guerra Mundial, a família Brabandere deixou de produzir cerveja apenas para consumo próprio e passou a oferecê-la ao público. O exército alemão confiscou a cervejaria, embora o pioneiro mestre cervejeiro Joseph de Brabandere retomasse suas atividades assim que os canhões silenciaram. Antes da guerra, a popularidade das pilsens douradas não tinha passado despercebida e, ironicamente, ao se pensar no destino da cervejaria em 1914, a pilsen Bavik teve muito sucesso. Continua popular até hoje na França e na Holanda, assim como em sua região. Porém, a Bavik, cervejaria de médio porte localizada em Bavikhoeve, perto de Kortrijk, também produz várias outras cervejas, sendo que as mais artesanais são vendidas sob a marca Petrus (representantes do famoso château de Bordeaux fizeram, certa vez, uma visita de cortesia e saíram de lá como grandes amigos).

A Oud Bruin, que às vezes é chamada de "Old Dark" visando à exportação, é uma brown ale flamenga clássica, constituída em parte por ale jovem e em parte por bebida envelhecida na madeira. A base, uma cerveja clara envelhecida, amadurece em barris de carvalho durante dois anos e é misturada com a jovem brown ale, produzindo a Oud Bruin. Esse método de amadurecimento de cervejas é uma tradição de Flandres há séculos. O estilo é tipicamente moderado em álcool e refrescante. A tradição e a tecnologia são respeitadas na Bavik, de forma que uma cervejaria mais antiga, de cobre, e uma nova, de aço inoxidável, entram em campo para produzir várias cervejas. Na sala dos barris, encontram-se quinze imensas barricas de carvalho, onde descansa a cerveja-base para a Oud Bruin. **CC**

Notas de degustação

A Petrus Oud Bruin apresenta uma cor escura, de vermelho-rubi, e aparece no copo sob uma camada irregular de espuma da cor de canela. O aroma é de frutas escuras e carvalho, com notas doces e azedas. O sabor é ligeiramente azedo, com alguma doçura, textura mediana e boa personalidade de malte. Notas de carvalho e cerejas azedas estão presentes.

Plevna Imperial Stout Siperia

Plevna Brewery
www.plevna.fi

País de origem Finlândia
Lançada em 2006
Teor alcoólico 8% vol.
Temperatura ideal 10° - 12°C

A Plevna Brewery, instalada na cidade de Tampere em 1995, apresenta choperia e restaurante integrados. Uma variedade de cervejas é produzida ali, incluindo uma IPA ao estilo norte-americano, pilsen (clara e escura) e até uma cerveja defumada. E há também a Siperia, a interpretação da cervejaria para o antigo estilo russian imperial stout, que teria sido familiar na região durante o século 19.

Para uma stout forte e escura, a Siperia tem uma personalidade bem lupulada graças ao uso das variedades Tomahawk, Mount Hood, Simcoe e Vanguard, dos Estados Unidos, uma seleção que surpreende um pouco aqueles que estão acostumados às bebidas menos amargas deste estilo. Por sorte, ela funciona, embora não seja engarrafada, sendo vendida apenas na torneira da choperia Plevna. É um bom motivo para uma viagem à Finlândia. **ATJ**

Notas de degustação
Escura e deliciosa no copo. O nariz sugere grãos de café, lúpulos terrosos, chocolate amargo e um pouco de cevada torrada. A boca é rica e sedutora, antes da chegada do amargor.

The Poet

New Holland Brewing Company
www.newhollandbrew.com

País de origem Estados Unidos
Lançada em 1998
Teor alcoólico 5,2% vol.
Temperatura ideal 4° - 6°C

O truque para a preparação de stouts é encontrar um jeito de moderar o intenso amargor fornecido por grãos muito torrados. É aí que entra a aveia. "A ideia era criar uma cerveja escura, saborosa, cremosa", diz Fred Bueltman, da New Holland. "Descobriu-se que havia muitas opções de aveia e os produtores escolheram a aveia em flocos grossos para dar uma cremosidade e uma textura superior na boca." Realmente, é possível sentir sua presença nesta cerveja com uma espécie de intensidade redonda que interage com o malte torrado. "The Poet trouxe muita gente para o mundo das cervejas escuras", diz Bueltman. "É uma das favoritas da cervejaria." Apesar de amarem um bom café e chocolate, muitos americanos vacilam ao pensar em cervejas escuras e torradas. Usar algo de familiar, como a aveia, ajuda a bebida a ser mais acessível. **RM**

Notas de degustação
Nariz muito torrado, com toques de fogueira ao ar livre e um pouco de qualidades frutadas em evidência. A princípio, é doce ao paladar, e depois, muito cremosa e torrada. Final longo e límpido de malte negro e amargor lupulado.

Point Reyes Porter

Marin Brewing Co.
www.marinbrewing.com

País de origem Estados Unidos
Lançada em 1989
Teor alcoólico 6% vol.
Temperatura ideal 10°C

A Point Reyes Porter da Marin Brewing foi a terceira leva de cerveja produzida pela choperia californiana e apareceu na torneira no mesmo dia em que ela abriu as portas, em 1º de abril de 1989, Dia da Mentira. Em suas várias encarnações, recebeu cinco medalhas no Grande Festival Americano da Cerveja. A versão atual da porter é feita com uma mistura de malte de pale ale inglês e norte-americano, junto com outros especiais, como Munique, chocolate e negro. O pedigree inglês é acentuado mais ainda pelo uso de uma cepa de levedura muito semelhante à da Fuller's. É uma porter robusta e, como condiz com suas origens na Costa Oeste dos Estados Unidos, a presença de lúpulo é mais intensa do que na maioria, graças a uma boa dose de East Kent Golding no redemoinho. É saborosa, aveludada, sedutora, e divina quando bebida junto com um prato de *mole poblano*, delícia mexicana, ou com pratos consistentes de carne e sobremesas de chocolate. **JB**

Notas de degustação

Negra como tinta, com uma compacta coroa de espuma cor de canela e belo rendilhado no copo. O nariz é repleto de aromas de café e chocolate. Com uma textura cremosa na boca, o perfil do sabor é seco, com café expresso e chocolate denso.

Porterhouse Oyster Stout

The Porterhouse Brewing Co.
www.porterhousebrewco.com

País de origem Irlanda
Lançada em 1996
Teor alcoólico 4,8% vol.
Temperatura ideal 7°C

A Porterhouse Oyster Stout encontra-se do lado mais doce do espectro de sabores, mas, ao contrário de outras stouts doces, o sabor não deriva de maltes açucarados, mas de suculentas ostras Carlingford, colocadas sem as cascas na panela nos estágios finais da brassagem. Isso tudo sobre uma base de stout irlandesa seca e levemente amarga, que é apenas um pouquinho mais forte do que o habitual. É perceptível a existência de uma lufada de ar marinho na cerveja, uma revigorante mistura de sal e iodo. O equilíbrio delicado entre doce e sal é a chave desta cerveja gourmet, e a textura sedosa e o aroma atraente aumentam sua elegância.

Transbordante de classe, a interação de sensações de sabor gratifica aqueles que a bebericam com atenção. Na Porterhouse, no Temple Bar, em Dublin, você pode consumir sua bebida na companhia de uma porção de meia dúzia de ostras. **JD**

Notas de degustação

Em intenso tom de vermelho-rubi, coroada com espuma quase branca. Doce a princípio, e depois distintamente salgada, com final seco. Além de se harmonizar com ostras, ela combina bem com frutos do mar e dá um toque especial a saladas.

Primátor Double 24%

Pivovar Náchod | www.primator.cz

País de origem República Tcheca
Lançada em 1999
Teor alcoólico 10,5% vol.
Temperatura ideal 13°C

Muitas vezes confundida com uma Doppelbock, por causa de seu nome, a Double 24%, do Pivovar Náchod, é na realidade uma interpretação de alta octanagem do estilo porter do Báltico. Na categoria de lagers fortes, tais diferenças são sutis mas perceptíveis, especialmente em relação à escuridão da cerveja e a seu amargor absoluto, que superam em muito as características de uma típica Doppelbock.

A Primátor Double 24% é produzida com quatro tipos de malte de cevada e uma pequena adição de malte de trigo para criar uma notável gravidade original de 24 graus Plato, dobrando dessa forma o padrão de 12 graus Plato que marca o parâmetro mais elevado de muitas cervejarias da República Tcheca. Duas variedades do nobre lúpulo Saaz são usadas, tanto em pelotas como em extrato. A cerveja é acondicionada a frio durante dois meses, resultando em um poderoso teor alcoólico de 10,5%, o que a torna uma das mais fortes bebidas de baixa fermentação produzidas durante o ano inteiro na Europa.

Embora a bebida seja amarga, as notas de lúpulo são equilibradas pela adição de açúcar de cervejeiro, o que torna a Primátor Double muito doce ao final. Em seus melhores momentos, a cerveja tem uma boca plena, pegajosa, sedutoras notas de café e de xarope de bordo, tons de malte tostado e um toque vibrante, com características de hortelã e presença de lúpulo no final. Quando a Primátor Double é utilizada como ingrediente culinário, principalmente em marinadas ou em sopas e molhos, a complexidade do paladar pode aumentar de forma dramática, criando ricas camadas de gosto e aroma.

A Primátor Double nunca será uma das mais vendidas na República Tcheca, onde imperam as lagers claras: é forte demais, escura demais, agridoce demais. Mas, para aqueles que sabem onde encontrá-la, ela permanece como um segredo muito querido. **ER**

Notas de degustação

Lagers são conhecidas pela clareza e não pela complexidade, mas esta lager forte apresenta sabores complexos que incluem bordo, frutas de caroço, baunilha, cacau e café, bem como tons vinosos que lembram o Porto. No copo, procure por uma bela cor marrom, quase negra, coroada por espuma frouxa, em tom de canela.

Pullman Brown Ale

Flossmoor Station Brewing Company | www.flossmoorstation.com

País de origem Estados Unidos
Lançada em 1996
Teor alcoólico 6% vol.
Temperatura ideal 10°C

Esta sedutora brown ale conta uma história complexa sobre cerveja, cervejeiros e cervejarias. Embora o nome Pullman seja anterior a sua chegada, o mestre cervejeiro Todd Ashman leva o crédito por reinventar esta bebida quando chegou à Flossmoor, no final de 1996. Mal pode ser considerada uma brown ale, a não ser pela cor. A ale castanha lembra uma porter histórica, entre outras coisas. Seja lá o que for, esta cerveja assertiva ainda encontra uma forma de ser deliciosamente fácil de beber.

Talvez seja a simples variedade de ingredientes, que se traduz no fato de que há sempre alguma coisa para chamar a atenção do bebedor. A receita inclui sete maltes diferentes, além de aveia tostada para dar "aquele jeito de biscoito", como diz Ashman. Muitos litros de melaço negro tornam mais leve o paladar, ao mesmo tempo que acrescentam camadas de sabores intensos com características de nozes. Quando Todd Ashman deixou a cervejaria, a receita ficou sob os cuidados de Matt Van Wyk, que a aperfeiçoou tendo em mente o espírito original. Agora que Van Wyk partiu, o novo cervejeiro vai assumir a função, acrescentando seus próprios toques.

A Flossmoor Station é uma choperia bacana do Far South Side de Chicago. Localizada em uma estação de trem reformada, foi fundada em 1996 e apontada como Melhor Pequena Choperia dos Estados Unidos no Grande Festival Americano da Cerveja de 2006.

Apesar da ousadia, esta cerveja se harmoniza com muitos alimentos. A imensa gama de sabores maltados faz com que ela funcione bem com muitos pratos grelhados e assados. Também tem uma afinidade especial com queijo: experimente com um Camembert derretido, de casca lavada, para obter um efeito que lembra "sanduíche líquido de queijo quente". **RM**

Notas de degustação

Nariz muito complexo de malte profundamente caramelizado, açúcar queimado, frutas secas e uma personalidade intensa, quase defumada, de chocolate. O paladar é doce a princípio e depois seca um pouco até chegar a um final exuberante, de fruta tostada. O amargor do lúpulo é modesto e aparece apenas para dar equilíbrio.

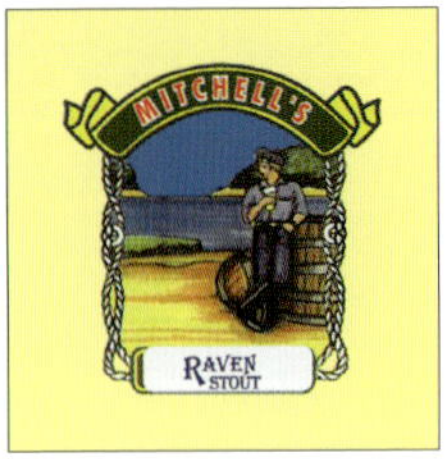

Raven Stout

Mitchell's Knysna Brewery
www.mitchellsknysnabrewery.com

País de origem África do Sul
Lançada em *ca.* final dos anos 1980
Teor alcoólico 5% vol.
Temperatura ideal 13°C

Lex Mitchell deve ter montado sua microcervejaria em West Cape com alguma trepidação, há 25 anos. Durante anos, a cena cervejeira sul-africana foi dominada pela poderosa South African Breweries (SAB).

Mitchell começou a produzir a Raven Stout como sazonal, mas sua popularidade cresceu tão depressa que logo entrou em produção regular e atualmente é encontrada à venda o ano inteiro. A cerveja é de alta fermentação e passa por uma demorada fermentação secundária em temperaturas mais baixas, o que dá um perfeito equilíbrio aos sabores. Na África do Sul, costuma-se dizer que "o local é *lekker*", o que quer dizer que "o local é delicioso". Dificilmente haverá uma combinação mais sublime do que um copo de Raven Stout acompanhado por ostras retiradas das águas claras do estuário do rio Knysna. É uma harmonização clássica que demonstra que as ostras não precisam ser acompanhadas apenas por um bom vinho branco. **TH**

Notas de degustação

Negra como o ébano, coroada por uma espuma que parece um tentador favo de mel açucarado. É encorpada e esbanja sabores de açúcar queimado e café expresso. Bem equilibrada na boca.

Red Duck Porter

Red Duck
www.redduckbeer.com.au

País de origem Austrália
Lançada em 2005
Teor alcoólico 6,4% vol.
Temperatura ideal 8°- 10°C

É extremamente difícil montar uma microcervejaria na Austrália nos dias de hoje e ganhar dinheiro. Mas alguns produtores não são conduzidos por objetivos econômicos. Scott Wilson-Browne, da cervejaria Red Duck, quer apenas que os australianos bebam cervejas de verdade, especialmente ales. Com essa finalidade, ele projetou a Red Duck Porter para ser saborosa e escura, mas ao mesmo tempo equilibrada e acessível. Com forte presença de malte, a bebida é feita com maltes australianos porque Scott acredita que o ar mais limpo do hemisfério sul cria condições de se produzir um malte de sabor mais puro e uma cerveja mais límpida.

Basicamente um autodidata, Scott produz cerveja com uma caldeira especialmente projetada e com a água da chuva que cai em sua propriedade. As primeiras levas foram vendidas para os moradores da região. A distribuição é difícil, mas as vendas aumentam à medida que os consumidores descobrem a bebida. Aqueles que sabem onde procurá-la podem comprá-la em muitas cidades australianas. **DD**

Notas de degustação

A Red Duck entrega um calor torrado e escuro que remete a sua sobremesa de chocolate preferida. A cerveja é melhor quando apreciada no inverno, com um prato de ensopado de carne de boi e purê amanteigado.

Redoak Baltic Porter

Redoak Brewery | www.redoak.com.au

País de origem Austrália
Lançada em 1996
Teor alcoólico 9% vol.
Temperatura ideal 10°- 12°C

David Hollyoak, da Redoak Brewery, em Sydney, costuma viajar ao exterior para ganhar inspiração e conhecimentos sobre tradicionais estilos de cerveja e tendências modernas. Ainda em 1994, ele se aventurou pela Europa Oriental. Uma de suas paradas foi em um café em Cracóvia, na Polônia. Tinha um magnífico porão antigo, cheio de vinhos e cervejas adquiridos durante muito tempo. Hollyoak selecionou uma cerveja escura, parecida com uma porter, e se maravilhou com sua complexidade e sua profundidade de sabor. Parte do seu interesse foi despertado por ele não ser capaz de definir o estilo e por ninguém no café ter informações sobre o produtor. Pesquisas na universidade local revelaram que a cervejaria responsável tinha fechado as portas em 1952. Depois de beber cervejas de 42 anos de idade com tal qualidade, Hollyhoak foi completamente fisgado. Em dois anos ele havia produzido sua versão de um estilo que começou a ficar conhecido como porter do Báltico. **DD**

Notas de degustação

Os aromas de chocolate e frutas se intensificam quando você deixa o copo com esta cerveja escura, de beiradas cor de rubi, se aquecer em suas mãos. Complexidade de malte equilibrada, suavidade calorosa e um final persistente.

Redoak Special Reserve

Redoak Brewery | www.redoak.com.au

País de origem Austrália
Lançada em 1996
Teor alcoólico 12% vol.
Temperatura ideal 8°C

A Special Reserve é uma cerveja difícil de se encontrar, e não é para menos, quando se pensa no que está envolvido em sua produção. Para começar, a fermentação leva doze meses. Esse extenso período é necessário para que o álcool atinja um nível compatível com o de um barleywine. A razão para levar tanto tempo é que a levedura sofre de fadiga alcoólica enquanto consome seus próprios subprodutos. Aparentemente, foi desenvolvida nos Estados Unidos uma levedura resistente ao álcool, mas, por ser mais tradicional, Hollyoak prefere dar trabalho para uma levedura inglesa de old ale, enquanto cuida de outras bebidas.

Depois do período de doze meses, o processo ainda não terminou. A cerveja é amadurecida em três diferentes barris de carvalho por pelo menos dois anos. Cada um deles contribui com complexidade para a bebida. Quanto mais se aguarda, maior é a recompensa no momento em que a mais exuberante das cervejas passa por seus lábios. **DD**

Notas de degustação

A cerveja tem um aroma complexo e sublime conduzido por carvalho, malte e álcool que revela frutas secas, baunilha e brandy. Pequenos goles mostram uma doçura equilibrada de malte e um final caloroso.

Richter Černý Speciál 14°

Richter Brewery
www.pivovarubulovky.cz

País de origem República Tcheca
Lançada em 2004
Teor alcoólico 5,5% vol.
Temperatura ideal 9°C

Quando František Richter abriu sua choperia em Praga, em 2004, ele trouxe a bagagem de uma vida trabalhando em cervejarias da Alemanha. Seu estabelecimento produz tanto cervejas de trigo ao estilo de Praga e da Baviera quanto versões de algumas das poucas bebidas que sobraram na Alemanha com baixa fermentação. A Černý Speciál, ou "preta especial", porém, foi criada na tradição de um clássico tcheco.

Ao aparecer, era uma cerveja escura entre média e forte, mas evoluiu para se tornar uma bebida tradicional, levemente mais potente. É preparada com uma única etapa de decocção, composta de maltes Pilsen, Munique, caramelo e Carahell. Algumas das primeiras experiências incluíram pequenas quantidades de aveia e de malte de trigo. Recebe três vezes lúpulo em pelotas, usando a clássica varietal vermelha de Saaz, semiprecoce, junto com outra versão de Saaz, a Premiant, mais rica em ácidos alfa, para o amargor. Depois de uma semana de fermentação primária, ela passa por maturação durante pelo menos seis semanas em temperaturas muito baixas, chegando ao fim do processo com 5,5% vol.

Todas as cervejas especiais da Richter são produzidas em rodízio, e a única que é disponível o tempo todo é a Richter Ležák, uma clássica pilsen da Boêmia. Porém, os apreciadores de cerveja da capital tcheca recebem de braços abertos as poucas aparições anuais da Černý Speciál, que é uma companhia muito bem-vinda para a excelente cozinha da choperia. **ER**

Notas de degustação

Quase negra, com uma espessa coroa de espuma cor de cappuccino. Na boca, começa doce e intensa, antes de revelar gengibre, café e notas de especiarias, terminando com um notável amargor de lúpulo.

Ridgeway Foreign Export Stout

Ridgeway Brewing
www.quaffale.org.uk/php/brewery/830

País de origem Inglaterra
Lançada em 2006
Teor alcoólico 8% vol.
Temperatura ideal 10°C

Peter Scholey foi o último mestre cervejeiro da Brakspear's, em Henley-on-Thames, na Inglaterra. Quando a cervejaria tão querida e histórica fechou as portas em 2002, ele decidiu abrir seu próprio negócio. Evitando com sabedoria os altos custos de aluguel, começou produzindo sua bebida com a capacidade ociosa de outras cervejarias.

Scholey oferece uma ampla variedade de cervejas de alta qualidade, muitas para exportação, e a Foreign Export Stout é típica. A princípio, a cerveja foi uma versão com novo nome de uma stout para o Natal que Scholey chamou de "Lump of Coal" (Torrão de Carvão). Com receita ligeiramente diferente, ela agora é uma bebida com personalidade própria. Scholey geralmente a prepara na Hepworth and Co., em Horsham, Sussex, ou mais perto de casa, na Cotswold Brewing, em Oxfordshire. Na torragem entram maltes claro, Pilsen, Crystal, âmbar e negro, bem como cevada torrada e aveia maltada, enquanto os lúpulos são English Challenger e Styrian Golding, com folhas inteiras. A característica frutada é um pouco contida, graças a um cuidadoso controle da velocidade de fermentação.

Scholey acha que a Foreign Export, por ser acondicionada em garrafas, se mantém por, no mínimo, dois anos após o lançamento e pode ter mudanças sutis durante aquele tempo. Jovem ou mais velha, é uma bebida gratificante e impressionante. **JE**

Notas de degustação

Stout quase negra, com chocolate, café e lúpulos picantes no aroma. Doce no começo, o sabor apresenta chocolate cremoso, noz, caramelo mole e passas, bem como uma sugestão de chá.

← Colheita dos lúpulos Saaz, que entram na "Preta Especial" da Richter.

Rip Tide

BrewDog | www.brewdog.com

País de origem Escócia
Lançada em 2008
Teor alcoólico 8% vol.
Temperatura ideal 10°- 14°C

A força da cena de produção artesanal anglo-americana está em sua paixão por olhar para os dois lados: mergulhar fundo na história para revisitar estilos clássicos, às vezes extintos, e revivê-los, embora não de forma totalmente fiel, mas com um toque moderno. A BrewDog se coloca como os punks do mundo cervejeiro, mas, como acontece com seus rótulos, com frequência polêmicos, isto deve ser lido com uma saudável dose de ironia. Os punks queriam destruir o passado e começar no Ano Zero. Com uma cerveja como a Rip Tide, a Brew Dog pegou um velho aristocrata e, em vez de destruí-lo, tratou-o com respeito – renovando-o, tirando a poeira e vestindo-o com roupas modernas.

A Rip Tide é uma "interpretação contemporânea escocesa" da russian imperial stout, cerveja produzida no Reino Unido e exportada para a corte dos czares. De acordo com relatos da época, era densa, quase carnuda, alcoólica e sensual. A versão da BrewDog é feita com açúcar mascavo escuro e quatro tipos de malte que fornecem um corpo musculoso e desafiador. Lúpulos First Gold e Galena são usados para dar sabor.

A BrewDog sugere que a melhor forma de aproveitar a Rip Tide é "desfrutá-la com um ar de indiferença aristocrática". Embora seja uma cerveja que ficaria à vontade entre pessoas de sangue azul, seria extremamente difícil encará-la como algo que lembra indiferença. Em vez disso, aprecie a embalagem bem-humorada que se pretendeu dar à bebida, antes de dedicar uma contemplação muito séria a este clássico atemporal e se maravilhar com a forma singular com que a bebida pode combinar irreverência e beleza. **PB**

Notas de degustação

A BrewDog afirma: "Arrogante, furtiva, atormentadora, sob sombras e fluxo ameaçadores." Este autor afirma: "Negra como tinta, com aromas de café, Porto e toffee doce, seguidos por intenso chocolate amargo, melaço e café, revelando lentamente uma miríade de outras alusões de sabor."

Ritterbock

König Ludwig Schlossbrauerei Kaltenberg | www.koenig-ludwig-brauerei.com

País de origem Alemanha
Lançada em *ca.* anos 1980
Teor alcoólico 9% vol.
Temperatura ideal 6°- 8°C

Em Munique, a celebração anual da cerveja é a Oktoberfest. Esse evento teve início em 1810, quando o casamento do príncipe herdeiro Ludwig da Baviera com a princesa Theresa da Saxônia foi o catalizador para vibrantes festividades na cidade. Nos dias de hoje, porém, a Oktoberfest tem como rival Ritterturnier, evento que acontece a 48 quilômetros de distância, nos três primeiros fins de semana de julho. Esse torneio de justa, colorido e envolvente, encontra o cenário perfeito no castelo de Kaltenberg, marcante sede wagneriana da König Ludwig Schlossbrauerei Kaltenberg.

A Kaltenberg é comandada pelo príncipe Luitpold, tataraneto do príncipe Ludwig, cujo casamento deu origem à Oktoberfest. Por estranho que pareça, a cervejaria foi excluída do fornecimento de bebidas para a festa, que é restrito aos produtores sediados na cidade de Munique. A reação de Luitpold foi transformar a Ritterturnier em um evento ainda mais espetacular, atraindo 120.000 visitantes anualmente com sua mistura de justa, espetáculos de acrobacias e feira "medieval".

As cervejas Kaltenberg ficam, naturalmente, em evidência durante o torneio, que inspira o nome da esplêndida Ritterbock (Bock do Cavaleiro), uma lager forte, rica e frutada. Esta bock tripla, uma das cervejas mais potentes da Baviera, é feita com malte de cevada da região e lúpulo Hallertau, e depois amadurecida por cinco meses. É complexa e encorpada, marcante o suficiente para arrebatar o título de Melhor Lager Forte do Mundo dos Prêmios Mundiais de Cerveja de 2008, organizados pela revista *Beers of the World*, agora extinta. A cervejaria recomenda que ela acompanhe assados e outros alimentos consistentes, o tipo de prato substancioso que é encontrado durante o próprio torneio. **JE**

Notas de degustação

Cerveja marrom-avermelhada com notas de chocolate e caramelo, além de figos secos, no aroma maltado. O paladar é maltado, com figo, e doce, com sabores de chocolate e passas, concluindo de forma seca, agridoce e maltada, com mais passas. Uma bebida forte e gratificante, delicadamente calorosa.

Robert the Bruce

Three Floyds | www.threefloyds.com

País de origem Estados Unidos
Lançada em 1997
Teor alcoólico 6,5% vol.
Temperatura ideal 4°C

O estilo da Three Floyds é difícil de captar em um primeiro momento, um pouco como a história dos três cegos que encontram um elefante, em que a tromba, o rabo e a perna fornecem impressões completamente diferentes. Dê um gole na Alpha King ou na Dreadnaught e o assunto é lúpulo. O apelo e a atração exercidos pela Dark Lord Imperial Stout é sua força esmagadora. A Gorch Fock Helles é a ortodoxia dentro da garrafa. Porém, quem prova a Robert the Bruce tem a impressão de que a equipe da Three Floyds é obcecada por malte. A beleza é que tudo isso é verdade.

A partir de Munster, subúrbio de Chicago, a Three Floyds está produzindo uma estarrecedora variedade de cervejas cheias de personalidade. A Robert the Bruce é um pouco como uma homenagem às origens escocesas do nome Floyd, mas foi feita, principalmente, para preencher um nicho no mercado de Chicago, de acordo com o fundador Nick Floyd. "Todo mundo estava fazendo bebidas âmbar, irish reds e pale ales. A Bruce nasceu para ser o oposto do carro-chefe da cervejaria, a Alpha King, e recebeu o nome de um rei escocês, rebelde do século 14."

A Escócia tem uma antiga tradição na produção cervejeira que espelha a inglesa, mas apresenta algumas diferenças. Devido ao clima mais frio, as ales escocesas eram fermentadas em temperaturas inferiores às de suas primas inglesas, o que dava a elas uma espécie de suavidade de lager (um dos primeiros redutos das lagers nas Ilhas Britânicas foi a Escócia). Também, por causa da distância das plantações de lúpulo do sul da Inglaterra, as cervejas tendiam a ser mais maltadas. A presença de lúpulo, portanto, é baixa, com 35 IBU, o que é apenas amargor suficiente para equilibrar o que Floyd chama de "os melhores maltes escuros que o dinheiro pode comprar". **RM**

Notas de degustação

Apetitoso nariz de brownie de chocolate com sugestão de fruta seca: passas e ameixas. Profundamente caramelizada, talvez até mesmo um pouco enfumaçada. Doce e plena no paladar, mas com uma qualidade torrada, harmoniosa e suave, que não se torna enjoativa. Longo final de cacau. Ai, as alegrias do malte!

Rogue Mocha Porter

Rogue Ales | www.rogue.com

País de origem Estados Unidos
Lançada em 1995
Teor alcoólico 5,1% vol.
Temperatura ideal 7°- 12°C

"Se você vai ser irreverente e fazer alguma maluquice, é melhor ter muita certeza de que vai produzir uma grande cerveja." Quem diz isso é Jack Joyce, ex-advogado e diretor da Nike e atual coproprietário da Rogue Brewery. A cervejaria e, de fato, Jack são os reis da diferença quando se trata de bebidas, e por mais de vinte anos esse empreendimento sediado no estado do Oregon vem provocando polêmicas.

A cerveja, com certeza, é irreverente, mas, como diz o homem, também é boa, e por isso foi reconhecida no meio especializado e recebeu prêmios em todos os Estados Unidos. A maior parte dos paladares é atendida pelas espantosas sessenta cervejas preparadas na Rogue – do floral, na Juniper Pale Ale, ao enfumaçado, na versão de uma Rauchbier de Bamberg, que ganhou o nome adequado de Smoke Ale (Ale de Fumaça). Há um pouco de tudo no portfólio de Jack.

A Mocha, por sua vez, é um exemplo perfeito do estilo de porter norte-americana, cerveja inspirada pela prima inglesa, mas que foge do padrão com muitas bossas yankees. A leitura da Rogue é garantir que se saiba tudo sobre aquele tipo de café, mas, como costuma fazer, a equipe de cervejeiros conseguiu ir um passo além, garantindo que o perfil de lúpulos fosse distinto. Como produto maltado, a porter apresenta uma mistura complexa de maltes Northwest Harrington and Klages, Crystal 80, chocolate Beeston, negro, Munique e Carastan. Embora o amargor seja de apenas 54 IBU, não há como não notar a maravilhosa personalidade dos lúpulos Perle e Centennial. O café não entra na lista de ingredientes, mas sua presença não pode ser negada, tornando esta bebida não apenas incrivelmente saborosa, mas também uma contribuição interessante à mesa de jantar. **TS**

Notas de degustação

Uma forte sugestão de café no nariz e a cor escura e avermelhada ajudam a comparação, mas esta é uma cerveja complexa, suave na boca, com um belo e leve sabor de chocolate. Maravilhosa quando acaba de sair da geladeira, mas experimente com churrasco, para aproveitar o melhor que ela tem a oferecer.

Royal Extra Stout

Carib Brewery | www.caribbeer.com

País de origem Trinidad e Tobago
Lançada em *ca.* anos 1930
Teor alcoólico 6,6% vol.
Temperatura ideal 10°- 12°C

Em Trinidad, existem apenas alguns ecos dos tempos do Império Britânico na linha de bebidas da maior cervejaria, a Carib. O principal produto da Carib é a leve e refrescante Carib Lager, mas o portfólio também apresenta uma versão mais forte da Mackeson Stout, além da curiosa Carib Royal Extra Stout. Esta última foi herdada pela Carib de uma cervejaria mais antiga, chamada Walter's, que foi incorporada na década de 1950. Os maltes Pilsen e negro formam a base do mosto, com malte caramelo adicionado para dar cor. Os lúpulos não têm papel de destaque, pois esta é uma bebida predominantemente doce, aprimorada com açúcar de cana e lactose, que dão mais corpo.

A Royal Extra Stout é uma maravilhosa cerveja de sobremesa, tal é sua natureza açucarada, mas, com 6,6% de teor alcoólico, não é para ser levada na brincadeira sob o sol inclemente das Índias Ocidentais. **JE**

Notas de degustação
Com cor intensa de rubi e presença de chocolate amargo, caramelo, malte amanteigado, alcaçuz e fruta seca no aroma. O sabor é pleno e doce, com chocolate, café e toques de alcaçuz.

Ryan O'Sullivan's Imperial Stout

Moylan's Brewing Co. | www.moylans.com

País de origem Estados Unidos
Lançada em 1996
Teor alcoólico 10% vol.
Temperatura ideal 11°C

A Ryan O'Sullivan's Imperial Stout foi criada em 1996 para homenagear o instrumentista que toca gaita de foles e aparece no Moylan's Brewery and Restaurant todo dia de São Patrício para executar melodias festivas. O proprietário Brendan Moylan prometeu ao músico que, se ele tocasse em todas as festas de São Patrício, a cervejaria daria seu nome a uma cerveja. O'Sullivan não tinha certeza de que Moylan falava sério, mas concordou. E assim nasceu a Ryan O'Sullivan's Imperial Stout.

A Imperial Stout, distribuída agora em mais de 21 estados dos Estados Unidos, e também na província canadense de British Columbia e na ilha de Guam, obtém seu sabor rico e complexo de uma combinação de nove maltes diferentes. Como as imperial stouts originais, produzidas para resistir à viagem da Inglaterra para a Rússia, a bebida tem uma força considerável. **RL**

Notas de degustação
A bebida é negra como uma noite sem luar. Tem uma rica coroa de espuma cor de café, que permanece densa, e um convidativo aroma maltado. Base de malte doce e torrado, com um toque de baunilha e sugestão de cacau.

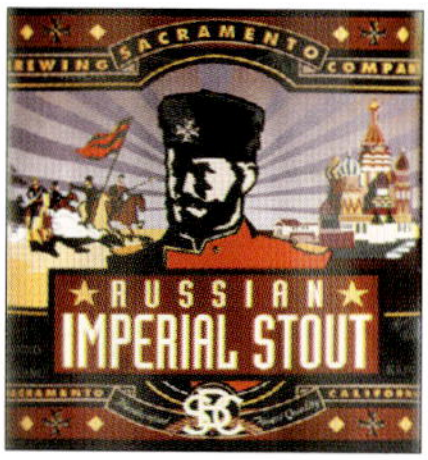

Sacramento Russian Imperial Stout

Sacramento Brewing | www.sacbrew.com

País de origem Estados Unidos
Lançada em 1997
Teor alcoólico 8,1% vol.
Temperatura ideal 13°C

A inspiração original para a Imperial Stout da Sacramento Brewing foi outra versão californiana – a Old Rasputin, da North Coast. Em 1997, Jeri e Sam Petersen, donos da cervejaria, queriam criar sua própria interpretação do estilo de cerveja de origem inglesa feito para a corte imperial russa.

A cerveja é produzida com uma mistura de seis maltes diferentes: duas fileiras, Munique, cevada torrada, chocolate claro, Special B e o malte negro descascado da Castle Malting, na Bélgica, junto com uma grande porção de aveia, utilizando um processo de fermentação em múltiplas levas. Ao encher o tanque de fermentação durante vários dias e manipular a aeração que o mosto não fermentado recebe, é criada uma ale forte, harmoniosa e acessível na época de seu lançamento, mas que também pode ser armazenada por muitos anos. **JB**

Notas de degustação

Ao servir, é negra com espuma em tom de canela escuro e belas rendas de Bruxelas. O nariz é rico em chocolate amargo, com aromas de baunilha, café torrado e figo. Na boca, a textura é suave como o veludo.

Sagres Preta

Sagres | www.sagresbeer.com

País de origem Portugal
Lançada em 1940
Teor alcoólico 4,3% vol.
Temperatura ideal 9°C

A Sagres Preta nasceu no mesmo ano em que a Sagres Branca – a onipresente lager que patrocina o futebol português, carro-chefe da cervejaria. Com o tempo, a Sagres deixou de ser uma empresa de economia rigidamente controlada e passou a ser uma atualizada máquina de marketing sujeita à economia global – agora controlada pela Heineken.

As megacorporações não costumam ser conhecidas por fazer uma cerveja decente, e, por isso, a sobrevivência desta bebida é um verdadeiro mistério. É inteiramente possível que a capacidade de resistência da Sagres Preta seja fruto, em parte, da sua compatibilidade com a comida. O sabor torrado e levemente doce de caramelo a torna adequada para acompanhar carnes grelhadas e peixes, seja em Portugal ou na sua própria casa. Tem personalidade e capacidade de refrescar, uma combinação útil que não deveria ser difícil de encontrar. **JS**

Notas de degustação

Espuma cor de canela aparece sobre uma cerveja quase negra. Algum caramelo e café adoçado com creme no nariz, e um sabor levemente doce, controlado apenas por um vago amargor torrado. Muito fácil de beber.

Saku Porter

Saku Brewery
www.saku.ee

País de origem Estônia
Lançada em *ca.* anos 1990
Teor alcoólico 7,5% vol.
Temperatura ideal 12°- 14°C

Apesar de a produção na Estônia ter uma longa e venerável história, o país tem apenas um punhado de cervejarias. A Saku é uma das mais antigas, com uma história que remonta a 1820. Como acontece com as tradições cervejeiras de todos os países do Báltico, não é surpresa descobrir que as bebidas de baixa fermentação, do tipo lager, encabeçam a produção (a mais vendida da Saku é uma lager clara forte, a Originaal), embora muitos dos maiores estabelecimentos também se arrisquem em misturas surpreendentes. Não parece haver muito espaço agora para porters do Báltico em seu próprio território, embora essas cervejas saborosas, escuras e agridoces sejam muito populares em mercados estrangeiros, e em especial nos Estados Unidos. Existem várias razões para o declínio da popularidade das porters do Báltico: é possível que os moradores da região estejam determinados a mostrar que querem fazer parte do Ocidente, ao seguir as preferências por bebidas de seus novos parceiros europeus. Ou pode ser que as grandes cervejarias que se transferiram para a região tenham trazido equipes de marketing que não veem com simpatia o tempo de maturação relativamente longo necessário para as porters do Báltico (a Saku pertence à Carlsberg). A Saku Porter é uma rara sobrevivente. Cheia de chocolate e de personalidade de café, é produzida uma vez por ano para ser desfrutada no inverno. **ATJ**

Notas de degustação

Nariz sutil de café e malte torrado. O paladar é reconfortante, com uma doçura maltada contida que abre os trabalhos, seguida por café, toffee *e mais notas torradas.*

Samuel Smith's Imperial Stout

Samuel Smith
www.samuelsmithsbrewery.co.uk

País de origem Inglaterra
Lançada em 1986
Teor alcoólico 7% vol.
Temperatura ideal 15°C

Além da India Pale Ale, não existe cerveja mais associada a um período da história do que a russian imperial stout. Embora a Smith's não empregue o termo "Russian", a cerveja é exatamente isto – uma stout intensa no estilo que costumava ser exportado de Londres para a corte de Catarina, a Grande, no final do século 18.

A Smith's interpretou um importante papel no renascimento do estilo, em meados da década de 1980, quando a imperial stout era uma espécie de raridade. De forma um tanto incongruente, o estilo foi recebido com entusiasmo pela nova leva de produtores artesanais norte-americanos. E o que isso tem a ver com a cervejaria Samuel Smith's, você pode perguntar? Garrett Oliver, mestre cervejeiro da Brooklyn Brewery, dá continuidade à história: "Fui aprendiz de Mark Witty, que foi um dos veteranos da Samuel Smith's. Não pode haver dúvida de que nossas bebidas foram influenciadas pelas da Sam Smith's. De forma semelhante, quando produzi pela primeira vez a Brooklyn Black Chocolate Stout, em 1994, a Samuel Smith's Imperial Stout serviu de referência para o estilo."

Apesar de ter sido recriada em 1986, tudo nesta cerveja remete a uma era muito anterior, do estilo da bebida em si à atmosfera vitoriana no rótulo, desenhado à mão. As sugestões da Smith's para servi-la fazem alusões a uma era de suntuosidade: caviar, champanhe e charutos. **ZA**

Notas de degustação

Aroma imenso, intenso de café expresso, chocolate amargo e bolo de frutas ligeiramente queimado. Algo viscosa na língua, a princípio mostra-se doce, mas um agradável amargor emerge.

Samuel Smith's: uma stout que só não é russa no nome.

1896 AWARDED
GOLD MEDAL
INTERNATIONAL BREWERS EXHIBITION LEEDS
1896
AWARDED TO
TADCASTER
FOR
STOUT
Samuel Smith's
CONTRACTORS TO
HER MAJESTY'S FORCES
BREWERS & ALLIED TRADERS
INTERNATIONAL EXHIBITION & MARKET
AWARDED
TO
TADCASTER
FOR
BOTTLED BEER
AWARDED 1ST PRIZE AND
SILVER MEDAL-BOTTLED
BEER 1930
THE OLD BREWERY
ESTD
Samuel Smith
1758
TADCASTER
IMPERIAL
STOUT

Samuel Smith's Taddy Porter

Samuel Smith | www.samuelsmithsbrewery.co.uk

País de origem Inglaterra
Lançada em 1979
Teor alcoólico 5% vol.
Temperatura ideal 13°C

Tadcaster, no norte de Yorkshire, é uma das cidades históricas da produção cervejeira na Inglaterra. A qualidade de seus suprimentos naturais de água encorajou o desenvolvimento de uma série de cervejarias, sendo que três delas sobrevivem há um século ou mais. O nome da cidade é homenageado por uma cerveja produzida por uma daquelas cervejarias, a popular mas um tanto discreta Samuel Smith's, fundada em 1884, quando Samuel assumiu o lugar que costumava ser ocupado pelo estabelecimento de John Smith, que se mudou para a casa ao lado. Sam era sobrinho de John.

Há um estranho silêncio, pouco convencional, cercando a Sam nos dias de hoje. Permanece nas mãos dos descendentes de seu fundador, mas é uma empresa profundamente discreta, que despreza todo contato com a mídia, permitindo em vez disso que as cervejas falem por si. Em um mundo tão alerta em relação à publicidade, é uma abordagem diferente e revigorante para o marketing, e, como as cervejas têm muitas coisas boas a dizer, a Sam não parece sair no prejuízo.

Embora a empresa faça uma série de boas cervejas servidas na torneira, sua fama mundial foi construída a partir da qualidade de bebidas engarrafadas, como a Nut Brown Ale, a Oatmeal Stout, a Winter Welcome e a robusta Taddy Porter. Esta última surgiu em 1979, contrariando a tendência da época, em que as porters raramente eram encontradas no Reino Unido. As críticas elogiosas que ela recebeu sem dúvida motivaram outras cervejarias a reavaliar a produção de cervejas mais escuras. Não adianta esperar que a Sam revele os segredos por trás da sua produção, mas nitidamente há uso de amplas quantidades de grãos escuros na tina de maceração, para criar aquele tom intenso de rubi e os ricos sabores de cevada torrada. **JE**

Notas de degustação

Cerveja em rubi intenso, com chocolate, caramelo e tabaco doce no aroma. O sabor é penetrante e delicadamente amargo, com chocolate amargo, alcaçuz e notas de café, seguido por um final seco, amargo e com características de nozes, em que o grão torrado vem para o primeiro plano.

Sara

Brasserie Silenrieux | users.belgacom.net/gc195540/

País de origem Bélgica
Lançada em 1992
Teor alcoólico 6% vol.
Temperatura ideal 10°C

A cervejaria foi criada com o propósito de produzir bebidas com grãos antigos e interessantes. As duas primeiras, Sara e Joseph, usam respectivamente trigo-sarraceno e espelta, além de cevada. Ambas foram certificadas como sendo 100% orgânicas pela Ecocert, organização responsável pela certificação biológica na União Europeia.

O uso do trigo-sarraceno dá à Sara uma cor amarronzada, sabor refrescante e um corpo de médio para cheio. Também dá o nome para a cerveja, pois "Sara" vem da palavra em francês para o grão *sarrasin*. O trigo-sarraceno é cultivado e usado habitualmente em lugares como a Rússia, o sul da Europa e em boa parte do Extremo Oriente, em especial na China e no Japão. Acredita-se que os gregos o trouxeram do Oriente Médio e foram responsáveis por sua introdução na Europa. O sarraceno, às vezes chamado de grão "negro", é uma planta forte que cresce com rapidez e prospera em terrenos ruins. Tornou-se popular nas áreas ocupadas pelos alemães durante a Segunda Guerra Mundial, quando a cevada, a aveia e o trigo tiveram que ser vendidos para o exército invasor. A Sara baseia-se em uma antiga receita de cerveja da região.

A Brasserie Silenrieux é uma empresa tocada por duas pessoas. Benoit cuida da produção de cerveja e Edouard Descendre cuida dos negócios. Como os dois, literalmente, fazem de tudo, trata-se de uma pequena operação que produz aproximadamente 1.000 hectolitros de cerveja por ano. Apesar da escala liliputiana, a Silenrieux ainda consegue exportar suas bebidas para França, Espanha, Itália, Suíça, Estados Unidos e Japão. **CC**

Notas de degustação

De coloração marrom-avermelhada, quando servida apresenta um grande colarinho cor de canela. Notas de trigo, frutas escuras como ameixas, levedura e especiarias no aroma. O sabor é maltado, de levedura, levemente lupulado e um tanto terroso, com gosto residual agridoce. Tente harmonizar com linguado ou truta.

Sarah Hughes Dark Ruby

Sarah Hughes Brewery
www.sarahhughesbrewery.co.uk

País de origem Inglaterra
Lançada em 1921
Teor alcoólico 6% vol.
Temperatura ideal 12°C

O Beacon Hotel, na cidade de Sedgeley, na Inglaterra, é uma pequena joia vitoriana. Dois bares aconchegantes na frente, uma sala mais comprida nos fundos, revestida com madeira, e um encantador balcãozinho são felizes sobreviventes de tempos em que muitos pubs tinham essa aparência. Nos fundos do pub fica uma clássica cervejaria no mesmo estilo do século 19, projetada de forma ergonômica para que o processo de produção empregue a força da gravidade, com o malte vindo do andar superior e a cerveja pronta saindo no andar de baixo.

O pub e a cervejaria foram adquiridos por uma viúva da região, chamada Sarah Hughes, em 1920. Ela perdeu o marido em um acidente em uma mina e usou o dinheiro do seguro para bancar o novo empreendimento. Ela assumiu pessoalmente a produção das bebidas e, um ano depois, chegou à receita de uma das cervejas mais elogiadas das Midlands. O neto de Sarah, John Hughes, reabriu a cervejaria nos anos 1980. Em um esforço para reconstituir a receita de Sarah para a famosa ale, John debruçou-se sobre livros de registros e antigas faturas. Então, a descoberta por acaso da receita original no cofre de um banco da região garantiu que ele pudesse preparar a cerveja com toda a autenticidade. A Sarah Hughes Dark Ruby é uma rara sobrevivente, uma das poucas milds fortes ainda no mercado. Maltes claro e Crystal enchem a tina de maceração, com caramelo adicionado para intensificar a cor. Lúpulos Fuggle e Golding fazem o trabalho modesto, mas vital, no cobre. **JE**

Notas de degustação

Suaves notas de dropes de pera, um pouco de chocolate e malte suave aparecem no aroma que lembra vinho. O sabor é delicado e maltado, com um toque levemente vinoso para compensar a doçura.

Schmaltz's Alt

August Schell Brewing Company
www.schellsbrewery.com

País de origem Estados Unidos
Lançada em 1989
Teor alcoólico 5,1% vol.
Temperatura ideal 6°- 7°C

Grande parte da produção da Schell é constituída por uma lager ao estilo antigo, convencional, chamada de Grain Belt e adquirida em 2002, mas a August Schell produz também uma série de autênticas cervejas artesanais. Fundada em 1860, é a segunda mais antiga cervejaria familiar dos Estados Unidos e uma das mais belas. Situada em terrenos verdejantes no sudoeste de Minnesota, a propriedade arborizada também é um parque de criação de cervos. O dono, Ted Marti, integrante da quarta geração, agora comanda a cervejaria e foi responsável por sua mudança de foco da produção de grande escala para a artesanal, nos anos 1990.

A Schmaltz's é uma Altbier (o que significa "cerveja velha" em alemão) de alta fermentação, processo corriqueiro em partes da Alemanha. Hoje o coração desse estilo se encontra em Düsseldorf. "Vínhamos produzindo uma série de Blizzard Ales, sazonais", diz Marti, "e tivemos muito sucesso com cervejas mais escuras, maltadas. Queríamos tentar uma ale e achamos que uma Altbier seria adequada para uma cervejaria como a nossa, com uma herança alemã. Também é uma espécie de tributo a meu pai." De acordo com a história no rótulo da garrafa, quando jovem, o pai de Marti gostava de atirar nas ratazanas da lixeira municipal, sob a supervisão de um homem chamado Schmaltz. O Marti mais velho passou a ser apelidado de Schmaltz e o nome pegou.

Rica em sabor, corpo e cor. Mas, afinal de contas, se a cerveja é boa, por que não fazê-la assim? **RM**

Notas de degustação

No nariz, tem notas intensas de passas e caramelo com suaves sugestões torradas. O aroma rico oculta um corpo modesto, com um torrado delicado de café moca. O gosto residual é longo, harmonioso e agridoce.

A linha de engarrafamento na cervejaria August Schell, em New Ulm, Minnesota. →

Schwarzer Kristall

Brauerei Locher | www.appenzellerbier.ch

País de origem Suíça
Lançada em 2007
Teor alcoólico 6,3% vol.
Temperatura ideal 8°- 10°C

Como quinta geração no comando da cervejaria em Appenzell, desde que seu ancestral Johann Christoph Locher a comprou em 1886, Karl e Raphael Locher adotaram a filosofia de trabalho de atenderem determinados nichos do mercado, opção relativamente bem-sucedida no contexto cervejeiro suíço-alemão, que é um tanto conservador. Essa filosofia assistiu ao gradual desenvolvimento de uma ampla gama de cervejas especiais.

Depois do sucesso inicial com a orgânica Locher Naturperle, em 1996, a Brauerei Locher já tinha outras novas cervejas na fila. A primeira a seguir foi a Appenzeller Hanfblüte, lager com sabor de cânfora, que ganhou nos anos seguintes a companhia da cerveja de castanha Castégna; de uma lager âmbar envelhecida no carvalho, a Holzfassbier; da Appenzeller Légère, de baixo teor alcoólico; das cervejas sem álcool Leermond e Sonnwendling; e da Birra da Ris, feita com arroz dos campos mais setentrionais da Europa, em Tessin, para dar alguns exemplos. Era uma gama impressionante de bebidas – com certeza, todas muito bem realizadas.

No entanto, a mais impressionante delas ainda estava por vir e surpreendeu muitos especialistas suíços. A Schwarzer Kristall (Cristal Negro) é de baixa fermentação, mas sob o rótulo cheio de lirismo, quase gótico, que lembra o fundador Johann Locher, ela baseia-se em uma receita do final do século 19, apesar de levar um toque de licença artística dos dias de hoje. Exibe uma personalidade audaciosa, bem definida, ligeiramente defumada que é, ao mesmo tempo, inesperada e bem-vinda como uma advertência na paisagem cervejeira suíça. A Schwarzer Kristall não é filtrada e, como todas as outras cervejas Locher, não é pasteurizada. **LM**

Notas de degustação

No copo tem uma aparência negra e oleosa, com uma bela espuma bege. Tremendamente torrada, maltada, consistente, com nariz ligeiramente defumado, tudo se refletindo na textura harmoniosa e sedosa na boca, sem ser pesada no paladar. Uma delícia negra que implora pela companhia de um bom Gruyère suíço envelhecido, sem falar no sushi, opção óbvia.

Sexual Chocolate

Foothills Brewing | www.foothillsbrewing.com

País de origem Estados Unidos
Lançada em 2006
Teor alcoólico 9,7% vol.
Temperatura ideal 7°C

A Foothills Brewing foi fundada em 2005 em Winston--Salem, na Carolina do Norte. Ela produz sete cervejas o ano todo, entre elas Hoppyum IPA, Total Eclipse Stout, Torch Pilsen e Salem Gold. São elaboradas dez cervejas sazonais de edição limitada, incluindo Gruffmeister Maibock, People's Porter e Hurricane Hefeweizen. A cerveja de fim de ano Foothills Festive varia a receita anualmente. A cervejaria também inova com projetos paralelos, como a Seeing Double IPA, envelhecida em barris de bourbon Pappy Van Winkle. Mesmo com esta impressionante variedade de cervejas, para muitos a discussão sobre a Foothills se resume a duas palavras: Sexual Chocolate.

A Sexual Chocolate foi concebida originalmente em 1996 como uma cerveja caseira, para celebrar o Dia dos Namorados. Uma década depois, quando passou a ser produzida comercialmente na Foothills, a notícia correu depressa. O mestre cervejeiro e sócio Jamie Bartholomaus emprega pedaços de cacau torrado, que ficam em infusão a frio nesta stout após a fermentação e durante o acondicionamento. O nome é uma referência meio obscura à comédia *Um príncipe em Nova York*, estrelada por Eddie Murphy e Arsenio Hall. No filme, uma banda fictícia chamada Sexual Chocolate toca a música "Greatest Love of All" em uma festa promovida por uma igreja.

A Sexual Chocolate se tornou a cerveja mais procurada da Foothills, que engarrafa um número limitado de unidades e as lança uma vez por ano, no bar da cervejaria. Esse dia se transformou em um feriado cervejeiro semioficial. Os apreciadores vão para Winston-Salem fazer fila e comprar alguns dos preciosos exemplares. **RL**

Notas de degustação

Ao ser servida, esta cerveja adquire uma espessa cor preta que não deixa a luz passar. A coroa de espuma bege é fina, porém persistente. Há um aroma imediato de chocolate de confeitaria. Ricas notas tostadas se integram à textura encorpada, combinando cacau, café, caramelo e grãos torrados.

1 PT. 6 FL OZ.
650 ML.

Shakespeare Stout

Rogue Ales | www.rogue.com

País de origem Estados Unidos
Lançada em 1988
Teor alcoólico 5,8% vol.
Temperatura ideal 10°C

A Shakespeare Stout, uma imperial stout, é uma das receitas originais da Rogue. O nome homenageia o Festival de Shakespeare do Oregon, que ocorre anualmente durante vários meses na pequena comunidade artística de Ashland, onde a Rogue começou.

Porém o destino interferiu na sua localização atual. No início de 1989, em meio a uma forte nevasca, Jack Joyce, um dos sócios da cervejaria, foi persuadido por Mohave Neimi, proprietária da famosa cadeia de restaurantes Mo's Clam Chowder, do Oregon, a abrir uma nova cervejaria e bar em uma propriedade da família na agitada praia de Newport. As negociações incluíram a promessa de que a Rogue sempre deixaria exposta no bar uma fotografia de Neimi nua em uma banheira. Ela faleceu há vários anos, mas a fotografia continua lá até hoje, do lado esquerdo do bar. Sua imagem, desta vez com roupas, também ilustra o rótulo de uma das cervejas.

Mais tarde, a Rogue saiu de vez de Ashland e expandiu suas instalações cervejeiras em Newport. A cidade agora abriga a sede mundial da Rogue, também chamada Rogue Nation, onde um museu, uma sala de degustação e uma destilaria dividem espaço com a cervejaria. O cervejeiro original da Rogue, Greg Kebkey, criou a Shakespeare Stout adicionando aveia à receita para obter uma textura macia e sensual. Quando o mestre cervejeiro atual, John Maier, se uniu à equipe no fim dos anos 1980, ele americanizou o perfil da cerveja substituindo o lúpulo à base de Hallertau por Cascade, mas sem alterar a receita. "É uma cerveja para todas as épocas", diz Maier. "Morna ou gelada, é sempre rica." **LMo**

Notas de degustação

A Shakespeare Stout tem cor de ébano e uma rica coroa de espuma. Tem sabor brilhante porém terroso, e um final suave, de chocolate e café. Harmoniza bem com carne de boi e queijos. Crie uma deliciosa receita colocando-a sobre sorvete de creme.

← Uma galeria de Rogues.

Shonan Liebe

Shonan Beer | www.kumazawa.jp

País de origem Japão
Lançada em *ca.* 1997
Teor alcoólico 5% vol.
Temperatura ideal 5°- 7°C

A Kumazawa Shuzo foi fundada em 1872 como produtora de saquê. Mais de um século depois, em 1996, ela passou a produzir bebidas fermentadas e abriu a Shonan Beer. O atual presidente, Mokichi Kumazawa (a sexta geração da Kumazawa Shuzo), se inspirou em visitas a diversas microcervejarias dos Estados Unidos. De volta ao Japão, o mais difícil foi obter informações sobre a elaboração de cervejas. A fabricação em pequena escala era um conceito novo no país na época, e todos queriam descobrir os segredos. Mokichi acreditava que seria um bom investimento para a empresa, que só produzia saquê durante o inverno e tinha bastante tempo para fabricar cerveja no resto do ano.

Embora sua primeira cerveja, uma pilsen, ainda seja a mais vendida, a Liebe foi sua terceira tentativa e hoje vende quase tanto quanto a pilsen. Trata-se de uma Schwarzbier, concebida como cerveja especial para o Dia dos Namorados. Boa parte do esforço foi consumida na suavização da textura e, como resultado, a cerveja foi bem recebida no restaurante da cervejaria. Após conquistar alguns prêmios, ela se tornou um produto regular.

A Shonan Beer elabora várias cervejas intrigantes, como IPAs e imperial stouts, mas seus principais rótulos são mais convencionais e vendidos principalmente para restaurantes. A Liebe, ao lado da Ruby (uma Altbier) e da Bitter (pilsen), define esta categoria. A água destas cervejas e dos saquês é proveniente de um antigo poço da propriedade, alimentado por um aquífero das montanhas Tanzawa. Diz-se que a água leva 75 anos para ir das montanhas até o poço por dentro da terra e que é de extrema qualidade. **BH**

Notas de degustação

A cerveja é de um marrom-avermelhado profundo, com espuma bege. O aroma é de café e caramelo escuro. O rico sabor apresenta uma doçura mínima, com boa acidez. O amargor do lúpulo é apenas o suficiente para manter o equilíbrio. O final é longo, com sabores tostados.

Sinebrychoff Porter

Oy Sinebrychoff | www.sinebrychoff.fi

País de origem Finlândia
Lançada em 1957
Teor alcoólico 7,2% vol.
Temperatura ideal 10°- 18°C

No fim do século 18 o nobre russo Pyotr Sinebrychoff partiu com toda a família em carruagens para o Grão-Ducado da Finlândia em busca de fortuna. Ele estabeleceu ali um "salão de fermentação de cerveja" para os soldados da base de Ruotsinalmi. Quando a base foi realocada, ele continuou na cidade, mas seu filho Nicolai seguiu o exército, prosperando nas guerras entre a Suécia e a Rússia, em que abasteceu o exército russo. Atento a novas oportunidades, ele observou um aumento no consumo de cerveja e, em 1819, obteve uma licença de dez anos para fabricar e vender a bebida em Helsinki. A data marca a fundação da empresa.

A elaboração de porter pela cervejaria remonta à década de 1860, mas sua produção era esporádica. De início, só eram feitos volumes pequenos durante o inverno, e nos anos 1930 a produção cessou. Foi só em 1957 que surgiu a Sinebrychoff Porter. Diferentemente de muitas porters do Báltico, a versão da Sinebrychoff é feita com levedura de alta fermentação – nada menos que da Guinness. A cerveja não é filtrada, embora a levedura em excesso seja removida por separação. Leva quatro maltes diferentes – Pilsen, Munique, marrom e caramelo – e lúpulos Saaz e Nugget.

O autor especializado Michael Jackson incentivou muito a porter do Báltico, sendo um dos primeiros críticos fora da região a promover este estilo. A Sinebrychoff Porter era uma de suas preferidas. O Beverage Testing Institute, de Chicago, a classificou como uma das melhores cervejas importadas dos Estados Unidos, e ela conquistou duas medalhas de prata no concurso Prêmios Internacionais do Setor Cervejeiro. **AA**

Notas de degustação

Escura, de espuma bege-escura. O aroma de malte tostado é bastante simples e sem notas excessivas, mas se desenvolve em um sabor mais forte de café ligeiramente queimado, com toques de torrada, alcaçuz e frutas desidratadas. O amargor é balanceado e persiste apenas o suficiente para finalizar a experiência.

S'muttonator

Smuttynose Brewing | www.smuttynose.com

País de origem Estados Unidos
Lançada em 2005
Teor alcoólico 8,8% vol.
Temperatura ideal 8°C

Se não fosse por uma bomba defeituosa no caldeirão de brassagem de David Yarrington, na cervejaria Smuttynose, em Portsmouth, New Hampshire, talvez o mundo nunca conhecesse os prazeres desta Doppelbock intensamente maltada. O sistema da Smuttynose duplica o processo, bombeando a pasta macerada do caldeirão para a cuba de filtragem e depois enviando o mosto de volta ao caldeirão. Contudo, um dia, há alguns anos, a tal bomba quebrou no meio do processo, e a pasta começou a voltar para o caldeirão.

Yarrington esbravejou, mas depois pensou no que acontecera. Ele testemunhara o processo milenar de decocção, em que se remove uma parte da pasta, que é fervida e devolvida ao mosto. Os produtores de lager fazem isso há séculos para reduzir a opacidade e gerar um perfil de malte mais rico. É um processo demorado e pouco necessário hoje, devido à maior consistência dos maltes modificados e a equipamentos com controle de temperatura. Poucos cervejeiros realizam essa etapa, mas, segundo Yarrington: "Isso nos deu a ideia de experimentar uma dupla decocção em uma bock dupla."

Foi uma decisão curiosa, pois a Smuttynose era mais conhecida por cervejas do tipo ale inglês, que não precisam dessa etapa adicional. A decocção dupla transformou um processo de oito horas em uma jornada de 15 horas. O trabalho extra compensa, e muito. Segundo Yarrington, é o processo lento que extrai o caráter maltado da pasta, sem a adição de açúcares. Em vez de um final adocicado, esta cerveja deixa no paladar um toque de malte tostado e a quantidade certa de lúpulo para estimular outro gole. **DR**

Notas de degustação

Quase preta, com um tênue tom rubi, coberta por um grosso colarinho de espuma. Uma rajada de álcool alerta para o forte teor alcoólico, mas o sabor é puro malte com uma deliciosa combinação de passas, melaço e chocolate. Espessa, com um final suave e cremoso.

St. Peter's Cream Stout

St. Peter's Brewery | www.stpetersbrewery.co.uk

País de origem Inglaterra
Lançada em 2001
Teor alcoólico 6,5% vol.
Temperatura ideal 10°- 12°C

Todas as cervejas da St. Peter's Brewery, de Suffolk, são elaboradas com cevada da região e água extraída de um poço na própria cervejaria. A água é incrivelmente leve para o lugar, e ideal para fermentação. A St. Peter's Cream Stout é uma das 12 cervejas engarrafadas o ano todo, além de algumas sazonais – produção notável para uma cervejaria relativamente pequena.

Uma stout cremosa é mais suave no paladar e de caráter menos amargo que uma stout "seca". Este rótulo foi criado pelo mestre cervejeiro Mark Slater com base em uma receita tradicional, anterior à da Guinness. A meta era criar uma cerveja repleta de caráter e sabor. Lúpulos Fuggle e Challenger de Kent e uma combinação de quatro tipos de cevada da região, maltada tradicionalmente, formam uma stout aromática, forte e achocolatada, com um agradável retrogosto semiamargo. Parece deliciosa? E é! **ST**

Notas de degustação

Evoca torrada queimada e café expresso, com toques de chocolate amargo. Paladar inegavelmente amargo, porém surpreendentemente leve, com notas de frutas escuras e final semiamargo.

Stolichno Bock

Zagorka Brewery | www.zagorka.bg

País de origem Bulgária
Lançada em 2000
Teor alcoólico 6,5% vol.
Temperatura ideal 5°C

A Bulgária tem hoje uma oferta surpreendentemente alta de cervejas regionais, visto que o país não conta com uma longa tradição cervejeira. A reputação do país como produtor de vinhos fez com que os sumos fermentados de grãos e uvas muitas vezes competissem pela atenção dos consumidores.

No mar de lagers da Europa continental, os viajantes em busca de algo com mais corpo podem procurar a Stolichno Bock. Esta cerveja foi criada na cervejaria Ariana, de Sófia, mas a fábrica fechou em 2004 e a Zagorka assumiu a produção. Embora a receita da Stolichno seja um segredo bem guardado, sabe-se que são usados três tipos de malte para manter o equilíbrio essencial no paladar: um malte caramelo para dar sabor forte, um malte café para criar a cor saturada e um malte leve para conferir a textura mais densa. **JM**

Notas de degustação

Sob a coroa de espuma desta cerveja castanho-escura espere um sabor maltado profundo e espesso, com fortes notas de café e caramelo. O final queima ligeiramente, lembrando conhaque.

← A garrafa em forma de frasco da Cream Stout é uma réplica de uma peça de 1770.

Stone Smoked Porter

Stone Brewing | www.stonebrew.com

País de origem Estados Unidos
Lançada em 1996
Teor alcoólico 5,9% vol.
Temperatura ideal 13°C

A Stone Smoked Porter foi lançada pouco após a inauguração da Stone Brewing, visando ser uma edição limitada e ser vendida somente como chope na região de San Diego. Hoje é a cerveja defumada mais amplamente distribuída nos Estados Unidos, e bem diferente de várias cervejas defumadas, ou Rauchbiers, de boa aceitação. Talvez essa popularidade se relacione ao fato de que a Stone use malte defumado com turfa da Hugh Baird nesta porter, em vez do malte defumado com madeira de faia, comum na Rauchbier alemã e em suas primas americanas, ou do defumado com amieiro, como o da Alaskan Smoked Porter. Os dois últimos evocam imagens de carne ou peixe defumado, pois essas madeiras são mais usadas para curar carnes. Já o malte defumado com turfa tem o aroma pungente encontrado nos intensos uísques single malt de Islay.

A Stone usa malte defumado com moderação. Apesar de ser mais conhecida pelas cervejas centradas no lúpulo, sua coleção continua crescendo. Em 2002, a cervejaria iniciou uma série de 11 rótulos anuais da Vertical Epic Ale, cada um seguindo uma receita diferente e visando ser envelhecido. O primeiro saiu em 2 de fevereiro de 2002, o segundo em 3 de março de 2003 e assim por diante, até o lançamento final em 12 de dezembro de 2012.

A Stone também fez parcerias com outras cervejarias para lançar cervejas especiais, prática cada vez mais comum entre produtoras dos EUA, seja dentro do país ou com cervejeiros estrangeiros. Com efeito, a Stone fez parcerias até com seus concorrentes diretos, criando uma triple com a Mikkeller dinamarquesa e a AleSmith, sua vizinha em San Diego. **SH**

Notas de degustação

Ao ser vertida, a cor é marrom-avermelhada e deixa um rastro de espuma branca. No nariz, logo se percebe o aroma defumado, complementado por ricas notas que lembram café. Há mais fumaça na boca, combinada com sabores de chocolate em tal harmonia que a cerveja forma um conjunto único.

Störtebeker Schwarzbier

Stralsunder Brauerei | www.stralsunder.de

País de origem Alemanha
Lançada em 1991
Teor alcoólico 5% vol.
Temperatura ideal 8°C

O nome da lager escura da Stralsunder Brauerei homenageia o bucaneiro medieval alemão Klaus Störtebeker, que, por volta de 1400, enfrentou os mercadores da Liga Hanseática nos mares Báltico e do Norte. E há outra razão: diz-se que o sobrenome dessa figura misteriosa deriva de uma antiga expressão alemã para beber um caneco de álcool de uma só vez. Com esse nome, é natural que a cerveja tenha se tornado a mais vendida da Stralsunder.

De certo modo, é uma cerveja primordial, embora a cervejaria tenha sido fundada em 1827. No século 19, a Stralsunder Brauerei se tornou a maior fornecedora dos balneários do Báltico. Após a Segunda Guerra Mundial, a Alemanha Oriental nacionalizou a empresa, cujas cervejas conquistaram boa reputação na década de 1970. Com a reunificação, a Nordmann, grande atacadista do lado ocidental, comprou as instalações e transferiu a sede para lá. A cervejaria foi modernizada e começou lançando três cervejas: dois estilos da marca regional Stralsunder e a Schwarzbier premium.

Preta e aveludada, esta cerveja é maltada mas não doce, com notas tostadas mas não queimadas, e é amarga mas não pungente. No conjunto, é fantasticamente equilibrada e repleta de caráter. Markus Berberich, o mestre cervejeiro e diretor administrativo, usa cinco maltes de cevada no tradicional e demorado método de decocção, além de lúpulos aromáticos orgânicos para conferir um amargor condimentado porém suave. A cerveja não é filtrada, o que arredonda ainda mais o sabor.

A Störtebeker Schwarzbier é muito comum nas regiões do norte da Alemanha e, como bom pirata, costuma fazer aparições em outros países do Báltico. **SK**

Notas de degustação

Marrom-café, ligeiramente turva, de espuma cor de creme. No nariz, aromas caramelados e tostados com toques de cacau. Inicialmente suave no paladar, vai se encorpando com sabores de café, chocolate e notas tostadas, acompanhados de um amargor moderado. Final aveludado e tostado.

Stouterik

Brasserie de la Senne | www.brasseriedelasenne.be

País de origem Bélgica
Lançada em 2005
Teor alcoólico 4,2% vol.
Temperatura ideal 13°C

Há séculos, as influências dos cervejeiros cruzam fronteiras nacionais. Até mesmo os idiossincráticos belgas às vezes roubam boas ideias. A stout, por exemplo, foi uma ótima ideia.

Originalmente inspirados em cervejas inglesas e irlandesas, os belgas produziram stouts em grande parte do século 20. Porém, aos poucos os cervejeiros foram cortando suas raízes e tornando-as mais frutadas, fortes e adocicadas com o tempo. Talvez não por acaso, as stouts belgas perderam popularidade e quase se extinguiram. Surgiram poucas nos últimos anos, mas elas costumam cometer os mesmos pecados que as condenaram.

A Stouterik é um tipo autêntico de stout irlandesa seca que quase não existe mais, nem mesmo na Irlanda. Ela tem um toque belga, sendo relativamente fina e vivaz na língua, mas o sabor característico é extremamente seco e tostado, a ponto de dar sede. Resta apenas uma sutil doçura de malte, ao lado de uma generosa dose de amargor do lúpulo. Não é indicada para os loucos por doces.

Aliás, "*stouterik*", nos dialetos flamengo e bruxelense, significa "homem forte", do tipo que se vê em circos, e as mães costumam usar o termo ao dar bronca em crianças teimosas – algo como "seu brutamontes". Vendo os trabalhadores musculosos do rótulo, presumimos que a cervejaria criou esta stout para marcar o fim de um dia árduo. O baixo teor alcoólico também pode incentivar esse comportamento. Assim como a Taras Boulba, a Stouterik reflete a crença da cervejaria de que a cerveja não precisa ser forte no álcool para ser forte no sabor – noção mais rara na Bélgica do que deveria ser. **JS**

Notas de degustação

Preta com espuma bege, com aromas de nozes torradas e café expresso. O sabor rascante, maltado e achocolatado insinua uma breve doçura antes de se tornar fortemente amargo e seco como teias de aranha em uma caverna escura. Retrogosto agradável, como o de mastigar malte torrado.

Strong Suffolk Vintage Ale

Greene King | www.greeneking.co.uk

País de origem Inglaterra
Lançada em *ca.* anos 1980
Teor alcoólico 6% vol.
Temperatura ideal 11°C

A Strong Suffolk Vintage Ale é uma cerveja incomum, que usa a técnica de misturar duas ales antes do engarrafamento: a Old 5X, com 12% de teor alcoólico e envelhecida pelo menos dois anos em um imenso tonel de carvalho lacrado com uma fina argila chamada Suffolk Marl, e a BPA, cerveja escura fresca, maltada e doce, com 5% de álcool. O resultado é uma cerveja escura e frutada, de grande profundidade. Nem a Old 5X nem a BPA são vendidas separadamente, mas o cervejeiro John Bexon às vezes permite que os visitantes as degustem na adega. (Os felizardos que experimentaram a Old 5X relatam um nariz que lembra xerez fino muito seco – rançoso, fermentado, quase ácido – e corpo fino mas com muita madeira, passas e um certo agridoce.)

Ambas levam maltes claro e Crystal e lúpulos Challenger e First Gold, e a Old 5X também contém o lúpulo amargo Target. A técnica de envelhecer cervejas e misturá-las era comum no Reino Unido no fim do século 18 e no 19, para balancear a doçura e a acidez e conferir vitalidade a uma bebida maturada durante pelo menos dois anos. As cervejas da Rodenbach, na Bélgica, ainda são elaboradas desta forma. Conta-se que, em 1878, Eugene Rodenbach foi para a Inglaterra, onde aprendeu a misturar cervejas ao modo inglês. Especula-se que ele teria visitado a Greene King.

A Suffolk Vintage Ale (comercializada como Olde Suffolk nos Estados Unidos) não vende muito, mas a Greene King reafirmou seu compromisso com ela ao instalar um segundo tonel para a Old 5X, pois a cerveja alcançou uma alta reputação. **TH**

Notas de degustação

Cerveja escura, encorpada e frutada, repleta de sabores amadeirados e com um pouco de chocolate. O lúpulo amargo confere grande profundidade e complexidade ao sabor. É forte e aquece a boca. Harmoniza-se perfeitamente com bolo de frutas inglês.

Super Bock Stout

União Cervejeira | www.superbock.pt

País de origem Portugal
Lançada em 2003
Teor alcoólico 5% vol.
Temperatura ideal 10°C

Não é fácil encontrar cervejas de tanto caráter no paraíso português das lagers claras. Mais parecida a uma Schwarzbier ou dunkel alemã, a Super Bock Stout é relativamente nova na tradição portuguesa das lagers pretas. O mercado português de cervejas é dominado há muito tempo por duas empresas gigantes, a Unicer e a Centralcer, que saturam o mercado de lagers leves e depois inventam maneiras de atrair os apreciadores restantes que preferem algo diferente. Em Portugal, a cerveja escura ainda é considerada diferente.

A Super Bock Stout é atraente, de estrutura maltada. O ambiente ideal para ela pode ser uma cervejaria portuguesa tradicional. Imagine um copo de cerveja quase preta projetando a sombra em um prato de bacalhau ou carne grelhada. Devido ao teor alcoólico moderado, ela não precisa se limitar à hora da refeição. **JS**

Notas de degustação

Ao ser vertida, é preta com uma alta cabeça bege. Aroma de café leve e doce, com groselha no nariz. O sabor prevalecente é suave e adocicado, acentuado por um leve amargor de malte tostado.

Super Vintage

Hakusekikan Beer | www.hakusekikan-beer.jp

País de origem Japão
Lançada em 1999
Teor alcoólico 14,3% vol.
Temperatura ideal 12°C

A Super Vintage é uma das cervejas mais notáveis da cena cervejeira artesanal japonesa. Sua popularidade pode ser atribuída ao perfil profundo e prolongado, desenvolvido durante o longo tempo de fermentação e envelhecimento. A receita é do mestre cervejeiro Satoshi Niwa. Ele começou fermentando a cerveja com levedura de vinho para obter maior teor alcoólico, mas várias tentativas falharam, pois essa levedura não fermenta bem a maltose. Então, ele iniciou a fermentação com levedura de cerveja e passou para a de vinho, obtendo resultados melhores.

Utilizando malte claro como base, Niwa também adiciona maltes Crystal, chocolate e de trigo para obter sabores complexos. O lúpulo inglês Challenger confere aroma e amargor. Hoje, a Super Vintage é elaborada uma vez por ano e envelhecida dois anos antes de ser comercializada. **BH**

Notas de degustação

Forte aroma de malte e álcool. O sabor é de uma acidez refrescante, com vários níveis de malte, lembrando uma ale belga forte. O amargor intenso persiste sobre um fundo de frutas secas.

← Torneira de cerveja e azulejos antigos no Bairro Alto, Lisboa.

Terrible

Unibroue | www.unibroue.com

País de origem Canadá
Lançada em 2002
Teor alcoólico 10,5% vol.
Temperatura ideal 10°C

Um verso icônico dos primórdios da música rap explica que algo ou alguém mau pode ser "não mau no sentido de mau, mas no sentido de bom!". É o caso da Terrible, uma ale pretíssima e imponente, apresentada ao público na edição de 2002 do festival da cerveja de Montreal, Le Mondial de la Bière.

Foi lançada junto com uma ale forte e dourada chamada Fringante, de garrafa parecida, e nenhuma era para ser vendida fora da província de Québec. As críticas muito positivas das duas cervejas, particularmente da Terrible, fizeram com que sua reputação se espalhasse depressa, aumentando a demanda. Em pouco tempo, a Terrible já era avistada em paragens melhores, em território dos Estados Unidos.

Entretanto, enquanto tudo isso acontecia, deflagrava-se uma batalha nos bastidores pelo controle da Unibroue, e a Sleeman Breweries, com sede em Ontário, demonstrava cada vez mais interesse na empresa de Québec. Cervejaria regional forte, com instalações em todo o Canadá, a Sleeman ansiava ter uma base forte em Québec e via a Unibroue como uma forma de assegurá-la.

O acordo foi assinado na primavera de 2004, mas apenas poucos anos depois a Sleeman e suas afiliadas, incluindo a Unibroue, foram adquiridas pela Sapporo, do Japão. Ocorreram mudanças estruturais na empresa, entre elas a retirada de várias marcas de determinados mercados. Essa estratégia significou o retorno da Terrible à intenção original de ser um rótulo exclusivo de Québec, embora volumes pequenos sejam exportados de vez em quando. **SB**

Notas de degustação

O aroma mais marcante desta ale totalmente preta é algo que lembra especiarias asiáticas, além de alcaçuz preto e melaço. O corpo complexo também é condimentado, com atraentes sabores de chocolate amargo, grãos de café torrados e melaço preto.

Thornbridge Bracia

Thornbridge Brewery | www.thornbridgebrewery.co.uk

País de origem Inglaterra
Lançada em 2008
Teor alcoólico 9% vol.
Temperatura ideal 12°C

No quesito inovação, poucas cervejarias ganham da Thornbridge, do condado inglês de Derbyshire. A Bracia é a prova contundente dessa teoria, embora se possa argumentar que a ideia não é nova.

"Bracia" provavelmente foi o nome céltico de uma bebida da Idade do Ferro, e foi encontrada uma referência a ela em Haddon Hall, a pouca distância da Thornbridge. Sabe-se pouco sobre essa bebida antiga, mas o mestre cervejeiro Stefano Cossi descobriu que certamente tinha alto teor alcoólico, era feita com diversos grãos e provavelmente levava mel. Como bom italiano, ele decidiu seguir os rastros de seus ancestrais romanos e descobrir que gosto a bebida teria. Começou fazendo uma stout seguindo o método antigo de usar os primeiros mostos de duas pastas.

Para isso, ele utilizou sete maltes, dos quais o marrom foi usado em grande quantidade para dar um suave sabor de chocolate, além de um malte defumado para recriar parcialmente alguns dos sabores derivados da torrefação dos grãos em fornos a lenha. Então, adicionou quatro tipos de lúpulo, incluindo o Sorachi Ace, muito incomum, e o toque final: mel italiano de castanheira, de sabor semiamargo. Então, como se toda a dedicação aos ingredientes não fosse suficiente, após a fermentação comum a cerveja é maturada a frio durante três meses, antes de ser engarrafada com levedura de champanhe para uma terceira fermentação. É sem dúvida uma cerveja para ser apreciada lentamente, e Cossi recomenda servi-la em um copo com pé e de base larga. **MC**

Notas de degustação

Ao ser servida, surgem aromas de mel de castanheira, chocolate branco, cappuccino, ameixas em calda e um toque de sândalo. Os aromas se desenvolvem na boca como chocolate aveludado, avelã, café e melaço, finalizando com um toque de alcaçuz, húmus e bastante cacau levemente adstringente.

Thornbridge Saint Petersburg

Thornbridge Brewery | www.thornbridgebrewery.co.uk

País de origem Inglaterra
Lançada em 2005
Teor alcoólico 7,7% vol.
Temperatura ideal 12°C

Em 2009, a Thornbridge Brewery trocou suas instalações históricas originais por uma cervejaria ultramoderna na cidade de Bakewell, uma catedral de aço inoxidável em que a incansável equipe cervejeira pode mostrar sua devoção pela cerveja de qualidade. A atitude quanto à elaboração e à promoção é a mais avançada possível, mas a Thornbridge também sempre buscou valorizar sua história.

Em 1790, um comerciante chamado John Morewood comprou a residência conhecida por Thornbridge Hall. Ele fizera fortuna vendendo linho para São Petersburgo, na época capital da Rússia. É daí que se origina o nome da russian imperial stout (imperial russa). "Queremos recuperar o tipo de cerveja que seria consumido na residência naqueles tempos", explica o diretor da cervejaria, Simon Webster, sobre o estilo de cerveja que era exportado para os países bálticos.

A pasta é composta de cevada Maris Otter, trigo torrificado, maltes chocolate, Crystal escuro, defumado com turfa e de cevada torrada, e são usados lúpulos Vanguard, Sorachi Ace e uma variedade que sempre muda (já foram usados Galena e Bramling Cross). Ao final da fervura, é adicionado açúcar mascavo.

Em 2007, um lote da Saint Petersburg foi envelhecido em madeira. "Conseguimos três antigos tonéis de uísque", diz o mestre cervejeiro Stefan Cossi. "Macallan, Mortlach e Caol Ila. A cerveja passou três meses em infusão na madeira e foi engarrafada com açúcar e levedura. A de Caol Ila foi a que envelheceu melhor." O experimento não foi repetido, mas a cervejaria tem espírito aventureiro e talvez faça algo parecido novamente. **ATJ**

Notas de degustação

Cor escura, com espuma de café expresso. No nariz, álcool intenso, fuligem, cappuccino, leite condensado e caixa de charutos. A boca é sedutora, com a presença de mais cappuccino e leite condensado, frutas azedas, lúpulo e malte de textura suave, antes de um duradouro final amargo e retrogosto de grãos torrados.

Tokyo Black

Yoho Brewing | www.yohobrewing.com

País de origem Japão
Lançada em 2005
Teor alcoólico 5% vol.
Temperatura ideal 13°C

A Tokyo Black é uma session porter elaborada magistralmente pelo ex-mestre cervejeiro Toshi Ishii. A intenção era criar um segundo rótulo para a Yona Yona Ale, sempre muito vendida. O presidente da empresa, Naoyuki Ide, conta que a demanda pela Guinness se tornou alta no Japão, e eles buscaram oferecer uma cerveja que talvez viesse a superá-la. Ele explica que, como suas cervejas são elaboradas no Japão, dão mais sensação de frescor. Além disso, nos últimos anos, as principais cervejarias japonesas lançaram mais cervejas escuras para aproveitar a crescente popularidade das stouts, chegando até a vender lagers escuras como stouts. Na realidade, tudo indica que os consumidores preferem uma porter.

Segundo Ide, não foi difícil criar a Tokyo Black. Ela se baseou em uma receita de uma cervejaria americana, sendo necessários poucos retoques para agradar o paladar dos japoneses. Além disso, a cervejaria se esforçou bastante em dar uma imagem claramente japonesa à cerveja. Enquanto a Yona Yona Ale recebe destaque no site da empresa, a Tokyo Black e outra cerveja nova, uma IPA chamada Ao-oni, aparecem perifericamente. Aliás, o site é toda uma celebração da estética visual japonesa. Porém, as três cervejas têm perfis de sabores muito distintos e parecem ter como alvo diferentes segmentos do mercado.

A empresa matriz, Hoshino Resort, fica na região montanhosa de Nagano. Apesar de ser mais famosa pelo uísque produzido ali, há um vínculo óbvio com águas de boa qualidade, o que foi de grande valia para a Yoho Brewing. **BH**

Notas de degustação

Cor marrom-escura opaca, com uma coroa bege média. Há um ligeiro aroma de caramelo escuro doce, com um toque de baunilha, e um agradável sabor amargo, feito chocolate. Os sabores tostados profundos são mínimos, evocando brownie.

KRALJ
TOMISLAV
CMXXV

Tomislav Pivo

Zagrebacka Pivovara | www.ozujsko.com

País de origem Croácia
Lançada em 1925
Teor alcoólico 7,3% vol.
Temperatura ideal 7°C

Além de ser a rainha das cervejas croatas, a Tomislav Pivo, profunda, escura e maltada, leva o nome do primeiro rei do país. Foi criada para comemorar o milésimo aniversário da coroação do primeiro soberano da Croácia, Tomislav I. Pouco se sabe sobre ele, que é lembrado até hoje como um herói nacional. Apesar de só ter reinado durante três anos, antes de ser coroado ele usou seu vasto poder militar para apaziguar as duas facções em guerra e, pela primeira vez, unir a Croácia sob um governo independente. Um rei tão potente requer uma bebida à altura, e a Tomislav Pivo sem dúvida presta uma boa homenagem. É uma das cervejas mais fortes produzidas naquele país, e os croatas a reservam para ocasiões especiais.

Embora tenha aparência de stout, a Tomislav é uma dark lager, parente próxima dos tipos de cerveja preferidos na República Tcheca e na Baviera, com um leve toque dos perfis das porters do Báltico. Além disso, a adição de uma boa quantidade de malte torrado confere um sedutor sabor caramelizado. Assim como a maioria das cervejas croatas, tradicionalmente é servida gelada. Se pensarmos que ela tem mais de 80 anos de tradição, notaremos que possui algo genuinamente especial. Mas não beba mais de três. **JM**

Notas de degustação

Dark lager à moda antiga, cor de chocolate, com uma densa coroa de espuma e forte aroma maltado. O profundo sabor de malte persiste na língua, com notas doces de caramelo e vinho.

Tosta

Pausa Café | www.pausacafe.org

País de origem Itália
Lançada em 2007
Teor alcoólico 14% vol.
Temperatura ideal 8°- 10°C

Ao lado da Chicca – escura, elaborada com grãos de café –, a Tosta é a cerveja que melhor representa o que a visionária e inovadora Pausa Café tenta alcançar com suas receitas: cervejas incomuns, mas que sejam fáceis de beber. A Pausa Café classifica a Tosta como um barleywine bastante tradicional, embora o teor alcoólico seja bem mais alto que o da maioria dos exemplares britânicos. Porém, diferentemente de outras cervejas fortes, não é acondicionada na garrafa e, ao ser servida, não produz gás. Outra diferença é a adição de grãos de cacau, que contribuem de duas formas para o aroma da cerveja: por um lado, conferem as tradicionais notas tostadas encontradas em barleywines, embora estas costumem ser o subproduto de mates torrados; por outro, geram o tipo de acidez suave dos chocolates fortes.

O uso de grãos de cacau é possível porque o equipamento de brassagem tem um sistema separado de filtros que permite que o mestre cervejeiro, Andrea Bertola, trabalhe com um mosto mais denso que o usual. Além disso, os cobres não são aquecidos com chama direta, mas com vapor, o que ajuda a manter o mosto sob um calor mais baixo e controlado, evitando notas queimadas ou caramelizadas no produto final. O resultado é uma cerveja muito rica, com fortes notas torradas e sensações mais comuns em vinhos do que em cervejas. **ES**

Notas de degustação

A Tosta tem uma cor escura de chocolate, com uma espuma leve. Nariz de claras notas torradas. No paladar há uma acidez suave, comum no cacau.

← Monumento ao rei Tomislav I em Zagreb, Croácia.

T'Owd Tup

Dent Brewery | www.dentbrewery.co.uk

País de origem Inglaterra
Lançada em 1991
Teor alcoólico 6% vol.
Temperatura ideal 13°C

A Dent Brewery fica na região de Yorkshire Dales, e pode-se supor que fique em Yorkshire, o maior condado da Inglaterra (e da Grã-Bretanha). Errado. Fica em Cumbria, área mais a noroeste daquele país, célebre pela beleza rural do parque nacional ali localizado. Essa anomalia se deu em 1974, quando os condados foram redefinidos. Cumbria foi criado a partir de Cumberland, Westmoreland, um pedaço de North Lancashire e uma fatia do antigo West Riding of Yorkshire. O antigo nome "Cumbria" (derivado da mesma raiz céltica de *Cymru*) foi resgatado para o novo condado.

A Dent Brewery foi criada em 1990 por Martin Stafford. Um ano depois, o irmão de Martin, Nick Stafford, fundou a Hambleton Ales 65 quilômetros a leste, em North Yorkshire. Em 2005, Martin vendeu a cervejaria para Paul e Judith Beeley, de Keighley, que mandaram desenhar rótulos para as garrafas e para as bombas de chope e melhoraram a identidade visual.

A única constante na história da Dent é o mestre cervejeiro Paul Goodyear, que entrou na empresa após um estágio, ao sair da faculdade, em 1990. Ele teve um papel importante no desenvolvimento de todas as cervejas, regulares e sazonais, que a cervejaria já produziu. As ovelhas são onipresentes nas colinas de Cumbria, e inspiraram a maioria dos nomes de cervejas da Dent, assim como as imagens associadas.

A cerveja mais aclamada é a T'Owd Tup, que no dialeto da região significa "carneiro velho". Esta forte winter ale foi campeã do prêmio britânico CAMRA de cervejas de inverno em 1999. O complexo perfil de malte permite que acompanhe bem os revigorantes ensopados de carne ou, melhor ainda, cordeiro. **JP**

Notas de degustação

Ale escura, vermelha/castanha, com intenso aroma de chocolate amargo, melado e alcaçuz. O sabor seco e torrado do malte tem notas de melaço, salsaparrilha e tabaco de cachimbo, com uma leve acidez condimentada que lembra vinho. Lúpulo mínimo e amargor moderado.

Trappistes Rochefort 10

Brasserie de l'Abbaye Notre-Dame de St. Remy | www.trappistes-rochefort.com

País de origem Bélgica
Lançada em 1953
Teor alcoólico 11,3% vol.
Temperatura ideal 12°- 15°C

Após a Segunda Guerra Mundial, a cervejaria trapista perto de Rochefort, na província de Namur, ficou seriamente danificada. Foram trazidos novos equipamentos, incluindo alguns da cervejaria trapista irmã de Chimay. Então, foram concebidas duas cervejas novas de uma vez, uma com 6 e outra com 10 graus, designadas de acordo com a densidade em graus belgas. (A 6 tem uma gravidade original de 1060, e a 10 tem gravidade de 1100. "Gravidade original" se refere à quantidade de açúcar dissolvido presente no mosto antes da fermentação; quanto mais alto o valor, mais forte a cerveja.) O cervejeiro atual da Rochefort é Gumer Santos. Filho de espanhóis, ele é nascido e criado em Rochefort.

As três cervejas da Rochefort (há outra de 8 graus) partem da mesma receita básica, porém não são a mesma cerveja: cada lote visa produzir especificamente uma das três versões, variando apenas na quantidade de litros por lote. Todas elas são feitas com malte de cevada, amido de trigo, açúcar-cande marrom e branco, grãos de lúpulo Hallertau e Styrian e, segundo boatos, uma pitada de coentro. Contudo, o mais estranho na receita da Rochefort é a levedura, que consiste de três variedades diferentes, cada qual reativada e misturada poucas vezes por ano: é usada primeiro na de 6 graus, depois transferida para a de 8 e, finalmente, para a de 10 graus.

Quando a Rochefort 10 foi lançada, em 1953, foi apelidada "la Merveilleuse" ("a maravilhosa"), embora o apelido já tenha quase desaparecido. Há uma lenda na Bélgica sobre uma versão natalina ainda mais forte, mas a verdade é que os bares locais costumam misturá-la com Porto nessa época do ano. **JPa**

Notas de degustação

Marrom-escura com um brilho avermelhado e coroa de espuma cremosa. No nariz, banana, caramelo, pera madura e licor de chocolate, que na boca se transforma em mole mexicano (molho de pimenta com chocolate amargo), acompanhada de Porto, passas e especiarias. Finaliza com um rico conhaque armênio em madeira.

Traquair Jacobite Ale

Traquair House Brewery | www.traquair.co.uk

País de origem Escócia
Lançada em 1995
Teor alcoólico 8% vol.
Temperatura ideal 12°- 15°C

Segundo os registros, uma cervejaria funcionava a pleno vapor na Traquair House, perto de Peebles, no distrito de Scottish Borders, quando a rainha Maria Stuart, da Escócia, a visitou em 1566. Um grande fermentador de cobre foi instalado em 1739 embaixo da capela, e hoje as cervejas são elaboradas seguindo receitas tradicionais dos arquivos da casa. A Traquair Jacobite Ale se baseia em uma fórmula do século 18 e faz tanto sucesso que ganhou uma posição permanente na coleção da cervejaria. Foi campeã na categoria Winter Beer do Campeonato Mundial de Cerveja em 1997, e ganhou medalha de ouro no Festival de Cerveja e Uísque de Estocolmo em 1998. O vigésimo Lorde de Traquair, Peter Maxwell Stuart, começou a elaborar cervejas em 1965, após descobrir a antiga tina de maceração, resfriadores abertos e pás de madeira intocados desde o início da década de 1880 e em perfeito estado.

A Jacobite Ale foi criada para relembrar a rebelião jacobita de 1745, uma tentativa de levar os Stuart de volta aos tronos da Escócia e da Inglaterra. Os nobres de Traquair eram tradicionalmente católicos e apoiavam a causa jacobita. Em 1745, quando o quinto conde se despediu do príncipe Charles Edward Stuart – apelidado "Bonnie Prince Charlie" –, os portões da então entrada principal da casa foram fechados, com a promessa de que só seriam abertos quando os Stuart recuperassem o trono. Os portões continuam fechados. **AG**

Notas de degustação

Rica, com intenso sabor de passas, quase como vinho, esta cerveja desenvolve uma boca de chocolate de especiarias (coentro), antes de um fim de boca semiamargo. Notavelmente fácil de beber.

Trois Pistoles

Unibroue | www.unibroue.com

País de origem Canadá
Lançada em 1997
Teor alcoólico 9% vol.
Temperatura ideal 10°C

O nome desta cerveja não se refere a um trio de pistolas, embora o consumo excessivo desta ale potente mas bastante leve possa gerar a sensação de que você foi acertado na cabeça com um ou dois objetos metálicos pesados. O nome remete a um vilarejo na região de Les Basques, em Québec, e se refere a três moedas, e não a armas de fogo.

Como muitas cervejas da Unibroue, o rótulo da Trois Pistoles evoca uma lenda da região. Neste caso, a lenda surgiu naturalmente ao longo da história de 300 anos da cidade. Um bispo de lá teria pedido ajuda a um demônio do bem para completar a construção da igreja nova. O demônio assumiu a forma de um musculoso corcel negro e o trabalho progrediu depressa, até que alguém tirou as rédeas do cavalo e ele desapareceu quando faltava assentar o último tijolo. A lenda explica a presença do cavalo preto no rótulo da cerveja e a ausência de um único tijolo na igreja da vila de Trois Pistoles.

Como muitas de suas irmãs, a Trois Pistoles é de uma linhagem cujas raízes mais óbvias estão na Bélgica. É condimentada, forte e fermentada na garrafa, como muitas cervejas belgas, mas seu caráter difere de tudo o que costuma ser visto na Europa. A cervejaria a promove como complemento ideal para alimentos, em especial sobremesas de chocolate, e afirma que envelhece bem por até uma década. **SB**

Notas de degustação

De cor quase preta, é bastante condimentada no nariz, mas o corpo apresenta mais notas escuras, de frutas cozidas e chocolate. A doçura é moderada para a sua potência.

Um rótulo inspirado em uma lenda; uma cerveja para beber com respeito.

trois pistoles

Troobacz

Pivovar Štramberk | www.relaxvpodhuri.cz

País de origem República Tcheca
Lançada em 2005
Teor alcoólico 4,3% vol.
Temperatura ideal 8°C

Quando o mestre cervejeiro Marek Pietoň elaborou o primeiro lote de lager na cidade de Štramberk, nas montanhas do norte da Morávia, em 2005, renovou uma tradição de 650 anos interrompida em 1854, quando os caldeirões de brassagem da cidade trabalharam pela última vez.

Pietoň instalou sua cervejaria em uma construção histórica, a casa nº 5 da praça central, uma das 22 casas originais da cidade com autorização para produzir cerveja. A Štramberk recebera esse privilégio de Jan, marquês da Morávia, em 4 de dezembro de 1359, obtendo o monopólio sobre a produção e distribuição de cerveja em um raio de uma milha boêmia, equivalente a aproximadamente 11 quilômetros.

Acredita-se que as antigas cervejas da Štramberk tenham sido ales de alta fermentação, porém as atuais da Pivovar Štramberk são lagers de baixa fermentação, elaboradas demoradamente a temperaturas muito baixas. Além de uma pilsen excelente, há lagers aromatizadas com cerejas e ameixas. A Troobacz segue o estilo da lendária Flekovské Pivo, de Praga. É de cor âmbar muito escura, quase preta, com sabor profundo de café e especiarias. Assim como as *štramberské uši*, ou "orelhas", um biscoito típico da cidade, a Troobacz é de uma doçura sutil, sendo uma ótima cerveja para sobremesas. Quase sempre é vendida na torneira e muito raramente fora de sua cidade. **ER**

Notas de degustação

A cerveja é preta, coroada com uma espuma bege. É notavelmente complexa para uma lager, com sabores de café, cola e gengibre realçados por especiarias de confeitaria e um final semiamargo viciante.

Turbodog

Abita Brewing | www.abita.com

País de origem Estados Unidos
Lançada em 1989
Teor alcoólico 6,1% vol.
Temperatura ideal 13°C

A vila de Abita Springs, na Louisiana, era famosa pelas "águas medicinais" muito antes de a Abita Brewing começar a vender 9,5 milhões de litros dessa água, em forma de cerveja, em quase todos os Estados Unidos. As fontes de água fecharam há tempos, mas a cidade ainda recebe muitos turistas por causa da cerveja e das trilhas da região. Fundada em 1986 e hoje a maior cervejaria artesanal do sul dos Estados Unidos, a Abita se transferiu para instalações maiores, fora da cidade, em 1994. O bar da cervejaria original serve suas cervejas, com uma linha completa de variedades que acompanham a gastronomia condimentada da Louisiana.

A maioria dos americanos associa estas cervejas com Nova Orleans. A cervejaria teve sorte e saiu quase ilesa do furacão Katrina, que devastou a cidade em 2005. Quase imediatamente, começou a produzir a Fleur-de-Lis Restoration Ale e a doar parte das vendas a um fundo para recuperação de desastres. Embora a Abita Amber seja encontrada na torneira em centenas de bares, em Nova Orleans os adultos podem andar pela cidade com bebidas alcoólicas na mão. Os bares vendem cerveja em copos descartáveis e quase todas as lojas de conveniência abrem uma garrafa e a põem em uma sacola de papel. Bem maltada, a Turbodog, eleita a melhor cerveja dos Estados Unidos em 2005 pela revista *Stuff*, combina muito bem com este cenário. **SH**

Notas de degustação

Ao ser servida, profunda cor marrom com brilhos rubi. Notas de frutas secas torradas e chocolate no nariz. Na boca, chocolate doce e caramelo. Não é amarga no final, com o sabor pendendo para café.

Lançada como edição especial, a Turbodog tem seguidores leais. →

ABITA
TURBODOG

Uerige DoppelSticke

Uerige Obergärige Hausbrauerei | www.uerige.de

País de origem Alemanha
Lançada em 2005
Teor alcoólico 8,5% vol.
Temperatura ideal 8°C

Esta bela cerveja sensual é o resultado de uma conspiração criativa na cozinha do bar da cervejaria Uerige. Ela é tão rica e complexa que sua criação só pode ter sido um momento especial, como de fato ocorreu, ainda que Michael Schnitzler, proprietário e mestre cervejeiro da Uerige Obergärige Hausbrauerei, de Düsseldorf, conte uma história mais simples.

Com 8,5% de álcool, a DoppelSticke é ainda mais forte que outra famosa cerveja tipo alt da Uerige, a Sticke, com modestos 6,5%. A DoppelSticke leva tanto malte que é necessário macerar duas pastas para obter a quantidade usual de mosto. São usados maltes Pilsen e caramelo, além de lúpulos como Spalter e Hallertauer Perle. Como indica o termo *alt* (antiga), a Uerige elabora as cervejas à moda antiga, com alta fermentação, com um processo que pode ser observado na bela cervejaria em que a equipe ainda usa um fermentador raso (*coolship*) e um resfriador por gotejamento.

Como na Sticke, na DoppelSticke o lúpulo é adicionado a seco (*dry hopping*) e ela amadurece bastante tempo. Ao ser vertida, é quase um óleo, com complexos aromas de frutas doces e ervas amargas que evocam os digestivos amargos italianos, sendo ideal como aperitivo. Também é uma delícia como acompanhamento para sobremesas e queijos. A Uerige Sticke é produzida duas vezes por ano, mas a DoppelSticke é feita sob encomenda e encontrada no bar em garrafas individuais. Mas o que motivou Schnitzler a criar esta excelente cerveja? Ele conta que recebeu um telefonema do importador americano Matthias Neidhart, que queria uma cerveja superforte para o paladar americano. É uma história simples, mas mágica. **SK**

Notas de degustação

Castanho-escura com toques rubi, a cerveja oferece um nariz doce, com aroma floral de lúpulo. O amargor pronunciado é balanceado por um corpo firme de caramelo. A textura quase oleosa transmite complexas notas herbáceas e uma doçura maltada, mas o fim de boca é seco e adstringente.

Uff-da

New Glarus Brewing Co. | www.newglarusbrewing.com

País de origem Estados Unidos
Lançada em 1993
Teor alcoólico 7,3% vol.
Temperatura ideal 9°C

Após morar e trabalhar na Alemanha e nos Estados Unidos, em Montana, Colorado e Oregon, Dan Carey se instalou na cidade turística de New Glarus, no sul de Wisconsin, com a mulher e sócia Deb, para abrir a cervejaria homônima em 1993. Carey é um dos raros cervejeiros de lager que usam os dois lados do cérebro, como se vê na limpidez impecável e na marcante personalidade de cervejas como esta. A Uff-da é uma clássica dark bock: castanha, encorpada e saborosa, hoje rara até mesmo em sua região natal da Baviera. As bocks já foram populares nos Estados Unidos, celebradas na primavera como prenunciadoras do verão.

Carey criou esta receita na Kessler Brewery, de Montana, em 1983, com equipamentos que "ele mesmo construiu", segundo sua mulher. Na época, o autor especializado Michael Jackson a considerou "a melhor bock da América do Norte". Foi a segunda cerveja da New Glarus e é uma das favoritas do casal Carey. "O nome remete ao meu avô, norueguês, que dizia 'Uf da' sempre que levantava algo pesado." Sem dúvida, descreve a cerveja bem. Deb Carey a caracteriza como "grande e equilibrada. Efeitos interessantes de café e chocolate". Esses sabores tostados são fundamentais. Este tipo de cerveja não leva muito lúpulo, então precisa do caráter amargo e torrado para contrabalançar a doçura caramelizada que prevaleceria. Assim, apesar do peso, a cerveja fica delicadamente equilibrada. Não é para todos os dias, mas cai bem em ocasiões nas quais haja clima para seu charme maltado. **RM**

Notas de degustação

O nariz lembra cappuccino com xarope de caramelo. Levemente achocolatada e com intensas notas de toffee. O sabor começa um pouco doce, sendo então balanceado pelo amargor de lúpulo e malte tostado. O retrogosto é muito persistente, suave e semiamargo.

Union Temno Pivo

Pivovarna Union | www.pivo-union.si

País de origem Eslovênia
Lançada em 1989
Teor alcoólico 5,2% vol.
Temperatura ideal 8°C

Se você pedir uma cerveja na Eslovênia, é provável que receba uma lager de cor clara. Se quiser algo diferente, precisará de um pouco mais de paciência e dedicação à busca da cerveja.

Duas cervejarias dominam o mercado esloveno: a Lasko, da cidade com o mesmo nome, e a Union, com sede na capital, Liubliana. Em 1989, a Union, fundada em 1864, fugiu da tendência das lagers claras e lançou a Union Temno Pivo (também chamada Crni Baron ou Black Baron), uma cerveja escura e forte para um mercado mais exigente do que a média. Como acontece com muitas cervejas escuras da Europa Central e dos Bálcãs, ela se inspirou no estilo dunkel, sendo de caráter adocicado e tostado. A cervejaria vende esta cerveja para sobremesas, mas o teor alcoólico relativamente baixo permite que seja também uma ótima bebida social. **ATJ**

Notas de degustação

De cor castanho-escura e com leve coroa de espuma. No nariz, grãos de café torrados e notas adocicadas de malte. No paladar, caráter de caramelo maltado com uma doçura sem exageros.

Ursus Black

Ursus Brewery | www.sabmiller.com

País de origem Romênia
Lançada em 1878
Teor alcoólico 6% vol.
Temperatura ideal 7°- 10°C

Esta saborosa cerveja, um dos marcos da Romênia, é produzida em Cluj-Napoca, cidade da região da Transilvânia, no oeste do país. É uma Schwarzbier; embora tenha notas assadas, quase queimadas, ela também tende a aparentar ser mais leve do que é.

A cervejaria a denomina "o rei das cervejas". Quando suas papilas gustativas a conhecerem, concordarão que é uma excelente representante do estilo Schwarzbier. Há claros sabores subjacentes torrados e de café, pois a cervejaria segue os métodos tradicionais para que a cerveja seja fiel ao estilo, mas é elaborada com cuidado e bem balanceada. O caráter doce lembra caramelo, com uma ponta de melaço. Apesar de ser mais leve do que outras cervejas com a mesma aparência, como uma porter ou uma stout, ela é uma boa cerveja de médio corpo. **TS**

Notas de degustação

De cor pretíssima, pode-se jurar que a espuma marrom tem nuances vermelho sangue. Muito café no nariz, com início doce e final amargo. Refrescante.

← O "U" no último prédio da antiga Union-Brauerei, em Dortmund, Alemanha.

Utenos Porteris

Švyturys-Utenos Alus | www.utenosalus.lt

País de origem Lituânia
Lançada em 1979
Teor alcoólico 6,8% vol.
Temperatura ideal 10°- 13°C

As cervejas do tipo porter do Báltico eram admiradas por reis e rainhas, mas foi um imperador que as acabou salvando. Reverenciado na França e odiado em boa parte da Europa, mas merecendo um baixo-relevo nos mármores da Suprema Corte dos Estados Unidos por seu Código Civil, Napoleão Bonaparte é uma das personalidades históricas mais controversas. Para quem aprecia cervejas, é interessante saber que, sem Napoleão, a porter do Báltico poderia ter desaparecido, em vez de apenas correr algum risco de extinção, como hoje.

A cerveja do tipo russian imperial stout chegou à Europa Oriental no fim do século 18 através de exportadores londrinos, como a Thrale's Anchor Brewery. Transportada em navios britânicos, a cerveja tinha um sabor mais forte e robusto que o das elaboradas tradicionalmente em Londres, para que resistisse à longa viagem. Muito consumida por czares e nobres, a imperial stout teve a distribuição ameaçada no início do século 19, quando o exército de Napoleão bloqueou os portos do Báltico. As restrições comerciais levaram as cervejarias locais a criarem uma herdeira da imperial stout, na forma da porter do Báltico.

A Utenos Porteris é produzida com baixa fermentação e seguindo uma receita tradicional, com malte caramelo, que confere um típico sabor adocicado e coloração rica. Sua história é mais curta que a de seus pares: ela surgiu no período mais duro da era comunista, quando a Utenos Alus a criou. Embora as lagers douradas dominem a Europa Oriental, a Utenos Porteris continua firme e forte, como é de se esperar de uma bebida que nem Napoleão pôde deter. **SG**

Notas de degustação

De profunda cor vermelho-amarronzada, com uma coroa de espuma bege que exala um aroma repleto de malte, além de caramelo e vestígios de chocolate. Um intenso sabor de caramelo suave enche a boca, seguido de uma pitada de alcaçuz e banana, deixando um doce final.

Verdi Imperial Stout

Birrificio del Ducato | www.birrificiodelducato.it

País de origem Itália
Lançada em 2007
Teor alcoólico 8,2% vol.
Temperatura ideal 14°- 18°C

Esta microcervejaria fica em Roncole Verdi, vilarejo famoso por ser o berço de Giuseppe Verdi, o mais importante compositor italiano. Perto da casa onde Verdi talvez tenha tocado suas primeiras notas, Giovanni Campari e seus sócios começaram sua própria aventura. Campari foi aluno de Agostino Arioli, do Birrificio Italiano, e aprendeu muito com ele, mas logo desenvolveu uma abordagem pessoal para suas cervejas.

Campari teve a ideia de produzir uma imperial stout após visitar Nova York, onde provou diversas variantes desse estilo feitas por cervejarias artesanais. Ele gostou de todas, mas queria criar sua própria stout imperial: bem alcoólica e muito saborosa, porém fácil de beber. Sua "arma secreta" é a pimenta chilli, que ele incorpora à receita com muito cuidado. Os outros ingredientes são vários tipos de malte, sobretudo Maris Otter, além de malte chocolate, aveia e uma pequena quantidade de cevada maltada e defumada. Lúpulos britânicos, como Fuggle, dão aroma e sabor amargo à cerveja, mas a pimenta é o que, nas palavras de Campari, "refresca o paladar" e nos faz desejar outro gole. Ele afirma que a pimenta torna a stout "mais fina" em comparação com as imperiais tradicionais.

A fermentação primária dura uma semana. Após cinco dias de descanso, a cerveja fermenta novamente na garrafa, onde amadurece pelo menos três semanas. Campari acredita que ela fica ideal após dois meses e envelhece bem. Esta cerveja também marca a maioridade das cervejas artesanais italianas. Ela ganhou a medalha de ouro no concurso European Beer Star em 2008, a primeira para uma cerveja italiana. **MM**

Notas de degustação

Bela cor ébano com uma espuma âmbar grossa e bem persistente. Notas imediatas de cacau, café e toques de tabaco. Muito intrigante. Na boca, é surpreendentemente fácil de beber, com sabores de alcaçuz e café torrado. Muito suave e sedosa, com um longo retrogosto.

IN THE NAME OF GOD AND HUMANITY
TEMPERANCE LEAGUE
WINE
RUM
WHISKY
GIN
ER
BR

Victory Storm King Imperial Stout

Victory Brewing | www.victorybeer.com

País de origem Estados Unidos
Lançada em 1998
Teor alcoólico 9,2% vol.
Temperatura ideal 10°C

O mestre cervejeiro Bill Covaleski diz que sua formação em cervejaria na Alemanha lhe permite apreciar ainda mais a liberdade artística que os cervejeiros têm nos Estados Unidos. A coleção de cervejas da Victory apresenta uma boa combinação de elementos tradicionais e criatividade.

A Victory Prima Pils é uma clássica pilsen europeia. A Victory Lager é uma Helles alemã. A Victory Donneybrook Stout é uma sólida stout irlandesa, bem seca. A St. Victorious é uma rica Doppelbock. A Old Horizontal é uma potente ale estilo barleywine. A Victory Whirlwind é uma Witbier sazonal, perfeita para o verão. Todas dão lições de estilo e mostram do que o movimento cervejeiro tradicional dos Estados Unidos é capaz.

A Storm King Imperial Stout começou como cerveja de outono, mas os apreciadores passaram a pedi-la o ano todo. Malte duas fileiras muito torrado e uma combinação de lúpulos da costa noroeste dos Estados Unidos lhe dão o sabor intenso. É tão grande e imponente que literalmente parou o caro moinho de malte alemão da cervejaria quando o equipamento foi instalado, em 2004. O processo foi revisto para garantir que o malte enrijecido não destruísse os equipamentos. O resultado é uma ale premiada da Victory, uma imperial stout clássica e ousada, perfeita para um jantar de inverno. **RL**

Notas de degustação

Preta opaca ao ser vertida, de grossa espuma áspera cor de café com leite. O sabor é uma energética combinação de chocolate de confeiteiro e malte torrado, bem balanceado por um final marcado pelo lúpulo.

Villa Pola Soci's Schwartz

Birrificio Barchessa di Villa Pola | www.villapola.com

País de origem Itália
Lançada em 1993
Teor alcoólico 4% vol.
Temperatura ideal 8°C

Cavaso del Tomba é uma vila perto das montanhas ao redor de Veneza, onde o primeiro clube de cervejeiros artesanais foi fundado em 1993. O Soci dea Bira começou imediatamente a fazer cervejas 100% malte, com uma ale de avelã, a Monfenera, e a Soci's Schwartz. Os cervejeiros viajam anualmente à Baviera para comprar maltes e lúpulos para sua produção e para a Barchessa di Villa Pola, uma cervejaria com bar onde Paolo De Martin, um dos fundadores do clube, trabalha como cervejeiro desde 2006.

De Martin provavelmente é um dos melhores cervejeiros e técnicos da Itália. Graças a seus conhecimentos, é um dos consultores mais valorizados no mercado emergente das microcervejarias italianas. Para a Soci's Schwartz, ele escolheu um malte especial da Baviera, torrado durante muito tempo a uma temperatura mais baixa do que a usual, que dá um toque especial à cerveja mesmo constituindo apenas 10% dos grãos – o resto é malte Pilsen. São usados dois lúpulos alemães da região de Hallertau: o Magnum, que confere um firme amargor, e um pouco do Tradition. Cerca de duas semanas de fermentação e três meses de maturação ajudam a cerveja a atingir harmonia e equilíbrio perfeitos. **MM**

Notas de degustação

Aroma complexo mas delicado, com notas tostadas, cacau e um fundo frutado de ameixa. Fácil de beber, novamente com sabores tostados e frutados e um retrogosto seco e persistente.

← A Victory é assim chamada em homenagem à vitória sobre a Lei Seca e o Movimento da Temperança.

Weltenburger Kloster Asam Bock

Klosterbrauerei Weltenburger | www.weltenburger.de

País de origem Alemanha
Lançada em 1997
Teor alcoólico 6,9% vol.
Temperatura ideal 8°C

Embora seja menos famosa que as cervejarias dos mosteiros trapistas da Bélgica e da Holanda, a história da Weltenburger é a mais antiga de todas. Os monges chegaram às margens do rio Danúbio no século 7 e é provável que tenham começado imediatamente a fazer cerveja. Não há registros, mas sabe-se que a abadia produzia cerveja em 1050, o que só deixa a Weltenburger atrás da Weihenstephan, ao norte de Munique, na lista das cervejarias mais antigas do mundo (afirma-se que esta cerveja foi criada em 1050, mas ela mudou consideravelmente com o passar dos séculos).

Contudo, a produção de cerveja no local não foi ininterrupta. Marcas feitas nos muros da abadia revelam uma elevação das águas do Danúbio ao longo dos anos, o que levou a irmandade a abandonar o local diversas vezes. Em 1974, a cervejaria da abadia precisava de investimentos urgentes. Os monges procuraram alguém para modernizar os equipamentos e encontraram a parceira perfeita: a cervejaria Bischofshof, de Regensburg. Hoje, a Bischofshof elabora algumas cervejas, enquanto outras são feitas nas instalações do mosteiro, em Weltenburg.

A Asam Bock é produzida na abadia e o nome remete aos irmãos Asam, que construíram a esplêndida igreja de lá. Fiel ao estilo bock, é uma cerveja substanciosa, repleta de maltes adocicados, balanceada com lúpulo Hallertauer da região e amadurecida durante 12 semanas. A qualidade nutritiva nos faz imaginar os monges degustando esta bebida imponente em dias de jejum, quando os alimentos sólidos são proibidos. Aliás, o termo "pão líquido" cai como uma luva nesta cerveja. **JE**

Notas de degustação

Aromas de malte escuro que lembram biscoito, chocolate, café e passas conduzem a um sabor semiamargo cheio, carregado de malte escuro, frutas secas, chocolate e frutas como ameixas. No final semiamargo, persistem malte e chocolate, cada vez mais amargos. De textura suave e cor rubi.

Weltenburger Kloster Barock Dunkel

Klosterbrauerei Weltenburger | www.weltenburger.de

País de origem Alemanha
Lançada em *ca.* anos 1860
Teor alcoólico 4,7% vol.
Temperatura ideal 8°C

Há uma nítida divisão entre as cervejas produzidas sob o nome Weltenburger. As mais claras são elaboradas pela cervejaria Bischofshof em Regensburg; já nas instalações da própria abadia, cervejeiros da Bischofshof contratados pelos monges se concentram nas cervejas escuras. Segundo dizem, assim é mantida a tradição monástica. Realmente, as cervejas mais escuras, repletas de malte, parecem combinar mais com o estilo de vida dos monges. Nos dias de jejum, nada como um alimento nutritivo servido em um copo.

Não são só os monges que apreciam estas cervejas. Os 750.000 visitantes que sobem o rio Danúbio em barcos desde Kelheim ou enfrentam estradas sinuosas pelas margens aproveitam as delícias da Abadia de Weltenburg, especialmente um caneco da cerveja local para acompanhar um suculento prato típico da Baviera no pátio do mosteiro. A Barock Dunkel, cujo nome remete à ornamentada igreja barroca do mosteiro, é o chope mais vendido.

É elaborada a partir de maltes lager, escuro e caramelo – e isso é tudo o que os cervejeiros revelam, mantendo um silêncio quase trapista quanto aos ingredientes. O lúpulo é da região de Hallertau, logo mais ao sul, e a água é de um poço embaixo da abadia. Atrás da pequena cervejaria, encravadas na encosta, ficam as adegas onde a Barock Dunkel passa oito longas semanas a baixas temperaturas, enquanto a levedura consome os açúcares e apara as arestas da cerveja verde. O resultado é uma bebida suave, muito saborosa e leve. Bem no alvo. **JE**

Notas de degustação

Aroma maltado de frutas secas, insinuando biscoitos, precede um sabor meio amargo, com notas torradas de malte, passas, um toque de caramelo e um pouco de chocolate suave. No agradável final seco e amargo, destacam-se grãos e frutas secas torradas. Não muito pesada e bastante refrescante.

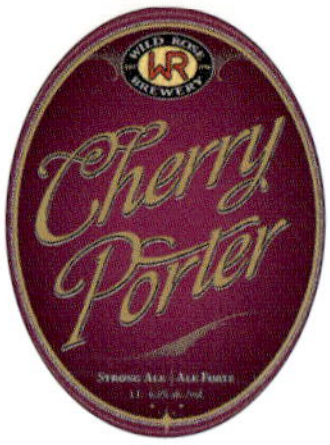

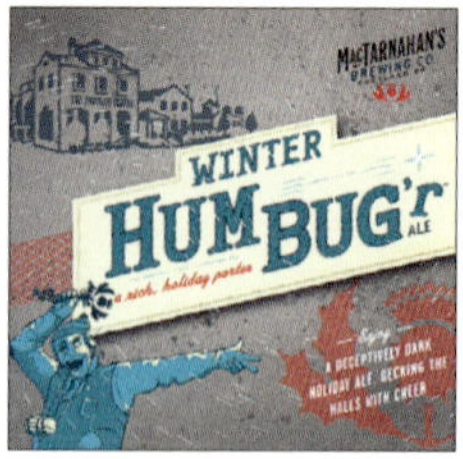

Wild Rose Cherry Porter

Wild Rose Brewery
www.wildrosebrewery.com

País de origem Canadá
Lançada em 2002
Teor alcoólico 6,5% vol.
Temperatura ideal 10°C

A Wild Rose abriu as portas em 1996, em um parque industrial de Calgary. Sentindo que vender no varejo talvez fosse difícil, os sócios Michael Tymchuk e Alan Yule passaram os primeiros seis anos só produzindo cerveja em barricas para bares e restaurantes. Em 2002, a Wild Rose começou a engarrafar cervejas, na mesma época em que Yule deixou a empresa. Quando passou a usar garrafas menores e latas, ela cresceu significativamente.

Em uma província que conta com poucas cervejarias locais e ainda menos cervejas sazonais dignas de nota, a Cherry Porter passou a ser muito aguardada, sendo lançada geralmente no começo de novembro e esgotando-se perto do Natal. Cada lote leva o impressionante volume de 80 quilos de cerejas e nove maltes de cevada, o que resulta em uma cerveja de grande complexidade e caráter. **SB**

Notas de degustação
Esta ale ébano combina aromas muito frutados com chocolate amargo, e deliciosos sabores de cereja, cappuccino, especiarias adocicadas, malte tostado e ameixas concentradas.

Winter HumBug'r

MacTarnahan's Brewing
www.macsbeer.com

País de origem Estados Unidos
Lançada em 1996
Teor alcoólico 5,3% vol.
Temperatura ideal 10°C

Os cervejeiros Alan Kornhauser e Brett Porter desejavam criar "uma porter que fosse o mais cremosa possível, mas sem a adstringência de muitas cervejas escuras". Então, adicionaram aveia ao malte para alcançar uma notável suavidade. E usaram ainda "um monte de malte caramelo muito pouco torrado". As duas primeiras adições de lúpulo levam Northern Brewer, e depois East Kent Golding na terceira adição e a seco (*dry hopping*). Foi empregada uma levedura de lager para conferir sabores mais suaves. A fermentação a uma temperatura baixa origina sutis ésteres frutados. A nova cerveja foi batizada Blackwatch Cream Porter e ganhou a medalha de ouro no Grande Festival Americano da Cerveja em 2001 e 2008.

Esta cerveja sazonal de fim de ano ainda é elaborada com maltes caramelo e preto, trigo não maltado e – o mais importante – aveia, mas passou a se chamar Winter HumBug'r. **JB**

Notas de degustação
O nariz é repleto de aromas de chocolate com um toque frutado. Paladar muito suave, com sabores achocolatados efervescentes, notas de café e frutas secas.

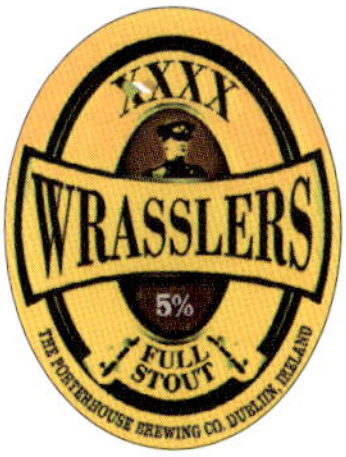

Wrasslers XXXX Stout

Porterhouse Brewing Company
www.theporterhouse.ie

País de origem Irlanda
Lançada em 1996
Teor alcoólico 5% vol.
Temperatura ideal 7°C

Reclamar que uma stout não é mais o que era parece ser um passatempo nacional na Irlanda. Os diretores das grandes cervejarias tornaram a cerveja comum o mais insossa e fria possível, para agradar a um segmento mais amplo da população e garantir que ninguém se irrite com os aspectos mais alarmantes da stout, como o sabor. Forte e cheia de caráter, a Wrasslers XXXX bate no paladar como uma vara de abrunheiro nos acertando a cabeça.

A receita pertencia à Deasy's Brewery, fundada em 1800 em Clonakilty, no condado de Cork. A porter mais famosa se chamava "The Wrestler", mas foi ficando conhecida no dialeto local como "Wrastler's" ou "Wrasslers". A Deasy's fechou as portas em 1942, mas a Wrasslers XXXX ainda vive na Porterhouse, onde o sabor forte, à moda antiga, é um dos eternos favoritos entre os que apreciam stouts irlandesas tradicionais. **JD**

Notas de degustação
Preta com espuma bege, de início é amarga, quase metálica. Conforme a boca se ajusta ao amargor, surgem notas mais complexas de chocolate amargo fino e charutos aromáticos.

Xingu Black Lager

Cervejarias Kaiser S.A.
www.cervejaxingu.com.br

País de origem Brasil
Lançada em 1988
Teor alcoólico 4,6% vol.
Temperatura ideal 3°- 6°C

Esta cerveja presta homenagem a uma época anterior à chegada dos colonos portugueses em 1500, quando as mulheres índias faziam cerveja enquanto os homens caçavam. No entanto, o registro mais antigo de cerveja preta feita por índios nativos da região amazônica data de 1557. Um elemento importante de cerimônias tradicionais eram bebidas feitas originalmente com milho ou mandioca torrados, fermentadas com leveduras silvestres.

A Xingu foi lançada em Boston em 1988, no Culinary Institute of America, e depois passou a ser distribuída em todo o Brasil. Em 2002, a cervejaria brasileira Kaiser comprou a marca Xingu e fez pequenas alterações. Embora tenha aparência de stout, na verdade a Xingu é uma dark lager. Uma característica sua é que, como outras cervejas escuras brasileiras, tem um toque doce que pode ser excessivo para aqueles que gostam de cervejas com um intenso amargor de lúpulo. **AH**

Notas de degustação
De aparência preta, opaca, com uma coroa bege muito cremosa. Ao rico aroma de malte e frutas secas segue-se uma boca de malte tostado e café. Um leve toque de lúpulo amargo e frutas cítricas.

ROGUE

XS: Imperial Stout

Rogue Ales | www.rogue.com

País de origem Estados Unidos
Lançada em 1994
Teor alcoólico 11% vol.
Temperatura ideal 10°- 12°C

Uma cerveja imponente como uma imperial stout não assusta o mestre cervejeiro John Maier, que elabora aproximadamente 60 cervejas para a Rogue Ales. Fiel ao espírito americano, ele aproveitou para inovar o estilo. Maier trocou a Alaska Brewing pela Rogue em 1989, sendo que antes foi técnico na empresa de aeronaves Hughes, em El Segundo. Foi em uma viagem de negócios que conheceu o fundador da cervejaria, Jack Joyce, e a possibilidade de voltar ao Oregon, onde nascera, foi tentadora demais. Em 20 anos na Rogue, ele ganhou centenas de prêmios.

A imperial stout tem um público exigente desde seu surgimento, no fim do século 18. No início, era produzida para o czar russo, então precisava ser forte. E continua assim, com muitíssimo malte torrado e queimado e frutas picantes – tendo 11% de teor alcoólico, não é para os de coração fraco. Maier criou uma bebida refrescante com nada menos que 12 ingredientes: maltes Great Western, Harrington, Klages, Hugh Baird XLT-80, preto, Munique, chocolate e em flocos; é usada a levedura Pacman, da Rogue, e água das montanhas da Costa Oeste dos Estados Unidos. Como sempre, a Rogue deixa sua marca com um incrível perfil de lúpulo que combina Willamette, Cascade e Chinook, um golpe amargo de 88 IBU. A Rogue não desaponta. Se você quiser conhecer um exemplar particularmente intenso deste estilo, não perca esta Imperial Stout. É uma cerveja imensa, para ser degustada por si só ou acompanhada de carne vermelha ou bolo de chocolate. **TS**

Notas de degustação

Ao ser vertida, esta imperial stout parece um óleo preto e denso. Só a cor já é embasbacante. O perfil de lúpulo é assombroso, mas o equilíbrio é perfeito e o sabor mais proeminente é o de chocolate. Harmonize com bolo de chocolate ou carne vermelha.

← A sede mundial da Rogue Nation, em Newport, Oregon.

Yuengling Dark Brewed Porter

D. G. Yuengling & Son | www.yuengling.com

País de origem Estados Unidos
Lançada em 1829
Teor alcoólico 4,7% vol.
Temperatura ideal 5°C

A Yuengling é a cervejaria mais antiga dos Estados Unidos, e os historiadores afirmam que a Yuengling Dark Brewed Porter é hoje a representante mais antiga do seu estilo, produzida sem interrupções desde a fundação da cervejaria, em 1829. Esta cerveja é feita com levedura de lager de baixa fermentação, e não com a de ale, que, segundo os tradicionalistas, ajuda a conferir o caráter frutado e ácido às porters originais. A levedura e o milho usados na Porter da Yuengling tornam o corpo e o sabor mais leves do que a variedade que costumava ser bebida em Londres – mas isso não faz dela menos autêntica.

A Porter é uma das favoritas dos Estados Unidos desde a Revolução pela Independência, quando George Washington a usou na campanha a favor do consumo de produtos americanos. **DR**

Notas de degustação

O aroma maltado é muito leve, com pouco lúpulo. A textura na boca é surpreendentemente leve para uma cerveja tão escura e robusta, e o sabor de malte termina com um toque ligeiramente acre de chocolate.

Žamberecký Kanec Imperial Stout

Pivovar Žamberk | www.pivovarzamberk.wz.cz

País de origem República Tcheca
Lançada em 2006
Teor alcoólico 5,5% vol.
Temperatura ideal 10°C

O mundo das cervejas artesanais na República Tcheca é impulsionado em parte por uma rede de cervejeiros caseiros. Um dos mais misteriosos se chama Anteňák, "o homem da antena". Suas receitas estão presentes em várias cervejarias e bares tchecos, sobretudo na forma de uma inusitada stout imperial produzida pelo Pivovar Žamberk.

É elaborada com maltes Pilsen e de trigo e cevada torrada, adquirindo uma coloração escura e opaca. A fermentação é alta, com levedura de ale, e leva mais ou menos o dobro de lúpulo que uma das pilsens tchecas da cervejaria, incluindo cones além de extrato e cápsulas de lúpulo, para dar aroma e sabor amargo. Para o estilo, o teor alcoólico é ligeiramente baixo, mas é compensado com um corpo rico e amargo. **ER**

Notas de degustação

Com denso corpo escuro coberto por uma espuma cor de canela, esta stout cremosa é intensamente amarga, com aroma de café e pão de centeio. Textura muito densa na boca.

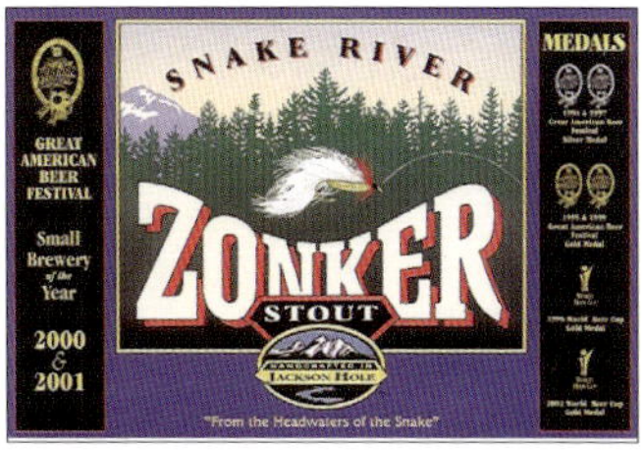

Zonker Stout

Snake River Brewing | www.snakeriverbrewing.com

País de origem Estados Unidos
Lançada em 1994
Teor alcoólico 5,4% vol.
Temperatura ideal 13°C

Um cartaz nas paredes repletas de prêmios da Snake River Brewing, em Jackson, Wyoming, diz: "Nosso objetivo não é fazer a maior quantidade de cerveja; apenas a melhor."

Como tantas cervejarias e bares, a Snake River oferece uma ampla gama de opções, a maioria inspirada em estilos clássicos com um toque pessoal. A receita da Zonker Stout – "zonker" é uma grande mosca usada para pesca – leva sete maltes e lúpulos americanos, britânicos e alemães. Ganhou a medalha de prata no Grande Festival Americano da Cerveja no ano em que a cervejaria abriu, além de mais seis medalhas nos principais eventos de cervejaria dos Estados Unidos. A Snake River Brewing também ganhou o prêmio de Pequena Cervejaria do Ano em 2000 e 2001. **SH**

Notas de degustação

Entre os aromas incluem-se maltes doces e grãos de café torrados. O paladar complexo contém chocolate seco, café forte e frutas secas. A textura é terrosa, com um prolongado final seco e amargo.

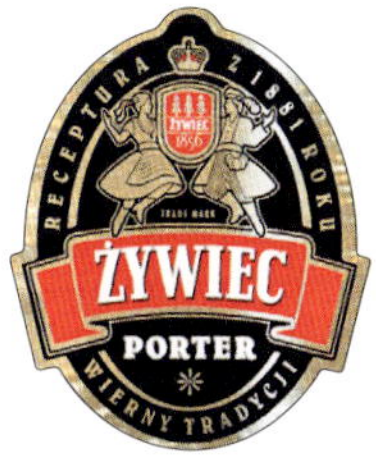

Żywiec Porter

Grupa Żywiec | www.zywiec.com.pl

País de origem Polônia
Lançada em 1881
Teor alcoólico 9,5% vol.
Temperatura ideal 8°- 12°C

Nos últimos anos, as cervejas polonesas têm feito um sucesso incrível na Europa Ocidental. Porém, entre inúmeras pilsens claras, não resta muito espaço para a porter clássica do Báltico.

Nestes tempos de fermentação e maturação rápidas, o processo de produção da Żywiec Porter, que leva 90 dias, quebra essa tendência. Após a fermentação, a cerveja é levada para adegas frias e úmidas construídas na encosta de uma colina, onde adormece durante bastante tempo, suavizando os sabores. Se degustada diretamente do tanque, o nariz evoca frutas secas e xarope para tosse, enquanto na boca o toque de xarope é acompanhado por cereais torrados, frutas escuras e um final amargo. A sobrevivência desta cerveja na era das marcas comerciais é motivo de celebração. **ATJ**

Notas de degustação

Preta como noite de lua nova. Chocolate, cappuccino, cevada tostada e frutas escuras disputam atenção no paladar. A textura é cremosa e o fim de boca é amargo, seco e torrado.

ESPECIAIS

3 Fonteinen Oude Geuze Vintage

Brouwerij 3 Fonteinen | www.3fonteinen.be

País de origem Bélgica
Lançada em 2002
Teor alcoólico 6% vol.
Temperatura ideal 9°- 14°C

Nos anos 1950, o célebre escritor flamengo Herman Teirlinck convenceu seu amigo Gaston Debelder a misturar cervejas geuze e kriek. Ele queria guardar a geuze para a posteridade, e estas misturas se tornaram opções comuns no novo restaurante de Gaston, De 3 Fonteinen.

Todas as cervejas da 3 Fonteinen seguem as especificações da União Europeia para oude geuze ou kriek, isto é, são elaboradas da forma tradicional, através de fermentação espontânea. Como costuma acontecer com produtos artesanais, alguns lotes são melhores do que outros. O primeiro foi o de 1998, uma espécie de ensaio para a Millennium Geuze. O sucesso foi tanto que, a partir de 2002, os melhores lotes são reservados para esta geuze, denominada "Oude Geuze Vintage" – a melhor combinação. **JPa**

Notas de degustação

Nariz ligeiramente cítrico sobre aromas de sabão de glicerina, manta de cavalo e trigo. Suave sabor defumado e um ar adocicado de malte. Mais encorpada do que a média, para uma geuze.

3 Fonteinen Oude Kriek

Brouwerij 3 Fonteinen | www.3fonteinen.be

País de origem Bélgica
Lançada em 1953
Teor alcoólico 6% vol.
Temperatura ideal 13°C

Uma grande cervejaria é aquela que só produz cervejas notáveis, e a 3 Fonteinen (três fontes) é assim. O proprietário atual, Armand Debelder, é uma figura importante no mundo das cervejas belgas. Ele é um dos fomentadores do HORAL, grupo de dez cervejarias de lambic que procura promover e preservar as cervejas lambic tradicionais.

Hoje, Debelder está muito mais otimista quanto à sobrevivência de sua cervejaria e das cervejas tradicionais do que há alguns anos. O complexo da 3 Fonteinen é local de peregrinação para os amantes das cervejas, e pôs a cidade de Beersel no mapa-múndi da cerveja. Todos os exemplares são verdadeiras obras primas, e a Oude Kriek não é exceção. Ela leva cerejas inteiras da Europa Oriental, que ficam em infusão na Oude Geuze da cervejaria. **CC**

Notas de degustação

Profunda cor avermelhada, com um sabor proeminente e riquíssimo de cereja. Muito seca, com leve amargor. Muito ácida e refrescante, bombardeia o paladar com o caráter de frutas e lambic.

O proprietário e cervejeiro Armand Debelder serve um copo de sua maravilhosa lambic. →

1488 Whisky Beer

Tullibardine Distillery | www.traditionalscottishales.co.uk

País de origem Escócia
Lançada em 2005
Teor alcoólico 7% vol.
Temperatura ideal 5°C

As destilarias de bons uísques raramente produzem cervejas, preferindo reservar a cevada maltada para a produção de bebidas mais fortes. Entretanto, sempre há exceções, e uma delas resultou na 1488 Whisky Beer.

A Tullibardine Distillery fica no coração de Perthshire, na Escócia. O pessoal notou que sempre havia muitos barris de uísque vazios por lá e, já que a destilaria fica nas instalações da mais antiga cervejaria pública da Escócia (que passou a produzir destilados na década de 1940), a solução natural foi encher esses barris com uma boa ale.

Para elaborá-la, a pasta de cevada maltada com água de nascente das montanhas, bastante água local e levedura são levadas da destilaria para a Allan Brewery, em Sterling. A cerveja é levemente lupulada e fermentada um pouco mais de tempo do que a média, além de levar um pouco de açúcar – daí o teor alcoólico mais alto. Então, é envelhecida em barris de uísque esvaziados recentemente durante até 12 semanas. Antes, os barris de carvalho americano haviam passado uma década com bourbon e mais dez anos com single malt, conferindo um profundo sabor de uísque à cerveja. Esta é então esterilizada, engarrafada e selada, para que o sabor seja mantido o mais fresco possível.

O nome se inspirou na coroação do rei Jaime IV, da Escócia, e em quando, segundo registros, ele comprou cerveja na cervejaria que ficava nas instalações atuais da Tullibardine Distillery. Parece não haver maneira melhor de celebrar sua memória do que se deliciando com um copo da Whisky Beer. **JM**

Notas de degustação

A profunda cor dourada lembra uísque single malt, assim como o aroma frutado porém defumado. Com lúpulo moderado, desce aquecendo a garganta. Apesar de forte, a sensação é de leveza e frescor, com notas de baunilha doce e um toque ácido, e um final forte de uísque.

Angel's Share Ale

The Lost Abbey | www.lostabbey.com

País de origem Estados Unidos
Lançada em 2006
Teor alcoólico 11,5% vol. (variável)
Temperatura ideal 13°C

A Lost Abbey já mostrava ser precoce quando ganhou o troféu de campeã dentre as pequenas cervejarias no Grande Festival Americano da Cerveja (GABF) e na Copa do Mundo da Cerveja em 2007, antes de completar o segundo aniversário. Ela já vinha de boa linhagem. A Lost Abbey é uma extensão da família Pizza Port, e o bar e cervejaria Pizza Port-Solana Beach foi campeão do GABF em 2003 e 2004. Em 2006, a nova cervejaria foi aberta em San Marcos, ocupando as instalações deixadas para trás pela Stone Brewing.

Tomme Arthur, diretor de operações da cervejaria, também levou algumas receitas. A cerveja no âmago da Angel's Share lembra muito a cerveja forte Late Harvest 15th Anniversary Ale, criada em 2002 por Arthur e Jeff Bagby. Após ser envelhecida em barris de carvalho americano, parte dela é misturada com suco de uvas Carignan e fermentada uma segunda vez com levedura de vinho Cabernet. A Angel's Share não recebe tratamento de vinho, mas há versões diferentes envelhecidas em barris de conhaque e de bourbon, respectivamente. O termo angel's share, "a porção do anjo", se refere à parte do vinho ou destilado que evapora enquanto envelhece no barril. O teor alcoólico varia conforme as diferentes safras.

"Quando conseguimos os barris de conhaque, pressenti que os sabores seriam mais o que eu procurava em 2002", conta Arthur depois que a Angel's Share chegou ao topo das listas de classificação de cervejas na internet. "Assim, esta cerveja voa mais alto do que todas as outras." Sem dúvida, um começo angelical. **SH**

Notas de degustação

Ao ser vertida, é marrom-escura com espuma bege. A lista de aromas e sabores é enorme, e surgem novos a cada vez que se volta ao copo: frutas vermelhas escuras, baunilha, coco, tanino de madeira, bourbon, xarope de bordo, conhaque, caramelo, toffee, melaço. Um conjunto maravilhoso.

Anniversary Ale

Firestone Walker Brewing
www.firestonewalker.com

País de origem Estados Unidos
Lançada em 2006
Teor alcoólico variável
Temperatura ideal 13°C

Para comemorar o décimo aniversário da Firestone Walker, em 2006, os cervejeiros criaram quatro cervejas fortes (barleywine, imperial stout, imperial brown e double IPA), envelhecidas em seis variedades de barris de carvalho, inclusive antigos barris de uísque e conhaque. A mistura foi determinada através de provas, resultando em uma cerveja que é um fantástico exemplo de colaboração entre uvas e cereais.

A Firestone X alcançou 10% de teor alcoólico. O processo foi repetido em 2007, e a Firestone XI cresceu para 11%, seguida pela Firestone XII, com 12%. A cada ano, os cervejeiros criam novas partes da mistura, mas agora o mestre cervejeiro Matt Brynildson se dá ao luxo de empregar barris que vêm sendo envelhecidos há muitos anos. **SH**

Notas de degustação

Cada lote envelhecido se torna mais complexo: correntes e marés de frutas escuras, notas de melaço, sabores das bebidas envelhecidas anteriormente nos barris e notas associadas à madeira.

Bam Bière

Jolly Pumpkin Artisan Ales
www.jollypumpkin.com

País de origem Estados Unidos
Lançada em 2005
Teor alcoólico 4,5% vol.
Temperatura ideal 4°- 6°C

A Bam é a prova de que as cervejas leves e pouco alcoólicas não precisam ser insossas e sem identidade. É algo único atualmente na Bélgica, mas reflete uma tradição de cervejas leves fermentadas em carvalho que quase se extinguiu no início do século 20. A Bam é fermentada em grandes *foudres* – tanques verticais – de carvalho. A madeira é um ambiente propício ao tipo de levedura silvestre e outros micro-organismos que dão um charme terroso. A principal é a *Brettanomyces*, um tipo de levedura que confere um aroma que lembra estábulo.

Ela lembra superficialmente as Witbiers belgas, de cor muito pálida, turva e luminosa. Assim como todas as cervejas da Jolly Pumpkin, o acondicionamento na garrafa confere mais sabor e uma delicada carbonatação. O lúpulo adicionado a seco dá um perfume herbáceo. **RM**

Notas de degustação

Aroma muito complexo de madeira, terra e abacaxi. O sabor é brilhante, ácido, reforçado por uma leve doçura. O corpo é médio e amadeirado, de amargor moderado, com um toque maltado de pão.

Bard's The Original Sorghum Malt Beer

Bard's Tale Beer | www.bardsbeer.com

País de origem Estados Unidos
Lançada em 2005
Teor alcoólico 4,6% vol.
Temperatura ideal 7°C

A cevada é o cereal mais comumente usado para se fazer cerveja. Porém, como muitos outros cereais, ela representa um perigo para cerca de 1% da população, que é intolerante ao glúten.

A Bard's foi criada por Craig Belser e Kevin Seplowitz, que têm intolerância a glúten e se referem a esta cerveja como "a primeira cerveja artesanal sem glúten, feita de sorgo". Ela não contém xaropes, extratos ou açúcares. É muito mais difícil fazer cerveja sem glúten do que a tradicional. Atualmente, a opção mais segura é usar ingredientes que naturalmente não contenham glúten, e o sorgo é a escolha mais comum. No entanto, existem mais de 10.000 tipos de sorgo e poucos estudos para determinar quais são os melhores para cerveja, razão pela qual os resultados são imprevisíveis. **JB**

Notas de degustação
O nariz é doce, com aromas agradáveis e límpidos que incluem toques de café e amanteigados. Os sabores são suaves e doces, com boa presença de lúpulo, notas de amanteigados e um prolongado fim de boca.

Bastarda Doppia

Birrificio Amiata | www.birra-amiata.it

País de origem Itália
Lançada em 2007
Teor alcoólico 8,5% vol.
Temperatura ideal 12°- 14°C

O Birrificio Amiata fica perto do monte Amiata, na Toscana, uma área rodeada de castanheiras. Naturalmente, quando Claudio Cerullo fundou a cervejaria, todos lhe pediam que fizesse uma ale com castanhas. A primeira tentativa resultou na Bastarda Rossa, uma ale leve com um ligeiro sabor de castanha. O povo da região não achou suficiente, então Cerullo criou algo mais forte e característico: a Bastarda Doppia.

Esta cerveja de alta fermentação leva cerca de 10 quilos de castanhas para cada 110 quilos de malte. É uma quantidade imensa, mas necessária para garantir aroma, sabor e retrogosto de castanha. De forte teor alcoólico, porém elegante e cativante, é a melhor maneira alternativa de saborear as castanhas especiais do monte Amiata. **MM**

Notas de degustação
O aroma de castanha é acompanhado por uma corrente de notas frutadas e um toque defumado. A textura agradável aquece o paladar e é seguida por um retrogosto prolongado.

Bee's Organic Ale

Arkell's Brewery | www.arkells.com

País de origem Inglaterra
Lançada em 2001
Teor alcoólico 4,5% vol.
Temperatura ideal 13°C

Não é comum usar mel em cerveja. Com o mel errado, a cerveja fica com um cheiro floral e enjoativo. Se usado em excesso, o sabor fica insuportavelmente doce. Porém, se a quantidade e a combinação de mel forem adequadas, a cerveja se eleva a outra dimensão, podendo até cativar aqueles que geralmente nem gostam dessa substância açucarada.

A Arkell's Brewery é responsável por uma das cervejas de mel mais bem-sucedidas. Ela faz parte da cidade de Swindon, em Wiltshire, junto à linha do trem, desde 1843. Ainda é uma empresa familiar, em instalações de 150 anos que são um tesouro histórico. Hoje, ao lado de velhas favoritas, como a 3B, maltada e bem amarga; a Kingsdown Ale, ainda mais maltada e densa porém suave; e a 2B, levemente amarga e muito refrescante, há uma seleção de cervejas sazonais e ocasionais.

A Bee's Organic é oferecida na torneira umas quatro vezes por ano, e o ano todo em garrafa. Entrou para a coleção em 2001 e exigiu intensos cuidados do mestre cervejeiro Don Bracher para alcançar a doçura sutil e a delicada suavidade que fazem dela uma das melhores cervejas de mel do mundo. O processo se inicia com a brassagem de maltes claro e Crystal e um pouco de malte de trigo. O mel – orgânico, como os outros ingredientes, trazido de locais como Índia e Brasil – é adicionado durante a fervura, em que entra também lúpulo First Gold. Quando a cerveja é passada pelo coador de lúpulo, é adicionado mais lúpulo, Hallertauer neozelandês. A combinação inteligente de frutas do lúpulo e suaves notas florais do mel garante o grande apelo da cerveja. **JE**

Notas de degustação

Cerveja dourada de aroma maltado, condimentado e floral, com toques de abacaxi. O sabor é sedoso e suavemente amargo, sem que o mel adoce ou confira notas florais excessivas, com um toque de abacaxi. Os lúpulos são suaves até o final macio.

Bell's Cherry Stout

Bell's Brewery, Inc. | www.bellsbeer.com

País de origem Estados Unidos
Lançada em 1988
Teor alcoólico 8,5% vol.
Temperatura ideal 7°- 10°C

Esta é uma cerveja do tipo "ame-a ou deixe-a", segundo o fundador da Bell's Brewery, Larry Bell. Para muitos apreciadores, esta "cereja coberta de chocolate engarrafada", feita para os meses de inverno, é irresistível. Bell a compara a um vinho: "É como um Pinot Noir. O primeiro gole pode ser um pouco estranho, mas logo você quer mais."

Ela começou como uma saudação a um clube de cervejeiros caseiros da região, que se especializou em cherry stout. Bell elaborou as primeiras versões com o suco de cereja que sobrava das esteiras de uma empresa que enlatava frutas. Foi uma das primeiras cervejas com frutas dos Estados Unidos. "O governo demorou muito para aprová-la, pois não sabia bem como lidar com uma cerveja que levava frutas."

As cervejas com frutas têm uma longa história, mas costumam ser produzidas em áreas de cultivo de frutas e para consumo local. Só passaram a ser feitas mais comercialmente nas últimas décadas. As escuras ainda são muito raras. Hoje, Bell faz esta cerveja com concentrado de cereja de Traverse City. Com 8,5% de álcool, é para beber devagar. Com as cerejas e a intensidade dos maltes pretos, esta cerveja tem bastante acidez. Não é ruim que seja preciso um tempo para se habituar a ela, pois a acidez realça consideravelmente os sabores frutados.

Embora a maioria das cervejas seja melhor fresca, esta pode ser um pouco envelhecida. Com o tempo, a acidez se suaviza e os sabores de frutas escuras e malte se unificam, criando uma experiência mais elegante, semelhante à do vinho. **RM**

Notas de degustação

Aroma achocolatado, com notas de cereja e uma pitada de álcool e ésteres de frutas. No paladar, a acidez dá água na boca e os sabores profundos de malte torrado aumentam o equilíbrio agridoce. O final é brilhante e frutado, terminando com notas torradas.

Bercloise au Cognac

Brasserie de Bercloux | www.bercloise.com

País de origem França
Lançada em 2000
Teor alcoólico 7% vol.
Temperatura ideal 8°- 10°C

A França é associada aos grandes vinhos do mundo, mas suas cervejas raramente recebem menções notáveis. O mestre cervejeiro da Brasserie de Bercloux, Philippe Laclie, foi apresentado à técnica em 1999, na Irish Brewing Company, da Irlanda. A empresa familiar se dedicava à produção de vinho e conhaque desde 1889, uma das poucas destilarias independentes de conhaque que restam no entorno de Cognac, cujo solo calcário e leve contribui para a mística desse *terroir*. Nesse contexto, quando Laclie começou a fazer cerveja, a demanda entre amigos e parentes aumentou tanto que ele precisou optar entre as uvas e os cereais. Estes venceram, e a produção de cerveja teve início em 2000.

Laclie toma emprestado o destilador de conhaque da família para ferver o mosto – é a única cervejaria do mundo que faz isso. Trata-se do *alembic charentais*, curiosa caldeira de brassagem arredondada e de pescoço fino. A Bercloise au Cognac é maturada três semanas, com a adição de Laclie Cognac de seis anos, que realça o leve caráter floral e frutado. A Brasserie de Bercloux conquistou um nicho para seus produtos dentro de um mercado imenso. Todas as cervejas são de alta fermentação, e a Blanche e a Stout não são filtradas. **AG**

Notas de degustação

De aroma amadeirado, um malte abiscoitado, paladar doce e uma rajada de álcool, esta cerveja cor de cobre merece ser saboreada em momentos de lazer. "Une belle harmonie."

Bière des Naufrageurs Miel

Brasserie des Naufrageurs | www.oleron-plages.fr

País de origem França
Lançada em 1995
Teor alcoólico 7,5% vol.
Temperatura ideal 8°C

Naufrageur em francês é algo que causa um naufrágio, e o rótulo da cervejaria mostra um jumento com um lampião pendurado no pescoço, atraindo um navio para os rochedos, onde a embarcação, a tripulação e os passageiros serão saqueados. Presume-se que ele se refira à história do local onde fica esta microcervejaria: a Ile d'Oléron, no mar da costa oeste da França. Aqui são colhidas grandes quantidades da famosa ostra Marennes, e as paisagens vão de florestas de pinheiros a alagados, de montanhas a riachos, de salinas a dunas de areia.

O proprietário da cervejaria, Jean-Luc Metayer, tem um apiário e vende todo tipo de produto, como cera, geleia real e bolo de mel com especiarias. Ele abriu a cervejaria em 1995 e também produz uma cerveja com mel, a Naufrageurs Miel, que é encorpada, complexa e bem balanceada, de persistente caráter agridoce e suavemente morna. Entre as outras cervejas estão Naufrageurs à la Bergamot, Blonde e Mure (amora). Todas são de alta fermentação, sem filtrar nem pasteurizar. A cevada para as cervejas é cultivada na mesma ilha, mas é maltada no continente. O calor do verão pode prejudicar a produção de cervejas, de modo que elas são elaboradas sobretudo nos meses mais frios. **AG**

Notas de degustação

De rica aparência marrom-avermelhada, com um convidativo nariz de malte e mel. Mais mel no paladar, com um pouco de lúpulo amargo em evidência para balancear a doçura e a temperatura. Sutilmente complexa.

O rótulo da Naufrageurs: o jumento atrai mais um navio para o naufrágio. →

Bière des Naufrageurs
Brassée sur l'Ile d'Oléron

Blandford Fly

Hall & Woodhouse | www.hall-woodhouse.co.uk

País de origem Inglaterra
Lançada em 2000
Teor alcoólico 5,2% vol.
Temperatura ideal 11°C

É sempre bom encontrar uma cerveja com uma boa história por trás, e assim é a Blandford Fly, a cerveja aromatizada com gengibre da Hall and Woodhouse. O nome se deve a um inseto particularmente irritante que habita os arredores do rio Stour, perto da cervejaria. Reza a lenda que só a zingibaína, um componente ativo do gengibre muito usado em medicinas alternativas, é capaz de diminuir a febre e a inflamação causadas pela picada do animal.

A cerveja foi criada em 2000 pelo Dr. Tim Morris, mestre cervejeiro da cervejaria de Dorset, após o sucesso do lançamento de outro rótulo muito procurado, a Champion, que é aromatizada com flor de sabugueiro e foi considerada ousada quando do seu lançamento. A ideia por trás da Blandford Fly era criar um refresco de gengibre que cativasse os adultos, combinando os aspectos doces e condimentados do refrigerante não alcoólico à tradição cervejeira.

O aspecto tradicional vem do uso de malte claro Tipple (substituto cada vez mais comum para o Optic) e três tipos de lúpulo: Magnum e Hallertau Tradition para conferir amargor, e Select para um aroma mais sutil. Os ingredientes são bem suaves, para não se sobreporem aos delicados aromas e sabores do gengibre. A cerveja é balanceada com sacarose e uma pitada de caramelo, que, segundo a cervejaria, conferem um perfil de sabor adocicado mais límpido do que com o uso de maltes. É muito versátil para acompanhar todo tipo de alimento, desde pratos tailandeses até costela de boi. **MC**

Notas de degustação

Ale clara e reluzente, com aromas de gengibre, damasco e baunilha. O gengibre e a carbonatação atiçam o paladar, e a doçura residual ameniza este efeito, evitando que a cerveja seja muito "picante".

Boon Oude Geuze

Brouwerij Boon | www.boon.be

País de origem Bélgica
Lançada em 1975
Teor alcoólico 6,5% vol.
Temperatura ideal 13°C

A cerveja tipo oude geuze foi chamada de champanhe das cervejas devido à efervescência e à extrema secura da maioria dos exemplares. Esta é uma boa opção para conhecer o estilo, pois o teor de acidez e amargor não é muito extremo e o diferencial da levedura silvestre *Brettanomyces* fica mais pronunciado. A Boon emprega os mesmos ingredientes com que a maioria das produtoras de lambic faz uma oude geuze: 90% da mistura foi envelhecida em média dois anos em barris de carvalho. Também são adicionadas lambics de um e três anos, 5% de cada.

Frank Boon é um dentre poucos indivíduos que se dedicaram a salvar a lambic e a oude geuze tradicionais da extinção nos anos 1970. Essas cervejas – azedas, fortes, com um nítido caráter que lembra manta de cavalo – eram a antítese das bebidas adocicadas que ganhavam popularidade na Bélgica e no mundo todo naquela época. Perante um mercado minguante, as cervejarias de lambic ou adoçaram as cervejas ou desapareceram, com exceção de umas poucas notáveis, como a Boon e a Cantillon.

A Boon comprou as instalações da antiga De Vits em 1977 e logo passou a elaborar lambics. Em 1990, assinou um acordo com a Palm e, com mais investimentos, instalou uma autêntica cervejaria de lambic. A qualidade do mosto não fermentado da Boon é tal que muitas vezes é usado pelas três produtoras de lambic que ainda restam: De Cam, Hanssens e Oud Beersel. No mundo pequeno das lambics, em que nem todos concordam, Frank Boon merece o respeito de todos os colegas. **CC**

Notas de degustação

Turva, de cor alaranjada brilhante, com uma grande coroa firme. O aroma é terroso, com notas de mosto e frutas, como limão e maçã. Sabores de toranja, maçã e pera com um leve toque de carvalho e uma acidez moderada e agradável. Experimente com queijo Roquefort!

Boon Oude Geuze Mariage Parfait

Brouwerij Boon | www.boon.be

País de origem Bélgica
Lançada em 1978
Teor alcoólico 8% vol.
Temperatura ideal 13°C

Esta é a joia da coroa da cervejaria Boon. A Mariage Parfait é uma de suas melhores lambics, a preferida do proprietário Frank Boon. O teor alcoólico é mais alto do que o normal para lambics de três anos, o que a torna mais complexa, azeda e seca. Boon criou esta cerveja para ser o ponto alto da cervejaria. Primeiro ela é misturada e depois engarrafada, geralmente em março.

Todas as lambics da Boon fermentam espontaneamente no local e então são envelhecidas em barris de carvalho durante um a três anos. A Boon está instalada em uma antiga fundição de aço, muito grande, e um dos ambientes cavernosos guarda dezenas de barris imensos, chamados *foeders*. O local é muito mais espaçoso do que as instalações da De Vits, onde Boon começou a misturar lambics.

As amostras retiradas de vários *foeders* mostram o quanto uma lambic muda com o tempo: de uma versão de duas semanas, suave e adocicada, até a de três anos, ácida, amarga e deliciosamente refrescante. As versões de seis meses e dois anos evidenciam a evolução da lambic.

A Brouwerij Palm detém 50% da Boon, que emprega a rede de distribuição da Palm e consegue assim muito mais exposição e alcance na Bélgica do que teria por conta própria. Contudo, a Palm não interfere na cervejaria e Frank Boon mantém total controle sobre o que acontece em Lembeek. Na Bélgica, em diversos cafés da Palm ou ligados a ela, a Boon Lambiek sem misturar nem filtrar é servida em bombas manuais. **CC**

Notas de degustação

Cor de palha dourada, esfumada, de espuma branca, quase bege. O aroma muito terroso evoca estábulo, com o caráter proeminente de manta de cavalo da Brettanomyces. *O sabor é semelhante ao aroma, com mais acidez e amargor e notas cítricas terrosas. Vai bem com mexilhões ao vapor.*

Os imensos barris de carvalho em que a Brouwerij Boon envelhece as cervejas. →

N°12
R
100
F400

Cantillon Grand Cru Bruocsella

Brasserie Cantillon | www.cantillon.be

País de origem Bélgica
Lançada em 1986
Teor alcoólico 5% vol.
Temperatura ideal 12°- 15°C

Que tipo de cerveja é a Grand Cru Bruocsella? Em primeiro lugar, não é geuze. A Cantillon elabora lambics, e isso é a Bruocsella (Bruxelas, em latim): uma lambic pura, de três anos – por isso "Grand Cru" –, engarrafada diretamente dos grandes tonéis de madeira (*foeders*) adormecidos nessa cervejaria-museu. Portanto, é seca feito osso e, para os conhecedores, é o que há de melhor.

A Brasserie Cantillon data da virada do século 20 e começou misturando lambics para elaborar o famoso champanhe belga geuze. Depois a família Cantillon passou a produzir as lambics. O cervejeiro atual, Jean Van Roy, é neto do último Cantillon.

A lambic, regulamentada por leis belgas e europeias, contém 30% de trigo cru, cevada maltada e lúpulos envelhecidos (só para conservação, não para conferir amargor). Uma fórmula determina o teor mínimo de ácidos orgânicos e a fermentação é espontânea. Por isso, só são usadas leveduras silvestres para iniciar e terminar a fermentação, sendo que a *Brettanomyces* realiza a fermentação final, sem dúvida a mais importante do ciclo.

Embora a maior parte da produção de lambic seja usada para geuze ou em subprodutos frutados como kriek e framboise, a Cantillon oferece a oportunidade de experimentar a notável lambic básica – geralmente servida direto do barril – em casa, na forma da Grand Cru Bruocsella. A cervejaria descreve o sabor como o de pão torrado, com uma discreta acidez. Ela a compara a um Chardonnay e recomenda servi-la em taças de vinho. **JPa**

Notas de degustação

Cerveja dourada, sem coroa. Sobressaem aromas de carvalho envelhecido, livros antigos com capa de couro e cogumelos silvestres. No paladar, mais madeira, taninos, um improvável toque doce e barris de xerez. Perfeita com peixes ou crustáceos delicados e com chucrute.

Cantillon Gueuze 100% Lambic Bio

Brasserie Cantillon | www.cantillon.be

País de origem Bélgica
Lançada em 2001
Teor alcoólico 5% vol.
Temperatura ideal 13°C

Esta cervejaria extraordinária abriu em Bruxelas em 1900 e é a última na cidade que ainda produz cerveja lambic. A Cantillon é ao mesmo tempo um museu vivo e uma cervejaria operacional que produz algumas das lambics mais respeitadas e procuradas do mundo. A visita é imperdível pela localização central da cervejaria e pela receptividade ao público. Ela fica aberta seis dias por semana e não é necessário fazer reservas – basta aparecer, pagar a entrada (que inclui uma cerveja) e circular pelo local. As cervejas podem ser compradas e degustadas no coração da cervejaria.

Na Cantillon, assim como na maioria das cervejarias de lambic, o mosto quente (cerveja não fermentada) é bombeado para um vasilhame de cobre retangular situado no andar mais alto. Enquanto o mosto esfria durante a noite, a levedura silvestre começa a fermentação. O mosto é então transferido para barris de madeira, onde será envelhecido.

A Gueuze 100% Lambic é uma mistura de lambics envelhecidas um, dois e três anos, cuidadosamente selecionadas pelo mestre cervejeiro Jean Van Roy e seu pai Jean-Pierre. As lambics mais velhas conferem à cerveja sabores azedos, intensos e complexos, enquanto a mais nova, que ainda está fermentando, traz o açúcar necessário à refermentação que ocorrerá na garrafa.

Esta cerveja é certificada como "bio" na Bélgica, o que significa que seus ingredientes – cevada, cereais, lúpulo e trigo – são orgânicos. Ela recebeu a certificação em 2003 e faz parte de uma iniciativa da cervejaria de apoio a agricultores que não utilizam fertilizantes químicos ou pesticidas em seus produtos. **CC**

Notas de degustação

Quando servida, sua cor é dourada turva, com uma espuma efervescente. Aroma de frutas cítricas, azedo e caracteristicamente lambic. Sabor extremamente azedo, com notas de limão, uva azeda e até melão. Muito complexa. Uma cerveja muito seca com textura média e um final levemente amargo.

Cantillon Iris

Brasserie Cantillon | www.cantillon.be

País de origem Bélgica
Lançada em 1996
Teor alcoólico 5,5% vol.
Temperatura ideal 10°- 12°C

Seria errado confundir a Cantillon Iris com uma lambic ou uma geuze. Ela é uma ale, embora fermentada espontaneamente. As lambics levam ao menos 30% de trigo não maltado, enquanto a Iris é feita com 100% de malte de cevada e por isso não é legalmente uma lambic. Há outras diferenças: metade do lúpulo usado é torrado, como é comum em lambics, mas metade é de lúpulos frescos.

O lúpulo Styrian Golding fresco foi usado na primeira vez em que esta cerveja foi produzida, mas a variação no lúpulo é uma de suas características. A Iris matura dois anos em madeira, é lupulada a seco (*dry hopping*), ao contrário da geuze, e fermenta na garrafa graças à adição de um pouco de glicose. Apesar de tudo, a Iris é tipicamente Cantillon, com uma diferença: embora criada por Jean-Pierre Van Roy, ela deve muito à sensibilidade do atual mestre cervejeiro, seu filho Jean, que é menos tradicionalista que o pai e gosta de fazer experiências, por exemplo, com frutas diferentes ou lúpulos americanos frescos e fortes, como Cascade e Amarillo.

Seu primeiro lote foi produzido em 1996 e engarrafado dois anos depois para as comemorações do aniversário de 20 anos do museu da cervejaria. Desde então, muitos outros foram produzidos, cada um com mais lúpulo que os anteriores. A Iris também tem uma ressonância histórica. Os antepassados da Cantillon faziam uma ale típica de Bruxelas muito semelhante, e a íris, uma flor de áreas alagadas parecida com o lírio, representa o desenvolvimento de Bruxelas a partir de suas origens pantanosas ao redor do rio Sena. **JPa**

Notas de degustação

Cor âmbar clara. O caráter das lambics está muito presente no nariz, com lúpulos frescos e antigos, além de notas frutadas e madeira exótica. Sabor frutado com amargor suave e final seco acentuado. Sua complexidade não é comum a outras lambics da Cantillon.

Cantillon Lou Pepe

Brasserie Cantillon | www.cantillon.be

País de origem Bélgica
Lançada em 2001
Teor alcoólico 5% vol.
Temperatura ideal 12°- 15°C

Para bem ou para mal, a Cantillon é tida como a arquetípica produtora tradicionalista de lambic. Portanto, soa irônico que suas cervejas Lou Pepe não preencham os requisitos da União Europeia para serem classificadas como lambic, geuze e kriek clássicas.

Comecemos pelo nome. Lou Pepe não vem do holandês, do francês, ou mesmo do dialeto falado em Bruxelas. Etimologicamente, "Lou Pepe" vem do provençal, dialeto do sudoeste da França, e é usado para se dirigir a um avô de maneira carinhosa. Jean-Pierre Van Roy, cervejeiro anterior da Cantillon, e sua esposa, Claude Cantillon, viajavam muito com a família para essa parte da França. Além disso, Jean-Pierre colaborou diversas vezes com vinicultores franceses famosos e usou damascos de Bergeron para a Fou'Foune, outra criação idiossincrática. A Lou Pepe foi criada como parte de uma linha de produtos homenageando Jean-Pierre quando ele estava pensando em se aposentar (se sua presença deixará de ser sentida na cervejaria é outra história).

A ideia por trás da Lou Pepe, assim como em outras cervejas da Cantillon, foi preservar o sabor autêntico das melhores lambics envelhecidas e o das frutas mais selecionadas. Os melhores barris de lambic envelhecida são selecionados e uma boa solução de glicose é adicionada – esta fonte neutra de açúcar desaparece com a fermentação quando termina o período de maturação na garrafa. A Framboise Lou Pepe leva uma vez e meia a quantidade de framboesas usada para a Rosé de Gambrinus, a principal framboise da Brasserie Cantillon. **JPa**

Notas de degustação

Incrível coloração intensa de cereja com uma grande espuma rosa. No nariz, um balde de framboesas frescas sobre um fundo de madeira molhada, além de uma lufada de giz molhado. Sabor de framboesas silvestres amadeiradas. Muito refrescante, com as framboesas permanecendo e frutas azedas conferindo frescor.

Cantillon Rosé de Gambrinus

Brasserie Cantillon | www.cantillon.be

País de origem Bélgica
Lançada em 1986
Teor alcoólico 5% vol.
Temperatura ideal 5°C

Dizem que visitas a vinícolas são mais encantadoras do que a cervejarias, devido à mistura especial de natureza, história e criatividade que proporcionam. Mesmo sem poder oferecer a mesma beleza geométrica dos vinhedos, uma visita à Cantillon não fica atrás em termos de história e senso artístico. Além disso, cada marca da cervejaria está carregada de um pouco de história, desde que você conheça os meandros técnicos da fermentação espontânea e da produção de cerveja lambic.

Paladares mais eruditos podem torcer o nariz para lambics com framboesa (framboise) por considerá-las interpretações modernistas da antiga tradição das lambics envelhecidas, mas não é bem assim. Jean-Pierre Van Roy, o patriarca da Cantillon, pesquisou muito o assunto e descobriu que, apesar de ser difícil precisar quando lambics com framboesa começaram a ser consumidas na região de Pajottenland, elas são produzidas há pelo menos um século.

Para se fazer esta cerveja, quilos de framboesas são adicionados aos barris de lambic durante a maturação, aumentando a fermentação e conferindo um caráter frutado, mas não adocicado. O sabor da fruta desaparece com o tempo, por isso Van Roy recomenda beber esta rosé como se tomaria um vinho equivalente, ou seja, jovem. Segundo a página da Cantillon na internet, esta cerveja não é chamada de "framboise" e é classificada separadamente, pois desde 1986 a palavra é associada a "cervejas doces, aromatizadas artificialmente". Nada mais apropriado do que uma rosé dedicada a Gambrinus, patrono da cerveja, e não a Baco, o deus do vinho. **SB**

Notas de degustação

Esta cerveja leve e rosada possui aromas azedos, secos e que lembram celeiro, misturados aos de framboesas frescas e casca de frutas cítricas. No corpo, taninos de fruta, já que o açúcar residual desaparece na fermentação, com um azedume acentuado e notas de limão.

Cascade Cuvée du Jongleur

Cascade Brewing | www.raclodge.com

País de origem Estados Unidos
Lançada em 2005
Teor alcoólico 8,4% vol.
Temperatura ideal 9°C

A Cuvée du Jongleur, da Cascade Brewing, é difícil de definir. Para começar, há a questão do nome. "'Cuvée' é um termo em francês usado para designar um vinho de um lote ou corte específico. Deriva da palavra francesa *cuve*, que significa 'tonel'", explica Ron Gansberg, mestre cervejeiro da Cascade. "'Jongleur' se refere aos malabaristas da Inglaterra e França medievais", acrescenta, revelando que o nome "Cuvée du Jongleur" descreve o seu malabarismo com barris de nove lotes diferentes de cerveja para chegar ao produto final. Este é o resultado de uma mistura cuidadosa de barris selecionados de ales vermelhas azedas, envelhecidas por mais de ano; tripels belgas azedas, envelhecidas até 18 meses em carvalho; e quadrupels claras jovens. Após ser engarrafada, a cerveja é guardada na horizontal mais oito meses, como se faz com o champanhe.

A Cascade Brewing era mais uma entre várias cervejarias artesanais da região metropolitana de Portland, Oregon, até que Gansberg e sua equipe, motivados tanto pela necessidade quanto pela criatividade, começaram a fazer experiências com cervejas azedas. "Começamos o programa de cervejas azedas para guardar cervejas de qualidade por mais tempo, e por isso elas não entravam no processo normal envolvendo tanques e resfriamento", diz Gansberg. "Estamos em uma das maiores regiões produtoras de cervejas artesanais do mundo, que também é uma região vinícola muito ativa. É barato conseguir barris de carvalho francês de segunda mão, usados no envelhecimento de Pinot Noir. Minha experiência como vinicultor me ajudou muito na produção das cervejas azedas." **LMo**

Notas de degustação

A performance da Cuvée du Jongleur é muito boa, equilibrando diversos sabores ao mesmo tempo sem que pareça fazer esforço algum. Aproveite o final dramático, que une o carvalho e frutas agridoces ao azedume da casca do limão.

Cascade Kriek Ale

Cascade Brewing | www.raclodge.com

País de origem Estados Unidos
Lançada em 2006
Teor alcoólico 8,1% vol.
Temperatura ideal 10°C

Art Larrance é um dos pais do movimento de cervejarias artesanais do noroeste americano: foi um dos fundadores da Portland Brewing em 1985 e lançou o Oregon Brewers Festival, que acontece anualmente ao fim de julho e é reconhecido como um dos melhores eventos cervejeiros dos Estados Unidos. Em 1998, Larrance abriu no bairro de Raleigh Hills, em Portland, o Racoon Lodge and Brewpub. Trabalhando com o ex-vinicultor Ron Gansberg, que passou um tempo na BridgePort Brewing aprendendo técnicas de cervejaria, ele usa um sistema com dez barris para criar as cervejas únicas da Cascade.

A Cascade Brewing Company produz oito tipos de cerveja em barrica, para serem servidos na torneira, mas é sua coleção de barris de carvalho que realmente dá o que falar. Neles, eles adicionam fruta à cerveja, deixando a fermentação láctica agir durante meses, para depois transferirem manualmente a cerveja para garrafas, como as de champanhe. Além da Kriek, a Cascade faz ainda a Apricot Ale, com damasco, a The Vine, com uvas brancas de vinho da região, e algumas ales azedas ao estilo belga.

A Cascade procura usar os produtos agrícolas da região. O noroeste dos Estados Unidos é conhecido pelas cerejas extraordinárias, e a Cascade mistura cerejas Bing vermelho sangue e cerejas azedas para dar à cerveja o perfil de sabor correto. O objetivo não é copiar krieks belgas, mas fazer uma kriek própria. A base para a Cascade Kriek é a Northwest Sour Red Ale, semelhante às ales vermelhas da região de Flandres. A cervejaria adiciona cerejas frescas inteiras à ale e envelhece a mistura mais de seis meses em barris de vinho de carvalho francês. **RL**

Notas de degustação

Quando servida, a cor é um marrom-avermelhado intenso e a espuma é espessa e rica. Imediatamente, um aroma de fruta e especiarias se apresenta. O sabor é dominado por um azedo vibrante, com notas de frutas dadas pelas cerejas maturadas na cerveja.

Coconut Porter

Maui Brewing Co. | www.mauibrewingco.com

País de origem Estados Unidos
Lançada em 2005
Teor alcoólico 5,7% vol.
Temperatura ideal 7°- 10°C

Muita gente adora a Coconut Porter, e é fácil ver o porquê: esta porter robusta contém coco natural tostado para aumentar ainda mais a afeição dos Estados Unidos pela inovação. Se você gosta de coco, esta cerveja é para você.

Com duas instalações, a companhia está sempre disposta a apoiar a comunidade local e se orgulha de dizer que sua produção está baseada nessa ilha do Havaí e não no continente. As atividades estão distribuídas entre Kahana, onde as cervejas artesanais saem em lotes pequenos de sete barris, e Lahainatown, onde são mantidas uma cervejaria maior e uma linha automática para enlatamento.

No seu âmago, a Maui Brewing ainda é uma cervejaria artesanal e, como ocorre com as cervejarias artesanais americanas, tem uma produção variada: a Big Swell IPA e a Penguin XX Imperial Stout merecem ser conferidas. A Coconut Porter se encaixa no perfil das porters americanas e herdou atributos de sua antecessora inglesa, mas inova ao incorporar coco. Aqueles que estão imaginando uma bebida doce a ponto de ser enjoativa ficarão chocados, já que ela é muito equilibrada e tem um corpo incrível. O amargor contrasta com a doçura para proporcionar uma experiência duradoura e provocante. As 32 IBU não predominam, mas sua presença sutil faz com que a textura suave da cerveja seja quebrada por uma sensação vívida na língua.

Ecologicamente consciente, o pessoal da Maui usa latas, um dos materiais mais reciclados do planeta, para envasar a cerveja, e refutam quaisquer acusações de que elas alterem o sabor. **TS**

Notas de degustação

Quando servida, é de um preto intenso com um colarinho bege espumoso, e o coco predomina desde o primeiro gole. A cerveja tem uma boa estrutura de café que ajuda no amargor e no equilíbrio. Excelente para ser servida à mesa do jantar e particularmente boa para acompanhar lula e siri à moda Cajun.

Consecration

Russian River Brewing | www.russianriverbrewing.com

País de origem Estados Unidos
Lançada em 2009
Teor alcoólico 10,5% vol.
Temperatura ideal 13°C

O mestre cervejeiro e coproprietário da Russian River, Vinnie Cilurzo, é filho de um vinicultor do sul da Califórnia e quando jovem dava uma mão na adega. Ele se diverte com a ironia de ter começado a fazer cerveja caseira por ter descoberto que levava só 21 dias, enquanto hoje algumas de suas cervejas requerem muito mais tempo de elaboração. Uma das cervejas envelhecidas em barris, a Consecration é lançada no mercado após passar por volta de seis meses em madeira, envelhecendo em barris de uma das principais vinícolas de Cabernet Sauvignon do país.

"Eu prefiro Pinot (Noir), mas adoro nossos barris de Cabernet", diz Cilurzo, enquanto enche barris de Pinot adquiridos recentemente com o que se tornará a Supplication. O desafio foi encontrar a fruta certa para fazer frente aos sabores fortes que ainda restam nos barris de Cabernet. Ele decidiu usar groselha depois de fazer uma cerveja comemorativa do aniversário do Toronado, um bar lendário de São Francisco. Era uma mistura de cinco cervejas e, apesar de não levar nenhuma fruta, seu sabor lembrava cerejas e groselhas desidratadas.

A base da Consecration é uma cerveja escura forte de inspiração belga, à qual são adicionadas groselhas e uma linhagem de *Brettanomyces* (levedura silvestre conhecida por evocar terra e estábulo), e a mistura descansa em barris de Cabernet. Depois de alguns meses, Cilurzo acrescenta aos barris um misto de várias leveduras silvestres que usa em outras cervejas, como a Temptation e a Supplication, o que aumenta os níveis de azedume até a acidez. **SH**

Notas de degustação

Quando servida é de um marrom-avermelhado. Aromas intoxicantes de vinho e frutas escuras de alucinar qualquer vinicultor. Eles dão espaço a sabores semelhantes, herbáceas e picantes, com pimenta verde, baunilha e carvalho. Final longo e terroso.

Cottonwood Pumpkin Spiced Ale

Carolina Beer Company | www.carolinabeer.com

País de origem Estados Unidos
Lançada em 1997
Teor alcoólico 6% vol.
Temperatura ideal 3°C

A Carolina Beer Company está baseada em uma cervejaria moderna em Mooresville, na Carolina do Norte. A produção de cerveja é apenas parte da operação, que inclui ainda contratos para envasar uma bebida energética, um refrigerante de malte e destilados. J. Michael Smith e John Stritch fundaram a cervejaria em 1997, no mesmo ano em que uma microcervejaria em Boone, Carolina do Norte, lançou a Cottonwood Pumpkin Spiced. Um cervejeiro criou a primeira receita usando os ingredientes da torta de abóbora de sua avó, que são usados ainda hoje: abóbora, gengibre, pimenta-da-jamaica, canela e cravo.

Diz-se que, quando os Estados Unidos ainda eram colônia, tomava-se cerveja de abóbora em vez da de malte, na época da colheita. A versão moderna destas ales surgiu em 1985, quando Bill Owens, do Buffalo Bill's Brewpub em Hayward, Califórnia, usou abóboras gigantes do tipo Atlantic para fazer cerveja. Em 1999, a Carolina Beer comprou a marca Cottonwood Ales da microcervejaria de Boone. A Pumpkin Spiced Ale é a cerveja sazonal mais vendida da Carolina Beer. Até hoje, o aroma de torta de abóbora pode ser sentido em toda a cervejaria sempre que a Pumpkin Spiced Ale é feita. Todo ano, quando o primeiro lote fica pronto, a cervejaria faz uma competição de esculturas em abóboras para festejar com os funcionários e a comunidade. A reputação da cerveja é tão boa que os mais de 700 barris produzidos todo ano esgotam antecipadamente.

A cervejaria produz outras cervejas sazonais, como a Almond Stout, a American Wheat, a Irish Style Red, a Scottish Ale e a Frostbite – esta para aquecer no inverno. **RL**

Notas de degustação

Esta cerveja é de uma cor âmbar intensa, tem uma espuma branca espessa e é encorpada como uma torta de abóbora. No paladar, quantidades generosas de canela, gengibre, pimenta-da-jamaica e cravo, terminando com notas de açúcar mascavo e xarope de bordo.

Cuvée de Tomme

The Lost Abbey | www.lostabbey.com

País de origem Estados Unidos
Lançada em 1999
Teor alcoólico 11,5% vol.
Temperatura ideal 13°C

Tomme Arthur, diretor de operações das cervejarias Port Brewing e The Lost Abbey, produz muitas cervejas "que não têm onde morar" quando tentamos classificá-las por estilo. Isso parecia ser um problema sério em 1999, quando ele levou a Cuvée de Tomme pela primeira vez para o Grande Festival Americano da Cerveja, inscrevendo-a na categoria de cervejas experimentais e vendo-a ganhar medalhas por anos seguidos.

A Cuvée nasceu de uma ale escura, forte e fermentada com leveduras belgas. Arthur a colocou em um barril usado de bourbon e adicionou cerejas e três variedades da levedura silvestre *Brettanomyces*. Ele pretendia envelhecer a Cuvée em barris de vinho, mas não tinha tempo de procurar um quando começou a produzir o primeiro lote. Um barril pouco usado de bourbon estava disponível. "Não havia planejado fazer uma cerveja envelhecida em barris de bourbon, mas acabou dando certo", diz ele. **SH**

Notas de degustação

Surgem novos sabores assim que os identificamos: cerejas, chocolate, frutas escuras, frutas desidratadas (figos), bourbon, caramelo, baunilha. É equilibrada por um final ácido.

De Cam Oude Kriek

Geuzestekerij De Cam | www.decam.be

País de origem Bélgica
Lançada em *ca.* 2002
Teor alcoólico 6,5% vol.
Temperatura ideal 10°C

Vamos às definições. Um *geuzesteker* mistura cervejas lambic, enquanto um cervejeiro de lambic produz lambics que podem ser misturadas para fazer geuze. Os *geuzestekers* eram comuns no passado, mas hoje em dia a De Cam é uma das duas *geuzestekerijen* ainda ativas.

A De Cam faz mais do que apenas misturar lambics. Quem toma as decisões é Karel Goddeau, um misturador notável, embora para ele o trabalho seja quase um hobby: Karel é também o mestre cervejeiro da Slaghmuylder, de Ninove. Perfeccionista, não gosta de fazer as coisas pela metade. É por isso que as cerejas usadas na De Cam Oude Kriek (*kriek* é o nome flamengo para cerejas ácidas) vêm dos pomares de sua família na vila de Gooik. Sua devoção à causa é tanta que ele costuma comprar cerejas polonesas junto com Frank Boon, outro cervejeiro de lambic, se a safra não for suficiente. **JPa**

Notas de degustação

O nariz lembra vinho, frutado mas sem cereja muito óbvia. O frescor das cerejas ácidas se apresenta no paladar. Ela não parece tanto uma lambic, mas é bem ácida e carbonatada.

Decadence

AleSmith Brewing | www.alesmith.com

País de origem Estados Unidos
Lançada em 2005
Teor alcoólico 9,9% - 11% vol. (variável)
Temperatura ideal 10°C

Peter Zien, reconhecido cervejeiro caseiro, comprou a AleSmith Brewing dos fundadores em 2002. Desde que assumiu a cervejaria, Zien ganhou mais de 100 medalhas e honrarias. A Decadence foi lançada em 2005 para comemorar o décimo aniversário da AleSmith. Como era de se esperar da pequena e iconoclasta cervejaria, todo ano é criada uma cerveja completamente nova e diferente. A única coisa em comum é que todas são fortes e ótimas para guardar e deixar envelhecer.

A primeira Decadence Anniversary Ale era uma old ale ao estilo inglês, combinando sabores abundantes de malte balanceados por lúpulo fresco inglês. O lote de 2008 é um barleywine inglês tradicional, com teor alcoólico de 11% vol. A AleSmith usou cevada maltada no chão de madeira e lúpulo inglês, além de uma levedura inglesa excepcional, dando à cerveja um caráter maltado intenso e forte sabor de caramelo. **JB**

Notas de degustação

No nariz, chocolate amargo e café, com notas de frutas secas e terra. É como um bolo líquido, no início doce, saborosa e densa, com sabores de cacau, café e frutas escuras. O final é amargo.

Demoiselle

Cervejaria Colorado | www.cervejariacolorado.com.br

País de origem Brasil
Lançada em 2008
Teor alcoólico 6% vol.
Temperatura ideal 6°C

Marcelo Carneiro da Rocha, fundador da Cervejaria Colorado, admite que quando começou, há 14 anos, em Ribeirão Preto foi muito difícil convencer as pessoas a tomarem cervejas aromatizadas. Com entusiasmo e perseverança, a Colorado cresceu junto com o mercado brasileiro de cerveja. Com o mesmo espírito de uma cervejaria artesanal americana, ela produz bebidas com sabores típicos do Brasil, incluindo mandioca, rapadura e mel local.

Além de maltes especiais alemães, esta porter de café leva grãos de café orgânicos "azuis". A cervejaria torra os grãos, faz uma infusão a frio e a adiciona ao final da fermentação para dar à cerveja um aroma suave e límpido de café. O resultado é uma mistura sutil de aromas torrados, com o café aparecendo logo após o malte. Com teor alcoólico de 6%, é elegante e não muito forte. A Demoiselle é saborosa e cremosa sem ser excessivamente doce. **RM**

Notas de degustação

Nariz suave de cacau com notas acentuadas de café expresso e sugestão de cerejas secas. É muito cremosa no paladar, e o chocolate dá espaço a sabores mais fortes de café expresso. Final extravagante.

The Dissident

Deschutes Brewery | www.deschutesbrewery.com

País de origem Estados Unidos
Lançada em 2006
Teor alcoólico 9% vol.
Temperatura ideal 10°C

O nome é apropriado, já que The Dissident realmente representou uma ruptura para a Deschutes Brewery, cervejaria premiada com sede em Bend, no Oregon. Ela foi lançada em 2006 como parte da série de cervejas especiais Deschutes's Reserve Series. The Dissident foi um marco por duas razões: foi a primeira cerveja com frutas que ela produziu – cerejas do estado de Washington foram adicionadas após seis meses de fermentação – e foi a primeira vez que ela usou na fermentação a variedade de levedura silvestre *Brettanomyces* (apelidada carinhosamente por vários cervejeiros artesanais de "Brett").

A Brett é conhecida por conferir tons terrosos a vinhos europeus, mas pode ser usada no processo de fermentação de cerveja para criar sabores típicos das cervejas belgas. Comparada a leveduras tradicionais, a Brett leva mais tempo para fermentar e requer mais tempo em barris para que os sabores azedos fiquem equilibrados. No caso da Dissident, parte do lote foi envelhecido mais de três meses em barris de Pinot e Cabernet para que se suavizasse e adquirisse as propriedades de uma oud bruin flamenga.

Apesar de ser apreciada em alguns estilos de cerveja, a Brett pode criar sabores considerados estranhos em outros. Por isso, os cervejeiros da Deschutes não queriam correr o risco de contaminar as outras instalações e mantiveram a cerveja em uma área trancada e isolada do restante da cervejaria. O nome "The Dissident" foi escolhido porque ele também pode significar "ficar à parte" em inglês. A Dissident ganhou medalha de ouro no Grande Festival Americano da Cerveja de 2008. **LMo**

Notas de degustação

Azeda e adocicada em uma combinação mágica, o caráter frutado e ácido faz desta cerveja um bom acompanhamento para comida, amenizando pratos mais cremosos e apimentados. Graças às notas de cereja, a cerveja também harmoniza bem com chocolate.

Draco

Birrificio Montegioco | www.birrificiomontegioco.com

País de origem Itália
Lançada em 2006
Teor alcoólico 11% vol.
Temperatura ideal 8°- 10°C

Graças à enorme habilidade e à imaginação do cervejeiro Riccardo Franzosi, todas as cervejas produzidas pelo Montegioco são excelentes, apesar da enorme variedade de estilos. Muitas são envelhecidas em barris de madeira usados anteriormente para vinho, enquanto outras são aromatizadas com frutas. Por isso, as cervejas têm um perfil aromático incrivelmente diverso. No Montegioco, podemos encontrar cervejas que se parecem mais com vinhos do que com ales, como por exemplo a T-Beer, produzida com a Timorasso, uma variedade regional de uva branca. Há também cervejas delicadas e perfumadas, como a Quarta Runa, produzida com pêssegos de Volpedo.

As frutas são quase sempre adicionadas depois de cozidas. O cozimento ajuda a enfatizar seu sabor e o aroma, que é transferido às cervejas sem lhes conferir acidez. A Draco (ou dragão) é uma versão da Demon Hunter que leva mirtilos cozidos e amassados durante a segunda fermentação. Ela é fermentada três vezes – duas em tanques de aço e a última na garrafa.

Há duas versões desta cerveja: uma básica e a Draco Metodo Cadrega (*cadrega*, no dialeto do Piemonte, significa "cadeira"), uma versão oxidada da cerveja que matura por um período mais longo. Quando se pergunta a Franzosi sobre a origem do nome "Cadrega", ele explica que, com este método, tudo o que faz é se sentar e esperar para ver o que acontece.

A Draco é uma cerveja aconchegante e forte, com a fruta ocupando lugar de destaque, mais ou menos como em uma ale natalina. Ela é uma escolha óbvia para o inverno, mas também acompanha muito bem um pedaço de blue cheese piemontês. **ES**

Notas de degustação

Forte cor âmbar, com espuma persistente. O nariz é rico e sugere especiarias, com notas fortes de frutas desidratadas que remetem a panettone ou bolo de frutas. Na boca, o início é adocicado, seguido por notas de frutas frescas que então se aquecem revelando todo o seu sabor.

Marie
de
Bourgogne
1457 - 1482

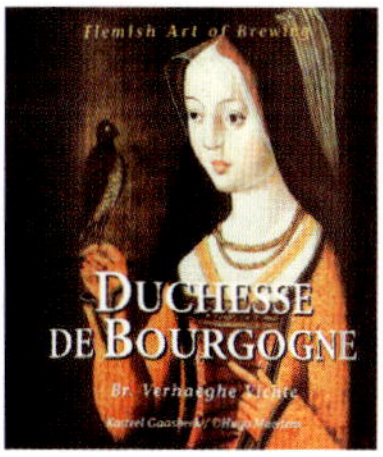

Duchesse de Bourgogne

Brouwerij Verhaeghe Vichte
www.brouwerijverhaeghe.be

País de origem Bélgica
Lançada em *ca.* anos 1900
Teor alcoólico 6,2% vol.
Temperatura ideal 10°C

As cervejas têm sido envelhecidas em barris de madeira desde que se começou a produzi-las para fins comerciais, mas a prática diminuiu drasticamente com o advento do aço inoxidável, mais durável e mais neutro em termos de sabor. Contudo, em algumas regiões flamengas da Bélgica o envelhecimento em madeira ainda persiste em diversos estilos de cerveja, como as red ales, também conhecidas como borgonhas da Bélgica.

Produzidas com uma pequena porção de maltes escuros, estas cervejas são geralmente fermentadas por uma levedura que contém uma bactéria que confere azedume, e são guardadas em barris de madeira onde cresce uma microflora variada. As cervejas se apresentam mais ou menos azedas e secas, têm notas de frutas e são aperitivos maravilhosos.

Uma cerveja de estilo semelhante, conhecida como oud bruin, é produzida na província belga de Flandres Oriental. **SB**

Notas de degustação

O atraente aroma combina frutas vermelhas e romãs, é levemente condimentado e tem notas de vinagre balsâmico. O corpo é doce e azedo, consideravelmente frutado e com final seco.

Eliščino Královské 13°

Pivovar Rambousek
www.rambousek.wz.cz

País de origem República Tcheca
Lançada em 2006
Teor alcoólico 6,2% vol.
Temperatura ideal 9°C

Fundada em 2002 para ser um pouco mais do que um hobby, em 2007 a Pivovar Rambousek cresceu e se mudou para novas instalações. Acredita-se que a cervejaria seja a menor produtora comercial do país, com uma produção anual em torno de 50 hectolitros.

A produção de cervejas com castanhas é tradicional na Córsega e na Itália. Há mais de mil anos, as tribos eslavas do Leste Europeu já adoçavam suas cervejas com mel. As duas tradições se encontram na Eliščino Královské 13°, uma lager diferente feita com mel de castanheira. O malte Pilsen tcheco compõe a maioria da pasta, enquanto o mel de flor de castanheira e os quatro tipos de lúpulo vêm da Eslovênia. A cerveja, de baixa fermentação, é maturada entre seis e sete semanas em baixas temperaturas. O resultado é uma lager âmbar amarga, levemente adocicada, de incomum complexidade aromática. As cervejas são produzidas sob encomenda e esgotam com meses de antecedência. **ER**

Notas de degustação

Esta cerveja âmbar escura e turva produz pouca espuma, o que facilita a identificação do aroma de flor de castanheira e especiarias de confeitaria. É semiamarga na boca, revelando camadas de sabor.

← A duquesa de Borgonha, Maria de Valois, em uma pintura do século 15.

Elixir

Birrificio Le Baladin | www.birreria.com

País de origem Itália
Lançada em 2004
Teor alcoólico 10% vol.
Temperatura ideal 4°C

A região vinícola de Langhe é considerada uma das melhores da Itália e, acima de tudo, é famosa pelos vinhos Barolo e Barbaresco, ambos feitos com uvas Nebbiolo. Passear pelas colinas dessa parte do Piemonte é conhecer a rica geografia que compõe uma região vinícola, um lugar que não combina com cerveja. No entanto, vá à pequena vila de Piozzo e você se surpreenderá. Antigamente, Piozzo era conhecida pelas abóboras, mas agora é famosa pela cerveja: ela é a cidade de Matterino (ou Teo) Musso, o mestre cervejeiro da Le Baladin. Aqui, a cerveja está ganhando do vinho.

Musso é conhecido por sua paixão e pela disposição de romper os limites da cervejaria tradicional. Para alguns, mais do que um cervejeiro, é um artista que compõe suas obras com malte, lúpulo, especiarias e levedura. Ele aprendeu a técnica na Brasserie à Vapeur de Pipaix, na Bélgica, mas desde então segue seus próprios sonhos, uma jornada que inclui o uso de métodos bem heterodoxos (por exemplo, instalar fones de ouvido nos tanques de fermentação para descobrir o tipo de música preferido pelas leveduras). A Elixir é uma prova de como ele gosta de desafiar as expectativas das pessoas.

A Elixir é fermentada com uma variedade de levedura normalmente utilizada nos uísques da Ilha de Islay, na Escócia. Pode ser classificada como uma cerveja "demi-sec", possuindo o tipo de dulçor suave do champanhe. Como é uma cerveja forte, é melhor para ser tomada após as refeições, mas, graças ao gosto de Musso pela harmonização, também é bem-vinda à mesa: experimente-a com carne de caça ou queijo maduro. **MM**

Notas de degustação

Cor acobreada com manchas laranja e uma espuma espessa e duradoura. Nariz atraente, com muita fruta e notas que lembram caramelo. Complexa e interessante na boca, sugere frutas como tâmaras. Final persistente mas seco.

Éphémère Pomme

Unibroue | www.unibroue.com

País de origem Canadá
Lançada em 2002
Teor alcoólico 5,5% vol.
Temperatura ideal 5°C

No começo do século 21, as mentes por detrás da Unibroue decidiram lançar uma linha de cervejas sazonais aromatizadas com frutas chamada Éphémère: maçã para o verão, groselha para o outono, oxicoco para o inverno e pêssego para a primavera. Graças em parte à popularidade das cervejas belgas, algumas aromatizadas com frutas, os consumidores estavam começando a aceitar cervejas menos tradicionais. Sem dúvida, a Unibroue queria atraí-los. No final, a de maçã, ou Éphémère Pomme, como é conhecida em Québec, foi a única a sobreviver até hoje.

Tendo como base uma cerveja de trigo (possivelmente algo similar à Blanche de Chambly), cada cerveja era elaborada usando frutas, às vezes combinadas com sucos e essências. O problema da linha Éphémère era chegar ao mercado além de Québec; as cervejas tinham rótulos muito parecidos, o que causava certa confusão. Além disso, quando seus distribuidores estão localizados a centenas de quilômetros da cervejaria, é um desafio evitar que as cervejas sejam oferecidas fora de sua estação. Por fim, a linha Éphémère começou a ser podada até que restou apenas a de maçã (mas uma cerveja com framboesa, a Éphémère Framboise, foi adicionada para atender ao público de Québec).

Diferentemente de outras cervejas com frutas, que em geral levam sucos e aromatizantes adicionados após a fermentação, a Éphémère é feita com maçãs Granny Smith maceradas, além de noz-moscada, gengibre e canela. Sem dúvida, isto é o que lhe dá os aromas e sabores genuínos de maçã apreciados por seus entusiastas. **SB**

Notas de degustação

De cor acobreada, com toques laranja e uma espuma espessa e longa. Nariz atraente, frutado e notas de caramelo. Complexa e interessante na boca, sabor que lembra tâmaras. Final persistente e seco.

Erika

Birrificio Le Baladin | www.birreria.com

País de origem Itália
Lançada em 2007
Teor alcoólico 9% vol.
Temperatura ideal 12°-14°C

A Erika é uma cerveja dourada e, como ocorre com todos os produtos desta cervejaria inovadora, é bem inusitada. Da sua lista de ingredientes constam mel de urze (uma flor do gênero *erica*) e mel de abeto branco. Ambos são adicionados em fases diferentes da elaboração e contribuem de maneiras distintas para o perfil aromático.

O mel de urze é produzido na Toscana na primavera. Tem aromas de caramelo, alcaçuz e tamarindo e é adicionado ao mosto durante a fervura. Além de contribuir para o aroma, ele dá uma delicada doçura à cerveja. O mel de abeto branco é produzido no verão e vem das montanhas de Trento. É adicionado à garrafa como açúcar para a segunda fermentação e ajuda a conferir à cerveja um sabor forte e amargo de vinagre balsâmico. O lúpulo inglês ajuda a equilibrar a doçura. Com o uso cuidadoso dos ingredientes, o resultado é uma cerveja saborosa, excelente para acompanhar queijos cremosos.

A Le Baladin foi uma das primeiras microcervejarias abertas na Itália nos anos 1990, ao lado do Birrifico Italiano. Com o talento inquieto e criativo de Teo Musso no comando, a cervejaria é conhecida pelas cervejas ecléticas e diferentes. Na primavera de 2009, Musso abriu na vila de Cinzano, perto de Cuneo, o bar Open, batizado com o nome de uma de suas cervejas, que serve apenas cervejas italianas. A Open é incomum porque sua receita pode ser baixada na internet e Musso gosta que cervejeiros amadores tentem recriá-la em casa. **ES**

Notas de degustação

De um amarelo-dourado claro, com uma espuma persistente. É muito doce e rica no nariz, apresentando toques balsâmicos e notas picantes de tamarindo. Na boca ela é quente, graças ao teor alcoólico, e o final é amargo, fruto do abeto branco e do lúpulo inglês.

Fantôme Chocolat

Brasserie Fantôme | www.fantome.be

País de origem Bélgica
Lançada em 2004
Teor alcoólico 8% vol.
Temperatura ideal 6°C

As cervejas da Bélgica são líderes mundiais no quesito excentricidade, e as criações de Dany Prignon na Fantôme são consideradas por muitos as mais estranhas de todas. Aqueles que as provam, ou as amam ou as detestam. Enquanto alguns críticos veem nelas apenas uma massa infecta e picante de inconsistências, os fãs apreciam seus sabores incomuns e sua criatividade irreverente. As cervejas da Fantôme nunca são monótonas.

Elas são saisons por serem cervejas de fazenda e variarem com as estações do ano, mas não seguem a tradição mais moderna exemplificada pela Saison Dupont. As cervejas da Fantôme também não se parecem com as saisons refrescantes e de baixo teor alcoólico servidas tradicionalmente aos peões da Valônia. Por seus ingredientes, se assemelham às antigas gruit – cervejas medievais feitas com especiarias antes que o uso do lúpulo se tornasse comum. Prignon adiciona lúpulo às cervejas, mas também gosta de experimentar especiarias.

Seria uma surpresa se Prignon tivesse feito uma cerveja com chocolate que realmente se parecesse com chocolate. Primeiro, sua cor é âmbar, lembrando mais a de uma pale ale. O pó de cacau contribui para o amargor, mas seu sabor é bem sutil – é preciso harmonizar a cerveja com um pouco de chocolate amargo para realçá-lo. O ingrediente por trás das notas picantes parece ser pimenta vermelha, mas outras especiarias também podem contribuir, já que as receitas de Prignon mudam todo ano. Seja intencional ou não, o azedo característico de cervejas infectadas lhe confere frescor e ajuda a disfarçar seu teor alcoólico elevado – mas as notas que remetem a celeiro podem ser muito pronunciadas para quem prefere bebidas mais sofisticadas. **JS**

Notas de degustação

Uma ale âmbar turva com espuma bege-clara. O nariz revela ésteres frutados de levedura e cereais competindo com notas que remetem a celeiro. No paladar é azeda e condimentada, mas também revela certa doçura caramelada com um fundo bem sutil de cacau.

Fraoch Heather Ale

Williams Brothers Brewing Company | www.williamsbrosbrew.com

País de origem Escócia
Lançada em 1992
Teor alcoólico 5% vol.
Temperatura ideal 10°C

Muitas cervejas possuem uma longa tradição, mas poucas vão tão longe quanto as ales aromatizadas com urze. A origem da Fraoch, produzida com flores de urze, remonta ao ano 2000 a.C. É uma cerveja muito particular – a urze era usada na Antiguidade, pois o lúpulo ainda não era conhecido, e ajudava a conservar a cerveja.

Bruce Williams, dono de uma loja especializada em cervejas caseiras de Glasgow, se arriscou ao reviver esta cerveja ancestral em 1986. Ele conseguiu uma antiga receita gaélica de *leann fraoch* (cerveja com urze) e chegou à fórmula perfeita depois de vários testes com quantidades diferentes de flores de urze. Até 1992, Bruce havia reintroduzido este tipo de cerveja aos escoceses, com enorme sucesso, apesar de vendê-la em apenas seis pubs. No ano seguinte, ele conseguiu autorização da Maclay, cervejaria familiar mais antiga da Escócia, para produzir na cervejaria de Alloa uma quantidade maior durante a temporada da urze.

A Fraoch é produzida com a adição de alecrim-do-norte e flores lilás da urze silvestre na fervura (o lúpulo é usado em pequena quantidade para ajudar na preservação). Assim que esfria um pouco, a mistura é vertida em tanques contendo flores frescas de urze e deixada uma hora em infusão antes do início da fermentação. O resultado é uma cerveja de aroma floral herbáceo e final seco que harmoniza perfeitamente com comidas mais fortes e apimentadas. Esta cerveja histórica, feita apenas com ingredientes naturais, já ganhou mais de trinta prêmios internacionais de bebida e gastronomia. **JM**

Notas de degustação

Um suave aroma floral emana desta cerveja cor de mel com final seco como o de um vinho. Ela tem um perfil de malte encorpado e é levemente adocicada, com tons terrosos e de palha e sabor herbáceo e condimentado. Não há nada melhor para beber com o haggis *escocês.*

Gale's Prize Old Ale

Fuller, Smith & Turner | www.fullers.co.uk

País de origem Inglaterra
Lançada em *ca.* anos 1920
Teor alcoólico 9% vol.
Temperatura ideal 10°- 13°C

Até que a Gale fechasse em 2005, a Prize Old Ale, um barleywine escuro e forte que envelhecia bem, era considerada uma das pérolas da cervejaria inglesa. Era fervida durante três horas (a maioria das cervejas ferve 90 minutos), maturava seis meses e era acondicionada em garrafas. A Gale foi fechada após sua compra pela cervejaria londrina Fuller's, e muitos entusiastas acreditavam que nunca mais tomariam aquela cerveja. No entanto, John Keeling, mestre cervejeiro da Fuller's, tinha outros planos e a recriou em 2007. Desde então, ele tem supervisionado a produção de novas versões da cerveja.

Keeling admite que não era fã da cerveja original: "Eu a achava meio choca. Cheguei a dizer para o mestre cervejeiro da Gale que ele não devia usar rolhas de cortiça nas garrafas, pois elas deixavam o gás escapar e a cerveja nunca atingiria seu potencial se perdesse o gás. A empresa também não a apreciava muito, mas hoje estou feliz por tê-la recriado. É uma cerveja diferente, você acaba por apreciá-la com o passar do tempo."

A Prize Old Ale lançada em 2007 ainda foi produzida na Gale, mas maturada na Fuller's. Desde então, Keeling tem usado a receita original para fazê-la, misturando-a com um pouco do último lote que a Gale havia produzido em 2005. "Temos o equivalente a quarenta barris daquela mistura nos tanques", diz Keeling, "e, já que cada lote novo é misturado a um pouco do que restou do antigo, cada nova garrafa contém um pouco da Gale's Prize Old Ale original." O fato de esta magnífica cerveja ter sobrevivido (e, segundo alguns, ter sido melhorada) mostra como Keeling leva a sério a arte da cervejaria. **ATJ**

Notas de degustação

Cor marrom-avermelhada. O nariz sugere licor de cereja com traços sutis que lembram uma geuze. No paladar, a complexidade de um conhaque dá espaço a um caráter doce e intenso de toranja. É como uma lambic, uma geuze e um barleywine envelhecido no mesmo copo.

Genziana

Birra del Borgo | www.birradelborgo.it

País de origem Itália
Lançada em 2006
Teor alcoólico 6,2% vol.
Temperatura ideal 12°- 14°C

Leonardo di Vincenzo começou sua carreira de cervejeiro fazendo cerveja em casa enquanto terminava a faculdade de bioquímica. Depois de viajar pela Europa para estudar estilos históricos da bebida e praticar, Di Vincenzo fundou a Birra del Borgo em 2005, na pequena comunidade montanhesa de Borgorose, a apenas 45 minutos de Roma, na região italiana do Lácio.

Como outros cervejeiros do renascimento da cervejaria artesanal italiana, Di Vincenzo introduziu ingredientes originais para incrementar a produção. A inspiração para a Genziana veio da planta dos Alpes que dá nome à cerveja, a genciana (*genziana*), erva medicinal comum em Borgorose e que pode ser tóxica quando consumida em excesso. Sua raiz é usada quase que exclusivamente em digestivos amargos feitos na região.

Com a Genziana, o cervejeiro desejava criar uma cerveja que capturasse o aroma da genciana, mas não o seu amargor intenso. A planta é bem forte, e uma quantidade mínima no caldeirão é mais do que suficiente para imprimir-lhe um aroma de raízes e chão de floresta. O cervejeiro também acrescenta coentro para dar algumas notas balsâmicas e profundidade ao aroma. A cerveja é fermentada com uma variedade de levedura belga para harmonizar o perfil aromático, e a raiz da genciana é adicionada nos últimos minutos da fervura, sendo removida antes do redemoinho. Como a planta está ameaçada de extinção e é proibido colhê-la, a Del Borgo compra a raiz de um produtor licenciado da região. O melhor elogio já recebido por Di Vincenzo pela cerveja veio de outro cervejeiro italiano, que disse: "Ela tem o perfume de uma mulher." **MO**

Notas de degustação

Ale de coloração âmbar clara com uma coroa de espuma branca. O nariz complexo oferece aromas florais e de ervas medicinais, tons de mel de flores silvestres e cítricos leves. A textura no paladar é areada, com notas picantes. O final deixa aromas balsâmicos e um amargor firme e cristalino.

Girardin Gueuze 1882

Brouwerij Girardin | www.horal.be/leden/girardin-sint-ulriks-kapelle

País de origem Bélgica
Lançada em 1882
Teor alcoólico 5,5% vol.
Temperatura ideal 10°- 14°C

Se alguma cervejaria no coração da região de Pajottenland pode demandar o título de produtora mais importante de cerveja lambic, não há dúvidas que ele vai para a tradicionalíssima Brouwerij Girardin, escondida na remota vila flamenga de St.-Ulriks-Kapelle. A localização pitoresca no alto de uma colina acentua sua venerabilidade: Armand Debelder, presidente da HORAL (associação profissional que preserva a arte da fermentação espontânea), apelidou esta cervejaria "o Château d'Yquem das produtoras de lambic".

A Girardin adquiriu muito do seu estilo graças ao cervejeiro Louis Girardin, falecido em 2000, que a transformou em uma empresa muito fechada, buscando seu próprio caminho e ignorando o resto do mundo. Seus filhos Jan e Paul, atuais administradores da cervejaria, mantiveram um pouco daquela atitude mas se abriram para a comunidade de cervejeiros de lambic ao se associarem à HORAL. O público também ganhou com essa mudança. A Girardin agora participa da Toer de Geuze, uma visita organizada todo ano a diversas cervejarias de lambic e de geuze.

Louis Girardin podia ter seus motivos para negar acesso à cervejaria. Fotos raras de seu interior mostram um ambiente imaculadamente limpo, contrastando com as instalações antigas e sujas de outras cervejarias. Apesar de todas as geuzes serem rotuladas "Girardin 1882", a Girardin possui dois rótulos, o branco e o preto. O branco é usado para a cerveja filtrada e pasteurizada, enquanto o preto é reservado para a autêntica, não filtrada. A maioria dos aficionados por cerveja prefere a última, a esplêndida Oude Gueuze. **JPa**

Notas de degustação

Coloração dourada com brilho levemente alaranjado. Nariz de manta de cavalo, flores recém-colhidas, enxofre, maçã verde e palha. Muito seca e rica em taninos, com sabores cítricos de abacaxi, maçã verde, palha, limão e ácido lático. Há também uma pitada de doçura.

Goedecke's Döllnitzer Ritterguts Gose

Brauhaus Hartmannsdorf | www.leipziger-gose.com

País de origem Alemanha
Lançada em 1824
Teor alcoólico 3,9% vol.
Temperatura ideal 8°C

Tendo sobrevivido às turbulências da história alemã, a cerveja azeda tipo gose está se tornando uma das especialidades regionais mais deliciosas da Alemanha. O estilo, mencionado pela primeira vez em 980 d.C., se originou nas montanhas Harz, onde se usava água do riacho Gose para se fazer cerveja. Na Idade Média chegou à Saxônia e, em 1738, a Leipzig, que acabou ficando conhecida como a "cidade da gose". A Goedecke's Döllnitzer Ritterguts Gose nasceu em 1824, quando um mercador chamado Goedecke fundou uma cervejaria de gose entre Halle e Leipzig.

Depois da Segunda Guerra Mundial, a cervejaria foi expropriada e desfeita. Adolf Goedecke, filho do proprietário, fugiu para a Alemanha Ocidental. Depois que a última cervejaria de gose da Saxônia fechou, em 1966, o estilo de cerveja azeda teria se perdido para sempre se não fosse por Hartmut Hennebach e Lothar Goldhahn, os quais encontraram a receita da antiga Döllnitzer nos anos 1980 e retomaram a produção. Com a reunificação alemã, Adolf Goedecke retornou e restabeleceu a cervejaria da família em 1999.

Hoje em dia, a Döllnitzer Ritterguts Gose é produzida para a Goedecke pela cervejaria Hartmannsdorf. Das três marcas de gose em produção atualmente, ela é considerada a mais fiel ao estilo de Leipzig. Utilizando maltes de cevada e trigo e temperada com coentro e sal, a Döllnitzer Ritterguts Gose passa por uma alta fermentação alcoólica e por uma fermentação láctica, a qual lhe confere o caráter azedo. Recentemente, Goedecke encontrou uma caixa com garrafas de gose de sessenta anos atrás. Ele planeja cultivar a levedura para que os amantes da cerveja possam beber a Döllnitzer fermentada pela variedade original. **SK**

Notas de degustação

Intensa cor alaranjada dourada, com uma espuma que parece merengue. Aroma de coentro com notas azedas. O paladar oferece um azedo aveludado que lembra limão maduro. Macia, é balanceada por uma boa salinidade com toques de resina de lúpulo.

Green Peppercorn Tripel

The Brewer's Art | www.thebrewersart.com

País de origem Estados Unidos
Lançada em 2003
Teor alcoólico 9,2% vol.
Temperatura ideal 8°C

"Foi em um momento de criatividade", diz Volker Stewart, fundador da Brewer's Art, famosa cervejaria e bar de Baltimore. "A gente se perguntou: 'o que seria divertido jogar nesse barril de tripel?'" Pergunte a cem cervejeiros e a absoluta maioria responderá fruta ou talvez açúcar-cande. Mas uma mente iluminada da Brewer's Art pensou em pimenta-do-reino verde. Em vez de virar um caldo apimentado, esta ale dourada tem um sabor cortante que despertará seu paladar. Ela é forte, mas sem exagero. "Não consigo lembrar uma pessoa sequer que a tenha provado e não tenha gostado", diz Stewart.

Com a cerveja sendo servida à vontade, os frequentadores costumam encher o restaurante da cervejaria, uma mansão vitoriana próxima da sala de espetáculos da cidade. O bar, com um lounge decorado e um pub no subsolo, é parada obrigatória em Baltimore para os amantes da cerveja (e da música). Em 2009, a revista Esquire – referência para o que está na moda – o colocou em primeiro lugar entre os bares norte-americanos.

A Brewer's Art logo percebeu que acertara na mosca com a cerveja apimentada. Esse experimento improvisado se tornou o primeiro produto engarrafado pela cervejaria. Mas encher garrafas na cervejaria apertada é impossível. Assim, ao longo do ano, os cervejeiros viajam várias vezes até a Sly Fox Brewery, em Filadélfia, onde envasam algumas centenas de caixas. Ao chegarem às lojas da região, elas desaparecem rapidamente. "É uma cerveja para aficionados", diz Stewart. Mas também para leitores. Uma parte do faturamento com as vendas é destinada a um programa educacional local. **DR**

Notas de degustação

Na tulipa apresenta uma coloração laranja, como um pôr do sol coroado por nuvens luxuriantes de espuma. O aroma tropical sugere frutas refrescantes (banana, abacaxi, manga). Não é excessivamente adocicada e limpa o paladar com um final picante.

Hanssens Artisanaal Oude Gueuze

Hanssens Artisanaal | www.proximedia.com/web/hanssens.html

País de origem Bélgica
Lançada em 1896
Teor alcoólico 6% vol.
Temperatura ideal 13°C

Os membros da família Hanssens têm misturado cervejas lambic para produzir a Oude Gueuze desde o fim da Primeira Guerra Mundial. Em 1914, o exército alemão interrompeu quarenta anos de produção de lambic quando confiscou os caldeirões de brassagem da família para o esforço de guerra. Sem dinheiro para comprar novos caldeirões, Bartholomeus Hanssens preferiu ser misturador a deixar de ser cervejeiro.

Hoje esta *geuzestekerij* é administrada por Sidy Hanssens (filha do falecido Jean Hanssens) e o marido, John Matthys, que ainda misturam geuze como se fazia antigamente. Eles compram mosto de cervejarias de lambic, como a Boon, a Girardin e a Lindemans, e o guardam em barris para envelhecimento, processo que pode levar de alguns meses a três anos. A Oude Gueuze é criada com a mistura de lambics envelhecidas um, dois e três anos.

A Hanssens possui uma interessante coleção de barris antigos de outras cervejarias de lambic, mas, apesar de alguns terem cem anos, os barris não são peças de museu. Eles formam o coração pulsante da cervejaria e ainda hoje produzem lambic. O fato de amantes da cerveja em outros países poderem comprar uma bebida que foi maturada em barris centenários, mesmo sem levarmos em consideração sua alta qualidade, é impressionante.

Sidy Hanssens e John Matthys vendem cerveja pessoalmente na cervejaria nas tardes de sexta e aos sábados. Ambos têm empregos em tempo integral e a cervejaria não é sua principal fonte de renda. **CC**

Notas de degustação

Cerveja dourada e turva, com carbonatação muito leve. Encorpada e seca, com notas de frutas cítricas e carvalho, e aroma e paladar notáveis de celeiro e manta de cavalo. Amargor, azedume e acidez aprazíveis. Final com sutis toques adocicados.

Hemp Ale

Nectar Ales | www.nectarales.com

País de origem Estados Unidos
Lançada em 1998
Teor alcoólico 5,7% vol.
Temperatura ideal 9°C

Apesar da atmosfera relaxada e do caráter alternativo da região de Humboldt, no norte da Califórnia, a origem desta cervejaria é decididamente tradicional. Mario Celotto, seu fundador, ganhou o Super Bowl em 1980 jogando pelo time de futebol americano Oakland Raiders. Depois de pesquisar como montar uma cervejaria, ele usou o prêmio ganho com a vitória para abrir em 1987 a Humboldt Brewing Company.

Devido à fama que Humboldt possui de ser uma das maiores áreas de plantação de maconha da Califórnia, é surpreendente que a primeira cerveja com *cannabis* não tenha sido produzida lá. A honra vai para a Hempen Ale, da Fredericksburg Brewing Company de Maryland, cuja produção foi descontinuada. Produzir uma cerveja com *cannabis* em Humboldt parecia natural, e eles "abriram a mente" desde que começaram a produzi-la em 1998.

Em 2003, a Firestone Walker comprou a Humboldt, e as cervejas foram rebatizadas com a marca "Nectar Ales". Logo depois de assumir, o mestre cervejeiro Matt Brynildson foi escolhido como melhor mestre de uma cervejaria de médio porte no Grande Festival Americano da Cerveja de 2003 e cervejeiro campeão de uma cervejaria de médio porte na Copa do Mundo da Cerveja de 2004.

As sementes da *cannabis* são misturadas à pasta, conferindo a esta ale um tempero picante e adocicado. Obviamente, as sementes são esterilizadas e não contêm tetrahidrocanabinol (THC). Além disso, como não são solúveis em água, eventuais vestígios de THC não sobreviveriam à fervura. Se você beber demais, a cerveja de *cannabis* não o deixará chapado, apenas bêbado. **JB**

Notas de degustação

A Hemp Ale possui uma profunda coloração âmbar, quase marrom, com brilhos avermelhados. O nariz é sutilmente picante com notas de chocolate. Sabor de malte adocicado, mas com tons condimentados e boa presença de lúpulo. O final é limpo e fugaz.

Honey Dew

Fuller, Smith & Turner | www.fullers.co.uk

País de origem Inglaterra
Lançada em 1999
Teor alcoólico 5% vol.
Temperatura ideal 6°- 8°C

Embora esta cerveja tenha sido lançada em 1999, na verdade a Fuller's produzia uma cerveja com mel desde 1996, porém era sazonal e não orgânica. Quando a revolução ecológica começou no Reino Unido no final dos anos 1990, os antenados especialistas de marketing da Griffin Brewery, de Chiswick, Londres, perceberam a onda ecológica se formando e a Honey Dew foi posicionada para surfá-la desde o começo. Hoje é a cerveja orgânica mais vendida do país.

Além de ter sido uma das primeiras do gênero da Grã-Bretanha, a Honey Dew foi uma das primeiras cervejas elaboradas com mel. Mas não se engane: esta não é uma bebida apenas para mulheres. É divertido ver tanto machões quanto mocinhas apreciando esta cerveja delicada e dourada em eventos de degustação.

Não é fácil produzir cerveja orgânica, já que o número de produtores de malte e lúpulo orgânicos é pequeno. Apesar disso, John Keeling, o mestre cervejeiro da Fuller's, encontra matérias-primas orgânicas em quantidade suficiente. Os fazendeiros precisaram reaprender técnicas do século 18, como plantar culturas que atraiam predadores e os afastem do lúpulo e da cevada, de modo a evitar pesticidas. Encontrar mel orgânico é outro problema. Com a intensificação da agricultura no Reino Unido, os apicultores não têm como controlar aonde suas abelhas vão. A América do Sul, com muitas áreas silvestres, é o único lugar onde ainda se pode comprar mel orgânico em quantidade. **ST**

Notas de degustação

Leve e dourada, com tons condimentados e cítricos e uma doçura delicada de mel. É suavemente amarga, tornando-se cada vez mais seca. Fácil de beber e muito versátil com comida. Experimente-a com massas de molho cremoso, pratos com cogumelos e entradas de frutos do mar.

Honey Spice Triple

Sharp's Brewery | www.sharpsbrewery.co.uk

País de origem Inglaterra
Lançada em 2009
Teor alcoólico 9% vol.
Temperatura ideal 8°C

Para muita gente, cervejas com mel erram mais do que acertam – geralmente são muito doces e aguadas –, mas este não é o caso da Honey Spice Triple, produzida pela Sharp's. O mestre cervejeiro Stuart Howe sempre fora cético quanto a adicionar mel à cerveja, até que lhe deram um mel de flores cítricas cujo aroma se assemelhava ao do lúpulo Styrian Golding. A versão original da cerveja, de 2007, que leva esse mel, ganhou diversos prêmios e foi aclamada pelos críticos.

O projeto foi suspenso quando Howe procurou o apicultor para comprar mais mel e descobriu que as abelhas haviam morrido. Depois disso, ele experimentou diferentes tipos de mel usando a mesma receita, mas os resultados não foram tão bons. Ele decidiu então fazer uma cerveja semelhante, mas usando um mel diferente.

Howe usou para a versão da Triple de 2009 um mel de hera, dos mais saborosos que existem. Ele é tão duro que nem as abelhas conseguem usá-lo, o que torna a sua utilização na cerveja uma atividade ecológica e sustentável. Tal como fez na Honey Spice original, Howe usou trigo para dar um azedume que equilibrasse a doçura da cevada e do mel. Dessa vez, ele também a temperou com uma mistura maior de ervas e especiarias produzidas pelo Eden Project, na Cornualha, incluindo gengibre, canela, coentro, milefólio, louro e balsamita. Foram usados cinco tipos de lúpulo: o inglês Northdown, o esloveno Bobek, o alemão Hallertauer Brewer's Gold e os norte-americanos Cascade e Chinook. O resultado é um notável exemplo da arte da cervejaria. **MC**

Notas de degustação

Cerveja complexa e notável. O nariz revela de maneira cativante uma enorme variedade de condimentos e ervas. No paladar, os aromas complexos se equilibram de maneira maravilhosa com uma pitada oleosa e doce de mel.

Hop-15

Port Brewing Company
www.portbrewing.com

País de origem Estados Unidos
Lançada em 2002
Teor alcoólico 10,5% vol.
Temperatura ideal 12°C

A Hop-15 começou a ser produzida em barris em 2002 para marcar o 15º aniversário do restaurante Pizza Port, em Solana Beach, na Califórnia. Hoje é produzida o ano todo. A Hop-15 utiliza 15 variedades diferentes de lúpulo. Na primeira versão, o nome de cada variedade de lúpulo foi escrito em um pedacinho de papel e colocado em um chapéu. Cada cervejeiro então sorteou um papel e adicionou 15 onças (425g) daquele tipo de lúpulo ao caldeirão de brassagem.

Os lúpulos eram adicionados na ordem em que eram sorteados, e este, assim como as variedades utilizadas, é um segredo guardado a sete chaves pelos cervejeiros. A ordem original ainda é seguida com precisão cada vez que a Hop-15 é feita, cada variedade sendo adicionada ao caldeirão a intervalos de 15 minutos. Isso faz com que o período de fervura seja longo, durando mais de três horas, o que é incomum. **LMo**

Notas de degustação

A Hop-15 exala um intenso aroma de lúpulo quando aberta. Os sabores cumprem o prometido pelo aroma, com uma estrutura de malte adocicada e uma boa dose de álcool.

Ichtegem's Grand Cru

Brouwerij Strubbe
www.brouwerij-strubbe.be

País de origem Bélgica
Lançada em 2006
Teor alcoólico 6,5% vol.
Temperatura ideal 12°C

Carolus Strubbe fundou esta cervejaria em 1830. Ela permanece na família desde então, e recentemente a sexta geração assumiu seu lugar junto à tina de maceração. O lançamento da Ichtegem's Grand Cru marcou o 175º aniversário da cervejaria, assim como a chegada de Marc Strubbe como mestre cervejeiro.

A Grand Cru se baseia na Ichtegem's Oud Bruin, uma ale flamenga avermelhada bem tradicional, produzida com maltes âmbar e caramelo escuro e que adquire um leve amargor do lúpulo envelhecido. A Oud Bruin é uma mistura de uma ale jovem e de outra envelhecida até 18 meses em tanques de metal, resultando em uma cerveja adocicada com um retrogosto azedo e arenoso. Já a Grand Cru dispensa a ale jovem e o tanque de metal, maturando em tinas de carvalho. O resultado é uma cerveja azeda, que lembra vinho mas é fácil de beber. **JS**

Notas de degustação

Uma fina espuma bege coroa esta cerveja marrom-avermelhada, que exala um aroma de cereja azeda, frutas vermelhas e vinagre balsâmico. É frutada e um pouco azeda, com uma leve base de malte.

iJuba Special

United National Breweries
www.kzn.org.za/index.php?view_page+59192

País de origem África do Sul
Lançada em data desconhecida
Teor alcoólico 3% - 4% vol.
Temperatura ideal 12°C

A cerveja de sorgo é produzida comercialmente e de forma caseira por toda a África do Sul, especialmente pelos zulus, em geral a partir de uma mistura de sorgo e milho. A United National Breweries produz diversas marcas de cerveja de sorgo, incluindo a iJuba, que significa "pomba" em zulu. Como a iJuba é consumida enquanto ainda está fermentando, ela é vendida em embalagens de papelão e plástico com furos na tampa, para que não estourem. É sinal de frescor que haja espuma escorrendo dos furos.

A cerveja de sorgo tem tido dificuldades para continuar popular na moderna e próspera África do Sul. Ela não desaparecerá de um dia para o outro, mas será necessária uma mudança radical para que continue a prosperar. Para atrair consumidores jovens, a cervejaria criou a Nini-Nanini, uma cerveja de sorgo com sabor de banana ou abacaxi. **CO**

Notas de degustação

Coloração rosada. É azeda e um pouco adocicada no paladar. Espessa, poderia ser comparada a um mingau de cerveja. É servida, de forma tradicional, em cabaças.

Imperial Pumking

Southern Tier Brewing
www.southerntierbrewing.com

País de origem Estados Unidos
Lançada em *ca.* 2006
Teor alcoólico 9% vol.
Temperatura ideal 5°C

A Southern Tier Brewing admite que as duas primeiras cervejas que lançou, uma pilsen e uma ale suave, foram um fracasso. Mas sua terceira tentativa, uma India Pale Ale repleta de lúpulo, fez um enorme sucesso. Phineas De Mink e Allen Yahn, fundadores da cervejaria, descobriram que os consumidores de Nova York e da Pensilvânia preferem sabores intensos.

A Southern Tier se voltou então para ales diferenciadas: uma imperial pale ale, uma Hefeweizen pesada e intensa, uma stout com sabor de crème brûlée, e esta Imperial Pumking, uma ale de fraquejar os joelhos. A ale de abóbora é uma cerveja sazonal muito popular que ameaça substituir a Festbier na preferência das microcervejarias norte-americanas. Sua receita remonta a tempos coloniais, quando se usava a abóbora em substituição ao malte escasso. Abra a garrafa e aromas intensos de especiarias – canela, cravo e noz-moscada – surgem para lembrar que está na hora da sobremesa. **DR**

Notas de degustação

Esta cerveja alaranjada agracia o nariz com uma miríade de especiarias. Canela, cravo, noz-moscada, açúcar mascavo e torradas dominam um corpo aveludado que não é doce.

Innis & Gunn Oak Aged Beer

Innis & Gunn Brewing Company | www.innisandgunn.com

País de origem Escócia
Lançada em 2003
Teor alcoólico 6,6% vol.
Temperatura ideal 11°C

Diz-se que a sorte ajudou no desenvolvimento desta cerveja. Em 2002, William Grant queria produzir um uísque com sabor de ale. O cervejeiro Dougal Sharpe foi chamado para produzir uma ale forte para guardar em barris usados de bourbon, nos quais os produtores de uísque tradicionalmente armazenam a bebida. A ideia era fazer com que a cerveja imprimisse alguns dos sabores aos barris de carvalho americano, que posteriormente seriam transferidos ao uísque. A princípio, a cerveja seria jogada fora e substituída por uísque, mas conta-se que, passados trinta dias, os trabalhadores da destilaria preferiram bebê-la a desperdiçá-la. Foi um enorme sucesso, uma vez que o carvalho americano conferiu-lhe um sabor defumado de malte, além de notas maciças de laranja, baunilha e mel. Nascia uma nova cerveja.

O uso de carvalho para o armazenamento de cerveja não é novidade, mas tradicionalmente ele não é utilizado para dar sabor. Dougal e seu irmão Neil acharam que haveria mercado para a cerveja e criaram uma empresa para vendê-la – assim nasceu a Innis and Gunn. A cerveja é produzida por terceiros e, como outras, fermenta sete dias, quando então é guardada em barris de carvalho para maturação. Ela lentamente absorve os sabores da madeira durante trinta dias, sendo a seguir misturada e armazenada em um tonel de aço por pelo menos mais 47 dias, período no qual alguns dos sabores mais fortes se amenizam. Os irmãos também produziram uma cerveja envelhecida em barris de rum e uma de tripla maturação, guardada durante 147 dias. **TH**

Notas de degustação

Cor de mel. O nariz possui aromas de madeira e destilados, enquanto o paladar começa com sabor de biscoito amanteigado queimado seguido por uma doçura de caramelo acentuada por baunilha e sugestões de maçã e especiarias. O final é longo, quente e adocicado.

Kinshachi Nagoya Red Miso Lager

Kinshachi Beer | www.kinshachi.jp

País de origem Japão
Lançada em 2005
Teor alcoólico 6% vol.
Temperatura ideal 13°C

A Kinshachi Beer produziu esta cerveja pela primeira vez para a World Expo de 2005, realizada em Aichi, no Japão. A cervejaria é uma subsidiária da Morita Shuzo, antiga fabricante de saquê, molho de soja e missô, uma pasta fermentada de soja usada como tempero na culinária japonesa. O missô da Morita é usado nesta cerveja, mas parece que no início a ideia não foi bem-aceita na empresa. Temia-se que o sabor da cerveja ficasse muito salgado ou parecesse muito com tempero; outros achavam a ideia radical demais mesmo para uma cerveja de edição especial.

A maior dificuldade no processo de produção é determinar a quantidade de pasta de missô a ser usada. O melhor resultado é dado por uma quantidade que contribua para um sabor de fundo sutil, mas suficiente para conferir um corpo interessante à cerveja. No entanto, as características de lager desta cerveja escura oferecem uma boa fundação para o missô. Menos frutada que uma ale, ela é suave e fácil de beber.

A Red Miso Lager é um produto popular da Kinshachi. De início, as pessoas compram a cerveja para presentear os amigos, mas, ao ouvirem os elogios, acabam comprando para consumo próprio. Ela é popular nos restaurantes de Nagóia por se adequar aos temperos fortes da culinária local. Também harmoniza bem com a comida chinesa. A Red Miso Lager tem vendido mais que a Kinshachi Pilsen nos últimos anos e se tornou a marca mais vendida da cervejaria. A Kinshachi também produz uma lager com missô escuro hatcho, além de uma Altbier, uma IPA e uma cerveja feita com chá verde japonês. **BH**

Notas de degustação

Ao ser servida, adquire uma intensa cor marrom-avermelhada e leve espuma bege. O aroma é de caramelo e frutas desidratadas. No início, o intenso sabor de malte é amargo, mas com um fundo de missô adocicado. O sabor de bolo de frutas e o leve amargor produzem um final prolongado.

Kriek De Ranke

Brouwerij De Ranke | www.deranke.be

País de origem Bélgica
Lançada em 2000
Teor alcoólico 7% vol.
Temperatura ideal 10°C

Esta cerveja tem história. Guido Devos e Nino Bacelle, cervejeiros da De Ranke, eram ávidos cervejeiros caseiros e adoravam as cervejas lambic. Metade de um lote de uma amber ale que eles haviam produzido em 1998, não tão lupulada quanto as que normalmente faziam, havia sobrado. Era um pouco irreverente demais e não agradava muito aos consumidores. Guido e Nino não se desfizeram do que sobrara: adicionaram cerejas ácidas da Polônia e as deixaram seis meses macerando na cerveja. Mesmo assim, o resultado ainda não foi satisfatório. Em um momento de inspiração, eles decidiram adicionar à mistura uma lambic jovem, neste caso da estimada Brouwerij Girardin. Ao provarem o resultado, perceberam que haviam atingido o alvo.

O resultado foi uma cerveja quase lambic, quase oud bruin e quase kriek com um caráter muito rural e selvagem. **CC**

Notas de degustação
O aroma evoca uma mistura de cerejas ácidas, frutas cítricas e manta de cavalo. O sabor é ácido, azedo, frutado, seco e terroso. Uma cerveja de corpo médio, final frutado e levemente alcoólica. Harmonize com um waffle.

La Choulette Framboise

Brasserie La Choulette | www.lachoulette.com

País de origem França
Lançada em 1983
Teor alcoólico 6% vol.
Temperatura ideal 8°C

A Brasserie La Choulette produz a La Choulette Framboise a partir da Ambrée, com adição de suco puro de framboesas combinado com lúpulo Hallertau da Alemanha e cevada maltada clara. Ela é bem incomum, já que este tipo de cerveja com frutas é mais usual na Bélgica, onde são adicionadas frutas à lambic ou diversos melados ou sucos à cerveja de base.

A apresentação das cervejas da La Choulette é fiel ao estilo tradicional das bières de garde. Elas têm uma rolha e uma armação de arame como o champanhe, o que lhes confere certa dramaticidade. Ao ser vertida, a La Choulette Framboise produz uma espuma fina com atraentes traços rosa, revelando diversas ondas de sabor que vão do aguçado ao amargo. A cerveja ganhou ouro no Concours International de Bières de Montréal em 1998 e medalha de ouro no Campeonato Mundial de Cerveja de 2003. **AG**

Notas de degustação
O sabor revela um pouco de malte frutado com notas de amêndoas, passando da adstringência ao azedume. No final surgem frutas vermelhas e a base de malte retorna.

La Folie

New Belgium Brewing
www.newbelgium.com

País de origem Estados Unidos
Lançada em 2000
Teor alcoólico 6% vol.
Temperatura ideal 13°C

A New Belgium produz diversas cervejas que extraem sabor e caráter de barris de madeira, mas a La Folie se tornou a estrela desde o lançamento.

Logo depois de começar a trabalhar na New Belgium em 1996, o mestre cervejeiro Peter Bouckaert adquiriu 12 barris de vinho usados. Comprou também uma variedade de *Brettanomyces* e outras leveduras silvestres, encontrando ainda outras em antigos barris de cerveja da New Belgium. Bouckaert provava a cerveja a cada 14 dias e as provas se tornaram eventos muito disputados na cervejaria. Em 2000, quando finalmente chegou a hora de engarrafar o primeiro lote, os empregados ajudaram com grande entusiasmo.

Os primeiros lotes da La Folie foram vendidos apenas na cervejaria, antes que a cerveja fosse lançada no mercado. Os empregados ainda hoje aparecem para ajudar no envasamento desta cerveja amarga. **SH**

Notas de degustação

Quando servidos, alguns lotes são mais avermelhados e amargos que outros. Complexos aromas de fruta, de laranja a cereja, e também carvalho e baunilha.

La Meule

Brasserie des Franches-Montagnes
www.brasseriebfm.ch

País de origem Suíça
Lançada em 1998
Teor alcoólico 6% vol.
Temperatura ideal 12°C

Esta é uma das cervejas originais produzidas por La Brasserie des Franches-Montagnes em 1998, junto com a La Salamandre ("a salamandra"), uma branca complexa e ousada de inspiração belga, e a La Torpille ("o torpedo"), uma intensa ale escura com ameixas.

A Saison Dupont, uma ale loura seca, lupulada, um pouco condimentada e de teor alcoólico moderado, é a provável inspiração da La Meule. No entanto, como Jérôme Rebetez, fundador da cervejaria, afirmou desde o início, um cervejeiro de respeito não vive apenas de copiar cervejas alheias. Assim, o toque diferenciado da La Meule são folhas de sálvia, que acrescentam notas herbáceas e um toque cítrico picante que lembra gengibre. Hoje, a La Meule é um pouco mais rascante e lupulada do que quando apareceu há uma década, mas continua sendo um exemplo do gênio idiossincrático de Rebetez. **LM**

Notas de degustação

A suavidade frutada inicial cede lugar a um sabor crítico e picante estimulante, no qual notas de gengibre, casca de limão, tomilho e sálvia se encontram em um tom herbáceo. Final seco.

La Mummia

Birrificio Montegioco | www.birrificiomontegioco.com

País de origem Itália
Lançada em 2006
Teor alcoólico 5% vol.
Temperatura ideal 6°- 8°C

Sem dúvida, a característica mais importante do Montegioco é o trabalho incessante para conectar suas cervejas ao *terroir* da região. Isso é muito difícil para uma cerveja italiana produzida com malte e lúpulo importados. Para forjar o vínculo mais forte possível, o cervejeiro Riccardo Franzosi utiliza apenas frutas que cresçam nos vales do sul do Piemonte (pêssegos de Volpedo, uvas Timorasso) e elementos usados na produção de vinhos, como barricas e leveduras de champanhe.

A La Mummia ("a múmia") é um dos melhores exemplares italianos de uma cerveja com *terroir*. Ela leva este nome porque passa muito tempo em um tipo de sarcófago de madeira. É produzida desde a fundação da cervejaria, em 2006, mas começou a ser comercializada apenas em 2008 por conta do longo tempo de maturação. Ela está disponível apenas em pequenas quantidades devido ao tortuoso processo de elaboração.

A La Mummia não se encaixa em nenhum estilo específico. Ela começa como uma Runa, a cerveja padrão do Montegioco, clara e refermentada na garrafa. Então é posta em barris anteriormente usados para envelhecer o Barbera dei Colli Tortonesi, um vinho tinto local muito frutado. A maturação dá à cerveja um perfil aromático com notas de madeira e acidez, esta causada pela ação de bactérias e típica em cervejas envelhecidas em barris de madeira. Depois de 12 meses, a La Mummia é envasada e refermentada com a levedura usada em outro vinho local, o espumante branco Cortese. Essa levedura a faz se assemelhar a um vinho espumante, com notas de pão assado e boa acidez. **ES**

Notas de degustação

Na garrafa, é turva e possui uma espuma fugaz. O nariz apresenta uma sensação de frescor com notas de madeira, baunilha e pêssego. Na boca tem uma boa acidez suave, com notas de frutas claras, como pera e pêssego. Um aperitivo perfeito, mas boa também para acompanhar peixes e legumes.

La Petrognola

Birrificio La Petrognola | www.lapetrognola.com

País de origem Itália
Lançada em 2005
Teor alcoólico 5,5% vol.
Temperatura ideal 8° - 10°C

Garfagnana é um dos poucos lugares da Toscana que ainda não foi invadido por turistas, apesar de estar cheio de vilarejos, rios exuberantes, lagos cristalinos e florestas. Lá você encontrará a vila de Piazza al Serchio, onde a Petrognola começou a produzir cerveja oficialmente em 2005. "Oficialmente", porque o proprietário Roberto Giannarelli já cultivava a paixão há muitos anos, fazendo cerveja em casa nos fins de semana.

Em Garfagnana, boa parte da terra cultivável é usada para o plantio de espelta. Plantada em áreas sem floresta, essa espécie de trigo foi usada durante séculos como um remédio tradicional pela população local, mas agora está na preparaçao de massas, sopas e outros alimentos. A espelta foi o primeiro ingrediente escolhido por Giannarelli quando ele decidiu começar a fazer cervejas. Hoje, toda a produção do La Petrognola leva espelta na receita.

La Petrognola é feita a partir de 70% de cevada maltada, 30% de espelta crua e lúpulo Saaz para imprimir amargor e aroma. Após uma fermentação primária de quatro dias, a cerveja é engarrafada para fermentação final e maturação (toda a produção de La Petrognola é engarrafada). O processo geralmente leva pouco menos de dois meses. A cerveja é comercializada já pronta para o consumo, mas é melhor guardá-la mais três ou quatro meses na adega para que ela fique ainda mais harmoniosa. La Petrognola é uma cerveja interessante e original, sendo uma companhia graciosa para pratos de frango e sopas de legumes, feitos talvez com cerveja e espelta. **MM**

Notas de degustação

Âmbar clara, turva, coberta por uma abundante espuma branca. Aroma intrigante, rico em notas cítricas e florais e sugerindo especiarias. No paladar, começa mais adocicada, com notas de cereais, mas termina com uma base fresca de lúpulo. Bem balanceada.

La Roja

Jolly Pumpkin Artisan Ales | www.jollypumpkin.com

País de origem Estados Unidos
Lançada em 2004
Teor alcoólico 7,2% vol.
Temperatura ideal 4°- 6°C

Esta cerveja mira o passado e o futuro simultaneamente. O futuro porque a Jolly Pumpkin é uma das poucas microcervejarias americanas realmente inovadora. No entanto, as raízes da La Roja remontam às sombras da Idade Média. Ela é feita no estilo de uma ale vermelha flamenga, um tipo de cerveja produzido há séculos no que hoje é a Bélgica. Sua característica mais marcante não é a cor, mas o fato de ser uma mistura de cervejas envelhecidas em carvalho de dois a 12 meses.

Situada em Dexter, Michigan, nos arredores de Ann Arbor, a Jolly Pumpkin Artisan Ales foi fundada pelo cervejeiro Ron Jeffries em 2004 com a premissa de que todas as cervejas dali passariam um tempo em contato com o carvalho. Em suas palavras, elaborar "cervejas simples e alucinantes a partir de produtos silvestres e naturais" é um plano de negócios radical, mas que foi seguido à risca. Ele ama essas cervejas, e hoje o que motiva um devoto fanático certamente gerará uma leva de seguidores e entusiastas. Em harmonia com a mentalidade caprichosa da cervejaria, La Roja significa "a vermelha".

Segundo Jeffries, "tudo se resume a fazer as coisas da maneira mais difícil". Com a dificuldade de se obter um produto consistente com fermentação em barris, ele não está exagerando. La Roja não faz concessões. Ela pode ser a bebida ideal se você aprecia Pinot e procura uma cerveja que tenha a profundidade e o charme de um grande vinho tinto. Se você tiver espírito aventureiro, vale experimentar esta cerveja de cor rubi. **RM**

Notas de degustação

La Roja tem uma acidez pungente no nariz, sugerindo ésteres de frutas e uma pitadinha de baunilha. Sua acidez é matizada com caramelo, um amargor seco e o sabor característico do carvalho americano. Seca, quase como um vinho, ela é refrescante e jovial.

La Semeuse Espresso Stout

Brasserie Trois Dames | www.brasserietroisdames.ch

País de origem Suíça
Lançada em 2008
Teor alcoólico 7,5% vol.
Temperatura ideal 12°C

Quando não está desafiando os paladares dos suíços com suas cervejas frescas e lupuladas, Raphaël Mettler, fundador da Brasserie Trois Dames, adora fazer experimentos, alguns dos quais são lançados posteriormente como cervejas de edição limitada. Suas saisons belgas complexas e frescas, especialmente a La Récolte (simples), a Saison Houblon (com lúpulo Cascade) e a Saison Framboise (com suco de framboesa), estão abrindo novas possibilidades para a cervejaria suíça. Lançamentos recentes, como a Fraîcheur du Soir (uma grand cru wit) e a Oud Bruin (uma mistura inesperada de stout forte e licor de damasco), prometem coisas ainda melhores por vir. No entanto, o melhor de todos esses experimentos é, sem dúvida, a La Semeuse Espresso Stout.

A ideia de se adicionar café a uma stout para realçar o caráter torrado da cerveja não é nova. Mas a La Semeuse tem duas cartas na manga. Primeiro, a cerveja de base não é uma stout padrão, mas uma stout saborosa e balanceada com 7,5% de teor alcoólico, o que lhe confere muita profundidade e textura. Além disso, o café expresso é adicionado de forma a conferir à cerveja apenas o caráter aromático, evitando as notas mais ásperas que sugerem o gosto de café requentado.

A mistura oferece um contraste interessante: quente, cordial e acalentadora, seguida de um jato de café estimulante, fresco e revivificador. Funciona bem como aperitivo ou para ser bebida após o trabalho, mas é especial mesmo depois do jantar ou com sobremesas fortes. Acompanha muito bem a cremosidade de um tiramissú e se sobrepõe até às tortas de chocolate mais saborosas e fortes. **LM**

Notas de degustação

Uma suntuosa stout rica e profunda, com sabor de chocolate amargo e cacau suavizado por um toque de baunilha. O golpe pungente e cortante de café expresso surge gradativamente, dominando o final amargo longo e exuberante.

L'Abbaye de Saint Bon-Chien

Brasserie des Franches-Montagnes
www.brasseriebfm.ch

País de origem Suíça
Lançada em 2004
Teor alcoólico 11% vol. (variável)
Temperatura ideal 15°C

A cervejaria foi fundada em 1997 por Jérôme Rebetez, um jovem enólogo que se converteu à cerveja. Em um mundo no qual os cervejeiros estão descobrindo o envelhecimento em madeira, Jérôme está bem à frente dos demais e sua formação lhe dá o conhecimento necessário para fazer cervejas envelhecidas em carvalho perfeitas.

A L'Abbaye de Saint Bon-Chien é uma cerveja em que a pasta macerada azeda é fermentada com levedura de cerveja tradicional e envelhecida em barris de carvalho anteriormente usados para vários tipos de vinhos e destilados. Como alguns dos barris contribuem mais para o aroma e outros para o sabor, o truque na mistura é combiná-los para fazer uma cerveja balanceada e sem falhas. Os barris que eventualmente se sobressaiam antes da mistura são vendidos como L'Abbaye de Saint Bon-Chien Grand Cru. **LM**

Notas de degustação

Cada lote é diferente, mas é em geral quase sem carbonatação, oleosa e azeda, lembrando oud bruins e vinhos fortificados. Especiarias, frutas escuras, madeira e couro se combinam em uma cerveja saborosa e suave.

Liefmans Cuvée-Brut

Brouwerij Liefmans
www.liefmans.be

País de origem Bélgica
Lançada em *ca.* 1937
Teor alcoólico 6% vol.
Temperatura ideal 7°C

Produzir cerveja é a essência de Oudenaarde, em Flandres Oriental. A cidade já foi um centro de produção de brown ales flamengas, mas hoje apenas um punhado de cervejarias ainda funciona na área.

A cerveja de base para esta kriek é a Liefmans Oud Bruin. O mosto é colocado em fermentadores abertos de cobre, onde a levedura é adicionada e fermenta por sete dias. Leveduras selvagens também podem atuar nesse período, explicando o sabor azedo da cerveja. O mosto é então transferido para tanques de aço inoxidável para maturação. Cerejas inteiras da Bélgica e da Dinamarca são adicionadas à base de Oud Bruin e deixadas fermentar por aproximadamente 12 meses. O produto é misturado com Oud Bruin e Goudenband de diferentes idades, resultando em uma cerveja muito complexa. **CC**

Notas de degustação

Aroma de cerejas azedas, com um pouco de malte doce. Sabor levemente adocicado de cerejas azedas, perfeitamente balanceado. Ótima com torta de chocolate ou frutas, sorvete e outras sobremesas.

Estas cerejas serão fermentadas durante um ano para produzir a Liefmans. →

Mamma Mia! Pizza Beer

Pizza Beer Company | www.pizzabeer.net

País de origem Estados Unidos
Lançada em 2006
Teor alcoólico 4,6% vol.
Temperatura ideal 7°C

Pizza e cerveja podem formar uma combinação imbatível, mas cerveja com sabor de pizza? Para qualquer um que não tenha um estômago de aço, a ideia desta bebida única pode causar espanto e um distúrbio estomacal imediato. Quer dizer, até você experimentá-la. Tom Seefurth, cervejeiro artesanal de Illinois, descobriu o segredo para combinar o caráter condimentado de orégano, alho e tomates com o sabor refrescante de uma ale dourada. Bem balanceada, a Mamma Mia! Pizza Beer agradará àqueles que apreciem uma IPA lupulada.

O primeiro lote foi apenas uma brincadeira. Era um feriado prolongado e Tom e sua esposa Athena pensavam em maneiras de usar alguns ingredientes que haviam sobrado. Segundo Tom, "tínhamos tomates, e pensei em usá-los. Havia um vizinho que vivia dizendo que iria fazer uma cerveja com alho, então adicionamos alho. Eu tinha ainda orégano fresco, manjericão e um pacote velho de levedura. Pensei: Provavelmente não vai dar certo. Se não der, podemos usar para cozinhar".

A fermentação fez sua parte; o casal engarrafou a produção, esperou a carbonatação e então a experimentou. O resultado foi tão bom que os surpreendeu. Passaram-se algumas semanas. Uma noite, pediram pizza – daquelas muito recheadas – e abriram uma garrafa. Perceberam que a cerveja era um acompanhamento perfeito e então a rebatizaram.

Tom largou o emprego para se dedicar em tempo integral a esta cerveja esquisita. Produzida por uma cervejaria terceirizada, é uma bebida *cult* de sabor pouco usual, mas muito mais agradável do que parece. **DR**

Notas de degustação

O caráter dado pelo tomate lembra o de uma ale de centeio azeda, enquanto o tempero faz lembrar uma saison belga picante. Saborosa, encorpada e divertida, é mais do que uma invenção de marketing e combina naturalmente com pizza.

Meantime Coffee Porter

Meantime Brewing | www.meantimebrewing.com

País de origem Inglaterra
Lançada em 2005
Teor alcoólico 6% vol.
Temperatura ideal 7°- 10°C

Antigamente, muitos teriam se indignado com a ideia de cervejas com sabor de café. Claro, você estaria disposto a acompanhar o café matinal com cerveja? No entanto, a Meantime Brewing tem desafiado esse preconceito com sucesso e a sua Coffee Porter é uma combinação brilhante de ambos.

A Meantime sempre procurou ultrapassar os próprios limites. Ao mesmo tempo que produz algumas cervejas tipicamente britânicas, a equipe da cervejaria está sempre disposta a inovar. Fundada por Alastair Hook, a Meantime é hoje a segunda maior cervejaria de Londres, posição alcançada em apenas dez anos. As cervejas adquiriram uma reputação incontestável em bem menos tempo, principalmente em competições, nas quais ganham medalhas de ouro com frequência.

Com enorme paixão pela tradição cervejeira, a Meantime deu nova vida a estilos clássicos, como a London Porter e a India Pale Ale. O time de cervejeiros também não se amedronta diante de projetos menos convencionais, como o de apresentar ao consumidor britânico a Helles, uma old smoked bock e cervejas com framboesa e chocolate.

A Meantime Coffee Porter é um exemplo fantástico desse amor pela inovação. É uma cerveja feita com perfeição no estilo inglês de porters. Os grãos de café Arabica usados na mistura são plantados pela cooperativa Maraba na província de Butare, em Ruanda, e torrados artesanalmente pela Union Coffee Roasters. Eles se combinam harmoniosamente com a cevada torrada e a cerveja vale por uma rajada de cafeína. **TS**

Notas de degustação

Não dá para ignorar o chocolate, mas há também um toque adocicado de baunilha e ela combina bem com trufas. Quando servida é escura, quase preta, e seu estilo "expresso e cappuccino" é mais sutil do que se poderia esperar, com o amargor certo.

Midas Touch

Dogfish Head | www.dogfish.com

País de origem Estados Unidos
Lançada em 1999
Teor alcoólico 9% vol.
Temperatura ideal 7°C

Segundo a lenda, o rei Midas transformava em ouro tudo o que tocava. Na verdade, houve realmente um rei Midas, que governou a Frígia (atual Turquia) há 2.700 anos. Sua tumba, descoberta nos anos 1950, continha uma coleção impressionante de copos. Quarenta anos após as escavações, Patrick McGovern, arqueólogo molecular da Universidade da Pensilvânia, descobriu que o resíduo encontrado nos copos era provavelmente de álcool. McGovern encontrou vestígios de cevada, uvas e mel – uma mistura de cerveja, vinho e hidromel. Apaixonado por cervejas, McGovern procurou uma cervejaria que se dispusesse a recriar a mistura para um festim em honra de Midas. A Dogfish Head, de Delaware, conhecida por suas "cervejas radicais", foi a escolha óbvia.

"Quando abrimos", diz Sam Calagione, fundador da cervejaria, "achavam que éramos malucos ou hereges que criavam cervejas esquisitas com ingredientes estranhos". A cervejaria já fizera cervejas com uvas-passas, chicória, bagas de junípero, baunilha e xarope de bordo. Quando lhe sugeriram fazer uma cerveja com uvas e mel, Calagione pensou: "Por que não?" Sua intuição estava correta e a cerveja foi um sucesso imediato, só que inicialmente entre entusiastas de vinhos, que a comparavam a champanhe.

Hoje, a Midas Touch é produzida durante todo o ano e é a cerveja mais premiada da cervejaria. Ela inspirou outros estilos históricos, incluindo variedades pouco usuais baseadas em achados arqueológicos em Honduras e na China. Para Calagione, "a análise de Pat McGovern fez valer nosso estilo criativo de uma forma que nós mesmos não conseguiríamos". **DR**

Notas de degustação

Como anunciado, quando servida é um pouco turva devido à levedura, mas é da cor do ouro e tem uma espuma firme. Os aromas frutados de uvas, mel e especiarias são dignos de reis. Os sabores adocicados de hidromel e de vinho frutado se sobrepõem aos de malte e açafrão. O final é seco e suave.

Midnight Sun

Williams Brothers Brewing Company | www.williamsbrosbrew.com

País de origem Escócia
Lançada em 2008
Teor alcoólico 5,6% vol.
Temperatura ideal 13°C

Antigamente, oito cervejarias funcionavam na pequena cidade escocesa de Alloa. Hoje resta apenas a Williams Brothers Brewing Company (antes chamada New Alloa Brewery). Seus donos, Bruce e Scott Williams, revigoraram o setor e se firmaram como inovadores. Localizada às margens do rio Forth, a cervejaria tem uma capacidade de produção de quarenta barris e linhas próprias para engarrafamento e embalagem.

A Midnight Sun é uma ale tipo porter inglesa, quase preta, feita com cevada torrada, aveia e malte chocolate, e balanceada com uma dose generosa de lúpulo e fatias de gengibre fresco. De acordo com Bruce Williams, "lendo várias receitas no Scottish Brewing Archives da Universidade de Glasgow, percebemos que muitos estilos antigos de porter, inclusive alguns feitos pela Maclay's Brewery e pela George Younger, aqui de Alloa, usavam anis, linhaça e gengibre para dar 'calor' à cerveja. Já usávamos gengibre fresco em outras cervejas e começamos a adicionar pequenas porções à nossa Porter. O gengibre e o lúpulo Fuggle adicionado no final são os únicos elementos especiais, além de quantidades generosas de aveia que vão no tonel de maceração".

Esta cerveja tem um aspecto mais internacional do que as cervejas "escocesas" produzidas pelos irmãos Williams, mas eles rebatem: "O estilo porter pode ser mais londrino, mas esta aqui tem o toque escocês!" A Midnight Sun é parte de uma série de cervejas classificadas por cores (preta, dourada, vermelha) que a cervejaria diz serem baseadas na proporção áurea, uma relação geométrica constante encontrada na natureza. **AG**

Notas de degustação

De densidade quase preta, com espuma bege e aroma de chocolate e café sugerindo frutas tropicais frescas. Sabor de chocolate amargo com aveia e lúpulo amargo, além de um final que revela notas de gengibre.

Mill Street Coffee Porter

Mill Street Brewery | www.millstreetbrewery.com

País de origem Canadá
Lançada em 2002
Teor alcoólico 5,5% vol.
Temperatura ideal 10°C

Durante muitos anos, no coração de Toronto, as antigas instalações da Gooderham and Worts Distillery, que chegou a ser a segunda maior destilaria do Império Britânico, ficaram abandonadas. No começo do novo milênio, o local foi convertido em um centro comercial e cultural conhecido como Distillery District. A Mill Street Brewery se instalou ali em 2002, produzindo um trio de carros-chefes que incluía a Coffee Porter.

Desde os anos 1990, quando o conhecido bar C'est What, no centro da cidade, encomendou sua própria coffee porter, a cidade de Toronto tem uma relação ambivalente com as cervejas com café, dando as boas-vindas às novas variantes e, ocasionalmente, lamentando o seu fim. De todas as lançadas, persistem apenas a versão para servir na torneira feita para o C'est What e a cerveja engarrafada pela Mill Street.

O que torna a Mill Street Coffee Porter ainda mais curiosa é o fato de o cervejeiro que a criou, Michael Duggan, não beber café. Para fazer e garantir o equilíbrio da cerveja, ele contou com a ajuda de outros paladares da cervejaria e com a habilidade na torrefação de café de seus vizinhos do Balzac's Coffee, no Distillery District. Surpreendentemente, o processo acabou dando certo.

Em 2008, a Mill Street se mudou para uma região industrial no leste da cidade e transformou as antigas instalações em um bar e restaurante. Duggan deixou a empresa e o veterano cervejeiro de Toronto Joel Manning assumiu a direção do novo empreendimento. Novas marcas foram desenvolvidas e a Coffee Porter sobreviveu ao período de transição, adquirindo, segundo a cervejaria, status de *cult*. **SB**

Notas de degustação

Basta abrir esta cerveja de cor escura para perceber que eles levam o café a sério na Mill Street. O aroma de café recém-torrado se mistura aos de chocolate amargo e malte. O corpo se mantém fiel ao nariz, apenas adicionando um suave amargor lupulado e terminando em um final meio seco.

Monk's Cafe Flemish Sour Ale

Brouwerij Van Steenberge | www.vansteenberge.com

País de origem Bélgica
Lançada em 1923
Teor alcoólico 5,5% vol.
Temperatura ideal 8°- 10°C

As ales vermelhas e azedas da região flamenga da Bélgica são conhecidas como "borgonhas de Flandres" graças à cor avermelhada e ao sabor que lembra vinho. Mas há também uma conexão histórica mais profunda. Em 1384, Flandres foi anexada à Borgonha, na época famosa pela arte, a música, o luxo e as festas. Alguns belgas ainda identificam seu apreço pelas coisas boas da vida com o legado borgonhês, por isso não é de surpreender que mais de uma cerveja flamenga traga o nome da região no rótulo.

A cervejaria Van Steenberge fica na vila de Ertvelde, localizada na Meetjesland, uma região plana e bonita entre Bruges e Gent. Apesar de a Van Steenberge ter sido fundada em 1874 como uma cervejaria rural, a produção de cerveja era uma atividade secundária até 1922, quando Paul Van Steenberge a assumiu. Ele lançou uma brown ale chamada Bios ("vida" em grego) que misturava uma cerveja sem carbonatação, maturada dois anos, com uma cerveja jovem.

Hoje, a cervejaria é uma operação moderna, com controles computadorizados e uma linha de engarrafamento, e produz quase que exclusivamente cervejas de estilo mais forte ou sob encomenda. A Bios se tornara uma nota de rodapé na sua história – o que é uma pena, tendo em vista a raridade do estilo. Em 2002 ela ganhou novo alento quando o bar especializado Monk's Cafe, na Filadélfia, a encomendou, renomeando-a Flemish Sour. Diferentemente de outras mais conhecidas, é maturada em barris de metal, e não madeira, o que dizem que a torna mais áspera. No entanto, é refrescante o suficiente para ser considerara um prazer borgonhês. **DdM**

Notas de degustação

Cerveja marrom-avermelhada com espuma esbranquiçada e aroma forte de cereja. No paladar, minerais salgados e frutas agridoces, com notas mais fortes de malte. O final é frutado, azedo e salgado, sugerindo malte.

Ola Dubh

Harviestoun Brewery | www.harviestoun.com

País de origem Escócia
Lançada em 2006
Teor alcoólico 8% vol.
Temperatura ideal 15°C

Ola Dubh, em gaélico, quer dizer "óleo preto", imagem logo vinculada à rica dark ale da Harviestoun, Old Engine Oil. Uma versão desta constitui a base da colaboração entre a cervejaria e a Highland Park Distillery. Localizada nas ilhas Orkney, ao norte do país, a destilaria remonta a 1798. A cevada utilizada hoje é levada do continente, porém é maltada e seca usando turfa das ilhas, o que exerce grande influência sobre o elegante uísque seco e defumado. O uísque de 18 anos da Highland Park encabeçou uma lista dos 110 melhores destilados do mundo, e os jurados destacaram o equilíbrio entre a doçura floral e os contidos toques de turfa. A Old Engine Oil precisa estar à altura, pois, após ser fermentada, é maturada em tonéis antes usados para maturar uísque single malt.

O conceito desse projeto surgiu na distribuidora norte-americana da Harviestoun, a B. United International. Como conta Matthias Neidhart: "Há um desejo por produtos singulares, com perfis exclusivos, como a Ola Dubh." E Neidhart e a cervejaria não ignoram que as cervejas envelhecidas em barris vinham conquistando admiradores nos Estados Unidos e no Reino Unido. Mas o que tornou essa ideia algo único foi que a cerveja é oferecida em três "expressões", oriundas de barris que antes continham single malts de 12, 16 e 30 anos da Highland Park. Cada uma tem suas características, desde aromas de óleo de trufa, cacau e um defumado sutil até sabores que alternam entre turfa e pasto, laranja e frutas desidratadas. **AG**

Notas de degustação

A Ola Dubh Special 30 Reserve é de um marrom profundo, com um brilho de Borgonha e aparência oleosa, e coroa cor de mingau de aveia. Os sabores variam entre mel, maltes tostados, baunilha, frutas vermelhas e grãos de café, antes de um prolongado final amadeirado. Excelente com queijo Stilton e bolo de aveia ou de frutas.

Oud Beersel Oude Geuze

Brouwerij Oud Beersel | www.oudbeersel.com

País de origem Bélgica
Lançada em 1882
Teor alcoólico 6% vol.
Temperatura ideal 10°C

Esta cervejaria de lambic abriu em 1882 a poucas centenas de metros da localização atual, que data de 1930. Antigos filtros de cobre para lúpulo, um fermentador aberto, pinturas de cenas antigas em bares, ferramentas para a produção de lambic e muitas outras curiosidades históricas fazem da Oud Beersel um ótimo lugar para se visitar. A produção no local cessou em 2002, quando a inspeção sanitária da União Europeia a fechou por não atender às novas normas de produção de alimentos. Essas medidas rigorosas ameaçam a tradição cervejeira artesanal da Bélgica.

Gert Christiaens e seu pai, Jos, compraram a cervejaria de Henri Vandervelden em 2005. A Oud Beersel era a cervejaria de lambic preferida de Gert nos anos de universidade, e ele não queria deixar que desaparecesse. O mosto é fermentado pela Brouwerij Boon, e Gert e Jos seguem a receita original da Oud Beersel. O mosto é levado em caminhão-tanque e posto nos barris originais da Oud Beersel. Alguns desses 124 barris de carvalho, com capacidade para até seiscentos litros de cerveja cada, têm mais de cem anos de idade.

São misturadas lambics de um, dois e três anos para a produção da Oude Geuze. As lambics mais velhas conferem acidez, complexidade e um caráter frutado à cerveja. As mais novas ainda estão fermentando, então, com ajuda de um pouco de açúcar, a Oude Geuze passa por uma terceira fermentação na garrafa. Um grupo de entusiastas chamado "De Geuzen van Oud Beersel", com 160 integrantes, organiza visitas à cervejaria no primeiro sábado de cada mês. A cervejaria vende cerveja somente aos sábados. **CC**

Notas de degustação

De cor laranja-dourada, forma uma coroa moderada. Notas de frutas cítricas, carvalho e maçã azeda no nariz. O sabor é seco, fermentado, terroso e frutado, com toques de limão e laranja. A cerveja é azeda, mas não em excesso. Muito refrescante, com um leve amargor no final.

Our Special Ale

Anchor Brewing Company | www.anchorbrewing.com

País de origem Estados Unidos
Lançada em 1975
Teor alcoólico 5,5% - 6% vol.
Temperatura ideal 13°C

A cerveja de inverno da Anchor tem um nome oficial, Our Special Ale, mas a maioria das pessoas, inclusive os funcionários, a chamam de "cerveja natalina". Lançada em 1975, foi a primeira cerveja de Natal americana criada em tempos modernos e é uma das poucas que muda a receita todo ano. O proprietário da Anchor, Fritz Maytag, se inspirou na tradição medieval de cada vila criar cervejas especiais para as festividades.

A primeira receita era uma brown ale 100% malte, com lúpulo Cascade adicionado a seco. Continuou assim durante alguns anos, mas a cada vez os cervejeiros variavam um pouco e, no fim da década de 1980, começaram a experimentar com especiarias – porém a lista de ingredientes é um segredo bem guardado. Tentar descobrir as especiarias usadas na versão de cada ano se tornou esporte entre os apreciadores, embora a cervejaria se recuse a revelar qualquer detalhe. Alguns dos sabores que as pessoas acreditaram identificar ao longo dos anos são pimenta-da-jamaica, castanha, canela, cravo, coentro, ervas, gengibre, junípero, casca de limão, alcaçuz e noz-moscada. O único detalhe revelado pela cervejaria é que ela nunca usou cravo.

O rótulo da cerveja natalina também muda a cada ano, apresentando diferentes árvores ilustradas à mão e, desde 1982, incluindo seus nomes científicos. Até recentemente, a cerveja era lançada na segunda-feira antes do Dia de Ação de Graças, mas agora fica disponível desde o início de novembro até janeiro. É vendida em garrafas convencionais e magnum, ideais para festas de fim de ano. **JB**

Notas de degustação

A cerveja varia a cada ano, mas a versão de 2008, como a maioria, é de cor mogno escura e cria uma rica coroa de espuma bege. O aroma é uma mistura complexa de especiarias com uma pitada de amargor. Os sabores também são complexos e condimentados, com uma sólida estrutura maltada e um fim de boca exuberante.

A cervejaria Anchor original, na Pacific Street, em São Francisco, foi destruída no grande terremoto de 1906.

ANCHOR
BREWERY.

Panil Barriquée Sour

Birrificio Panil | www.panilbeer.com

País de origem Itália
Lançada em 2002
Teor alcoólico 8% vol.
Temperatura ideal 14°C

O vinho está no sangue de Renzo Losi. Seu pai era vinicultor e a família ainda tem um vinhedo em Torrechiara, perto de Parma. Losi foi produtor de vinho durante muitos anos, mas o amor pela cerveja acabou vencendo e hoje o Birrificio Panil é uma das microcervejarias mais interessantes da Itália. Algumas cervejas realmente parecem ter um vínculo com o mundo do vinho.

A Barriquée Sour é uma dessas. Ela começa como uma dark ale comum, mas fica meses amadurecendo em barris antigos. Losi parte de um mosto feito de diferentes maltes alemães, como Pilsen, caramelo e um pouco de chocolate. Os lúpulos são Perle alemão para conferir amargor e East Kent Golding britânico ao final, para aromatizar. Após a fermentação primária, a cerveja é posta em barris de cerca de cinquenta anos e ali passa de cinco a oito meses. Nesse período, a flora bacteriana confere um sabor azedo à cerveja. **MM**

Notas de degustação

Linda cor mogno. Nariz fascinante, rico em madeira e couro, com um toque de limão verde. Muito complexa na boca, fresca mas levemente adstringente, com notas cítricas adocicadas.

Panil Enhanced

Birrificio Panil | www.panilbeer.com

País de origem Itália
Lançada em 2005
Teor alcoólico 9% vol.
Temperatura ideal 10°C

Quando alguém trabalha com vinho e com cerveja, como é o caso de Renzo Losi, não é fácil separar os dois. Por outro lado, quando o resultado direto da contaminação cultural são cervejas interessantes, por que tentar mantê-los separados?

A Panil Enhanced não passa por barris de madeira. No início do processo e com relação à maioria dos ingredientes, é uma cerveja simples, fácil de entender. A estrutura é formada por Pilsen e uma pequena quantidade de malte Munique, além de dois tipos de lúpulo: Perle alemão para conferir amargor e um pouco de Willamette, incluído ao fim da fervura e também a seco. O segredo desta cerveja é a levedura *Bajanus*, normalmente usada na produção de vinho. Ela confere elegantes aromas de uvas Muscat e, no caso da Enhanced, garante o perfil aromático. **MM**

Notas de degustação

Dourada e turva, com abundante espuma branca. Aroma intrigante, com notas de uva e maçã. Muito elegante no paladar, com um toque agradável de acidez e retrogosto seco e prolongado.

Paradox

BrewDog
www.brewdog.com

País de origem Escócia
Lançada em 2007
Teor alcoólico 10% vol.
Temperatura ideal 8°C

Quando a BrewDog surgiu, em 2007, lembrou bastante uma nova banda de rock. Porém, por trás do barulho e da algazarra, os cofundadores Martin Dickie e James Watt levam a cerveja muito a sério.

Segundo Dickie: "O raciocínio por trás da série Paradox foi aproveitar a enorme variedade de perfis de sabores das destilarias escocesas de uísque para criar uma série de cervejas de sabor extraordinário. Foram as primeiras cervejas do Reino Unido a empregar uma stout forte o suficiente para complementar os sabores potentes de uísque conferidos pelo carvalho durante a maturação." Há três "edições" da série: a Smokehead, feita na ilha de Islay, ganha notas defumadas que lembram iodo e algas marinhas; a Isle of Arran, nome da ilha em que a cerveja é maturada em antigos barris de xerez; e a da Springbank Distillery, em Campbeltown. A cerveja de base é uma imperial stout ferozmente forte, portanto todas são cervejas colossais. **ATJ**

Notas de degustação
A Springbank é marrom-escura, com baunilha, caramelo amanteigado, lúpulos terrosos, morangos maduros e álcool no nariz. Sabores de cappuccino e marzipã vêm antes de um persistente fim de boca doce e amadeirado.

Pliny the Elder

Russian River Brewing
www.russianriverbrewing.com

País de origem Estados Unidos
Lançada em 1999
Teor alcoólico 8% vol.
Temperatura ideal 13°C

Quando Vinnie Cilurzo fundou a Blind Pig Brewing em Temecula, Califórnia, em 1994, criou uma cerveja monstruosamente amarga. Foi o início da revolução da IPA dupla. "Nossos equipamentos são velhos e rústicos, então eu comecei buscando algo potente e, para ser franco, que disfarçasse algumas falhas", conta Cilurzo. A cerveja foi envelhecida nove meses em carvalho e servida no primeiro aniversário da cervejaria com o nome Inaugural Ale. Ao inscrevê-la no Grande Festival Americano da Cerveja, ele a descreveu como uma IPA dupla.

Cilurzo continuou produzindo a cerveja anualmente para comemorar o aniversário da Blind Pig até ir trabalhar para a Russian River Brewing. Quando criou a Pliny the Elder, em 1999, ele usou uma receita totalmente nova, intensificando a utilizada para elaborar a Russian River IPA. O nome da cerveja homenageia o acadêmico romano Plínio, o Velho, que deu o nome botânico ao lúpulo. **SH**

Notas de degustação
Dourada e brilhante, com uma bela "renda belga". Aroma de cones de lúpulo, pinho e frutas cítricas. O lúpulo se sobrepõe a uma base límpida de malte e gera sabores abundantes, notas apimentadas e um amargor puro.

Quarta Runa

Birrificio Montegioco | www.birrificiomontegioco.com

País de origem Itália
Lançada em 2005
Teor alcoólico 7% vol.
Temperatura ideal 7°C

Riccardo Franzosi, do Birrificio Montegioco, aromatiza a cerveja com frutas e especiarias que ele escolhe à sua volta, na região italiana de Piemonte. Suas cervejas refletem o território, e ele sempre segue um percurso lógico da ideia original à receita final. A Quarta Runa não é exceção. O nome, como em muitas das cervejas, deriva de sua paixão pela história local. "Runa" é uma antiga palavra celta, e de fato os celtas já habitaram essa região.

Franzosi criou a Quarta Runa em 2005, após reconhecer a excelente qualidade dos pêssegos de Volpedo, antiga variedade local muito apreciada no mercado italiano. Os pêssegos são lavados e descaroçados; então, ele faz uma espécie de compota para concentrar todos os sabores e aromas. Uma vez resfriada, a compota é adicionada ao tanque de fermentação e, em seguida, é inserida a levedura. A *Saccharomyces bajanus* é usada sobretudo em vinhos brancos e espumantes e, combinada aos pêssegos, imprime um caráter distinto à cerveja. A Quarta Runa é agradável e delicada, com um aroma intrigante. Só é usado malte Pilsen, com uma pequena quantidade de lúpulo Hallertau Hersbrucker para dar amargor e aroma. A cerveja fermenta cerca de oito dias em tanques, depois descansa duas semanas em baixa temperatura.

Ao fim do processo, é finalmente engarrafada, passando pela fermentação final e a maturação, que leva cerca de dois meses. Ela também pode se desenvolver na adega durante dois ou três anos. **MM**

Notas de degustação

Cor dourada e turva, com uma espuma branca não muito persistente. Primeiro, muitas notas de pêssego no nariz e depois, um leve aroma de amêndoa. No paladar, uma acidez clara e agradável, e o retrogosto retorna à primeira impressão aromática.

Raison D'Être

Dogfish Head | www.dogfish.com

País de origem Estados Unidos
Lançada em 1995
Teor alcoólico 8% vol.
Temperatura ideal 8°C

É tentador dispensar as cervejas "extremas" dizendo que são o produto pouco refinado de cervejeiros alucinados por lúpulo com álcool que extrapolam os limites do paladar. Teor alcoólico de dois dígitos e IBU de três dígitos são o território de fígados de ferro e línguas de couro. Contudo, há outra definição de "extremo" que não se relaciona à intensidade, mas a cervejas feitas com ingredientes não convencionais. É aí que os cervejeiros mais aventureiros deixam para trás a Reinheitsgebot e vão explorar a despensa. Entram ervas, frutas, especiarias, café, mel ou, no caso da Raison D'Être, açúcar de beterraba e uvas-passas brancas.

"Esta cerveja nos rendeu muitos ataques no começo", conta Sam Calagione, cujo slogan para a Dogfish Head Brewery define o seu nicho: cervejas pouco convencionais para pessoas pouco convencionais. "Nos diziam: 'Estão colocando uvas na cerveja? O que vocês têm na cabeça?'" Na verdade, as raízes da Raison D'Être estão no vinho. Uma das primeiras receitas vendidas no bar da cervejaria em Rehoboth Beach, Delaware, foi criada para substituir um vinho tinto encorpado que normalmente harmonizaria com bife grelhado. De coloração mogno, a ale tem sabor frutado não somente devido às passas e ao açúcar, mas também aos maltes selecionados e à levedura belga.

A Raison D'Être inicialmente atraiu apreciadores mais excêntricos, mas logo foi elogiada por críticos e revistas de gastronomia, que a compararam a um Borgonha capaz de ocupar as melhores mesas. Esta ale escura marcou o início da tendência de elaborar cervejas como substitutas para vinhos. **DR**

Notas de degustação

Servida em uma tulipa, é de um marrom-avermelhado escuro com espuma densa. Produz aroma de passas, caramelo e rum escuro. Notas de toffee no primeiro gole, seguidas de sabores complexos de café, caramelo, passas, Borgonha e malte levemente defumado.

Red Poppy Ale

The Lost Abbey | www.lostabbey.com

País de origem Estados Unidos
Lançada em 2008
Teor alcoólico 5,5% vol.
Temperatura ideal 13°C

Observe esta declaração feita por Tomme Arthur, diretor da cervejaria The Lost Abbey, na Califórnia: "Acho que o momento mais marcante para mim, em termos de cerveja, foi experimentar a primeira Rodenbach Grand Cru. Foi algo seminal, pois só então comecei a compreender que a cerveja podia ter uma gama de sabores e não precisava ser insossa e aguada. A cerveja era rubi com brilhos marrons e era tanto doce como azeda, amadeirada e seca. Essa cerveja foi uma epifania para mim." E agora esta, também dele: "Durante um tempo se tentou replicar estilos de todo o mundo, mas eu nunca me dediquei a copiar outra cerveja."

Muitas das palavras que Arthur usou para descrever a Rodenbach Grand Cru poderiam ser usadas em relação à sua Red Poppy Ale, mas as duas cervejas não se confundiriam. Aliás, se isso ocorresse, ele não veria muito sentido em produzir a Red Poppy. É uma dentre muitas cervejas azedas que a Lost Abbey produziu nos três primeiros anos de atividade. O ritmo das inovações era tal que os barris logo não cabiam no espaço original, ocupando todos os cantos disponíveis da cervejaria e até um armazém próximo.

A Red Poppy nasce de forma inocente da mistura de duas cervejas, uma delas a Dawn Patrol, premiada, escura e suave. Ela envelhece um ano em barris de carvalho francês antigos, de caráter ameno. Depois, recebe uma dose de cerejas azedas (diferentes das usadas na Cuvée de Tomme) e, então, a levedura que se tornou exclusiva da Red Poppy. O efeito é mágico! **SH**

Notas de degustação

De agradável cor rubi e marrom, com aromas de frutas escuras azedas desde o início. Os sabores doces, de caramelo e frutas vermelhas, logo se encontram com o azedo das cerejas e notas agradáveis de vinagre balsâmico. Toques de vinho e notas sutis de carvalho e baunilha deliciosamente complexas.

Redoak Framboise Froment

Redoak Brewery | www.redoak.com.au

País de origem Austrália
Lançada em 1994
Teor alcoólico 5% vol.
Temperatura ideal 5°C

Talvez a Austrália nunca tenha conhecido um cervejeiro tão prolífico e incansável quanto David Hollyoak, da Redoak Brewery. No ápice, a pequena cervejaria produzia quase 40 cervejas, quase todas representantes de alto nível de seus estilos, independentemente do país de origem e do contexto histórico. Após serem elaboradas em um local sigiloso, aparecem como por magia no bar de Hollyoak, em Sydney, e proporcionam uma experiência fantástica, que muda a nossa perspectiva.

Hollyoak aprende depressa. Ele começou elaborando cerveja de gengibre em casa, com somente 14 anos. A pequena cervejaria amadureceu com ele e gerou tensões com pessoas com quem morava e não apreciavam tanto seus interesses, como sua namorada. Mesmo sendo belga, ela não gostava de cerveja e não concordava que os equipamentos ocupassem tanto espaço na cozinha. Ele respondeu elaborando uma cerveja de trigo e framboesa que não só conquistou a simpatia dela como viria a desafiar os cervejeiros belgas, sendo uma versão formidável de sua cerveja frutada.

As framboesas são provenientes da fazenda de um primo de Hollyoak em Yarra Valley, Victoria. Cada cerveja leva um punhado da fruta e, após a elaboração, as mãos de Hollyoak ficam tingidas – e ficam ainda mais após ele produzir um lote da prima da Framboise Froment, a Blackberry Hefeweizen, com amoras. O melhor lugar para degustar um copo é na Redoak Boutique Beer Cafe, que não fica longe da Ópera de Sydney. **DD**

Notas de degustação

A marcante cor rosa se destaca mais em um flûte de champanhe, com toques de banana, cravo e framboesa. Um gole leve revela sabores de trigo repletos de fruta, seguidos por um final azedo moderado. Aprecie no brunch, com ovos poché.

Riedenburger Historisches Emmer Bier

Riedenburger Brauhaus | www.riedenburger.de

País de origem Alemanha
Lançada em 2004
Teor alcoólico 5,5% vol.
Temperatura ideal 8°- 10°C

Nos anos 1980, Martha e Michael Krieger participaram do protesto contra a construção do canal Reno-Meno--Danúbio, pois pensavam que prejudicaria o equilíbrio ecológico do parque nacional do vale do Altmühl. Ainda que o protesto não tenha impedido o canal, o movimento aumentou a consciência ambiental de gente como os Krieger, que decidiram organizar sua cervejaria de forma mais ecológica e, em 1994, completaram sua conversão para ser totalmente orgânica. Eles também começaram a pesquisar cereais mais antigos e sustentáveis e descobriram os trigos einkorn e emmer, de baixa produtividade mas com muitos benefícios para o meio ambiente. O emmer contém mais proteínas, magnésio e ferro do que o trigo comum, e seu sabor é maravilhoso, suave e frutado.

Por ocasião do primeiro festival histórico da cidade de Riedenburg, os Krieger produziram sua primeira ale de emmer, que agradou aos locais. Eles incluíram a cerveja no portfólio, embora no início não houvesse ingredientes suficientes. Em parceria com o mosteiro de Plankstetten, que fornece todos os ingredientes que os Krieger utilizam, eles superaram os problemas de abastecimento e foram homenageados oficialmente pela contribuição para a recuperação de cereais antigos.

A Emmer Bier é notavelmente cremosa no primeiro contato, de corpo cheio e frutado e com um final surpreendentemente seco. É feita com lúpulos naturais, cujos taninos conferem estabilidade prolongada. É apreciada em muitos países da Europa e pode ser encontrada em quase toda a Alemanha, sobretudo em lojas de alimentos orgânicos. **SK**

Notas de degustação

A cor é entre cobre e marrom e enevoada, com espuma bege cremosa. Aroma de grãos e frutas secas, com toques de ameixas. No paladar, espere primeiro um sabor cremoso, passando para um corpo frutado inspirado em um aroma condimentado e agradável de lúpulo. Fim de boca suave e surpreendentemente seco.

Rodenbach

Brouwerij Rodenbach | www.rodenbach.be

País de origem Bélgica
Lançada em 1821
Teor alcoólico 5,2% vol.
Temperatura ideal 6°- 8°C

Poucas cervejas são capazes de aguçar o paladar tanto quanto a Rodenbach. O que torna este clássico belga tão refrescante é a acidez natural, resultado de um longo processo de envelhecimento em antigos tonéis de carvalho. Hoje a Rodenbach faz parte da Palm Breweries, mas remonta à década de 1820, quando um membro da influente família Rodenbach se tornou sócio de uma cervejaria na cidade de Roeselare, em Flandres Ocidental.

Há muito tempo ela é líder mundial na produção de cervejas azedas envelhecidas em carvalho, e atualmente a ale vermelha é fruto de uma mistura de três maltes com a adição de milho em uma cervejaria de alta tecnologia. O lúpulo é da região, de Poperinge, mas não é fresco – os cervejeiros não querem o sabor do lúpulo, somente suas qualidades conservantes. Após a fermentação primária, a cerveja matura quatro semanas antes de ser bombeada para as adegas. Uma visita a essas câmaras é uma visão extraordinária: são fileiras e mais fileiras de tonéis gigantes de madeira, alguns de 1830. A temperatura fica a agradáveis 15°C e a bebida passa dois anos ali. Nesse tempo, as leveduras silvestres e os micro-organismos que habitam os antigos tonéis fazem seu trabalho, alimentando-se do oxigênio que permeia o carvalho e tornando a cerveja ácida e azeda.

A cerveja degustada diretamente da madeira é fortemente ácida, frutada e terrosa. Como não tem gás, precisa ser misturada com cerveja jovem antes de ser engarrafada. A Rodenbach é a bebida do dia a dia; a Rodenbach Grand Cru deve ser reservada para uma experiência mais intensa. **JE**

Notas de degustação

Cerveja de cor rubi e aroma notavelmente azedo, amadeirado e acético de frutas vinosas. O sabor combina doçura e acidez; as frutas vinosas aguçam o malte suave e o caráter seco do carvalho. O fim de boca também é ácido, azedo e doce, além de seco.

Rodenbach Grand Cru

Brouwerij Rodenbach | www.rodenbach.be

País de origem Bélgica
Lançada em *ca.* 1885
Teor alcoólico 6% vol.
Temperatura ideal 6°- 8°C

A família Rodenbach já foi famosa no mundo da política e literatura belga e flamenga. Ela comprou em 1821 a sociedade de uma cervejaria na cidade de Roeselare que, em 1836, se tornou a Brouwerij Pierre Rodenbach Wauters. Eugène Rodenbach estudou cervejaria na Inglaterra e o destino o levou à costa leste do país, onde, naquele tempo, o processo usual ainda consistia em misturar cervejas maturadas em barris com cervejas jovens, em fermentação. Ele levou esse conceito para a Bélgica e, poucos anos antes de sua morte prematura em 1889, produzia essencialmente cervejas misturadas.

Os diretores seguintes da empresa tiveram dificuldade em custear o negócio, sendo forçados a vendê-la para uma empresa belga maior, a Palm, em 1998. A produção das cervejas da Rodenbach realmente é cara, e uma visita à cervejaria mostra o porquê: fila após fila de imensos tonéis de carvalho, indispensáveis para a complexa fermentação mista, enchem grandes adegas e salões e são mantidos por carpinteiros e outros artesãos – a Rodenbach não cuida apenas da cerveja.

A Rodenbach "básica" é uma cerveja misturada, fato bem conhecido. Mas nem todos sabem que a Grand Cru também é misturada: um terço de cerveja jovem e dois terços de maturada. Como a Rodenbach clássica, a Grand Cru é filtrada e pasteurizada, e chaptalizada muito discretamente (é adicionado açúcar ao mosto não fermentado para aumentar o teor alcoólico após a fermentação). Tendo em vista a cor da bebida, é notável que todos os maltes sejam claros. **JPa**

Notas de degustação

Marrom com brilho de Borgonha sob densa coroa de espuma com "renda belga". Nariz amadeirado com ácido lático, cerejas pretas e bolo Floresta Negra. Sabor vinoso, intensas notas de ácidos lático e acético, com alguma doçura, porém azeda e até adstringente. Ésteres frutados, mas límpida e metálica no paladar.

Róisin

Williams Brothers Brewing Company | www.williamsbrosbrew.com

País de origem Escócia
Lançada em 2007
Teor alcoólico 4,2% vol.
Temperatura ideal 8°C

Alloa, na Escócia, costuma ser chamada de "Burton-on--Trent do Norte" devido à quantidade de cervejarias na cidade e à herança de diversas cervejas notáveis elaboradas pelas mais famosas famílias produtoras do país, como Younger, Calder e Arroll. Em certo período, oito cervejarias fervilhavam nessa cidade no centro da Escócia, de 15 mil habitantes, e boa parte da reputação se devia às cervejas da Alloa Brewery, de 1810. Hoje resta apenas uma cervejaria a Williams Brothers Brewing Company (antiga New Alloa Brewery), de Bruce e Scott Williams, revitalizou o setor e forjou uma imensa reputação de empreendedorismo e inovação associada a excelentes cervejas. As bebidas feitas pelos irmãos Williams conquistaram um lugar especial no coração e na culinária do país.

A Róisin (pronuncia-se *rou-xin*) é aromatizada com *tayberry*, fruta peculiar que cresce em abundância no solo fértil de Perthshire ao longo do rio Tay, um dos principais rios de salmão da Escócia. A fruta é híbrida de amora e framboesa mas muito maior, mais doce e mais aromática do que suas meias-irmãs.

Os cervejeiros belgas são mestres em elaborar cervejas com sabores de framboesa, morango e cereja, e os irmãos Williams chegam perto de emulá-los com a Róisin, que significa "vermelha" em gaélico. A cada estação, as frutas são colhidas à mão e congeladas. Entre outros ingredientes escoceses silvestres usados nas cervejas há alecrim-do-norte, filipêndula, pinho e pícea. **AG**

Notas de degustação

Interessante cerveja frutada, encorpada, com notas de frutas vermelhas e leve sabor de malte ancorando o agridoce da tayberry. *É rosada com toques vermelho-acastanhados. O sabor dominante de* tayberry *é acompanhado por traços de amora e seguido por uma doçura maltada.*

Rosée d'Hibiscus

Brasserie Artisanale Dieu du Ciel!
www.dieuduciel.com

País de origem Canadá
Lançada em 2006
Teor alcoólico 5% vol.
Temperatura ideal 5°C

Vendo o ponto de exclamação que os fundadores do bar e cervejaria Dieu du Ciel!, de Montreal, decidiram incluir no nome da empresa, imaginamos que eles soubessem que suas cervejas se destinavam à grandeza. Na verdade, visavam dar um efeito enfático, no sentido em que exclamaríamos "Deus do Céu!" ao ter uma surpresa – como ver uma cerveja aromatizada com flor de hibisco. E, realmente, a cervejaria se delicia surpreendendo os clientes com combinações incomuns, interessantes e às vezes revoltantes.

O cervejeiro Jean-François Gravel demonstrou habilidade em quase todos os estilos que experimenta, especialmente usando ingredientes incomuns. A Rosée d'Hibiscus é uma ale delicada, aromatizada com pétalas de hibisco que conferem não só uma cor rosada como também uma leve acidez que torna a cerveja de trigo mais seca e refrescante. **SB**

Notas de degustação

Nariz floral, com várias dimensões graças às notas cítricas do trigo. A acidez, os suaves tons frutados (melão, lichia) e um leve ar de grãos deixam o corpo multifacetado.

Route des Épices

Brasserie Artisanale Dieu du Ciel!
www.dieuduciel.com

País de origem Canadá
Lançada em 2002
Teor alcoólico 5% vol.
Temperatura ideal 8°C

O observador casual pode ser desculpado por pensar que a Dieu du Ciel! não passa de um bar e cervejaria de bairro, devido ao tamanho modesto, à localização em uma esquina do planalto residencial de Montreal e ao ar despojado. O cervejeiro Jean-François Gravel é discreto e modesto, e pode passar despercebido sentado no bar, observando os grupos que apreciam e, por vezes, se maravilham com sua mais recente criação na arte cervejeira.

Gravel elabora clássicos com ingredientes que nunca estariam em uma cerveja, como a pimenta-do-reino, que complementa o notável aroma condimentado da Route des Épices. Ele diz que conseguiu encontrar a proporção certa de centeio e pimenta no primeiro teste que fez – algo que qualquer cervejeiro dirá que não deve ter sido assim tão simples. **SB**

Notas de degustação

O aroma traz pimenta-do-reino aromática misturada com notas de cacau e frutas desidratadas leves. No corpo, o caráter condimentado cede lugar a cappuccino e malte caramelado.

Sam Adams Utopias

Boston Beer | www.samueladams.com

País de origem Estados Unidos
Lançada em 2001
Teor alcoólico 27% vol.
Temperatura ideal 15°C

Muita gente insiste que a Utopias não é uma cerveja: 27% de teor alcoólico, sabor forte como de destilado, corpo de conhaque fino e nem uma bolhinha de gás. Jim Koch, presidente da Samuel Adams, ri dos descrentes e responde: "Eu sei que é cerveja porque preciso deixar dez centavos de crédito pelo vasilhame em Massachusetts."

A Utopias é feita essencialmente como qualquer outra cerveja, mas com uma quantidade insana de cevada e xarope de bordo, produzindo um mosto cuja gravidade é de incomparáveis 48 graus Plato. Todo o álcool é resultado da fermentação com levedura, segundo a empresa – nada mais é adicionado e não há destilação. Então, é envelhecida em diversos barris, entre eles de bourbon, Madeira e conhaque, e misturada com lotes anteriores, de até 1994. Cada safra varia, mas em geral é doce e maltada, com notas de baunilha e caramelo. **DR**

Notas de degustação
Notas fortes e aromáticas de caramelo, avelã caramelizada e xarope de bordo. Ao ser degustada, cobre a língua com uma camada espessa e oleosa de álcool lânguido e uma doçura complexa.

Schäazer Rogg'n

Brauerei Drei Kronen | www.kronabier.de

País de origem Alemanha
Lançada em 2009
Teor alcoólico 5,5% vol.
Temperatura ideal 8°C

As cervejas de centeio são raras na Alemanha, e Josef Lindner, mestre cervejeiro da Drei Kronen, não tinha experiência com esse ingrediente. Consultou seu malteiro e um cervejeiro com experiência em centeio e criou uma receita com no mínimo 50% de malte de centeio e um pouco de maltes de trigo e cevada. Ele os macerou com o método de decocção em dois passos que já dera certo com a cerveja de trigo, além de usar a mesma levedura eficaz que utiliza na sua Weizenbock premiada. Ao provar a cerveja durante a segunda fermentação, Lindner hesitou. Faltava aquele "algo mais".

Felizmente, ele descobriu o que era: aumentando a compressão dos tanques, melhorou a carbonatação. Após o engarrafamento, a levedura fez um esforço adicional inédito e o resultado foi formidável. O primeiro lote se esgotou em três semanas. **SK**

Notas de degustação
O nariz é doce, lembrando mel e frutas tropicais, com um toque de grãos. O paladar sente uma carbonatação espumosa. O corpo frutado é elevado com sabores condimentados, como cravo ou noz-moscada.

Shangrila

Birrificio Troll | www.birratroll.it

País de origem Itália
Lançada em 2003
Teor alcoólico 8,5% vol.
Temperatura ideal 8°- 10°C

A Troll começou como um restaurante em 1983, em uma bela localização nas montanhas próximas da fronteira francesa. Os proprietários e gerentes eram dois irmãos, um dos quais era cozinheiro e diziam se parecer a um *troll* ou ogro – daí o nome do estabelecimento.

Em 2003, a Troll foi comprada por Alberto Canavese e transformada em cervejaria e bar, com ajuda dos cervejeiros Daniele Meinero e Andrea Bertola. Havia um senso de aventura no ar, o que os acabou levando a fazer experiências com o envelhecimento de cervejas. Começaram com uma Witbier ao estilo belga, a Panada, e a Shangrila, cerveja que também parece ser de inspiração belga, embora o papel central seja ocupado por especiarias do Himalaia. Foram elas que originaram o nome da cerveja, inspirado nas montanhas utópicas descritas em *Horizonte perdido*, de James Hilton, um local repleto de paz e alegria.

São utilizados três tipos de especiarias comumente empregados na culinária indiana – pimenta, canela e anis-estrelado. A receita pode parecer coisa de doido, mas estes hábeis cervejeiros produziram uma cerveja perfeitamente balanceada. Também são usados seis maltes diferentes e lúpulo inglês nesta cerveja rica e complexa. As cervejas servidas na Troll sempre harmonizam com pratos, e por isso foi criada a Shangrila Fumé: faltava a cerveja ideal para acompanhar carne grelhada. Ela é elaborada com malte defumado, típico das destilarias escocesas, e com menos especiarias e lúpulo que o usual. **ES**

Notas de degustação

De cor âmbar, com espuma cremosa e persistente. O nariz é rico, com notas claras de especiarias. Boca morna, condimentada e aveludada, com uma doçura agradável. Não deve ser servida muito gelada e fica perfeita com carne ou salame.

Siamese Twin Ale

Uncommon Brewers | www.uncommonbrewers.com

País de origem Estados Unidos
Lançada em 2008
Teor alcoólico 8,5% vol.
Temperatura ideal 10°C

Uncommon Brewers: este é um bom nome para uma cervejaria que está ficando cada vez mais conhecida por utilizar ingredientes orgânicos e apostar em sabores pouco convencionais para transformar radicalmente estilos tradicionais de cerveja. Inspirados nas dubbels belgas, em 2002 eles começaram a fazer experiências com diversas especiarias, como o coentro indiano, variedade rica em notas cítricas.

Um ingrediente pouco tradicional usado na Siamese Twin Ale é o capim-limão, comprado de um produtor local. Seu nome científico é *Cymbopogon* e compreende em torno de 55 espécies de grama nativas da Índia e da Ásia. Outro ingrediente diferente são as folhas de combava, um tipo de limão de casca grossa e irregular usado como aromatizante na culinária tailandesa. Como a combava não é produzida no norte da Califórnia, cujo clima se assemelha ao da Tailândia, a cervejaria está tentando conseguir alguém disposto a produzi-la localmente.

A Siamese Twin Ale é 100% orgânica, como todas as cervejas produzidas pela Uncommon Brewers. Os sócios chegaram à conclusão de que, para estabelecerem uma cervejaria na área da baía de São Francisco, conhecida pela preocupação com o meio ambiente, deveriam se comprometer a usar apenas ingredientes orgânicos, mesmo que isso limitasse as variedades de lúpulo e malte disponíveis. Apesar das dificuldades, a Siamese Twin Ale é um sucesso: ela ganhou o primeiro lugar no Organic Brewing Challenge de 2008, primeira competição da qual participou. **JB**

Notas de degustação

Cor laranja turva e imensa espuma marfim. No nariz, frutas frescas, especiarias e doces. De textura cremosa, é diferente e deliciosa; o capim-limão e as folhas de combava dão boa cobertura à doçura desta elegante dubbel de estilo belga.

Smokin' Bishop

Invercargill Brewery | www.invercargillbrewery.co.nz

País de origem Nova Zelândia
Lançada em 2007
Teor alcoólico 7% vol.
Temperatura ideal 8°- 10°C

Poucas cervejarias fora da Irlanda conseguem ter uma stout como campeã de vendas, mas este é o caso da Invercargill Brewery. Ela está situada na cidade mais ao sul da Nova Zelândia e a cerveja, uma stout robusta e quase achocolatada chamada Pitch Black, é o antídoto ideal contra os ventos austrais que sopram da Antártica. O proprietário, Steve Nally, começou na cervejaria há 25 anos ao comprar alguns materiais para fazer cerveja artesanal depois de ver um anúncio em uma revista. "Perguntei ao meu pai se podíamos tentar, mas o gosto ficou horrível", admite. "No entanto, não me dei por vencido... achei em um supermercado uma caixa de lúpulo, e vinha com receitas de cerveja no verso. Comprei uma lata grande de Maltexo (extrato de malte), fui para casa, fiz um pouco de cerveja e dessa vez acertei."

A cervejaria tem colecionado sucessos desde que abriu em 1999 e Nally é considerado um dos astros da cervejaria artesanal neozelandesa. Sua lista de criações inclui uma pale ale ao estilo inglês, uma cerveja chamada de "honey pilsner" e uma intrigante cerveja sazonal de trigo aromatizada com *boysenberry*. Mas a mais celebrada da Invercargill é a Smokin' Bishop, a primeira cerveja defumada da Nova Zelândia.

A Bishop foi criada por Pru Bishop, aprendiz de Nally, inspirada nas cervejas bock maltadas de Bamberg, na Baviera, onde os cervejeiros ainda secam o malte sobre fogo. No entanto, enquanto os cervejeiros alemães usam faia no processo de secagem, Nally utiliza madeira da manuka, árvore nativa da Nova Zelândia. **GG**

Notas de degustação

Quando servida é de uma cor âmbar brilhante, com espuma bege. O aroma lembra o de bacon assando na fogueira. No paladar, o começo é doce, com notas de caramelo e alcaçuz, seguido por um sabor defumado picante e persistente que lembra chá Lapsang souchong.

St. Peter's Fruit Beer (Grapefruit)

St. Peter's Brewery | www.stpetersbrewery.co.uk

País de origem Inglaterra
Lançada em 1997
Teor alcoólico 4,7% vol.
Temperatura ideal 6°- 8°C

O ditado "Não se deixe levar pelas aparências" se aplica perfeitamente à St. Peter's. O que a princípio parece uma fazenda antiga é na verdade uma moderna cervejaria. A garrafa de formato original pode parecer uma peça de design contemporâneo, mas é uma réplica de uma garrafa do século 18. Finalmente, apesar de parecer invencionice, esta cerveja aromatizada conta com uma longa história.

Desde que nossos ancestrais na Mesopotâmia a provaram pela primeira vez, temos misturado à cerveja todo tipo de frutas, ervas e especiarias para melhorar seu sabor – e a St. Peter's não tem medo de fazer experimentos com as dádivas da natureza. A cerveja com toranja (ou *grapefruit*) foi uma das primeiras produzidas, parte de uma trilogia de cervejas com frutas criada pelo primeiro cervejeiro, Richard Eyton-Jones, que incluía uma com limão e gengibre e outra com baga de sabugueiro. A cervejaria também fez experiências com maçãs e canela, mas todas acabaram sendo descontinuadas e apenas a de toranja continua sendo produzida, com grande sucesso.

A cerveja de trigo em estilo bávaro da St. Peter's é usada como base para a fruta, que é adicionada como infusão ao final da fermentação. O amargor pungente da toranja lembra muito o dado pelo lúpulo, combinando muito bem com ele e acentuando seu caráter cítrico. O equilíbrio delicado entre o amargor da fruta e o do lúpulo torna a St. Peter's uma cerveja muito madura, sem a doçura enjoativa encontrada em outras cervejas com frutas. **ST**

Notas de degustação

O caráter floral e bem cítrico dado pela toranja, combinado com os sabores de frutas tropicais da cerveja de trigo, torna esta bebida muito refrescante. Ideal para acompanhar curry e pratos apimentados, mas boa também para se beber com sobremesas cítricas.

Supplication

Russian River Brewing | www.russianriverbrewing.com

País de origem Estados Unidos
Lançada em 2005
Teor alcoólico 7% vol.
Temperatura ideal 13°C

Ao se sentar no bar da Russian River em Santa Rosa, na Califórnia, olhe os barris de vinho nos quais a cerveja, ajudada pela fruta e pela levedura silvestre, é envelhecida. Acima da janela de vidro que separa os dois ambientes, foi pendurado um cartaz que pertenceu à New Albion Brewery (a primeira microcervejaria a abrir nos Estados Unidos após o fim da Lei Seca). Tudo está no lugar certo. Os proprietários Natalie e Vinnie Cilurzo – que administram o bar e a cervejaria nas redondezas – amam Pinot Noir, mas Vinnie produz cervejas que fazem sucesso pelo amargor e pelo sabor do lúpulo. Antes de criar a Supplication, Cilurzo produziu a Temptation, cerveja envelhecida em barris de Chardonnay e fermentada com uma única variedade de *Brettanomyces*. Para sua experiência seguinte, ele arrumou barris de Pinot Noir. Decidiu também adicionar mais variedades de levedura silvestre, além de 11 quilos de cerejas em cada barril: "Queríamos dar um passo a mais, mas ainda estávamos apenas explorando." A Supplication passa de 12 a 15 meses nos barris. "Depois de nove meses, ela adquire o sabor da cereja e da madeira, mas ainda está pouco ácida", diz Cilurzo.

Alguns apreciadores comparam o resultado às lambics belgas, apesar de a Supplication não sofrer fermentação espontânea. No entanto, Cilurzo e seu amigo Tomme Arthur (mestre cervejeiro da Lost Abbey Brewing) descobriram uma maneira de fazer a fermentação espontânea na Califórnia. Na Russian River, a cerveja é chamada Beatification e também está envelhecendo no bar, naqueles barris por detrás da vidraça. **SH**

Notas de degustação

Quando servida, tem a cor de uma cereja não muito madura e espuma esbranquiçada. No nariz muito complexo, cerejas ácidas e uvas maduras, complementadas por notas de framboesas e de morangos, além de fumaça. No paladar, os sabores de fruta são equilibrados por azedume ácido e pelos taninos.

Surly Coffee Bender

Surly Brewing | www.surlybrewing.com

País de origem Estados Unidos
Lançada em 2006
Teor alcoólico 5,2% vol.
Temperatura ideal 13°C

Você poderia pensar que cafeína e álcool são rivais incompatíveis, mas esse não é o caso da Coffee Bender, produzida pela Surly Brewing. Para criar esta cerveja com café, os cervejeiros começam com a Bender, sua famosa brown ale com aveia. Os maltes belgas e ingleses usados na Bender lhe dão aromas e sabores de cacau, café, caramelo e notas de baunilha e creme. A aveia dá suavidade e arredonda a cerveja.

Essa base, formada pela Bender, é dividida em lotes de 75 litros, e cada lote é submetido a uma infusão a frio de grãos de café da fazenda Finca Vista Hermosa, da Guatemala. Esse processo remove em parte a acidez do café e garante sabores mais suaves. Os cervejeiros da Surly desenvolveram a técnica de infusão a frio justamente para dar à Coffee Bender "aromas intensos de café". A ideia é que a cerveja se assemelhe a um café gelado e seja aromática como um saco de grãos de café.

O nome da cervejaria veio de uma viagem que o fundador, Omar Ansari, e sua esposa Becca fizeram a Portland, no Oregon, em 2005. Os dois conversavam sobre bares que serviam cervejas ruins quando Omar perguntou: "Como você se sente quando vai a um bar que não serve cerveja boa"? Becca respondeu: "Você fica enfezado (*surly*) e diz: 'Vamos sair daqui e procurar um bar que tenha cerveja decente.'" E foi por isso que a cervejaria foi fundada, com base na conclusão de que "a raiva surge quando não se encontra cerveja de qualidade". Desde 2006, eles têm feito o melhor que podem para garantir que ninguém fique enfezado em nenhum lugar onde suas cervejas são servidas. **JB**

Notas de degustação

A cor da Coffee Bender é de um marrom-escuro intenso e o colarinho é bege e espumoso. O nariz é impregnado de café recém-torrado e malte adocicado. O sabor de café é forte, mas é fácil de beber e muito equilibrado, com notas de toffee, caramelo e baunilha e apenas um leve toque de lúpulo ao final.

Survival "7-Grain" Stout

Hopworks Urban Brewery | www.hopworksbeer.com

País de origem Estados Unidos
Lançada em 2008
Teor alcoólico 5,3% vol.
Temperatura ideal 10°C

A Survival "7-Grain" Stout é como um canivete suíço: ela pode ser tudo o que você precisa para enfrentar qualquer situação. "A ideia por trás da Survival Stout é que uma garrafa deve conter tudo o que você precisa para sobreviver", diz Bern Love, da Hopworks Urban Brewery. "Se a cerveja é para ser o 'pão líquido', levamos o conceito ao extremo."

Além dos ingredientes comuns a outras cervejas, como cevada, trigo e aveia, a Hopworks Urban Brewery usa na Survival Stout amaranto, quinoa, espelta e trigo kamut. Segundo Love, os cervejeiros evitam adicionar muita proteína à cerveja para que ela não fique muito espumosa, mas, como a Survival Stout também leva uma boa dose de café forte por garrafa, a proteína tem suas vantagens. "A maioria das cervejas aromatizadas com café tem pouco ou nenhum colarinho por causa dele", diz Love. "Acho que mesmo com o café a proteína desses grãos ajuda a estabilizar a espuma da nossa cerveja."

Adicionar café dá um trabalho considerável aos cervejeiros. Eles começam colocando alguns quilos em três baldes com água filtrada, que então passam quatro dias em um refrigerador. O resultado da infusão a frio, um café muito forte, é coado para remover a borra e borbulhado com dióxido de carbono para remover o oxigênio antes de ser adicionado à stout durante o processo de filtragem. Os sete grãos usados na cerveja são fonte de importantes nutrientes. O teor alcoólico da bebida deixará você feliz e relaxado, mas não é alto a ponto de prejudicar sua agilidade. Além disso, o jato de café forte o deixará ligado. A Survival Stout é tudo o que você precisará beber para sobreviver ao fim do mundo. **LMo**

Notas de degustação

O sabor de grãos torrados e o aroma de café levam a uma cremosidade como a de um chocolate meio amargo com tons de café de Java. O final é suave e claro, com notas amargas agradáveis que o deixarão querendo mais.

Temptation

Russian River Brewing | www.russianriverbrewing.com

País de origem Estados Unidos
Lançada em 2000
Teor alcoólico 7,2% vol.
Temperatura ideal 13°C

A Temptation foi a primeira cerveja da Russian River que Vinnie Cilurzo envelheceu em barris de madeira e fermentou com uma variedade de levedura silvestre, mas essa pioneira abriu caminho para muitas outras. "Tudo começou porque eu queria fazer uma cerveja clara envelhecida em madeira", diz Cilurzo. "Eu adoro as lambics belgas, então decidi usar levedura silvestre nesta cerveja. A ideia de usar o barril para imprimir à bebida um pouco do sabor do vinho foi uma consequência natural." Ele tinha acabado de decidir fazer uma série de cervejas terminadas em "ation", inspiradas nas belgas. Naquela época, a Korbel Champagne Cellars, de Guerneville, na Califórnia, era dona da Russian River Brewing, mas Cilurzo e sua esposa Natalie acabaram comprando a marca e abriram sua própria cervejaria e bar.

O primeiro lote da Temptation encheu dois barris de vinho e envelheceu mais de um ano. Cilurzo adicionou à cerveja nos barris uma única variedade de *Brettanomyces*. Hoje, cada lote enche sessenta barris e leva outros tipos de leveduras silvestres, o que contribui para a complexidade e a acidez desta cerveja envelhecida em madeira.

O número de cervejas "ation" na série também aumentou. A primeira foi a Damnation, uma cerveja dourada comparada à Duvel. Cilurzo a fez pela primeira vez em sua casa, mas precisava de um nome. Um dia, ele estava voltando do trabalho quando o rádio começou a tocar a música "Hell", da banda Squirrel Nut Zippers, que usa a palavra "damnation". "Foi aí que me ocorreu fazer uma linha de cervejas 'ation'", diz ele. **SH**

Notas de degustação

Ela é dourada ao ser servida e muito carbonatada. Os aromas iniciais são de uvas brancas e frutas cítricas (especialmente abacaxi), seguidos por notas terrosas e de bolor. No paladar a sensação é semelhante: diversas frutas se fundem com uvas, carvalho e muita baunilha. O final é límpido e ácido.

Thornbridge Alliance

Thornbridge Brewery | www.thornbridgebrewery.co.uk

País de origem Inglaterra
Lançada em 2007
Teor alcoólico 11% vol.
Temperatura ideal 10°- 11°C

O nome desta cerveja extraordinária é uma referência à união dos cervejeiros da Thornbridge com Garrett Oliver, da Brooklyn Brewery, mas também pode referir-se ao casamento entre o barleywine e os tonéis de xerez e de Madeira nos quais a cerveja é envelhecida.

Desde seu início em 2005, a equipe de jovens cervejeiros da Thornbridge tem sido influenciada pelas ideias de cervejeiros artesanais americanos. A Thornbridge foi uma das pioneiras no envelhecimento em madeira, e Oliver queria produzir uma ale no estilo inglês antigo. Para a produção desta cerveja ele forneceu a receita e a levedura Brooklyn, e Stef Cossi, da Thornbridge, ofereceu a cervejaria, levedura Thornbridge, cevada Maris Otter, lúpulos Hallertau Magnum, East Kent Golding e Marynka e barris de madeira.

Eles nunca se esquecerão daquele dia, e não apenas porque Cossi mantém um registro meticuloso de tudo. Para conseguir a intensidade e o volume que desejavam, eles precisaram fazer a pasta macerada duas vezes. No dia seguinte, a fermentação estava tão vigorosa que a levedura espirrava dos fermentadores como um gêiser. A cerveja foi então maturada 18 meses e guardada mais três meses em barris de Pedro Ximénez e Madeira. As duas variantes foram engarrafadas, levando ainda açúcar e levedura de champanhe.

Os críticos a elegeram uma das melhores cervejas do mundo. Em poucos meses o estoque havia acabado, mas é provável que as garrafas ainda estejam sendo vendidas no mercado secundário. Esta cerveja continuará a melhorar com o tempo – e seu preço deverá refletir seu envelhecimento. **PB**

Notas de degustação

Para o lote de 2008, a cerveja usada como base revela um pouco de laranja e uma doçura maltada que lembra amanteigados e caramelo, com boa base alcoólica. A madeira imprimiu notas de carvalho, baunilha e vinho; os barris de Xerez conferiram sabores de frutas desidratadas e os de Madeira, de frutas e nozes.

Three Philosophers

Brewery Ommegang | www.ommegang.com

País de origem Estados Unidos
Lançada em 2003
Teor alcoólico 9,8% vol.
Temperatura ideal 10°C

Para você, qual é a cerveja ideal? Uma ale inglesa repleta de lúpulo? Uma aromática Hefeweizen alemã? Há alguns anos, um cervejeiro caseiro do Oregon chamado Noel Blake se fez essa pergunta enquanto participava de uma competição para "Criar uma Cerveja Excelente". Para ele, a pergunta não se resume ao estilo ou aos ingredientes da cerveja – é uma pergunta filosófica que nunca terá uma resposta definitiva. É o tipo de pergunta que teria inflamado os filósofos satirizados por William Blake em sua obra do século 18 *Uma ilha na Lua*. O ensaio de Noel ganhou a competição e acabou levando à criação desta cerveja.

A Three Philosophers, uma cerveja forte, é uma quadrupel no estilo belga. Segundo Phil Leinart, é a única entre as ales de inspiração belga produzidas pela Ommegang que não leva especiarias, e sim um pouco de kriek, um tipo de lambic belga aromatizada com cerejas. Leinart não revela o nome do produtor, mas diz que a kriek é autêntica e pode ser adquirida comercialmente. Na verdade, a marca não importa muito, já que o sabor de cereja é apenas um dos vários elementos a serem experimentados nesta obra-prima. A alma desta cerveja consiste de um malte caramelo muito escuro e da levedura da própria Ommegang, que conferem aromas de chocolate, uvas-passas e café.

Será esta a cerveja ideal? Esta é uma questão que os três filósofos imaginados por William Blake poderiam ter discutido. O epicurista, o cínico e o pitagórico, escreveu o poeta inglês, se reuniam e "não pensavam nada". Com um teor alcoólico de quase 10%, qualquer um poderia se juntar aos filósofos de Blake. **DR**

Notas de degustação

Ao ser servida, a cor é de um rubi intenso, como a de um vinho, e o nariz revela malte torrado, frutas escuras, baunilha, cereja, café, groselha, uvas-passas e chocolate. É extremamente suave no paladar, mas pouco doce. O final dá um choque alcoólico firme e agradável.

Timmermans Framboise Lambic

Brouwerij Timmermans-John Martin | www.anthonymartin.be

País de origem Bélgica
Lançada em *ca.* 1980
Teor alcoólico 4% vol.
Temperatura ideal 6°- 8°C

O sabor azedo e o aroma de manta de cavalo típicos das lambics dividem os entusiastas de cervejas e muitas vezes assustam aqueles que as experimentam pela primeira vez, mas são uma ótima base para cervejas belgas aromatizadas com frutas, como esta.

Com sede em Itterbeek, no vale do rio Senne, onde são feitas as verdadeiras lambics, ela produz lambics desde 1781. Hoje em dia, sob a vigilância do mestre cervejeiro Jacques Van Cutsem, a Timmermans produz uma variedade de cervejas aromatizadas com frutas com um distinto caráter de lambic. Além da Framboise, ela faz ainda a tradicional Kriek e a mais heterodoxa Pêche, com suco de pêssego.

As lambics da Timmermans são feitas a partir de uma antiga receita de cerveja de trigo. O lúpulo é adicionado depois que a base envelheceu dois ou três anos. Ele proporciona um amargor leve, mas sua função é proteger a bebida de infecções indesejáveis. As leveduras anemófilas penetram no mosto durante o resfriamento e começam o processo de fermentação espontânea. A seguir, a cerveja é transferida para barris de carvalho nas salas de maturação. Depois de seis meses, a bebida é conhecida como "lambic jovem" (as "lambics velhas" precisam envelhecer dois ou três anos). Quando as framboesas inteiras e maduras são adicionadas, os açúcares e a levedura natural iniciam outro período de fermentação e a cerveja é deixada para envelhecer mais seis a dez meses, quando então o processo termina. A cerveja azeda se transformou em um aperitivo róseo e borbulhante. É a história clássica da Cinderela (só que com cerveja). **ST**

Notas de degustação

Cerveja elegante, com a secura de um champanhe rosé. É suave, refrescante e intensa feito framboesa. O azedume da lambic equilibra sua doçura e o final é agradavelmente seco e amendoado. Sirva em uma taça de champanhe. Ideal como aperitivo ou sobremesa.

Tokyo*

BrewDog | www.brewdog.com

País de origem Escócia
Lançada em 2009
Teor alcoólico 18,2% vol.
Temperatura ideal 12°- 14°C

A controvérsia em torno desta cerveja mostra a diferença entre a cultura cervejeira britânica e a americana. Enquanto nos Estados Unidos ninguém teria ligado muito, na Escócia ela chegou a gerar debates no Parlamento. A cerveja mais falada da Grã-Bretanha no ano de 2009 causou alarme por seu teor alcoólico, e aqueles que acham que a cerveja deve ser bebida em *pints* parecem realmente ter acreditado que esta edição limitada a 3.000 garrafas de 330ml, vendida por US$15,99 (£9,99), era uma ameaça à saúde pública escocesa.

Como muitas vezes acontece, os detratores não tinham experimentado esta complexa imperial stout. A BrewDog, principal expoente britânica no uso de madeira para o envelhecimento de cerveja, mudou de patamar com a Tokyo*. A cerveja, produzida com maltes Maris Otter, Crystal escuro, caramalte e chocolate, cevada torrada e aromatizada com lúpulo Galena, jasmim e oxicoco, é lupulada a seco (*dry hopped*) e envelhecida com lascas de carvalho francês.

Como se esperaria de uma cervejaria escocesa, experimentá-la é como beber um uísque de qualidade. É impossível bebê-la a não ser vagarosamente, em porções pequenas. É uma pena, apesar de inevitável, que o teor alcoólico tenha se tornado o principal ponto da discussão, já que poucas cervejas têm tal intensidade de caráter e levam tão ao extremo a arte da cervejaria. A Tokyo* pede para ser bebida acompanhada do queijo mais maturado e fedorento que você encontrar – é muito difícil harmonizá-la com qualquer outra coisa. Ela ainda irá envelhecer e melhorar durante ao menos uma década, oferecendo possibilidades para o futuro que nem os cervejeiros têm como prever. **PB**

Notas de degustação

Stout de cor rubi escura com aromas potentes de uísque, álcool e melado, sugerindo resina de lúpulo e madeira fresca. O forte sabor inicial de baunilha dá espaço ao de cerejas, creme e chocolate e, mais para o final, a um sabor terroso seco e gratificante.

Upstream Gueuze-Lambic

Upstream Brewing Company | www.upstreambrewing.com

País de origem Estados Unidos
Lançada em 2005
Teor alcoólico 6,5% vol.
Temperatura ideal 7°C

"Omaha" é uma palavra de origem indígena americana que pode ser traduzida por "contra a corrente" ou "rio acima". No princípio, a ideia de uma cervejaria no Nebraska produzindo cervejas envelhecidas de estilo belga soa como nadar contra a corrente, mas ao experimentar as cervejas da Upstream percebemos que a região de Flandres não fica assim tão distante.

Fundada em 1996, a Upstream administra dois bares em Omaha. Sua seleção de cervejas na torneira oferece os tipos que você esperaria encontrar em um pub, como pale ale, blond ale e cerveja de trigo. Ela também produz a Bugeater Root Beer. No entanto, são as cervejas especiais de estilo belga ou envelhecidas em barris que se destacam.

Oud bruin, Flanders red ale, lambic, geuze, gose e Berliner weisse são tipos que se enquadram na categoria de cervejas azedas. Elas têm um azedume ácido que seria considerado um defeito na maioria das cervejas. Para os produtores de cervejas azedas, a existência de leveduras como *Lactobacillus*, *Brettanomyces* ou *Pediococcus* na cervejaria não é um problema – aliás, são bem-vindas.

A Upstream produziu a Gueuze-Lambic pela primeira vez em 2005, dando início a um programa de envelhecimento em barris com a chegada de vinte barris de carvalho francês de Cabernet Sauvignon. A base da Gueuze-Lambic é uma cerveja belga de trigo fermentada com leveduras silvestres belgas, que lhe imprimem um caráter azedo. Todo ano, mais cerveja de trigo é adicionada à base para suavizá-la um pouco. Normalmente, entre a produção e o seu engarrafamento podem se passar de 18 meses a dois anos. **RL**

Notas de degustação

Quando servida, a cor é um âmbar alaranjado turvo, com uma cabeça firme e duradoura. O aroma é imediatamente cítrico e amadeirado. Na boca, as papilas gustativas são bombardeadas por notas azedas. O sabor sugere carvalho, frutas cítricas, mel e sutis notas terrosas.

The Vine

Cascade Brewing | www.raclodge.com

País de origem Estados Unidos
Lançada em 2006
Teor alcoólico 9,2% vol.
Temperatura ideal 8°C

Ao contrário do que se poderia pensar, The Vine não é ume cerveja azeda de estilo belga. O mestre cervejeiro da Cascade, Ron Gansberg, prefere chamá-la – assim como a todas as cervejas azedas que produz – de "cerveja azeda no estilo do noroeste", uma referência à região americana banhada pelo Pacífico. "No começo, nossa inspiração eram as cervejas belgas", diz Gansberg. "As primeiras tinham nomes como 'Belgian Style Red', por exemplo, mas com o tempo desenvolvemos estilo e sabor próprios. Nossas cervejas são feitas no noroeste dos Estados Unidos e refletem nossa concepção de cervejas azedas – distintas das de outras regiões."

A área onde a Cascade Brewing está localizada também é uma região vinícola conhecida e respeitada. The Vine é o resultado do interesse de Gansberg em casar, através da fermentação, o suco de uma variedade americana de uva branca à cerveja. Ele levou dois anos desenvolvendo uma blond ale belga com especiarias para ser a base da The Vine, e usa uvas brancas colhidas à mão e prensadas na própria cervejaria para fazer o suco. Este é adicionado à cerveja envelhecida em barris, que é então fermentada durante três meses em tanques de aço inoxidável.

Gansberg, que trabalhou em vinícolas antes de se tornar cervejeiro, adiciona tripels azedas, quadrupels claras e golden ales à base da cerveja para fazer a The Vine. O resultado passa por uma fermentação lática de mais de seis meses e é envelhecido em pequenos barris de carvalho antes de ser comercializado. **LMo**

Notas de degustação

Surpreendentemente fresca e efervescente para uma cerveja de teor alcoólico elevado, The Vine tem uma qualidade azeda agradável, lembrando vinho, e revela uma doçura suave de baunilha. É o casamento feliz da cerveja com o vinho e deve agradar a fãs dos dois lados.

Wells Banana Bread Beer

Wells & Young's | www.wellsandyoungs.co.uk

País de origem Inglaterra
Lançada em 2002
Teor alcoólico 5,2% vol.
Temperatura ideal 10°-12°C

Banana não é o primeiro ingrediente que vem à cabeça quando se pensa em cerveja, mas muitos entusiastas mais curiosos já se surpreenderam ao experimentar a Wells Banana Bread Beer. Esta cerveja frutada, lançada em 2002 pela Charles Wells Brewery (como a Wells se chamava na época) e criada pelo mestre cervejeiro Jim Robertson, visava atrair os consumidores mais jovens. No entanto, ela não é um refresco, mas uma cerveja genuína, o tipo de produto que se pode esperar de uma cervejaria com mais de 130 anos de tradição. Hoje, a Wells & Young's é a maior cervejaria familiar independente do Reino Unido.

A primeira coisa que você nota quando experimenta a Banana Bread Beer é o aroma adocicado, natural e límpido de banana. Ao bebê-la, no entanto, o aroma de torta de banana fica em segundo plano, dando espaço ao amargor levemente efervescente do lúpulo. Você precisa experimentá-la para entender como esses dois sabores se complementam bem.

A palavra *bread* (pão) no título é uma referência à expressão saxônica para cerveja – *liquid bread* (pão líquido) – originada em um tempo em que era mais seguro beber cerveja do que água. A cerveja é feita com ingredientes de alta qualidade – lúpulos Golding e Challenger, malte Crystal e água de um poço cavado no terreno da própria cervejaria, localizada na zona rural inglesa. As bananas, que são amassadas e adicionadas à pasta macerada, são compradas de produtores com certificação Fairtrade. A mistura é fermentada sete dias para que a cerveja absorva bem o sabor da banana. **JM**

Notas de degustação

Ale de cor âmbar, sedosa e refrescante, com uma cabeça arejada e notas fortes de banana no nariz. É bem amarga e lupulada, com notas subjacentes de toffee e banana doce, e conduz a um final seco e aromático. Também é refrescante no paladar.

Wheat Wine Ale

Smuttynose Brewing | www.smuttynose.com

País de origem Estados Unidos
Lançada em 2005
Teor alcoólico 11,4% vol.
Temperatura ideal 8°C

Se o barleywine é uma ale forte feita com quantidades generosas de cevada, o que é o *wheat wine*? Enquanto o típico barleywine feito nos Estados Unidos é carregado no malte tostado e no lúpulo amargo, o *wheat wine*, criado pelo cervejeiro da Smuttynose David Yarrington, seduz o paladar com notas suaves de baunilha e frutas.

Phil Moeller, da Rubicon Brewing, geralmente recebe o crédito pela "invenção", no final dos anos 1980, do estilo conhecido como *wheat wine*. Outras cervejarias da Costa Oeste – Marin, Lagunitas e Steelhead – também exploraram o estilo ao longo dos anos. Mas foi Yarrington, da Smuttynose Brewing, quem o trouxe para a Costa Leste e produziu sua versão definitiva. No entanto, a definição foi um problema desde o início.

As autoridades federais rejeitaram as primeiras tentativas da Smuttynose de definir a cerveja como *wheat wine* porque ela não é realmente um vinho: o termo *wheat wine* poderia "confundir e enganar o consumidor", segundo as autoridades. O primeiro lote esperou um ano, maturando nas garrafas, até que Yarrington conseguiu convencê-las de que seu produto era legítimo. O resultado foi uma cerveja forte mas suave e delicadamente equilibrada, que provavelmente nunca será replicada.

Cada novo lote produzido é marcado por uma gama complexa de aromas suaves que sustentam esta cerveja pesada e com alto teor alcoólico. Há poucos exemplares desse estilo que tenham alcançado sucesso comercial, mas a qualidade do produto da Smuttynose convenceu o Grande Festival Americano da Cerveja a criar uma categoria para *wheat wines*. **DR**

Notas de degustação

Sem os aromas de lúpulo comuns aos barleywines americanos, o que sobressai no nariz desta mistura rósea e alaranjada é o malte. Após o primeiro gole, aveludado e lânguido no paladar, emerge uma mistura de baunilha e damasco.

Wisconsin Belgian Red

New Glarus Brewing Co. | www.newglarusbrewing.com

País de origem Estados Unidos
Lançada em 1995
Teor alcoólico 5,1% vol.
Temperatura ideal 3°- 6°C

Em 1985, Dan Carey, cervejeiro e sócio da New Glarus, estava estagiando na respeitada Brauerei Ayinger, ao sul de Munique, na Alemanha. Segundo sua esposa e sócia Deb, eles aproveitaram a ocasião para conhecer a Bélgica. Dan estava estudando a rígida disciplina da fabricação de lagers, mas "era apaixonado pela fermentação espontânea e pela aromatização de cerveja com frutas". Assim começou sua jornada por diversos estados americanos e muitas tentativas, "às vezes dando tudo errado", até que ele descobrisse o método ideal. A cerveja se tornou uma motivação: "A bebida aromatizada com cerejas que ele criou me fez acreditar que deveríamos abrir a nossa própria cervejaria", conta Deb. A New Glarus se tornou uma cervejaria de tamanho considerável, tão bem-sucedida que a produção não dá conta da demanda. É preciso viajar até o Wisconsin para comprar algumas garrafas.

Há muitas cervejas com frutas por aí, mas a maioria não se sobressai por conta do custo e da dificuldade de se trabalhar com frutas frescas de qualidade. Esta bebida não faz concessões: com quase meio quilo de fruta por garrafa, é uma explosão de cereja, dos tons mais profundos até a espuma. Sua preparação começa com uma brown ale fermentada espontaneamente. Enormes quantidades de cerejas ácidas Montmorency são adicionadas e o resultado é envelhecido em tanques de madeira antes de ser colocado em garrafas revestidas com cera de queijaria. A fermentação com leveduras silvestres não é questão de estilo: a acidez da cerveja azeda é necessária para ressaltar a fruta e atingir um equilíbrio agridoce agradável. A Wisconsin Belgian Red é a cerveja aromatizada com frutas mais premiada dos Estados Unidos. **RM**

Notas de degustação

No nariz, o aroma de torta de cereja com especiarias combina com tons suaves e terrosos de canela. No paladar é adstringente, o que ressalta a fruta. Sob tudo isso há uma boa brown ale azeda no estilo belga. O final é seco, frutado e limpo.

Xyauyù

Birrificio Le Baladin | www.birreria.com

País de origem Itália
Lançada em 2003
Teor alcoólico 13,5% vol.
Temperatura ideal 14°- 16°C

Xyauyù é o nome do amigo imaginário da filha do cervejeiro artesanal Teo Musso, e não é nenhuma surpresa que ele tenha adotado o nome para batizar sua cerveja mais inovadora. É muito difícil defini-la, já que ela une o mundo do vinho ao da cerveja – Musso a descreve como um "barleywine ao estilo italiano". Mas, nesse caso, as definições não são importantes. A Xyauyù é uma amostra perfeita da vastidão do universo cervejeiro. Muitos, ao bebê-la pela primeira vez, juram que não é cerveja. No entanto, seus únicos ingredientes são cevada maltada, levedura, lúpulo, água e algumas colheres de açúcar. Seu segredo está no processo de produção.

Musso pensou em criar uma cerveja oxidada que fosse semelhante ao vinho Madeira em 1996, mas o nome só foi dado em 2003. Primeiro, o mosto é fervido por um tempo maior do que o normal para que fique bem espesso; depois é adicionada uma levedura vinda de uma destilaria da ilha de Islay, na Escócia – a mesma usada na Elixir. A fermentação primária é difícil, lenta e muito longa, durando entre 30 e 40 dias; a temperatura é então reduzida para 0°C e mantida três meses assim. A filtragem é feita e, finalmente, a cerveja permanece em tanque aberto em um ambiente esterilizado por 14 a 18 meses. Ao final, ela é engarrafada e guardada mais cinco ou seis meses.

O último lote de Xyauyù ficou pronto em 2010 e consiste de mais ou menos 7 mil garrafas, mas seus aromas e sabores únicos fazem dela uma experiência obrigatória para todos os entusiastas de cerveja do mundo. **MM**

Notas de degustação

Ela não tem espuma e sua cor é quase um âmbar escuro. Muito complexa, tem aromas carregados com tâmaras, figos, frutas tropicais e uma nota leve de molho de soja. No paladar é suave e sedosa, lembrando muito o caráter de um Madeira ou Vin Santo.

YSPRID
Y
DDRAIG
6.5%
ABV
6.5%
ABV
THE
BRECONSHIRE
BREWERY

Ysprid y Ddraig

Breconshire Brewery
www.breconshirebrewery.com

País de origem País de Gales
Lançada em 2003
Teor alcoólico 6,5% vol.
Temperatura ideal 12°- 14°C

A Breconshire Brewery nasceu em 2002, quando o distribuidor de bebidas galês Howard Marlow comprou um kit de fabricação de cerveja e começou a procurar um cervejeiro. Justin "Buster" Grant ficou sabendo da oportunidade e resolveu aproveitar o casamento de um amigo nas proximidades para conferir. Mal havia chegado, foi recebido por Marlow com a frase: "Muito prazer, quando pode começar?" Buster deixou seu emprego na Brakspear Brewery numa sexta-feira e na segunda-feira seguinte começou na Breconshire.

Buster desenvolveu uma linha de cervejas premiadas para a Breconshire Brewery, mas a inspiração para a Ysprid y Ddraig veio enquanto degustava um copo de uísque envelhecido em barris de cerveja. Buster comprou um barril usado de uísque de uma destilaria local, encheu-o com a Golden Valley Extra Ale e a deixou maturando para o dia do padroeiro de Gales, São Davi. O barril de Ysprid y Ddraig desapareceu em um segundo – tão rápido que Grant quase não conseguiu provar – e Buster resolveu repetir a experiência. Ele comprou e encheu mais barris de uísque e hoje cada lote é envelhecido em barris diferentes, incluindo alguns de Bowmore. A Ysprid y Ddraig é uma cerveja sazonal, produzida em quantidades limitadas para ocasiões especiais, como o dia de São Davi, em 1º de março. O nome significa "espírito do dragão" em galês – o seu espírito é realmente lendário. **MC**

Notas de degustação
No paladar, notas medicinais surgem de imediato e se transformam em sabores de kirsch e de cereja com leve toque de torradas. O final é cristalino e levemente mineral.

Žatec Xantho

Žatecký Pivovar
www.zateckypivovar.cz

País de origem República Tcheca
Lançada em 2007
Teor alcoólico 5,7% vol.
Temperatura ideal 9°C

O lúpulo, além de aromático e delicioso na cerveja, também tem sido usado na medicina popular há milênios. Em 2006, o Instituto Tcheco de Pesquisas em Maltaria e Cervejaria fez uma experiência com a Lady Beer, uma cerveja que tentava aproveitar os benefícios do fitoestrogênio encontrado no lúpulo. O público-alvo eram mulheres na menopausa e que sofriam com os problemas advindos da queda nos níveis de estrogênio.

A Lady Beer nunca foi produzida comercialmente, mas no ano seguinte a Žatecký Pivovar lançou a Xantho com base em uma ideia semelhante. Ela não é apenas uma cerveja extremamente lupulada e amarga. Desenvolvida em conjunto com o Instituto do Lúpulo de Žatec, ela inclui doses mais altas de xantohumol e isoxantohumol, dois flavonoides antioxidantes encontrados no lúpulo e benéficos para a saúde por ajudarem na redução de oxidantes, na estabilização dos níveis de colesterol e por poderem até reverter os efeitos da osteoporose em mulheres na menopausa.

Os potenciais benefícios da Xantho à saúde não deixam o sabor e o aroma em segundo plano. Com 14 graus Plato, a Xantho é uma cerveja forte e escura, com intenso gosto de melaço e pão tostado, típico das dark lagers tchecas, apresentando ainda um final com notas de alcaçuz. Surpreendentemente, o lúpulo não é exagerado. **ER**

Notas de degustação
Carbonatação moderada, com uma espuma cor de areia densa e duradoura. Apesar de sua composição, o amargor é moderado e o aroma principal é de alcaçuz maltado.

← Uma cerveja galesa merece um dragão galês: Ysprid y Ddraig.

Glossário

Ácido alfa
Componente do lúpulo que produz o amargor. Quanto mais alto o teor de ácido alfa, mais amargo é o lúpulo.

Aditivos
Ingredientes incluídos no mosto, como farinha de trigo, arroz, milho, maisena ou sorgo; são componentes geralmente empregados para reduzir os custos ou para tornar o corpo da cerveja mais leve.

Ale escura
Como o próprio nome sugere, uma cerveja de coloração âmbar-escura ou castanha; as ales escuras do norte da Inglaterra geralmente são mais fortes do que as similares adocicadas do sul.

Ale
O nome deriva da palavra anglo-saxã *ealu*, que originalmente era uma bebida alcoólica maltada com ervas e especiarias para purificar, temperar e preservar. Até a introdução dos lúpulos na Grã-Bretanha, as palavras "cerveja" e "ale" significavam a mesma coisa. Posteriormente, "cerveja" passou a ser apenas a versão lupulada.

Ales monásticas
Cervejas com herança monástica, mas que hoje geralmente são produzidas sob licenciamento por cervejarias seculares.

Alta fermentação
Fermentação que acontece entre 15°C e 20°C. Nem todos os açúcares são fermentados, o que resulta numa cerveja mais doce e frutada do que as que passam pelo processo de baixa fermentação. Também conhecida como "fermentação a quente".

Alt
Cerveja de alta fermentação e acondicionada a frio feita em Dusseldorf, de coloração âmbar ou cobre.

Baixa fermentação
Fermentação que ocorre a baixas temperaturas, com a levedura se concentrando no fundo do tanque. Geralmente usada para lagers e também chamada (talvez com maior precisão) de "fermentação a frio".

Barleywine
Uma ale forte e de alto teor alcoólico que apareceu no Reino Unido no fim do século XIX.

Bière de Garde
Cerveja do norte da França, antigamente produzida em fazendas e embalada em garrafas de champanhe, em geral de coloração âmbar e com teor alcoólico superior a 6% vol.

Bitter
Cerveja de alta fermentação que surgiu no fim do século XIX no Reino Unido e que era vendida principalmente em barris em bares, onde ainda pode ser apreciada.

Bock
Cerveja forte, de baixa fermentação e amadurecida que teria surgido na cidade cervejeira de Einbeck, no norte da Alemanha. A doppelbock é uma versão ainda mais forte, superada apenas pela poderosa Eisbock.

Burtonização
Processo de produção de cerveja que teve início no século XIX e no qual sais minerais semelhantes aos encontrados na água da cidade de Burton-on-Trent são acrescentados ao líquido por outros produtores ansiosos por reproduzir as cervejas de Burton.

Caldeira
Tanque no qual o mosto é fervido e os lúpulos e outros flavorizantes são adicionados. Também chamada de "chaleira".

Cerveja cotidiana
Cerveja de teor alcoólico não muito intenso (geralmente entre 3,6% e 4% vol.), o que permite que os bebedores apreciem várias canecas antes de se embriagarem.

Cerveja
A palavra em inglês *beer* deriva do vocábulo anglo-saxão *beor*. Os termos "cerveja" e "ale" significavam a mesma bebida até o surgimento dos lúpulos. "Cerveja" é uma bebida alcoólica produzida com cereal fermentado, principalmente maltado, e que levou a adição de lúpulo.

Cevada
Cereal cujo grão em parte germina e em parte é torrado. Isto gera a cevada maltada, usada na primeira etapa da produção de cerveja.

Decocção
Método de preparação da mistura para cervejas do tipo lager no qual um pouco do mosto é retirado, aquecido e devolvido ao restante, supostamente para ajudar a converter o amido em malte doce.

Densidade original
Unidade de medida da força de uma cerveja, com base na quantidade de açúcares maltados fermentáveis presentes no mosto depois de feita a mistura. A água tem, por definição, densidade original de 1. Assim, uma cerveja com densidade original igual a 1,040 (medida comum para uma cerveja amarga normal) é aproximadamente 4% mais densa do que a água.

Dortmunder Export
Cerveja envelhecida de baixa fermentação que é mais seca e ligeiramente mais forte e menos amarga do que as pilseners típicas ou Helles; já foi popular entre os operários de Dortmund, mas hoje é um estilo raro e difícil de ser definido.

Double IPA
Versão mais forte e lupulada de uma India Pale Ale (IPA).

Dry Dubbel
Versão mais escura de uma ale monástica, com teor alcoólico entre 6 e 7% vol.

Dunkel
Cerveja lager ou de trigo escura.

Emaciamento
Teor de transformação dos açúcares em álcool e dióxido de carbono pela levedura durante o processo de fermentação. Quanto maior o emaciamento, mais seca e forte é a cerveja.

Éster
Conjunto de compostos voláteis produzidos pela ação da levedura no processo de fermentação da cerveja. Geralmente produzem um aroma e um sabor complexamente frutados.

Extreme Beer
Fenômeno da cerveja artesanal norte-americana representado por experiências feitas pelos cervejeiros com técnicas diversas, como o envelhecimento em tonéis de madeira, triplicando a quantidade de lúpulo ou acrescentando várias combinações de frutas, legumes e especiarias no mosto. É o equivalente, na produção de cerveja, ao *BASE jumping*.

Framboise/Frambozen
Lambics com sabor de framboesa ou cervejas "oud bruin"; um dos carros-chefes da cerveja belga.

Geuze
Mistura de lambics jovens e velhas, o que produz um ligeiro frescor semelhante ao do champanhe; as diferenças ortográficas se referem às variações francesas (*geuze*) ou flamenga (*gueuze*).

Gose
Cerveja de trigo de alta fermentação com especiarias e sal na mistura, uma especialidade de Leipzig.

Grãos para moagem
Cevada maltada triturada ou moída, pronta para ser acrescentada ao mosto.

Helles
O equivalente bávaro da pílsener, uma cerveja de sabor leve e com pouco malte.

Hopping
Prática de acrescentar um punhado de lúpulo (ou pastilhas de lúpulo) à cerveja embarricada.

IBU
Unidade Internacional de Amargor, uma escala que mede o amargor da cerveja.

Imperial Stout/Porter
Versões extrafortes de stouts e porters, sendo que a última ficou famosa por ter sido exportada do Reino Unido para a Rússia imperial no final do século XVIII.

India Pale Ale (IPA)
Cerveja muito lupulada e de alto teor alcoólico para suportar a viagem da Grã-Bretanha até a Índia em navios. Produzida pela primeira vez no século XIX, ela se tornou famosa no Raj indiano e ultimamente tem vivenciado um interessante ressurgimento.

Kellerbier
Cerveja alemã servida sem filtragem, diretamente dos armazéns.

Kilning
Processo no qual parte do malte germinado é seca em enormes fornos.

Kölsch
Cerveja dourada produzida com levedura de alta fermentação na cidade de Colônia ou em seus arredores.

Kräusen
Processo que acontece durante o período de maturação, durante o qual o mosto parcialmente fermentado é acrescentado à cerveja para dar início a uma segunda fermentação.

Kriek
Lambic com cerejas.

Lagering
Período de maturação das cervejas do tipo lager (em alemão, *lager* significa "acondicionar"). Supõe-se que a prática tenha começado na Bavária no século XV, depois que cervejas foram guardadas em cavernas frias, onde as baixas temperaturas estimularam uma fermentação mais lenta.

Lager
Termo genérico para toda uma família de cervejas de baixa fermentação que passaram por um processo de maturação.

Lambic
Cerveja de fermentação espontânea cuja terra natal é originalmente a região de Pajottenland, perto de Bruxelas.

Lúpulos aromáticos
Lúpulos com pouco ácido alfa e que são acrescentados à fervura nos estágios finais da produção, para ressaltar o sabor.

Lúpulos de amargor
Lúpulos com alto teor de ácido alfa, que conferem amargor à cerveja. Eles são acrescentados no início da fervura. Também são chamados de "lúpulos de cobre" ou "lúpulos da caldeira"

Märzen
Cerveja originalmente feita no final da estação, em março, e envasada em setembro; mais escura do que as cervejas comuns da Oktoberfest.

Mild
Ales levemente lupuladas, geralmente escuras.

Mistura
Processo no qual o malte moído é adicionado ao líquido quente da caldeira para se extraírem os açúcares da fermentação. Isto é feito borrifando-se a mistura com água quente. Usado principalmente no processo cervejeiro britânico.

Old Ale
Grupo de cervejas feitas para os meses de inverno, envelhecidas durante algum tempo e que desenvolvem traços de vinho; interpretações mais modernas as chamam de "licores de inverno", porque são mais doces.

Oud Bruin
Conjunto de cervejas flamengas que envelhecem durante muito tempo, geralmente em barris de carvalho. Também são chamadas de "Old Brown".

Pale Ale
Família de cervejas originárias do final do século XIX, cujo nome vem da prática de se usarem maltes claros na mistura. No Reino Unido, o termo geralmente se refere a cervejas engarrafadas, apesar de ter sido retomado pelos cervejeiros artesanais norte-americanos para se referirem a cervejas muito lupuladas (mas não tanto quanto as IPAs).

Pasteurização
Tratamento da cerveja filtrada com calor para matar quaisquer células remanescentes de levedura. Depois de feita a cerveja, ela pode passar por uma segunda fermentação ou pode ser filtrada ou pasteurizada antes de engarrafada, enlatada ou armazenada em barris.

Pilsener
Cerveja clara de baixa fermentação com lúpulos picantes sutis.

Steam Beer
Tradicionalmente uma cerveja de baixa fermentação maturada a temperaturas de uma ale.

Stock Ale
Cerveja forte tradicionalmente feita para ser envelhecida e usada para ser misturada a cervejas mais fracas e jovens.

Stout
Acima das porters, as versões mais fortes são chamadas "stout porters". Este estilo de cerveja escura assumiu um caráter próprio. Entre as várias versões estão a stout ao estilo irlandês, a stout "de leite" e a stout "de aveia".

Tanoeiro
Pessoa que constrói ou repara os tonéis de madeira nos quais as cervejas geralmente são acondicionadas. Uma raridade hoje em dia.

Trapista/monástica
Cervejas produzidas por sete monastérios trapistas, seis deles na Bélgica e um na Holanda.

Tripel
Cerveja clara e de alto teor alcoólico. A Tripel de Westmalle geralmente é vista como o modelo.

Vol.
Teor alcoólico – porcentagem de álcool na cerveja.

Colaboradores

Andrew Arnold (AA) mora em Copenhagen. Tem uma experiência de 15 anos como escritor para publicações gastronômicas e de bebidas. Trabalhou na Carlsberg como consultor de relações públicas durante seis anos. Ele escreve sobre a história das lagers no Reino Unido no site www.lager-frenzy.com.

Zak Avery (ZA) foi presidente da Associação dos Escritores Cervejeiros Britânicos em 2008. Ele administra uma das melhores lojas de cervejas do Reino Unido e compartilha sua paixão por meio do seu blog, Are You Tasting the Pith?, em www.thebeerboy.co.uk.

Jay R. Brooks (JB) escreve sobre cervejas há quase 20 anos em sua casa no norte da Califórnia. Ele é ex-gerente geral da publicação *Celebrator Beer News* e atualmente redige a coluna especializada "Brooks On Beer", publicada em jornais de todos os Estados Unidos.

Pete Brown (PB) é autor de vários livros de sucesso, entre eles *Hops and Glory: One Man's Search for the Beer that Built the British Empire* [Lúpulos e glória: a busca de um homem pela cerveja que construiu o Império Britânico]. Ele viaja o mundo em busca de grandes cervejas e escreve no seu blog, em www.petebrown.blogspot.com.

Melissa Cole (MC) é uma das maiores especialistas em cerveja do Reino Unido, com 10 anos de experiência escrevendo e falando sobre o processo de fabricação, bares e a relação da cerveja com a indústria hospitaleira. Ela também é jurada em alguns dos mais importantes campeonatos de cerveja do mundo.

Charles D. "Chuck" Cook (CC) é escritor freelance e vive em Baltimore, Maryland, nos Estados Unidos. Ele já visitou quase 100 cervejarias belgas e mais de 200 cafés-cervejarias em 19 viagens ao "País das Cervejas". Atualmente, ele trabalha em seu livro sobre a Bélgica e sua incrível cultura cervejeira.

Des de Moor (DdM) é um dos maiores especialistas britânicos em cervejas engarrafadas. Desde 2002, ele escreve regularmente uma coluna com críticas a cervejas engarrafadas e às vezes contribui para a publicação da Campanha em Prol da Real Ale, a *BEER*.

David Downie (DD) é um dos principais críticos de cerveja da Austrália e escreve sobre cervejas e a cultura cervejeira desde os anos 1990. É o fundador do site australianbeers.com e sócio de um grande escritório de advocacia.

John Duffy (JD) mora em Dublin e escreve um blog sobre a indústria cervejeira irlandesa e mundial em thebeernut.blogspot.com. Ele é ainda o administrador da principal fonte on-line sobre cerveja e o processo de produção de cerveja da Irlanda, o site www.irishcraftbrewer.com.

Jeff Evans (JE) editou oito números da publicação *Good Beer Guide*, da Campanha pela Ale Verdadeira, e escreveu sete edições da publicação *Good Bottled Beer Guide*. Ele é ainda autor de *The Book of Beer Knowledge* [O livro fundamental da cerveja] e *A Beer a Day* [Uma cerveja por dia], além de ter sido nomeado Escritor Cervejeiro do Ano por seus colegas da Associação de Escritores Cervejeiros Britânicos. Mais sobre o trabalho de Jeff pode ser encontrado em www.insidebeer.com.

Alastair Gilmour (AG) é um dos escritores cervejeiros mais inteligentes do Reino Unido. Ganhador de vários prêmios, escreve regularmente em publicações especializadas. Gilmour já contribuiu para dois livros de sucesso e foi jurado em festivais cervejeiros em cidades do mundo inteiro, entre elas Londres, Nova York, Praga e Berlim.

Simon Gray (SG) é um escritor freelance e DJ de restaurantes e bares. Ele mora em Hertfordshire e suas especialidades são viagens, música, comida e bebida.

Geoff Griggs (GG) O "Caçador de Cervejas" Michael Jackson escreveu: "Conheci Geoff Griggs bebendo no bar do Fuller, perto da nossa casa, no oeste de Londres. Hoje ele é um incansável e exigente repórter da indústria cervejeira da Nova Zelândia."

Tim Hampson (TH) tem um dos melhores empregos do mundo: ele é pago para beber cerveja. Escritor e apresentador de cervejas, ele viaja o mundo em busca da bebida perfeita.

Bryan Harrell (BH) é um escritor cervejeiro residente em Tóquio com muito conhecimento sobre a indústria cervejeira japonesa. Ele publica um informativo sobre o assunto em www.bento.com/brews.html.

Stan Hieronymus (SH) já viajou várias vezes pelos Estados Unidos escrevendo sobre cervejas. Ele já lançou sete livros, entre eles *Brew Like a Monk* [Faça cerveja como um monge] e *Brewing With Wheat* [Produzindo cerveja com trigo]. Ele escreve regularmente no site www.appellationbeer.com.

Andrew Howitt (AH) é um experiente jornalista freelance, tradutor e escritor especializado em cervejas sul--americanas. Andrew passa boa parte do tempo no Brasil explorando a emergente indústria de cervejas artesanais do país.

Sylvia Kopp (SK) escreve sobre cervejas como freelance. Ela é uma mestra-cervejeira diplomada pela Academia Doemens, uma escola perto de Munique. Ministra cursos e degustações e trabalha como jurada em concursos internacionais como a Copa do Mundo de Cerveja (Estados Unidos) e o Campeonato Europeu de Cerveja (Alemanha).

Rick Lyke (RL) escreve para várias publicações, entre elas *All About Beer*, *DRAFT*, *Cigar Aficionado* e o jornal *Brewing News*. Seu blog, Lyke2Drink, fala sobre cerveja, vinho e coquetéis. Lyke fundou a campanha Pints for Prostates (www.lyke2drink.com/pints), para ajudar homens com câncer de próstata.

Maurizio Maestrelli (MM) é um jornalista italiano especializado em culinária, vinho e cerveja. Ele colabora regularmente para várias revistas, entre elas *Gambero Rosso*, *Il Mondo della Birra* e *De Vinis*. Em 2006, foi eleito o Melhor Jornalista Cervejeiro pela Unionbirrai, a Associação Italiana de Produtores de Cervejas Artesanais. Entre seus livros estão *Birrerie d'Italia* e *Birra ai Fornelli*.

Jamie Middleton (JM) é um escritor freelance que mora em Bath, na

Inglaterra, com sua esposa e seu filho. Com mais de uma década de experiência como crítico de bares e restaurantes, ele gosta principalmente de falar sobre bebidas alcoólicas.

Lisa Morrison (LMo) adora falar sobre cerveja e tem feito isso oralmente e por escrito, no rádio e na televisão, há mais de uma década. Conhecida como "a Deusa da Cerveja", ela nos faz lembrar que "cada cerveja tem uma história".

Randy Mosher (RM) escreve sobre cerveja desde 1989 e é o autor dos livros *The Brewers Companion* (1991), *Radical Brewing* (2004) e *Tasting Beer* (2009). Randy é membro do corpo docente do Instituto Siebel de Chicago.

Laurent Mousson (LM) é um franco--suíço com uma longa e duradoura história de amor pelas ales britânicas. Ele está envolvido com a Associação dos Consumidores de Cerveja da Europa há mais de uma década.

Larry Nelson (LN) é editor da *Brewers' Guardian* (brewersguardian.com), a revista internacional dos produtores de cerveja; desde 2005, ele também é editor do *The Brewery Manual and Who's Who* [O manual da cervejaria e quem é quem], o conceituado guia anual da indústria de bebidas alcoólicas do Reino Unido.

Werner Obalski (WO) é um jornalista freelance, escreve sobre coquetéis e também sobre cerveja e vinho. Em 2008, ele publicou livros sobre xerez e tequila e colaborou para o livro *The Beer Book* [O livro da cerveja].

Chris O'Brien (CO) é o autor de *Fermenting Revolution: How To Drink Beer and Save the World* [A revolução da fermentação: como beber cerveja e salvar o mundo]. Ele também é diretor de sustentabilidade numa universidade norte-americana de dia e escreve no blog BeerActivist.com à noite. Entre um trabalho e outro, viaja pelo mundo pesquisando métodos tradicionais de fabricação de cerveja.

Michael Opalenski (MO) aprendeu a gostar de cerveja desde que se deparou com um kit de fabricação caseira em Pollenzo, na Itália, enquanto frequentava a Universidade de Ciências Gastronômicas. Sua paixão fermentou e amadureceu, levando-o a escrever uma tese. Hoje ele trabalha na indústria cervejeira com um importador norte--americano.

Ron Pattinson (RP), *bon vivant* e louco por história, assombra a internet com seus guias de bares e blog. Lager, AK, gose, mild, Barclay Perkins e levar seus filhos a bares são suas principais obsessões. Ele mora em Amsterdã.

Joris Pattyn (JPa) é um renomado crítico de cervejas finas e jurado em concursos de cervejas no mundo inteiro. Nascido na Bélgica, ele também colabora para várias publicações sobre cerveja.

Jeff Pickthall (JP) fundou o lendário bar-cervejaria Microbar, em Londres, em 2001. Mais tarde ele trabalhou para a Utobeer no mercado atacadista de Londres e a ajudou a montar seu bar, The Rake.

Evan Rail (ER) mora em Praga e é autor do livro *Good Beer Guide: Prague and the Czech Republic* [O livro da boa cerveja: Praga e a República Tcheca], além de escrever sobre cerveja e viajar por toda a Europa. Ele tem uma sede quase insaciável por lambics e geuzes.

Don Russell (DR) é mais conhecido como Joe Sixpack [João Engradado] e é repórter sobre a indústria cervejeira para o jornal *Philadelphia Daily News*, no qual sua coluna semanal é publicada. Ele é escritor, palestrante, bebedor, jornalista e duas vezes nomeado Escritor Cervejeiro Norte-Americano do Ano.

Tom Sandham (TS) é um premiado autor que colabora e edita importantes publicações da indústria cervejeira. Ele também escreve para jornais e revistas de circulação nacional e é coautor de *Good Beer Guide: West Coast USA* [O guia da boa cerveja: Costa Oeste dos EUA].

Conrad Seidl (CS) mora em Viena. Ele tem colunas sobre cerveja nas publicações *Getränkefachgroßhandel* e *Falstaff* e publica regularmente em revistas alemãs e norte-americanas, entre elas *All About Beer* e *Brewers' Guardian*. É o fundador da Kampagne fur Gutes Bier e editor da *Conrad Seidl's Bierguide*.

Eugenio Signoroni (ES) formou-se em Ciências Gastronômicas em 2008 e trabalhou no *Italian Beer Guide 2009* [Guia italiano de cerveja de 2009]. Ele também trabalhou na revista *The World of Fine Wine* e ajudou escritores de guias e donos de restaurantes como consultor e cozinheiro.

Stefania Siragusa (SS) nasceu em Torino, na Itália, e é formada pela Universidade de Ciências Gastronômicas. Ela escreve sobre gastronomia para revistas italianas e colabora para o jornal internacional *Haute Cuisine Apicius*, publicado pela Montagud Editores (Espanha).

Joe Stange (JS) é um jornalista freelance que mora em Bruxelas. Juntamente com o cervejeiro Yvan De Baets, ele escreveu o livro *Around Brussels in 80 Beers* [Ao redor de Bruxelas em 80 cervejas], publicado pela Cogan & Mater (www.booksaboutbeer.com). Joe já foi jornalista da agência Associated Press e passa suas férias em Springfield, no Missouri.

Adrian Tierney-Jones (ATJ) é um jornalista freelance premiado. Ele começou trabalhando com música, mas atualmente são a cerveja, o processo de fabricação e os bares que despertam sua atenção. Autor de vários livros e colaborador de várias revistas e jornais, ele viaja pelo Reino Unido e pela Europa à procura de novas cervejas.

Sally Toms (ST) foi editora da revista *Beers of the World* de 2006 a 2009. Ela é jurada regular no Campeonato Mundial de Cerveja e gosta de escrever sobre o assunto quase tanto quanto aprecia beber.

John Westlake (JW) é um premiado membro da Associação dos Escritores Cervejeiros Britânicos. Ele já visitou todos os continentes onde se produz cerveja e mais de 150 países em busca de estilos interessantes e incomuns.

Rafal Zakrzewski (RZ) é um dos fundadores do site AustralianBeers.com. Ele é doutor em direito pela Universidade de Oxford e trabalha como advogado com Clifford Chance.

Índice de cervejas por cervejaria

Créditos das fotos

Foram feitos todos os esforços possíveis para creditar os detentores dos direitos sobre as imagens utilizadas neste livro. Pedimos desculpas por qualquer omissão ou erro; neste caso, inseriremos os créditos corretos a empresas ou pessoas nas próximas edições desta obra.

37 Steve Terrill/Corbis **44** Stone Brewing **55** Travelpixs/Alamy **76** Broughton Brewery **85** Brasserie D'Achouffe **100** Peter M. Wilson/Alamy **107** Widmer Brothers Brewing **110** Alberto Paredes/Alamy **115** Carlsberg **125** Hair of the Dog Brewing **131** Fuller, Smith & Turner **134** Furthermore Beer **142** Getty Images/Hulton Archive/Imagno **144** Brauerei Locher **153** Lebrecht Music & Arts/Corbis **171** David Sanger Photography/Alamy **177** Duvel Moortgat **187** Duvel Moortgat **190** Plzensky Prazdroj **196** Jason Row/Alamy **203** Nils Oscar Brewery **209** Browar Okocim **224** Iain Cooper/Alamy **251** Mark Sunderland/Alamy **252** Interfoto/Alamy **267** Chris Fredriksson/Alamy **273** Silverport Pictures/Alamy **277** Consorcio Cervecero De Baja California **291** Aa World Travel Library/Alamy **298** Travelpixs/Alamy **300** Guildhall Library & Art Gallery/Imagestate Rm/Photolibrary **308** Dogfish Head **321** Angelo Hornak/Corbis **324** Thomas Cockrem/Alamy **332** Charles D. Cook **337** Jan Holm/FotoLibra **342** Advertising Archive **345** SABmiller **352** Brouwerij Corsendonk **354** Private Collection/Giraudon/The Bridgeman Art Library **384** Koninklijke Grolsch **429** Andia/Alamy **435** Orban Thierry/Corbis Sygma **440** The Print Collector/Imagestate Rm/Photolibrary **445** 32 Via Dei Birrai **453** Lebrecht Music And Arts Photo Library/Alamy **460** Envision/Corbis **463** Upperhall Ltd./Robert Harding Travel/Photolibrary **472** Advertising Archive **480** Budějovický Měšt'anský Pivovar **483** Sue Cunningham Photographic/Alamy **487** Interfoto/Alamy **489** Getty Images/Hulton Archive/Imagno **495** Hipix/Alamy **504** Everyman/Illustration: Andrzej Klimowski/Design: Peter B. Willberg **510** Taybeh Brewery Company **514** Martin Jenkinson/Alamy **518** Birra Malto/Michael Doulton **527** Imagestate Media Partners Limited – Impact Photos/Alamy **532** Norman Price/Alamy **543** Janet Czekirda/FotoLibra **550** Rooster's **562** Imagebroker/Alamy **564** The Art Archive/Kharbine-Tapabor **578** AKG-Images **591** Mauritius Images Gmbh/Alamy **630** Ian Shaw/Alamy **635** Charles D. Cook **677** Christophe Boisvieux/Corbis **691** Fuller, Smith & Turner **701** Advertising Archive **719** Pat Behnke/Alamy **723** Pivovar Kout Na Sumave **735** Marston's **740** Jack Carey/Alamy **751** Neil Setchfield/Alamy **761** David R. Frazier Photolibrary, Inc./Alamy **775** Mary Evans Picture Library/Alamy **786** Getty Images/Sean Gallup **795** Samuel Smith **799** August Schell Brewing Company **802** Rogue Ales **810** St. Peter's Brewery **816** Travelpixs/Alamy **822** Simon Belcher/Alamy **827** Unibroue **829** Innovative Advertising/Abita Brewing **832** Friedrich Stark/Alamy **836** Corbis **842** Rogue Ales **849** Owen Franken/Corbis **857** Brasserie Des Naufrageurs **861** Brouwerij Boon **876** White Images/Scala, Florence **903** Duvel Moortgat **913** Anchor Brewing Company

Fotografias encomendadas:

Simon Pask 23 28 29 30 31 32 40 49 50 52 53 58 60 62 69 70 71 72 74 75 78 79 80 84 90 91 96 102 109 112 114 117 118 119 129 130 132 133 137 138 150 151 162 163 165 167 172 184 185 186 193 194 199 200 201 202 205 213 218 220 221 222 223 225 226 227 230 231 232 233 237 239 242 244 245 246 249 250 256 258 262 263 265 269 272 275 278 286 287 289 290 293 296 297 301 304 305 307 310 315 320 327 328 331 336 338 339 340 346 347 349 353 357 360 363 364 365 367 372 373 381 391 392 393 398 400 401 404 405 407 412 413 414 415 416 417 419 422 424 430 431 432 433 436 439 443 449 450 457 465 467 469 470 479 482 485 494 503 505 507 509 512 513 515 516 522 525 529 530 531 538 539 546 547 548 549 552 553 559 561 566 572 574 575 579 583 586 589 594 595 597 598 600 604 605 606 607 615 618 619 622 623 625 626 627 633 639 643 644 646 647 648 650 651 654 656 657 660 661 662 663 666 669 670 679 681 682 683 684 685 690 695 696 699 700 702 703 706 707 708 709 710 711 714 721 724 725 726 728 729 736 737 739 741 742 743 744 745 746 747 747 749 752 753 754 755 756 757 758 759 762 763 764 765 766 768 770 771 772 777 779 782 788 789 796 797 800 805 815 819 820 821 824 825 834 838 839 850 854 858 859 860 862 863 864 865 866 882 883 888 890 891 894 902 905 907 909 910 921 922 923 926 928 929 934 936 940 941 942

Creative Publishing International (Anna DePagter, Audrey Johnson, Nick Lindemann, Keith Long, Katie Taylor) 22 25 34 35 38 42 47 59 63 64 65 68 73 81 82 83 89 94 97 99 103 104 105 106 116 122 136 139 146 147 157 164 166 170 173 174 175 182 183 192 198 210 211 212 214 215 216 217 234 238 243 247 247 248 260 261 264 279 281 288 292 306 312 314 322 323 329 334 335 343 356 362 374 380 382 390 406 408 418 442 447 447 452 456 458 459 461 471 478 484 491 499 500 502 512 520 521 528 536 537 576 581 585 592 593 596 601 602 603 608 614 632 636 637 638 640 641 645 649 659 664 665 668 671 676 678 680 689 692 694 697 698 712 720 727 767 770 773 776 783 790 791 801 803 806 812 818 831 843 851 855 867 868 869 870 871 874 879 887 889 900 904 906 908 912 915 917 918 927 930 931 932 933 935 938 939

Marc Veit Schwär 24 33 39 46 51 57 61 88 108 113 127 156 188 189 219 254 268 311 376 377 378 395 437 446 464 466 508 523 540 541 560 577 584 588 599 609 624 674 713 732 738 774 800 830 901 920

John Hollingshead 123 148 160 161 179 241 255 313 330 396 397 409 434 498 558 580 667 715 807 919

Brent Bossom Photography 43 128 149 195 240 366 451 468 490 573 582 675 804 895

Karel Kita 341 348 379 448 506 567 778

Frank Croes 383 587 888 911

Agradecimentos

Adrin Tierney-Jones gostaria de fazer um agradecimento especial a:

Sam Houston da Impact Agency, Pierhead Purchasing e Rupert Ponsonby e todos da R'n'R pela sua ajuda nos suprindo com as garrafas e copos.

Também gostaria de agradecer a todos os mestres-cervejeiros, de todo o mundo, que nos enviaram garrafas e copos, e aos editores e escritores que nos ajudaram a organizar a logística deste livro. Obrigado a Richard Cabburn pela sua ajuda com as garrafas Wadadli e ao renomado "contrabandista" de cervejas Jeff Pickthall pela ajuda com a Sakara Gold.

Além disso um obrigado especial a Jane e James por sua paciência.

Dedicado à memória do escritor Michael Jackson (1942–2007), o "Caçador de Cervejas"

A Quintessence gostaria de agradecer a todas as cervejarias que nos enviou garrafas, copos e imagens – este livro não seria possível sem essa ajuda. Além disso, gostaria de dizer muito obrigado às seguintes pessoas ou organizações por seu auxílio na criação desta obra:

Simon Pask; Michele Lanci-Altomare (Diretor Criativo da Creative Publishing International); Rich Milligan ("Colecionador de Copos de Cerveja" na myweb.tiscali.co.uk/beerglass collector); Corey Gray e Nathan Wiger da www.beerlabels.com; Beers of Europe, Ltd. www.beersofeurope.co.uk; Utobeer no Borough Market, London www.utobeer.co.uk; Chris Taylor; Meghan Bulmer da Alamy; The Advertising Archive; Natascha Wintersinger da AKG-images; John Moelwyn-Hughes da Corbis; Gwyn Headley e Yvonne Seeley da FotoLibra; Hayley Newman da Getty Images; Tim Kantoch da Photolibrary; Danny Browne da Scala Archives; Belgo Centraal no Covent Garden, London, U.K.; Belgo Clapham na Clapham High Road, London, U.K.; The Eagle na Old Street, London, U.K.; The White Horse na Parson's Green, London, U.K.; The Bread and Roses na Clapham Manor Street, London, U.K., e The Old Fountain na Baldwin Street, London, U.K.